Sylvie et Mario

LISTE ET NUMÉROS DES DÉPARTEMENTS

01	Ain
02	Aisne
03	Allier
04	Alpes-de-Haute-Provence
05	Hautes-Alpes
06	Alpes-Maritimes
07	Ardèche
08	Ardennes
09	Ariège
10	Aube
11	Aude
12	Aveyron
13	Bouches-du-Rhône
14	Calvados
15	Cantal
16	Charente
17	Charente-Maritime
18	Cher
19	Corrèze
2A	Corse-du-Sud
2B	Haute-Corse
21	Côte-d'Or
22	Côte-d'Armor
23	Creuse
24	Dordogne
25	Doubs
26	Drôme
27	Eure
28	Eure-et-Loir
29	Finistère
30	Gard
31	Haute-Garonne
32	Gers
33	Gironde
34	Hérault
35	Ille-et-Vilaine
36	Indre
37	Indre-et-Loire
38	Isère
39	Jura
40	Landes
41	Loir-et-Cher
42	Loire
43	Haute-Loire
44	Loire-Atlantique
45	Loiret
46	Lot
47	Lot-et-Garonne
48	Lozère
49	Maine-et-Loire
50	Manche
51	Marne
52	Haute-Marne
53	Mayenne
54	Meurthe-et-Moselle
55	Meuse
56	Morbihan
57	Moselle
58	Nièvre
59	Nord
60	Oise
61	Orne
62	Pas-de-Calais
63	Puy-de-Dôme
64	Pyrénées-Atlantiques
65	Hautes-Pyrénées
66	Pyrénées-Orientales
67	Bas-Rhin
68	Haut-Rhin
69	Rhône
70	Haute-Saône
71	Saône-et-Loire
72	Sarthe
73	Savoie
74	Haute-Savoie
75	Paris
76	Seine-Maritime
77	Seine-et-Marne
78	Yvelines
79	Deux-Sèvres
80	Somme
81	Tarn
82	Tarn-et-Garonne
83	Var
84	Vaucluse
85	Vendée
86	Vienne
87	Haute-Vienne
88	Vosges
89	Yonne
90	Territoire de Belfort
91	Essonne
92	Hauts-de-Seine
93	Seine-St-Denis
94	Val-de-Marne
95	Val-d'Oise

NORD
CHAMPAGNE-ARDENNE
ALSACE-VOSGES-LORRAINE
BOURGONE-MORVAN
JURA-FRANCHE-COMTÉ
AUVERGNE-BOURBONNAIS-VELAY
LYONNAIS-VIVARAIS-VALLÉE DU RHÔNE
ALPES
LANGUEDOC-ROUSSILLON-GRANDS CAUSSES
PROVENCE-PAYS NIÇOIS

Lille, Arras, Charleville-Mézières, Laon, Reims, Metz, Nancy, Strasbourg, Épinal, Colmar, Mulhouse, Troyes, Chaumont, Auxerre, Dijon, Besançon, Bourges, Chalon-s.-Saône, Lons-le-Saunier, Moulins, Montluçon, Mâcon, Annecy, Lyon, Chambéry, Clermont-Ferrand, St-Étienne, Grenoble, Le Puy, Aurillac, Valence, Gap, Mende, Rodez, Digne, Nice, Avignon, Nîmes, Montpellier, Aix-en-P., Marseille, Toulon, Carcassonne, Perpignan, Bastia

Préface

A travers les paysages les plus variés, d'innombrables routes pittoresques sillonnent en tous sens la France des bois et des champs comme celle de la montagne et de la mer ; tandis qu'elles traversent hameaux et villages pour aboutir aux portes des villes, elles côtoient, chemin faisant, les merveilleuses ressources touristiques de notre pays. Partez à leur recherche grâce aux 300 itinéraires — 305 exactement — contenus dans ce guide, qui vous mèneront au long de 50 000 kilomètres de routes tranquilles à la découverte de plus de 2 000 curiosités.

Parmi ces itinéraires, 10 sont « interrégionaux » et relient sur de longues distances, et par des routes peu encombrées et souvent champêtres, 15 grandes villes de France. 295 sont des itinéraires « de promenades » tracés le plus souvent en forme de circuit sur une distance variant de 10 à 300 kilomètres environ, au fil de routes secondaires ou de petites routes à l'allure campagnarde.

En ouvrant ce guide au chapitre consacré à la région qui vous intéresse — la liste des 20 chapitres figure page 45 —, vous n'avez plus qu'à choisir vos promenades parmi toutes celles que nous avons tracées dans cette région et qui sont répertoriées sur la première carte de chaque chapitre. Les sites naturels, les villages riches de trésors ou de traditions, les petites villes d'art ou les curiosités isolées qui méritent que vous vous arrêtiez pour en apprécier l'intérêt et en goûter la beauté sont les « points arrêts » *portés sur les cartes des itinéraires de promenades ; leur figuration sur la carte et leur présentation dans les textes sont expliquées à la page 45.*

Un bon nombre de ces itinéraires de promenades vous entraînent au cœur de la nature ; ils portent à leur place dans le livre un numéro inscrit sur fond vert*; certains sont entièrement ou partiellement pédestres. Les autres itinéraires, dont le numéro est inscrit* sur fond bleu, *vous conduisent vers des sites ou des monuments célèbres ou par trop méconnus : manoir, chapelle, village, vieux pont, etc. ; mais ces promenades ne négligent pas pour autant les richesses naturelles qui jalonnent leurs cours ; ainsi les curiosités les plus variées se succéderont tout au long de vos randonnées placées sous le signe de la diversité. En marge des itinéraires eux-mêmes, un sujet particulièrement intéressant a été traité spécialement dans chaque région sur une planche entière : le beffroi de Douai, les coiffes bretonnes, le moulin Richard-de-Bas, etc.*

Une illustration abondante, 480 photos en couleurs et 190 dessins, les uns en noir et blanc, les autres en couleurs, projette au fil des pages de cet ouvrage le film d'un voyage imaginaire à travers la France.

Un atlas routier de la France, à l'échelle de 1/1 000 000, vous est, en outre, offert dans ce guide ; il procure la vue générale indispensable sur le réseau de routes moyennes et grandes qui couvre l'Hexagone.

Avant qu'un index des sites, des lieux et autres curiosités touristiques décrites dans les itinéraires ne vienne clore ce guide, quelques notions techniques sur les formes du relief, l'architecture et les personnages célèbres cités dans le livre font écho à l'intérêt que vous aurez pris à vos promenades.

Et maintenant, bonne route !

SOMMAIRE

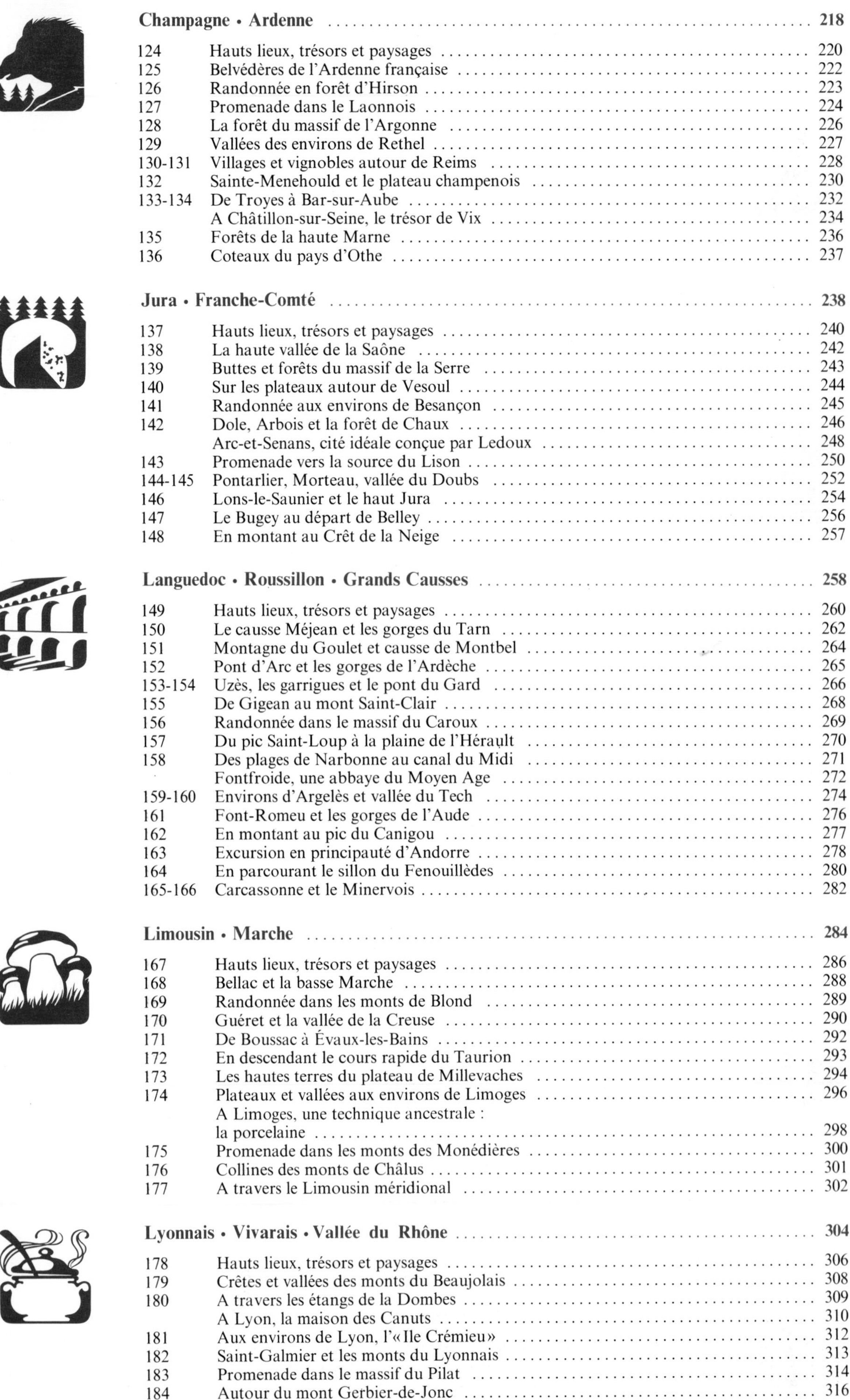

Champagne • Ardenne 218

Jura • Franche-Comté 238

Languedoc • Roussillon • Grands Causses 258

Limousin • Marche 284

Lyonnais • Vivarais • Vallée du Rhône 304

Atlas routier

Nouvelle cartographie originale au 1/1000000 (1 cm pou
dressée par Sélection du Reader's Digest

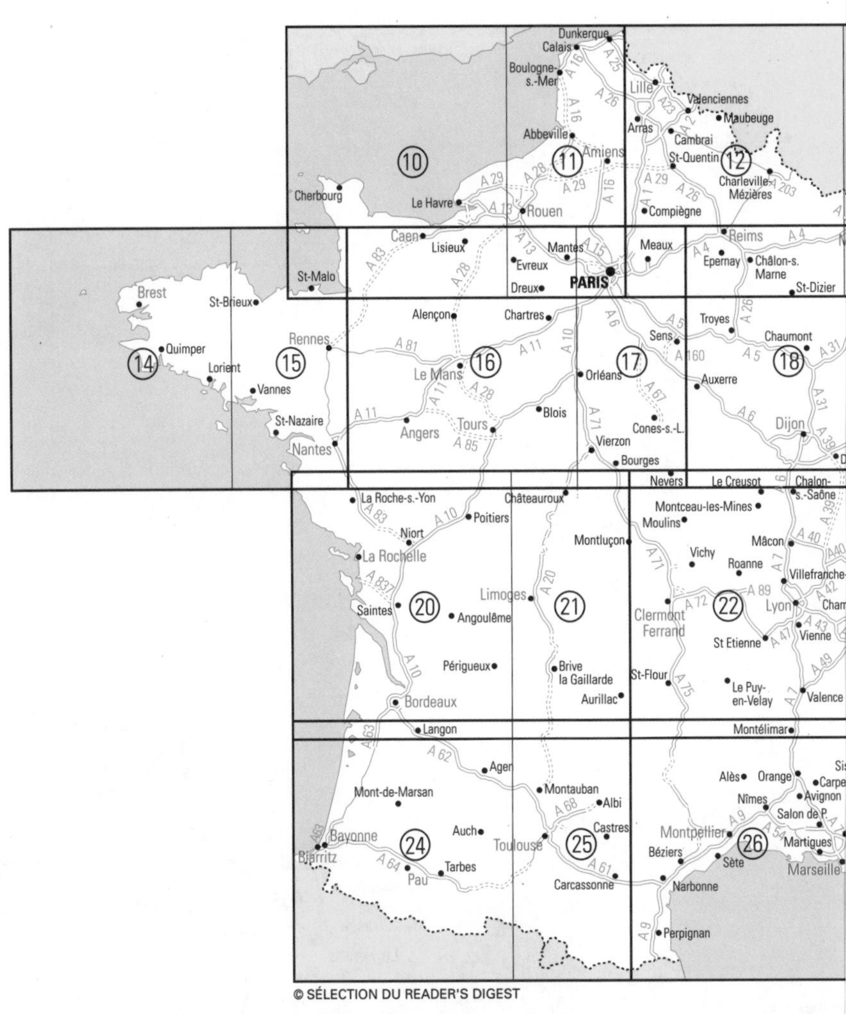

Les villes en rouge font l'objet d'un plan dans les volets de l'Atla

Sur cette carte routière de la France, 1 centimètre représente 10 kilomètres sur le terrain ; à cette échelle, les planches de cet atlas offrent une vue d'ensemble des régions que sillonnent les itinéraires de promenades (pages 45 à 508). Les volets assurent, comme dans les guides de la route de Sélection du Reader's Digest, une continuité de lecture d'ouest en est, et vice versa.

La pagination, dans les flèches jaunes en marge, renvoie à la suite de la cartographie au nord et au sud ; les noms des villes en rouge indiquent dans les marges les grandes directions. Dans la carte, en haut et en bas, les bandeaux jaunes horizontaux délimitent la zone de recouvrement (cartographie commune) ; et dans cette zone, les bandeaux jaunes verticaux localisent les pages décalées au nord et au sud.

Les diverses catégories de routes de cette carte sont par ordre décroissant d'importance : les auto-routes, les voies expr séparées et à quatre petites routes et les axes.

Dans les routes, la c national, le jaune, le tra le trafic local.

L'importance des villes de grosseur croissante

Le kilométrage entre le des chiffres bleus pour les grandes routes ; la bleues ou rouges.

Les échangeurs comp ou blancs) sont locali voies express.

Sur les volets de d'accès à 27 grandes

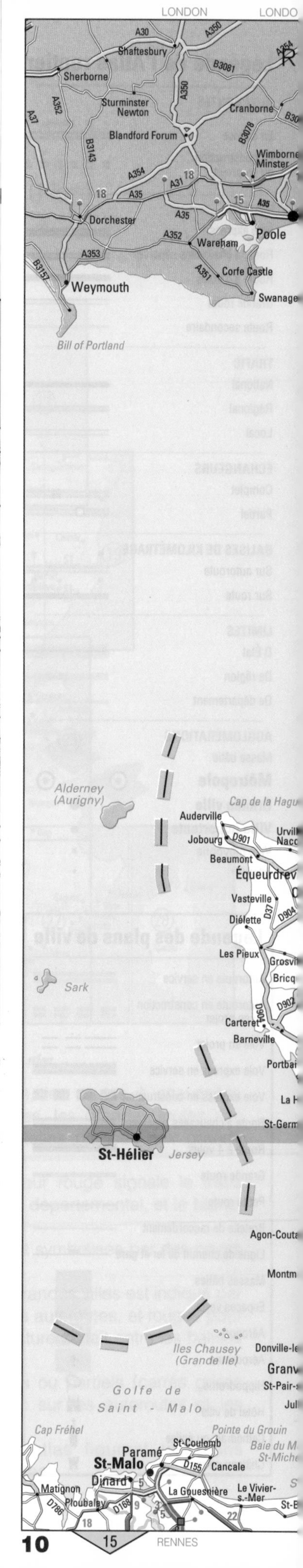

LONDON
LONDON
LONDON
ROYAUME-UNI
Winchester
Eastleigh
Botley
Southampton
Fordingbridge
Ringwood
Fareham
Gosport
Cosham
Portsmouth
Bournemouth
The Solent
Cowes
Yarmouth
Ryde
Newport
Sandown
Shanklin
Ventnor
Niton
ISLE OF WIGHT
St Catherine's Point
Chichester
Selsey
Selsey Bill
Bognor Regis
Midhurst
Petworth
Billingshurst
Horsham
Pulborough
Arundel
Littlehampton
Worthing
Cowfold
Hove
Brighton
Cuckfield
Haywards Heath
Burgess Hill
Lewes
Newhaven
Seaford
Uckfield
Crowborough
Heathfield
Hailsham
Polegate
Eastbourne
Beachy Head
Hawkhurst
Battle
Bexhill
Hastin
MANCHE
Pointe de Barfleur
Baie de la Seine
Cap d'Antifer
Cap de la Hève
St-Valery-en-Caux
Veulettes-s.-Mer
Cany-Barville
Fécamp
Étretat
Épreville
Valmont
Ourville
Héricourt
Goderville
Bréauté
Fauville
Bermonville
Heuqueville
Cauville
Angerville
Octeville-s.-Mer
Montivilliers
Harfleur
Bolbec
Trouville
Ste-Adresse
Le Havre
Lillebonne
Tancarville
Quillebeuf
Honfleur
Villerville
Trouville
Deauville
Villers
Houlgate
Dives
Cabourg
Ouistreham
Pont-l'Év.
Beuzeville
Foulbec
Bourneville
Pont-Audemer
Cormeilles
Épaignes
Blangy
Lieurey
Lisieux
Dozulé
Bonnebosq
Thiberville
Bernay
Boisney
Serquigny
Cherbourg
Tourlaville
Cosqueville
Barfleur
St-Pierre-Église
Quettehou
St-Vaast-la-Hougue
St-Martin-le-Gréard
Quettetot
Négreville
Valognes
Quinéville
Montebourg
Ravenoville
Colomby
Amfreville
Ste-Mère-Église
St-Sauveur-le-V.
Étienville
St-Côme-du-Mont
Grandcamp-Maisy
Vierville-s.-Mer
Longueville
Isigny-s.-M.
Port-en-Bessin
Arromanches
Courseulles
St-Aubin
Trévières
Mosles
Bayeux
Douvres
Creully
Carentan
St-Jores
Auvers
Sainteny
Lessay
St-Jean-de-Daye
Tournières
Airel
Cerisy-la-F.
Périers
Pont-Hébert
St-Sauveur-Lendelin
Marigny
St-Lô
Balleroy
Lingèvres
Tilly-s.-S.
Hérouville-St-Clair
Caen
Ifs
Troarn
Argences
Montsurvent
Coutances
Canisy
Caumont
St-Jean-des-B.
Torigni-s.-V.
Evrecy
May-s.-O.
Moult
Crèvecœur
La Boissière
Cerisy-la-Salle
Le Mesnil-Herman
Tessy-s.-V.
Villers-Bocage
Jurques
Aunay
Thury-Harcourt
Bretteville
Barbery
St-Sylvain
Mézidon
St-Pierre-s.-Dives
Boissey
Livarot
Orbec
Broglie
Landepéreuse
Beaumont
Beaumes
Hambye
Gavray
Villebaudon
Percy
La Graverie
Le Plessis-Grimoult
Calvados
Angoville
Jort
Amnéville
Vimoutiers
La Barre-en-Ouche
La Neuve-Lyre
Bréhal
Villedieu-les-Poêles
St-Sever
Vire
Estry
Vassy
Clécy
Falaise
Morteaux-Coulibœuf
Crocy
Le Sap
Glos-la-Ferrière
Fontenermont
Viessoix
Condé-s.-Noireau
Pont-d'Ouilly
Trun
Chambois
La Haye-Pesnel
Sartilly
St-Pois
Tinchebray
Flers
Nécy
Gacé
La Ferté-Frênel
Rugles
Genêts
Brécey
Sourdeval
Putanges
Fromentel
Argentan
Le Bourg-St-Léonard
Échauffour
L'Aigle
Avranches
Juvigny-le-T.
Ger
Messei
Écouché
Nonant-le-Pin
Aube
Crulai
Pontaubault
Ducey
Montigny
Mortain
Lonlay-l'Abbaye
Briouze
Orne
Le Merlerault
Moulins-la-M.
Barenton
La Sauvagère
Rânes
Boucé
Mortrée
Sées
Randonnai
Manche
ST-HILAIRE-DU-H.
DOMFRONT
16
ALENÇON
ALENÇON
10

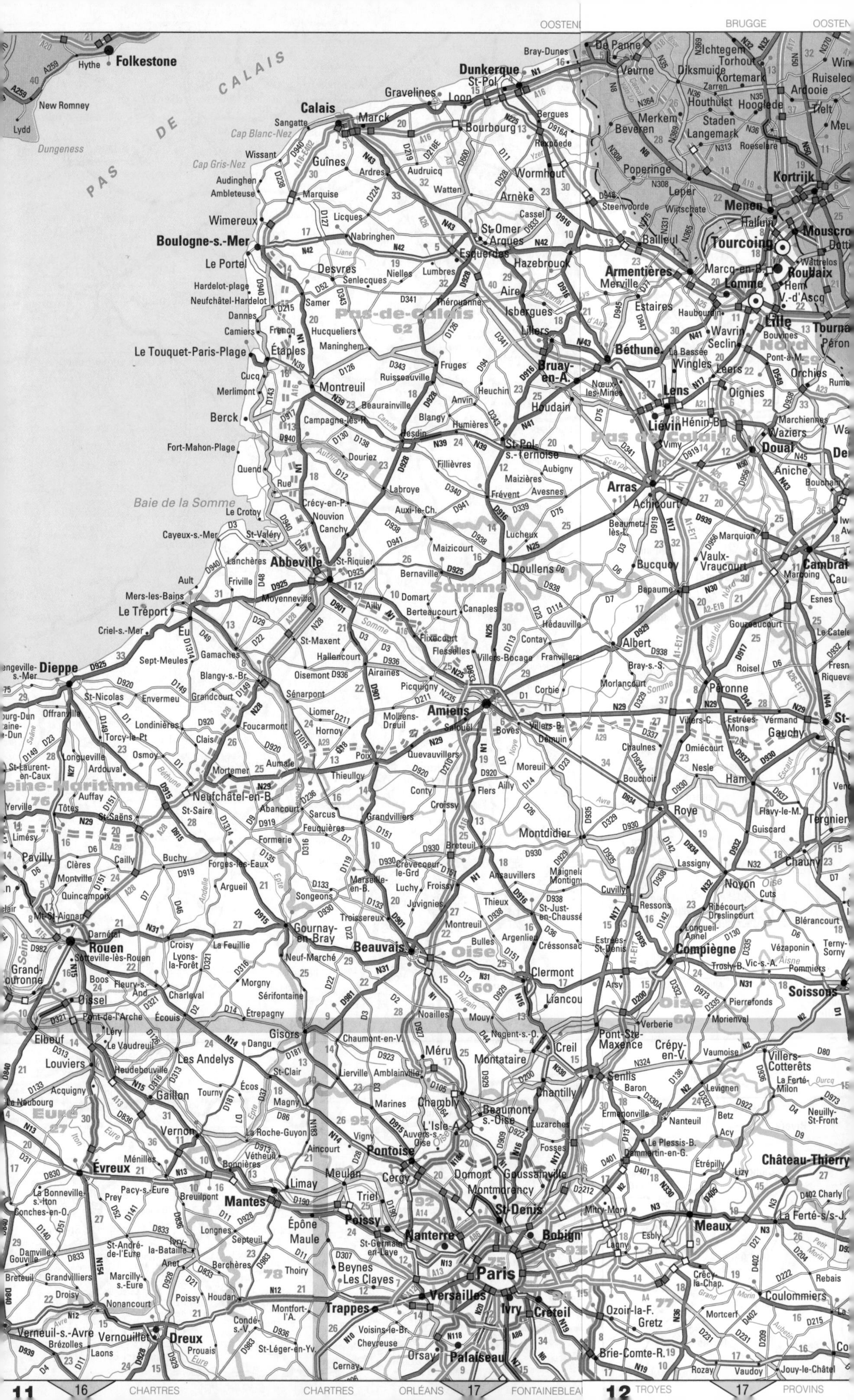
OOSTENDE
BRUGGE
OOSTENDE
Folkestone
Hythe
New Romney
Lydd
Dungeness
PAS DE CALAIS
Bray-Dunes
De Panne
Veurne
Diksmuide
Ichtegem
Torhout
Kortemark
Zarren
Houthulst
Hooglede
Ardooie
Roeselare
Staden
Langemark
Merkem
Beveren
Poperinge
Ieper
Kortrijk
Menen
Halluin
Mouscron
Tourcoing
Roubaix
Wattrelos
Hem
V.-d'Ascq
Lille
Tournai
Dunkerque
St-Pol
Gravelines
Loon
Calais
Marck
Sangatte
Cap Blanc-Nez
Wissant
Cap Gris-Nez
Bourbourg
Bergues
Rexpoëde
Guînes
Ardres
Audruicq
Watten
Wormhout
Audinghen
Ambleteuse
Marquise
Arnèke
Cassel
Steenvoorde
Bailleul
Wimereux
Licques
Nabringhen
St-Omer
Arques
Boulogne-s.-Mer
Le Portel
Esquerdes
Hazebrouck
Armentières
Merville
Desvres
Senlecques
Nielles
Lumbres
Aire
Isbergues
Hardelot-plage
Neufchâtel-Hardelot
Samer
Thérouanne
Estaires
Haubourdin
Lomme
Marcq-en-B.
Dannes
Camiers
Frencq
Hucqueliers
Pas-de-Calais 62
Lillers
Béthune
Wavrin
Seclin
Le Touquet-Paris-Plage
Étaples
Maninghem
Fruges
Bruay-en-A.
La Bassée
Wingles
Nord 59
Pont-à-M.
Orchies
Cucq
Merlimont
Montreuil
Ruisseauville
Heuchin
Nœux-les-Mines
Lens
Oignies
Houdain
Berck
Beaurainville
Campagne-lès-H.
Anvin
Blangy
Liévin
Hénin-B.
Marchiennes
Waziers
Humières
Hesdin
Fort-Mahon-Plage
St-Pol-s.-Ternoise
Vimy
Douai
Douriez
Fillièvres
Aubigny
Aniche
Quend
Maizières
Arras
Rue
Labroye
Frévent
Avesnes
Achicourt
Baie de la Somme
Le Crotoy
Crécy-en-P.
Auxi-le-Ch.
Nouvion
Cayeux-s.-Mer
St-Valéry
Canchy
Lucheux
Beaumetz-lès-L.
Marquion
Maizicourt
Vaulx-Vraucourt
Cambrai
Lanchères
Abbeville
St-Riquier
Bernaville
Doullens
Bucquoy
Marcoing
Ault
Friville
Mers-les-Bains
Moyenneville
Somme 80
Bapaume
Le Tréport
Domart
Berteaucourt
Canaples
Criel-s.-Mer
Eu
Gamaches
St-Maxent
Flixecourt
Flesselles
Hédauville
Contay
Albert
Gouzeaucourt
Hallencourt
Airaines
Villers-Bocage
Franvillers
Bray-s.-S.
Roisel
Dieppe
Sept-Meules
Blangy-s.-Br.
Oisemont
Picquigny
Corbie
Morlancourt
Péronne
St-Nicolas
Envermeu
Grandcourt
Sénarpont
Amiens
Boves
Villers-B.
Estrées-Mons
Vermand
Gauchy
Offranville
Liomer
Hornoy
Molliens-Dreuil
Saleux
Démuin
Villers-C.
Londinières
Foucarmont
Torcy-le-Pt
Clais
Poix
Quevauvillers
Chaulnes
Omiécourt
Longueville
Ardouval
Aumale
Moreuil
Nesle
Ham
St-Laurent-en-Caux
Mortemer
Thieulloy
Seine-Maritime 76
Neufchâtel-en-B
Conty
Flers
Ailly
Bouchoir
Auffay
Abancourt
Croissy
Roye
Flavy-le-M.
Yerville
Tôtes
St-Saire
St-Saëns
Sarcus
Grandvilliers
Montdidier
Guiscard
Tergnier
Limésy
Feuquières
Formerie
Pavilly
Clères
Buchy
Forges-les-Eaux
Breteuil
Ansauvilliers
Maignelay-Montigny
Lassigny
Chauny
Montville
Quincampoix
Argueil
Crèvecoeur-le-Grd
Marseille-en-B.
Luchy
Froissy
Cuvilly
Noyon
Cuts
Mt-St-Aignan
Songeons
Juvignies
Thieux
St-Just-en-Chaussée
Ressons
Ribécourt-Dreslincourt
Blérancourt
Darnétal
Rouen
Sotteville-lès-Rouen
Croisy
Lyons-la-Forêt
La Feuillie
Gournay-en-Bray
Troissereux
Beauvais
Montreuil
Bulles
Argenlieu
Cressonsac
Estrées-St-Denis
Compiègne
Longueil-Annel
Vézaponin
Terny-Sorny
Grand-Couronne
Neuf-Marché
Oise 60
Clermont
Trosly-B.
Vic-s.-A.
Pommiers
Boos
Fleury-s.-And.
Morgny
Sérifontaine
Liancourt
Arsy
Pierrefonds
Soissons
Oissel
Charleval
Étrépagny
Noailles
Mouy
Morienval
Pont-de-l'Arche
Léry
Le Vaudreuil
Écouis
Gisors
Chaumont-en-V.
Nogent-s.-O.
Verberie
Elbeuf
Dangu
Méru
Montataire
Creil
Pont-Ste-Maxence
Crépy-en-V.
Vaumoise
Villers-Cotterêts
Louviers
Les Andelys
St-Clair
Lierville
Amblainville
Senlis
La Ferté-Milon
Acquigny
Heudebouville
Gaillon
Tourny
Écos
Magny
Chambly
Chantilly
Baron
Levignen
Le Neubourg
Eure 27
Vernon
La Roche-Guyon
Marines
Beaumont-s.-Oise
Luzarches
Ermenonville
Nanteuil
Betz
Neuilly-St-Front
Ménilles
Vétheuil
Bonnières
Vigny
Aincourt
Pontoise
Auvers-s.-Oise
L'Isle-A.
Fosses
Acy
Le Plessis-B.
Dammartin-en-G.
Étrépilly
Château-Thierry
Évreux
Pacy-s.-Eure
Meulan
Cergy
Domont
Goussainville
Montmorency
Lizy
La Bonneville-s.-Iton
Conches-en-O.
Prey
Breuilpont
Mantes
Limay
Triel
Poissy
St-Denis
Mitry-Mory
Meaux
Charly
La Ferté-s/s-J.
Longnes
Septeuil
Épône
Maule
St-Germain-en-Laye
Nanterre
Bobigny
Esbly
Lagny
Damville
Gouville
St-André-de-l'Eure
Ivry-la-Bataille
Anet
Berchères
Thoiry
Beynes
Les Clayes
Paris
Crécy-la-Chap.
Rebais
Breteuil
Grandvilliers
Marcilly-s.-Eure
Droisy
Nonancourt
Poissy
Houdan
Montfort-l'A.
Trappes
Versailles
Ivry
Créteil
Ozoir-la-F.
Gretz
Mortcerf
Coulommiers
Verneuil-s.-Avre
Vernouillet
Brézolles
Dreux
Condé-s.-V.
Voisins-le-Br.
Chevreuse
Orsay
Palaiseau
Brie-Comte-R.
Rozay
Jouy-le-Châtel
Laons
Prouais
St-Léger-en-Yv.
Cernay

ANTWERPEN
ANTWERPEN
ANTWERPEN
EINDHOVEN
Gent
Evergem
Lokeren
Dendermonde
Mechelen
Vilvoorde
Beringen
Hasselt
Genk
Maasmechelen
Maastricht
Waregem
Zottegem
Aalst
Bruxelles
Leuven
Tienen
St-Truiden
Tongeren
Oudenaarde
Geraadsbergen
Halle
Wavre
Liège
Herstal
Seraing
Nivelles
Gembloux
Huy
Mons
La Louvière
Charleroi
Namur
Châtelet
Dinant
Ciney
Marche-en-Famenne
Valenciennes
Maubeuge
Philippeville
Givet
Rochefort
Chimay
Couvin
St-Hubert
Bastogne
Neufchâteau
Charleville-Mézières
Sedan
Florenville
Arlon
Hirson
Vervins
Guise
Laon
Rethel
Vouziers
Reims
Épernay
Châlons-s.-Marne
Ste-Ménéhould
Verdun
Montmédy
Longwy
Longuyon
Spincourt
St-Mihiel
Bar-le-Duc
Vitry-le-François
Sézanne
Ligny-en-Barrois
Ardennes 08
Aisne 02
Marne 51
Meuse 55
TROYES
TROYES
18
ST-DIZIER
CHAUMONT
LANGRES

NEUSS
NEUSS DÜSSELDORF
DORTMUND
Köln
Engelskirchen
Bensberg
Bergneustadt
Bergheim
Overath
Much
Waldbröl
Morsbach
Jülich
Elsdorf
Frechen
Kerpen
Troisdorf
Windeck
Erftstadt
Brühl
Eschweiler
Düren
Bonn
Eitorf
Stolberg
Froitzheim
Königswinter
Altenkirchen
Nideggen
Zulpich
Bad-Godesberg
Wollersheim
Bad Honnef
Euskirchen
Simmerath
Rheinbach
Remagen
Linz
Dierdorf
Gemünd
Gelsdorf
Monschau
Altenahr
Sinzig
Rengsdorf
Bad Münstereifel
Ahrweiler
Bad Hönningen
Bque Michel
Schleiden
Bad Breisig
Neuwied
Bendorf
Robertville
Brohl-Lützing
Andernach
Malmédy
Büllingen
Blankenheim
Adenau
Koblenz
Nürburg
Mayen
Bad Ems
Stadtkyll
Kobern-Gondorf
Lahnstein
Braubach
Kelberg
Monreal
St Vith
Boppard
Ulmen
Prüm
Gerolstein
Daun
Cochem
St-Goarshausen
Schönecken
Pronsfeld
Lutzerath
Kastellaun
Waxweiler
Manderscheid
Bacharach
ALLEMAGNE
Kappel
Simmern
Dasburg
Neuerburg
Kyllburg
Wittlich
Traben-Trarbach
Kirchberg
Sinspelt
Bitburg
Binsfeld
Hoscheid
Bernkastel-Kues
Büchenbeuren
Gemünden
Hetzerath
Diekirch
Sobernheim
Irrel
Schweich
Trittenheim
Ettelbruck
Ehrang
Morbach
Kirn
Echternach
Pfalzel
Katzenloch
Larochette
Trier
Meisenheim
LUX
Mersch
Grualinster
Mertert
Idar-Oberstein
Sien
Saeul
Konz
Pelligen
Hermeskeil
Birkenfeld
Walferdange
Baumholder
Lautereck
Luxembourg
Nohfelden
Mamer
Moutfort
Zerf
Saarburg
Altenglan
Trassem
Primstal
Kusel
Hespérange
Warden
Reichenbach-Steegen
Remich
Münzingen
Losheim
Esch
Frisange
ST-Wendel
Ramstein
Mettlach
Schmelz
Dudelange
Merzig
Lebach
Ottweiler
Sierck-les-B.
Waldwisse
Wiebelskirchen
Hettange-G.
Cattenom
Bexbach
Dillingen
Heusweiler
Thionville
Halstroff
Yutz
Florange
Saarlouis
Sulzbach
St-Ingbert
Homburg
Metzervisse
Zweibrücken
Guénange
Bouzonville
Völklingen
Püttlingen
Blieskastel
Moyeuvre
Briey
Maizières
Hagondange
Grossrosseln
Saarbrücken
Hornbach
Pirmasens
Vigy
Boulay-Moselle
Creutzwald
Forbach
Volmunster
L'Hôpital
Breidenbach
Woippy
Freyming-Merlebach
Farébersviller
Sarreguemines
Bitche
St-Avold
Metz
Fouligny
Pange
Folschviller
Rohrbach-lès-Bitche
Faulquemont
Hellimer
Lemberg
Rémilly
Verny
Grostenquin
Sarralbe
Han-s.-Nied
Moselle 57
Sarre-Union
Lorentzen
Tieffenbach
Rothbach
Bénestroff
Morhange
Drulingen
La Petit-Pierre
Ingwiller
Nomeny
Delme
Mittersheim
Pont-à-Mousson
Dieulouard
Fénétrange
Bouxwiller
Lemoncourt
Château-Salins
Dieuze
Étang de Mittersheim
Rauwiller
Phalsbourg
Étang de Lindre
Étang du Stock
Moyenvic
Sarrebourg
Frouard
Pompey
Azoudange
Saverne
Meurthe-et-Moselle 54
Arracourt
Marmoutier
Champigneulles
Lagarde
Maizières-lès-Vic
Héming
Dabo
Bas-Rhin 67
St-Max
Lorquin
Abreschviller
Wasselonne
Nancy
Varangéville
Dombasle
Einville-au-Jard
Lafrimbolle
Toul
Neuves-Maisons
CHAUMONT ÉPINAL
18
LUNÉVILLE
19
MOLSHEIM
LILLE
REIMS
METZ

Ile de Batz
Roscoff
St-Pol-de-Léon
Brignogan-Plage
Plouescat
Cléder
Plougasnou
Locquirec
Carantec
Taulé
Guissény
Plouguerneau
Lannilis
Lesneven
Le Folgoët
Le Drennec
Lanhouarneau
Ploudaniel
Plouguin
Ploudalmézeau
Porspoder
Plourin
Brélès
Bourg-B.
Plabennec
Gouesnou
St-Renan
Ile d'Ouessant
Ile Molène
Le Conquet
Pointe St-Mathieu
Brest
Guipavas
Landerneau
Landivisiau
Croix-Neuve
Morlaix
Plouigneau
Queff
St-Sauveur
Commana
Sizun
Plougastel-Daoulas
Daoulas
Lanvesc
Logonna-Daoulas
Landévennec
Camaret-s.-Mer
Crozon
Morgat
Tal-ar-Groas
Le Faou
Roudouhir
Réservoir de St-Michel
Quimerch
Brasparts
Pont-de-Buis
Pleyben
Châteaulin
MER
D'IROISE
Cap de la Chèvre
Baie de Douarnenez
Plomodiern
Cast
Plonévez-Porzay
Locronan
Plogonnec
Pointe du Raz
Ile de Sein
Douarnenez
Pont-Croix
Plogoff
Audierne
Pouldergat
Plouhinec
Landudec
Plozevet
Briec
Croix-Menez-Bris
Coray
Tourch
Quimper
Baie d'Audierne
Pouldreuzic
Plonéour-Lanvern
Pont-l'Abbé
Penmarc'h
Pointe de Penmarc'h
Guilvinec
Lesconil
Plobannalec
Loctudy
Fouesnant
Bénodet
Beg-Meil
Concarneau
Trégunc
Névez
Iles de Glénan
Lanmeur
Plestin-les-G.
Trémel
Plougonven
Lannéanou
Coat-ar-Herno
Scrignac
Berrien
Huelgoat
Poullaouen
Loqueffret
Finistère 29
Plonévez-du-F.
Carhaix-Plouguer
Port-Carhaix
Châteauneuf-du-F.
Trégourez
Gourin
Roudouallec
Scaër
St-Adrien
Rosporden
Bannalec
Quimperlé
Pont-Aven
Riec-s.-B.
Moëlan-s.-Mer
Clohars-Carnoët
Guidel
Lorient
Ploemeur
Larmor-Plage
Ile de Groix
Trégastel-Pl.
Trégastel
Perros-Guirec
Pleumeur-Bodou
Trébeurden
Lannion
Tréguier
Ploumilliau
La Roche-Derrien
Brélidy
Bégard
Plouaret
Pédernec
Belle-Isle-en-Terre
Plougonver
Calanhel
Bourbriac
Côtes-d'Armor 22
Callac
Locarn
Maël-Carhaix
Rostrenen
Gouarec
Etang du Coronoq
Plouray
Silfiac
Craojou
Le Faouët
Kernascléden
Guémené-s.-S.
Meslan
Locunel
Bubry
Arzano
Plouay
Pont-Scorff
Inzinzac-Lochrist
Queven
Hennebont
Lanester
Port-Louis
Merlevenez
Plouhinec
Belz
Etel
Plouharnel
St-Pierre-Quiberon
Quiberon
Sauzon
Le Palais
Belle-Ile
Locmaria
OCÉAN
ATLANTIQUE

MANCHE
St-Hélier
Jersey
Ile de Bréhat
Paimpol
Iles Chausey (Grande Ile)
Golfe de Saint - Malo
Cap Fréhel
Pointe du Grouin
Baie du Mont St-Michel
Mont St-Michel
Baie de St-Brieuc
St-Malo
Dinard
Cancale
St-Brieuc
Plérin
Langueux
Ploufragan
Lamballe
Dinan
Dol-de-B.
Pontorson
Granville
Coutances
St-Lô
Avranches
Villedieu-les-Poêles
Vire
Mortain
St-Hilaire-du-H.
Fougères
Vitré
Rennes
Mordelles
St-Jacques-de-la-L.
Bruz
Ille-et-Vilaine 35
Loudéac
Pontivy
Ploërmel
Josselin
Morbihan 56
Vannes
St-Avé
Questembert
Redon
Ernée
Mayenne
Laval
Craon
Château-Gontier
Segré
Châteaubriant
Ancenis
Angers
Loire-Atlantique 44
Blain
Nozay
Guérande
La Baule
St-Nazaire
Pornichet
Le Croisic
Ile de Hoëdic
Pointe du Croisic
Savenay
Donges
Nantes
St-Herblain
Rezé
Vertou
Clisson
Cholet
Pornic
Ile de Noirmoutier
Baie de Bourgneuf
Machecoul
Challans
St-Jean-de-Monts
Ile d'Yeu
Vendée 85
Maine-et-Loire 49
Les Herbiers
Mauléon
Montaigu

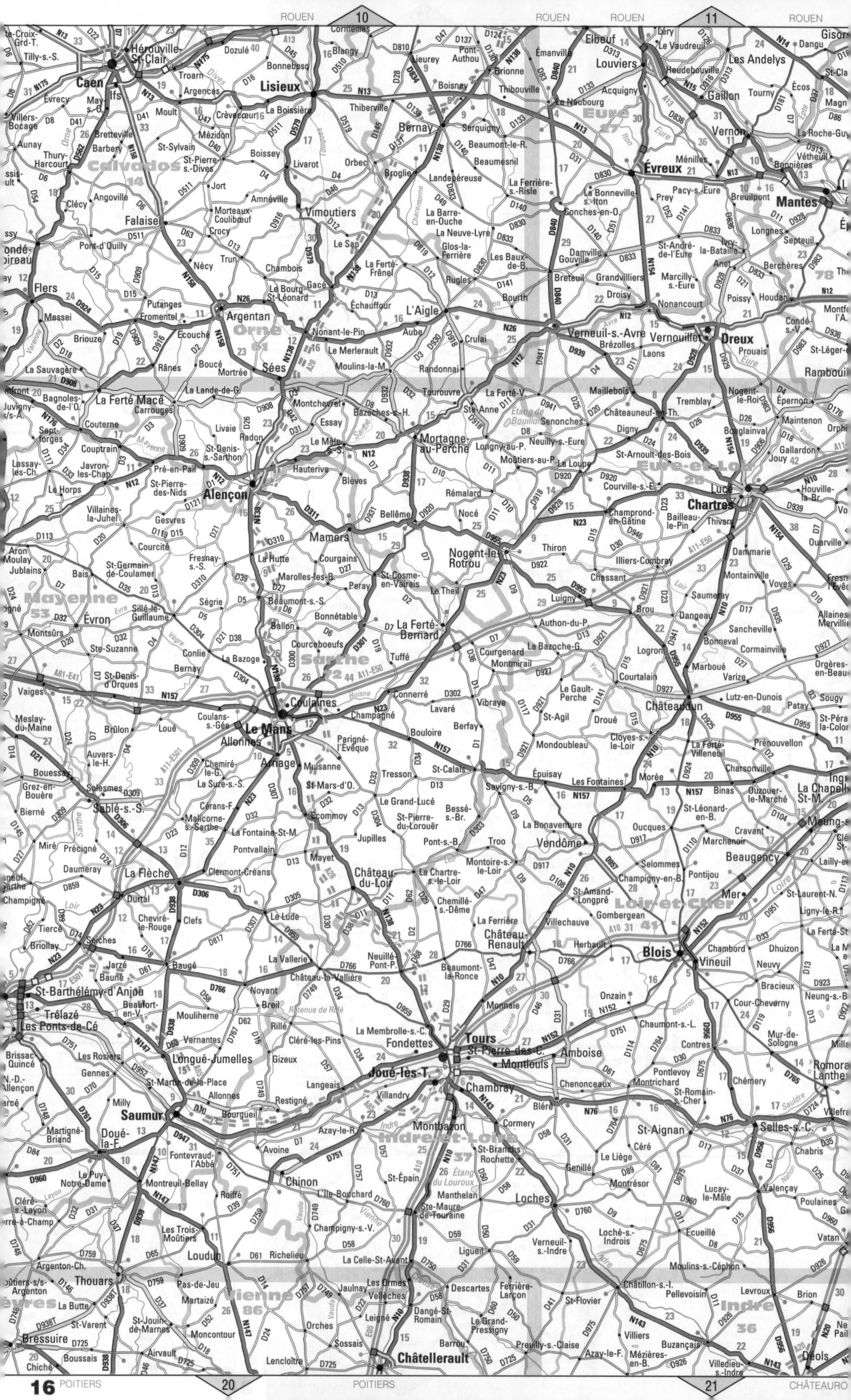
Caen
Hérouville-St-Clair
Lisieux
Bernay
Elbeuf
Louviers
Les Andelys
Gaillon
Vernon
Évreux
Mantes
Calvados
14
Eure
27
Falaise
Vimoutiers
Flers
Argentan
Orne
61
Sées
L'Aigle
Verneuil-s.-Avre
Dreux
Mortagne-au-Perche
Alençon
Mamers
Nogent-le-Rotrou
Chartres
Eure-et-Loir
28
Mayenne
53
Évron
Sablé-s.-S.
La Flèche
Le Mans
Sarthe
72
La Ferté-Bernard
Châteaudun
Vendôme
Château-du-Loir
Château-Renault
Blois
Loir-et-Cher
41
Beaugency
Mer
Meung-s.
Saumur
Tours
Joué-lès-T.
Amboise
Chinon
Indre-et-Loire
37
Loches
Loudun
Thouars
Bressuire
Vienne
86
Châtellerault
Indre
36
Selles-s.-C.
Déols

11
BEAUVAIS
AMIENS
LILLE
12
SOISSONS
SOISSONS
12
LAON
Reims
Épernay
Château-Thierry
Meaux
Paris
Versailles
Nanterre
St-Denis
Bobigny
Créteil
Ivry
Pontoise
Cergy
Poissy
Évry
Corbeil
Melun
Fontainebleau
Montereau
Nemours
Provins
Nogent-s.-S.
Romilly
Troyes
Ste-Savine
Pont-Ste-M.
Sens
Joigny
Auxerre
St-Florentin
Tonnerre
Avallon
Clamecy
Montargis
Orléans
Châteauneuf-s.-Loire
Gien
Briare
Cosne-Cours-s.-L.
La Charité-s.-Loire
Nevers
Vierzon
Bourges
Issoudun
Étampes
Pithiviers
Malesherbes
Coulommiers
Sézanne
Château-Chinon
Autun
Chantilly
Senlis
Creil
Montmorency
Palaiseau
Rambouillet
Marne
51
Aube
10
Yonne
89
Loiret
45
Cher
18
Nièvre
58
21
22
MONTLUÇON
MOULINS
22
MONTCEAU-LES-M.
MOULINS

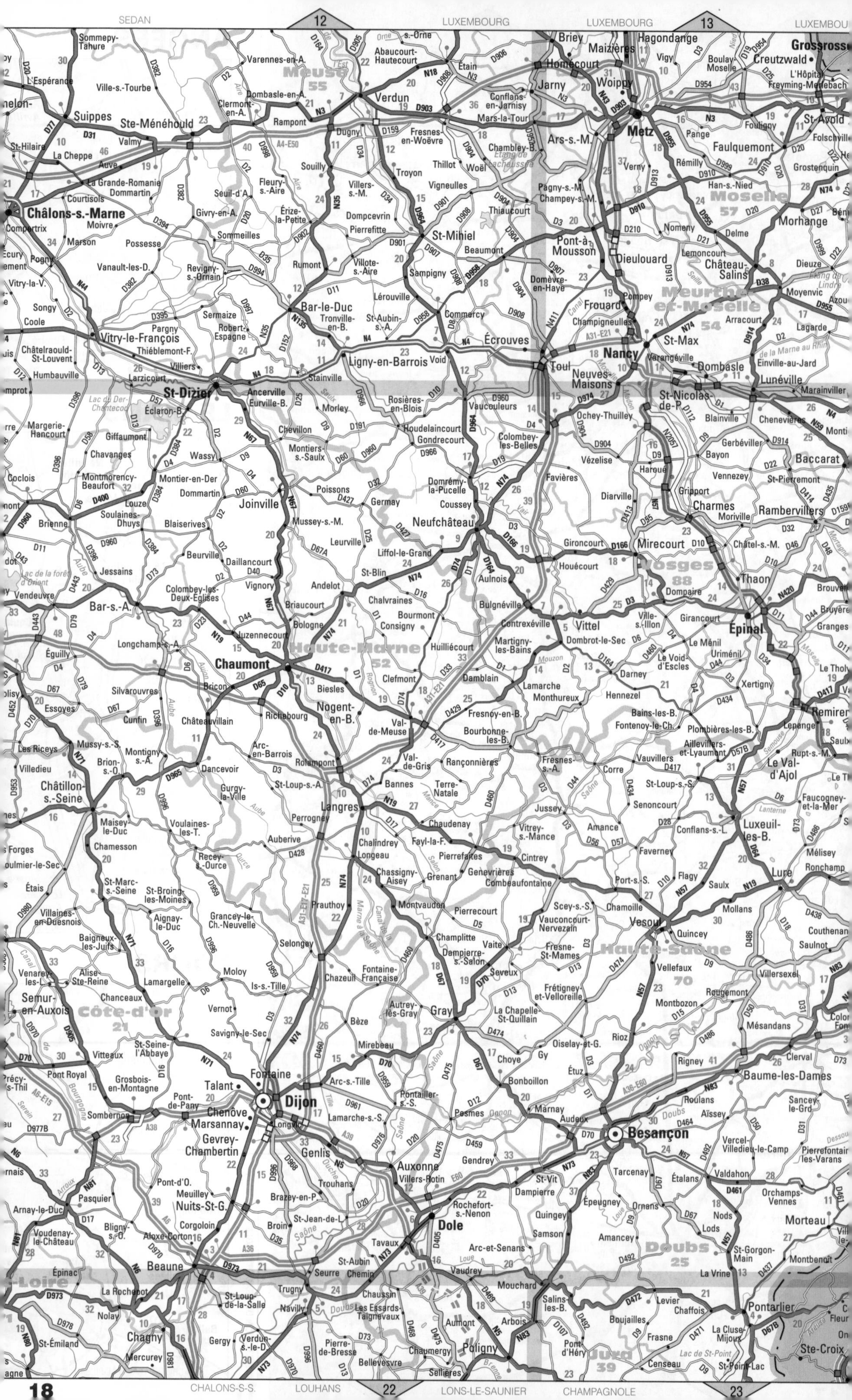

SEDAN
12
LUXEMBOURG
LUXEMBOURG
13
LUXEMBOU
Sommepy-Tahure
Varennes-en-A.
Abaucourt-Hautecourt
Briey
Maizières
Hagondange
Vigy
Boulay-Moselle
Creutzwald
L'Espérance
Ville-s.-Tourbe
Meuse
55
Verdun
Etain
Homécourt
Jarny
Woippy
Metz
L'Hôpital
Freyming-Merlebach
Suippes
Ste-Ménéhould
Dombasle-en-A.
Clermont-en-A.
Rampont
Conflans-en-Jarnisy
Mars-la-Tour
Fresnes-en-Woëvre
St-Avold
St-Hilaire
Valmy
Dugny
Chambley-B.
Ars-s.-M.
Pange
Faulquemont
La Cheppe
Auve
Souilly
Troyon
Thillot
Woël
Verny
Rémilly
Grostenquin
La Grande-Romanie
Dommartin
Fleury-s.-Aire
Villers-s.-M.
Vigneulles
Pagny-s.-M.
Champey-s.-M.
Han-s.-Nied
Moselle
57
Châlons-s.-Marne
Courtisols
Seuil-d'A.
Givry-en-A.
Érize-la-Petite
Dompcevrin
Thiaucourt
Morhange
Moivre
Compertrix
Sommeilles
Pierrefitte
St-Mihiel
Pont-à-Mousson
Nomeny
Delme
Marson
Possesse
Beaumont
Dieulouard
Lemoncourt
Dieuze
Pogny
Vanault-les-D.
Revigny-s.-Ornain
Rumont
Villote-s.-Aire
Sampigny
Domèvre-en-Haye
Château-Salins
Vitry-la-V.
Lérouville
Frouard
Pompey
Meurthe-et-Moselle
54
Moyenvic
Songy
Sermaize
Bar-le-Duc
Tronville-en-B.
St-Aubin-s.-A.
Commercy
Champigneulles
Arracourt
Lagarde
Coole
Pargny
Robert-Espagne
Écrouves
Nancy
St-Max
Vitry-le-François
Thiéblemont-F.
Ligny-en-Barrois
Void
Toul
Neuves-Maisons
Varangéville
Dombasle
Einville-au-Jard
Châtelraould-St-Louvent
Villiers
Lunéville
Humbauville
Larzicourt
Stainville
St-Nicolas-de-P.
Marainviller
St-Dizier
Ancerville
Eurville-B.
Rosières-en-Blois
Vaucouleurs
Ochey-Thuilley
Blainville
Chenevières
Éclaron-B.
Morley
Houdelaincourt
Gondrecourt
Colombey-les-Belles
Margerie-Hancourt
Giffaumont
Chevillon
Montiers-s.-Saulx
Gerbéviller
Baccarat
Chavanges
Wassy
Vézelise
Bayon
Haroué
Montmorency-Beaufort
Montier-en-Der
Dommartin
Domrémy-la-Pucelle
Favières
Vennezey
St-Pierremont
Coclois
Poissons
Germay
Coussey
Diarville
Gripport
Louze
Soulaines-Dhuys
Joinville
Neufchâteau
Charmes
Moriville
Rambervillers
Brienne
Blaiserives
Mussey-s.-M.
Leurville
Mirecourt
Châtel-s.-M.
Beurville
Daillancourt
Liffol-le-Grand
Gironcourt
Houécourt
Jessains
Colombey-les-Deux-Églises
Vignory
Andelot
St-Blin
Aulnois
Vosges
88
Thaon
Vendeuvre
Briaucourt
Chalvraines
Bulgnéville
Dompaire
Épinal
Bar-s.-A.
Bourmont
Consigny
Contrexéville
Vittel
Ville-s.-Illon
Girancourt
Granges
Juzennecourt
Bologne
Huilliécourt
Martigny-les-Bains
Dombrot-le-Sec
Le Ménil
Le Void-d'Escles
Uriménil
Éguilly
Longchamp-s.-A.
Chaumont
Haute-Marne
52
Clefmont
Damblain
Darney
Xertigny
Silvarouvres
Bricon
Biesles
Lamarche
Monthureux
Hennezel
Essoyes
Cunfin
Châteauvillain
Richebourg
Nogent-en-B.
Val-de-Meuse
Fresnoy-en-B.
Bourbonne-les-B.
Bains-les-B.
Fontenoy-le-Ch.
Plombières-les-B.
Remiremont
Mussy-s.-S.
Les Riceys
Montigny-s.-A.
Arc-en-Barrois
Rolampont
Val-de-Gris
Rançonnières
Fresnes-s.-A.
Vauvillers
Aillevillers-et-Lyaumont
Le Val-d'Ajol
Villedieu
Brion-s.-O.
Dancevoir
Corre
St-Loup-s.-S.
Châtillon-s.-Seine
Gurgy-la-Ville
St-Loup-s.-A.
Bannes
Terre-Natale
Senoncourt
Faucogney-et-la-Mer
Langres
Jussey
Maisey-le-Duc
Voulaines-les-T.
Perrogney
Chaudenay
Vitrey-s.-Mance
Amance
Conflans-s.-L.
Luxeuil-les-B.
Chamesson
Auberive
Chalindrey
Fayl-la-F.
Pierrefaites
Cintrey
Faverney
Mélisey
Recey-s.-Ource
Longeau
Genevrières
Ronchamp
St-Marc-s.-Seine
St-Broing-les-Moines
Chassigny-Aisey
Grenant
Combeaufontaine
Port-s.-S.
Flagy
Saulx
Lure
Étais
Prauthoy
Montvaudon
Scey-s.-S.
Chamoille
Mollans
Villaines-en-Duesnois
Aignay-le-Duc
Grancey-le-Ch.-Neuvelle
Pierrecourt
Vauconcourt-Nervezain
Vesoul
Quincey
Couthenans
Baigneux-les-Juifs
Selongey
Champlitte
Dampierre-s.-Salon
Vaite
Fresne-St-Mamès
Haute-Saône
70
Saulnot
Venarey-les-L.
Alise-Ste-Reine
Lamargelle
Moloy
Chazeuil
Fontaine-Française
Seveux
Vellefaux
Villersexel
Semur-en-Auxois
Chanceaux
Côte-d'Or
21
Is-s.-Tille
Autrey-lès-Gray
Frétigney-et-Velloreille
Rougemont
Vernot
Bèze
Gray
La Chapelle-St-Quillain
Montbozon
Mésandans
Savigny-le-Sec
Mirebeau
Oiselay-et-G.
Rioz
Vitteaux
St-Seine-l'Abbaye
Choye
Gy
Rigney
Clerval
Pont Royal
Fontaine
Arc-s.-Tille
Bonboillon
Étuz
Baume-les-Dames
Précy-s-Thil
Grosbois-en-Montagne
Talant
Pontailler-s.-S.
Roulans
Sancey-le-Grd
Pont-de-Pany
Dijon
Chenôve
Marsannay
Lamarche-s.-S.
Pesmes
Marnay
Audeux
Besançon
Aïssey
Sombernon
Longvic
Genlis
Gevrey-Chambertin
Auxonne
Gendrey
Vercel-Villedieu-le-Camp
Pierrefontaine-les-Varans
Tarcenay
Étalans
Valdahon
St-Vit
Dampierre
Pont-d'O.
Pasquier
Meuilley
Trouhans
Villers-Rotin
Orchamps-Vennes
Nuits-St-G.
Brazey-en-P.
Rochefort-s.-Nenon
Épeugney
Ornans
Arnay-le-Duc
Bligny-s.-O.
Corgoloin
St-Jean-de-L.
Dole
Quingey
Nods
Morteau
Voudenay-le-Château
Aloxe-Corton
Broin
Samson
Lods
Amancey
Tavaux
Arc-et-Senans
Doubs
25
St-Gorgon-Main
Montbenoît
Beaune
St-Aubin
Seurre
Chemin
Vaudrey
La Vrine
Épinac
La Rochepot
Mouchard
Trugny
St-Loup-de-la-Salle
Chaussin
Les Essards-Taignevaux
Salins-les-B.
Levier
Chaffois
Pontarlier
Nolay
Navilly
Aumont
Arbois
Boujailles
Frasne
La Cluse-Mijoux
Chagny
Gergy
Verdun-s.-le-D.
Pierre-de-Bresse
Chaumergy
Poligny
Pont-d'Héry
Jura
39
Censeau
St-Point-Lac
Ste-Croix
St-Émiland
Mercurey
Bellevesvre
Sellières
CHALONS-S-S.
LOUHANS
22
LONS-LE-SAUNIER
CHAMPAGNOLE
23

PÜTTLIGEN
13
MANNHEIM
Saarbrücken
Pirmasens
Sarreguemines
Bitche
Dahn
Bad-Bergzabern
Wissembourg
Herxheim-bei-L.
Rheinzabern
Kandel
Wörth-am-R.
Karlsruhe
Bruchsal
Ettlingen
Rastatt
Haguenau
Bischwiller
Baden-Baden
Sarrebourg
Saverne
Phalsbourg
Brumath
Schiltigheim
Strasbourg
Kehl
Molsheim
Obernai
Offenburg
Bas-Rhin
67
ALLEMAGNE
Sélestat
Lahr
Colmar
Freiburg-im-Breisgau
Haut-Rhin
68
Mulhouse
Belfort
90
Montbéliard
Basel
Lörrach
Rheinfelden
Waldshut
Aarau
Olten
Solothurn
Biel
Bern
Köniz
Neuchâtel
Fribourg
Thun
Luzern
SUISSE
19
LAUSANNE
VEVEY
23
15
Challans
Vendée
85
St-Hilaire-de-Riez
St-Gilles-Croix-de-Vie
La Roche-s.-Yon
Olonne-s.-Mer
Les Sables-d'Olonne
Ile de Ré
Ile d'Oléron
OCÉAN
ATLANTIQUE
20
24

Deux-Sèvres 79
Vienne 86
Vendée 85
Charente-Maritime 17
Charente 16
Dordogne 24
Gironde 33
Mauléon
Les Herbiers
Bressuire
Pouzauges
Chantonnay
Châtellerault
Parthenay
Poitiers
Chauvigny
Luçon
Fontenay-le-Comte
Niort
St-Maixent-l'École
Lusignan
Montmorillon
La Rochelle
Surgères
Melle
Civray
Rochefort
St-Jean-d'Angély
Ruffec
Confolens
Royan
Saintes
Cognac
Angoulême
Rochechouart
La Couronne
Barbezieux-St-Hilaire
Nontron
Pauillac
Blaye
Brantôme
Périgueux
Libourne
Bordeaux
Bergerac
Arcachon
Langon
La Réole
Marmande
Gironde
Dordogne
Île d'Aix
Pte de Grave
Bassin d'Arcachon

TOURS
16
BLOIS
VIERZON
17
BOURGES
17
AUXERRE
Châtillon-s.-I.
Pellevoisin
Levroux
Brion
Issoudun
Chârost
St-Florent-s.-Cher
Nevers
Nérondes
La Guerche-s.-l'Aubois
Les Bourdelins
Challuy
Imphy
St-Flovier
Villiers
Buzançais
Azay-le-F.
Mézières-en-B.
Villedieu-s.-Indre
Déols
Neuvy-Pailloux
Mareuil-s.-Arnon
Levet
Dun-s.-Auron
Blet
Chalivoy-Milon
Sancoins
St-Pierre-le-Moûtier
Nièvre
58
Indre
36
St-Michel-en-Brenne
Vendœuvres
Châteauroux
Vouillon
Chezal-Benoît
Châteauneuf-s.-C.
Pruniers
Ambrault
Ardentes
St-Août
Étang de Belle-Bouche
Méobecq
Le Poinçonnet
Lureuil
Douadic
Mignê
Nuret-le-Ferron
Lothiers
Arthon
Lignières
Morlac
St-Amand-Montrond
Orval
Charenton-s.-Cher
Ainay-le-Ch.
Lurcy-Lévis
Le Veurdre
Le Pondy
Villeneuve-s.-Allier
Ruffec
St-Christophe-en-Boucherie
St-Chartier
Le Châtelet
Couleuvre
Limoise
Le Blanc
St-Gaultier
Bouesse
Neuvy-St-Sépulchre
Thevet-St-Julien
La Châtre
Châteaumeillant
Saulzais-le-Potier
Urçay
Tronçais
Cérilly
Franchesse
Bourbon-l'Archambault
Bélâbre
Argenton-s.-C.
Culan
La Croix-Cornart
Ygrande
Souvigny
St-Menoux
Prissac
Cluis
Gargilesse-Dampierre
Crevant
Hérisson
Orsennes
Ste-Sévère-s.-Indre
La Trimouille
St-Benoît-du-Sault
Lac de Chambon
Éguzon-Chantôme
Aigurande
Préverange
La Chapelaude
Estivareilles
Cosne-d'Allier
Chavenon
Châtel-de-Neuvre
Tilly
Chaillac
Chambon-Ste-Croix
Genouillac
Treignat
Huriel
Le Montet
Villefranche-d'Allier
Allier
03
Lussac-les-Eglises
Bonnat
Châtelus-Malvaleix
Boussac
Domérat
Montluçon
Commentry
Bransat
St-Pourçain-s.-Sioule
Dun-le-Palestel
La Celle-Dunoise
Lavaufranche
Lamaids
Doyet
Montmarault
Chantelle
St-Sulpice-les-Feuilles
Ladapeyre
Néris-les-Bains
Le Dorat
La Souterraine
Magnac-Laval
La Croisière
St-Vaury
Chambon-s.-Voueize
Marcillat-en-Comb.
Lapeyrouse
Bellenaves
Montaigut
Brout-Vernet
Châteauponsac
St-Étienne-de-Fursac
Le Grd-Bourg
Bénévent-l'Abbaye
Guéret
Ste-Feyre
Jarnages
Gouzon
Évaux-les-Bains
St-Eloy-les-M.
Vichy
Haute-Vienne
87
Étang de St-Pardoux
St-Pardoux
Nantiat
Razès
Laurière
Aulon
Creuse
23
Ahun
Chénérailles
Lavaveix-les-Mines
Pionsat
Menat
Ebreuil
Gannat
Compreignac
La Jonchère-St-Maurice
Chatelus-le-M.
Pontarion
St-Sulpice-les-Champs
Montel-la-Donne
Mainsat
Auzances
St-Gervais-d'Auvergne
Aigueperse
Combronde
Ambazac
Bourganeuf
Aubusson
Le Compas
St-Priest-des-Champs
Manzat
Thuret
Couzeix
Limoges
Sauviat-s.-Vige
Vallières
Chatain
Felletin
St-Bard
Montel-de-Gelat
Châtelguyon
Ennezat
Isle
Aixe-s.-Vienne
Le Vigen
St-Léonard-de-Noblat
St-Junien-la-Bregère
Lac de Vaud-Gelade
Royère-de-Vassivière
Crocq
Pontcharraud
Grégottier
Pontaumur
Puy-de-Dôme
63
Volvic
Riom
Gerzat
Joze
Bujaleuf
Peyrat-le-Ch.
Lac de Vassivière
Gentioux-Pigerolles
Flayat
Giat
Sauvagnat
Pontgibaud
Clermont-Ferrand
St-Hilaire-Bonneval
Eymoutiers
Linards
Châteauneuf-la-Forêt
Nedde
Herment
Les Quatres-Routes
Royat
Aubière
Cournon-d'Auv.
Massagettes
Nexon
Pierre-Buffière
La Croisille-s.-Briance
La Courtine
Sornac
Lastic
Eygurande
Rochefort-Montagne
Orcival
St-Amant-Tallende
Veyre-M.
Vic-le-C.
Ladignac-le-Long
St-Germain-les-Belles
Millevaches
Chalons-d'Aix
Bourg-Lastic
St-Sauves-d'Auv.
St-Nectaire
Manglieu
Chamberet
Bugeat
Tauves
La Bourboule
Champeix
St-Yrieix-la-Perche
Meuzac
Treignac
Ussel
Mont-Dore
Murol
Perrier
Issoire
Coussac-Bonneval
Masseret
Peyrissac
Meymac
La Serre
Larodde
La Tour-d'Auvergne
Super-Besse
Besse-et-St-Anastaise
Corrèze
19
Maussac
St-Angel
Ségur-le-Château
Lubersac
Uzerche
Chamboulive
St-Augustin
Egletons
St-Germain-Lembron
Auzat
Arnac-Pompadour
Payzac
Seilhac
Corrèze
Neuvic
Bort-les-Orgues
Égliseneuve-d'Entraigues
Ardes
Lempdes
Vigeois
Lamazière-Basse
Condat
Anzat-le-Luguet
Blesle
Juillac
St-Pardoux-l'Ortigier
Antignac
Hautefort
Objat
Allassac
Tulle
Clergoux
Marcillac-la-Croisille
Lapleau
St-Bonnet-de-Condat
Grenier-Montgon
Massiac
St-Robert
Ayen
Donzenac
Laguenne
Trizac
Riom-ès-Montagnes
Badefols-d'Ans
La Roche-Canillac
Allanche
Ferrières-St-Mary
Villeneuve
Brive-la-Gaillarde
Ste Fortunade
Malemort-s.-C.
Mauriac
Ally
Dordogne
Terrasson-la-V.
Beynat
St-Privat
Pleaux
Dienne
Murat
Neussargues-Moissac
La Chapelle-Laurent
Lardin-St-L.
Coly
Larche
Noailles
St-Chamant
Argentat
Salers
Vieillespesse
Meyssac
St-Cernin
St-Cirgues-de-Jordanne
Thiézac
Ussel
St-Flour
Thonac
Salignac-Eyvignes
Cressensac
Marcillac-la-Croze
Mercoeur
Cantal
15
Montvert
Jussac
Vic-s.-Cère
Polminhac
Ruynes-en-Margeride
Sarlat-la-Canéda
Carlux
Souillac
Martel
Vayrac
Beaulieu-s.-Dordogne
Laroquebrou
Aurillac
Arpajon-s.-Cère
Neuvéglise
Faverolles
Paulhac
Bretenoux
Sansac-de-M.
Pierrefort
Puybrun
Frayssinhes
Sousceyrac
Cayrols
St-Mamet-la-Salvetat
Raulhac
Mur-de-Barrez
Chaudes-Aigues
Fournels
Carsac-Aillac
Meyronne
St-Céré
Latronquière
Calès
Alvignac
Aynac
Lafeuillade-en-Vézie
Ste-Geneviève-s.-Argence
Cénac-et-St-Julien
Payrac
Rocamadour
Gramat
Lacapelle-Marival
Lacroix-Barrez
Alpuech
St-Chély-d'Apcher
Daglan
Gourdon
Le Bastit
Thémines
Calvinet
Huparlac
Grandvals
Maurs
Salviac
St-Chamarand
Labastide-Murat
Assier
St-Constant
Montsalvy
Laguiole
Malbouzon
Lot
46
Villefranche-du-Périgord
Cazals
St-Germain-du-Bel-Air
Fontanes-du-Causse
Livernon
Bagnac-s.-Célé
Grand-Vabre
Entraygues-s.-Truyère
St-Amans-des-Cots
Nasbinals
Lamothe-Cassel
Figeac
Capdenac-Gare
Conques
Lac de Selves
Aubrac
Lauzès
Marcilhac-s.-Célé
St-Chély-d'Aubrac
Uzech
Catus
Viviez
Decazeville
Estaing
Marvejols
21
CAHORS
25
VILLEFRANCHE-DE-ROUERGUE
RODEZ
22
RODEZ
MILL

Saône-et-Loire
71
Autun
Le Creusot
Chalon-s.-Saône
Montceau-les-Mines
Mâcon
Bourg-en-Bresse
Roanne
Villefranche-s.-Saône
Villeurbanne
Lyon
Rhône
69
Loire
42
St-Étienne
St-Chamond
Vienne
Isère
38
Valence
Romans-s.-Isère
Drôme
26
Ardèche
07
Haute-Loire
43
Le Puy-en-Velay
Lozère
48
Montélimar
Privas
Aubenas
Moulins
Vichy
Thiers
Decize
Digoin
Tournus
Louhans
Lons-le-Saunier
Nantua
Annonay
Crest
Die

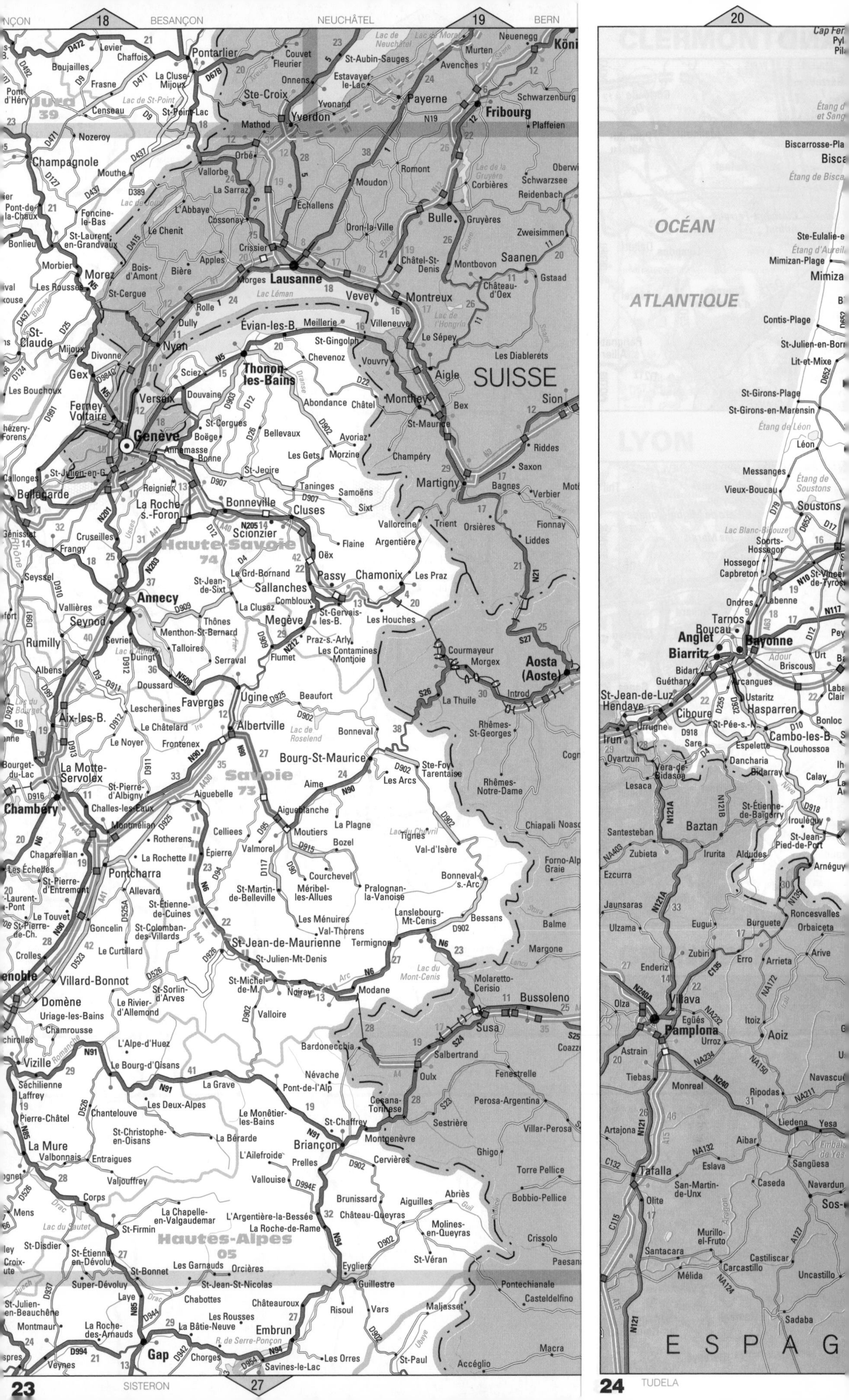

18
BESANÇON
NEUCHÂTEL
19
BERN
20
Pontarlier
Couvet
Fleurier
St-Aubin-Sauges
Murten
Neuenegg
Levier
Chaffois
Boujailles
La Cluse-Mijoux
Frasne
Ste-Croix
Onnens
Estavayer-le-Lac
Avenches
Payerne
Fribourg
Schwarzenburg
Plaffeien
Yvonand
Yverdon
Jura
39
Censeau
St-Point-Lac
Mathod
Nozeroy
Champagnole
Orbe
Romont
Moudon
Mouthe
Vallorbe
La Sarraz
Corbières
Schwarzsee
Reidenbach
Pont-de-la-Chaux
Foncine-le-Bas
L'Abbaye
Cossonay
Échallens
Bulle
Gruyères
St-Laurent-en-Grandvaux
Le Chenit
Dron-la-Ville
Zweisimmen
Bonlieu
Crissier
Morbier
Morez
Bois-d'Amont
Apples
Bière
Lausanne
Châtel-St-Denis
Montbovon
Saanen
Gstaad
Les Rousses
Morges
Château-d'Oex
St-Cergue
Lac Léman
Vevey
Montreux
Rolle
Villeneuve
St-Claude
Dully
Évian-les-B.
Meillerie
Le Sépey
Mijoux
Nyon
St-Gingolph
Les Diablerets
Divonne
Chevenoz
Gex
Sciez
Thonon-les-Bains
Vouvry
Aigle
SUISSE
Les Bouchoux
Douvaine
Versoix
Monthey
Sion
Ferney-Voltaire
Abondance
Châtel
Bex
St-Cergues
Bellevaux
St-Maurice
Genève
Boëge
Avoriaz
Annemasse
Bonne
Les Gets
Morzine
Champéry
Riddes
St-Julien-en-G.
Saxon
St-Jeoire
Martigny
Bagnes
Verbier
Collonges
Bellegarde
Reignier
Taninges
Samoëns
Sixt
La Roche-s.-Foron
Bonneville
Cluses
Vallorcine
Trient
Orsières
Fionnay
Scionzier
Flaine
Argentière
Liddes
Cruseilles
Frangy
Haute-Savoie
74
Oëx
Seyssel
Le Grd-Bornand
Passy
Chamonix
Les Praz
St-Jean-de-Sixt
Sallanches
Annecy
Combloux
Vallières
Thônes
La Clusaz
Megève
St-Gervais-les-B.
Les Houches
Seynod
Menthon-St-Bernard
Sevrier
Praz-s.-Arly
Les Contamines-Montjoie
Courmayeur
Rumilly
Talloires
Duingt
Flumet
Morgex
Aosta (Aoste)
Serraval
Albens
Doussard
Ugine
Beaufort
La Thuile
Introd
Faverges
Lescheraines
Aix-les-B.
Le Châtelard
Albertville
Bonneval
Rhêmes-St-Georges
Le Noyer
Frontenex
Lac de Roselend
Bourg-St-Maurice
Ste-Foy-Tarentaise
Bourget-du-Lac
La Motte-Servolex
Savoie
73
Les Arcs
Rhêmes-Notre-Dame
St-Pierre-d'Albigny
Aime
Chambéry
Aiguebelle
Challes-les-Eaux
Aigueblanche
La Plagne
Chiapali
Montmélian
Rotherens
Moûtiers
Tignes
Celliees
Valmorel
Bozel
Val-d'Isère
Chapareillan
La Rochette
Épierre
Les Échelles
Pontcharra
Courchevel
Bonneval-s.-Arc
St-Pierre-d'Entremont
Allevard
St-Martin-de-Belleville
Méribel-les-Allues
Pralognan-la-Vanoise
St-Étienne-de-Cuines
Le Touvet
Goncelin
St-Colomban-des-Villards
Les Ménuires
Lanslebourg-Mt-Cenis
Bessans
Val-Thorens
Balme
Crolles
Le Curtillard
St-Jean-de-Maurienne
Termignon
St-Julien-Mt-Denis
Margone
Villard-Bonnot
St-Sorlin-d'Arves
Lac du Mont-Cenis
St-Michel-de-M.
Molaretto-Cerisio
Domène
Le Rivier-d'Allemond
Noiray
Modane
Bussoleno
Uriage-les-Bains
Valloire
Susa
Chamrousse
Bardonecchia
L'Alpe-d'Huez
Salbertrand
Vizille
Le Bourg-d'Oisans
Oulx
Fenestrelle
Séchilienne
Laffrey
La Grave
Névache
Pont-de-l'Alp
Les Deux-Alpes
Cesana-Torinese
Perosa-Argentina
Pierre-Châtel
Chantelouve
Le Monêtier-les-Bains
St-Chaffrey
Sestrière
Villar-Perosa
St-Christophe-en-Oisans
La Bérarde
Montgenèvre
La Mure
Valbonnais
Entraigues
Briançon
Ghigo
L'Aïlefroide
Prelles
Cervières
Valjouffrey
Vallouise
Torre Pellice
Corps
Brunissard
Aiguilles
Abriès
Bobbio-Pellice
Mens
La Chapelle-en-Valgaudemar
L'Argentière-la-Bessée
Château-Queyras
Molines-en-Queyras
St-Firmin
La Roche-de-Rame
Hautes-Alpes
05
Crissolo
St-Disdier
St-Étienne-en-Dévoluy
St-Véran
Paesana
St-Bonnet
Les Garnauds
Orcières
Eygliers
Super-Dévoluy
St-Jean-St-Nicolas
Guillestre
Pontechianale
Laye
Chabottes
Châteauroux
Casteldelfino
St-Julien-en-Beauchêne
Risoul
Vars
Maljasset
Les Rousses
La Bâtie-Neuve
Montmaur
La Roche-des-Arnauds
Embrun
Gap
Chorges
R. de Serre-Ponçon
Les Orres
St-Paul
Macra
Veynes
Savines-le-Lac
Acceglio
SISTERON
27
OCÉAN
ATLANTIQUE
Biscarrosse-Pla
Étang de Bisca
Ste-Eulalie-e
Étang d'Aureil
Mimizan-Plage
Mimiza
Contis-Plage
St-Julien-en-Born
Lit-et-Mixe
St-Girons-Plage
St-Girons-en-Marensin
Étang de Léon
Léon
Messanges
Étang de Soustons
Vieux-Boucau
Soustons
Lac Blanc-Bidouze
Soorts-Hossegor
Hossegor
Capbreton
St-Vincent-de-Tyrosse
Labenne
Ondres
Tarnos
Boucau
Anglet
Biarritz
Bayonne
Urt
Briscous
Bidart
Guéthary
Arcangues
St-Jean-de-Luz
Hendaye
Ciboure
Ustaritz
Hasparren
Urrugne
St-Pée-s.-N.
Sare
Cambo-les-B.
Bonloc
Irun
Espelette
Louhossoa
Oyartzun
Dancharia
Bidarray
Calay
Vera-de-Bidasoa
Lesaca
Baztan
St-Étienne-de-Baïgorry
Irouléguy
St-Jean-Pied-de-Port
Santesteban
Zubieta
Irurita
Aldudes
Arnéguy
Ezcurra
Jaunsaras
Roncesvalles
Orbaiceta
Ulzama
Eugui
Burguete
Zubiri
Erro
Arrieta
Arive
Enderiz
Olza
Villava
Egüés
Itoiz
Pamplona
Aoiz
Astrain
Urroz
Tiebas
Navascué
Monreal
Ripodas
Artajona
Liedena
Yesa
Aibar
Tafalla
Eslava
Sangüesa
San-Martin-de-Unx
Caseda
Navardun
Olite
Sos-
Murillo-el-Fruto
Santacara
Castiliscar
Carcastillo
Mélida
Uncastillo
Sadaba
ESPAG
TUDELA

Gujan-Mestras
Mios
Le Barp
Saucats
Podensac
Cadillac
Camiran
Monségur
Moustier
Eymet
Castillonnès
Monpazier
Cabanac-et-Villagrains
Villagrains
Salles
Landiras
St-Macaire
Caudrot
La Réole
Langon
Fontet
Miramont-de-Guyenne
Lauzun
Villeréal
Sauveterre-la
Cazaux
Sanguinet
Belin-Béliet
Hostens
Seyches
Marmande
Ste-Bazeille
Monbahus
Cancon
Monflanquin
Fumel
Balizac
Villandraut
Auros
Tombeboeuf
Lacaussade
Bazas
Fauguerolles
Monclar
Casseneuil
Villeneuve-s.-Lot
Penne-d'A.
St-Symphorien
Préchac
Bouglon
Grignols
Le Mas-d'Agenais
Castelmoron-s.-Lot
Tonneins
Clairac
Ste-Livrade-s.-Lot
Gironde
33
Liposthey
Sore
Lucmau
Captieux
Lerm-et-Musset
Casteljaloux
Damazan
Bourran
Aiguillon
Lot-et-Garonne
47
St-Amans-du-Pech
Pissos
Callen
St-Michel-de-Castelnau
Prayssac
Laroque-Timbaut
Pontenx-les-Forges
Labouheyre
Luxey
Port-Ste-Marie
Beauville
St-Paul-en-Born
Trensacq
Fargues-s.-O.
Vianne
Sérignac-s.-G.
La Sauvetat-de-Sa
Leych
Escource
Sabres
Allons
Houillès
Brax
Agen
Le Passage
Lavardac
Nérac
Durance
Puymirol
Cusson
Labrit
Uza
Onesse-et-Laharie
Landes
40
Garein
Brocas
Laplume
Francescas
Layrac
Astaffort
Valence-d'Ag
Auvillar
Morcenx
Roquefort
Lapeyrade
Sos
Mézin
Lesperon
Villenave
Ygos-St-Saturnin
St-Justin
Créon-d'Armagnac
Fourcès
Flamarens
Miradoux
St-Nicolas-de-la-Grave
Rion-des-Landes
St-Martin-d'Oney
Labastide-d'Armagnac
Gabarret
Montréal
Condom
Castelnau-d'Auzan
Lectoure
L'Isle-Bouzon
Lavit
Taller
Laluque
Mont-de-Marsan
Villeneuve-de-Marsan
Cazaubon
Mouchan
Terraube
Beaumont-de-Lomagne
Tartas
Meilhan
Bougue
Estang
Eauze
Valence-s.-Baïse
St-Clar
Tournecoupe
Pontonx-s.-l'Adour
St-Gein
St-Puy
Le Sauvetat
Magescq
Souprosse
Péré
Grenade-s.-l'Adour
Manciet
Castéra-Verduzan
Fleurance
Solomiac
Dax
St-Paul-lès-Dax
St-Sever
Mugron
Le Houga
Nogaro
Dému
Vic-Fezensac
Monfort
Montestruc-s.-Gers
Hinx
Montfort-en-Chalosse
Cazères-s.-l'Adour
Eugénie-les-Bains
Aire-s.-l'Adour
Urgosse
Aignan
Belmont
St-Jean-Poutge
Jegun
Lavardens
Mirepoix
Puycasquier
Mauvezin
Hagetmau
Lupiac
Gers
32
Cologne
Benesse-lès-Dax
Pomarez
Riscle
Auch
Aubiet
Gimont
Pouillon
Habas
Tilh
Amou
Samadet
Geaune
St-Mont
Cahuzac-s.-l'Adour
Puyoô
Ramous
Monget
Sault-de-Navailles
Sarron
Garlin
Plaisance
Montesquiou
L'Isle-de-Noé
Castelnau-Barbarens
Labastide-Savès
Bellocq
Bidache
Arzacq-Arraziguet
Castelnau-Riv. Basse
Cadillon
Marciac
Orthez
Salies-de-Béarn
Escos
Sauveterre-de-B.
Arthez-de-B.
Thèze
Sévignacq-Thèze
Maubourguet
Tillac
Mirande
Seissan
Hérèchou
Saramon
Samatan
Lombez
Maslacq
Lacq
Artix
Lembeye
Vic-en-Bigorre
Villecomtal-s.-Arros
St-Maur
Miélan
St-Élix-Theux
Masseube
Simorre
Garris
Mourenx
Baleix
St-Michel
Meilhan
Molas
L'Isle-en-Dodon
St-Palais
Charitte-de-Bas
St-Jammes
Rabastens-de-Bigorre
Panassac
Uhart-Mixe
Navarrenx
Monein
Lons
Billière
Gelos
Morlaàs
Sedzère
Montaner
Andrest
Chelle-Debat
Trie-s.-Baïse
Pouy-de-Touges
St-Just-Ibarre
Mauléon-Licharre
L'Hôpital-St-Blaise
Pau
Soumoulou
Tarbes
Pouyastruc
Castelnau-Magnoac
Boulogne-s.-Gesse
Castelnau-Picampeau
Pyrénées-Atlantiques
64
Lasseube
Gan
Aureilhan
Galan
Blajan
Ciadoux
Oloron-Ste-M.
Nay
Ibos
Pontacq
Bordes
Tournay
Aurignac
Martres-Tolosane
Mendive
Barcus
Ogeu
Bourdettes
Coarraze
Ossun
Lanespède
Monlong
St-Plancard
Aulon
Tardets-Sorholus
Aramits
Rébénacq
Arudy
St-Pé-de-Bigorre
Montgaillard
Lannemezan
St-Martory
Licq-Athérey
Montory
Asasp-Arros
Arette
Capvern
St-Gaudens
Larrau
Bielle
Louvie-Juzon
Lourdes
Bagnères-de-Bigorre
La Barthe-de-Neste
Montréjeau
Figarol
Bedous
Ferrières
St-Laurent-de-Neste
Barbazan
Ste-Engrâce
Arette-Pierre-St-Martin
Laruns
Eaux-Bonnes
Arbéost
Argelès-Gazost
Campan
Hèches
Cazaunous
Aspet
Mauvezin-de-Prat
Ochagavia
Les Eaux-Chaudes
Gourette
Aucun
Pierrefitte-Nestalas
Ste-Marie-de-Campan
Hautes-Pyrénées
65
Portet-d'Aspet
Escaroz
Etsaut
Barèges
Mauléon-Barousse
St-Lary
Isaba
Urdos
Artouste
Cauterets
La Mongie
Arreau
Bordères-Louron
Couledoux
Castillon-en-Couserans
St-Béat
Fos
Les Borde-s.-L
Pont-d'Espagne
Luz-St-Sauveur
Guran
Vielle-Aure
St-Aventin
Anso
Hecho
Sallent-de-Gallego
Banos-de-Panticosa
Gèdre
St-Lary-Soulan
Bagnères-de-Luchon
Burgui
Santa Lucia
Escarilla
Panticosa
Gavarnie
Aragnouet
Superbagnères
Bossost
Hospice-de-France
Villanua
Parzan
Vielha-e-Mijaran
Gessa
Berdun
Biescas
Torla
Broto
Bielsa
Puente la Rernz de Jacz
Jaca
Salinas
Benasque
Bailo
Sabinanigo
Caldas-de-Bohi
Castejon-de-Sos
Fiscal
Anzanigo
Boltana
Ainsa-Sobrarbe
Vilaller
Luesia
Biel
Campo
Embalse de Mediano
Pont-de-Suert
Ayerbe
Arguis
E. de Vale
Gerri-de-la-Sal
N E

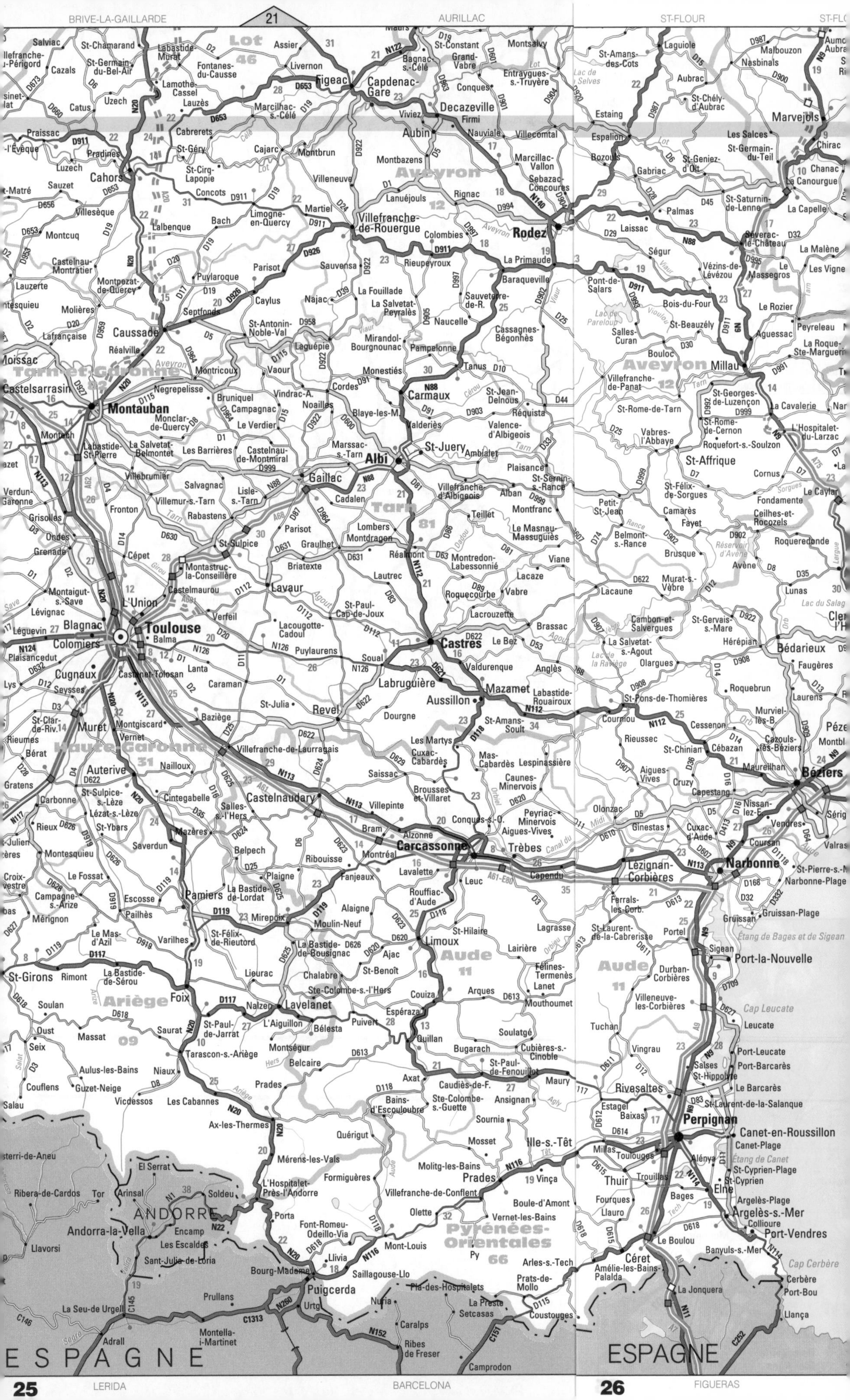
Lot
46
Aveyron
12
Tarn-et-Garonne
82
Tarn
81
Haute-Garonne
31
Ariège
09
Aude
11
Pyrénées-Orientales
66
ANDORRE
ESPAGNE
Figeac
Capdenac-Gare
Decazeville
Aubin
Cahors
Villefranche-de-Rouergue
Rodez
Laguiole
Marvejols
Millau
Caussade
Montauban
Castelsarrasin
Carmaux
Albi
Gaillac
Castres
Mazamet
Toulouse
Blagnac
Colomiers
L'Union
Muret
Revel
Castelnaudary
Carcassonne
Pamiers
Foix
Lavelanet
Limoux
Quillan
St-Affrique
Bédarieux
Béziers
Narbonne
Lézignan-Corbières
Port-la-Nouvelle
Perpignan
Rivesaltes
Prades
Céret
Argelès-s.-Mer
Port-Vendres
Banyuls-s.-Mer
Cerbère
Ax-les-Thermes
Bourg-Madame
Puigcerda
Andorra-la-Vella
La Seu-de Urgell
St-Girons
Cap Leucate
Cap Cerbère

Serverette
La Villedieu
St-Flour-de-Mercoire
Antraigues
Vals-les-Bains
Chomérac
Marsanne
Saou
Châtillon-en-Diois
Luc-en-Diois
Estables
Rieutort-de-Randon
Châteauneuf-de-Randon
St-Étienne-de-Lugdarès
Thueyts
Aubenas
St-Jean-le-Centenier
Meysse
Rochemaure
Sauzet
Cléon-d'Andran
La Bégude-de-Mazenc
Bourdeaux
Pelouse
Belvezet
La Bastide-Puylaurent
Valgorge
Sablières
Largentière
Vogüé
Le Teil
Montélimar
Roubion
Mende
Barjac
Balsièges
Bagnols-les-Bains
Prévenchères
Altier
Le Bleymard
Châteauneuf-du-Rhône
Dieulefit
Bouvières
Establet
La Motte-Chalancon
La Charce
Viviers
Salles
Taulignan
Lozère 48
Villefort
Lablachère
Joyeuse
Ruoms
Donzère
Grignan
Rémuzat
Rosans
Les Vans
La Maison-Neuve
St-Remèze
Les Pilles
Ispagnac
Le Pont-de-Montvert
St-Paul-le-Jeune
Vallon-Pont-d'Arc
Bourg-St-Andéol
Pierrelatte
St-Paul-Trois-Ch.
Valréas
Nyons
Verclause
Ste-Énimie
St-Maurice-de-Ventalon
Génolhac
Mirabel-aux-Baronnies
St-Chély-du-Tarn
Florac
St-Julien-d'Arpaon
Sauvas
Barjac
St-Martin-d'A.
Suze-la-Rousse
Le Mazel
Ste-Cécile-d'Andorge
Bessèges
Laval-St-R.
Pont-St-Esprit
Bollène
Tulette
Buis-les-Baronnies
Montauban-s.
La Parade
Barre-des-Cévennes
St-Ambroix
Mondragon
Ste-Cécile-les-V.
Vaison-la-Romaine
Mollans
St-Léger-du-Ventoux
St-Germain-de-Calberte
La Grd-Combe
St-Laurent-de-Carnols
Sérignan
Montbrun-les-B.
Meyrueis
St-Étienne-Vallée-Fr.
St-Martin-de-Val.
Navacelles
Bagnols-s.-Cèze
Malaucène
Les Omergues
St-André-de-Valborgne
Salindres
Lussan
Orange
Jonquières
Vacqueyras
Bédoin
St-Jean-du-Gard
Alès
Seynes
Cavillargues
Courthézon
Marmoiron
Sault
L'Espérou
L'Estréchure
Connaux
Châteauneuf-du-P.
Monieux
Valleraugue
Anduze
Vézenobres
Foissac
Pouzilhac
Roquemaure
Bédarrides
Monteux
Carpentras
Lasalle
Uzès
Sorgues
Entraigues
St-Christol
St-Jean-du-Bruel
Gard 30
Villeneuve-lès-A.
Vaucluse 84
Pernes-les-Font.
Fontaine-de-Vaucluse
Simiane-la-Rotonde
Sauclières
St-Hippolyte-du-Fort
Lédignan
St-Chaptes
Le Pontet
Le Thor
L'Isle-s.-la-Sorgue
Alzon
Le Vigan
Montdardier
Ganges
Sauve
Remoulins
Avignon
St-Saturnin-d'Apt
Couvertoirade
Pompignan
Quissac
Montmirat
La Calmette
Aramon
Caumont
Gordes
Rustrel
St-Maurice-Navacelles
St-Bauzille-de-Putois
St-Mamert-du-Gard
Nîmes
Marguerittes
Châteaurenard
Le Coustellet
Apt
La Bégude
Causse-de-la-Selle
Jonquières
Maillane
Plan-d'Orgon
Robion
Bonnieux
Tréviers
Sommières
Calvisson
Beaucaire
Tarascon
Cavaillon
St-Pierre-de-la-Fage
St-Martin-de-Londres
Galargues
Boisseron
Vergèze
St-Étienne-du-Grès
St-Rémy-de-Prov.
Orgon
Lauris
Cadenet
Viols-le-Fort
Bellegarde
Sénas
Mallemort
St-Guilhem-le-Désert
Lodève
Générac
Vauvert
Fontvieille
Maussane-les-A.
Eyguières
Aniane
Les Matelles
Fourques
Arles
Mouriès
Salon-de-P.
Lambesc
Rognes
Pertuis
Montarnaud
Castries
Lunel
Aimargues
St-Gilles
Gignac
Montpellier
Vendargues
Marsillargues
Le Merle
St-Cannat
St-André-de-S.
Juvignac
St-Martin-de-Crau
Pélissanne
Hérault 34
St-Jean-de-Védas
Mauguio
Albaron
Miramas
La Fare-les-Oliviers
Éguilles
Venelles
Paulhan
Fabrègues
Pérols
Aigues-Mortes
Mas-Thibert
St-Chamas
Aix-en-Provence
Gigean
La Grande-Motte
Le Grau-du-Roi
Sylvéréal
Étang de Vaccarès
Istres
Velaux
Villeveyrac
Palavas-les-Flots
Bouches-du-Rhône 13
Étang de Berre
Rognac
Berre
Vitrolles
Montagnac
Étang du Roi
Gardanne
Frontignan
Pointe de l'Espiguette
Stes-Maries-de-la-Mer
Fos
Marignane
Mèze
Golfe d'Aigues-Mortes
Golfe des Stes-Maries ou de Beauduc
Salin-de-Giraud
Port-de-Bouc
Martigues
Septèmes-les-Vallons
St-Thibéry
Sète
Florensac
Port-St-Louis-du-Rhône
Lavéra
Allauch
Bessan
Bassin de Thau
Marseillan
Pointe de Beauduc ou du Sablon
Golfe de Fos
Aubagne
Vias
Carro
Carry-le-Rouet
Agde
Le Cap-d'Agde
Cap Couronne
Marseille
Cap d'Agde
Ile Pomègues
La Penne-s.-H.
Cap Croisette
Cassis
Plage
Ile de Riou
Cap Canaille
GOLFE DU LION
MER

Cap de Creus

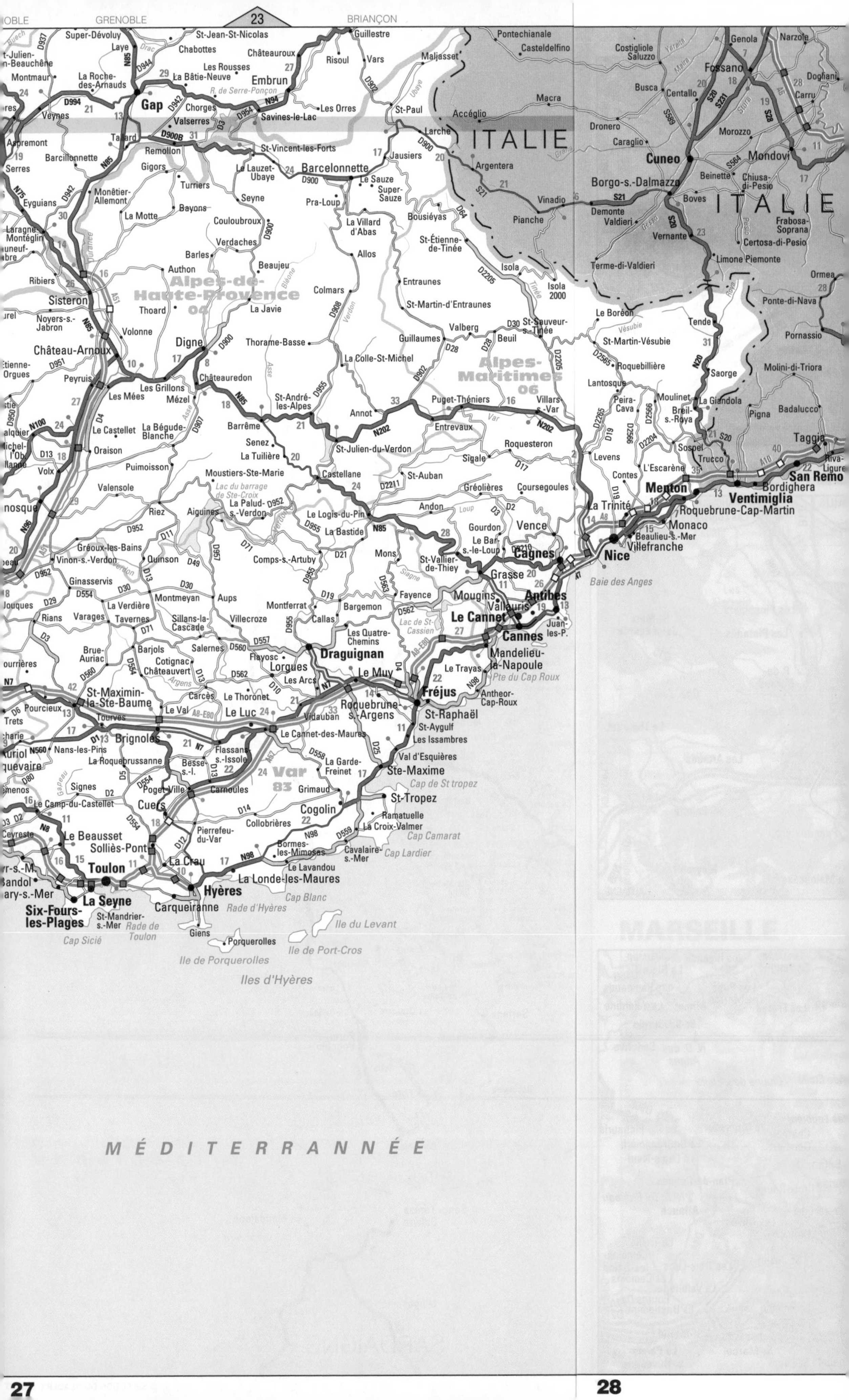
ITALIE
Alpes-de-Haute-Provence 04
Alpes-Maritimes 06
Var 83
MÉDITERRANNÉE
Super-Dévoluy
St-Jean-St-Nicolas
Guillestre
Pontechianale
Casteldelfino
Costigliole Saluzzo
Genola
Narzole
Fossano
Dogliani
Carrù
Busca
Centallo
Dronero
Caraglio
Cuneo
Mondovì
Morozzo
Beinette
Chiusa-di-Pesio
Borgo-s.-Dalmazzo
Boves
Demonte
Valdieri
Vernante
Frabosa-Soprana
Certosa-di-Pesio
Limone Piemonte
Terme-di-Valdieri
Ormea
Ponte-di-Nava
Pornassio
Molini-di-Triora
Badalucco
Pigna
Taggia
Riva-Ligure
San Remo
Bordighera
Ventimiglia
Roquebrune-Cap-Martin
Monaco
Menton
Sospel
Trucco
Breil-s.-Roya
La Giandola
Saorge
Tende
Le Boréon
St-Martin-Vésubie
Roquebillière
Lantosque
Moulinet
Peira-Cava
L'Escarène
Levens
Contes
La Trinité
Nice
Beaulieu-s.-Mer
Villefranche
Baie des Anges
Laye
Chabottes
Châteauroux
Risoul
Vars
Maljasset
Macra
Acceglio
Argentera
Vinadio
Pianche
Larche
Jausiers
St-Paul
Les Orres
Embrun
Les Rousses
La Bâtie-Neuve
R. de Serre-Ponçon
Chorges
Savines-le-Lac
Valserres
Gap
St-Julien-en-Beauchêne
Montmaur
La Roche-des-Arnauds
Veynes
Tallard
Remollon
Aspremont
Serres
Barcillonnette
Gigors
St-Vincent-les-Forts
Barcelonnette
Le Lauzet-Ubaye
Le Sauze
Super-Sauze
Pra-Loup
Turriers
Monêtier-Allemont
Eyguians
Laragne-Montéglin
Seyne
Bayons
La Motte
Couloubroux
Verdaches
La Villard d'Abas
Allos
Bousiéyas
St-Étienne-de-Tinée
Isola
Isola 2000
Barles
Beaujeu
Authon
Ribiers
Sisteron
Thoard
La Javie
Colmars
Entraunes
St-Martin-d'Entraunes
Valberg
Beuil
St-Sauveur-s.-Tinée
Guillaumes
Noyers-s.-Jabron
Volonne
Château-Arnoux
Digne
Thorame-Basse
La Colle-St-Michel
Peyruis
Les Mées
Les Grillons
Mézel
Châteauredon
St-André-les-Alpes
Annot
Puget-Théniers
Villars-s.-Var
Entrevaux
Le Castellet
La Bégude-Blanche
Oraison
Barrême
Senez
La Tuilière
St-Julien-du-Verdon
Roquesteron
Sigale
Volx
Puimoisson
Moustiers-Ste-Marie
Castellane
St-Auban
Gréolières
Coursegoules
Valensole
Manosque
Lac du barrage de Ste-Croix
La Palud-s.-Verdon
Aiguines
Riez
Le Logis-du-Pin
La Bastide
Andon
Gourdon
Vence
Le Bar-s.-le-Loup
Cagnes
Gréoux-les-Bains
Vinon-s.-Verdon
Quinson
Comps-s.-Artuby
Mons
St-Vallier-de-Thiey
Grasse
Antibes
Ginasservis
Jouques
Rians
La Verdière
Montmeyan
Aups
Varages
Tavernes
Sillans-la-Cascade
Villecroze
Montferrat
Callas
Bargemon
Fayence
Mougins
Vallauris
Juan-les-P.
Le Cannet
Cannes
Lac de St-Cassien
Les Quatre-Chemins
Brue-Auriac
Barjols
Salernes
Flayosc
Lorgues
Draguignan
Mandelieu-la-Napoule
Le Trayas
Pte du Cap Roux
Anthéor-Cap-Roux
Cotignac
Châteauvert
Carcès
Le Thoronet
Les Arcs
Le Muy
Fréjus
St-Raphaël
St-Aygulf
Les Issambres
St-Maximin-la-Ste-Baume
Pourcieux
Trets
Tourves
Le Val
Le Luc
Vidauban
Roquebrune-s.-Argens
Le Cannet-des-Maures
Brignoles
Flassans-s.-Issole
Nans-les-Pins
La Roquebrussanne
Besse-s.-I.
La Garde-Freinet
Val d'Esquières
Ste-Maxime
Cap de St tropez
Signes
Puget-Ville
Carnoules
Grimaud
St-Tropez
Le Camp-du-Castellet
Cuers
Collobrières
Cogolin
Ramatuelle
La Croix-Valmer
Cap Camarat
Le Beausset
Solliès-Pont
Pierrefeu-du-Var
Bormes-les-Mimosas
Cavalaire-s.-Mer
Cap Lardier
Le Lavandou
La Londe-les-Maures
La Crau
Toulon
Hyères
Bandol
Six-Fours-les-Plages
La Seyne
St-Mandrier-s.-Mer
Rade de Toulon
Carqueiranne
Rade d'Hyères
Cap Blanc
Cap Sicié
Giens
Porquerolles
Ile de Porquerolles
Ile de Port-Cros
Ile du Levant
Iles d'Hyères

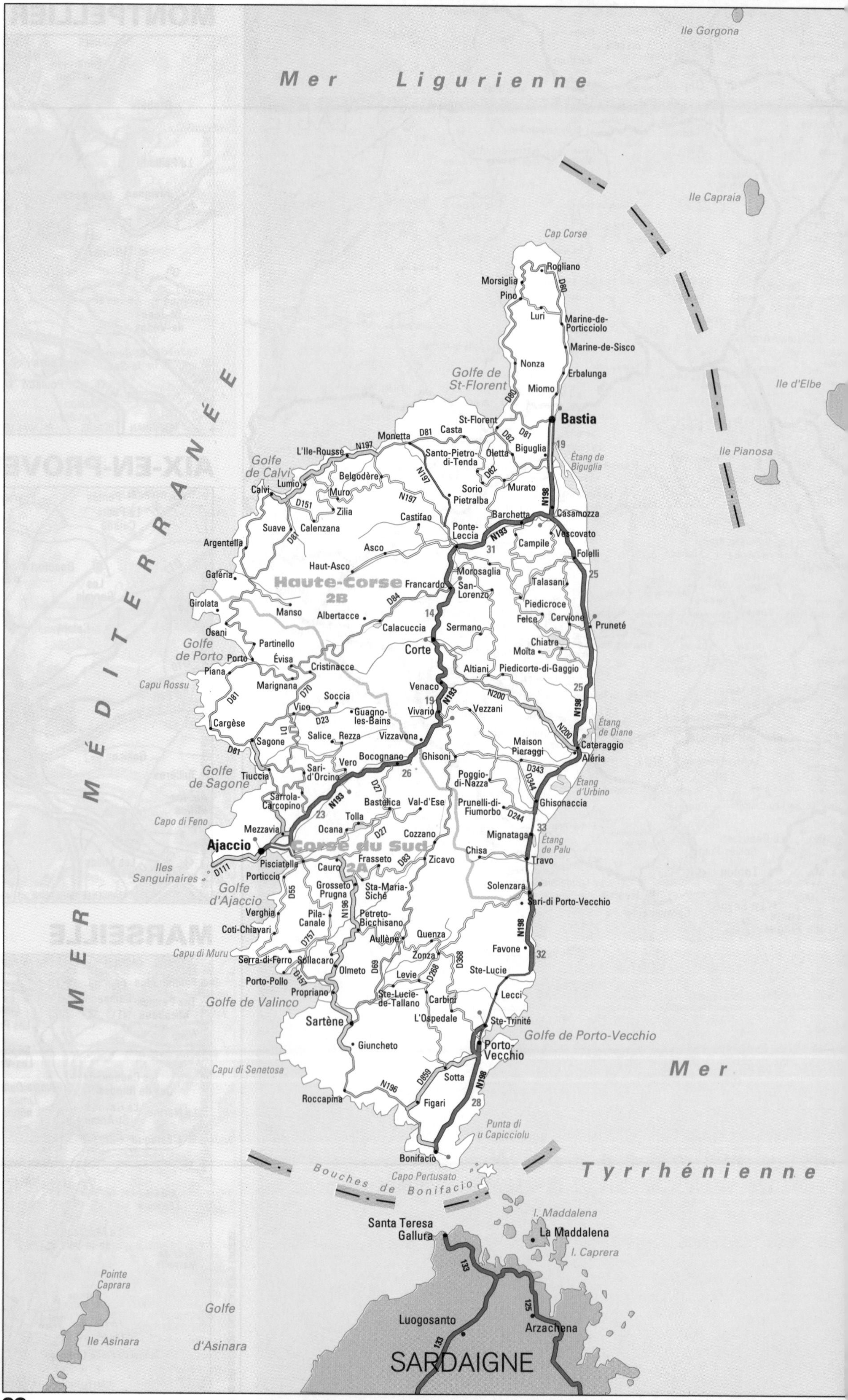

Mer Ligurienne

Ile Gorgona
Ile Capraia
Cap Corse
Rogliano
Morsiglia
Pino
Luri
Marine-de-Porticciolo
Marine-de-Sisco
Nonza
Erbalunga
Golfe de St-Florent
Miomo
Ile d'Elbe
Bastia
St-Florent
Casta
Monetta
L'Ile-Rousse
Santo-Pietro-di-Tenda
Oletta
Biguglia
Étang de Biguglia
Ile Pianosa
Golfe de Calvi
Lumio
Calvi
Belgodère
Muro
Zilia
Sorio
Pietralba
Murato
Castifao
Barchetta
Casamozza
Calenzana
Suave
Argentella
Ponte-Leccia
Campile
Vescovato
Folelli
Asco
Haut-Asco
Galéria
Morosaglia
Talasani
Haute-Corse
2B
Francardo
San-Lorenzo
Girolata
Manso
Albertacce
Piedicroce
Felce
Cervione
Pruneté
Calacuccia
Sermano
Osani
Golfe de Porto
Partinello
Porto
Évisa
Corte
Chiatra
Moïta
Altiani
Piedicorte-di-Gaggio
Piana
Cristinacce
Capu Rossu
Marignana
Venaco
Soccia
Vico
Guagno-les-Bains
Vivario
Vezzani
Cargèse
Salice
Rezza
Vizzavona
Étang de Diane
Sagone
Maison Pieraggi
Cateraggio
Aléria
Ghisoni
Bocognano
Vero
Golfe de Sagone
Tiuccia
Sari-d'Orcino
Poggio-di-Nazza
Étang d'Urbino
Sarrola-Carcopino
Bastelica
Val-d'Ese
Prunelli-di-Fiumorbo
Ghisonaccia
Capo di Feno
Tolla
Ocana
Mezzavia
Cozzano
Mignataga
Étang de Palu
Ajaccio
Corse du Sud
2A
Chisa
Travo
Iles Sanguinaires
Pisciatella
Frasseto
Zicavo
Porticcio
Cauro
Golfe d'Ajaccio
Grosseto Prugna
Sta-Maria-Siché
Solenzara
Sari-di Porto-Vecchio
Verghia
Pila-Canale
Petreto-Bicchisano
Coti-Chiavari
Aullène
Quenza
Favone
Capu di Muru
Serra-di-Ferro
Sollacaro
Zonza
Olmeto
Ste-Lucie
Levie
Porto-Pollo
Propriano
Ste-Lucie-de-Tallano
Carbini
Lecci
Golfe de Valinco
Sartène
L'Ospedale
Ste-Trinité
Golfe de Porto-Vecchio
Giuncheto
Porto-Vecchio
Capu di Senetosa
Mer
Sotta
Roccapina
Figari
Punta di u Capicciolu
Bonifacio
Tyrrhénienne
Capo Pertusato
Bouches de Bonifacio
I. Maddalena
Santa Teresa Gallura
La Maddalena
I. Caprera
Pointe Caprara
Golfe d'Asinara
Luogosanto
Arzachena
Ile Asinara
SARDAIGNE
MER MÉDITERRANÉE

D80 D81 D82 D62 N197 N198 N193 N200 D151 D81 D84 D70 D23 D1 D111 D27 D83 D55 D196 D757 D69 D268 D368 D859 N196 D343 D344 D244 133 125
19 25 31 14 19 26 23 33 32 28

ITINÉRAIRES INTERRÉGIONAUX

Étudiés spécialement pour vous, si vous devez traverser une partie de la France, ces itinéraires linéaires empruntent des routes secondaires chaque fois que cela est possible ; vous pourrez, à l'écart des grands axes, renonçant à la vitesse et prenant votre temps, apprécier – au fil de routes peu encombrées – la variété et la beauté des paysages que vous traverserez ; des haltes reposantes vous sont proposées en cours de route pour visiter un monument ou vous arrêter dans un restaurant accueillant. Des indications portées sur les cartes permettent de se reporter à l'atlas routier (carroyage) et aux itinéraires de promenades (numéros).

15 grandes villes se trouvent ainsi reliées entre elles du nord au sud de la France :

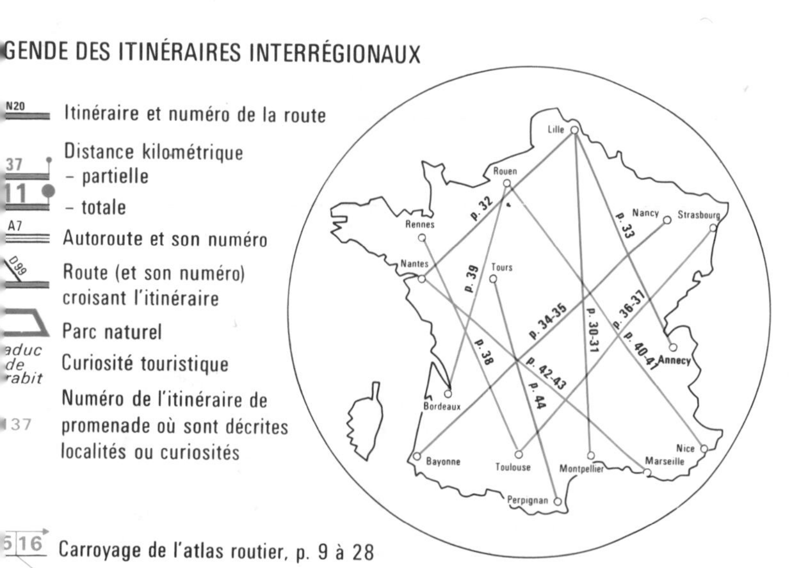

Dans chacune de ces vingt régions, vous avez le choix entre plusieurs sortes de promenades :

– Un *itinéraire régional*, qui vous signalera les principales curiosités artistiques ou naturelles « à ne pas manquer » dans la région. Certaines, décrites dans l'un des itinéraires suivants, font simplement l'objet d'un renvoi au numéro de cet itinéraire ;

– Des *itinéraires classiques*, plus ou moins longs, qui vous emmèneront à la découverte de petites villes ou de monuments aussi bien que de sites naturels (grottes, gorges, cols...). Ils sont signalés par un numéro sur fond bleu ;

– Des *promenades « nature »*, automobiles ou pédestres, qui, tout en vous guidant vers des sites naturels souvent peu connus, vous aideront à prendre la mesure d'un paysage, à comprendre un type d'habitation ou à identifier une flore ou une faune inhabituelles. Le numéro de l'itinéraire est dans ce cas porté sur fond vert et suivi d'un sigle particulier lorsque l'itinéraire est principalement ou entièrement pédestre.

Sur la carte qui accompagne toujours ces itinéraires, le tracé de la promenade figure en rouge, d'un trait continu lorsque le trajet s'effectue en automobile, d'un trait discontinu lorsqu'il s'agit d'un sentier à parcourir à pied. Plusieurs indications ont également été portées comme les distances, les points de vue, etc. Le total des kilomètres à parcourir est indiqué à côté du titre.

Une carte d'ensemble présente, en tête de chaque région, la mosaïque des itinéraires qui la sillonnent avec l'indication de leur numéro.

Enfin, pour chaque région, une planche thématique en présente un des aspects les plus attachants : grand monument ou vie traditionnelle et activité artisanale.

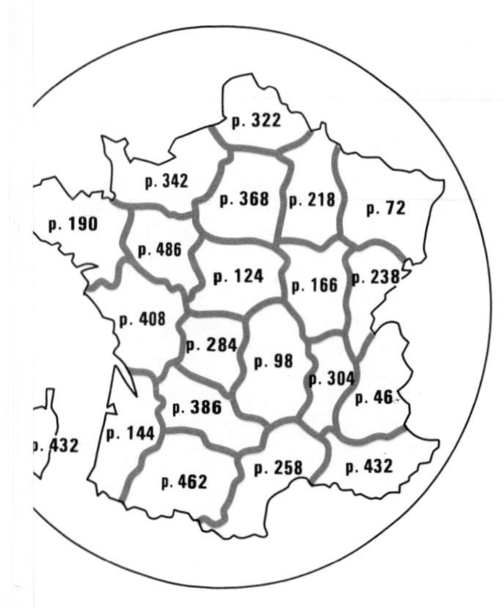

ALPES

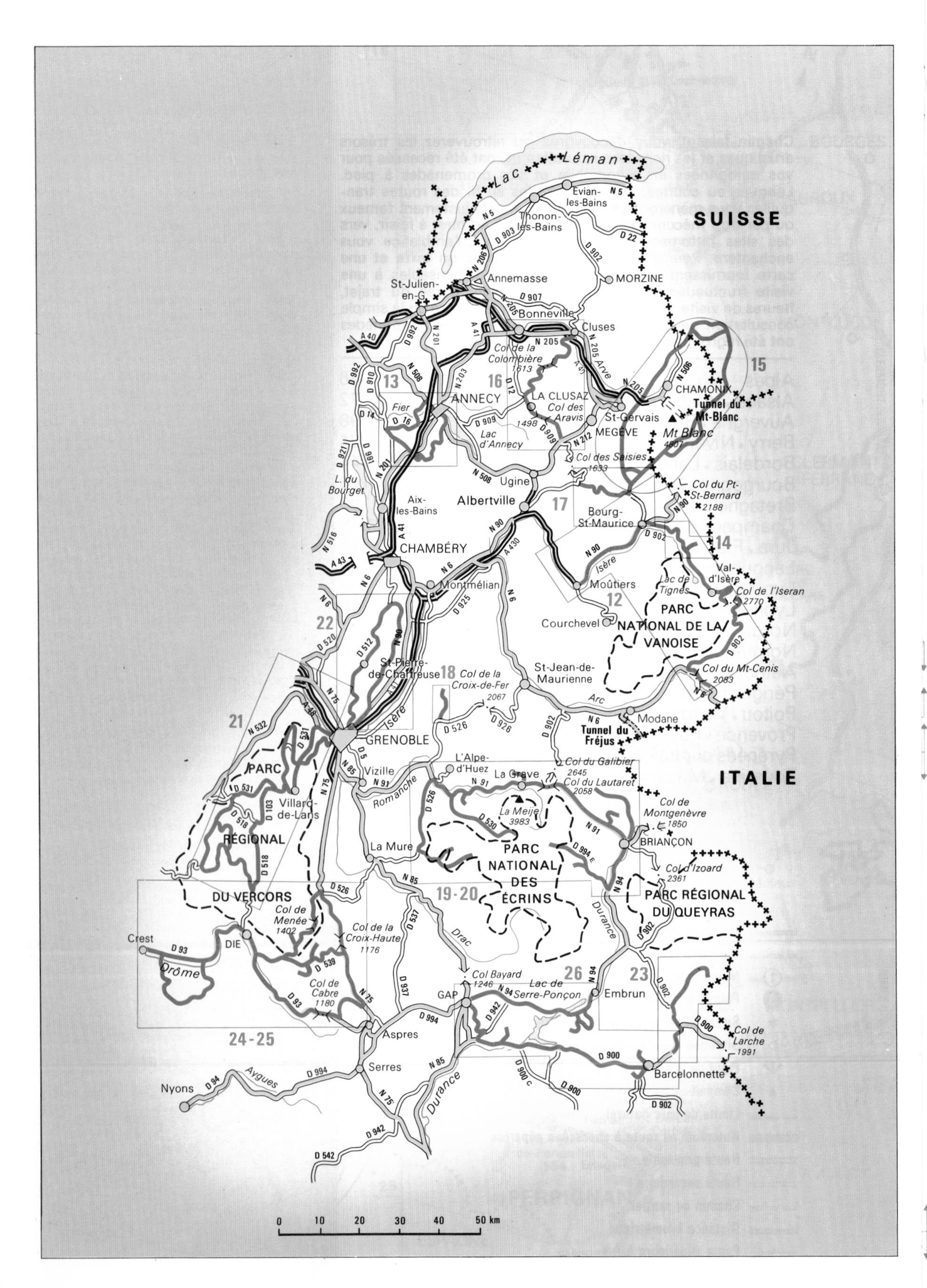

Lac Léman
SUISSE
ITALIE
Evian-les-Bains
Thonon-les-Bains
Annemasse
St-Julien-en-G.
MORZINE
Bonneville
Cluses
CHAMONIX
Tunnel du Mt-Blanc
Mt Blanc 4807
St-Gervais
MEGÈVE
LA CLUSAZ
Col des Aravis 1498
Col de la Colombière 1613
ANNECY
Lac d'Annecy
Col des Saisies 1633
Ugine
Albertville
Aix-les-Bains
L. du Bourget
CHAMBÉRY
Montmélian
Bourg-St-Maurice
Col du Pt-St-Bernard 2188
Val-d'Isère
Col de l'Iseran 2770
Lac de Tignes
Moûtiers
Courchevel
PARC NATIONAL DE LA VANOISE
St-Jean-de-Maurienne
Col du Mt-Cenis 2083
Modane
Tunnel du Fréjus
St-Pierre-de-Chartreuse
Col de la Croix-de-Fer 2067
GRENOBLE
Vizille
L'Alpe-d'Huez
La Grave
Col du Galibier 2645
Col du Lautaret 2058
La Meije 3983
Col de Montgenèvre 1850
BRIANÇON
Col d'Izoard 2361
PARC RÉGIONAL DU QUEYRAS
PARC NATIONAL DES ÉCRINS
La Mure
Villard-de-Lans
PARC RÉGIONAL DU VERCORS
Col de Menée 1402
Col de la Croix-Haute 1176
Crest
DIE
Drôme
Col de Cabre 1180
Col Bayard 1246
GAP
Lac de Serre-Ponçon
Embrun
Aspres
Serres
Barcelonnette
Col de Larche 1991
Nyons
Aygues
Durance
Drac
Isère
Arc
Romanche
Fier
Arve
13
15
16
17
12
14
18
19-20
21
22
23
24-25
26
0 10 20 30 40 50 km

Des vallées accueillantes gardées par des cimes altières

Du Léman à la Drôme et à la Durance, les Alpes françaises proposent une variété inégalée de paysages de grande montagne. D'ouest en est se succèdent : les Préalpes, bastions rudement défendus, mais emplis de fraîcheur ; la rocade intérieure du Sillon alpin, aux campagnes riantes ; la fière barrière culminante des massifs centraux auréolés de glaciers ; enfin, la houle désordonnée des montagnes de la zone interne, aux pelouses fleuries. Partout, de bons couloirs de circulation, encadrés de longs versants à replats, aèrent la masse montagneuse : cluses vers l'avant-pays et vallées intérieures vers les cols. Ce sont les lignes de vie de la chaîne, qu'animent les petites villes de foires, parfois promues au rang de villes fortes ou de villes épiscopales, et que gardent les tours carrées des châteaux. La montagne elle-même est le domaine des villages, des granges d'alpages, des chartreuses, des ponts hardis et des barrages, et aujourd'hui des skieurs et des alpinistes qui se mesurent à ses pentes, été comme hiver. Mais que de différences entre la Savoie, province des montagnes vertes et blanches, des lacs romantiques et des églises aux fresques naïves, et le Dauphiné, aux croupes lacérées, aux maisons de pierre, à la lumière déjà méridionale. Entre le torrent qui fait cascader ses eaux grises et la combe ombragée, entre le sage petit lac bleu et l'orgueilleux belvédère, entre Annecy et Saint-Véran, que de contrastes.

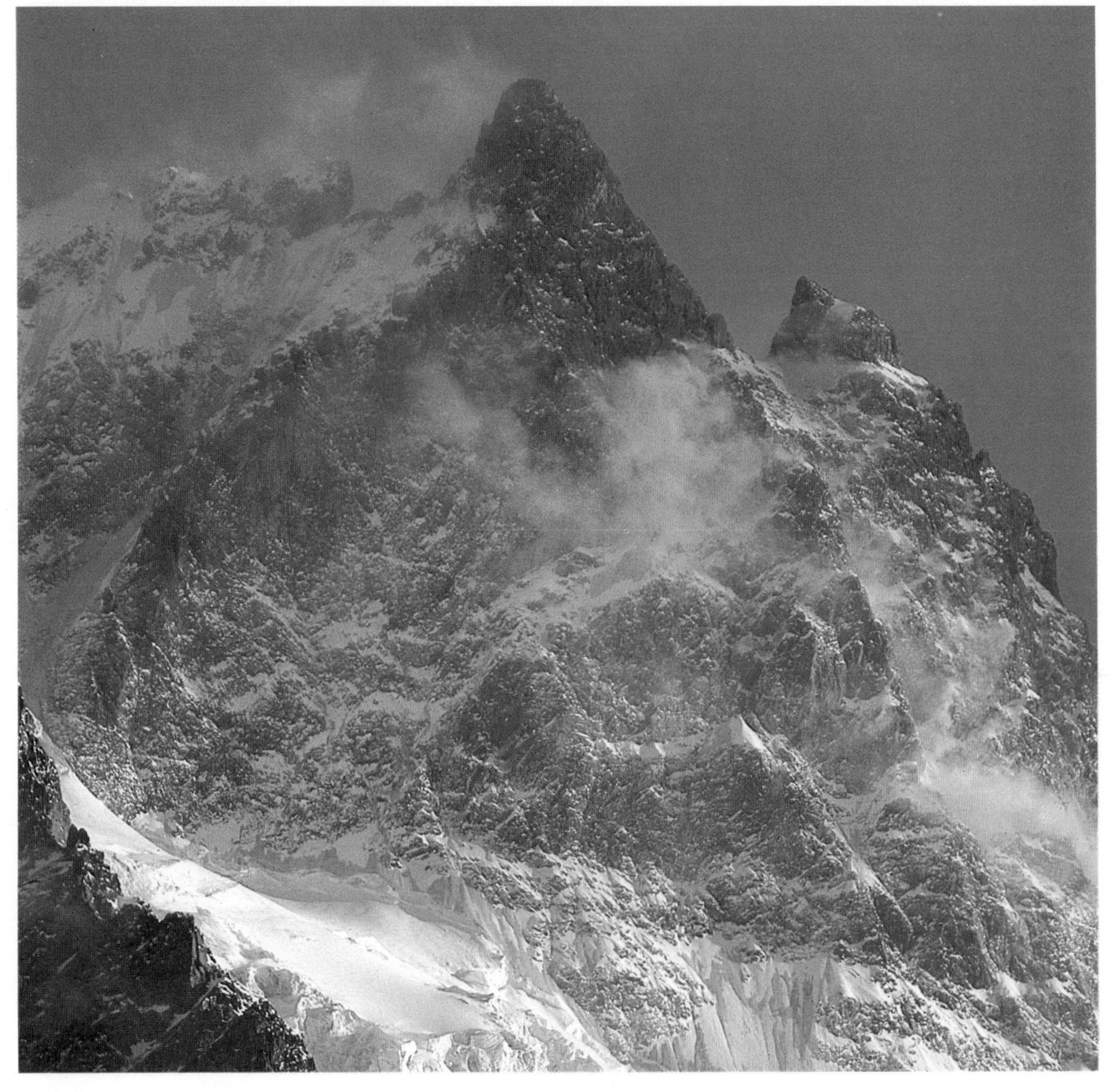

La Meije, monde vertigineux des cimes pyramidales, domaine des glaciers étincelants.

11

Hauts lieux, trésors et paysages

Les itinéraires proposés dans les Alpes doivent se faire de préférence à la belle saison, car la plupart des « routes tranquilles », étroites et sinueuses, présentent en hiver de grandes difficultés. Leur accès est parfois impossible à cause de la fermeture des cols qui peut varier de façon considérable d'une semaine à l'autre, il est préférable de se renseigner au dernier moment sur Minitel (3615 Route) ou aux informations routières à Lyon, tél. : 78-54-33-33 (état des routes), ou à Prévisions montagne et neige, tél. : 36-68-04-04, ou encore à Prévisions France entière, tél. : 36-68-01-01. Pour obtenir des informations par département, faire le 36-68-02 suivi du numéro minéralogique du département.

Grenoble jouit d'un site privilégié au pied des Alpes : toutes ses rues, ou presque, ont une perspective sur la montagne. Ancienne capitale du Dauphiné, la ville a conservé quelques monuments comme le palais de justice (XVIe s.), l'hôtel du Connétable de Lesdiguières (XVIe s.), qui abrite le musée Stendhal (vis. t.l. apr.-m., sauf lundi et j. fér.), et l'église St-Laurent, avec sa crypte mérovingienne. Le Musée dauphinois est consacré à l'archéologie et à l'ethnographie locales. Les collections d'art moderne du musée des Beaux-Arts se trouvent aujourd'hui réunies dans le nouveau Musée de Grenoble (ces musées sont ouverts t.l.j., sauf le mardi). Ville en pleine expansion, Grenoble, qui fut choisie comme capitale des jeux Olympiques d'hiver en 1968, s'est enrichie de nombreux bâtiments modernes. La Maison de la Culture, la gare et l'église St-Jean forment un ensemble représentatif de l'architecture française contemporaine. Du fort de la Bastille, vue de la ville et des montagnes alentour.
Croix de Chamrousse (2 255 m). On y accède par téléphérique (en service tous les jours, de fin juin à sept. et de déc. au 1er mai) de la station de Chamrousse. Immense panorama : au N., la Chartreuse ; à l'O., le Vercors ; à l'E., les Écrins et la Meije.
Massif de la Chartreuse. V. itin. 22.
Chambéry, dominée par les escarpements du massif des Bauges, est une ville industrielle qui a gardé un certain cachet avec ses maisons anciennes et son château (vis. guid. t.l.j., sauf dim. mat., juill.-août ; t.l. apr.-m., mai, juin, sept. ; sam., dim. et j. fér., oct. à avr. ; vac. scol., t.l. apr.-m. à 14 h 30, sauf Noël et jour de l'An). Dans le trésor de la cathédrale, voir un diptyque en ivoire du Xe s. (vis. sam. apr.-m., 15 mai-30 sept.). La crypte de l'église St-Pierre-de-Lémenc est un des plus anciens sanctuaires savoyards (IXe s.). Chambéry, outre le muséum d'histoire naturelle (t.l. apr.-midi, sauf dim. et j. fér.), possède trois musées : le musée des Beaux-Arts, où sont exposées des œuvres de la Renaissance italienne, le Musée savoisien, voué à l'art local et aux estampes (t.l.j., sauf mardi et j. fér.) et, aux environs, la maison des Charmettes (t.l.j., sauf mardi et j. fér.), où vécut J.-J. Rousseau avec Mme de Warens.
Aix-les-Bains est une ville d'eaux connue depuis deux mille ans. De la station romaine subsistent un temple, l'arc de Campanus, qui abrite un musée archéologique, et les vestiges des bains romains que l'on voit en visitant les thermes nationaux (de mars à nov., le dim. à 14 h 30). Le musée Faure (t.l.j., sauf mardi et j. fér.) possède une importante collection de peinture de la fin du XIXe s. et des sculptures de Rodin. Sur le lac du Bourget, qui inspira Lamartine, des promenades en bateau permettent d'admirer les sites romantiques comme celui de l'abbaye royale d'Hautecombe, où sont inhumés la plupart des souverains de Savoie. Un récital, « Les Amants du lac », poésie-musique sur l'eau (Lamartine et Schubert), a lieu de juill. à sept. (le mardi à 21 h).
Annecy. Voir itinéraire 13.
Gorges du Fier. Voir itinéraire 13.
Lac d'Annecy. Il a été l'objet de la première expérience européenne de dépollution des eaux ; aujourd'hui, les montagnes qui l'entourent reflètent leurs silhouettes découpées dans des eaux d'un bleu pur. On peut en faire le tour en voiture, mais, l'été, choisir de préférence le bateau (s'adresser à Annecy, tél. : 50-51-08-40).
Cirque du Fer-à-Cheval. Il est au moins aussi impressionnant que son rival pyrénéen de Gavarnie : c'est une vaste prairie, entourée de parois rocheuses en gradins qui s'appuient aux pentes de Tenneverge et d'où jaillissent de nombreuses cascades.
Évian-les-Bains. Cette ville thermale est un centre de villégiature apprécié. Son grand atout est le lac Léman. Partagé entre la France et la Suisse, il est traversé par le Rhône, qui en renouvelle les eaux à 72 %. Agréables promenades en bateau (départ d'Évian : C.G.N., tél. : 50-70-73-20 ; de Thonon : O.T., tél. : 50-71-55-55).
La Clusaz, située dans un aimable paysage de forêts de sapins et d'alpages, est une station de ski bien équipée et le point de départ de belles randonnées dans les Aravis.
Col des Aravis. Voir itinéraire 16.
Megève. Le site, qu'une exploitation intelligente a su conserver, le climat et un bon équipement ont fait la réputation de cette station. Outre le ski, les distractions et les promenades sont nombreuses. Du sommet du mont d'Arbois, accessible par téléphérique (mi-juin à mi-sept. et, selon enneig., mi-déc. à mi-avr. Rens. tél : 50-21-22-07), splendide panorama.
Chamonix, station de ski et d'alpinisme mondialement connue, doit sa renommée à la proximité du mont Blanc. Attirant les amateurs d'alpinisme, il fut à l'origine de la création de la célèbre école des guides et de toute une littérature de montagne. De Chamonix, on peut atteindre rapidement par téléphérique (s'adresser à l'O.T.) les sommets les plus prestigieux : le Prarion (1 987 m), le Brévent (2 525 m), l'aiguille du Midi (3 842 m) et la Mer de Glace. Le mont Blanc, lui, reste réservé aux alpinistes chevronnés (voir itinéraire 15).
Col des Saisies (1 633 m). Une stèle y a été élevée en souvenir du parachutage qui, le 2 août 1944, alimenta en armes les résistants de la Savoie. Le point de vue sur le massif du Mont-Blanc et les sommets du Beaufortin est extraordinaire.
Mont-Pourri. Voir itinéraires 12 et 14.
Lac de Tignes. Voir itinéraire 12.
Col de l'Iseran. Voir itinéraire 12.
Parc de la Vanoise. Il fut le premier parc national français. Il couvre le massif de la Vanoise entre la Tarentaise et la Maurienne ; son but est la protection de la faune et de la flore alpines. On y accède, entre autres, par Termignon, Aussois, Pralognan, Bourg-Saint-Maurice ou Modane, où des visites sont organisées (rens. O.T. ou au Parc, tél. : 79-62-30-54).
Route du col du Mont-Cenis. Construite de 1803 à 1811 sur l'ordre de Napoléon, elle traverse des forêts de sapins et des prairies. Au dernier virage avant le col, beau point de vue sur les glaciers de la Vanoise et la Dent Parrachée (3 684 m), un des points culminants du massif.
Monolithe de Sardières. Aiguille rocheuse « calcavo-dolomitique » de 92 m de haut qui se dresse à 1,5 km de Sardières, au milieu d'une clairière. Sa couleur ocre foncé contraste avec la verdure de la forêt environnante.
Col de la Croix-de-Fer (2 067 m). Face au massif des Sept-Laux et à celui des Grandes-Rousses, c'est un merveilleux belvédère sur les aiguilles d'Arves, la Meije et le Râteau, le Grand Pic de Belledonne et les aiguilles de l'Argentière, ainsi que sur les sommets de la Vanoise orientale.
La Grave, le Chazelet, la Meije. Voir itinéraire 20.
Col du Galibier. Il fait communiquer la Maurienne et le Briançonnais. On le franchit par une route ouverte en été seulement. De la table d'orientation, au col (2 677 m), on découvre un magnifique panorama sur les sommets des aiguilles d'Arves et la Vanoise, et, au S., sur l'Oisans et ses glaciers (les Écrins, la Meije).
Briançon. Voir itinéraire 20.
Col d'Izoard (2 361 m). Du belvédère du col, on jouit d'un vaste panorama sur le Briançonnais, au N., et le Queyras, au S. Après le col, la route en corniche traverse la Casse Déserte, site désolé aux pentes ravinées, semé d'éboulis et de roches déchiquetées.
Saint-Véran, dans le Queyras, est le village le plus haut d'Europe, puisque ses chalets pittoresques, aux longues galeries de bois, s'étagent de 2 000 à 2 500 m sur les pentes exposées au midi de la montagne de Beauregard.
Mont-Dauphin. Voir p. 62-63.
Lac de Serre-Ponçon. Voir itinéraire 26.
Vallée du Boscodon. Voir itinéraire 26.
Gap. Voir itinéraire 26.
Mont Aiguille (2 086 m). Gagner Saint-Michel-les-Portes par Châtillon et Clelles, puis aller à pied au col des Pellas (1 h AR). C'est de là que l'on a la meilleure vue sur le mont Aiguille, qui fut gravi pour la première fois en 1492 par le chevalier Antoine de Ville pour satisfaire un caprice du roi Charles VIII.
Die. Voir itinéraire 24.
Crest. Voir itinéraire 24.
Forêt de Saou. Voir itinéraire 24.
Vercors. Voir itinéraire 21.

Autour de la Vanoise 120 km

De la Tarentaise à la haute Maurienne, dans des paysages souvent sévères, parfois sauvages, on découvrira un des plus intéressants aspects de la vie savoyarde : l'art, et surtout l'art religieux. Il surprendra par sa richesse, sa beauté, son originalité. Mais ces deux régions sont des lieux de passage fréquentés depuis la plus haute antiquité : ainsi, des échanges ont pu se réaliser, dont les artistes locaux ont su tirer parti. A Bessans et à Bonneval, la tradition n'est d'ailleurs pas interrompue.

Lanslevillard. Les peintures murales de la chapelle St-Sébastien datent du XVe s. Disposées sur trois registres, elles sont accompagnées de légendes qui permettent d'en suivre le déroulement.

❶ **Moûtiers.** Ancien centre ecclésiastique renommé, Moûtiers possède une cathédrale modifiée et reconstruite à diverses époques ; son intérêt principal réside dans son mobilier en bois : on peut y voir un trône épiscopal du XVIe s., une Vierge du XIIIe s. et une Mise au tombeau du XVIe s. Le trésor comprend plusieurs châsses en métal et en bois sculpté et des objets de culte (on ne le visite pas).

❸ **Sainte-Foy-Tarentaise.** Situé sur une terrasse au-dessus d'une gorge de l'Isère, le village se dresse face au massif du Mont-Pourri. Église avec mobilier et objets des XVIIe et XVIIIe s. Cette petite station est le point de départ de nombreuses excursions mais surtout de belles randonnées dans le parc national de la Vanoise et dans celui du Grand Paradis, en Italie (s'adres. Bureau de la Montagne, tél. : 79-06-90-87).

Lac de Tignes. A 2 100 m d'altitude, le petit lac naturel de Tignes étend ses eaux bleues. C'est dans ce magnifique site d'alpages qu'a été construite, dès la fin des années 1950, la célèbre station de sports d'hiver et de haute montagne.

❷ **Aime.** sur la gauche de la nationale (direction de Bourg-Saint-Maurice) qui traverse cette ancienne cité s'élève la basilique St-Martin (t.l.j., en juill. et en août ; s'adresser au S.I. le reste de l'année). Édifiée au début du XIe s., elle a perdu ses collatéraux au XVIIe s. Elle n'en témoigne pas moins de l'architecture romane à ses débuts. A l'intérieur : fresque de la fin du XIIe s. et musée lapidaire. Les fouilles ont permis de mettre au jour deux édifices antérieurs : une basilique civile romaine du IIe s. et un édifice religieux de l'époque mérovingienne ; la crypte est du premier âge roman, du XIe s.

❹ **Barrage de Tignes.** Haut de 180 m, il fait partie d'une sorte de « complexe » formant, avec les eaux de retenue de l'Isère et une partie de celles de l'Arc, amenées sous conduite forcée souterraine, le lac du Chevril, dont les eaux alimentent les centrales de Brévières et de Malgovert. Submergé par les eaux, le village de Tignes a été reconstruit au lieu dit Les Boisses. C'est un centre sportif important : ski en hiver ; sur le lac, nombreux sports nautiques et pêche en barque en été.

❺ **Val-d'Isère.** La réputation de cette station hivernale n'est plus à faire, mais rappelons qu'on y skie aussi l'été et que la proximité du parc national de la Vanoise en fait un grand centre d'excursions. Du Rocher de Bellevarde ou de la Tête du Solaise, accessibles par téléphérique (selon enneig. du 26 nov. au 9 mai ; l'été, en juill.-août), vue sur la vallée de l'Isère, le Mont-Pourri et la Vanoise.

❻ **Col de l'Iseran.** La route, ouverte en 1936, permet la liaison entre les vallées de la Tarentaise et de la Maurienne ; elle constitue l'un des plus hauts passages carrossables d'Europe. Du col (fermé d'oct. à juin selon enneigement), belle vue sur les montagnes de la haute Maurienne.

❼ **Bonneval-sur-Arc,** dans un site sauvage, est un petit village pittoresque aux vieilles maisons couvertes de lauzes. A la maison communale, exposition consacrée au travail artisanal d'inspiration traditionnelle et moderne, plus particulièrement à celui du bois (ouv. du 15 déc. au 30 avr. et en juill. et août). On visite l'église et la chapelle N.-D.-des-Grâces.

❽ **Bessans,** endommagé pendant la Seconde Guerre mondiale et lors de la crue de l'Arc en 1957, a néanmoins conservé son église avec un beau Christ du XVIIIe s. et d'autres statues du XVIIe. La chapelle St-Antoine retiendra l'attention, avec ses fresques intérieures et extérieures, et ses fameux diables grimaçants (voir dessin).

Clochers à bulbe. Apparus dès le XVIIe s., les clochers à bulbe des églises et des chapelles savoyardes surprennent par leur gaieté, leur éclat et la grâce de leurs formes, qui jouissent d'une infinie diversité.

Bessans. Les diables de la chapelle St-Antoine. Ces statues de bois naïves ont été inspirées, au XIXe s., à un artiste local par les fresques de Lanslevillard. L'artisanat du bois est resté vivant dans ce village.

❾ **Lanslevillard.** La chapelle St-Sébastien est justement célèbre : sa simplicité extérieure ne laisse pas présumer qu'on découvrira, à l'intérieur, de merveilleuses fresques du XVe s., un des plus riches ensembles picturaux de Savoie. Seize panneaux racontent, sur le mur S., la vie de saint Sébastien, et trente-six autres, relatant la vie du Christ, se répartissent sur les murs restants. Le plafond à petits caissons bleu et or s'harmonise avec les fresques (voir photo).

❿ **Col du Mont-Cenis.** Bien qu'obstrué par la neige une grande partie de l'année (de nov. à avr.), ce col sert de voie de passage vers l'Italie depuis l'Antiquité. Saint Pierre (selon la tradition), Charlemagne, Montaigne, Bonaparte l'ont franchi. Le sommet du col commande un vaste panorama, mais le célèbre hospice, englouti sous les eaux, n'est plus visible ; il a été reconstruit partiellement en forme de pyramide. On visite la salle historique (ouv. t.l.j., du 30 juin au 2 sept.). Le lac de barrage du Mont-Cenis, d'une capacité de 321 millions de mètres cubes, est alimenté par un vaste réseau de galeries ; ses eaux sont partagées entre plusieurs centrales électriques.

13

Annecy et les collines de l'Albanais 60 km

L'ouverture de l'autoroute Chambéry-Genève a rendu les routes des environs d'Annecy à leur tranquillité originelle. On peut ainsi redécouvrir l'Albanais — région naturelle qui tient son nom d'Albens, petite localité qui eut son heure de gloire à l'époque romaine. Ces collines sont riches d'un passé que l'on aura plaisir à évoquer en visitant châteaux et vieux bourgs, avant de revenir à la montagne, en gravissant les pentes du Semnoz pour atteindre le belvédère sur le lac.

Sévrier. A la fonderie Paccard, toujours en activité, un musée retrace la fabrication des cloches depuis leurs origines.

❶ **Annecy,** dans un site admirable, face à un paysage de montagnes, n'a rien perdu de son charme à l'italienne. On se promènera dans les rues de la vieille ville bordées de maisons à arcades pour y découvrir les hôtels des XVIe et XVIIe s. Des quais fleuris du canal du Thiou, au cœur de la ville, on se rend au palais de l'Isle : résidence-maison forte des seigneurs de l'Isle, construite du XIIe au XIVe s. sur le canal. Prison, atelier monétaire, palais de justice, il abrite aujourd'hui des salles sur l'histoire d'Annecy. Expos. temp. (t.l.j. en juill.-août, sauf mardi le reste de l'année. Vis. comment. pour les groupes). On poursuivra par la visite de la cathédrale (XIVe s.), de style gothique, première paroisse de saint François de Sales, et de l'église St-Maurice (XVe s.), qui renferme deux peintures murales et une descente de croix de Pourbus l'Ancien (1558). Dominant la ville, le château, dont une partie remonte au XIIIe s. (tour de la Reine), fut terminé au XVIe s. Un intéressant musée des lacs alpins y est installé (t.l.j. en juill.-août ; sauf mardi le reste de l'année). Du château, le panorama est imposant. L'ancien grand séminaire (XVIIe s.) abrite le conservatoire d'Art et d'Histoire aux riches collections alpines : gravures, peintures, sculptures (t.l.j. juin-sept. Fermé dim. et j. fér. hors saison).

❷ **Lovagny.** A proximité se dresse, isolé, le château de Montrottier (ouv. t.l.j. juin-sept. ; sauf mardi en avr.-mai et sept.-oct.), surplombant l'ancien

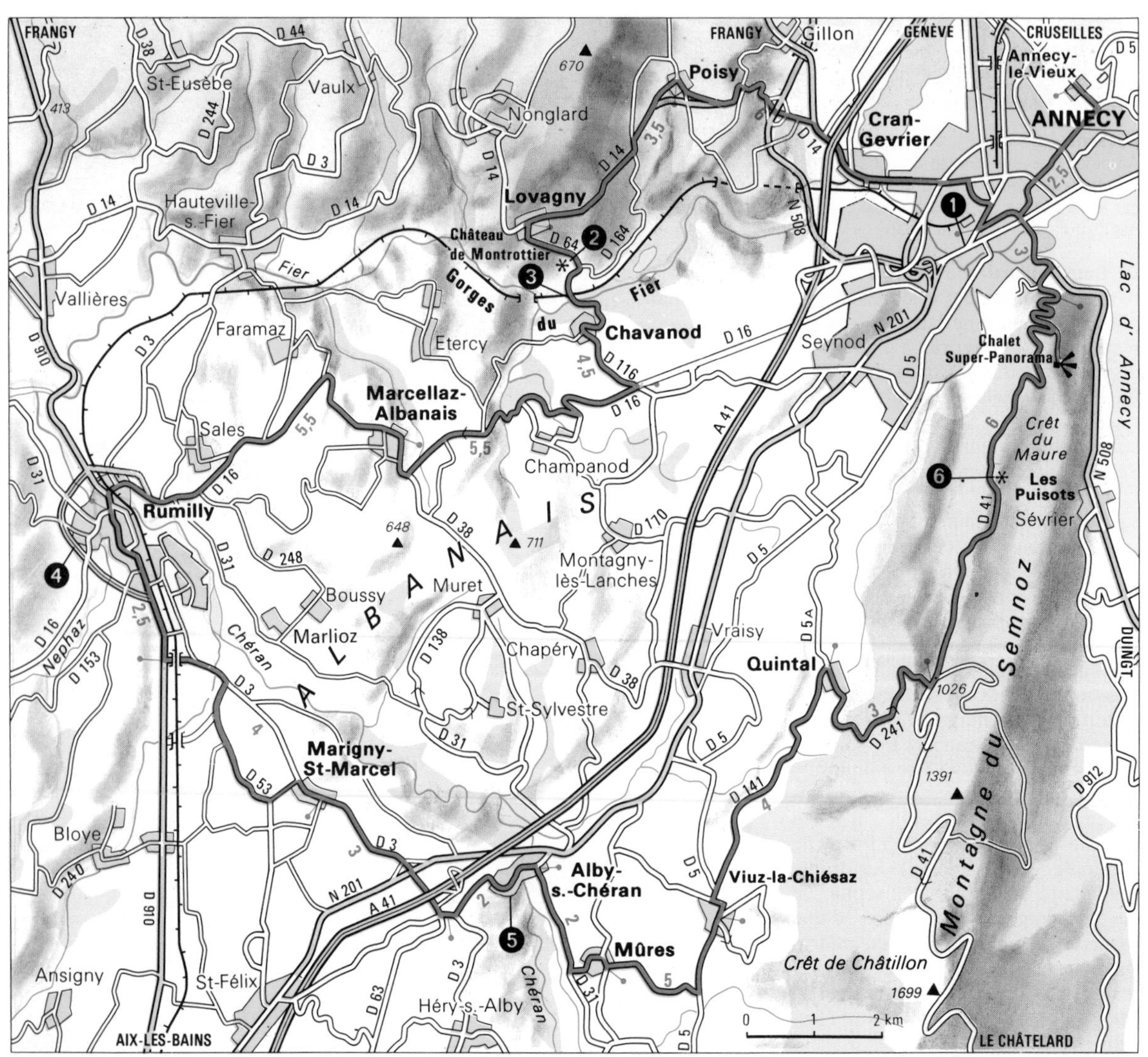

lit du Fier. Les logis (XIIIe-XVe s.) forment une cour dominée par un gros donjon. À l'intérieur, importantes collections de faïences, armes, meubles d'époque, objets d'Afrique, statues, portraits, bronzes de la Renaissance allemande.

❸ **Gorges du Fier** (vis. du 15 mars au 15 oct.). Dans des falaises calcaires de près de 60 m de hauteur, le Fier a creusé, sur une longueur de 250 m, un chenal aux parois verticales et lisses, dont la largeur varie entre 2 et 10 m. On parcourt ces gorges impressionnantes sur une passerelle accrochée à 27 m au-dessus des eaux.

❹ **Rumilly,** au cœur de l'Albanais, en est, par son passé glorieux, la capitale. Se promener par les rues étroites, aux maisons typiques de la région. Un peu à l'écart, dans la chapelle N.-D.-l'Aumône, une vierge noire en bois du XIIIe s. attire les pèlerins depuis des siècles. La place de l'Hôtel-de-Ville est bordée d'arcades et ornée d'une gracieuse fontaine. Au musée (ouv. t.l.j., sauf mardi, 15 juin-15 sept. ; s'adresser à l'O.T. le reste de l'année. Groupes, tél. : 50-64-58-32) sont rassemblées de nombreuses pièces

Rumilly. Angelots de bois (au musée régional de l'Albanais) : sculpture populaire du XVIIe s., provenant de l'église Ste-Agathe.

concernant l'histoire et l'artisanat de la région (voir photo ci-dessus).

❺ **Alby-sur-Chéran.** Situé sur la falaise qui domine le Chéran encaissé dans une gorge, ce village pittoresque fut, au Moyen Age, une cité d'une certaine importance. La vieille place offre le spectacle de ses maisons à arcades entourant une jolie fontaine, tandis que le château de Montpon surveille la vallée. Voir dans l'église les vitraux modernes de Manessier.

❻ **Montagne du Semnoz.** Après Quintal, dont l'église abrite la première cloche fondue par Paccard en 1796, on escalade la montagne du Semnoz, à travers la forêt du Crêt du Maure. On commença à reboiser la montagne en 1875 ; la forêt qui la couvre aujourd'hui est une des plus belles de France par sa qualité et la variété des espèces réunies. On y trouve certaines essences rares, tels des métaséquoias, peu répandus dans nos régions. De nombreux sentiers conduisent à des belvédères. Il ne reste rien du village des Puisots, qui fut incendié en 1944. Du chalet Super-Panorama, on voit la ville et le lac.

14

La haute vallée de l'Isère et le Mont-Pourri 17 km

Du col de l'Iseran à la plaine d'Albertville, la vallée de l'Isère porte le nom de Tarentaise. Sa partie supérieure abrite des stations hivernales aussi célèbres que Val-d'Isère et Tignes. Sous la neige, les divers aspects du paysage se différencient mal ; aussi est-ce au printemps, époque de floraison brève et éclatante, ou en été, lorsque les troupeaux pâturent au soleil, qu'aux innombrables détours d'excursions aisées la haute Tarentaise laisse apparaître les contrastes qui font son originalité.

❶ **Les Pigettes,** en amont de Sainte-Foy-Tarentaise, n'offre pas encore un recul suffisant pour permettre une vue d'ensemble sur le mont Pourri. C'est donc l'environnement immédiat qui retiendra l'attention. Les petits hameaux de la Savine et de la Gurra sont établis à l'abri des chutes de glaces qui pourraient survenir des glaciers suspendus qui les surplombent. Les chalets sont construits principalement en pierre, y compris la couverture, faite en lauzes. Les habitants pratiquent une agriculture vivrière sur de minuscules parcelles exploitant les moindres espaces cultivables. Aux portes des grands domaines skiables de Tignes et de Val-d'Isère, la vallée de l'Isère, restée dans son état sauvage, a conservé la beauté originelle de sa nature grandiose.

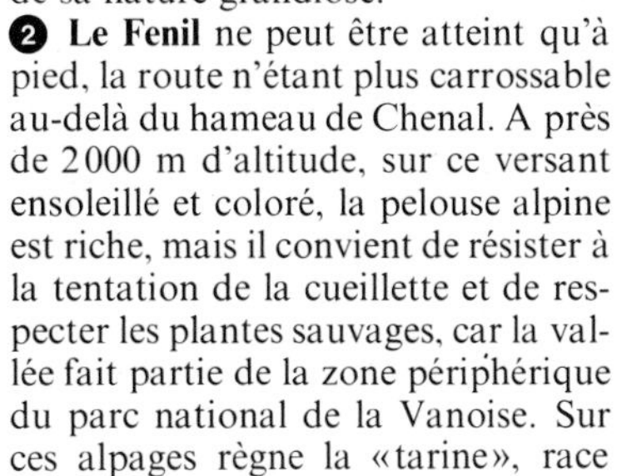

❷ **Le Fenil** ne peut être atteint qu'à pied, la route n'étant plus carrossable au-delà du hameau de Chenal. A près de 2000 m d'altitude, sur ce versant ensoleillé et coloré, la pelouse alpine est riche, mais il convient de résister à la tentation de la cueillette et de respecter les plantes sauvages, car la vallée fait partie de la zone périphérique du parc national de la Vanoise. Sur ces alpages règne la «tarine», race

Le Monal. Non loin du Fenil, ce hameau fait face au massif du Mont-Pourri, qui déploie un appareil glaciaire impressionnant.

bovine rustique, courte sur pattes, sobre et bonne laitière. La vue sur le flanc septentrional du massif du Mont-Pourri et sur ses glaciers est exceptionnelle, et le contraste saisissant : l'appareil glaciaire s'étire presque jusqu'au creux de la vallée. Du N. au S. se succèdent les glaciers de la Gurra, de la Savine, de la Martin et de l'Inverneau. Les chutes de glaces, les avalanches et le ruissellement des eaux ont progressivement mis à nu les schistes.

❸ **Glacier des Balmes.** Des chalets des Balmes, le regard embrasse l'ensemble du glacier, qui alimente le glacier inférieur des Balmes, ou glacier du Plan Champ, à 2500 m. Ce glacier noir, recouvert d'une imposante moraine superficielle, est, dans les Alpes occidentales, l'un des plus beaux exemples de glacier régénéré.

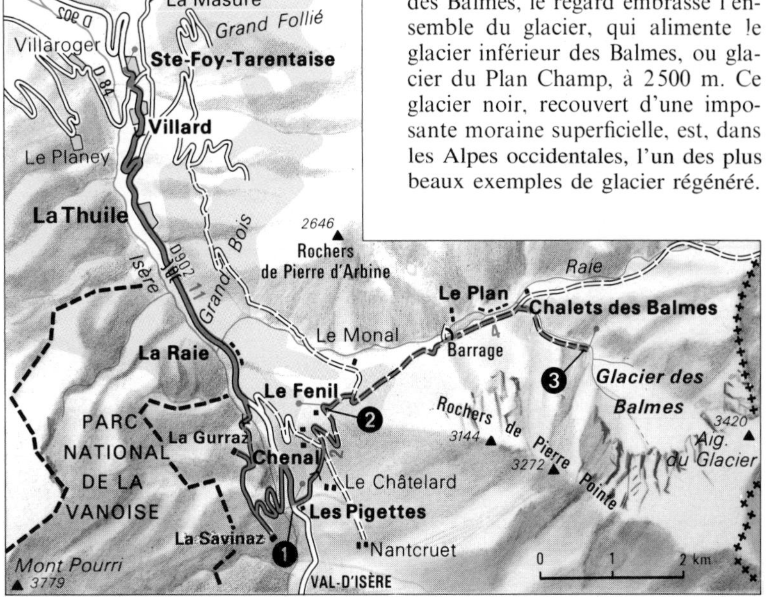

15

A pied autour du Mont-Blanc

152 km

Entreprendre le tour pédestre du Mont-Blanc exige d'être en bonne forme physique, sans qu'il soit besoin d'être spécialiste de l'alpinisme. A partir des Houches, en passant par le col du Bonhomme, Courmayeur, le col de la Forclaz pour revenir vers Chamonix, une huitaine de jours sont nécessaires, mais on peut aussi ne faire que la moitié du circuit en ralliant Chamonix au départ de Courmayeur. Dans un paysage pratiquement vierge, aux confins de la France, de l'Italie et de la Suisse, cette excursion — possible seulement de mai à la mi-septembre — est unique en Europe.

Pour permettre de visualiser les deux versants du mont Blanc, la perspective dans cette carte a été remplacée par une figuration des dénivellations et des distances sur le pourtour de la carte : les temps sont modifiables en fonction des aptitudes de chacun.

Balisage du sentier. En *France*, marques à la peinture formées de deux traits horizontaux — blanc-rouge — superposés ; flèches de direction à intervalles irréguliers. En *Suisse*, trois traits — blanc-rouge-blanc — ou losanges jaunes : flèches jaunes à lettres noires. En *Italie*, le trajet emprunte les petites routes.

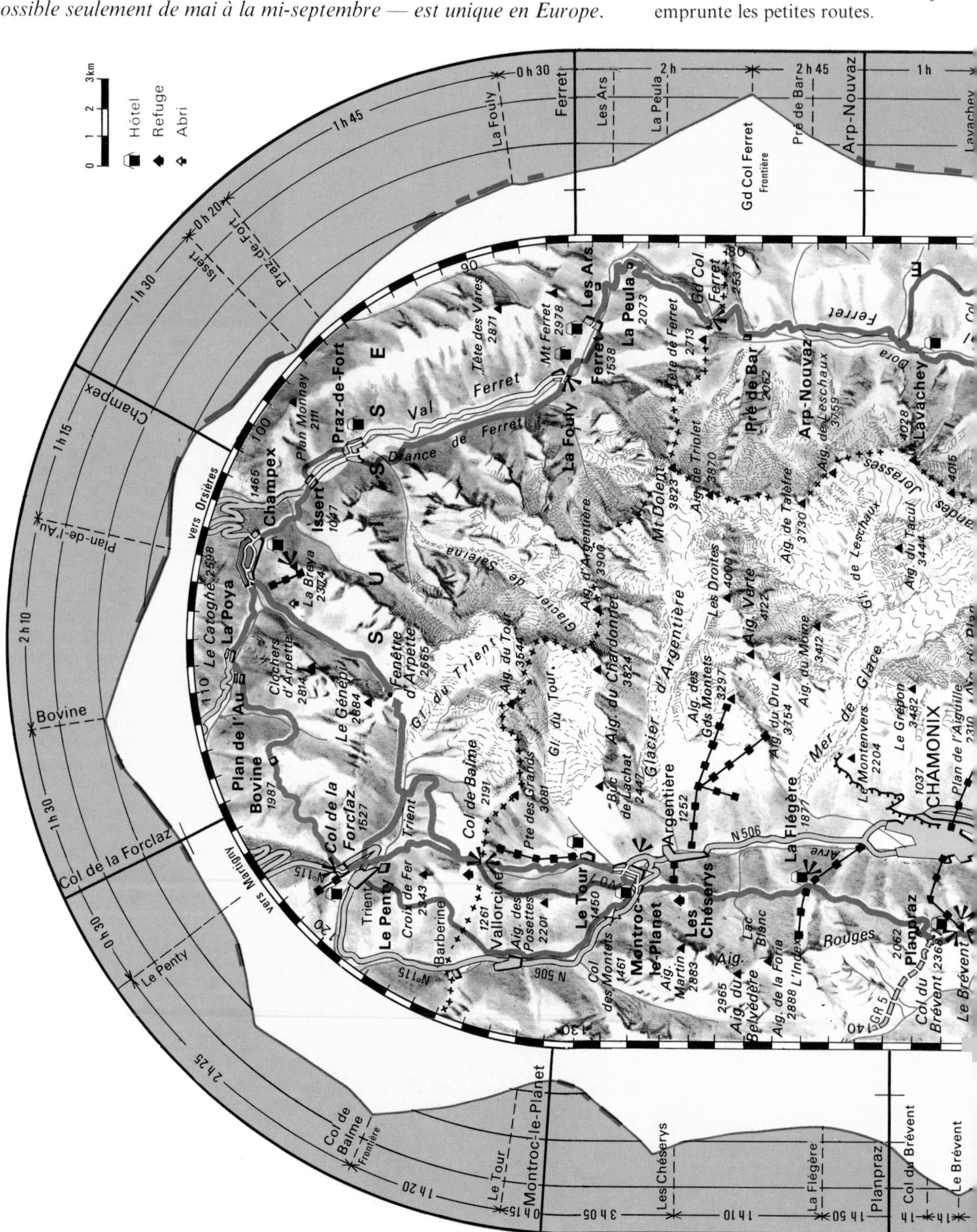

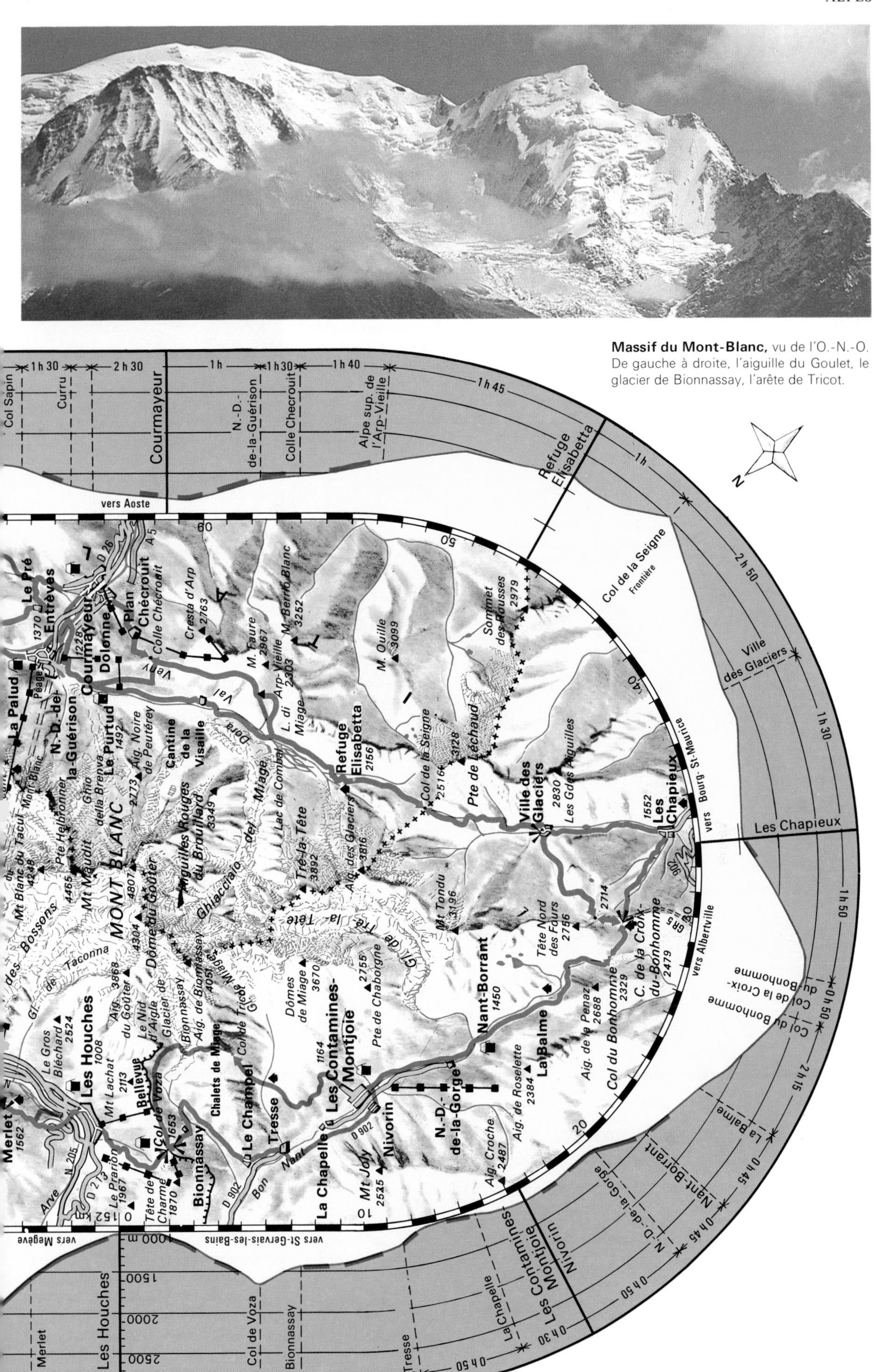

Massif du Mont-Blanc, vu de l'O.-N.-O. De gauche à droite, l'aiguille du Goulet, le glacier de Bionnassay, l'arête de Tricot.

De Cluses à Flumet 69 km par la chaîne des Aravis

Le cadre empreint de puissance du massif des Bornes et des hautes vallées de la chaîne des Aravis, avec ses forêts, ses chalets, sa flore, sert de berceau à une activité humaine équilibrée. Aux ressources traditionnelles — élevage, petite industrie, fabrication du fromage — s'ajoute, été comme hiver, une activité touristique prospère. C'est ainsi que, de part et d'autre du col des Aravis, seule échancrure dans la chaîne, les villages et les hameaux sont pourvus de stations de sports d'hiver fort bien équipées.

Chalets des Bornes, à Cuillery, dans le vallon du Chinaillon, près du Grand-Bornand. Les bergers s'y installaient en été avec leurs troupeaux.

❶ **Cluses.** Cette petite cité industrielle du Faucigny est un centre prospère de la mécanique de précision. De la vieille ville, détruite par un incendie en 1844, il ne subsiste que l'église des XVe et XVIIe s., dans laquelle on remarque un étonnant bénitier de style flamboyant, surmonté d'un Christ en croix. Dans l'hôtel de ville, immense horloge électrique construite par des élèves de l'ancienne école d'horlogerie (vis. sur dem.). Intéressant musée de l'horlogerie (t.l.j., sauf sam., dim. matin

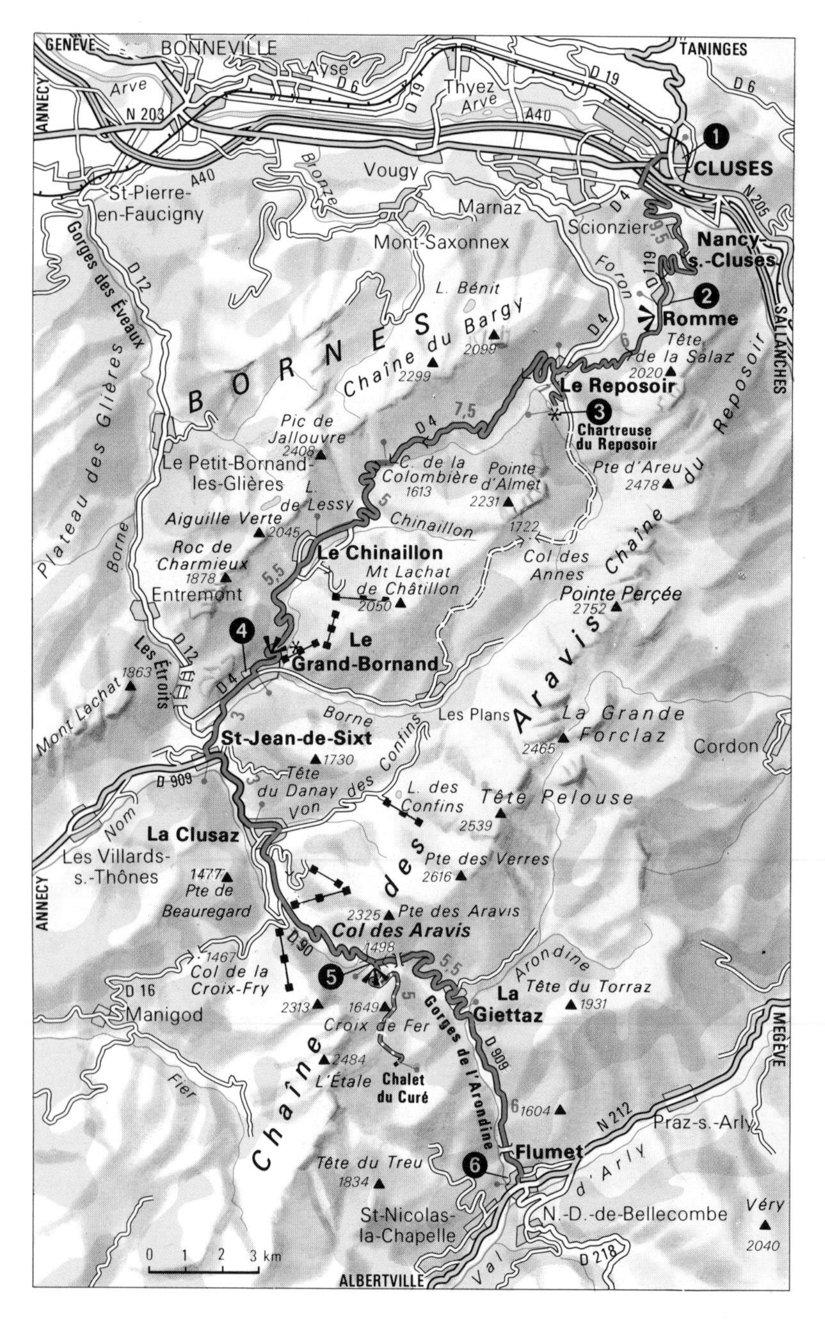

en juill.-août ; sauf sam., dim. le reste de l'année. Groupes sur R.-V.).

❷ **Romme.** De l'esplanade, on jouit d'une belle vue sur la chaîne du Bargy, le pic de Jallouvre, la pointe d'Almet et la fraîche vallée du Reposoir.

❸ **Chartreuse du Reposoir.** Fondée en 1151, restaurée au XVIIe s. puis de nouveau au XIXe, la chartreuse du Reposoir est devenue carmel (voir photo). On peut visiter le premier cloître et la chapelle (t.l.j.).

Par une route abrupte, on monte ensuite au col de la Colombière : vue étendue sur le massif des Dents Blanches et des Avoudrues.

❹ **Le Grand-Bornand,** station de sports d'hiver et lieu de villégiature estivale, bénéficie d'un site agréable au confluent des torrents du Borne et du Chinaillon, dans un paysage d'alpages fleuris et de forêts. Centre réputé du reblochon et de la liqueur des Aravis qui se fabriquent dans toute la région, c'est aussi, au pied de la chaîne des Aravis, le point de départ de nombreuses promenades et randonnées pédestres (rens. et cartes à l'O.T., tél. : 50-02-78-00).

❺ **Col des Aravis** (fermé en hiver). Dans les alpages s'élèvent une petite chapelle et quelques chalets, dominés par les rochers de l'Étale et de la pointe des Aravis. Du hameau, on découvre tout le massif du Mont-Blanc, depuis l'aiguille du Midi jusqu'au col du Bonhomme. De la Croix de Fer ou, plus haut, du chalet du Curé, la vue est encore plus vaste.

❻ **Flumet** est un lieu de séjour d'été, situé dans un bassin parsemé de prairies et de sapins, au débouché des gorges abruptes et boisées de l'Arondine. De vieilles maisons à galeries de bois accrochées à la paroi de la gorge où s'insinue l'Arly, des moulins à eau, les ruines du château en aval, l'église et surtout le pont de l'Abîme (32 m de hauteur) donnent à ce bourg une fierté charmante et un cachet particulier.

Chartreuse du Reposoir. Au centre, se détache la chapelle, très simple, avec son vaisseau rectangulaire que coiffe un toit à forte pente.

17

Sommets et vallées du Beaufortin 37 km

Le Beaufortin, l'un des massifs les moins élevés de cette zone cristalline des Alpes centrales, offre des paysages doux et accueillants, caractérisés par la présence d'une abondante couverture d'herbe. Celle-ci permet un élevage de haute montagne qui a toujours été favorisé aux dépens des cultures. Le Beaufortin, coupé par la vallée du Doron, axe de la circulation et de l'activité, mène une vie pastorale soumise au rythme des saisons. A Beaufort s'élabore aujourd'hui le célèbre fromage que, naguère encore, l'on fabriquait dans les hameaux des riches alpages.

❶ **Beaufort,** sur le Doron, au cœur du massif du Beaufortin, est entouré d'une forêt communale composée à 90 % d'épicéas. Ce peuplement confère au paysage une beauté majestueuse qui, par contraste, fait ressortir l'originalité du « pays de l'herbe », région qui tire sa richesse de la fabrication du fromage (voir photo).

❷ **Barrage de Roselend.** Il est accessible depuis Beaufort, soit par Arèches et le col du Pré, soit, de préférence, par le défilé d'Entreroches. Du belvédère aménagé sur la rive gauche du barrage, on découvre l'ouvrage dans son ensemble : il est du type à contreforts, et la retenue est de 187 millions de mètres cubes d'eau. Une table d'orientation permet de repérer dans ce sévère cadre montagneux le rocher du Vent à l'aspect de ruines, le monolithe aigu de Pierre Menta, le rocher de Méraillet et le Grand Mont d'Arèches. La route longe le lac artificiel qui engloutit l'ancien village de Roselend.

❸ **Cormet** (ou col) **de Roselend.** Il n'est plus aujourd'hui le terme de la route, qui a été prolongée jusqu'au village des Chapieux, assurant ainsi la jonction avec la vallée de l'Isère et Bourg-Saint-Maurice. Des lacets qui montent vers le Cormet, dépression ouverte entre la crête des Gittes, au N., et l'aiguille de la Terrasse, au S., une belle vue se dégage vers le lac de Roselend. C'est un chatoiement de couleurs qui, à la limite des mondes minéral et végétal, juxtapose aux bruns et aux verts des rochers et des prairies les bleus du plan d'eau et du ciel.

❹ **Les Chapieux** dissémine ses chalets dans un creux situé à 400 m au-dessous du Cormet de Roselend. Cette petite bourgade, au centre des alpages, est à la fois un point de départ d'excursions variées et un point d'arrêt classique dans le tour du Mont-Blanc.

❺ **Ville des Glaciers.** Cette « ville » n'est qu'un hameau de fond de vallée. Au bord du torrent des Glaciers, quelques fermes d'élevage se sont maintenues dans le décor des vastes alpages où paissent les vaches de race tarentaise (ou tarine).

Ville des Glaciers constitue un excellent point de départ pour la montée au col de la Seigne, à la frontière franco-italienne, ou au Glacier des Glaciers : celui-ci, dont les 100 ha sont orientés plein sud, se maintient grâce à une altitude proche de 3 000 m.

Fabrication du fromage de Beaufort. Le lait, recueilli dans un chaudron de cuivre, est transformé en caillé puis découpé avec précaution à l'aide du « tranche-caillé ». Bien qu'il soit toujours fabriqué selon les anciens rites, les techniques se sont modernisées et il ne reste que quelques fabrications en chalet d'alpage.

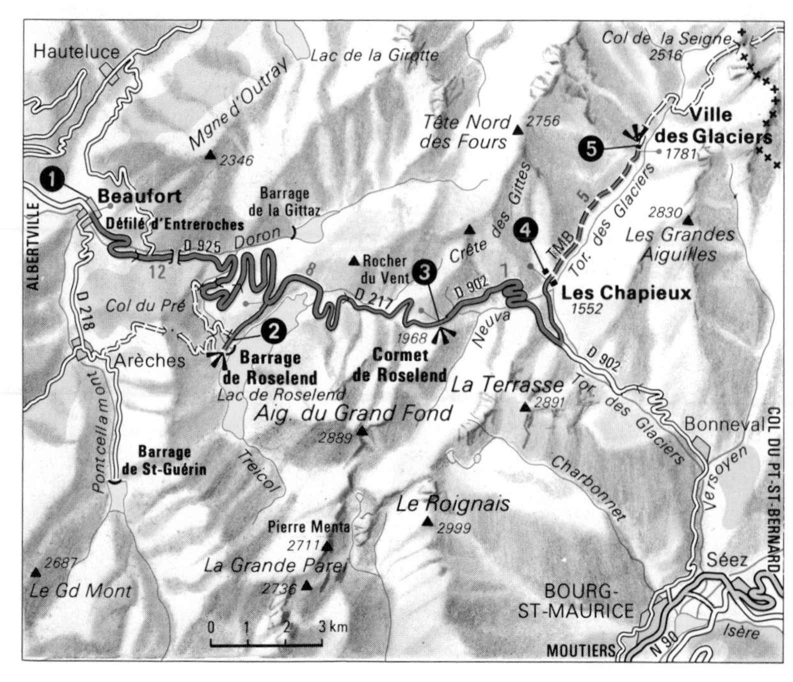

Randonnée dans le massif des Sept-Laux 23 km

C'est une randonnée entièrement pédestre que propose cet itinéraire : la traversée, du nord au sud, du massif des Sept-Laux. Ce parcours, réservé à des marcheurs entraînés capables de passer une longue journée (9 heures) en haute montagne, ne présente, pour l'essentiel, guère de difficulté lorsque le brouillard n'est pas à craindre. Il faut prévoir soit de redescendre par l'itinéraire aller, soit de se faire reprendre en voiture dans la vallée de l'Eau d'Olle, point final de l'excursion. Le principal attrait du massif des Sept-Laux réside dans ses neuf lacs, à plus de 2000 m.

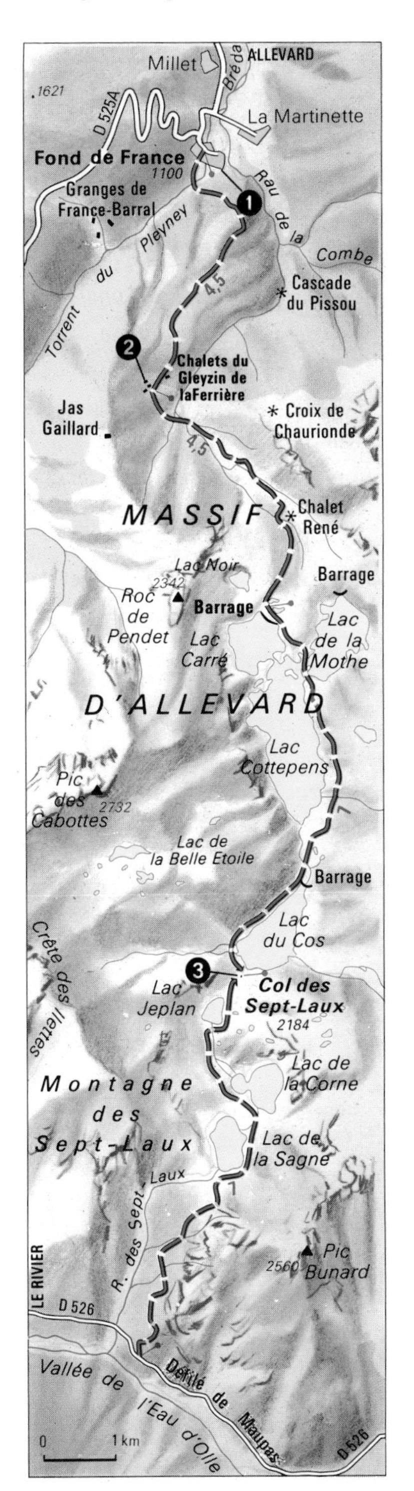

Lac de la Mothe. Le plus beau peut-être des lacs du massif des Sept-Laux. Ses eaux bleues mettent une note de couleur et de gaieté dans le paysage.

Grande gentiane. Plante vivace à grosse souche, à feuilles oblongues et qui se garnit de fleurs violettes. Sa racine entre dans la fabrication de boissons apéritives.

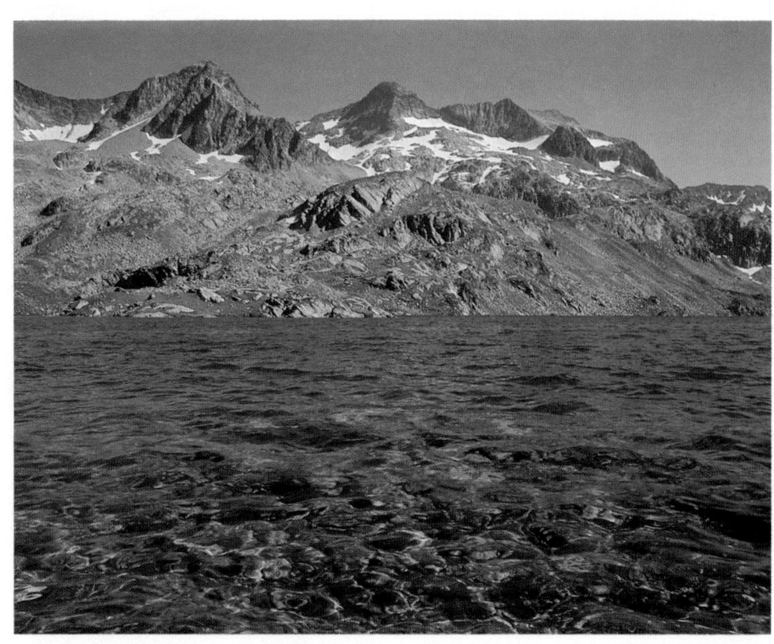

❶ **Fond de France.** Au départ de Fond de France, à 1100 m d'altitude, on emprunte le sentier qui franchit le torrent du Pleyney au pont de la Sauge. Au milieu d'une forêt où s'associent au sapin le hêtre et le bouleau, la montée est raide. Puis le terrain se dénude jusqu'à se réduire à une maigre pelouse.

❷ **Chalets du Gleyzin de la Ferrière.** Après 2 h de marche, première halte, à 1606 m d'altitude : très beau point de vue, au N., sur la vallée du Bréda. Le chemin se poursuit en forte montée, serpentant parmi les éboulis, pour déboucher sur le lac Noir, à 2090 m. Obliquant à gauche, on contourne le lac Carré, à 2134 m. A cette altitude déjà élevée, la vue porte plus loin : on distingue très bien vers le N. la Savoie, avec la dent du Chat, la dent du Nivolet et le lac du Bourget, ainsi que le Grand Colombier, point culminant du massif des Bauges. Les lacs de la Mothe, Carré et Cottepens forment un vaste réservoir dont les eaux alimentent l'usine électrique de Fond de France. Dans ce site sauvage d'herbe rase et de rocher, leurs eaux bleues contribuent à faire de cette excursion l'une des plus belles qu'offre le massif. Après avoir franchi le ruisseau issu du lac du Cos, on longe la rive droite de ce dernier pour atteindre les ruines d'un ancien chalet.

❸ **Col des Sept-Laux.** Après 5 mn de montée, à 2184 m, le col des Sept-Laux marque la ligne de partage des eaux : celles des lacs Jeplan, de la Corne et de la Sagne s'écoulent vers le S. Le trajet suit la rive gauche du torrent. La pente est modérée : 4 km en 160 lacets. Durant toute la descente, vue sur le Grand Pic de Belledonne (2981 m) et, vers l'O., sur la Belle Étoile (2718 m). La progression est délicate, car le sentier se perd facilement dans les éboulis. On évitera les passages dangereux en tenant toujours la rive gauche du ruisseau issu du lac de la Sagne. On rejoint la vallée de l'Eau d'Olle au défilé de Maupas.

19 20

Le massif de l'Oisans

104 km
213 km

Au cœur des Alpes françaises, l'Oisans est occupé, dans sa plus grande partie, par le parc national des Écrins et le massif Écrins-Pelvoux. C'est un pays dont les hauts sommets forment des lignes continues atteignant ou dépassant 4000 m ; quelques vallées seulement permettent de pénétrer vers l'intérieur du massif, mais ce ne sont que des percées : Valgaudémar, Vallouise, Valjouffrey, vallée du Vénéon. Ce pays âpre, sauvage, où la vie est dure, attire pourtant les skieurs et, depuis longtemps, les alpinistes : aussi l'Oisans est-il le berceau de lignées célèbres de guides de haute montagne, comme celle des Gaspard et des Turc, de Saint-Christophe.

ITINÉRAIRE N° 1

❶ **Entraigues,** situé, comme son nom l'indique, entre les eaux de la Bonne et de la Malsanne, possède une charmante place ombragée agrémentée d'une fontaine et d'une grotte. Au N., belle vue sur la vallée de la Malsanne.

❷ **Valsenestre** est accessible par une route boisée qui remonte les gorges du Béranger. A l'entrée d'un cirque sauvage, le village est dominé par le Signal de Lauvitel, la Roche de la Muzelle et le pic de Valsenestre.

❸ **Le Désert.** De ce hameau perdu dans un décor de montagnes, au pied du pic des Souffles, on peut gagner la cascade de la Pisse, d'où la vue sur le pic d'Olan est saisissante.

❹ **Le Périer.** De ce village entouré de montagnes abruptes, une petite route (3 km) mène à la cascade de Confolens.

❺ **Col d'Ornon.** Entre de hauts versants et les pentes tourmentées du pic de Taillefer, il offre un joli point de vue sur les vallées de la Malsanne et de la Lignarre.

❻ **Le Bourg-d'Oisans,** centre commercial et touristique de l'Oisans, est une petite ville animée. Du belvédère, beau panorama sur les montagnes alentour. A 1 km, par la route de L'Alpe-d'Huez, la cascade de la Sarennes tombe en bonds successifs.

❼ **Vallée du Vénéon.** La route (fermée au-delà de Saint-Christophe de nov. à Pâques, selon enneigement), difficile, exige une réelle habitude de la conduite en montagne. Au site paisible du Bourg-d'Arud succèdent la sauvage grandeur du Clapier de Saint-Christophe et la beauté rude de la haute montagne. (Voir photo.)

❽ **La Bérarde.** Dans un paysage grandiose de hautes vallées aux glaciers étincelants, le « Chamonix de l'Oisans » est un centre d'alpinisme très important et le point de départ de grandes courses en montagne pour alpinistes expérimentés.

ITINÉRAIRE N° 2

❶ **Barrage du Chambon.** Construit en travers de la Romanche, il forme un lac-réservoir de 126 ha (54 millions de mètres cubes), dont le rôle principal est de régulariser le régime du torrent aux crues parfois dévastatrices.

❷ **Les Deux-Alpes,** L'Alpe-de-Venosc et L'Alpe-de-Mont-de-Lans, forment un complexe touristique et sportif actif pendant toute l'année. De L'Alpe-de-Venosc ou du belvédère des Cimes (accessible par télésiège), on a une belle vue sur la face N. de la Roche de la Muzelle et sur son glacier. La station est le point de départ de nombreuses excursions.

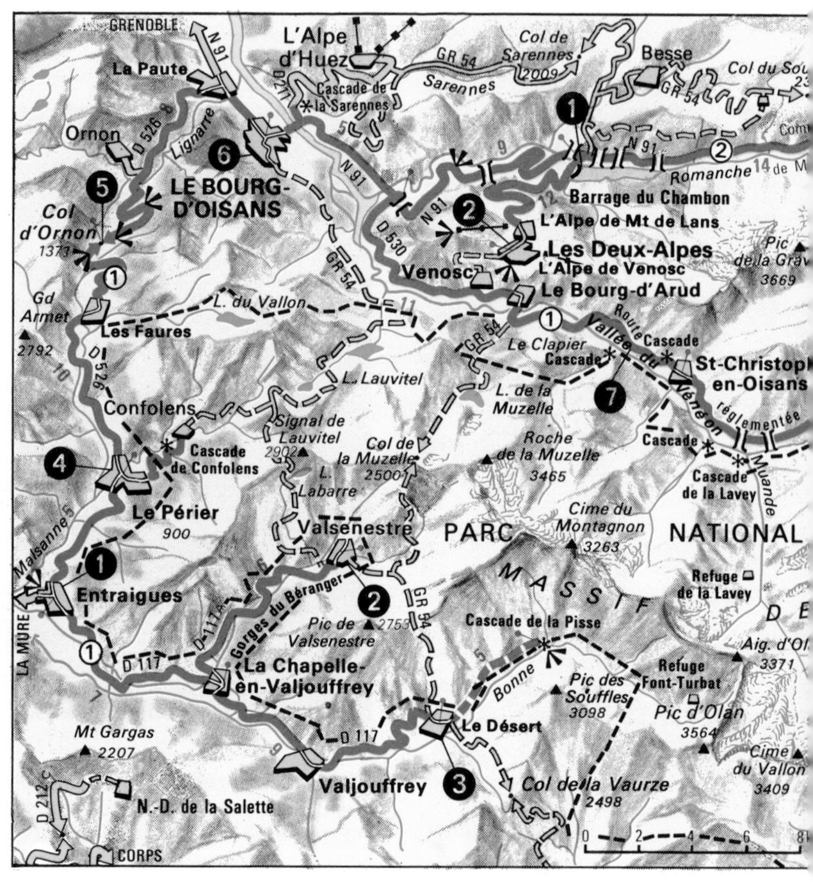

Briançon. L'église Notre-Dame, construite de 1703 à 1718 sur les plans de Vauban, offre un aspect massif malgré de belles proportions intérieures. Coupole centrale décorée de tableaux (XVIIe et XVIIIe s.).

⑩ **Vallouise** est un village typique avec ses chalets à grandes galeries de bois. L'église a un porche du XVIe s. à colonnes de marbre rouge, avec un portail à vantaux de bois.

⑪ **Ailefroide** (route fermée en hiver) est un des centres d'alpinisme les plus actifs du massif des Écrins. Un peu plus haut, le Pré de Madame Carle, qui fut effectivement un pré au XVIe s., est maintenant un champ d'éboulis, phénomène dû à un refroidissement du climat (XVIIe-XIXe s.).

Le Vénéon. Près du hameau de La Bérarde, le torrent se fraie un passage entre les pentes abruptes de ce haut vallon alpestre.

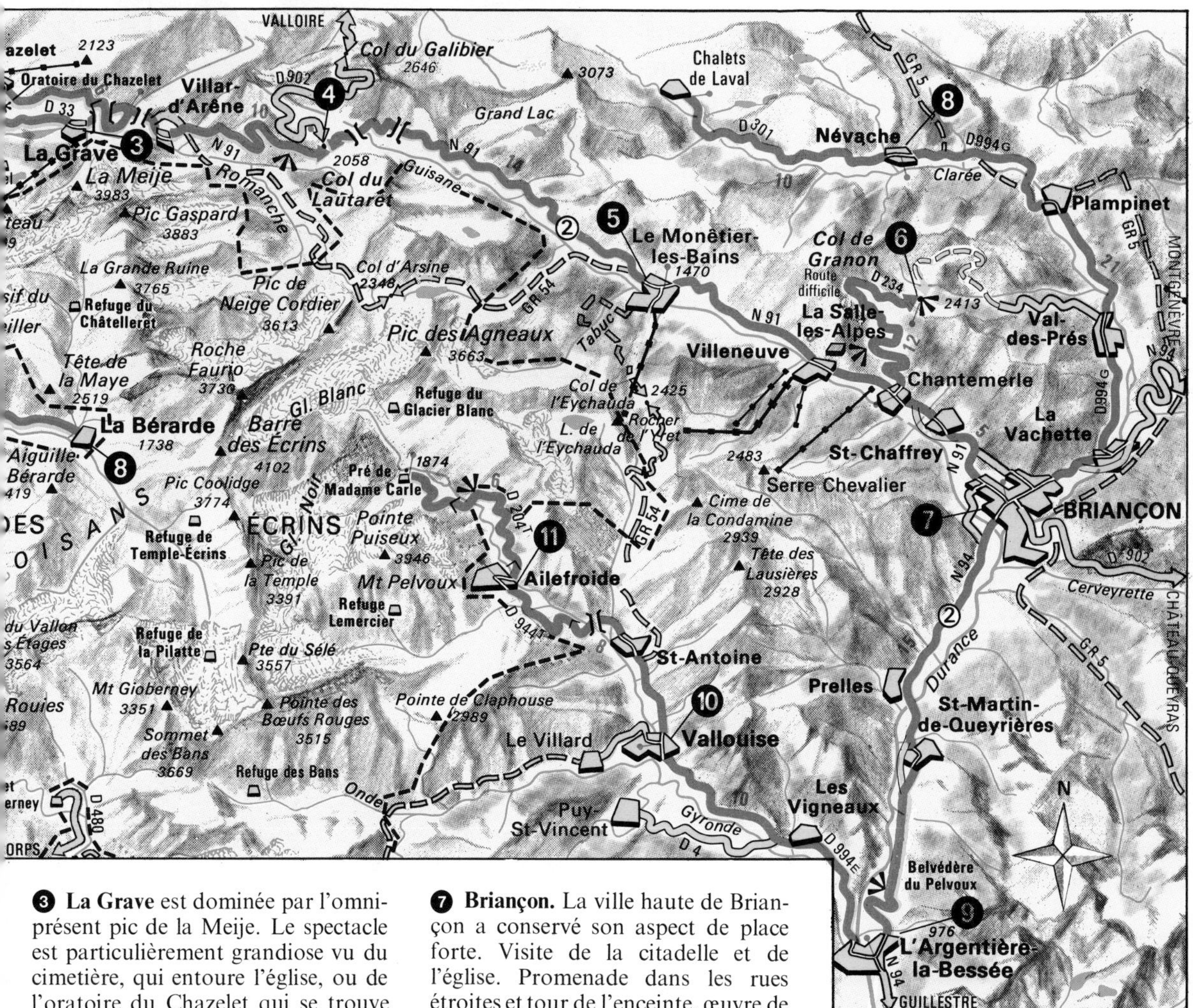

③ **La Grave** est dominée par l'omniprésent pic de la Meije. Le spectacle est particulièrement grandiose vu du cimetière, qui entoure l'église, ou de l'oratoire du Chazelet qui se trouve 6 km plus haut.

④ **Col du Lautaret.** Vue saisissante sur la Meije et ses glaciers. On visite le jardin alpin (ouv. du 20 juin au 15 sept.), où sont cultivées des fleurs des montagnes du monde entier.

⑤ **Le Monêtier-les-Bains,** ancienne station thermale, possède une église du XVe s. ; dans les chapelles St-Pierre-St-Paul, St-Martin et St-André, fresques des XVe et XVIe s.

⑥ **Col de Granon.** De la table d'orientation, on découvre un vaste panorama sur les montagnes du Briançonnais et sur le massif de l'Oisans (la barre des Écrins, la Meije, etc.).

⑦ **Briançon.** La ville haute de Briançon a conservé son aspect de place forte. Visite de la citadelle et de l'église. Promenade dans les rues étroites et tour de l'enceinte, œuvre de Vauban, par le chemin de ronde, d'où l'on a de belles vues sur la vallée de la Durance. (Voir aussi dessin.)

⑧ **Vallée de la Clarée.** Avec ses eaux claires, sa végétation aux verts intenses, ses villages aux églises anciennes, cette vallée est un site plein de charme. On s'attardera surtout à Plampinet et à Névache.

⑨ **L'Argentière-la-Bessée** a gardé un vieux quartier : église du XVe s., décorée de fresques de 1516, et chapelle St-Jean-de-Malte du XIIe s. Le belvédère du Pelvoux offre une bonne vue d'ensemble sur la barre des Écrins (table d'orientation).

Coffre dauphinois. Les «escrines» des hautes vallées du Dauphiné sont taillées au ciseau et à la gouge dans des bois résineux, comme le mélèze, par les artisans du pays.

MONT-DAUPHIN UNE FORTERESSE DE VAUBAN

Au confluent de la Durance et du Guil, un long contrefort s'avance vers le S. à 1 000 m d'altitude. Il s'appuie, au N., sur les montagnes du haut Embrunais. Ses flancs tombent à pic. En 1692, le duc de Savoie, Victor-Amédée II, en guerre contre Louis XIV, pénètre jusqu'à Gap, par le col de Vars, les vallées de la Durance et du Guil. Afin de protéger le flanc S. des Alpes, une série de travaux vont être entrepris. Signalé à la perspicacité de Vauban, le haut contrefort l'enthousiasme aussitôt: il forme un site défensif idéal et, une fois fortifié, il complétera le dispositif déjà mis en place à Briançon.
Au temps de Vauban, les ouvrages défensifs sont moins destinés à protéger les villes qu'à servir d'éléments et d'appuis aux campagnes militaires. L'artillerie tient déjà les ennemis à distance, et sa puissance accrue a transformé les hautes tours et les remparts du Moyen Age en cibles fragiles. En vagues successives, les ouvrages s'échelonnent à l'extérieur de l'enceinte: ce sont les « dehors ».
A Mont-Dauphin, aux trois quarts défendu par ses escarpements inaccessibles, deux fronts bastionnés ont suffi à fermer la place, complétés le long des à-pics par de simples murs crénelés. La place forte, construite en marbre rose, la pierre du pays, ne fut jamais achevée. Seul le chœur de l'église se dresse au milieu des pelouses. Le palais du gouverneur, les pavillons d'officiers, l'arsenal et l'immense caserne Rochambeau constituent un bel exemple de cet urbanisme militaire dont Vauban fut à la fois l'architecte, le praticien et le théoricien.

On peut visiter librement les remparts. Vis. guid. des bâtiments t.l.j. à 15 h toute l'année ; t.l.j. sauf lundi matin à 10 h 30, 15 h, 17 h en juill.-août. Groupes sur R.-V. toute l'année (tél. : 92-45-17-80). Centre artisanal ouvert t.l.j. toute l'année. En été, diverses manifestations et exposition consacrée à Vauban dans les Alpes du Sud.

L'escalier. Cet escalier sur arc rampant permet d'accéder directement aux combles de la caserne Rochambeau. Celle-ci, construite entre 1765 et 1783, est conforme, à peu de chose près, au dessin de Vauban.

La place, vue perspective. État actuel de Mont-Dauphin. Au pied des remparts, le Guil (**1**) ; derrière, la Durance. Au centre, les maisons d'habitation (**2**). En haut et à droite, isolé, le chœur de l'église (**3**). A gauche, à l'aplomb des escarpements, la caserne Rochambeau (**4**). On distingue bien, au premier plan, la géométrie oblique des demi-lunes (**5**). Ces fortifications font partie des « dehors » de la place. La porte (**6**), précédée d'un pont, est fortement protégée par trois bastions (**7**), parties saillantes de la muraille. Ils remplacent les grosses tours carrées ou rondes qui flanquaient les fortifications.

Le système de défense de Vauban

Vauban s'est contenté d'exprimer des principes très généraux, sa pensée fondamentale étant de s'adapter toujours aux circonstances. Ci-contre, le dessin de Neuf-Brisach (à 17 km de Colmar) illustre ce qu'on a appelé le 3e système de défense de Vauban, ou perfectionnement du genre.
1. Chemin couvert. **2.** 1er fossé. **3.** Demi-lune. **4.** Réduit de la demi-lune. **5.** Tenaille. **6.** Bastions. **7.** Tours bastionnaires. **8.** Courtine bastionnée. **9, 10.** 2e et 3e fossés.

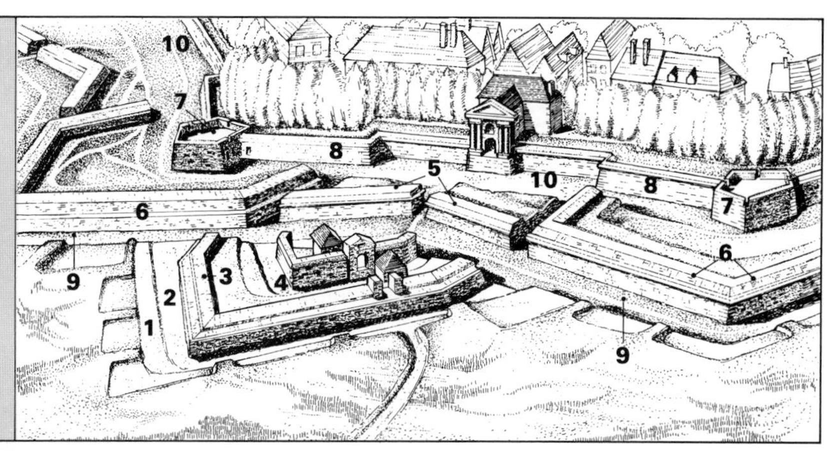

La porte de Briançon. Pour Vauban, les portes, lieux de passage, devaient symboliser, au milieu de l'architecture fonctionnelle des remparts, la puissance de la royauté.

La fontaine. Mont-Dauphin comporte plusieurs fontaines, alimentées par des eaux de source. Elles prenaient, en cas de siège, une importance stratégique.

L'église. Les proportions élégantes du chœur laissent deviner quelle eût été l'harmonie de l'ensemble si l'église avait été achevée. Vauban, qui était fort préoccupé d'architecture, est aussi l'auteur d'un *Art de bâtir*.

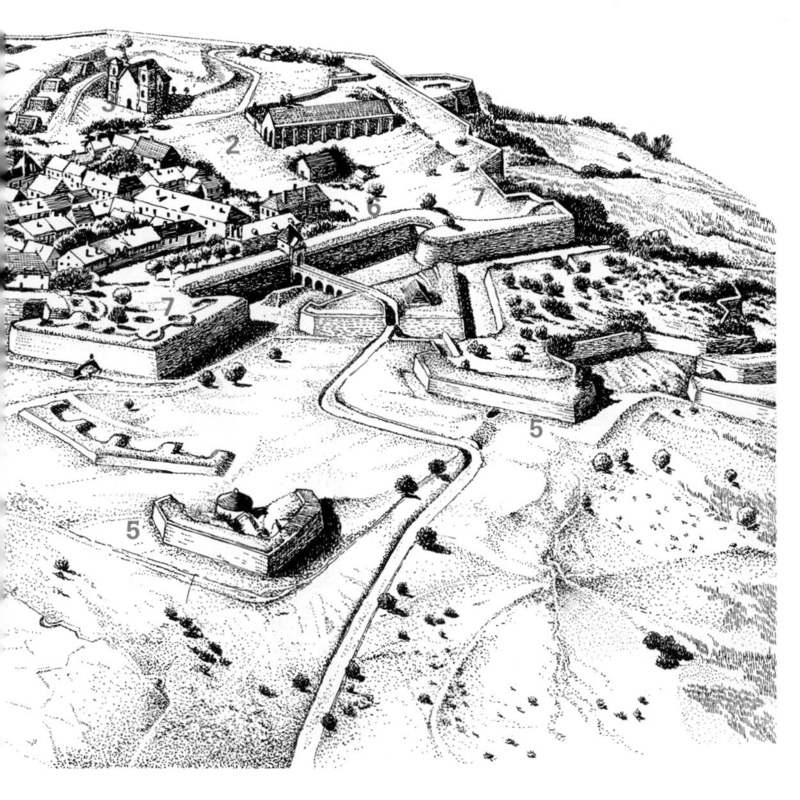

Au cœur du Vercors 260 km

Malgré sa renommée, le Vercors, devenu parc naturel régional dans son intégralité, est une région qui a su conserver sa beauté et son originalité. Pays de l'herbe et de l'arbre, où les prairies alternent avec de magnifiques forêts, il s'étend sur un vaste plateau, dominant de ses puissantes corniches les vallées environnantes. Il apparaît ainsi comme une forteresse naturelle : c'est l'une des raisons pour lesquelles il servit de refuge aux résistants pendant la Seconde Guerre mondiale. Le maquis du Vercors, malgré une résistance acharnée, fut anéanti ; Saint-Nizier, Vassieux et La Chapelle, incendiés. Aujourd'hui, les quelques routes qui permettent d'accéder au plateau ont été améliorées, et l'on peut tout à loisir admirer un paysage où se fait déjà quelque peu sentir l'influence du Midi.

Chalet du Vercors. Ce chalet, entièrement construit en pierre sur un plan rectangulaire, doit son originalité à sa toiture couverte de lauzes et à ses pignons exhaussés, dits « en escaliers ».

❶ **Saint-Nizier-du-Moucherotte,** incendié par les Allemands en 1944, est maintenant une station de sports d'hiver renommée, où se sont déroulées les épreuves de saut des jeux Olympiques d'hiver de 1968. Du belvédère, beau panorama (voir photo).
❷ **Villard-de-Lans,** centre de séjour familial apprécié des enfants, est aussi parfaitement bien équipé pour les sports. Le vieux bourg, avec ses ruelles aux maisons à pignons en escalier (voir dessin), a bien conservé son caractère montagnard traditionnel.
❸ **Les Baraques-en-Vercors.** Agréable promenade à pied, sur une centaine de mètres, dans le sombre et saisissant défilé des Grands Goulets.
❹ **Forêt domaniale du Vercors.** Elle est sillonnée par de nombreuses routes forestières carrossables qui, telle celle de la Coche, permettent des circuits fort attrayants. A la lisière de la forêt s'ouvre la grotte de la Luire : curiosité spéléologique et hydrologique. Haut lieu de la Résistance : en 1944, l'hôpital de fortune que les maquisards y avaient installé fut anéanti par les Allemands ; on visite une salle où s'ouvre un gouffre de 450 m de profondeur (t.l.j. d'avr. à fin sept.).
❺ **Col de Rousset.** Porte climatique entre les Alpes humides du Nord et les Alpes du Midi, il permet le passage du Vercors au Diois. Passage d'autant plus saisissant qu'il se fait par un tunnel : on quitte un paysage de forêts et de prairies pour déboucher, sans transition, sur une terrasse d'où la vue s'étend sur des montagnes arides dont les pentes sont recouvertes d'un maquis clairsemé.
❻ **Forêt de Lente.** Couvrant 3 280 ha, elle occupe le plateau du même nom. Le chamois, le mouflon et le cerf commun y vivent en liberté. Les hautes futaies de hêtres et de sapins, le grand choix de pistes et de sentiers invitent à de calmes randonnées. Parmi de nombreux sites dignes d'intérêt, on distinguera la grotte du Brudour et le belvédère du col de la Portette. A partir de ce col, une variante de l'itinéraire permet de gagner Pont-en-Royans, par Léoncel. La route en corniche qui y conduit présente de beaux panoramas sur la vallée de la Lyonne : mais c'est du *col de la Bataille* (fermé de nov. à mai) que la vue est surtout impressionnante : de la route qui suit une étroite arête, le regard plonge dans deux bassins, véritables gouffres que dominent de puissants escarpements.
❼ **Col de la Machine.** Situé dans un très beau site à l'orée de la forêt, il est le point de départ de la promenade la plus spectaculaire du Vercors : la descente de la route de Combe-Laval. Celle-ci, taillée dans de formidables

Pont-en-Royans. Avec ses maisons accrochées au flanc de la montagne, ses galeries de bois soutenues par des étais, Pont-en-Royans s'intègre parfaitement dans le paysage rocheux qui l'entoure.

Saint-Nizier-du-Moucherotte. Le massif de la Grande-Chartreuse, vu du mont Moucherotte, d'où l'on peut aussi admirer le massif de Belledonne, la barre des Écrins et le mont Blanc. La nuit, belle vue sur Grenoble.

parois calcaires, offre de remarquables points de vue sur le cirque de Combe Laval et sur la haute vallée du Cholet.

❽ **Pont-en-Royans.** Pittoresque bourgade à la sortie des gorges de la Bourne (voir photo).

❾ **Choranche.** Sur la rive droite de la Bourne, on visite les grottes de Choranche. Des sept grottes, seule celle de Couffin, aux stalactites « fistuleuses » se reflétant dans des eaux souterraines, est équipée pour la visite (t.l.j.). C'est aussi de Choranche qu'on peut atteindre (par Vezor, l'usine hydro-électrique, puis 1 h à pied AR) la grotte du Bournillon, dont le porche géant s'ouvre dans les falaises rougeâtres.

❿ **Autrans.** L'arrivée à Autrans, au milieu des prairies ensoleillées, fait contraste avec la remontée des gorges de la Bourne, dans la lumière tamisée et l'humidité du défilé de la Goule Noire. Le bourg a gardé son caractère ancien : l'église et la plupart des maisons ont des pignons en escalier.

⓫ **La Buffe.** Du tunnel du Mortier, un sentier mène (30 mn à pied) à la pyramide de la Buffe : vue sur la Grande-Chartreuse, les massifs de Belledonne et de l'Oisans, et le cours du Rhône jusqu'à Lyon.

⓬ **Sassenage.** Les grottes, appelées « Cuves », sont ouvertes t.l.j. sauf mardi de mai à fin sept. (t.l.j. en juill. et en août). On y accède par un chemin qui remonte la rive droite du Furon ; revenir par la rive gauche (30 mn à pied). Le château de Bérenger, au bel escalier de pierre, date du XVIIe s. Il contient un abondant mobilier Louis XV et Louis XVI. La disposition de l'intérieur donne l'impression que cette demeure est habitée. Son parc est agrémenté de ruisseaux et d'une pièce d'eau (ne se visite plus).

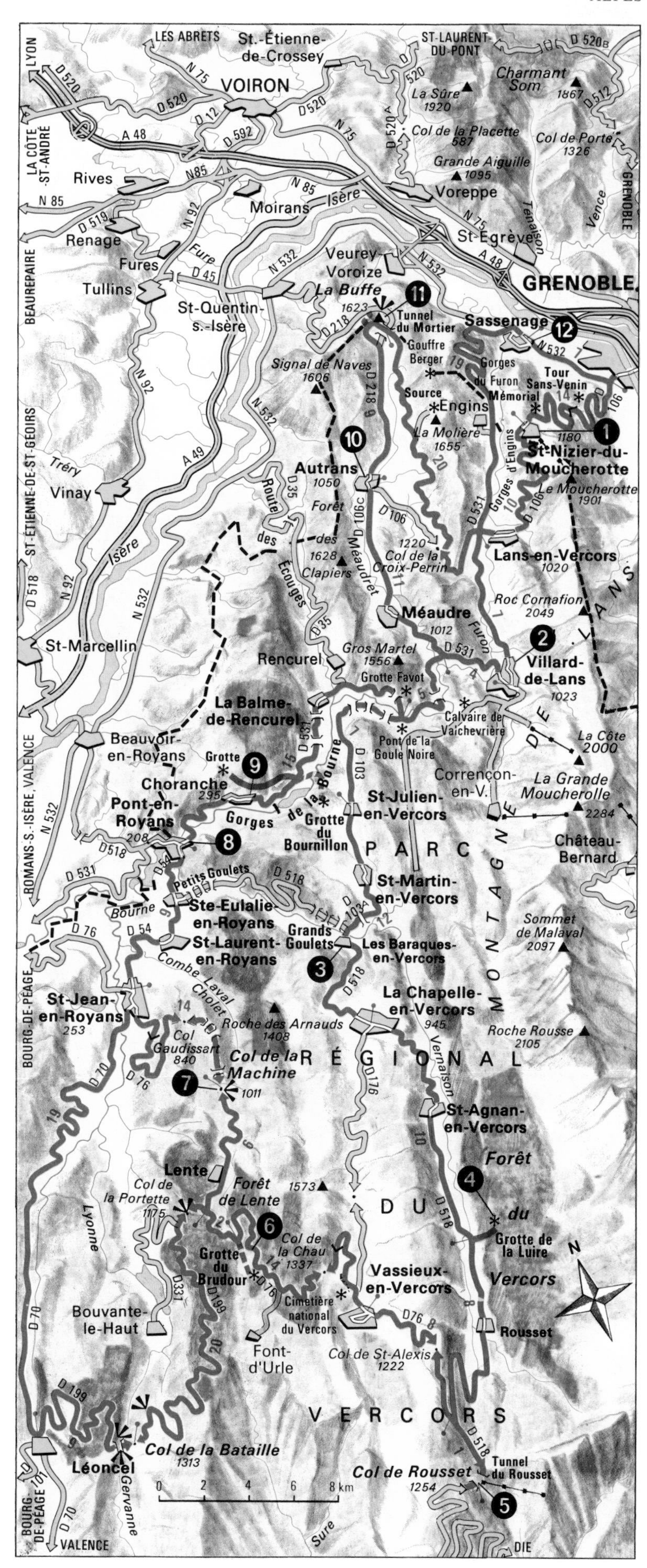

A travers le massif de la Chartreuse

117 km

Premier obstacle rencontré à l'approche des Alpes par les nuages d'origine océanique, le massif de la Chartreuse reçoit une quantité de précipitations, pluie et neige, qui est, avec celle des Vosges, la plus élevée de France. C'est à cette exceptionnelle humidité qu'est due sa couverture végétale dense, où alternent, selon l'altitude et l'orientation, d'épaisses forêts de sapins et de verts pâturages. Le relief, sans pic ni aiguille, mais constitué de hauts plateaux aux falaises abruptes, donne, malgré la relative faiblesse des altitudes, une forte impression montagnarde. L'itinéraire, à partir de Grenoble, traverse en son milieu tout le massif avant de revenir surplomber la rive droite de l'Isère.

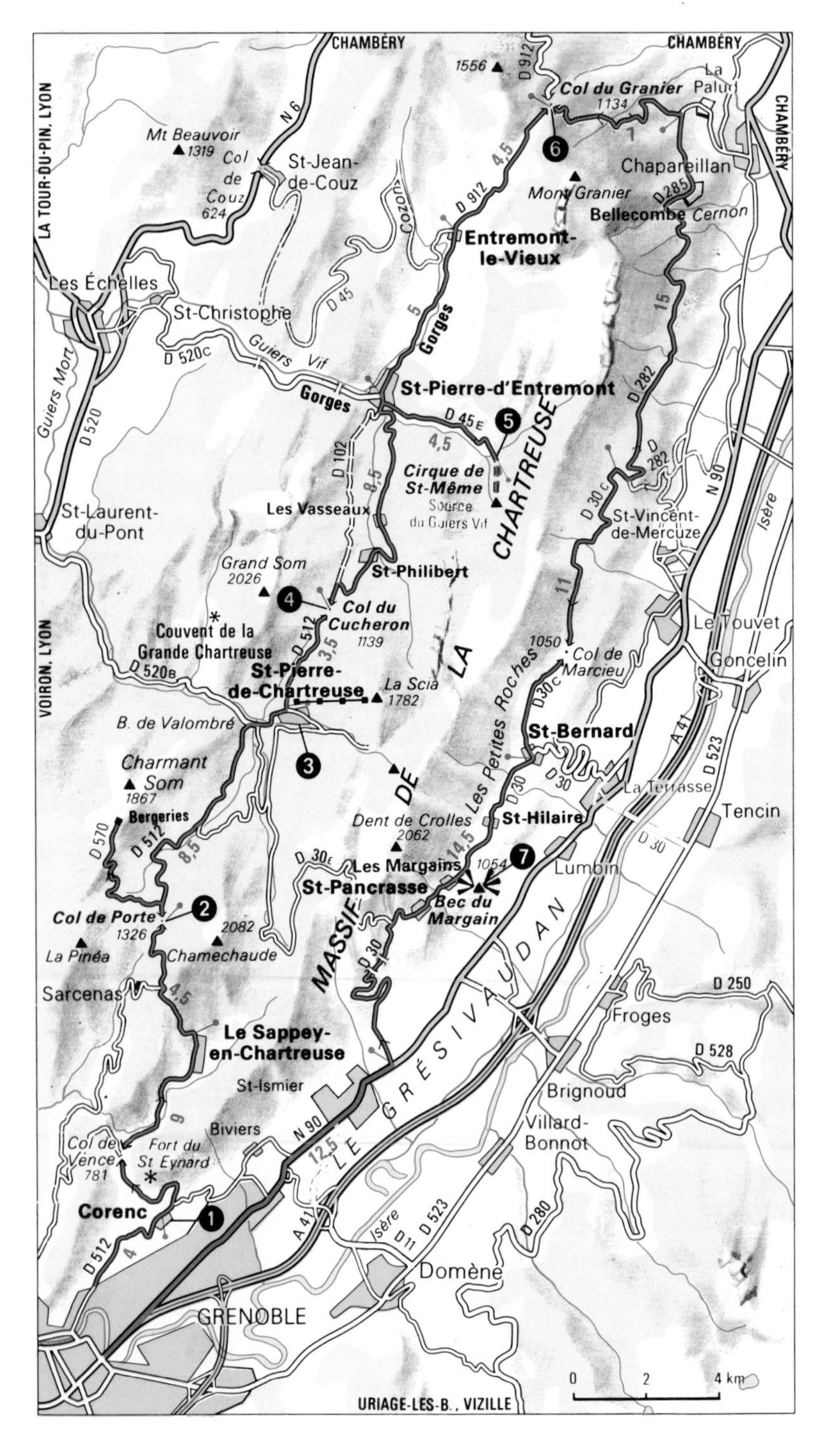

❶ Corenc est le premier belvédère accroché au flanc S. du massif de la Chartreuse. Sa situation permet une vue exceptionnelle sur Grenoble et ses environs, carrefour de vallées cernées de hautes montagnes, où confluent le Drac et l'Isère. Vers le S., on domine le Grésivaudan, cette « grande avenue » des Alpes françaises entre la Chartreuse et la chaîne de Belledonne. La montée, raide et tourmentée au pied de l'à-pic du mont Saint-Eynard, atteint le col de Vence, puis le village du Sappey-en-Chartreuse.

❷ Col de Porte. Il s'ouvre entre les sommets du Chamechaude et de la Pinéa. Les pâturages aèrent la forêt et

Chamois. Altitudes moyennes et forêt dense : le massif de la Chartreuse réunit les conditions essentielles à la vie des chamois.

forment, l'hiver, de vastes champs de ski. L'excursion au Charmant Som se fait par une route forestière en forte montée jusqu'aux Bergeries et s'achève (1 h de marche AR) à travers une zone de prairies d'un vert intense. Au sommet : panorama ; le site du monastère de la Grande-Chartreuse apparaît dans son ensemble.

❸ Saint-Pierre-de-Chartreuse est le cœur du massif. A un croisement de vallées, il se compose de hameaux dispersés, habitat typique de ces Préalpes aux innombrables points d'eau. Le paysage y prend une allure de parc d'une harmonieuse diversité. De la

Chamechaude, point culminant du massif, arbore un sommet en pupitre : une falaise abrupte de 300 m à l'E., et un versant O. incliné en pente douce.

terrasse du village, on découvre les hauteurs voisines et, en particulier, la « forteresse » du Chamechaude (voir photo), point culminant du massif. Vers l'O., au-delà du bois de Valombré, au nom évocateur, s'enfoncent les gorges du Guiers Mort en une cluse aux parois resserrées sur lesquelles s'agrippent les sapins.

❹ **Col du Cucheron.** Il sépare le bassin du Guiers Mort et celui du Guiers Vif, au pied du Grand Som. L'humidité du site a engendré un paysage préalpin type : aux sombres peuplements de sapins et de hêtres succèdent des prairies en pente raide vers Saint-Pierre-d'Entremont. Autrefois ville frontière entre la France et la Savoie, cette localité se compose aujourd'hui de deux communes, l'une sur le département de l'Isère, l'autre sur celui de la Savoie.

❺ **Cirque de Saint-Même.** C'est à quelques kilomètres à l'E. de Saint-Pierre-d'Entremont que s'ouvre le beau cirque de Saint-Même, impressionnant amphithéâtre de falaises calcaires, de 400 m de haut, d'où jaillit, en deux belles cascades, le Guiers Vif, issu de grottes accessibles sous la conduite d'un guide.

❻ **Col du Granier.** Porte septentrionale du massif, il est dominé par la formidable masse du mont Granier aux murailles hautes de 600 m. Le calcaire dont il est constitué s'éboule facilement ; en 1248, un pan entier s'effondra, donnant naissance au chaos des Abymes de Myans, qui porte aujourd'hui un vignoble réputé.

❼ **Bec du Margain.** On l'atteint sur la route du retour par le plateau des Petites Roches, qui surplombe la vallée de l'Isère. Entre Saint-Hilaire et Saint-Pancrasse, on gagne à pied, à travers champs, la table d'orientation. Le panorama y est splendide sur le Vercors, Belledonne, les Grandes Rousses, les Sept-Laux, les Bauges et le Mont-Blanc.

23 

En remontant la haute vallée de l'Ubaye

42 km

A l'extrême sud du Dauphiné, aux confins septentrionaux de la Provence, remontant vers la frontière italienne, la haute vallée de l'Ubaye appartient au domaine climatique méditerranéen : sans la chaude lumière du Midi, ces paysages désolés paraîtraient sévères. La profonde entaille que l'Ubaye creuse dans la montagne est dominée par des sommets — les « brecs » — qui culminent aux alentours de 3 000 m. L'Ubaye et le torrent de Mary roulent leurs eaux pures au pied des escarpements du massif du Chambeyron, entre les éboulis des glaciers. Cette promenade s'achève par une randonnée à pied d'une douzaine de kilomètres, sur un sentier abrupt, pour atteindre lacs et glaciers de Marinet.

❶ **Petite Serenne.** Saint-Paul est le point de départ d'agréables promenades en haute montagne. L'étroite route qui suit la rive droite de l'Ubaye dépasse les hameaux de Petite et Grande Serenne, et s'insinue dans une vallée au paysage nettement alpestre. Roches escarpées, éboulis parsemés de mélèzes au feuillage clair dessinent sur un fond de ciel bleu le paysage de cette haute vallée de l'Ubaye. Sur la petite route qui mène à Fouillouze (petit village niché dans son berceau d'alpages), le pont du Châtelet enjambe d'une seule arche de pierre l'Ubaye coulant près de 100 m plus bas dans une gorge.

❷ **Maurin et Maljasset** occupent un élargissement de la vallée. Quoique isolé, le site est agréable et ouvert. Le peuplement de mélèzes laisse s'épanouir, au bord des eaux claires du torrent roulant parmi les éboulis, des pâturages à l'herbe drue. Les maisons de pierre des hameaux ajoutent au charme émouvant de ces lieux peu à peu abandonnés. Laisser la voiture avant le pont sur l'Ubaye. Le reste de l'itinéraire se fait à pied par un sentier assez raide (12 km AR environ) : belles vues sur toute la vallée.

❸ **Lacs de Marinet.** A mi-distance du col de Mary, remonter, sur le versant occidental du vallon, les pentes qui conduisent aux lacs de Marinet. Leurs eaux pures, aux profondes tonalités bleues et vertes, miroitent au soleil. En face se devinent les lacs du Roure, disséminés dans un chaos rocheux, reliquat de l'époque glaciaire.

❹ **Glaciers de Marinet.** Ils sont confinés dans les dépressions formées par les contreforts de l'arête qui joint le brec de l'Homme à l'aiguille de Chambeyron. Les glaciers « blancs » sont précédés de véritables glaciers rocheux dessinant à l'extrémité de la « langue » des bourrelets en arc de cercle. Le plus occidental des deux est certainement, à cet égard, le plus accompli, se terminant à plus de 2 500 m d'altitude par un front qui domine d'une dizaine de mètres un petit lac en forme de croissant.

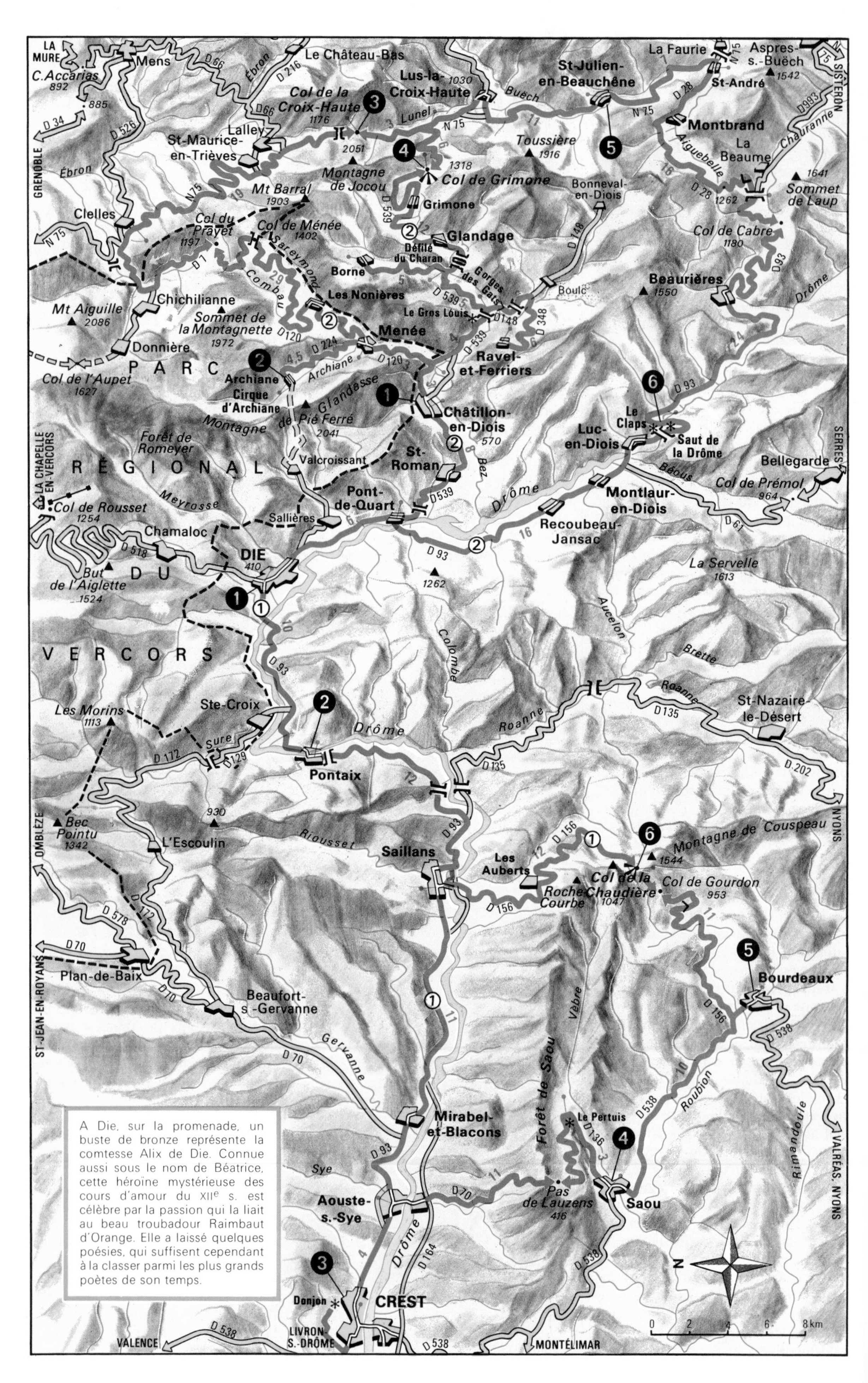

A Die, sur la promenade, un buste de bronze représente la comtesse Alix de Die. Connue aussi sous le nom de Béatrice, cette héroïne mystérieuse des cours d'amour du XIIe s. est célèbre par la passion qui la liait au beau troubadour Raimbaut d'Orange. Elle a laissé quelques poésies, qui suffisent cependant à la classer parmi les plus grands poètes de son temps.

Aux portes du Midi, le Diois

110 km
209 km

Cerné par les montagnes — Vercors, Dévoluy et Baronnies —, le Diois, dont la seule voie de communication aisée est la vallée de la Drôme, se présente comme un labyrinthe de petits bassins dominés par d'imposantes barres rocheuses. Dans ce pays, on ne fait que monter et descendre, traverser des gorges, suivre des défilés, passer des cols. Aux croupes dénudées et désertes succèdent des paysages de vignes et de champs de lavande entourant de petits bourgs pleins d'un charme discret. Avec sa douce luminosité particulière, sa végétation à allure méditerranéenne, son relief cloisonné, le Diois appartient déjà à la haute Provence.

Crest. Le formidable donjon de Crest dresse à plus de 50 m de hauteur sa masse imposante. Du sommet, la vue s'étend, par temps clair, à l'E. vers les contreforts du Vercors et à l'O. jusqu'au mont Gerbier-de-Jonc.

ITINÉRAIRE N° 1

❶ **Die,** située dans un petit bassin entouré de montagnes, est une cité très ancienne. Près de la cathédrale (XIIe s., refaite au XVIIe), dont le porche roman est orné de magnifiques chapiteaux, les rues étroites sont encore bordées de maisons Renaissance. Dans la mairie se trouve la chapelle de l'ancien palais épiscopal, où est exposée une mosaïque romane. Après avoir longé le mur d'enceinte, on rejoint la porte St-Marcel pour atteindre enfin les remparts construits au IIIe s. On visite aussi les caves où se prépare la clairette de Die, vin blanc champagnisé auquel la ville doit sa notoriété (s'adresser à la Cave coopérative, tél. : 75-22-02-22).

❷ **Pontaix.** Dans ce village accroché au rocher, l'alignement des vieilles maisons et du temple fortifié plonge directement dans les eaux de la rivière. La rue principale avec ses voûtes typiques et ses belles portes a conservé toute sa saveur ancienne.

❸ **Crest.** Ancienne place forte, Crest s'enorgueillit de son imposant donjon du XIIe s., le plus haut de France (vis. t.l.j., tte l'année. Vis. guid. en été), qui domine un dédale de ruelles, d'escaliers et de passages voûtés (voir photo).

❹ **Saou et forêt de Saou.** C'est par l'étroit pas de Lauzens qu'on pénètre dans cet îlot de verdure long de 12 km, enserré de tous côtés par une muraille de montagnes, et au centre duquel coule la Vèbre. On quitte ce site ombragé, au S., par le Pertuis, qui est, avec le pas de Lauzens, le seul accès à la forêt. A proximité, au pied de falaises calcaires, se trouve le village de Saou, groupé autour de son église romane et de son beffroi, et des restes de l'abbaye de Saint-Tiers.

❺ **Bourdeaux,** situé au pied des ruines d'un château, est un agréable centre de villégiature, qui a su garder son aspect médiéval.

❻ **Col de la Chaudière.** Dominée par les escarpements de Roche-Courbe, la route s'élève dans un paysage montagneux, sec et désolé, jusqu'au col de la Chaudière. Du col, vue sur les murailles qui se dressent au-dessus de la forêt de Saou.

ITINÉRAIRE N° 2

❶ **Châtillon-en-Diois.** Une porte à tour carrée coiffée d'un campanile, une demeure du XVIIe s. abritant la mairie, un temple du XVIIIe et, dans l'église, un beau maître-autel classique, tels sont les atouts de ce vieux bourg blotti sur le Bez, au pied de la montagne de Glandasse.

❷ **Cirque d'Archiane.** Profonde échancrure entaillant le revers S. du Vercors, entre la montagne de Glandasse et le plateau de Combeau, le cirque d'Archiane est partagé en deux par un gigantesque promontoire. Ses falaises dominent de quelque mille mètres l'Archiane, ruisseau alimenté par les quatre fontaines de la paroi du fond, et le hameau d'Archiane, dont les quelques habitants tentent de mettre en valeur ce site grandiose, secteur naturel préservé à la flore particulièrement riche.

❸ **Col de la Croix-Haute.** Dans un décor de pâturages et de sombres forêts, le col de la Croix-Haute marque la limite de l'Isère et de la Drôme, à la frontière climatique des Alpes du Nord, humides, et des Alpes du Sud, plus sèches (voir photo).

❹ **Col de Grimone.** Très belles vues sur le Diois, à l'O., et sur le Dévoluy, vers l'E. Du col, on peut revenir sur ses pas pour gagner Lus-la-Croix-Haute, ou bien retourner à Châtillon par le défilé du Charan et les gorges des Gats, dont les parois ont plus de 100 m de haut.

❺ **Saint-Julien-en-Beauchêne.** L'église de ce village renferme une Assomption, peinte par Philippe de Champaigne, provenant de la chartreuse de Corbon, à 5 km au N.-E.

❻ **Le Claps et le saut de la Drôme.** Le Claps est un chaos de blocs dû à un effondrement de la montagne survenu au XVe s. Les rochers ont barré la vallée de la Drôme et formé deux lacs, aujourd'hui asséchés. La rivière franchit cet obstacle par deux cascades particulièrement spectaculaires.

Col de la Croix-Haute. En descendant du col en direction de Lus-la-Croix-Haute, on suit le cours du Lunel ; beau point de vue sur la crête des aiguilles de Lus.

26

Le lac de Serre-Ponçon et l'Embrunais 176 km

La construction du barrage de Serre-Ponçon, premier maillon d'une chaîne d'ouvrages édifiés sur le cours de la Durance, fut un exploit technique : c'est le premier barrage européen réalisé en terre. Son implantation a profondément modifié l'aspect ingrat de cette région de terres noires ravinées par l'érosion. Superbe plan d'eau que dominent de farouches montagnes, il est voué aux sports nautiques, attirant les touristes en grand nombre, été comme hiver. Les cités, comme Embrun, y ont trouvé une nouvelle jeunesse.

❶ **Barcelonnette** est un centre touristique important : on peut y pratiquer aussi bien l'alpinisme, en été, que le ski, en hiver. Du passé, la ville n'a gardé que quelques restes de remparts, la tour cardinale (XVe s.) et, surtout, les villas somptueuses construites par les « Barcelonnettes », enfants du pays revenus du Mexique une fois fortune faite. Voir le musée de la Vallée qui leur est partiellement consacré (mercr., jeudi, sam. apr.-m. ; t.l. apr.-m., juill.-août et vac. scol. Groupes sur R.-V.). Nombreuses excursions et randonnées pédestres (s'adres. à l'O.T., tél. : 92-81-04-71).

Lac de Serre-Ponçon. Le barrage de Serre-Ponçon retient un lac de 2 800 ha, qui constitue un splendide plan d'eau.

❷ **Le Lauzet-Ubaye.** Le lac, les montagnes et le pont Romain forment un ensemble harmonieux ; un sentier conduit à la cascade de Costeplane, que l'on peut aussi contempler depuis le carrefour des routes de Gap et de Savines-le-Lac.

❸ **Barrage de Serre-Ponçon.** Le plus grand barrage en terre d'Europe (123 m de haut, 650 m d'épaisseur à la base, 600 m de longueur en crête) régularise le régime de la Durance et produit 720 millions de kWh par an (vis. t.l. apr.-m. sauf sam., dim. et j. fér. de juin à sept. Groupes sur demande, tél. : 92-54-43-65).

❹ **Remollon** s'étend au milieu des vignobles, au pied d'une vieille tour. C'est le point de départ d'une excursion dans le ravin de la Vallauria. Après Théus, village en ruine, le paysage offre le spectacle d'étranges colonnes de roche sculptées par l'érosion. Elles sont si nombreuses qu'on a donné au site le nom de Salle de bal des Demoiselles Coiffées (voir photo).

❺ **Gap,** ville animée, n'a presque rien gardé de son passé, car elle fut entièrement brûlée par les troupes du duc de Savoie en 1692. Le musée (t.l.j. du 1er juill. au 15 sept. ; l'apr.-midi, sauf mardi, du 16 sept. au 30 juin) abrite le tombeau de Lesdiguières.

❻ **Chorges.** Fontaine du XVIe s. L'église, très remaniée, conserve son portail du XIIe s. et le clocher du XIVe s. ; sous le porche, inscription romaine sur marbre rose et, à l'intérieur, bel autel de la Renaissance italienne. Du village, des routes conduisent à plusieurs belvédères sur le lac de Serre-Ponçon, notamment sur les baies des Moulettes et de Saint-Michel ; au milieu de cette dernière émerge une île portant une chapelle du même nom.

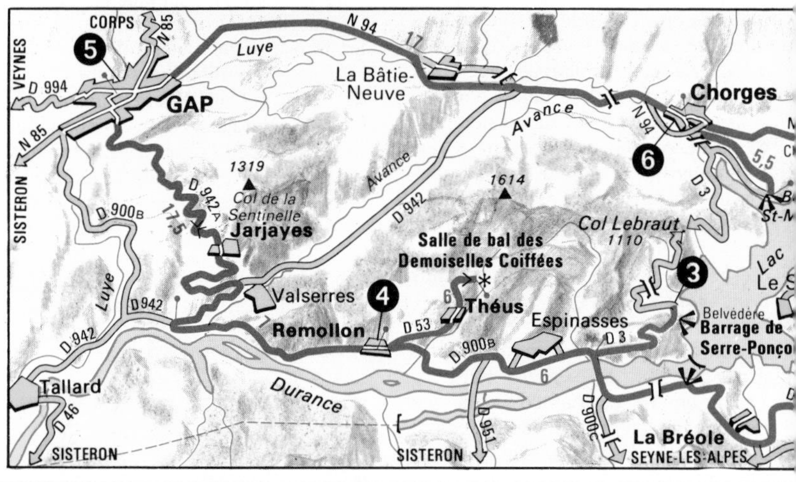

Cheminées des fées. Les matériaux rocheux attaqués par l'érosion sont plus ou moins résistants. Sous chaque bloc dur, l'argile, plus molle, est restée en place et s'est tassée, formant des colonnes chapeautées.

❼ **Savines-le-Lac** est un village rebâti à neuf pour y loger les habitants de l'ancien bourg, noyé lors de la mise en eau du barrage en 1960. L'église ne manque pas d'originalité.

❽ **Vallée du Boscodon.** On remonte la vallée du torrent du Boscodon sous les futaies de sapins et d'épicéas de la forêt domaniale jusqu'à l'ancienne abbaye du Boscodon (vis. libre sauf le dimanche. Vis. guid. sur R.-V., tél. : 92-43-01-80). Au départ de l'abbaye, une route en lacet, au milieu de la forêt, conduit à la fontaine de l'Ours : beau point de vue sur la vallée de la Durance et le cirque de Bragousse ; de la fontaine, un sentier mène rapidement à un belvédère sur la région d'Embrun. On peut aussi monter à La Grand Cabane, au pied des crêtes ; redescendre ensuite vers le lac.

❾ **Embrun,** qui domine la Durance de 80 m, est une cité accueillante ; après avoir découvert ses maisons anciennes et s'être promené dans les jardins de l'évêché, visiter la tour Brune, donjon du XIIe s. (rens. à l'O.T.) et monter jusqu'en haut pour contempler la vallée et les sommets alentour. Mais surtout il faut visiter l'ancienne cathédrale (fin du XIIe s.). Sa façade est flanquée d'une élégante tour carrée à quatre étages et le portail N. est abrité par un porche, soutenu par deux colonnes reposant sur deux lions couchés. A l'intérieur, orgues, stalles et mobilier anciens.

Serre-Ponçon. Les versants du lac présentent une forme de terrain originale, entaillé dans les dépôts argileux. Les eaux de ruissellement empruntent les sillons.

Saint-Pons, à 3 km au N.-O. de Barcelonnette. L'ancienne priorale de ce village possède deux portails intéressants, ornés de sculptures d'une facture archaïque.

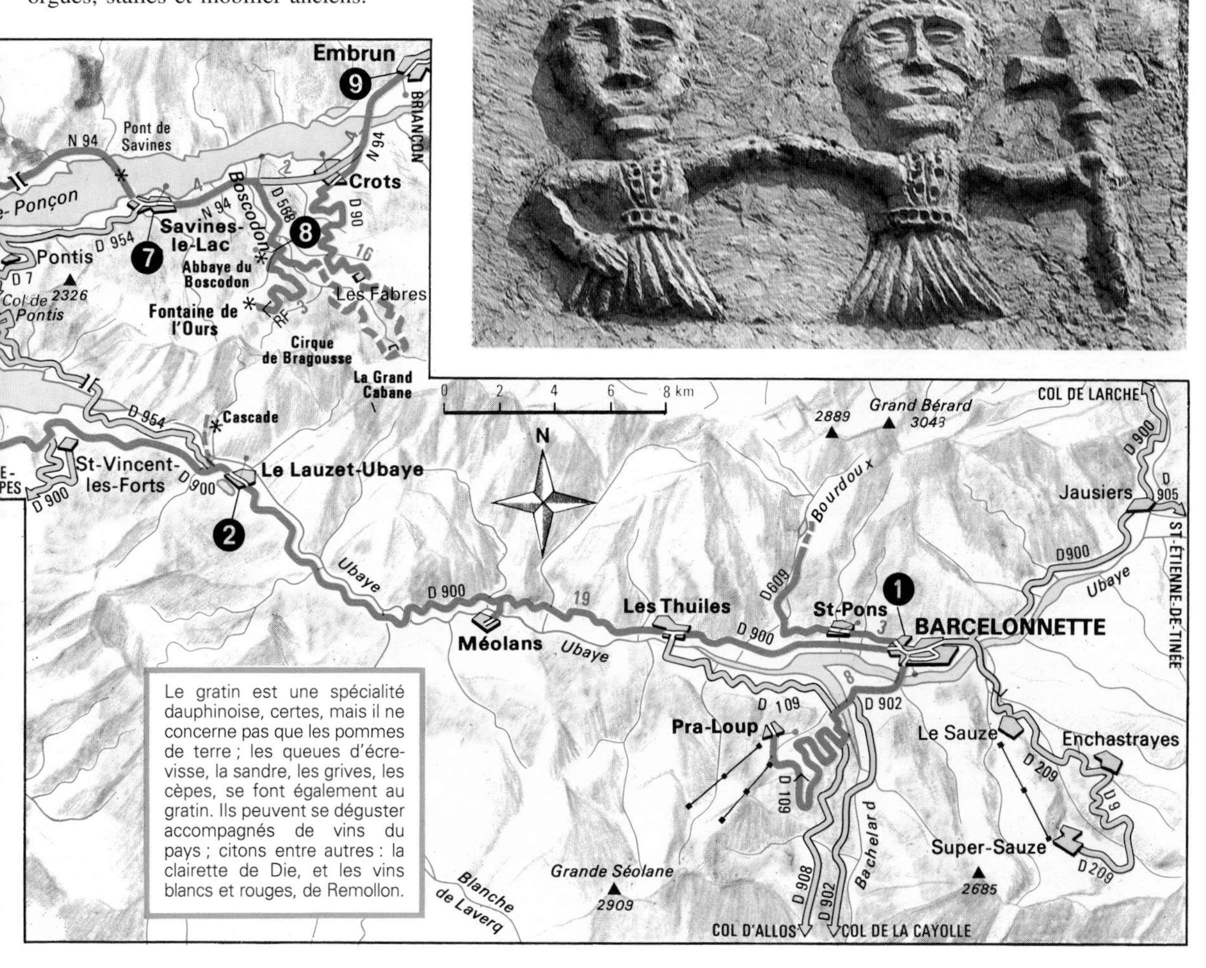

Le gratin est une spécialité dauphinoise, certes, mais il ne concerne pas que les pommes de terre ; les queues d'écrevisse, la sandre, les grives, les cèpes, se font également au gratin. Ils peuvent se déguster accompagnés de vins du pays ; citons entre autres : la clairette de Die, et les vins blancs et rouges, de Remollon.

ALSACE • VOSGES • LORRAINE

Strasbourg. La maison Kammerzell.

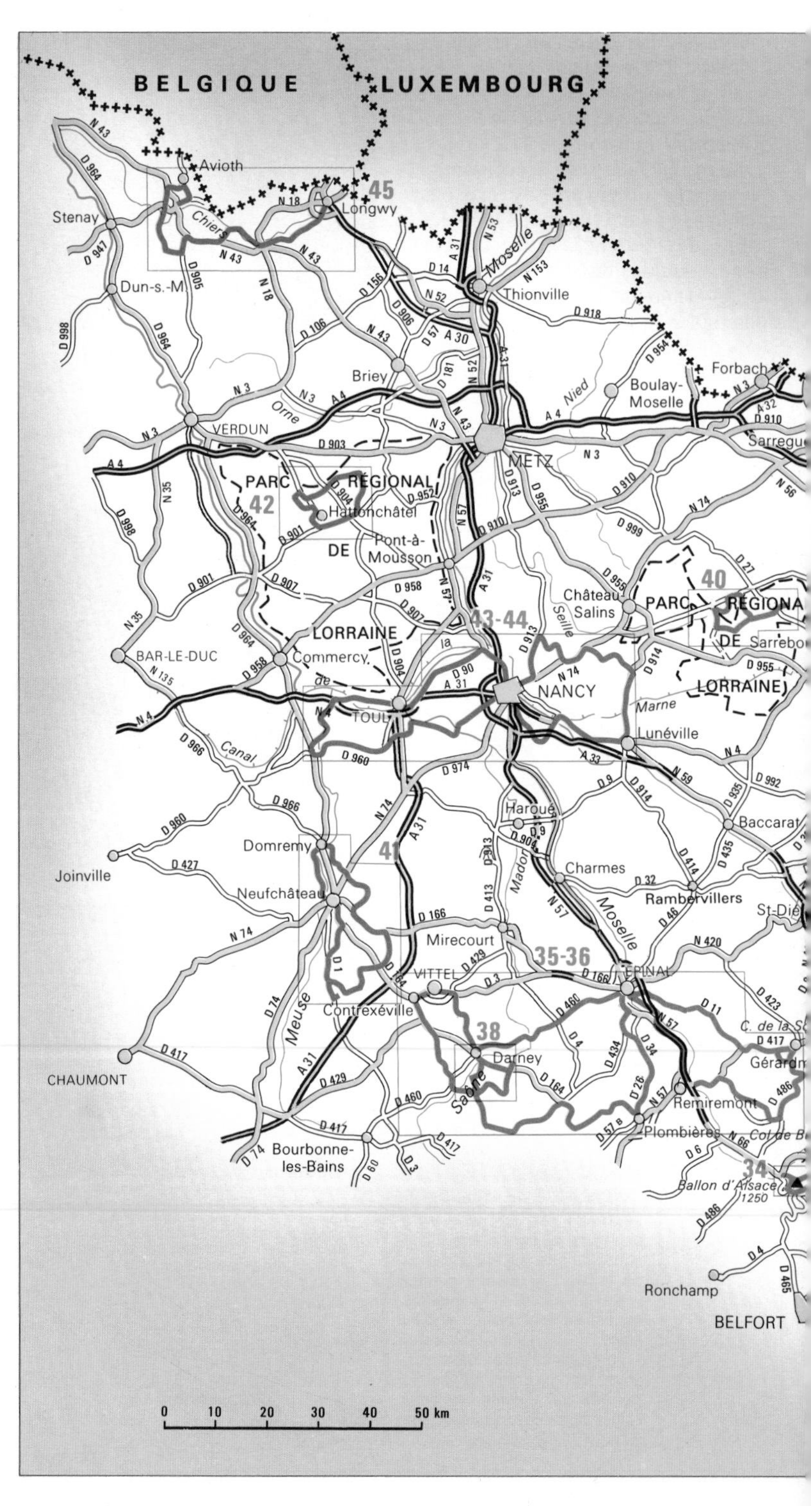

De la Meuse «endormeuse» au Rhin «superbe»

De la Meuse « endormeuse » au Rhin « superbe », les marches de l'Est s'organisent autour du petit massif vosgien : brutale retombée coupée de collines bossuées sur la plaine alsacienne et long glacis en direction des plateaux lorrains qu'interrompent les vigoureuses lignes festonnées des côtes. Ainsi, de part et d'autre de la montagne couronnée de ballons gazonnés et flanquée de belles forêts, se font face deux provinces bien différentes. La Lorraine est secrète : lumière en demi-teinte, villages-rues sévères aux maisons mitoyennes, au clocher rustique, clairières verdoyantes, vouées à l'agriculture. Mais expansive est l'Alsace, avec ses villages-tas aux balcons fleuris de rouge, campés parmi la mosaïque pimpante de leur terroir. L'une et l'autre région témoignent du labeur de leurs populations, comme elles témoignent, hélas ! du tumulte des guerres : que de châteaux forts aux ruines éloquentes ! Que de villes ceintes de murs ou cuirassées de bastions ! Et quel carrefour de civilisations ! La preuve en est fournie par l'évolution des styles : du roman rhénan au gothique mesuré de la Champagne, ou audacieux des pays du Rhin ; du fastueux baroque germanique à l'harmonieux néo-classique français. Tout invite à la promenade : les chemins discrets, les lacs de montagne, les étangs de plaine, les pelouses à myrtilles, les burgs de grès rouge, les petites villes actives, toutes chargées d'histoire, dont le cœur offre si souvent une fidèle et permanente évocation de l'architecture traditionnelle.

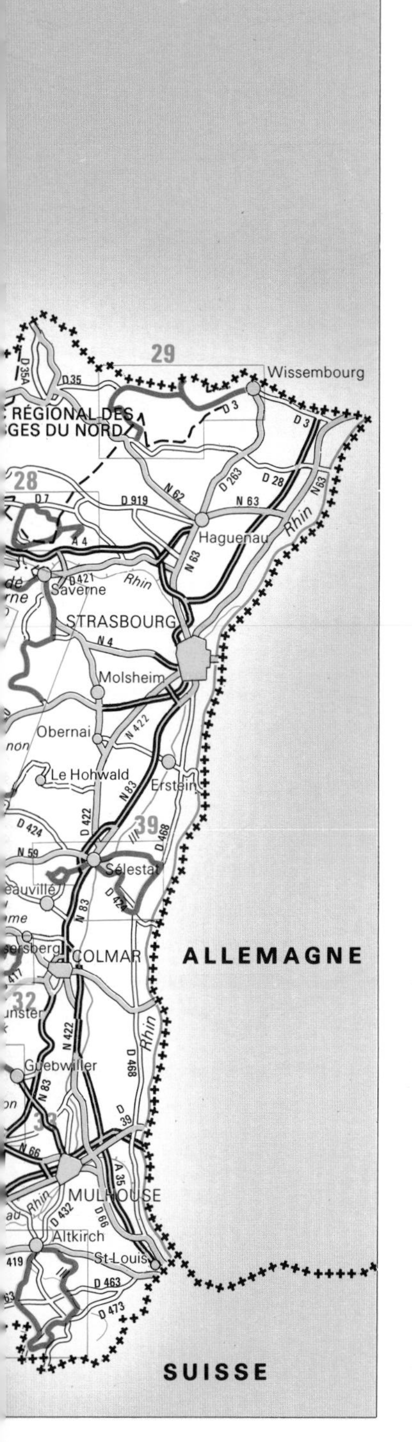

Kaysersberg, petite cité qu'égaient les colombages, les fleurs... et le vin d'Alsace.

Hauts lieux, trésors et paysages

Nancy. Les ducs de Lorraine en firent leur capitale au centre de leurs États. Le nom de Stanislas Leszczynski, duc de Lorraine et beau-père de Louis XV, est lié à cet ensemble monumental unique en France. La visite du cadre architectural à la française permet d'admirer la parfaite ordonnance du parc de la Pépinière, jouxtant les bâtiments, aux façades majestueuses, du palais du Gouvernement et du palais ducal. Par l'arc de triomphe, signé Héré (1705-1763), on passe de la place de la Carrière à la place Stanislas ; celle-ci, d'une géométrie parfaite, est entourée de six pavillons à arcades et fermée par les remarquables grilles en fer forgé (XVIIIe s.) de Jean Lamour. Le Nancy religieux trouve son apogée dans la cathédrale, œuvre de Germain Boffrand. Mais Nancy, c'est aussi ce chef-d'œuvre un peu méconnu qu'est l'église St-Sébastien (1720-1732), ou l'église gothique des Cordeliers (XVe s.). L'enceinte du couvent des Cordeliers abrite le beau musée des Arts et Traditions populaires (t.l.j., sauf lundi). La Vieille-Ville abonde en maisons anciennes, notamment le long de la Grande-Rue. Foyer culturel, la ville possède plusieurs musées : le musée des Beaux-Arts (t.l.j. sauf mardi, lundi mat. et j. fér.), le musée de l'École de Nancy et le Musée historique lorrain, qui contient des sculptures médiévales, des tapisseries, des gravures et des tableaux de maîtres lorrains (ces deux musées sont ouv. t.l.j., sauf mardi et j. fér.).

Lunéville. Voir itinéraire 43.

Sarrebourg. Au musée du pays de Sarrebourg (t.l.j. sauf mardi et dim. ; ouv. dim. apr.-midi en juill.-août) sont exposées des collections archéologiques, gallo-romaines, mérovingiennes et médiévales, ainsi que d'intéressantes figurines en céramique des XIVe et XVe s.

Col du Donon. On le franchit à 727 m d'altitude, au milieu de la forêt ; il marque la séparation entre la Lorraine et l'Alsace. 500 m avant le col, à gauche, sur la route de Schirmeck, un sentier permet de gagner le sommet du Donon (1 009 m) : panorama sur les Vosges du Nord, la vallée de la Bruche et la plaine d'Alsace.

Château de Nideck. Voir itinéraire 31.

Rocher de Dabo. Il domine la forêt vosgienne de son imposante masse de grès rose. Sur son plateau est bâtie une chapelle ; la vue s'étend sur le Schneeberg, le Grossmann et le Donon au S.

Saverne. Voir itinéraire 31.

Étang d'Imsthal. Au cœur de la forêt, dans les Vosges gréseuses, il s'étale dans un bassin couvert de prairies.

Château de Fleckenstein. V. itin. 29.

Hunspach est un village typique : ses maisons à poutres apparentes, à colombages et à auvents débordants sont couvertes de tuiles brunes.

Strasbourg. La géographie et l'histoire en ont fait une capitale européenne, mais elle ne doit qu'à ses propres trésors son charme et sa célébrité. On se promènera dans les vieux quartiers, que l'on découvre au cœur de la Petite-France, au long de la rue du Bain-aux-Plantes que débordent des maisons à pans de bois, à pignons pointus et à encorbellement, sur les bords de l'Ill, près des écluses et des ponts couverts médiévaux. Mais le joyau de Strasbourg, c'est sa cathédrale, en grès rose aux reflets chauds, chef-d'œuvre de l'art gothique avec sa flèche unique, qui domine la ville de 142 m. Le portail S. ouvre sur la place du château des Rohan (XVIIIe s.), qui

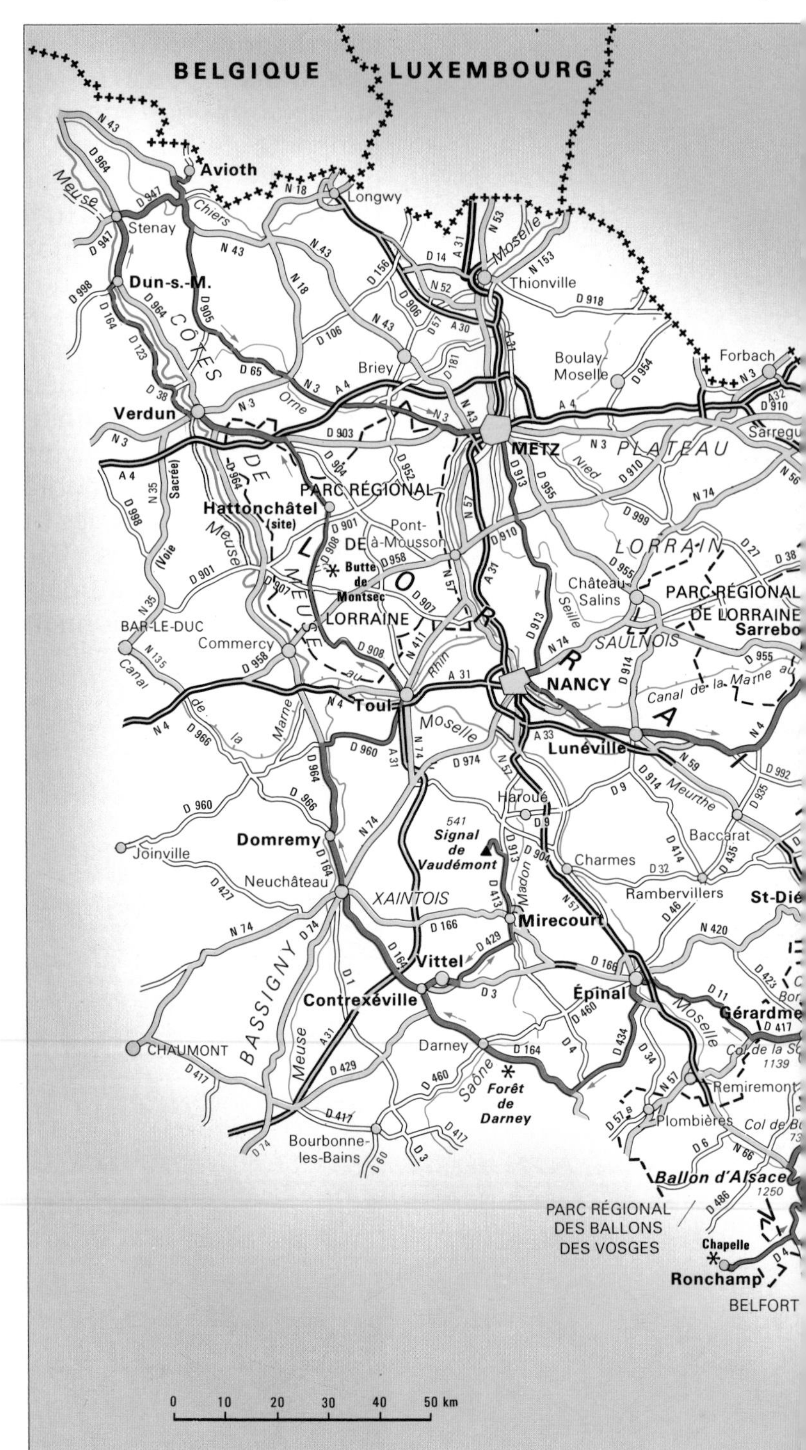

abrite le Musée archéologique et le musée des Beaux-Arts (vis. t.l.j., sauf mardi, de 10 h à 12 h et de 14 h à 18 h ; le dim., de 10 h à 18 h. Fermé le 1er janv., vendredi saint, 1er mai, 1er et 11 nov., et 25 déc.). De l'autre côté de la cathédrale, on verra la maison Kammerzell. Le Musée alsacien est consacré à la vie rurale : meubles, objets, costumes... (vis. comme les deux autres musées).

Obernai. Au pied du mont Sainte-Odile, la ville rassemble sur la place du Marché et autour de la Kapellturm (beffroi) une halle aux blés, un puits à six seaux et des maisons anciennes.

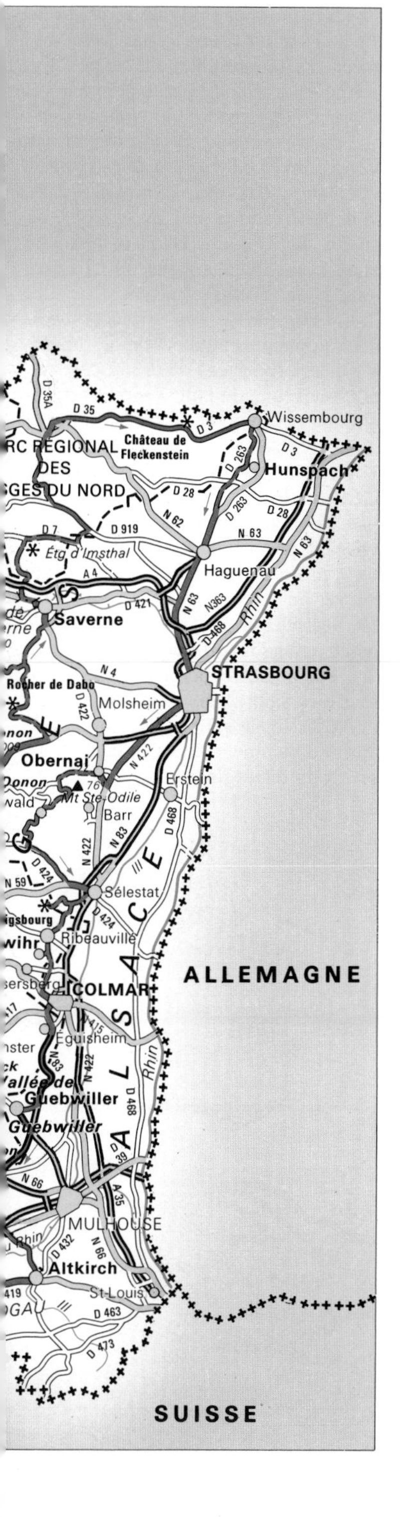

Haut-Kœnigsbourg. Voir itinéraire 39.

Riquewihr, au milieu d'un vignoble qui produit un excellent riesling, apparaît comme une petite ville d'un autre âge avec ses remparts et ses rues aux vieilles maisons décorées et fleuries (XVIe s.).

Colmar. La richesse passée de la ville revit dans les façades de ses demeures anciennes, entre autres : la maison des Têtes (1609), qui tire son nom des nombreuses têtes qui y sont sculptées ; la maison Pfister (1537), avec ses galeries extérieures ; la maison Adolph, la plus ancienne de Colmar ; l'Ancienne Douane, magnifique édifice de la fin du XVe s. ; l'ancien corps de garde (1575), avec son rez-de-chaussée à arcades, sa loggia Renaissance et ses fenêtres à meneaux au premier étage. Le portail St-Nicolas de la collégiale St-Martin est orné de treize statuettes sculptées. A l'intérieur, boiseries du XIXe s. Le musée d'Unterlinden (« sous les tilleuls ») est situé sur la place du même nom, dans un ancien couvent édifié au Moyen Age. Il a conservé le cloître du XIIIe s., en grès rose des Vosges. Dans l'ancienne chapelle se trouve le célèbre retable d'Issenheim peint par Mathias Grünewald au début du XVIe s. (Vis. t.l.j. ; sauf mardi du 1er nov. au 31 mars.)

Non loin, on pourra admirer dans l'église des Dominicains (ouv. t.l.j., sauf jours fériés. Fermé déc. à mars) la *Vierge au buisson de roses* de Martin Schongauer (XVe s.).

Guebwiller. Voir itinéraire 33.

Altkirch. Voir itinéraire 37.

Chapelle N.-D. du Haut de Ronchamp. Construite en 1955 par Le Corbusier, c'est un édifice tout de blancheur que couvre un toit gris ; l'ensemble a été édifié en béton. La souplesse des lignes imposées au matériau s'harmonise avec le site.

Ballon d'Alsace. Voir itinéraire 34.

Thann. Voir itinéraire 33.

Grand Ballon. Voir itinéraire 33.

Le Hohneck, sur la route des Crêtes (fermée à partir du Markstein selon enneigement), est un sommet arrondi par une érosion intense et couvert de chaumes. Son versant alsacien présente quelques abrupts impressionnants, qui dominent des cirques tapissés de sapinières dont le fond est occupé par des lacs. Du sommet dégagé, vue sur la Lorraine, le Kaiserstuhl et la Forêt-Noire.

Saint-Dié. Voir itinéraire 30.

Gérardmer. Voir itinéraire 36.

Épinal. Voir itinéraire 35.

Forêt de Darney. Voir itinéraire 38.

Contrexéville, Vittel. Voir itinéraire 35.

Mirecourt. Voir p. 90-91.

Signal de Vaudémont. Illustré par l'écrivain Maurice Barrès dans *la Colline inspirée*, c'est une sorte de bastion naturel dressé sur le Plateau lorrain, où il culmine à 545 m. Du sommet, panorama sur le Plateau lorrain et sur la colline de Sion voisine ; celle-ci est couronnée par une basilique, but d'un pèlerinage très fréquenté.

Domrémy. Voir itinéraire 41.

Toul. Voir itinéraire 44.

Butte de Montsec. Son sommet (375 m) est surmonté par un mémorial en forme de rotonde, à la gloire des soldats américains qui, en septembre 1918, dégagèrent le saillant de Saint-Mihiel. De ce monument, auquel on accède par un grand escalier, vue sur la plaine de la Woëvre et sur les Côtes de Meuse.

Hattonchâtel. Voir itinéraire 42.

Verdun doit à sa position stratégique sur les rives de la Meuse d'avoir été, depuis sa fondation, le théâtre de luttes acharnées jusqu'aux journées tristement célèbres de 1916 ; le musée de la Guerre, dans la citadelle souterraine (ouv. t.l.j. Renseign. à l'O.T.), est consacré aux souvenirs de la Grande Guerre. La cathédrale Notre-Dame, de style roman rhénan (XIe s.), présente le portail du Lion, aux voussures décorées ; au tympan, Christ en majesté, dans une mandorle. A l'intérieur, la crypte, du XIIe s., a conservé de beaux chapiteaux et le cloître adjacent est ajouré de vingt-trois baies ogivales. Le palais épiscopal est du XVIIIe s. L'hôtel de la Princerie abrite le musée de la Princerie (t.l.j., sauf mardi, du 1er avr. au 31 oct.) : coll. d'archéologie gallo-romaine et mérovingienne, statuaire médiévale, peintures, faïences de l'Argonne.

Dun-sur-Meuse est une petite ville agréablement située sur une éminence qui domine la vallée de la Meuse, là où le fleuve quitte le Plateau lorrain. Bien que fortement endommagée en 1918, Dun a conservé l'église Notre-Dame (XIVe s.), bâtiment massif épaulé par de puissants contreforts. A l'intérieur, l'édifice est éclairé par des fenêtres à lancettes et à roses ; un mobilier de style Louis XV comprenant le baldaquin du maître-autel, les boiseries du chœur, la chaire à prêcher et le buffet d'orgue introduit une note souriante dans cet ensemble gothique d'une certaine froideur.

Avioth. Voir itinéraire 45.

Metz, métropole qui connut des fortunes diverses au cours d'une histoire très mouvementée, garde aujourd'hui un capital monumental religieux très important. Le joyau de cet ensemble est la cathédrale St-Étienne, un des plus beaux édifices gothiques de France. Construite en pierre jaune de Jaumont, elle comprend deux bâtiments : la cathédrale et la collégiale N.-D.-de-la-Ronde, ornées de magnifiques vitraux anciens et modernes, dont certains sont dus à Villon et à Chagall. De son passé médiéval, la ville conserve la porte des Allemands (XIIIe s.) ; au musée de la Cour d'Or, archéologie gallo-romaine et médiévale, architecture, Beaux-Arts...

Randonnée dans la forêt de la Petite-Pierre 49 km

Dans cette contrée toute en vallonnements — d'où son nom, l'Alsace bossue —, la création du parc naturel régional des Vosges du Nord a permis de mettre en valeur et de protéger un riche patrimoine naturel et culturel. Ainsi, à partir de Bouxwiller, au bord des étangs, le long des vallées, pourra-t-on contempler au gré d'une promenade reposante de superbes paysages forestiers et, peut-être, apercevoir un grand cerf ou même une harde au gagnage...

❶ **Le Bastberg.** La colline du Bastberg, que l'on peut parcourir en suivant le sentier géologique balisé, est formée d'un soubassement de marnes jurassiques sur lequel repose une dorsale de calcaire lacustre, riche en fossiles, surtout des gastéropodes d'eau douce. Du sommet de la colline, on jouit d'une vue étendue vers le nord et sur les hauteurs environnantes, paysage type à l'entrée du parc naturel régional des Vosges du Nord. Le circuit prendra 2 heures si l'on passe le temps nécessaire pour faire les observations proposées.

❷ **Oberhof.** Aux abords de ce hameau, la vallée de la Zinsel, affluent de la Zorn, s'insère entre les falaises de grès rose et les forêts qui couvrent les hauteurs. On remarquera, derrière la maison forestière, une falaise montrant bien la stratification entrecroisée du grès. La route forestière mène sur les versants ombragés peuplés de sapins *(Abies pectinata)*. Le plateau est à dominante de hêtres, avec des pins sylvestres sur les secteurs les mieux ensoleillés.

❸ **Graufthal.** Situé en partie au fond de la vallée, ce hameau abrite, fait exceptionnel dans cette région, des habitations troglodytiques. Les surplombs naturels de la falaise de grès des Vosges, bien exposés, ensoleillés et secs, ont été évidés et aménagés. Certaines de ces maisons ont été habitées jusqu'en 1958. Aujourd'hui restaurées et remeublées, elles abritent une exposition permanente.

❹ **Étangs du Hammerweyer et du Moulin d'Eschbourg.** Ces étangs sont des sites attrayants qui abritent une flore et une avifaune palustres très caractéristiques, notamment dans leur cornée amont, où l'envasement forme une zone marécageuse. C'est le domaine des foulques, des grèbes nains et huppés, des canards colverts. Le héron y fait de fréquentes apparitions. Plus rare est le passage du balbuzard, qui vient surtout pêcher en hiver. Dans les laîches et les joncs poussent quelques plantes rares, tel l'arum des marais *(Calla palustris)*. De la route, on peut observer les oiseaux.

Cerf. Présent dans tout le massif vosgien, il est difficile à observer. La surfréquentation touristique perturbe gravement son biotope.

❺ **La Petite-Pierre.** Le château, devenu Maison du Parc (ouv. t.l.j., sauf sam. et dim. ; tél. : 88-70-46-55), est construit sur une avancée de grès des Vosges. La vue offre les composantes typiques du paysage : collines de l'Alsace bossue, vallons d'érosion, soulignés par la corniche de grès. Les hauteurs sont couvertes de hêtraies, et les versants, de hêtraies-sapinières. Dans les vallons, les reboisements privés sont surtout constitués d'épicéas. Le château, dont l'origine remonte au XIIe s. et qui fut une place forte jusqu'en 1870, présente une exposition permanente réalisée par le parc naturel régional sur l'histoire du château ainsi que sur l'ensemble du patrimoine des Vosges du Nord (t.l.j., 1er avr.-31 oct. ; sam., dim. et j. fér., 1er nov.-31 mars, sauf Noël et jour de l'an ; t.l. apr.-m. du 26 au 31 déc.). Dans la chapelle Saint-Louis (XVIIe s.), rue du Château, musée du Sceau alsacien. Rue des Remparts, musée des Arts et Traditions populaires : collection de moules à gâteaux (pour ces deux musées, vis. t.l.j., sauf lun., de juill. à sept. ; sam. et dim. en oct.-nov. et de févr. à juin ; le dim. hors saison ; t.l.j. du 25 déc. au 1er janv. Fermé en janv.). Autour de La Petite-Pierre, une centaine de kilomètres de sentiers balisés par le Club vosgien permettent de faire d'agréables promenades et randonnées pédestres en forêt.

❻ **Neuwiller-lès-Saverne.** Dans cette petite cité jadis fortifiée par les princes de Hanau-Lichtenberg, l'église Saint-Pierre-et-Saint-Paul (XIIe-XIIIe s.) est intéressante à plus d'un titre. Elle abrite notamment de splendides tapisseries du début du XVIe s.

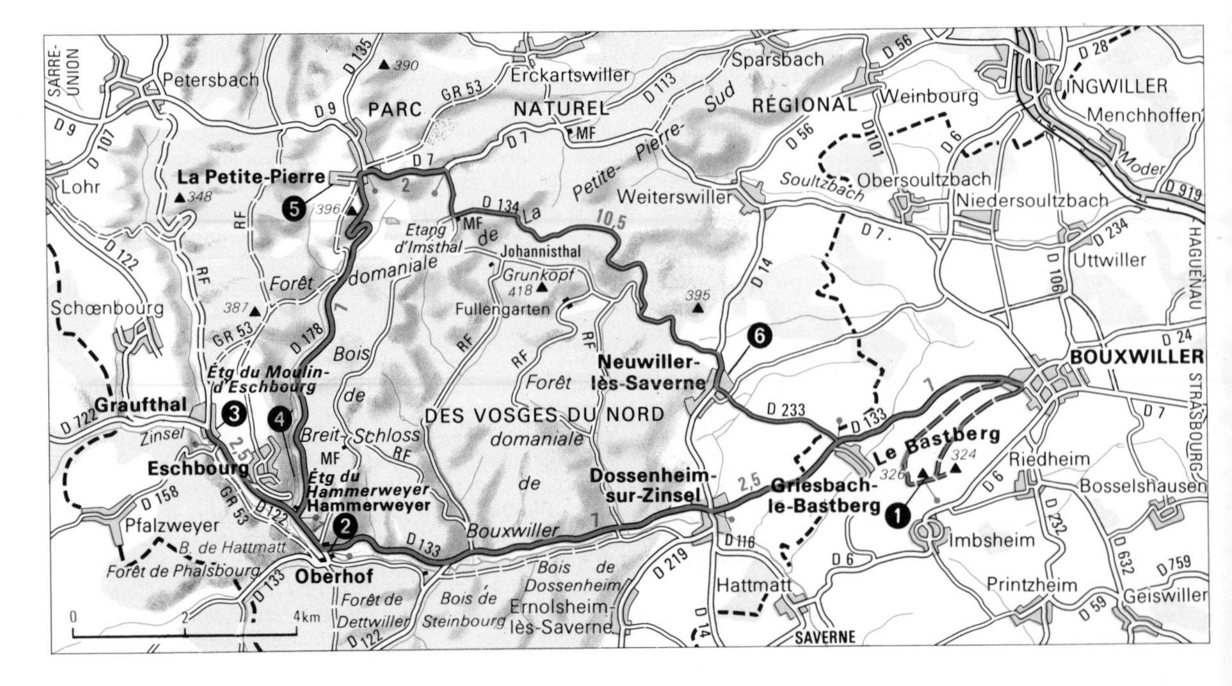

De Wissembourg 70 km à Niederbronn-les-Bains

Au nord de la dépression de Saverne, les Vosges septentrionales vont en s'abaissant graduellement : au Grand Wintersberg, leur point culminant, l'altitude ne dépasse pas 580 m. Tandis que les Vosges centrales et méridionales sont cristallines, le massif montagneux est ici constitué de grès rose, dont les couches ont été habilement sculptées par l'érosion en des formes étonnantes. Cette roche fut largement utilisée pour la construction des abbayes, des églises et des châteaux dans tout l'est de la France. A travers les forêts de pins et de hêtres, à l'ouest de Wissembourg, au seuil de la province allemande du Palatinat, les châteaux, anciennes forteresses, qui jalonnent la frontière, témoignent des luttes d'autrefois.

Chaise alsacienne. Le dossier est une planchette ajourée et sculptée ; le plateau a la forme d'un trapèze, et les pieds grossièrement taillés, sont divergents.

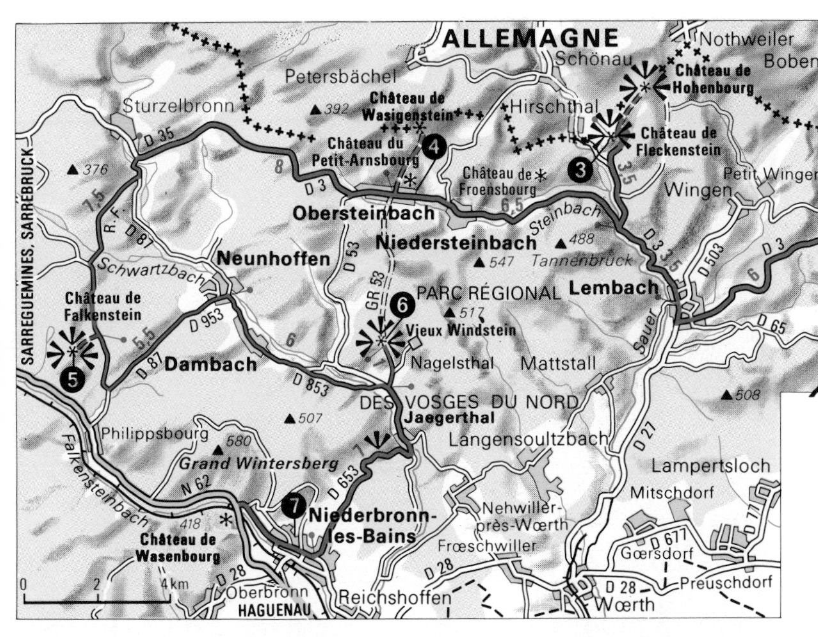

❶ **Wissembourg.** Baignée par la Lauter, la ville a gardé, pour une bonne part, son aspect traditionnel (voir photo). L'église St-Pierre-et-St-Paul est, après la cathédrale de Strasbourg, la plus grande église gothique d'Alsace. Bâti en grès rose, l'édifice possède deux tours, dont l'une, carrée, de style roman, est le seul vestige original du XIIIe s. L'intérieur présente les caractéristiques du style gothique rhénan ; on peut y voir une Vierge à l'Enfant de la fin du XIIIe s. et une statue de Dagobert du XVIe s.

❷ **Col du Pigeonnier.** Situé entre les vallées de la Sauer et de la Lauter, il culmine à 432 m ; du belvédère qui y est aménagé, vaste panorama sur le N. de l'Alsace, la plaine de Bade et, plus loin vers l'E., la Forêt-Noire.

❸ **Château de Fleckenstein.** Nid d'aigle accroché à un piton rocheux, ce château du XIIIe s. fut l'un des plus importants de la région. Sur l'une des tours, on reconnaît les armoiries sculptées des Rohan-Soubise. Dans l'une des salles creusées à même le roc, un musée présente une collection d'objets usuels anciens – outils de travail, armes, poteries (ouv. t.l.j., du 15 avr. au 15 nov. Groupes, tél. : 88-94-43-16). *Hohenbourg*, forteresse voisine, offre, d'une plateforme, une belle vue sur les environs.

❹ **Obersteinbach.** Depuis le village, dominé par les vestiges du château du Petit-Arnsbourg, on atteint le château de Wasigenstein (1 h à pied AR).

Wissembourg. Vieilles maisons du XVIIe s., dans le style traditionnel alsacien : pans de bois avec remplissage en torchis et toits de tuiles plates, à pente accentuée.

❺ **Château de Falkenstein.** Construit sur un rocher de grès rose, ce château du XIIe s. fut détruit par les Français en 1677. Il peut être le but d'une agréable promenade (45 mn AR) pour y visiter ses salles creusées à même le roc. Du sommet, vaste panorama.

❻ **Windstein** a la particularité de posséder les ruines de deux châteaux. Le Vieux Windstein, reconstruit après avoir été détruit en 1334, n'offre plus au visiteur que des ruines.

❼ **Niederbronn-les-Bains** était déjà connue pour ses eaux à l'époque romaine. Détruits au Ve s., la ville et ses bains furent restaurés aux XVIe s. et XVIIIe s. ; ils connurent un regain de prospérité sous le Second Empire. Niederbronn est située au débouché de la vallée du Falkensteinbach que dominent des collines boisées, où pins sylvestres, hêtres et chênes apparaissent au fur et à mesure que l'on approche de la plaine. Des deux sources qui y jaillissent, l'une est recommandée pour les maladies digestives, et l'autre, pour les maladies du rein. La cité, qui fut fondée par les Romains en 48 av. J.-C., a conservé de son passé quelques objets exposés à la maison de l'Archéologie (t.l. apr.-midi sauf mardi, 1er avr.-30 nov. ; sauf lundi, mardi et sam. le reste de l'année). On peut y voir, entre autres, des pièces romaines, des objets de la vie quotidienne au Moyen Age, des poêles et des plaques de cheminée. Du château de Wasenbourg (1 h AR), belle vue d'ensemble sur la ville.

Vallées des basses Vosges 93 km 71 km

Entre le Plateau lorrain et la plaine d'Alsace, à cheval sur des massifs gréseux et cristallins, on parcourt les Vosges moyennes à travers les profondes vallées verdoyantes de la Bruche, de la Zorn et de la Mossig. Couverte de nombreuses forêts de sapins et de hêtres, la région offre de multiples possibilités de promenades, agrémentées de haltes riches en souvenirs, aussi bien en Lorraine, comme à Saint-Dié, cité martyre qui fut tant de fois détruite et toujours renaquit de ses cendres, qu'en Alsace, comme au château de Nideck, à Saverne, ville du cardinal de Rohan, ou encore à Phalsbourg, « pépinière des braves », qui vit naître en ses murs nombre de généraux, mais aussi le romancier pacifiste Erckmann.

ITINÉRAIRE N° 1

❶ **Schirmeck.** Situé au centre de la vallée de la Bruche, ce gros bourg est entouré de forêts de sapins. On peut y voir les ruines du château que les Suédois détruisirent en 1633, ainsi que le clocher en grès rouge de l'église construite dans le style gothique au XVIIIe s.

❷ **Champ du Feu.** Ce plateau marque la frontière entre les pays de dialectes alsacien et lorrain. De la tour qui est érigée à son sommet, on jouit d'une vue remarquable sur les Vosges (le Donon, Sainte-Odile), la plaine d'Alsace et, au-delà, la Forêt-Noire.

❸ **Le Climont** se présente comme un sommet en forme de trapèze couvert de sapins. Avant d'y parvenir (1 h de marche), on passe par les fermes de Climont, autrefois habitées par des membres d'une communauté anabaptiste, les mennonites, venus de Suisse.

❹ **Saales.** Ancienne ville frontière entre la France et l'Allemagne, de 1871 à 1918, elle est installée à l'extrémité d'un plateau où naît la Bruche, affluent de l'Ill. De la cité, il est facile de se rendre au Voyemont (1 h AR), sorte de pyramide que couronne un rocher appelé « la Roche aux Fées ». Du sommet, accessible par des marches taillées dans le roc, vue magnifique sur la vallée de la Bruche.

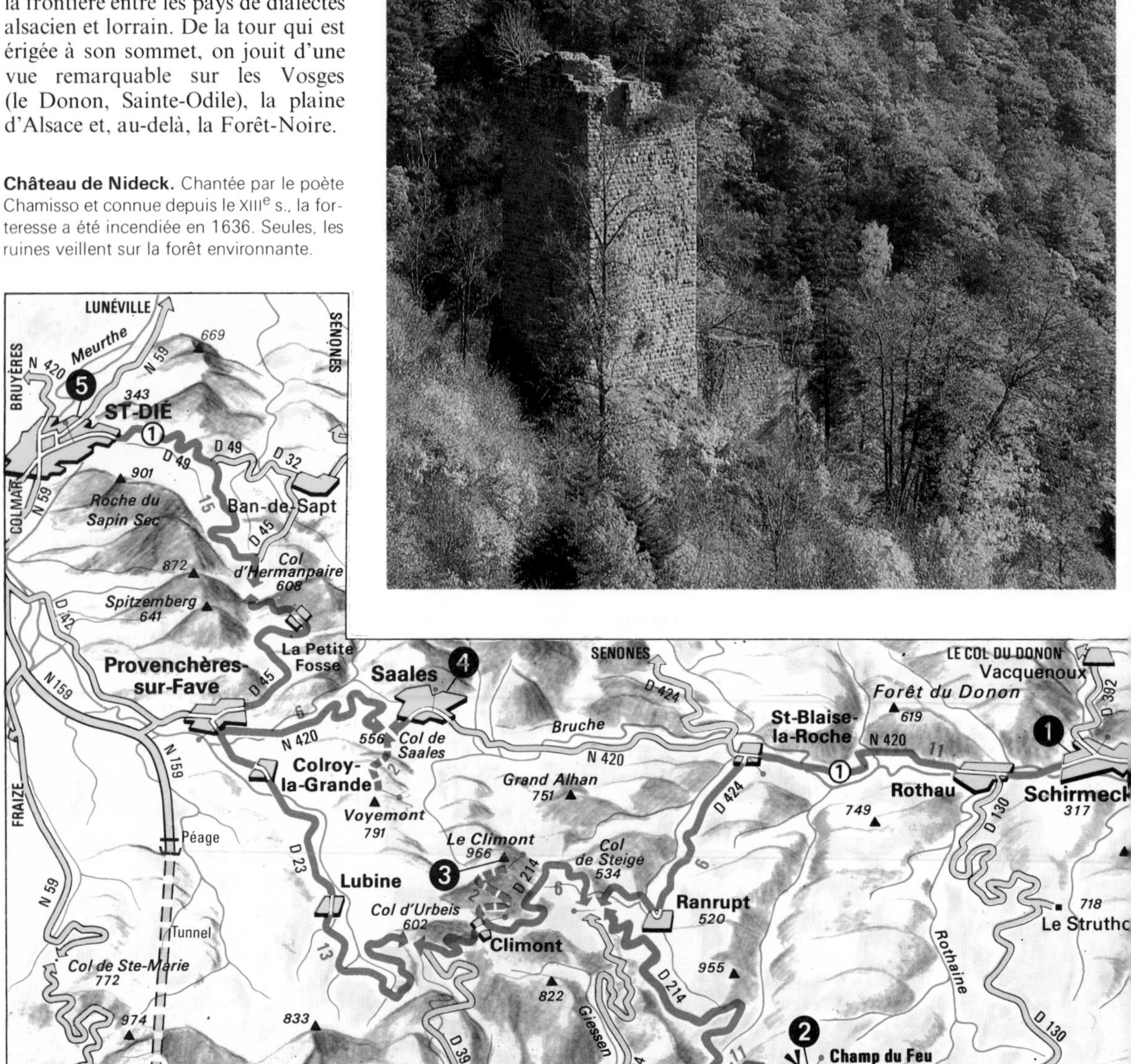

Château de Nideck. Chantée par le poète Chamisso et connue depuis le XIIIe s., la forteresse a été incendiée en 1636. Seules, les ruines veillent sur la forêt environnante.

Saverne. Dans la plupart des villes alsaciennes, on trouve encore des maisons traditionnelles aux façades richement décorées, témoins de l'opulence du passé.

❺ **Saint-Dié.** Très endommagée pendant la dernière guerre, la ville a cependant conservé un bel ensemble architectural constitué par la cathédrale, son cloître et l'église Notre-Dame. La cathédrale, en grès rose, présente une façade classique encadrée de deux tours du XVIIIe s. ; dans son cloître gothique, chaire en pierre du XVe s. L'église Notre-Dame, de style roman rhénan (XIIe s.), est précédée d'un narthex ouvert sur quatre faces. A l'intérieur : Vierge à l'Enfant du XIVe s. Voir l'étonnante tour de la Liberté, dans laquelle sont exposés les bijoux de Braque (ouv. t.l.j. Expos. bijoux, voir l'O.T.).

ITINÉRAIRE N° 2

❶ **Phalsbourg** a gardé de son passé militaire les portes de France et d'Allemagne, décorées d'armes et de trophées, ainsi qu'une place d'Armes sur laquelle donne l'hôtel de ville, du XVIIe s. Ce dernier abrite un musée (t.l.j., 15 mars-1er nov. Groupes sur R.-V., tél. : 87-24-12-26) consacré notamment aux écrivains Erckmann et Chatrian, auteurs de *l'Ami Fritz.*

❷ **Lutzelbourg.** Située dans la vallée de la Zorn, la ville est dominée par les ruines d'un château féodal, construit au XIIe s., dont il ne reste plus qu'un donjon d'où l'on a une belle vue sur la forêt de Saverne.

❸ **Saverne,** ville épiscopale, a conservé quelques témoins de son brillant passé. L'église Notre-Dame, bien qu'elle soit flanquée d'une tour romane du XIIe s., est un édifice gothique dans lequel on peut admirer des vitraux dus à Pierre d'Andlau (XVe s.) et un panneau peint sur fond or (XVe s.) représentant l'Assomption. Son château, dont la reconstruction fut ordonnée en 1780 par le cardinal Louis René de Rohan, s'agrémente, sur la façade N. donnant sur le parc, de trois escaliers aboutissant à un avant-corps orné de huit colonnes corinthiennes. Il abrite un musée : archéologie régionale gallo-romaine et médiévale, documents sur l'histoire du château et de la ville ; salles consacrées à Louise Weiss (musée ouv. juin-oct. t.l. apr.-m., sauf mardi. Vis. guid. château et musée tte l'année sur R.-V., tél. : 88-91-06-28).

Le *château du Haut-Barr*, à 5 km de Saverne, a été édifié en 1170 sur trois rochers dominant la vallée de la Zorn et la plaine d'Alsace. Démantelé en 1650, il conserve encore une porte d'enceinte, un donjon et une chapelle du XIIe s. restaurée.

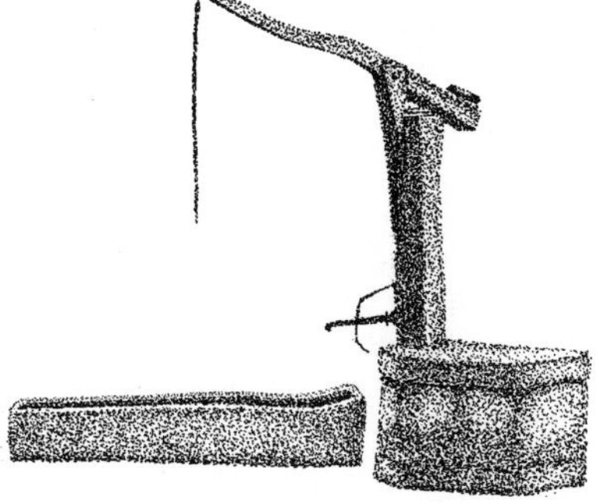

Pompe à eau. Le long bac récepteur en granit, où coule l'eau pompée dans le puits, sert d'abreuvoir pour les animaux.

❹ **Marmoutier.** De l'ancienne abbaye bénédictine fondée par saint Léobard en 589, on peut voir l'église dont la façade O. date du XIIe s. De style roman, l'église est construite en grès rouge aux tons chauds, et ornée de bandes et arcatures lombardes ; elle présente un clocher carré et deux tours d'angle octogonales. L'intérieur, gothique, est décoré de boiseries Louis XV, de stalles à dais de la même époque et d'orgues portant la signature de Silbermann (1710).

❺ **Wangenbourg** est une station estivale installée au milieu des prairies dominées par les pentes boisées du Schneeberg. On accède au château des seigneurs de Wangen par un petit chemin ombragé (15 mn de marche AR). Des bâtiments, érigés sur un piton rocheux de grès rouge aux XIIIe s. et XIVe s., on ne voit plus qu'un donjon crénelé, une grande salle avec une rangée de fenêtres et des armoiries gravées du XVIe s. Au S.-O. de la ville, un sentier balisé conduit, à travers bois, au sommet du Schneeberg d'où l'on peut admirer un panorama étendu sur le mont Sainte-Odile, le Champ du Feu, le Climont, le Brézouard et Strasbourg.

❻ **Nideck.** Dans un site boisé, on peut visiter les ruines du château (voir photo) et la cascade, qui se jette dans un gouffre du haut d'une plate-forme.

32

Lacs et forêts dans le val d'Orbey 55 km

De Colmar au Hohneck, c'est tout le versant alsacien des Vosges qui dévoile ses paysages contrastés : des collines sous-vosgiennes chaudes et sèches, où le vignoble s'épanouit, aux chaumes des sommets, en passant par la chênaie des basses pentes et la hêtraie-sapinière ; de la plaine aux sommets par les vallées profondes de la bordure, les plateaux intermédiaires, les formes glaciaires des crêtes ; d'une région continentale à un climat d'altitude de caractère nettement « atlantique ».

Grand tétras. Ce gallinacé farouche vit en solitaire dans les forêts des crêtes, sauf au moment de la parade nuptiale.

Vallée d'Orbey. Les paisibles hameaux dispersés dans la verdure du « val d'Orbey » connurent par le passé une histoire jalonnée de tourmentes et de violences.

❶ **Le Galz.** Du sommet, le panorama s'étend des crêtes vosgiennes à la Forêt-Noire. Au bas du versant, les collines sous-vosgiennes ne portent plus que des lambeaux d'une forêt subméditerranéenne, peuplée de chênes pubescents ; le sapin, qui végète dans cette zone trop sèche, est rare. Mais des taillis de chênes et de châtaigniers, de grands boisements de pins sylvestres se déploient sur les versants raides des vallées.

❷ **Labaroche.** Du beau point de vue de la nouvelle église, on suit l'entaille du Walbach. Le village (pointe extrême d'une avancée de langue romane) est entouré de buttes boisées dominant le plateau cristallin.

❸ **Forêt domaniale des Deux-Lacs.** En montant vers cette forêt d'épicéas, on jouit d'une très belle vue sur la vallée d'Orbey (voir photo) et les buttes de grès. On observera les moraines de l'ancien glacier du lac Blanc.

❹ **Lac Blanc.** Il est situé au creux d'un cirque d'origine glaciaire que ferme une muraille dénudée. Le lac étale ses eaux claires au milieu d'une végétation de plus en plus maigre à mesure qu'on remonte vers les chaumes. Le grand tétras (voir dessin) hante les forêts sombres, et le chamois, réintroduit au Markstein, parcourt les hautes crêtes.

❺ **Le Glasborn.** De ce champ de bataille de la Grande Guerre, la vue donne sur la vallée de Munster, très déboisée, où s'est développée une lande à fougères et à genêts.

❻ **Le Linge.** Sur les plateaux du Linge, le poudingue de Sainte-Odile (grès rose à galets de quartz) a donné naissance à des sols pauvres, les podzols ; ils portent une forêt de pins, reconstituée après 1918, à sous-bois abondant de myrtilles, callunes, fougères, et où se développent les barbes d'un lichen, l'usnée. Sur la pente E. et la crête même du Linge, le réseau de tranchées allemandes de 1914-1918 attire de nombreux visiteurs.

❼ **La Trinque.** Au pied de la butte de grès du Grand Hohnack, une trouée permet de découvrir la basse vallée de la Fecht, Colmar et l'Alsace. On retrouve ce panorama au belvédère des Trois Épis.

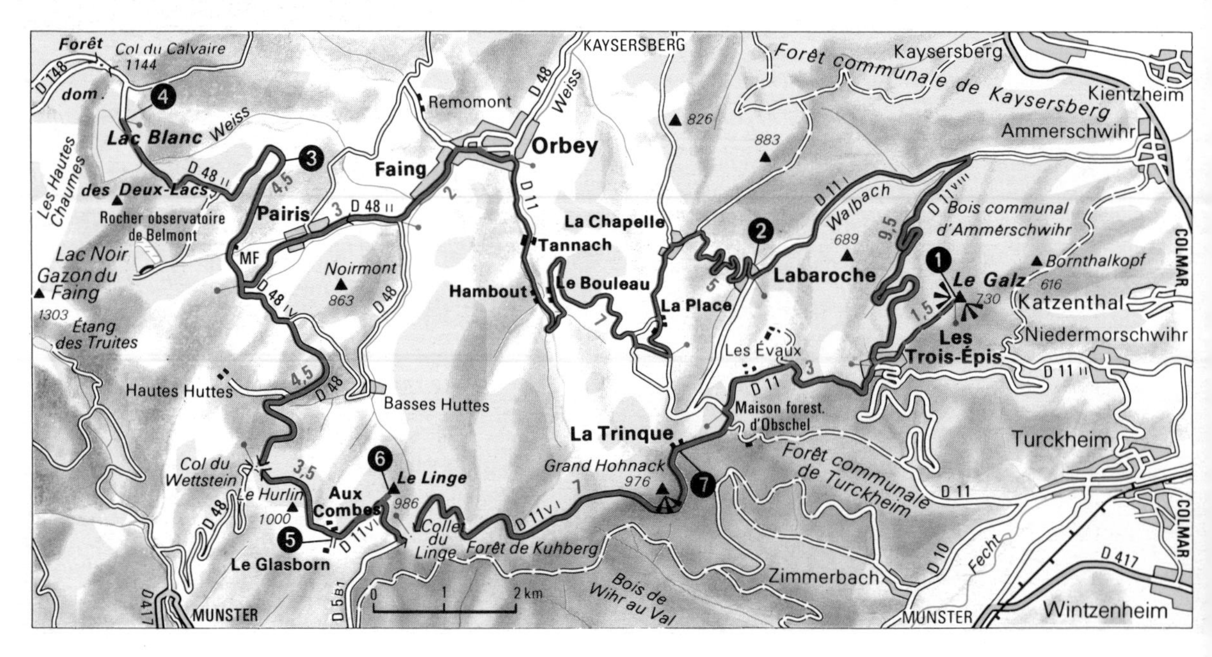

Lac Blanc. Autour du lac, le paysage prend un aspect nordique : le pin sylvestre se mêle au sorbier et au hêtre. Au sol poussent des buissons de houx et des touffes de myrtilles.

33

Guebwiller et le Grand Ballon 55 km

Deux vallées, une ligne de crêtes : voilà le charme de l'Alsace du Sud et des Vosges méridionales où la végétation, à la belle saison, présente une extrême variété de couleurs et de formes. La vallée de la Lauch, une fois passés les vignobles de Guebwiller, offre ses flancs boisés et fleuris qu'agrémentent de nombreux sites éclatants. Puis la route des Crêtes mène aux plus hauts sommets vosgiens : le Markstein et le Grand Ballon, embrassant un immense panorama. En redescendant l'autre versant, dans la vallée de la Thur, on retrouve toute la vigueur des traditions populaires dont le riche cadre de Thann est l'expression la plus achevée.

Murbach. De l'ancienne abbaye située au creux d'un vallon boisé, on peut encore admirer aujourd'hui le chœur, le transept et les deux tours de grès rouge de l'église.

❶ **Guebwiller.** Au creux de la vallée de la Lauch, appelée aussi « le Florival » en raison de son extrême richesse en fleurs, Guebwiller est une ville toute en longueur, entourée de vignobles dont les cépages de Kniperlé et de Riesling sont parmi les plus réputés d'Alsace. Dans la cité se trouvent trois églises intéressantes. L'église St-Léger, dont la construction dura de 1182 à 1240, est de style roman rhénan; deux tours carrées symétriques, à flèche de pierre, encadrent un porche ouvert à trois arcades et à portail en plein cintre. Une troisième tour octogonale s'élève au-dessus du transept. A l'intérieur, stalles du XVIIIe s. finement ouvragées. L'église Notre-Dame, en grès rouge, construite au XVIIIe s. sur les plans de l'architecte Beuque, est de style néo-classique; l'intérieur est habillé de boiseries Louis XV. Dans l'église des Dominicains se trouve un jubé de pierre, décoré de peintures du XIVe s.

❷ **Murbach.** Autrefois siège d'une communauté religieuse puissante et redoutée, fondée au VIIIe s., l'abbaye n'a conservé de son passé que les vestiges d'une église (voir photo) bâtie à la fin du XIIe s., de style roman rhénan.

❸ **Lautenbach,** elle, s'est développée autour d'une abbaye bénédictine fondée au VIIIe s., dont il ne subsiste que l'église, surtout remarquable par son narthex roman décoré de personnages et de figures fantastiques. A l'intérieur de l'église, chaire du XVIIIe s. surmontée d'un saint Michel et, dans l'abside, vitrail du XVe s.

❹ **Lac de la Lauch.** C'est une étendue d'eau artificielle, de 20 m de profondeur, au fond d'une cuvette d'origine glaciaire aux pentes boisées.

❺ **Le Markstein,** situé à 1240 m d'altitude, commande de belles vues sur la vallée de la Thur et, plus loin, sur le massif du Drumont, ainsi que sur la vallée de la Lauch, la plaine d'Alsace et, au-delà, la Forêt-Noire.

❻ **Le Grand Ballon** (voir photo), où se trouve le monument des « Diables Bleus » de Vermare et Moreau-Vauthier, dédié aux chasseurs de la Première Guerre mondiale, offre un panorama grandiose s'étendant des Vosges à la Forêt-Noire et, vers le S., jusqu'au Jura.

❼ **Saint-Amarin.** Ce village de la vallée de la Thur possède une fontaine ornée d'un coq gaulois (1830) et une église du XVIIIe s. Au musée Serret (ouvert tous les après-midi, sauf mardi, du 1er mai au 30 septembre ; fermé en hiver, sauf sur demande) sont exposés des objets locaux et surtout une originale collection de coiffes de la région (XVIIIe et XIXe s.). Lors de la veillée de la Saint-Jean (le samedi qui précède ou qui suit le 23 juin), tous

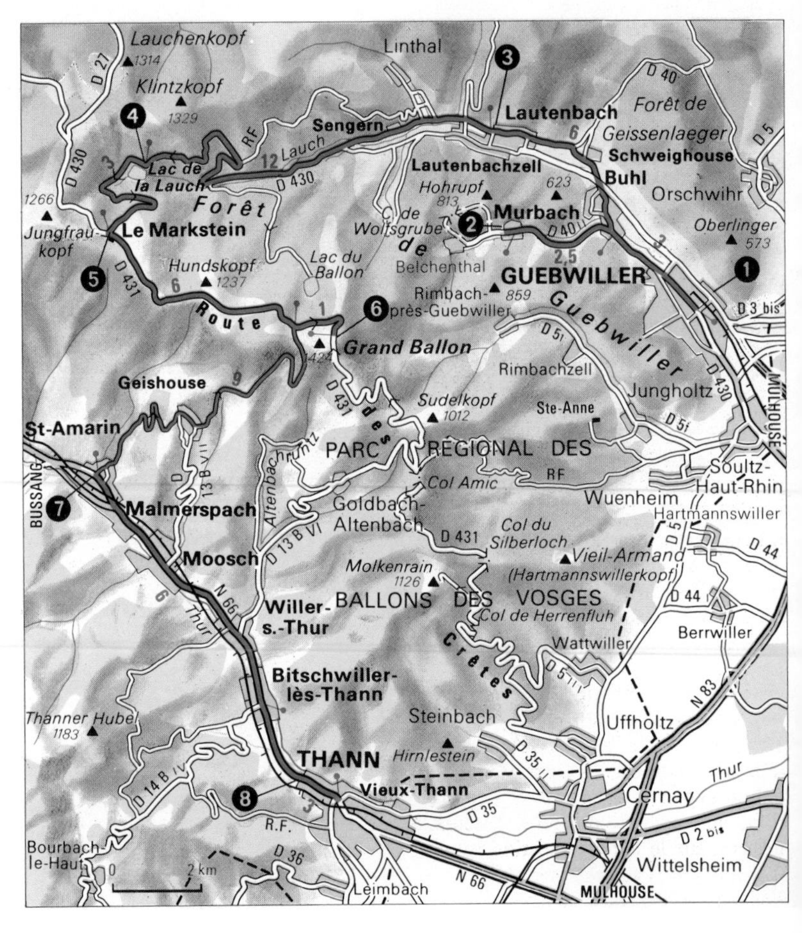

Grand Ballon. Appelé aussi ballon de Guebwiller, il est situé sur la route des Crêtes; avec ses 1 424 m d'altitude, c'est le sommet le plus élevé du massif des Vosges qui prend au S. un aspect montagnard.

les villages de la vallée s'illuminent de nombreux feux tard dans la nuit.

❽ **Thann** doit, selon la légende, sa fondation à un miracle. A la mort de saint Thiébaut, évêque de Gubbio, en Italie, l'un de ses serviteurs lui aurait coupé un pouce et l'aurait dissimulé dans son bâton de pèlerin. Passant par l'Alsace et ayant planté son bâton en terre pour la nuit, le serviteur n'aurait pu, au matin, l'enlever, tandis qu'à la cime d'un sapin voisin apparaissaient trois lumières. Le seigneur d'Engelbourg, avisé, fit construire une chapelle sur les lieux. C'est pourquoi l'emblème de Thann s'orne d'un sapin et que, le 30 juin de chaque année, a lieu pour commémorer ce miracle « la Crémation des Trois Sapins ». Située à l'emplacement de la chapelle primitive, la collégiale St-Thiébaut est un chef-d'œuvre de l'art gothique flamboyant. Un vieux dicton alsacien n'affirme-t-il pas que la cathédrale de Strasbourg est la plus haute, celle de Fribourg-en-Brisgau la plus grande, celle de Thann la plus belle? Construite du XIVe au XVIIe s., elle est dominée par un clocher dont la flèche est ouvragée et délicatement ajourée. Le portail principal comporte trois tympans représentant la vie de la Vierge, l'Adoration des Mages et la Crucifixion. De ces sculptures, d'un réalisme parfait, émane une étonnante fraîcheur. Un second portail s'orne de trois statues du XVe s. A l'intérieur, la principale richesse est constituée par les stalles finement sculptées, et les vitraux du chœur (XVe s.). La ville est dominée par les ruines du château d'Engelbourg (château des Anges), que Turenne fit détruire en 1674, non sans peine, après avoir délivré la cité occupée par les Brandebourgeois; au cours de la démolition, une partie de tour bascula, intacte, sur le côté; sa section ronde ressemblant à un œil énorme, a été baptisée « Œil de la Sorcière ».

34

Chaumes et forêts des Vosges méridionales 28 km

De la vallée de la Moselle au ballon d'Alsace et au Rouge Gazon, cette randonnée pédestre permet, à travers la forêt et les landes, de faire connaissance avec les hautes Vosges méridionales et leurs paysages caractéristiques: formes très douces des sommets voisinant avec les pentes brutales des cirques glaciaires, lacs, végétation et faune d'une région de montagne humide et boisée. Ce circuit, assez long (de 7 à 8 heures) mais facile à la belle saison, met en contact avec la nature à peine défigurée, ses eaux pures, ses forêts secrètes, ses vastes « chaumes », domaine de l'élevage et havre de paix pour les citadins.

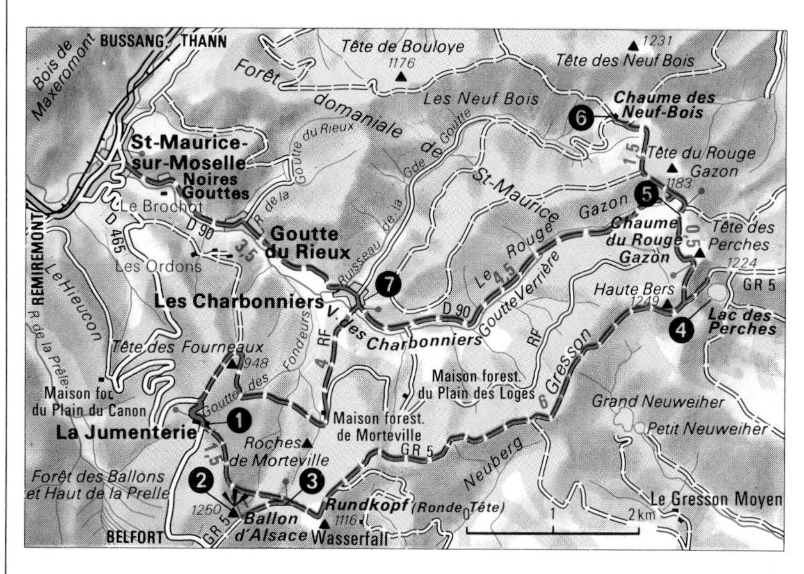

❶ **La Jumenterie.** Après la traversée, dans la forêt, des ruisseaux, ou « gouttes », et de la paroi du cirque glaciaire (passerelles aménagées) des Roches de Morteville, la chaume de la Jumenterie ouvre de vastes horizons vers la vallée de la Moselle et le ballon de Servance. On peut observer l'étagement de la végétation: hêtraie-sapinière à la base, hêtraie à érables et sorbiers, trouée de landes au-dessus.

❷ **Le ballon d'Alsace.** La vue, par temps clair, s'étend jusqu'aux Alpes. Les crêtes de granit rose, nivelées par l'érosion, larges et à pentes faibles, contrastent avec les parois très raides des cirques glaciaires à l'E. et au N. La végétation des chaumes est typique: airelles, pensées des Vosges, etc.

❸ **La Ronde Tête.** La chaume, abandonnée, est en voie de reconquête par la forêt. De là, on voit la diffluence du glacier de la Moselle, dans la vallée de la Doller, et le cirque où s'est logé le lac d'Alfeld, fermé à l'aval par un beau verrou glaciaire.

❹ **Lac des Perches.** Un sentier, qui en fait le tour, permet de découvrir le lac au milieu de la forêt. Le hêtre, rabougri, tordu, chargé de lichens, est tout près de sa limite en altitude.

❺ **Chaume du Rouge Gazon.** La végétation de cette crête présente certaines affinités avec celle du Jura et des Alpes. Un hôtel (ouvert toute l'année) permet de se désaltérer et de se restaurer avant de continuer le parcours.

❻ **Chaume des Neuf Bois.** Les chaumes étendent leur manteau monotone jusqu'à la Tête des Neuf Bois, d'où la vue est remarquable. La forêt est le domaine du coq de bruyère et de la gelinotte; et les chaumes, celui de la mésange boréale. (Voir dessin.)

❼ **Vallée des Charbonniers.** Longue de 8 km environ, elle est arrosée par le ruisseau du même nom, grossi de multiples « gouttes ».

Mésange boréale. Elle se distingue par sa calotte noir de suie et vagabonde tout l'hiver, se nourrissant d'insectes, de fruits et de graines à certaines périodes.

Villes d'eaux et hautes Vosges

182 km
123 km

Le Plateau lorrain, qui porte encore les traces des âpres combats dont il fut à la fois l'enjeu et le témoin, égrène dans sa partie méridionale, de Vittel à Plombières, un chapelet de villes d'eaux renommées. Les hautes Vosges offrent l'alternance de leurs forêts ombreuses, toutes de majesté sereine, de leurs vallées accueillantes et discrètes, de leurs rivières encaissées et de leurs sommets dénudés, domaine des chaumes.

ITINÉRAIRE N° 1

❶ **Épinal** doit sa célébrité à son imagerie populaire dont certains spécimens très rares sont exposés au musée départemental d'Art ancien et contemporain, avec des œuvres de tous les grands centres imagiers. Le musée abrite également des salles d'archéologie, d'ethnologie, de peinture, d'art contemporain (t.l.j., sauf mardi). Visiter l'Imagerie d'Épinal, seule imagerie traditionnelle encore en activité (ouv. t.l.j. ; l'apr.-m. dim. et j. fér. Fermé Noël et 1er janv. Groupes sur R.-V.). Du parc dessiné sur la hauteur que couronnent les ruines du château, vue sur la vallée de la Moselle. A la basilique St-Maurice, ancienne abbatiale d'une communauté bénédictine de femmes, on remarque surtout le portail latéral, dit des Bourgeois, qui s'ouvre dans un porche champenois voûté en trapèze (XIVe s.).

❷ **Plombières-les-Bains.** De Montaigne à Napoléon III, cette petite ville vit de nombreux hôtes illustres fréquenter ses eaux radioactives et sulfatées sodiques, déjà réputées sous l'Antiquité. Le roi Stanislas y fit construire, en 1761, un élégant hôtel à promenoir, la maison dite « des Arcades ». On se promènera dans le parc national, planté d'arbres aux essences rares.

❸ **Bains-les-Bains.** Le bain Romain, alimenté par des sources d'eau chaude dont la température va de 29 à 53 °C, est un témoignage typique de l'architecture balnéaire du milieu du XIXe s.

❹ **Vittel.** Avant d'arriver à Vittel, on passe par *Contrexéville*, dont la célèbre source du Pavillon est située au terme d'une longue colonnade de 188 m, la galerie des sources ; on y soigne les maladies des reins. Vittel, aux eaux sulfatées calciques, possède deux églises gothiques du XVIe s., St-Rémy et St-Privat. On peut visiter la Société des eaux minérales (ouv. d'avr. à sept., t.l.j. sauf sam. et dim. ; d'oct. à mars, sur demande ; ferm. du 24 déc. au

Crédence vosgienne. Cette crédence du XVIIIe s. en bois comporte deux abattants situés à la partie médiane du meuble (musée départemental d'Épinal).

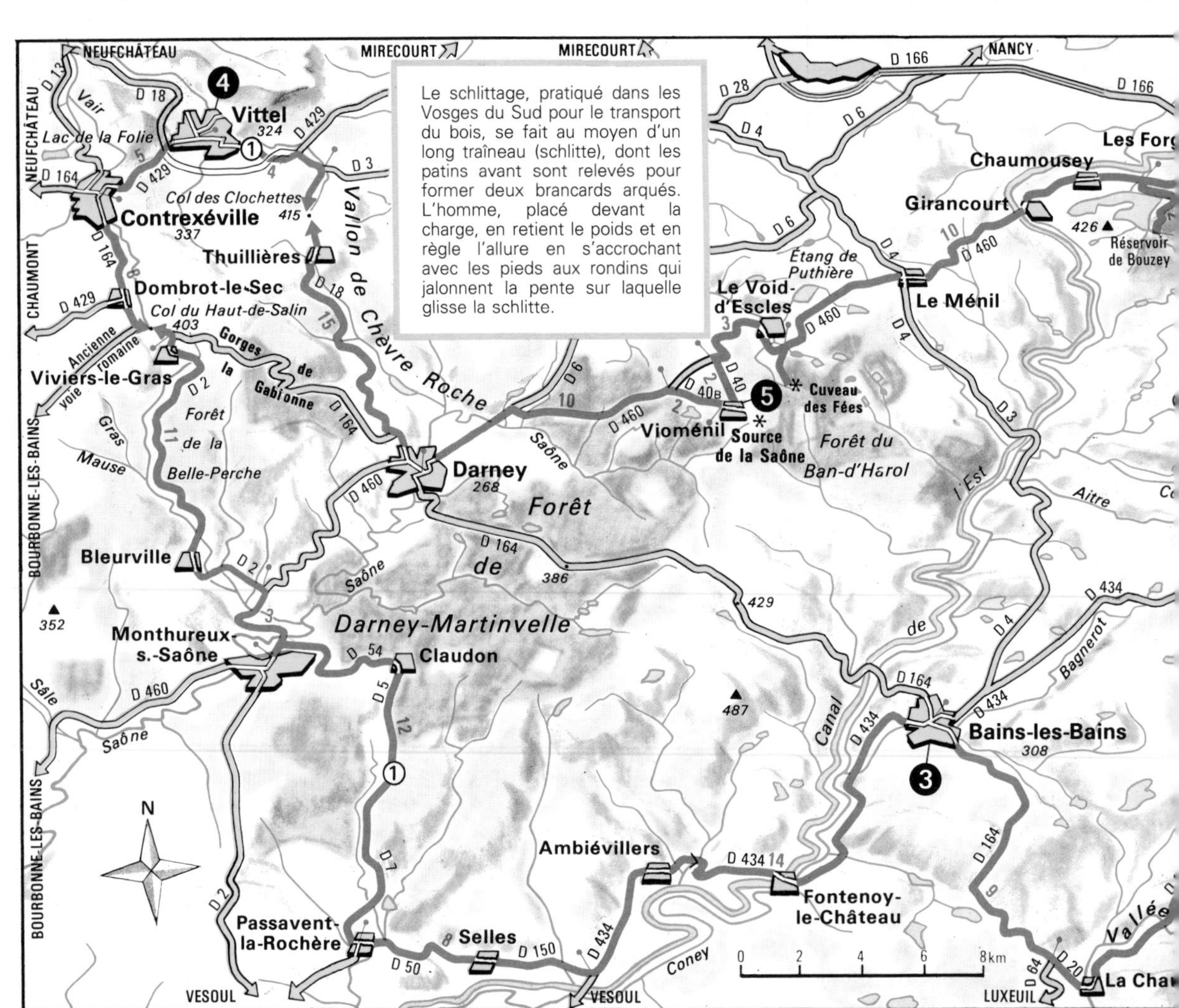

Gérardmer. Constitué par une moraine au débouché de la Vologne, le lac de Gérardmer est la plus grande étendue d'eau des Vosges, avec une superficie de 115,5 ha.

1er janv.), dont la production est de plusieurs millions de bouteilles par jour. A la sortie de Vittel, après le vallon de Chèvre Roche, s'élèvent les hautes futaies de la forêt de Darney.

❺ **Vioménil.** Entre ce village, où se situe la source de la Saône, et, non loin, les Cuveaux des Fées, où naît le Madon, affluent de la Moselle, passe la ligne de partage des eaux qui s'écoulent vers la mer du Nord ou la Méditerranée.

ITINÉRAIRE N° 2

❶ **Éloyes.** 3 km en auto et 30 mn de marche sont nécessaires pour gagner, aisément, la Tête des Cuveaux (783 m), d'où l'on découvre un vaste panorama sur la vallée de la Moselle et les Vosges centrales.

❷ **Remiremont,** que l'on atteint en suivant la vallée encaissée de la Moselle, est une ville pittoresque dont la Grande-Rue est bordée de maisons à arcades. Dans l'église St-Pierre, à côté de l'ancien palais abbatial (XVIIIe s.), on peut admirer une statue reliquaire en bois du XIe s., la Vierge du Trésor. De la promenade du Calvaire, vue d'ensemble sur la ville.

❸ **La Bresse.** Située au confluent des deux branches de la Moselotte, cette petite ville fut presque entièrement détruite à l'automne de 1944. Reconstruite depuis lors, elle est dotée d'une nouvelle église dont les vitraux sont dus au maître verrier Loire. Dans les environs, au-delà des forêts de sapins et de hêtres, sur les hauteurs, on trouve encore des marcaireries, fromageries spécialisées dans la fabrication du géromé. Selon la tradition, pendant la belle saison, les marcaires montent avec leurs troupeaux vers les hauts pâturages (chaumes), où, dans leur marcairerie, ils fabriquent le géromé à partir de lait entier de vache.

❹ **Gérardmer,** « la perle des Vosges », doit sa renommée à son site magnifique. Assise à 660 m d'altitude, à l'extrémité orientale du lac, la ville est entourée de monts boisés de sapins, d'épicéas et de hêtres, petite partie de l'immense forêt vosgienne. Le tour du lac (6 km) permet de contempler le site (voir photo) sous plusieurs aspects : notamment du belvédère Charles-Dufour, à la Tête de Mérelle (984 m), vaste panorama sur le lac.

❺ **Grande Cascade de Tendon.** Accès par un sentier à gauche, 2 km après le col de Bonne Fontaine. Elle est formée par le Scouet, qui tombe de 35 m de haut, en trois bonds successifs.

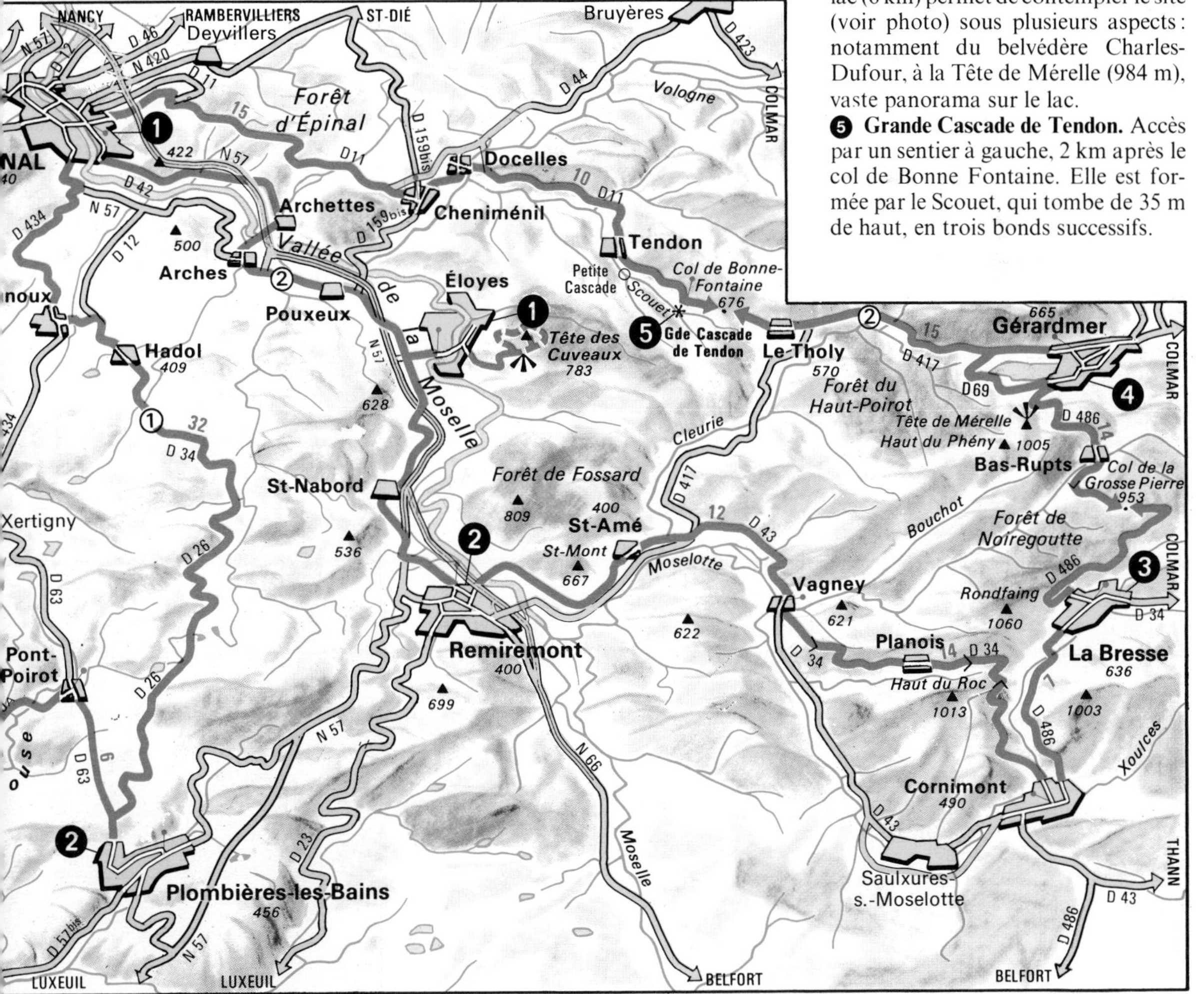

Promenade 67 km dans le Sundgau

Par la porte de Bourgogne, Altkirch, petite ville active, s'ouvre sur le Sundgau. Le « Comté du Sud », dans un cadre agreste, est parsemé d'étangs et de collines boisées de hêtres ou de chênes. Deux rivières, le Thalbach et l'Ill, y découpent de profondes vallées, aux riches cultures, où se blottissent des villages pleins de charme. Le Sundgau plonge ses racines dans la préhistoire à Oberlarg, avant de confondre sa destinée avec celle de la maison d'Autriche, puis de la France.

Ferrette et son église au clocher gothique ornent les premiers contreforts du Jura alsacien. Ancien domaine des comtes de Ferrette, la cité est française depuis 1648.

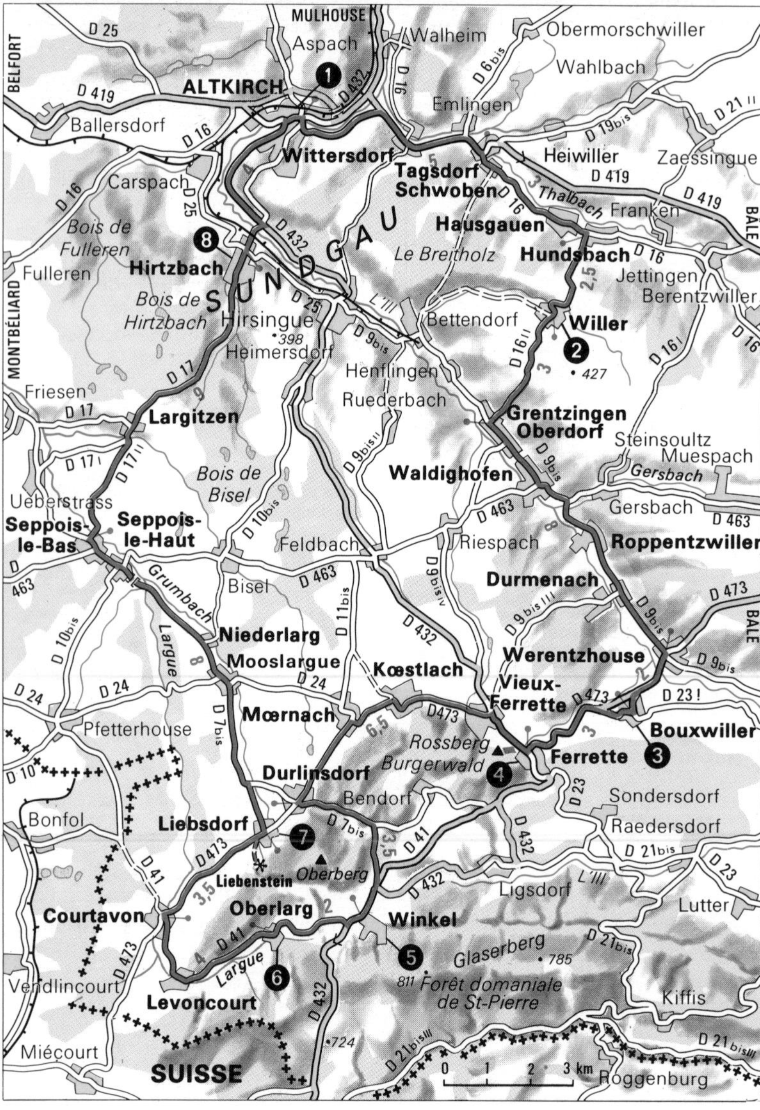

❶ **Altkirch,** perchée sur une éminence surplombant la vallée de l'Ill, a conservé quelques vieilles maisons parmi lesquelles l'ancien bailliage, édifice de pierre de style gothique du XVIe s. Le Musée sundgauvien (ouv. t.l. apr.-m. sauf lundi, juill.-août ; dim. apr.-m. le reste de l'année), installé dans un hôtel de style Renaissance rhénan, expose des pièces d'archéologie régionale et des collections illustrant les arts, le folklore et les traditions populaires du S. de l'Alsace.

❷ **Willer** est une halte agréable, au cœur du pays sundgauvien. Du village, la vue s'étend sur la vallée du Thalbach, affluent de l'Ill, qui s'écoule entre les pentes boisées du Jura alsacien, dans la dépression appelée « porte de Bourgogne ». (Voir photo.)

❸ **Bouxwiller.** A l'intérieur de l'église, on remarque une chaire baroque provenant de l'ancien monastère de Luppach (XVe s.), ainsi que trois autels latéraux de l'abbaye cistercienne de Lucelle, détruite en 1804. Les autels sont dus au peintre Stauder (XVIIIe s.). A l'extérieur, l'église s'orne d'un clocher roman.

❹ **Ferrette.** Bâtie dans un vallon boisé, la bourgade, ancienne capitale du Sundgau, a conservé de vieilles maisons et un hôtel de ville datant de 1570. On accède au château, témoin de la grandeur passée de Ferrette, par des ruelles pittoresques ; du haut des ruines qui dominent la cité, on jouit d'une vue superbe sur le Jura, les Vosges méridionales et aussi sur la Forêt-Noire. Du village, on peut prendre un sentier qui permet d'accéder

(1 h AR) au *sommet du Rossberg* ; de la tour qui le surmonte, vue d'ensemble sur le site de Ferrette et ses environs.

❺ **Winkel** est une petite agglomération située au pied du point culminant du massif du Glaserberg, où l'Ill prend sa source. Dans l'église, on peut voir un tableau de Bulffer (XVIIIe s.), *le Martyre de saint Laurent*, ainsi que deux autels latéraux baroques par Stauder (XVIIIe s.) en provenance de l'ancienne abbaye de Lucelle.

❻ **Oberlarg** constitue avec Achenheim (au S.-O. de Strasbourg), l'un des gisements préhistoriques les plus importants d'Alsace. Des fouilles, entreprises dès 1876, avaient prouvé que le site était occupé depuis des temps reculés. Reprises en 1970, les investigations ont permis de mettre au jour des poteries du néolithique, ainsi que des ossements de divers animaux : cerf élaphe, ours brun, loup, chien, grand bœuf, cheval. Les dernières découvertes permettent d'affirmer que le Sundgau était déjà peuplé il y a 100 000 ans.

Dans un petit vallon proche naît la *Largue*, dont la vallée est parsemée de nombreux étangs.

❼ **Liebsdorf**, petit village situé près de la cluse de Durlinsdorf, est le point de départ d'une promenade (7 mn à pied) qui permet de découvrir les ruines du château de Liebenstein, détruit par un tremblement de terre en 1356.

❽ **Hirtzbach.** A 4 km avant Altkirch, ce bourg retient l'attention par ses vieilles maisons et son château du XVIIIe s., propriété des barons de Reinach-Hirtzbach (ne se visite pas).

Willer. Le village possède encore, issues du savoir-faire paysan ancestral, de belles maisons dont les colombages noirs ou bruns rythment le crépi blanc des murs.

38

La forêt domaniale de Darney 36 km

La forêt domaniale de Darney couvre environ 8 000 ha sur un plateau qui s'élève de 300 m à l'ouest à plus de 500 m à l'est. Elle repose sur les grès bigarrés, qui donnent des sols plutôt sableux à l'est, plutôt argileux à l'ouest. Cette futaie de hêtres et de chênes compte parmi les plus belles de toute la Lorraine et recèle dans ses vallées étroites des sites sauvages. C'est principalement au printemps ou à l'automne que la forêt se révèle dans toute sa splendeur.

❶ **Abbaye de Droiteval.** La forêt qui entoure l'ancienne abbaye cistercienne fondée en 1128 est une chênaie mélangée de hêtres ; au sol se développe une graminée, la canche cespiteuse.

❷ **Vallée de l'Ourche.** Des rochers de grès dominent cette vallée étroite. Les déboisements pratiqués autrefois pour les besoins des verreries et des forges avaient créé des clairières, aujourd'hui reboisées. Cette région de la Saône lorraine fut en effet, à partir du XIVe s., un centre important de l'industrie du verre. De nombreuses verreries parsemaient la forêt. La route du Verre permet d'en faire le tour.

❸ **La Planchotte.** Sur le plateau, autour de la Planchotte, on peut observer sur le sol siliceux une hêtraie mêlée de chênes rouvres. Le sureau et le sorbier des oiseleurs occupent le sous-étage : au sol, la canche flexueuse.

Au hameau de *Clairey*, petit musée du Verre, du fer et du bois.

❹ **La Bataille.** A partir de l'ancienne verrerie de la Bataille, on peut effectuer une promenade à pied dans la haute vallée de la Saône, encaissée dans les grès, qui roule ses eaux limpides dans un décor sauvage (1 h AR jusqu'à la Pile).

Forêt de Darney. Le hêtre est l'arbre le mieux adapté au climat local, mais l'homme a longtemps favorisé le chêne, qui se maintient dans la partie O., sur sol argileux.

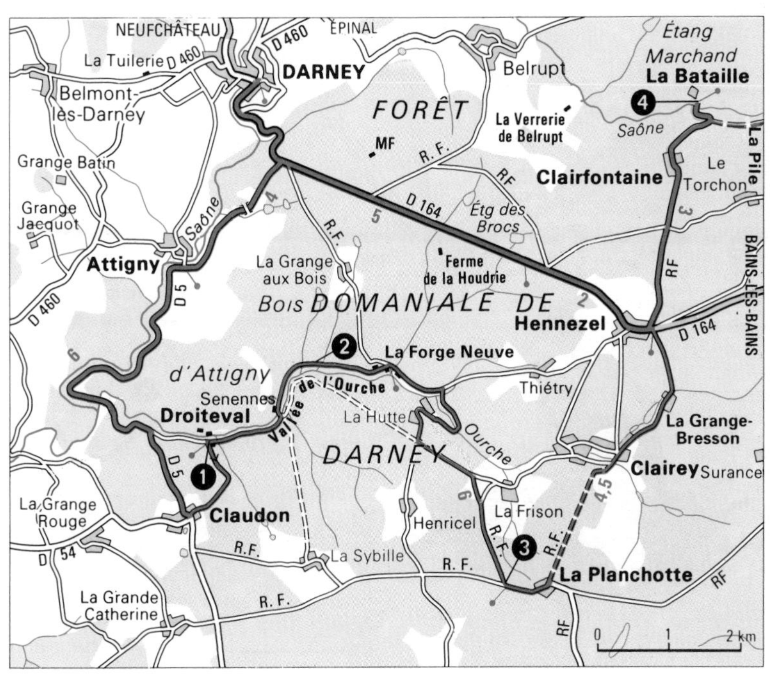

Sélestat, du Ried aux sommets des Vosges 79 km

Depuis le Ried, qui étale, entre Ohnenheim et Muttersholtz, ses étendues marécageuses clairsemées de prairies et de champs de maïs, où s'entrecroisent les haies vives, jusqu'aux sommets des Vosges, couverts de forêts, la moyenne Alsace offre autour de Sélestat la variété et la richesse d'un patrimoine naturel, historique et architectural, formant une entité harmonieusement façonnée au cours des temps.

❶ **Forêt de l'Ill.** Cette forêt, inondée à la fonte des neiges, où dominent aulnes, frênes et chênes, abrite une population de daims, la seule vivant en totale liberté en France. Ces animaux peuvent être observés en grande harde à condition d'être très discret et de s'armer de patience.

❷ **Doctormühl.** Après la cour du « moulin du Docteur » et le pont sur le Scheidgraben, on débouche sur des prés parsemés de tumulus, buttes funéraires datant de l'âge du Bronze, souvent plantés de bosquets ou de haies, refuges du courlis et du râle des genêts, oiseaux typiques du Ried humide. A l'avant-printemps, on peut surprendre des daims ou des chevreuils attirés par l'herbe fraîche des prés.

❸ **Ried d'Ohnenheim.** Entre la Blind et le Scheidgraben, la flore du Ried comporte plusieurs espèces rares, dont l'ail odorant, l'*Iris sibirica* et le glaïeul sauvage, menacées de disparition par la culture du maïs. Faisans, lièvres, chevreuils et daims sont abondants dans ces prairies et ces champs couverts de haies.

❹ **Muttersholtz.** Le centre permanent d'initiation à l'environnement, à la Maison de la nature du Ried, propose, entre autres, de la documentation, et organise des visites guidées (rens., tél. : 88-85-11-30).

Le Haut-Kœnigsbourg. Ce château doit sa reconstruction à l'empereur Guillaume II, à qui la ville de Sélestat l'avait offert en 1899. Le résultat des travaux a plus de valeur décorative que d'authenticité archéologique.

❺ **Sélestat.** Au cœur de la vieille ville, l'église Ste-Foy, fondée à la fin du XIe s., date du XIIe dans sa forme actuelle, mis à part quelques modifications malencontreuses, et l'église St-Georges, commencée au début du XIIIe s., montre la transition du roman et du gothique, des compléments architecturaux ayant eu lieu jusqu'au XVIIe. Ces deux édifices sont entourés de constructions anciennes, dont le couvent des Récollets (XIVe s.), le « Vieil Arsenal » et l'hôtel des Abbés d'Ebersmunster (XVIe s.). A la Bibliothèque humaniste sont présentés des incunables et des manuscrits enluminés (t.l.j., sauf dim. mat., juill.-août ; sauf sam. apr.-m. et dim. le reste de l'année. Vis. guid. sur R.-V.).

❻ **Kintzheim.** Les ruines du château abritent la « Volerie des Aigles » : vols de rapaces en liberté (t.l. apr.-m. d'avr. à oct. ; mercr., sam., dim. apr.-m., d'oct. à la Toussaint).

❼ **Haut-Kœnigsbourg.** Ses tours se dressent au sommet d'un cône de grès des Vosges, dominant le Ried de Sélestat. Datant du XIIe s., si ce n'est de l'époque romaine, remanié au XVe s., le château avait été détruit par les Suédois en 1633, après un siège de plus de trois mois. La ruine a été restaurée à la fin du XIXe s. (voir photo). A l'intérieur, belle collection d'armes anciennes et mobilier du Moyen Age (vis. t.l.j. Fermé du 5 janv. au 5 févr. et j. fér. Groupes sur R.-V., tél. : 88-82-50-60).

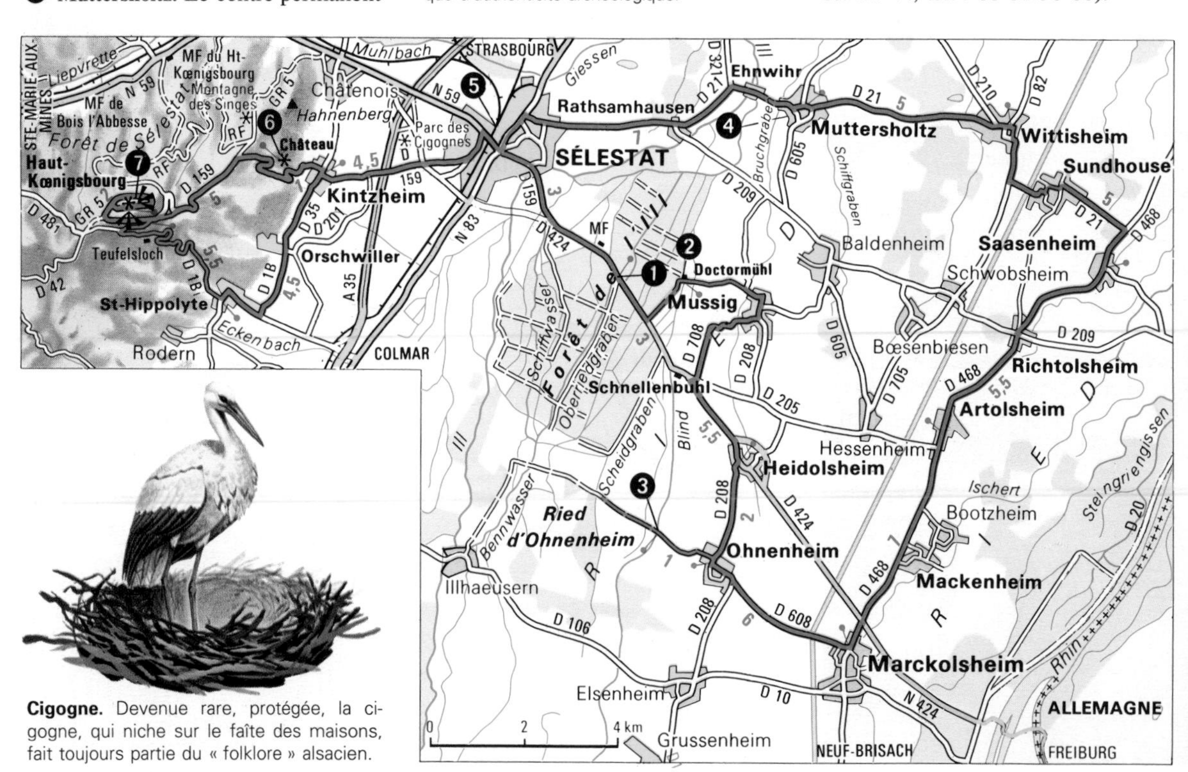

Cigogne. Devenue rare, protégée, la cigogne, qui niche sur le faîte des maisons, fait toujours partie du « folklore » alsacien.

Dans le parc naturel de Lorraine 48 km

Au sein de la partie est du parc naturel régional de Lorraine, au milieu d'une paisible région de prairies, de bois et de cultures, l'étang de Lindre est un réservoir artificiel, créé au Moyen Age. Son alimentation est assurée par plusieurs ruisseaux et ses eaux donnent naissance à la Seille. La présence de nombreuses espèces d'oiseaux et l'interaction des divers milieux qui l'entourent le rendent particulièrement intéressant pour la faune et la flore.

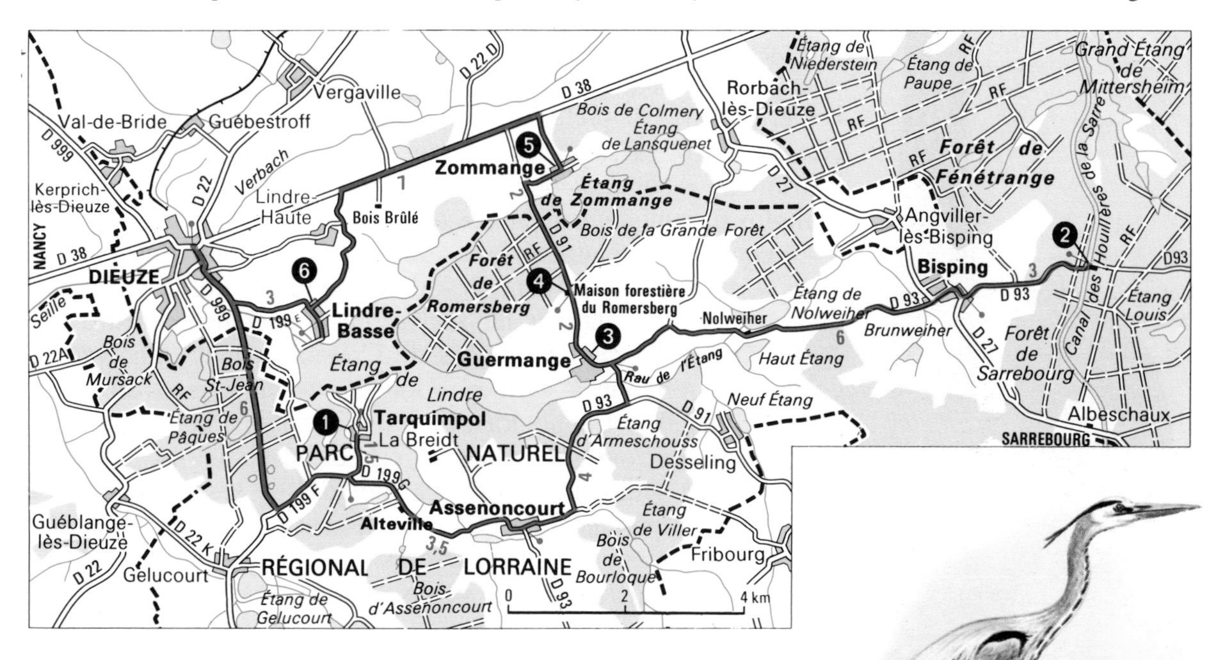

❶ **Presqu'île de Tarquimpol.** Occupée depuis l'époque romaine, elle correspond à une petite colline s'avançant au milieu des eaux. A l'extrémité du village, on fera quelques pas au bord de l'étang pour admirer les grands roseaux *(Phragmites communis)*. Au cœur de ce refuge végétal, quelques oiseaux remarquables et rares évoluent et se reproduisent : busard des roseaux, butor étoilé, etc.

❷ **Forêt domaniale de Fénétrange.** Couvrant 4 500 ha, c'est une chênaie qui sert de refuge aux chats sauvages, chevreuils et sangliers, mais aussi à de nombreux oiseaux.

❸ **Guermange.** Au village, qui marque la pointe orientale de l'étang, on atteint une des « cornées » de celui-ci. Ces secteurs tranquilles, occupés par des roselières, sont très favorables à l'observation des oiseaux. Un observatoire est ouvert au public. Une promenade (1 h AR) au bord de l'étang donnera l'occasion de découvrir le héron cendré (voir dessin). Lors des passages d'oiseaux migrateurs, en automne et au printemps, des canards, des sarcelles, des oies, de grands cormorans et même quelques cigognes peuvent être identifiés. Certains hivernent sur l'étang lorsqu'il n'est pas gelé.

❹ **Forêt de Romersberg.** On y trouve le chêne pédonculé et sessile ainsi que le hêtre. Le sol est couvert de végétation, tapis d'anémones rehaussé de nombreux coucous (primevères) qui fleurissent au début du printemps. La forêt de Romersberg doit être classée en « réserve naturelle ».

❺ **Étang de Zommange.** En partant du village, on se promènera à pied le long de la rive N. de l'étang de Zommange. Si l'on dispose de plus d'une heure, on pourra même atteindre, plus en amont, l'étang du Lansquenet. Ces petits étangs sont le domaine des foulques, des arbres morts hantés par les rapaces et des roseaux où les rats d'eau construisent des buttes de terre et de débris végétaux.

❻ **Lindre-Basse.** De la digue, près des bassins de pisciculture, on jouit d'une belle vue d'ensemble sur l'étang.

Héron cendré. Ce très bel oiseau vit au bord des étangs, et se nourrit d'animaux aquatiques et de petits rongeurs.

Étang de Lindre. Au milieu des forêts et des roseaux, il constitue un refuge pour la vie sauvage et une étape pour les oiseaux migrateurs, qui viennent s'y reposer en automne et au printemps.

A MIRECOURT ART ET TRADITIONS DES LUTHIERS

A l'écart des grandes routes, dans la plaine, à l'ouest des Vosges, la petite ville de Mirecourt est la capitale française d'un artisanat si raffiné qu'il confine à l'art : la lutherie. Il faut de sept à dix ans pour devenir maître luthier : dans sa simplicité, le violon réclame la perfection. On prête au violon une origine asiatique très ancienne. Il trouva sa forme à Lyon au XVIe s. Ce fut d'abord un instrument « populaire » comme de nos jours l'accordéon : on l'employait uniquement aux « danceries ». Mais, grâce à la richesse et à la variété de ses timbres, à l'étendue de sa gamme – plus de quatre octaves – il supplanta bientôt la viole. Les musiciens italiens du XVIIe s. lui donnèrent ses lettres de noblesse, et les artisans de Crémone, dont Stradivarius, apportèrent à sa fabrication des techniques et un talent inégalés. Depuis lors, bien des tentatives pour le perfectionner ont été vouées à l'échec. Le violon est une véritable sculpture sonore. La moindre de ses proportions a son importance. Le choix des essences – épicéa, érable –, la modulation des épaisseurs, la qualité des galbes, les couches successives de vernis, chaque détail doit s'harmoniser aux autres pour concourir à la réussite finale. A Mirecourt, on « fait » des violons depuis plus de trois siècles, ainsi que des violoncelles et autres instruments à cordes. C'est au hasard des migrations marchandes que Mirecourt lia son destin à ces instruments de musique. Chef-lieu d'un grand bailliage du duché de Lorraine, Mirecourt exportait ses draps, ses peaux et sa dentelle vers l'Europe du Nord et vers Lyon lorsque les musiciens locaux adoptèrent le nouvel instrument. Dès 1629, grâce à Dieudonné Monfort, un habile marchand, s'organisa la transmission du savoir-faire luthier. Depuis, le métier s'est perpétué de génération en génération, de sorte que la plupart des grands noms de la lutherie française sont issus de Mirecourt, et que ceux qui ne sont pas de souche lorraine ont dû faire le voyage de Mirecourt. Menacé il y a quelques années, ce métier traditionnel renommé est aujourd'hui sauvegardé par l'École nationale de Lutherie, créée en 1970 à l'instigation de Maître Étienne Vatelot et de ses amis du Groupement des Luthiers et Archetiers d'Art de France.

MIRECOURT. A la mairie, un musée regroupe des instruments à cordes et de musique mécanique. Vis. guid. et démonstration par un luthier toute l'année mardi apr.-midi, mercr., jeudi et vendr. tte la journée; de mai à sept., sam. et dim. apr.-midi (rens. Mirecourt info, tél. : 29-37-05-22, t.l.j., de 15 h à 17 h).

1. Pliage des éclisses, qui sont des lames d'érable dont la courbure est obtenue au fer chaud. Elles forment les côtés du violon. On les monte sur une forme afin de les assembler à l'aide de tasseaux, de coins et de contre-éclisses.

2. Rabotage de la voûte. Le dessus du violon, ou « table d'harmonie », en sapin, et le « fond », en érable, sont finement galbés. Cette courbure, ou « voûte », est façonnée à l'aide de gouges et de petits rabots, puis de « ratissoires ».

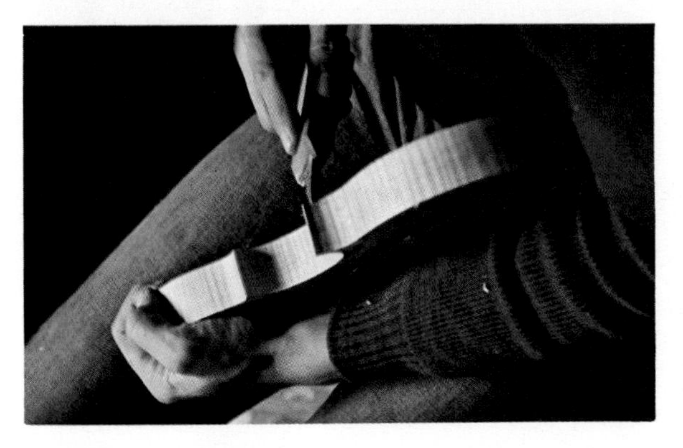

3. Rognage des éclisses. L'artisan rogne un morceau de bois des éclisses qui dépasse. Le moindre faux mouvement risquerait de fendre le bois. Les quelque soixante-dix pièces qui constituent un violon ne sont pas clouées mais collées.

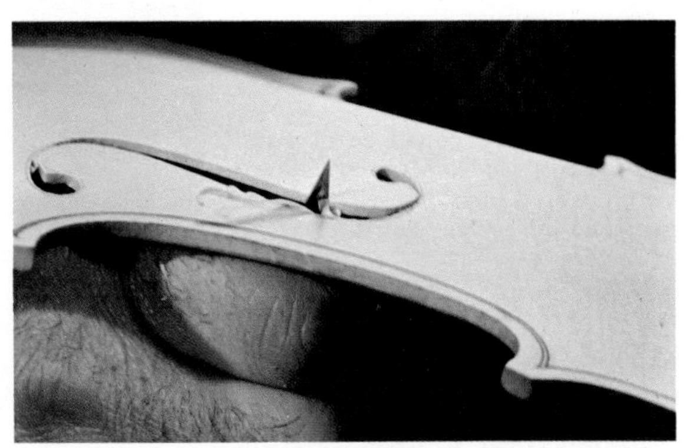

4. Coupe d'une *f*. Les « ouïes », ouvertures en forme de *f* percées dans la table d'harmonie, ont une fonction acoustique. La caisse du violon sert de chambre de résonance. Les ouïes laissent les sons qui s'y forment se répandre vers l'extérieur.

5. Taille d'une tête. Le manche, en érable, se termine par une volute sculptée, la tête, dont la partie antérieure, ou « chevillier », recevra les chevilles destinées à tendre les cordes sur le « sillet », petite pièce en ébène munie de crans.

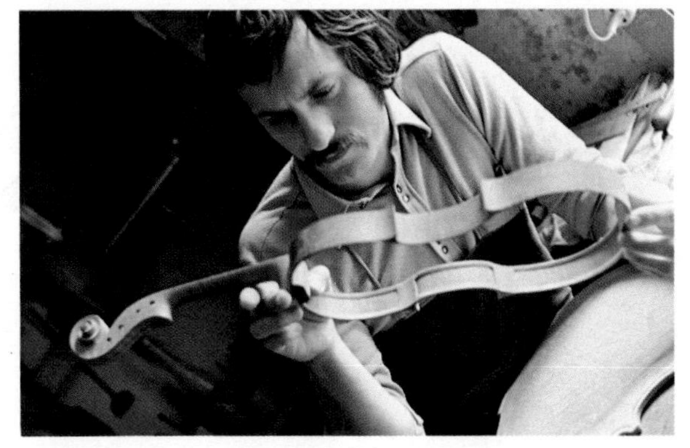

6. Montage. La fixation du manche, qui sera monté sur le coffre terminé, doit être résistante : les cordes exercent, une fois accordées, une tension de quinze kilos. Fragile en apparence, le violon est solide : bien traité, il durera des siècles.

La fabrication des archets

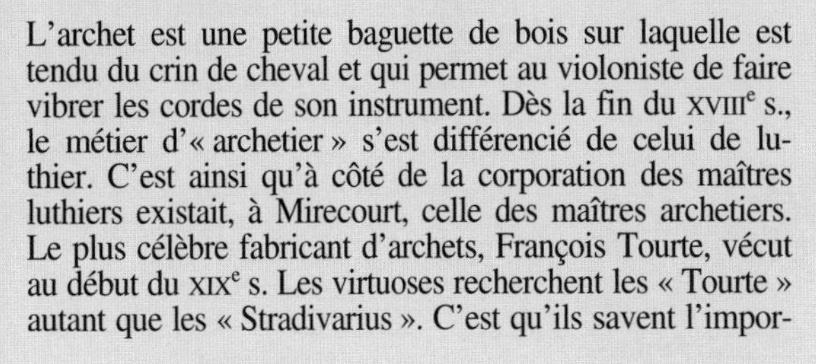

L'archet est une petite baguette de bois sur laquelle est tendu du crin de cheval et qui permet au violoniste de faire vibrer les cordes de son instrument. Dès la fin du XVIIIe s., le métier d'« archetier » s'est différencié de celui de luthier. C'est ainsi qu'à côté de la corporation des maîtres luthiers existait, à Mirecourt, celle des maîtres archetiers. Le plus célèbre fabricant d'archets, François Tourte, vécut au début du XIXe s. Les virtuoses recherchent les « Tourte » autant que les « Stradivarius ». C'est qu'ils savent l'importance de l'archet dans leur jeu. L'expérience a prouvé que le bois le meilleur, le plus souple, le plus résistant, le plus nerveux, était un bois du Brésil : le pernambouc. Encore faut-il que l'arbre ait poussé lentement, au soleil, le long des rivages, et non dans la forêt. Un archet pèse soixante grammes en moyenne, soixante-deux grammes pour les plus lourds, cinquante-huit pour les plus légers. Il doit être droit et parfaitement équilibré. La fabrication des archets demeure une spécialité très française.

Au pays de Jeanne d'Arc 104 km

Mosaïque de forêts, de pâturages, de vallons et de collines — arrosée par la Meuse, le Mouzon et le Vair —, cette région est un symbole de l'unification de la France. En son centre, Neufchâteau est une ancienne place forte, frontière entre le duché de Lorraine et le comté de Champagne. Puis l'itinéraire aborde tout à tour le Barrois, le Bassigny et le Xaintois, pour parvenir enfin à Domrémy, pays natal de Jeanne d'Arc.

❶ **Neufchâteau.** L'église St-Nicolas, en raison de la pente du tertre sur lequel reposent ses fondations, a la particularité de comporter deux nefs superposées. L'hôtel de ville, installé dans une demeure Renaissance, possède un bel escalier intérieur à voûte sculptée ; dans la cour, on remarquera un puits de style Henri II.

❷ **Pompierre.** Le portail de l'église St-Martin, d'une exubérante richesse décorative, est un chef-d'œuvre de la sculpture romane en Lorraine.

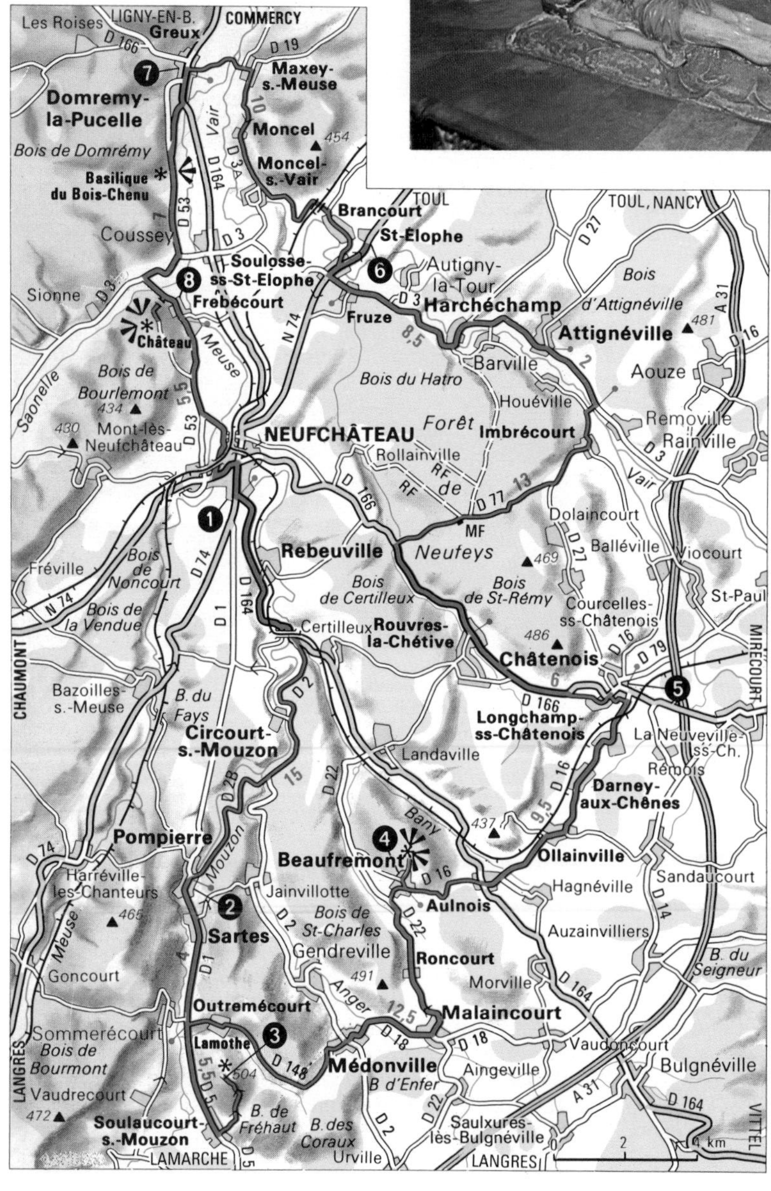

❸ **Lamothe** est une butte témoin couronnée par les ruines d'un château. De son sommet, on jouit d'une vue étendue sur le plateau de Langres et les collines du Bassigny.

❹ **Beaufremont.** De la forteresse, édifiée au XIIᵉ s., il ne reste que les vestiges des tours et une très belle salle des gardes. Le colombier, situé en contrebas, a été transformé en chapelle. Dans l'église St-Pierre (XVᵉ et XVIᵉ s.), pierres tombales gothiques des seigneurs de Beaufremont.

Neufchâteau. L'église St-Nicolas conserve plus d'une quarantaine d'œuvres classées, parmi lesquelles ce groupe en pierre du XVᵉ s. qui provient de l'église des Cordeliers.

❺ **Châtenois.** On peut y voir les vestiges du château et des remparts élevés au XIIᵉ s. L'église de style baroque a conservé un clocher roman.

❻ **Saint-Élophe.** A l'intérieur de l'église gothique, fonts baptismaux d'époque carolingienne.

❼ **Domrémy-la-Pucelle.** Bien qu'elle ait été transformée à plusieurs reprises, la maison natale de Jeanne d'Arc donne une idée de l'habitat des paysans aisés de son époque. Le musée attenant (vis. t.l.j. ; sauf mardi du 16 sept. au 30 mars. Fermé le 25 déc. et le 1ᵉʳ janv.) expose des souvenirs de l'histoire de Jeanne d'Arc. L'église St-Rémy, très restaurée, n'a conservé de l'époque ancienne qu'un bénitier, une statue de sainte Marguerite (XIVᵉ s.) et une cuve baptismale (XIIᵉ s.). A 1,5 km du village, la basilique du Bois Chenu, édifiée à la fin du XIXᵉ s., marque l'endroit où Jeanne « entendit les voix ».

❽ **Frebécourt,** dont l'église renferme un banc d'œuvre du XVIIIᵉ s., est le point de départ d'une excursion au château de Bourlémont. Situé non loin, en haut d'une colline, il est bâti sur une ancienne forteresse du XIIᵉ s. L'édifice actuel date des XVᵉ et XVIᵉ s. : cheminées, mobilier Renaissance, tapisseries et portraits le décorent (ne se visite pas).

Étangs et forêts au nord de la Lorraine 45 km

Dans la partie nord-ouest du parc naturel régional de Lorraine, l'itinéraire présente d'une manière contrastée deux paysages bien distincts : d'une part, le rebord des Côtes de Meuse, avec les forêts qui couvrent le plateau calcaire ; d'autre part, la plaine de la Woëvre, parsemée d'étangs et de bois là où l'absence de limon n'a pas permis la mise en culture. Les abords de l'étang de Lachaussée sont une base d'observation de la nature.

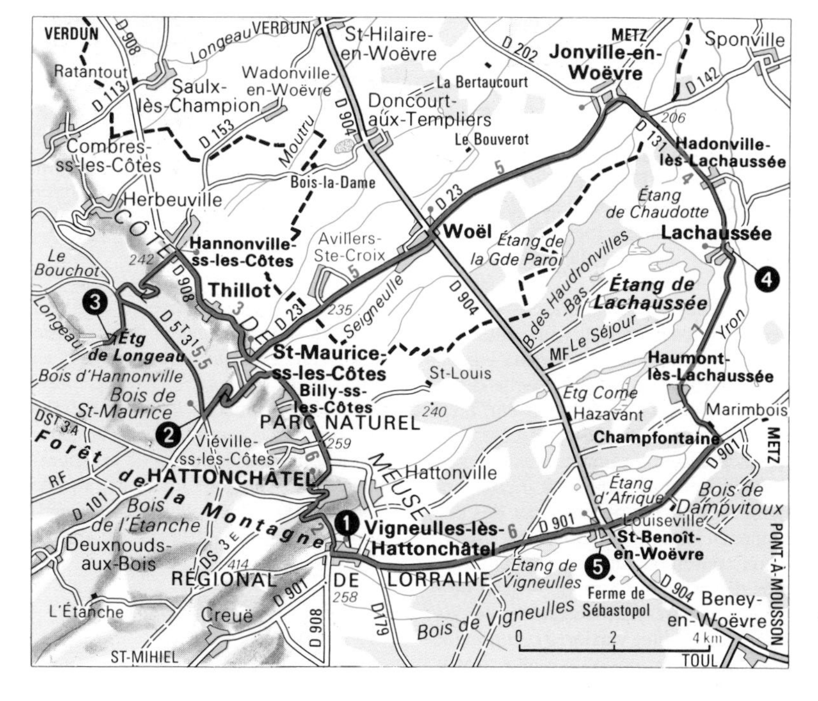

❶ Hattonchâtel. Le site d'Hattonchâtel constitue un éperon de la côte formée par le calcaire rauracien au-dessus des marnes et argiles de la Woëvre. Il offre un panorama sur une partie de la plaine et sur la côte, où les villages occupent les lignes de sources. La côte bénéficie d'un microclimat très abrité qui favorise la culture de la vigne, de la mirabelle et des fruits rouges : fraise, framboise, groseille.

❷ Forêt de la Montagne. Sur le plateau règne une forêt de hêtres, qui se présente comme un taillis-sous-futaie, ou comme une futaie régulière dans la forêt domaniale de la Montagne. Elle repose sur un sol de décalcification peu épais et a souffert des combats de la Première Guerre mondiale.

❸ Étang de Longeau. De la route, un chemin carrossable conduit vers l'étang de Longeau dans une zone favorable à l'observation de la nature. Cet étang occupe la partie amont d'une petite vallée qui est parallèle à la côte. Les épicéas, qui se mêlent aux feuillus, leur donnent un aspect quasiment montagnard.

❹ Étang de Lachaussée. Cet étang, qui date de 1273, a la forme d'une étoile à trois branches et couvre 350 hectares. Il est vidé tous les ans, en automne. Ses rives marécageuses portent une ceinture de prairies humides à carex, puis une seconde ceinture de roseaux *(Phragmites communis)*, dont les racines sont dans l'eau. La faune sédentaire se compose de colverts, de hérons, de poules d'eau, mais l'étang sert aussi d'étape et de lieu de séjour à de nombreux oiseaux migrateurs. Quelques pas le long de ses rives permettront d'en apprécier la végétation.

❺ Saint-Benoît-en-Woëvre. Le village ancien de Saint-Benoît occupe le centre d'une clairière entourée d'étangs et de forêts, dont on pourra parcourir les lisières O. et N. Outre la végétation aquatique des petits étangs, on notera surtout, dans la forêt de la plaine de la Woëvre, l'abondance du chêne pédonculé, dont les glands sont attachés au rameau par une tige. De même que les pays de l'Adour ou les plaines de la Saône, la Woëvre constitue pour ce chêne un site privilégié. Il peut y supplanter le chêne sessile, car il tolère beaucoup mieux que celui-ci l'excès d'humidité des sols de la Woëvre. Le charme, le frêne, le peuplier, le tremble, l'aubépine sont associés au chêne pédonculé. Le sous-bois se pare au printemps d'anémones, de primevères, de violettes, tandis que le carex des forêts et l'ortie jaune révèlent un faciès humide.

Étang de Longeau. Au fond de la vallée des Eparges, très éprouvée pendant la Première Guerre mondiale, l'étang de Longeau, dans un site tranquille et pittoresque, constitue l'un des points forts du parc naturel régional de Lorraine.

Les environs de Nancy et Toul

110 km
87 km

Au cœur de la Lorraine, de part et d'autre des côtes de Moselle, deux paysages s'opposent. Au nord-ouest de Nancy, la Haye, dont le plateau domine la ville, est entaillée de défilés creusés par la Moselle ; bien que défrichée par endroits pour être livrée à l'agriculture, elle n'en conserve pas moins d'importantes forêts peuplées de hêtres, d'érables et de chênes rouvres. Au sud-est, attenant au Plateau lorrain, le bassin des mines de fer de Nancy, que prolongent des gisements de sel, s'étend jusqu'à Lunéville. Les activités humaines florissantes, à travers les traditions, l'organisation sociale et la vie religieuse, ont fortement marqué les cités lorraines, ainsi qu'en témoignent des villes comme Toul et Lunéville.

Château de Fléville (avr.-nov. : apr.-midi sam., dim., j. fér. ; juill.-août : t.l. apr.-midi). Construit en 1533 à l'emplacement d'une forteresse du XIIe s., il fut l'une des résidences favorites de Stanislas Leszczynski.

ITINÉRAIRE N° 1

❶ **Château de Fléville.** Voir photo.

❷ **Saint-Nicolas-de-Port** doit à la ferveur des chevaliers lorrains de posséder une des plus belles églises gothiques de Lorraine. La façade occidentale de la basilique St-Nicolas, avec ses trois portails surmontés de gâbles flamboyants et ses deux hautes tours, peut se comparer à celle de la cathédrale de Toul. A l'intérieur, bien que l'axe de l'édifice présente une forte déviation, la nef ne manque pas d'élégance. Les voûtes à liernes et tiercerons sont supportées par des colonnes cylindriques dont les chapiteaux, purement décoratifs, sont formés d'une bague à motif végétal et à figures. Intéressant ensemble de vitraux : vingt-huit verrières comportent des panneaux du XVIe s. Le trésor abrite de belles pièces d'orfèvrerie, notamment un bras reliquaire en vermeil, or et argent contenant une phalange de saint Nicolas. Retable en pierre (environ 1515).

Varangéville, à 1 km de Saint-Nicolas, possède dans l'église St-Gorgon (XIIe s.) une Mise au tombeau à douze personnages (XVIe s.), une belle Vierge assise allaitant (XIVe s.) et une pietà (XVIe s.).

❸ **Lunéville,** grâce à Léopold Ier, duc de Lorraine, s'enorgueillit d'un château inspiré avec bonheur de la magnificence de Versailles. Construit de 1702 à 1706 sur les plans de Boffrand, élève de Mansart, il abrite un musée où l'on peut voir des peintures, une remarquable collection de faïences et une pharmacie du XVIIIe s. Expositions temporaires (ouv. t.l.j., sauf mardi).

❹ **Champenoux** est situé au N. de la forêt du même nom, peuplée surtout de chênes rouvres et traversée par des chemins très fréquentés. Au N. du village, la forêt domaniale d'Amance offre de nombreuses promenades comme

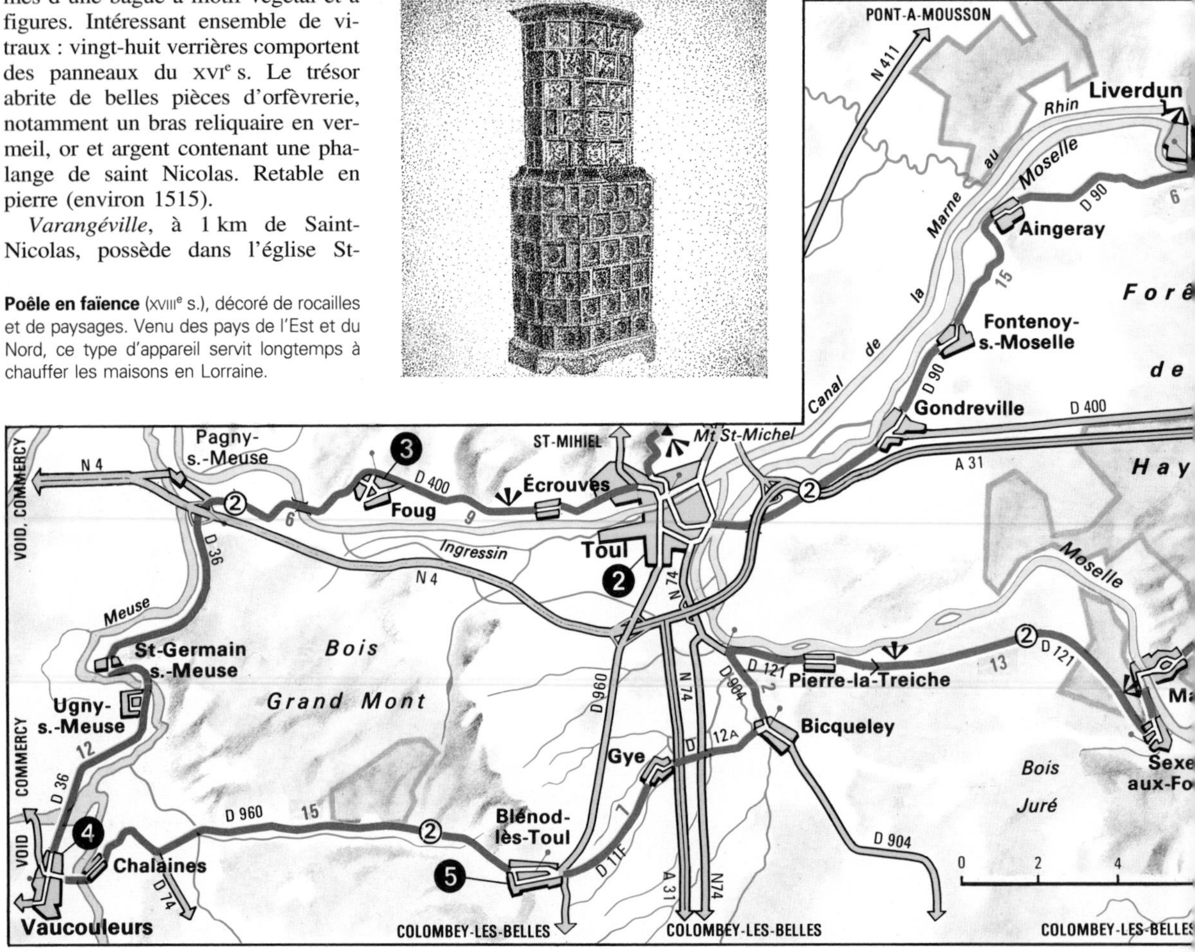

Poêle en faïence (XVIIIe s.), décoré de rocailles et de paysages. Venu des pays de l'Est et du Nord, ce type d'appareil servit longtemps à chauffer les maisons en Lorraine.

celle de l'étang de Brin où l'on pourra à loisir observer une riche avifaune (90 mn à pied, AR).

❺ **Amance.** De ce petit village, on accède en quelques minutes au Grand Mont d'Amance (407 m), qui commande un vaste panorama s'étendant de Metz jusqu'au ballon d'Alsace, en passant par le Pain de Sucre d'Agincourt (296 m), situé près de Nancy.

ITINÉRAIRE N° 2

❶ **Liverdun.** Au creux d'une boucle de la Moselle, perchée sur un promontoire, cette petite cité doit sa renommée à l'ancienne collégiale St-Pierre (fin du XIIe s.), modèle d'architecture romano-gothique cistercienne. A l'intérieur de la collégiale, on peut admirer un gisant, en habit pontifical, de saint Euchaire (XIIIe s.).

❷ **Toul,** dans une enceinte fortifiée, garde de son passé épiscopal deux beaux édifices religieux. Dans la collégiale St-Gengoult, de style gothique, bâtie du XIIIe au XVe s., on remarquera surtout le cloître, ajouté au XVIe s., avec ses doubles baies de style flamboyant. De l'ancienne cathédrale St-Étienne, on retiendra la façade flamboyante (XVIe s.) à trois portails encadrés de deux tours octogonales. A l'intérieur se retrouvent les caractéristiques de l'art gothique champenois : absence de triforium, galeries de circulation hautes et basses. Du mont Saint-Michel voisin, qui domine la ville au N., on jouit d'une belle vue sur l'agglomération de Toul.

❸ **Foug.** A proximité des ruines d'un château du XIIIe s. ayant appartenu aux comtes de Bar, s'élève une église de 1705. Elle contient un tableau du martyre de saint Étienne.

❹ **Vaucouleurs** doit sa célébrité à deux femmes aux destins fort différents : la comtesse du Barry, qui y naquit en 1743, et surtout Jeanne d'Arc, qui y obtint sa première victoire. On visite la chapelle castrale, où la crypte (XIIIe s.) abrite une statue de Notre-Dame-des-Voûtes devant laquelle, selon la légende, Jeanne d'Arc priait pendant son séjour dans la cité. C'est par la porte de France que la Pucelle partit, le 23 février 1429, vers son prodigieux destin. Le Musée municipal (vis. t.l.j., sauf mardi, de juill. au 30 sept. Groupes uniquement sur R.-V., tél. : 29-89-51-82 [S.I.] ou 29-89-42-26) abrite le très beau Christ de Septfonds, en chêne.

❺ **Blénod-lès-Toul.** Hugues des Hazards, évêque de Toul, y fit édifier au début du XVIe s. l'église dans laquelle se trouve son tombeau ; elle est ornée de vitraux dans la manière allemande du XVIe s.

❻ **Forêt de Haye.** Elle est située sur un plateau, entre Toul et Nancy, qu'elle domine : hêtres, érables, chênes rouvres et résineux en forment le peuplement. Un parc de loisirs de 225 ha y a été créé (accès par l'autoroute de Toul, sortie Gondreville). Respectant le site forestier malgré de nombreuses installations sportives, il propose une vaste gamme d'activités (rens. au parc, tél. : 83-23-24-99). On peut aussi visiter entre autres un musée de l'Automobile et un zoo (animaux d'Europe).

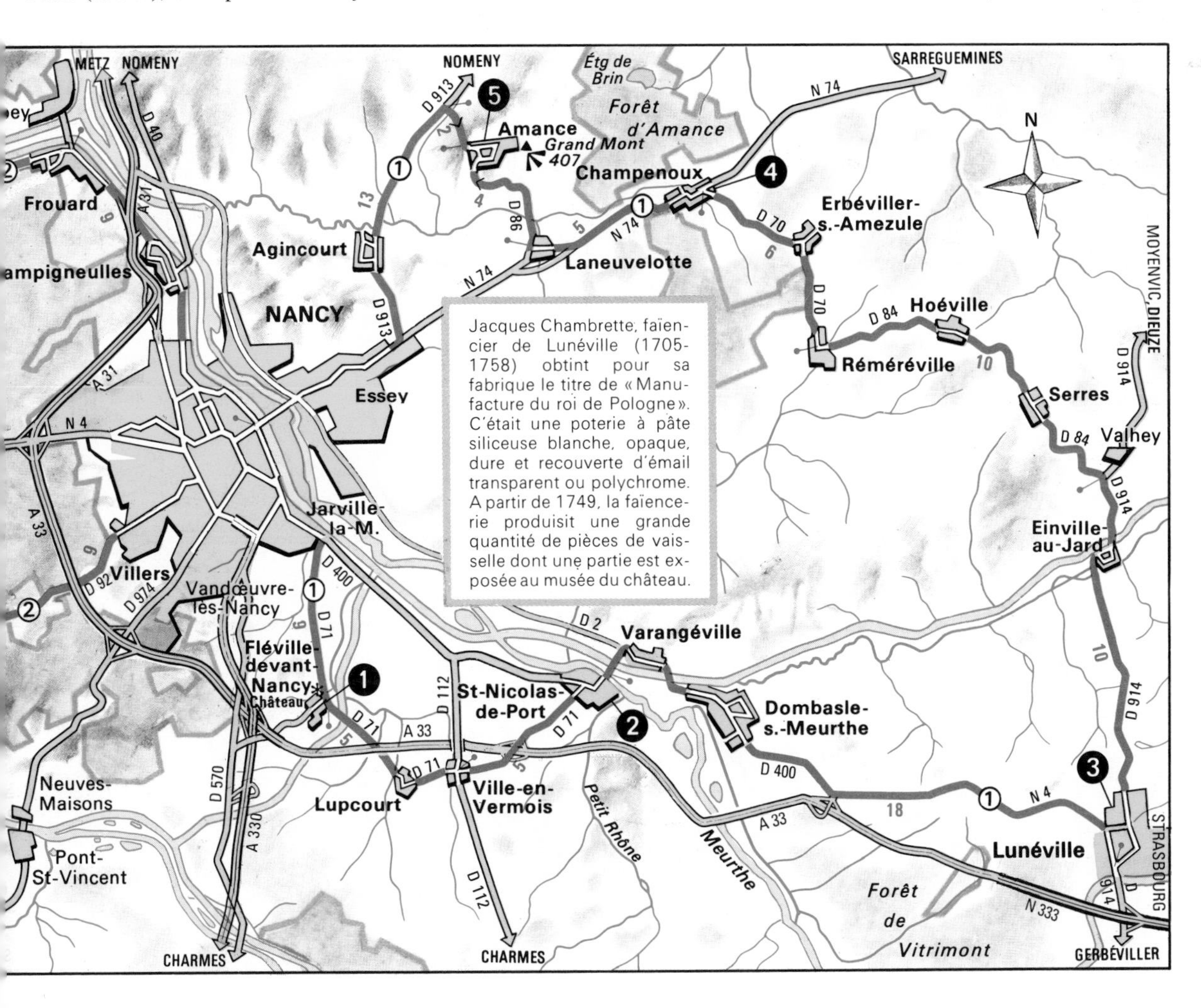

Jacques Chambrette, faïencier de Lunéville (1705-1758) obtint pour sa fabrique le titre de « Manufacture du roi de Pologne ». C'était une poterie à pâte siliceuse blanche, opaque, dure et recouverte d'émail transparent ou polychrome. A partir de 1749, la faïencerie produisit une grande quantité de pièces de vaisselle dont une partie est exposée au musée du château.

Du bassin de Longwy à Montmédy 75 km

Le pays haut, dominé par les massifs forestiers de l'Ardenne, au nord de la large plaine de la Woëvre, constitue les marches septentrionales de la Lorraine. Quittant à l'est le bassin minier et les aciéries de Longwy, la vallée de la Chiers mène, le long de la frontière, de lieux de pèlerinage en forteresses. Le passé militaire, récent ou lointain, de la région est omniprésent, même dans le style architectural des maisons comme à Marville.

Louppy-sur-Loison. Le château Renaissance fut construit au XVIe s. Il est composé de trois ailes qui s'achèvent par de hauts pavillons à plan carré. (Ne se visite pas.)

❶ **Longwy.** A l'entrée de la ville, autrefois puissamment fortifiée par Vauban (1679), on peut voir les trophées et décorations bien conservés de la porte de France.

❷ **Cons-la-Grandville.** Bâti dans une boucle de la Chiers, le village est dominé par un château assis sur d'anciennes fortifications du XIIe s. Reconstruit en 1572, le corps de logis est de style Renaissance (vis. sur demande seulement).

❸ **Longuyon** abrite dans ses murs l'ancienne collégiale Ste-Agathe, en grande partie romane (XIIIe s.) et remaniée au XVe s.

❹ **Marville.** Sur un promontoire dominant l'Othain, le village a gardé de l'occupation espagnole, au XVIIe s., nombre de demeures que l'on appelle, en raison de leur style, « maisons espagnoles ». Dans cet ensemble d'habitations anciennes se dresse l'église St-Nicolas (XIIIe s.), où l'on peut admirer une magnifique balustrade de tribune d'orgue du XVIe s. Sur une colline proche se tient la chapelle St-Hilaire, au milieu d'un cimetière renfermant des monuments funéraires du Moyen Age et de la Renaissance.

❺ **Juvigny-sur-Loison.** Dans une des boucles de la Loison, on découvre les vestiges de l'Abbaye aux Dames, fondée en 874 par Richilde. A peu de distance apparaît la maison forte de Hugnes (voir photo), baignée par l'eau de ses douves qu'enjambe un pont fixe donnant sur une porte cavalière et une poterne. On peut entrer dans la cour pour voir les bâtiments.

❻ **Avioth.** Ce petit village doit à la découverte, au XIIe s., d'une statue miraculeuse de la Vierge de posséder la basilique Notre-Dame. Commencée alors, la construction en fut achevée au début du XVe s. La façade, flanquée de deux tours à flèche, présente un portail à rosace et à pignon. A côté se trouve une curieuse construction : la Recevresse (voir dessin).

❼ **Montmédy.** Tout l'intérêt de la cité réside dans la ville haute, perchée sur un piton couronné par une citadelle à la Vauban, qui domine la ville basse d'une centaine de mètres. Des remparts, la vue s'étend sur les vallées de la Chiers, de la Thonne et de l'Othain.

La Recevresse est un petit édicule hexagonal, à trois étages, finement ouvragé, où les pèlerins déposaient leurs offrandes.

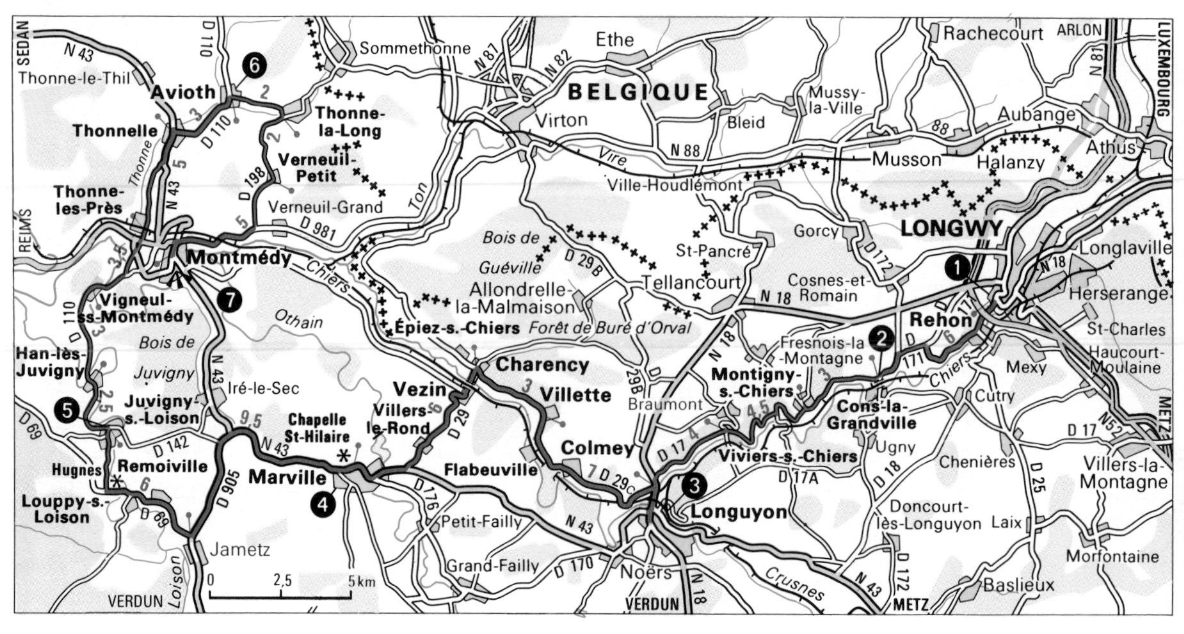

Maison forte de Hugnes. Elle date de 1568. On discerne bien sur la façade du donjon les trois saignées verticales, où venaient se loger les bras des anciens ponts-levis.

AUVERGNE
BOURBONNAIS • VELAY

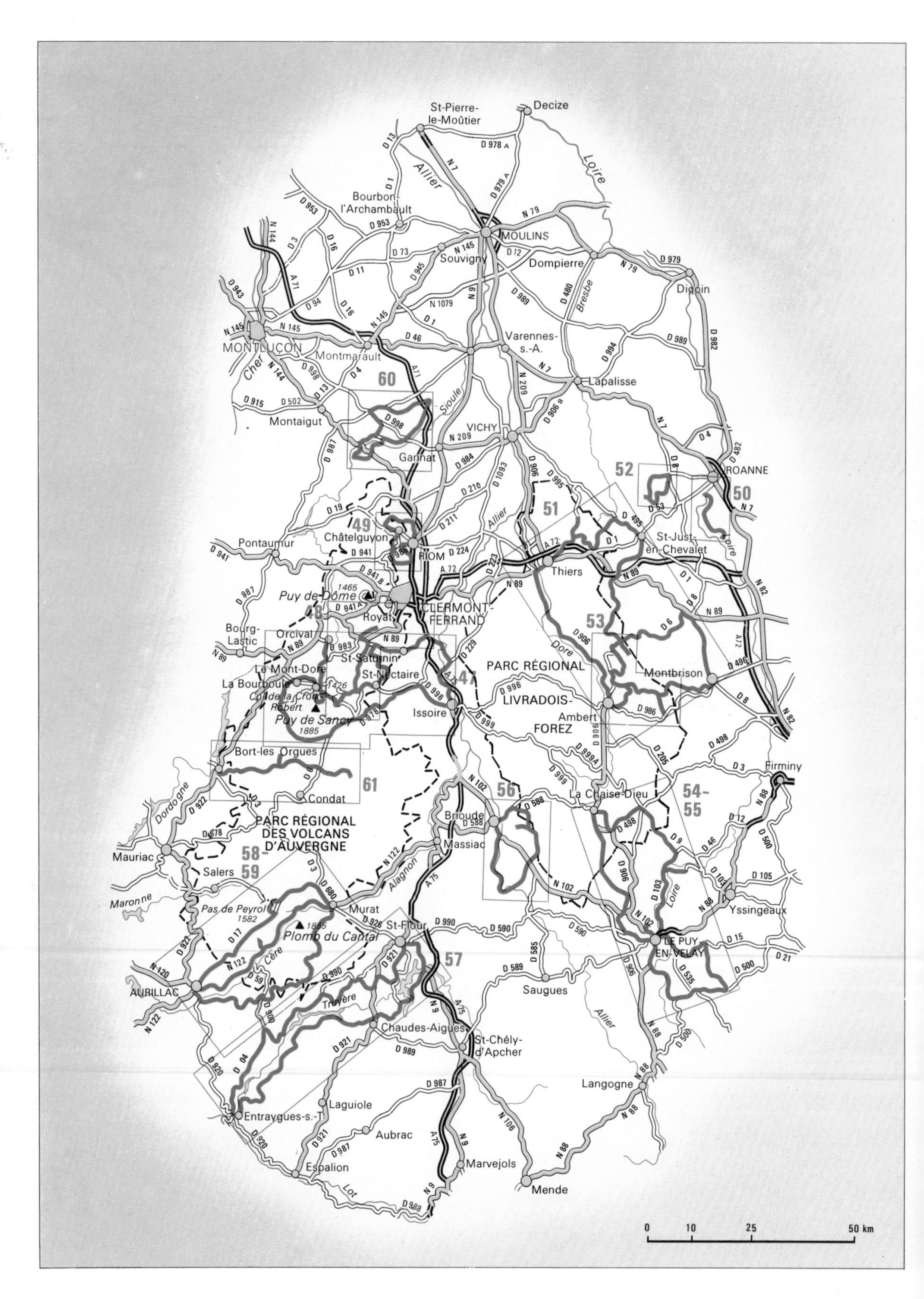

Volcans, limagnes et cités historiques au cœur de la France

Ce cœur montagnard de la France, palpitant de toutes ses eaux vives, caché sous un verdoyant manteau de prairies, enferme bien des secrets et bien des trésors. Secret du bocage aux horizons bleutés, où se blottit la longue ferme-étable ; secret de la forêt de hêtres ou de sapins des versants et des sommets ; secret de la gorge sinueuse ou de l'étroite vallée qu'enjambe le pont rustique ; secret enfin de l'estive venteuse, où se tapissent les burons. Trésor des massifs volcaniques, où la coulée boisée fait écrin au cône bien conservé ou au jet hardi du piton ; trésor des coteaux de Limagne couverts d'un vignoble aux crus un peu oubliés ; trésor des petites cités grimpantes et tournantes, où l'hôtel à tourelles accompagne l'église romane qu'ouvre le clocher-porche sculpté ou que clôt le chevet élégant ; trésor des châteaux aux si beaux noms, qui couronnent buttes et collines de leurs donjons et de leurs tours. Trésors et secrets d'une solide paysannerie, plus douce ici, plus émotive là, mais toujours opiniâtre ; d'une cuisine de tradition, toute fumante de potée, de cochon salé, de « truffes » et de tripoux ; d'une vieille littérature occitane, contée à l'abri de la vaste et chaude cheminée. Pays vénérable, où l'homme revient après s'en être trop longtemps détourné.

Saint-Nectaire. L'harmonieuse géométrie romane de l'église ponctue le savant désordre du versant boisé.

Hauts lieux, trésors et paysages

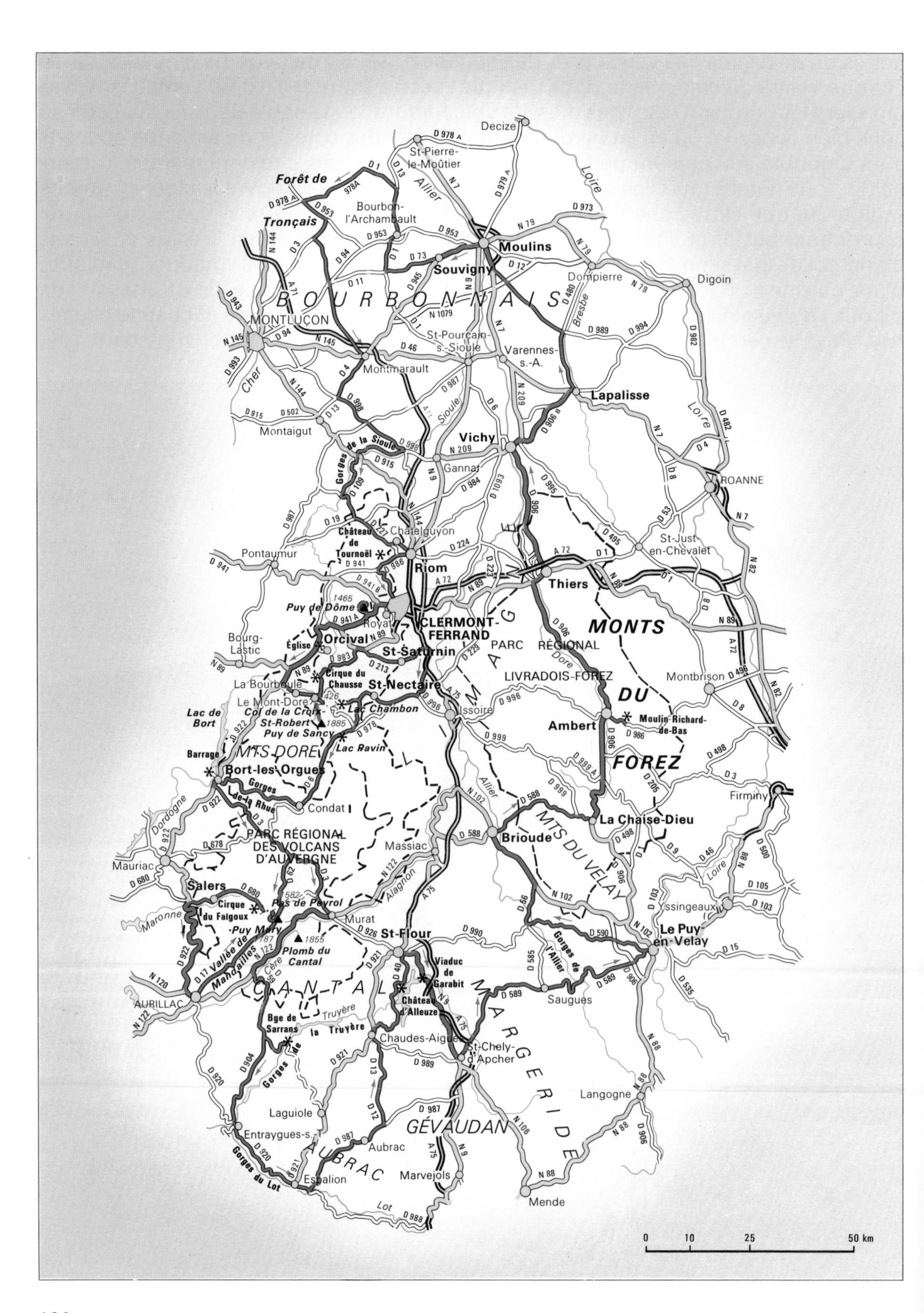

Clermont-Ferrand est née de l'union de Clermont et de Montferrand en 1630. Clermont ne cessa de croître, tandis que l'opulente Montferrand devint une cité obscure, mais qui a conservé intacte sa physionomie médiévale, et dont il faut voir les vieilles demeures et l'église Notre-Dame. A Clermont, la cathédrale, en pierre de Volvic, restaurée par Viollet-le-Duc, est de style gothique. Mais la ville s'enorgueillit surtout de N.-D.-du-Port, dont la Vierge noire est l'objet d'un culte séculaire. Marquée par le temps, elle garde cependant les caractéristiques du roman auvergnat. Dans la maison des Architectes (XVIe s.), le musée du Ranquet est consacré à l'histoire et à l'art locaux. Le musée Bargoin met en valeur des collections d'archéologie et d'histoire. Ex-votos en bois provenant de la source des roches à Chamalières. Salles consacrées à un « musée éducatif du tapis d'art ». (Ouverts t.l.j., sauf dim. mat. et lundi.)

Puy de Dôme. Point culminant de la chaîne des Puys (1 465 m), c'est un volcan sans cratère, haussé à moins de 500 m au-dessus de son plateau d'assise. La route à péage (fermée en cas de verglas) s'enroulant autour du dôme révèle une houle de volcans boisés au S., plus dénudés au N., les plaines de la Sioule et du Limousin à l'O., le fossé de la Limagne à l'E. Le puy est couronné par les ruines d'un grand temple gallo-romain dédié à Mercure. Près de l'observatoire, une stèle évoque la célèbre expérience de Pascal sur la pesanteur de l'air (1648).

Orcival. Voir itinéraire 47.

Puy de Sancy. Voir itinéraire 47.

Col de la Croix-Saint-Robert. De l'anguleux puy de Sancy aux puys courbes de l'Angle et du Barbier, le col (1 426 m) s'élargit en cuvette, offrant un vaste panorama, notamment sur le plateau de Millevaches, à l'O., et sur le lac Chambon, à l'E.

Cirque du Chausse. De ce cirque profond et boisé jaillissent deux énormes pitons d'origine volcanique, les roches Tuilière et Sanadoire (voir photo p. 103).

Saint-Saturnin. Voir itinéraire 47.

Saint-Nectaire. Voir itinéraire 47.

Lac Chambon. Voir itinéraire 48.

Lac Pavin. Voir itinéraire 47.

Gorges de la Rhue. La Grande Rhue, affluent de la Dordogne, coule parmi de belles forêts entre Condat et Bort-les-Orgues. Grossie de la Rhue de Cheylade, elle parcourt, dans une vallée de plus en plus boisée, des gorges qui s'élargissent un instant près de l'usine hydro-électrique de Coindre.

Lac de Bort. Le plus grand plan d'eau du Massif central (1 400 ha), retenu par un barrage de 120 m de haut, se prête à la pêche et aux sports nautiques (rens. à l'O.T.).

Pas de Peyrol. Voir itinéraire 58.

Cirque du Falgoux. Large de 3 km, creusé de plus de 500 m au-dessous des crêtes qui l'enserrent, le cirque est entouré de rochers et de forêts.

Salers, accroché à l'arête d'un plateau dominant la vallée de la Maronne, garde un aspect médiéval. Dans l'enceinte, dont subsistent des fragments de murailles ainsi que deux portes, les maisons datant des XVe-XVIe s. forment, surtout autour de la Grand-Place, un remarquable ensemble. Dans la ville basse, l'église gothique renferme une Mise au tombeau, œuvre exécutée en 1495.

Vallée de Mandailles. Appelée aussi vallée de la Jordanne, c'est l'une des plus belles du Cantal. Elle commence par un vaste cirque d'origine glaciaire entouré de hautes crêtes. La route qui la suit est généralement impraticable en hiver.

Puy Mary. Voir itinéraire 58.

Plomb du Cantal. Voir itinéraire 59.

Barrage de Sarrans. V. itinéraire 57.

Gorges de la Truyère. V. itin. 57.

Gorges du Lot. Entre Entraygues et Estaing, la route longe le Lot, qui a creusé des gorges d'une vingtaine de kilomètres, profondes d'environ 400 m. Sur les versants, très boisés, émergent des crêtes rocheuses qui leur confèrent un caractère austère.

Château d'Alleuze. V. itinéraire 57.

Saint-Flour. Voir itinéraire 57.

Viaduc de Garabit. V. itinéraire 57.

Le Puy, ancienne étape du pèlerinage vers Saint-Jacques-de-Compostelle, est au cœur d'un bassin verdoyant d'où surgissent des rocs volcaniques, dont le dyke d'Aiguille (voir itinéraire 54) et le rocher Corneille, surmonté d'une statue de la Vierge. Haut de 130 m, ce rocher a fixé le vieux quartier et la cathédrale. Élevée aux XIe et XIIe s., celle-ci a subi depuis de notables modifications, mais elle est restée un chef-d'œuvre d'esprit roman, dont les six coupoles et la façade polychrome trahissent l'influence orientale due – pense-t-on – aux croisés. Il faut voir le trésor (t.l.j.) et le cloître (t.l.j.). Au hasard des vieilles rues (rue des Tables, rue Panessac, rue Grasmanent, rue Séguret), on apercevra de belles maisons anciennes (du XVe au XVIIIe s.). Au musée Crozatier, collections de dentelles anciennes, peinture, sculpture, archéologie... (t.l.j., sauf mardi). Voir également l'Atelier national de la dentelle à la main (t.l.j., sauf sam., dim.) : histoire de la dentelle, démonstrations, exposition de nombreuses pièces provenant du monde entier.

Brioude. Voir itinéraire 56.

La Chaise-Dieu. Voir itinéraire 55.

Ambert. Voir itinéraire 51.

Moulin Richard-de-Bas. Voir p. 110 et 111.

Thiers. Voir itinéraire 51.

Vichy et ses eaux (sources chaudes et froides) sont connues depuis l'Antiquité. La ville séduit surtout par la qualité de ses parcs et de ses installations sportives. Le parc des Sources est le centre véritable de la ville avec, à chaque extrémité, le pavillon des Sources et le Grand Casino. Les thermes Callon, reconstruits en 1990, sont dotés des installations les plus modernes (ne se visite pas).

Lapalisse se situe sur la Besbre, que domine, sur la rive droite, un château Renaissance, en pierre et en briques alternées rouges et noires, fait rare au XVe s., époque où le célèbre maréchal de La Palice rebâtit l'édifice primitif. A l'intérieur, tapisseries flamandes du XVIe s. (visites guidées t.l.j., de Pâques à la Toussaint).

Moulins, qui tire son nom des moulins à eau établis jadis sur les rives de l'Allier, connut son temps de splendeur aux XVIe et XVIIe s. Du château, édifié par les ducs de Bourbon vers 1340, subsistent le donjon et le pavillon d'Anne de Beaujeu, où l'on peut voir le Musée archéologique (ouv. t.l.j., sauf mardi). Près du donjon s'élève la cathédrale, de style gothique flamboyant : vitraux fin XVe-XVIe s., Vierge noire du XIIe s., Mise au tombeau en pierre polychrome du XVIe s., dont le joyau est le triptyque du Maître de Moulins (1502), exposé dans la sacristie (vis. t.l.j., sauf dim. mat., d'avr. à sept. ; fermé dim. matin et mardi le reste de l'année). La chapelle de la Visitation (XVIIe s.) abrite le mausolée en marbre d'Henri de Montmorency : beau plafond représentant l'Assomption de la Vierge, une des rares œuvres de Rémy Vuibert visibles en France. Le musée du Folklore et celui des Moulins (t.l.j., sauf jeudi ; oct.-mars, fermé jeudi et dim. matin) sont installés dans une maison du XVe s., place de l'Ancien-Palais. Au sommet du beffroi (XVe s.), le Jacquemart, dont les quatre automates représentent la famille Jacquemart, entre en mouvement toutes les quinze minutes.

Souvigny. L'église St-Pierre (XVe s.) abrite les magnifiques tombeaux des ducs de Bourbon. Dans l'ancienne église St-Marc, d'époque romane, musée lapidaire, où l'on remarquera une colonne du Zodiaque.

Forêt de Tronçais. V. Berry, itinéraire 70.

Gorges de la Sioule. V. itinéraire 60.

Riom. Voir itinéraire 49.

Château de Tournoël. V. itin. 49.

> Les itinéraires proposés en Auvergne empruntent souvent des routes étroites, sinueuses et accidentées. Il convient donc d'être très prudent, surtout en hiver. Certaines routes sont alors impraticables, ainsi celles de Saint-Chély-d'Apcher à Saugues ou de Salers au pas de Peyrol. Le centre météorologique du département fournira tous renseignements. Pour le Puy-de-Dôme, tél. : 36-68-02-63 ; prévisions montagne, tél. : 36-68-04-04 ; ou encore par Minitel : 3615 code Météo.

Trésors romans de la haute Auvergne 220 km

Passionné d'art? Orcival, Saint-Nectaire, Saint-Saturnin, Issoire égrènent leurs églises romanes. Curiste à La Bourboule ou au Mont-Dore? Sommets tranquilles et lacs calmes ornent les environs. Pêcheur, canoteur, skieur? Été comme hiver, des stations bien équipées sont à la disposition des amateurs et des sportifs. Connaisseur en vieilles pierres? Murol, Vic-le-Comte, Besse-et-Saint-Anastaise ont conservé leur château et leurs remparts : voilà les richesses de la haute Auvergne.

❶ **La Bourboule** possède les eaux les plus arsenicales d'Europe, utilisées pour le traitement des affections respiratoires. L'activité thermale est à l'origine d'installations touristiques et sportives : casino, piscine, etc., et du parc Fenestre (beaux arbres). Du Rocher des Fées (30 mn à pied AR), qui domine le quartier thermal, vue sur la ville et son site.

❷ **Le Mont-Dore** est situé au pied du massif du Sancy: à sa vocation thermale s'ajoute une activité liée aux sports d'hiver. Montée au puy par un téléphérique (ferm. oct.-nov. et, selon enneig., jusqu'au 20 déc.) ; de la station supérieure, un sentier (20 mn de marche) permet de gagner le *puy de Sancy*, le point culminant de l'Auvergne, à 1 886 m.

❸ **Orcival,** à 44 km du Mont-Dore, mérite un détour. On gagne ce petit bourg par le col de Guéry (voir photo). Le trésor d'Orcival est son église, modèle de l'art roman auvergnat du XIIe s. Le clocher octogonal, élevé à la croisée du transept, se compose de deux étages ajourés. Aussi le chœur est-il inondé d'une lumière qui met en valeur l'élégance des colonnes, du déambulatoire et des quatre absidioles. Au-dessus du maître-autel, Vierge en majesté du XIIe s. Pèlerinage à l'Ascension, précédé, la veille, d'une procession aux flambeaux et d'une messe de la nuit (22 h).

❹ **Murol.** Du château féodal subsistent des ruines imposantes – enceinte fortifiée, donjon, chapelles, logis, cloître et dépendances – qui donnent une idée de l'agencement d'un château médiéval (ouv. t.l.j. d'avr. à sept. ; juill.-août, t.l.j., sauf sam., vis. animées avec reconstitutions du XIIIe s. Rens. s'adresser aux Compagnons de Gabriel, tél. : 73-88-67-11).

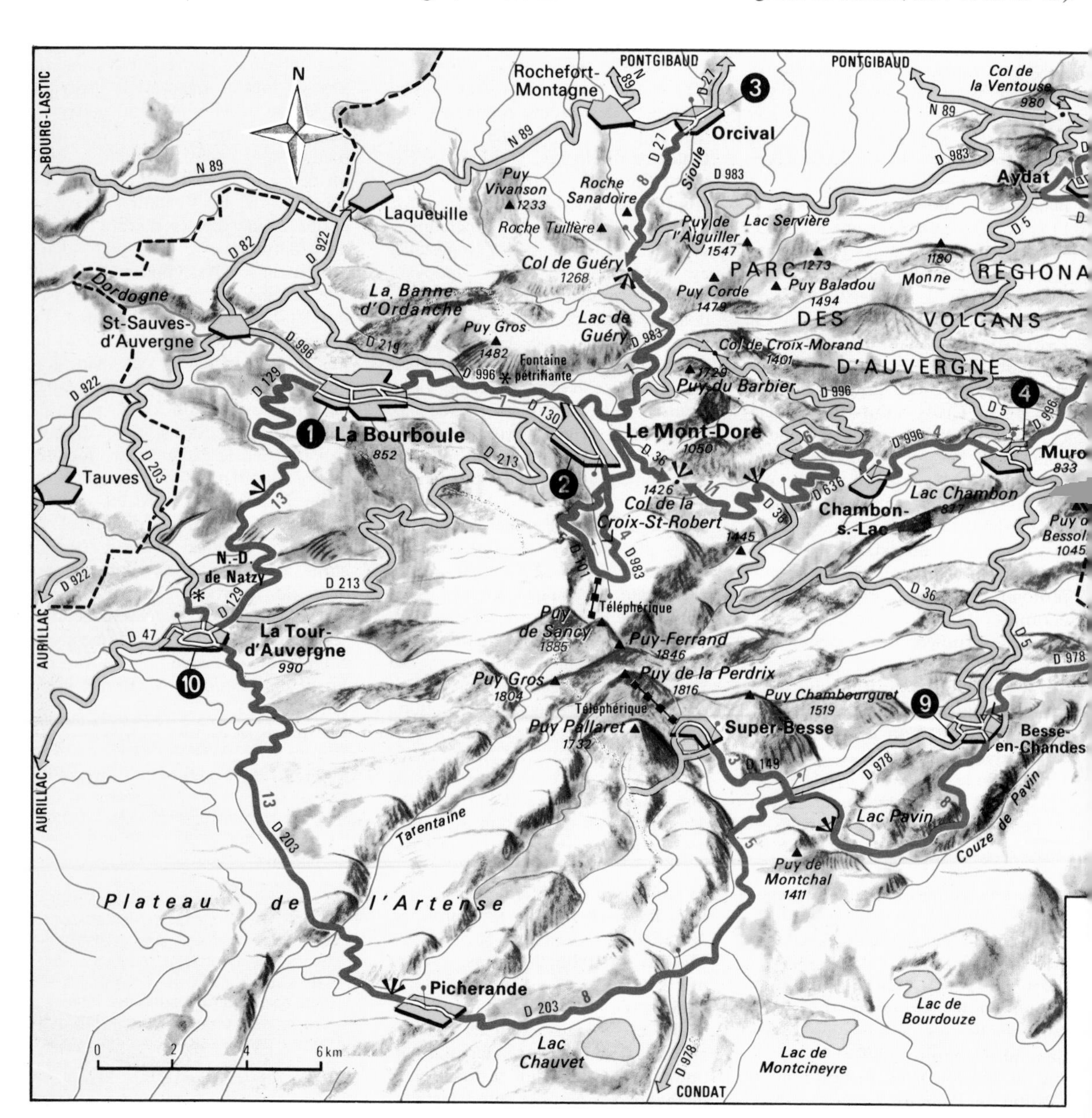

Col de Guéry, près d'Orcival. La Roche Tuilière (à g.) et la Roche Sanadoire sont séparées par un vallon d'origine glaciaire.

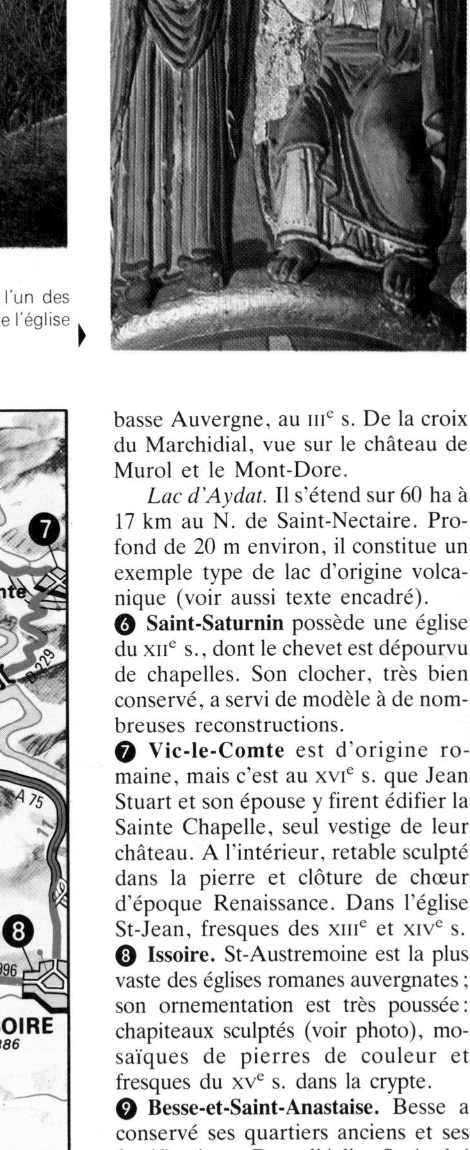

Issoire. Chapiteau de la Passion, l'un des 420 chapiteaux historiés que compte l'église St-Austremoine (XIIe s.).

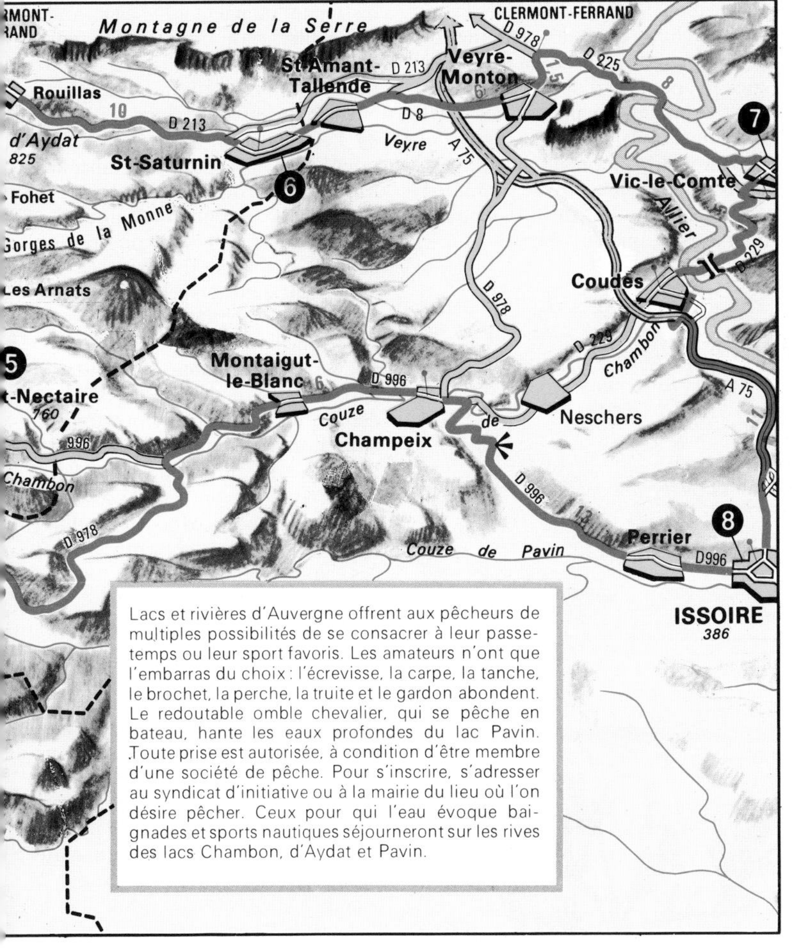

Lacs et rivières d'Auvergne offrent aux pêcheurs de multiples possibilités de se consacrer à leur passe-temps ou leur sport favoris. Les amateurs n'ont que l'embarras du choix : l'écrevisse, la carpe, la tanche, le brochet, la perche, la truite et le gardon abondent. Le redoutable omble chevalier, qui se pêche en bateau, hante les eaux profondes du lac Pavin. Toute prise est autorisée, à condition d'être membre d'une société de pêche. Pour s'inscrire, s'adresser au syndicat d'initiative ou à la mairie du lieu où l'on désire pêcher. Ceux pour qui l'eau évoque baignades et sports nautiques séjourneront sur les rives des lacs Chambon, d'Aydat et Pavin.

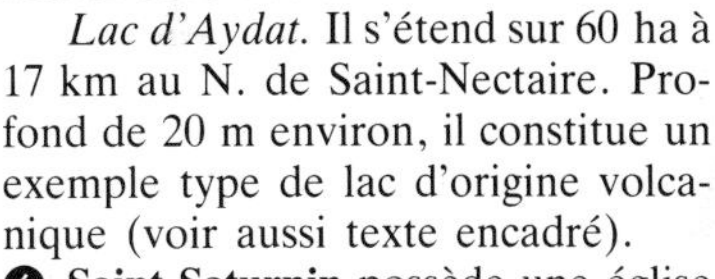

❺ **Saint-Nectaire.** On sait peu que la ville basse est une station thermale possédant plus de quarante sources traitant les affections rénales, mais on connaît universellement l'église (XIIe s.) de la ville haute (voir photo p. 99). Les harmonieux volumes de l'abside à trois chapelles rayonnantes contrastent avec la nudité de la façade, haut mur orné d'une simple porte en plein cintre. A l'intérieur, les chapiteaux historiés retracent les épisodes de l'Évangile et de l'Apocalypse, ainsi que les miracles de saint Nectaire, qui, avec saint Austremoine, introduisit le christianisme en basse Auvergne, au IIIe s. De la croix du Marchidial, vue sur le château de Murol et le Mont-Dore.

Lac d'Aydat. Il s'étend sur 60 ha à 17 km au N. de Saint-Nectaire. Profond de 20 m environ, il constitue un exemple type de lac d'origine volcanique (voir aussi texte encadré).

❻ **Saint-Saturnin** possède une église du XIIe s., dont le chevet est dépourvu de chapelles. Son clocher, très bien conservé, a servi de modèle à de nombreuses reconstructions.

❼ **Vic-le-Comte** est d'origine romaine, mais c'est au XVIe s. que Jean Stuart et son épouse y firent édifier la Sainte Chapelle, seul vestige de leur château. A l'intérieur, retable sculpté dans la pierre et clôture de chœur d'époque Renaissance. Dans l'église St-Jean, fresques des XIIIe et XIVe s.

❽ **Issoire.** St-Austremoine est la plus vaste des églises romanes auvergnates ; son ornementation est très poussée : chapiteaux sculptés (voir photo), mosaïques de pierres de couleur et fresques du XVe s. dans la crypte.

❾ **Besse-et-Saint-Anastaise.** Besse a conservé ses quartiers anciens et ses fortifications. Dans l'église St-André se trouve la statue de Notre-Dame de Vassivière : le 2 juillet, elle est transportée dans sa chapelle de montagne pour être ramenée lors de la Dévalade, le dimanche qui suit la Saint-Mathieu (vers fin sept.). On peut faire à pied (1 h) le tour du lac Pavin (voir texte encadré). De *Super-Besse*, une télécabine (mi-juin à sept. et mi-déc. à avr.) mène au sommet du puy de la Perdrix (1 816 m). Panorama.

❿ **La Tour-d'Auvergne** est bâtie sur un plateau terminé par des orgues basaltiques. On montera par un chemin abrupt à la chapelle Notre-Dame de Natzy : vue très étendue.

48

Du puy de la Vache 36 km à la vallée de Chaudefour

Au sud-ouest de Clermont-Ferrand se déploie la partie méridionale de la chaîne des Puys. Parmi la multitude des édifices volcaniques, on choisira de faire l'ascension pédestre du puy de la Vache. Puis on aborde le domaine des monts Dore dans leur partie occidentale, où le paysage a été rudement remodelé par l'érosion glaciaire, formant de belles vallées dont les versants raides et tourmentés mènent à de lourds sommets. Cet itinéraire ne peut se faire dans de bonnes conditions qu'à la belle saison.

Lézard vivipare. Chez cette espèce, les œufs incubent dans le corps de la femelle et l'éclosion a lieu au moment de la ponte.

❶ **Puys de la Vache et de Lassolas.** Parmi la multitude des édifices volcaniques de la chaîne des Puys, les puys jumeaux de la Vache et de Lassolas sont probablement les plus caractéristiques. On choisira de faire l'ascension du puy de la Vache (2 h AR environ), le plus proche de la route, où l'on peut laisser le véhicule. La progression est parfois malaisée, car le matériel volcanique glisse sous les pieds. Ce volcan, comme son proche voisin, présente de fortes pentes, taillées dans la pouzzolane. Cette roche, due à des explosions, peut être de teinte rouge ou noire et se présente en lits offrant parfois des bombes bien fuselées. Le cône du volcan n'est pas complet; il est ouvert en direction du S.-S.-O. et constitue un bel exemple de cône dit « égueulé ». Cette brèche dans l'édifice résulte du passage qu'une coulée de basalte s'est frayé à travers le matériel scoriacé. Les laves de cette coulée ont emprunté une ancienne vallée et se sont répandues jusqu'en Limagne (vallée de Saint-Saturnin). Datées grâce à des bois trouvés sous la coulée, elles sont très récentes: 7650 ans environ.

❷ **Saignes.** On aborde le domaine des monts Dore. Les grands plateaux, qui dominent le village, appartiennent à cet ensemble volcanique, bien plus ancien que celui de la chaîne des Puys. Une marche de quelques centaines de mètres sur cette planèze, en arrière de Saignes, permet d'apercevoir deux hauts sommets du massif, les puys Baladou et de la Tache (1636 m).

❸ **Murol.** En amorçant la descente vers la vallée de la couze de Chambon sous le château de Murol (voir aussi itinéraire 47), on peut observer, sur le bord droit de la route, une coupe montrant des cendres volcaniques et des produits d'explosion plus ou moins grossiers, de teinte rouge et noire, disposés en bancs épais. Ces formations, qui sont venues recouvrir des dépôts morainiques, proviennent du fonctionnement d'un volcan récent, le Tartaret, qui aurait de 10000 à 13000 ans. Le Tartaret forme la masse boisée, située dans la vallée de la couze de Chambon, et que l'on distingue nettement au S. de la coupe. Les coulées basaltiques émises par le volcan ont suivi la vallée de la couze de Chambon, s'étirant sur 22 km environ, jusqu'à Neschers.

❹ **Lac Chambon.** En amont du Tartaret, c'est un lieu de promenades agréables. Reste d'un lac bien plus vaste, le lac Chambon a aujourd'hui une surface de 60 ha et une profondeur de 5 à 6 m. Il occupe le fond d'une ancienne vallée glaciaire et s'explique par la présence du Tartaret, qui forme barrage.

❺ **Verrou de Montmie.** A l'amont du lac Chambon, dans la vallée de Chaudefour, on franchit une bosse taillée dans du granit et modelée par la glace. Sur ce verrou, qui domine le fond de la vallée de 50 m, on peut observer de nombreux blocs parfois très volumineux, appelés blocs erratiques, venus des hauts sommets volcaniques et transportés par la glace.

❻ **Vallée de Chaudefour.** La tête de la vallée de la couze de Chambon, nommée vallée de Chaudefour, est installée au pied du puy de Sancy et des plus hauts sommets du massif (voir photo). Les versants très raides, entaillés de ravins profonds, sont parcourus par des torrents coupés par les cascades de la Biche et de l'Aigle. Cette vallée, creusée dans du matériel volcanique, est accidentée par de grandes dents rocheuses, comme celles de la Rancune et de la Crête du Coq. La flore est abondante, et certaines espèces sont protégées; on y trouve notamment saxifrages, anémones (voir dessin), véroniques, etc.

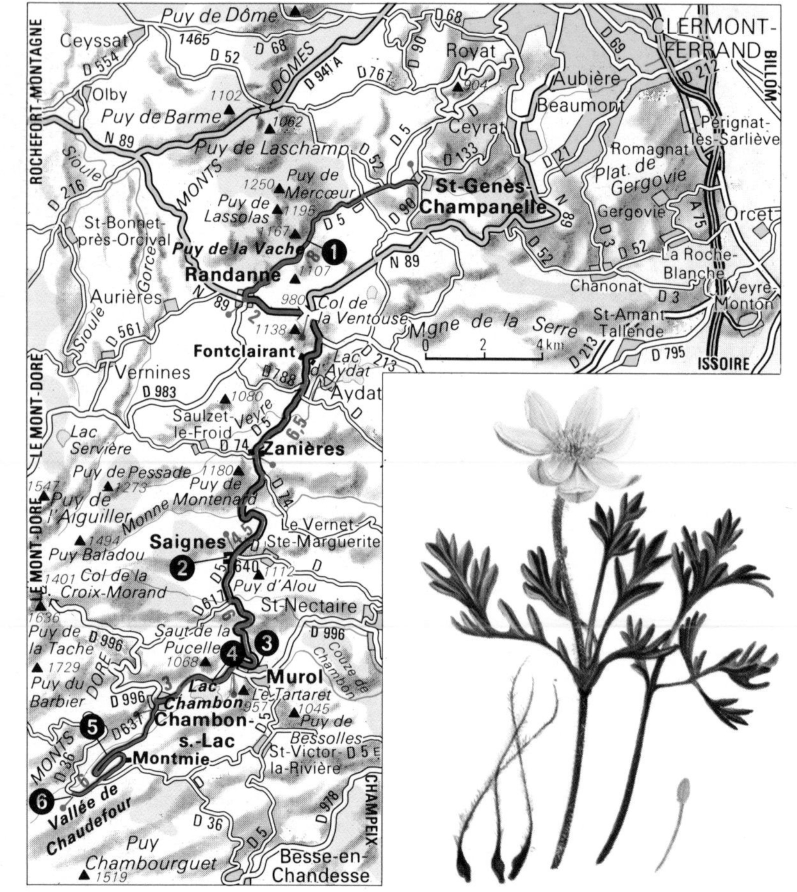

Anémone *(Anemone alpina).* Cette petite fleur simple à six pétales blancs ou jaunes se plaît dès la fin de l'hiver au creux des rochers et sur les pâturages.

Vallée de Chaudefour. Dans un site d'une grandeur sauvage dominé par le puy Ferrand, la vallée de Chaudefour est creusée à même le grand massif volcanique du Mont-Dore.

Riom, Volvic et la Grande Limagne 57 km

Par le rebord occidental de la Limagne – ou Limagne de Clermont, ou Grande Limagne –, l'Auvergne laisse découvrir toute sa diversité. A partir de Riom, ville d'art et d'histoire, tout le pays environnant, au seuil des monts d'Auvergne, est un trésor de richesses architecturales jusque dans les moindres bourgades. Le vignoble de Châteaugay, sur les premières pentes, les eaux et les laves de Volvic leur composent un décor dont la variété trahit la différence des sols : calcaires ou volcaniques.

❶ **Riom,** à la limite occidentale de la Limagne, a conservé de nombreux témoignages de son passé de capitale administrative et judiciaire. Parmi les hôtels particuliers, que des magistrats y firent bâtir à la Renaissance, l'hôtel Guimoneau et l'hôtel Arnoux-de-Maison-Rouge sont les plus remarquables. A travers eux, on a une bonne idée de l'importance de la ville qui, du XVIe au XVIIIe s., disputa à Clermont la prééminence régionale. Le palais de justice, siège de la cour d'appel, occupe l'emplacement de l'ancien château de Jean de Berry, dont il ne subsiste plus que la Sainte Chapelle (XIVe s.), ornée d'admirables vitraux (vis. t.l. apr.-m., sauf sam., dim. en juill.-août ; mercr. apr.-m. en mai, juin ; mercr., jeudi, vendr. apr.-m. en sept. Groupes sur R.-V.). Dans l'église N.-D.-du-Marthuret, la chapelle des pèlerins de St-Jacques abrite la superbe Vierge à l'oiseau, œuvre d'un artiste inconnu, datant probablement du XIVe s. Le musée régional d'Auvergne (t.l.j., sauf mardi, juin à oct. et vac. scol. ; sauf lundi et mardi le reste de l'année) présente des collections d'arts et traditions populaires. Musée Mandet, collection d'œuvres et d'objets d'art, de l'Antiquité au XIXe s. : peintures, sculptures, mobilier, orfèvrerie, bijoux, armes, faïences (vis. comme musée régional).

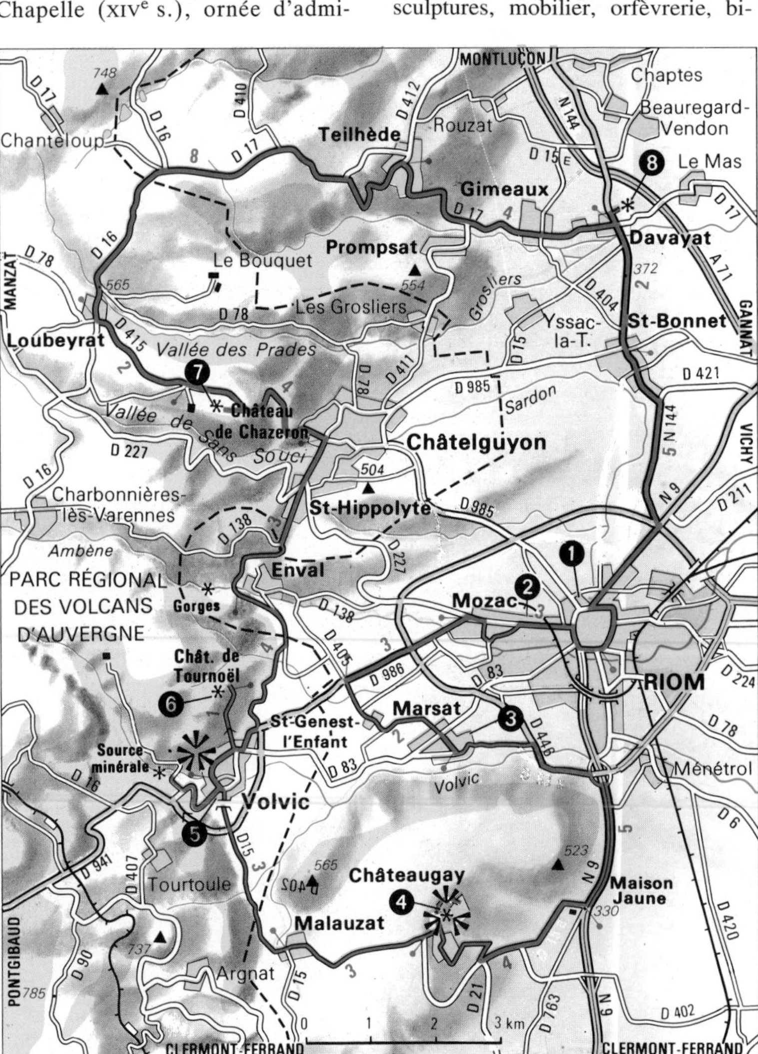

❷ **Mozac.** Saint Calmin y fonda, au VIIe s., une abbaye bénédictine, dont seule l'église abbatiale, reconstruite au XIIe s. puis au XVe s., a survécu. A l'intérieur, chapiteaux romans, inspirés de l'Antiquité, et châsse de saint Calmin (XIIe ou XIIIe s.).

❸ **Marsat** possède une église priorale (XIe et XIIe s.), dédiée à Notre-Dame et composée de deux nefs mitoyennes ; elle abrite une Vierge noire du XIIe s.

❹ **Châteaugay.** Sur les coteaux dominant la Limagne, le site porte un vignoble réputé. Le donjon carré en lave du château du XIVe s. est demeuré intact. D'en haut, on jouit d'une très belle vue sur la Limagne (vis. t.l.j., juill.-août ; Pâques à fin juin : sam., dim. Groupes sur demande).

❺ **Volvic** doit sa renommée à ses eaux et à ses pierres. Les premières sont d'une pureté et d'une légèreté exceptionnelles. Les secondes sont cette lave noire avec laquelle sont construits tant de monuments auvergnats. Dans l'église St-Priest : chapiteaux historiés, Vierge à l'oiseau (XIVe s.). La Maison de la Pierre et de la Lave, située à côté de la source minérale, à 2 km à l'O. de la ville, propose la visite d'une galerie d'une ancienne carrière de lave (jeux de lumière et sonorisation) ; histoire du volcanisme, travail dans les carrières (vis. guid. t.l.j., mai-30 sept. ; sauf mardi 15 mars-30 avr. et oct.-15 nov. Groupes sur R.-V.).

50

Le long des gorges de la Loire

36 km

Les gorges de la Loire ouvrent une trouée sud-nord, boisée et sauvage, encaissée au pied des monts de la Madeleine. Pans rocheux, bois de pins, landes et prairies limitées par des haies de buis arborescents se succèdent dans cet îlot aride. Le barrage de Villerest, établi en 1982, permet l'écrêtement des crues de la Loire ; les eaux de retenue ennoyent, en partie, les gorges en amont du barrage, modifiant le paysage. Cet itinéraire emprunte la route longeant la rive droite du fleuve.

Château de Tournoël. Cette forteresse du XIIIe s. domine la Limagne, les monts du Forez et le Livradois (t.l.j., sauf jeudi, avr.-sept. ; t.l.j., 15 juill.-15 août ; l'apr.-m. hors saison. Fermé en déc.).

Gorges de la Loire. En amont de Roanne, aux environs de Saint-Priest-la-Roche, la mise en eau du barrage de Villerest a créé un nouveau paysage où la Loire, encaissée, s'est largement étalée.

❶ **Villerest et Vernay.** Contrôlant le débouché des gorges dans la plaine de Roanne, ces deux villages fortifiés dominent le pont de Vernay, qui les sépare. Villerest a conservé certains vestiges de son passé : la porte de Bise en arc d'ogive, des maisons à pans de bois, une maison de granite (XVe s.). Admirer le chevet roman de la chapelle St-Sulpice. A Vernay, la carrière exploite les microgranites gris et roses que l'on retrouve dans les monuments et maisons de Roanne et des villages. Dans l'église, une Vierge noire garde le souvenir des mariniers qui venaient la remercier après avoir conduit, à travers les écueils, leur barque chargée de charbon de Saint-Étienne.

❷ **Commelle-Vernay.** Du belvédère, des abords duquel un train à vapeur mène au hameau de Goutte Fronde, vue sur le barrage.

Suivre la route, jusqu'à Chevenay, pour rejoindre Jœuvres.

❸ **Jœuvres.** Ce promontoire, façonné par deux méandres encaissés, a été le site d'un oppidum celte et romain. Vue sur le donjon rond et le bourg de Saint-Maurice et, à l'arrière-plan, sur les monts de la Madeleine et la Côte qui a fixé le vignoble.

Rejoindre la D 56 jusqu'au Verdier, d'où la vue s'étend en aval sur le plan d'eau ainsi que sur le pont de Presle.

❹ **Presle,** un peu en dehors de la route qui mène au pont, est un exemple typique des hameaux construits, à la limite du plateau, en moellons et en pisé. Les maisons de maître côtoient les fermes, dont les bâtiments, disposés autour d'une cour, sont accessibles par un porche voûté en pierre.

❺ **Saint-Priest-la-Roche.** Non loin de ce village tranquille, la route surplombe le château de La Roche que la montée des eaux due au barrage épargne.

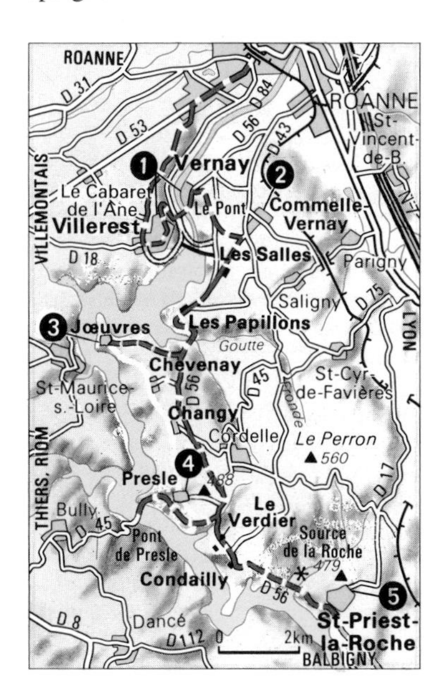

❻ **Château de Tournoël.** Voir photo.

❼ **Chazeron.** Peu avant Loubeyrat, un chemin mène au château de Chazeron (XIIIe s.). A travers bois, on aperçoit le donjon carré et les courtines. Deux corps de logis à tourelles ont été ajoutés au XIVe s. (mai-sept., t.l. apr.-midi. Groupes, tél. : 73-86-65-42).

❽ **Davayat.** Dans la cour d'une des maisons du village se trouve le plus haut menhir d'Auvergne. Le château du XVIIe s., inachevé, se présente comme une gentilhommière aux belles proportions (t.l. apr.-m. sauf samedi, 15 juin-15 sept.).

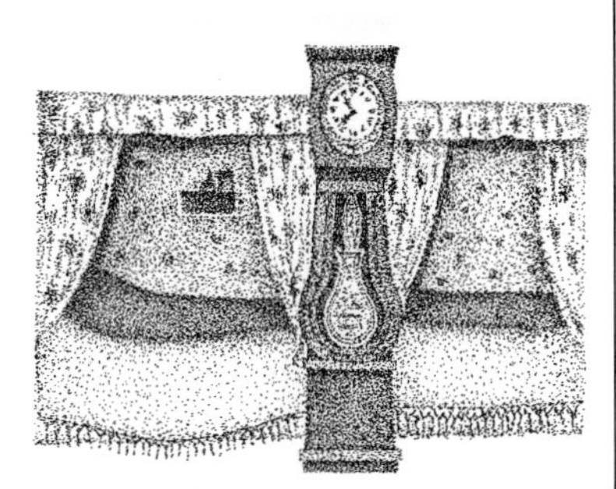

Chambre à coucher auvergnate. Deux lits séparés par une pendule. L'horloge, dont le mécanisme était fabriqué en Franche-Comté, était « habillée » suivant les goûts et les habitudes des artisans auvergnats.

51 De Thiers à Ambert par le col du Béal

287 km

Les monts du Forez et les Bois Noirs, austères et sauvages, ont su préserver leur secrète originalité. Par de petites routes, on découvre des sites méconnus d'où s'offrent des vues surprenantes sur l'Auvergne, la Limagne et ses monts fermant l'horizon, ainsi que sur la vallée de la Loire. Quelques petites villes au passé chargé d'histoire sont restées d'actifs centres d'industrie et d'artisanat — coutellerie à Thiers, papier à Ambert, jouets à Montbrison —, tandis qu'à la limite de la plaine du Forez le prieuré et l'église de Champdieu constituent un authentique chef-d'œuvre d'art religieux. Une région au cachet parfois encore médiéval, où se marient richesses de la nature et trésors humains.

❶ **Thiers** s'est fixé au carrefour des axes Le Puy-Vichy et Clermont-Lyon. La ville s'aborde par un mouvement tournant de sorte que certains aiment à penser que son nom lui vient de ce qu'on n'en voit jamais qu'un tiers. De la terrasse du Rempart, une table d'orientation permet d'admirer la Grande Limagne, où la Dore creuse son sillon avec, en fond de paysage, les monts Dore et les monts Dôme. Mais Thiers est surtout connu comme centre de la coutellerie en France. Cette activité, qui remonte au Moyen Âge, a su s'adapter aux exigences modernes : fabrication d'ustensiles ménagers et de pièces détachées pour l'industrie de l'automobile et des chemins de fer, d'articles en matière plastique. Thiers (voir photo) est donc autant une ville ouverte sur la vie qu'une cité au riche passé dont témoignent ses vieux quartiers aux maisons à pans de bois des XVe et XVIe s., comme celle du Pirou, avec ses encorbellements et ses pignons pointus, celle des Sept-Péchés-Capitaux, dont les poutres sont sculptées, et celle de l'Homme-des-Bois, ornée de sculptures. L'église St-Genès, autour de laquelle la ville s'est développée au XIe s., est romane. Le pignon du transept sud a conservé son décor de pierres polychromes (XIIe s.). L'église du Moutier, faubourg qui fut le berceau de la ville, a conservé une série de chapiteaux sculptés du XIIe s. Maison des Couteliers, un musée retrace l'histoire de cette industrie et présente des collections d'outils. On peut visiter la maison de l'Homme-des-Bois et voir le travail à l'ancienne de l'émouleur couché qui préparait le premier tranchant de la lame (juin-sept., t.l.j. ; oct.-mai, t.l.j., sauf lundi).

❷ **Saint-Rémy-sur-Durolle** est perché en bordure des monts du Forez et des Bois Noirs. La vue s'étend vers l'O. sur la Limagne et la chaîne des Puys, et au S.-O. sur les monts Dore.

❸ **Col de la Plantade.** Il occupe l'extrémité des Bois Noirs — « noirs » en raison de leur peuplement de sapins — et domine la vallée du Sichon, qui y prend sa source.

❹ **Col de la Charme.** Vues splendides sur les monts du Forez. Pour atteindre le puy de Montoncel, il faut suivre un chemin signalisé (2 h 30 à pied AR). Du sommet (1287 m), on découvre : au N., les monts de la Madeleine ; vers l'E., les monts du Beaujolais ; au S., le Forez et le Livradrois ; vers l'O., les monts Dore et les monts Dôme.

❺ **Saint-Just-en-Chevalet** se compose d'une partie haute, le « château », restes d'enceinte, et d'une partie basse, le « bourg ». De vieilles maisons et une église du XVe s. font l'attrait de cette petite cité.

Champdieu. Cette curieuse sculpture qui orne un chapiteau de l'église St-Sébastien témoigne du style des artistes auvergnats de l'époque romane.

❻ **Champoly.** Au N.-E. du village part le chemin qui conduit aux ruines de la forteresse d'Urfé (XIIIe s.), dans un site sauvage (1 h à pied AR).

❼ **Col du Béal.** Sur la ligne de crêtes des monts du Forez, il permet de contempler, d'un côté, les monts d'Auvergne et, de l'autre, les monts du Lyonnais. (Voir itinéraire 53.)

❽ **Sail-sous-Couzan.** Non loin du bourg, le château de Couzan (vis. t.l.j. pendant toute l'année), forteresse du XIIIe s., dresse encore, sur un rocher escarpé, ses quatre tours et son donjon. Les bâtiments adossés à l'enceinte ont été élevés au XVe s. A la chapelle St-Saturnin (XIIe s.) est adjointe une autre petite chapelle du XVe s. Les eaux de Couzan, carbonatées et gazeuses, sont exploitées pour la production d'eau de table.

❾ **Champdieu** a conservé l'église et le prieuré de son abbaye bénédictine. L'ensemble, bâti au XIIe s., a été doté, deux siècles plus tard, d'un système défensif visible au flanc S. de l'église et le long des bâtiments du prieuré. L'église St-Sébastien, de style roman auvergnat, possède deux clochers. Celui du transept, roman, est percé de baies géminées ; celui qui surmonte le porche est une tour carrée du XVe s. Sous le chœur s'ouvre une crypte romane du XIe s. (voir dessin). Le prieuré, en belle pierre dorée, a fière allure. Dans le réfectoire des moines, au-dessus d'une cheminée gothique, se trouve une peinture murale représentant la Cène ; le plafond est à caissons peints (vis. t.l.j.).

❿ **Montbrison** entoure une petite butte volcanique, où s'élevait le château des comtes de Forez. Un temps préfecture de la Loire, la ville possède de nombreux bâtiments anciens. Le

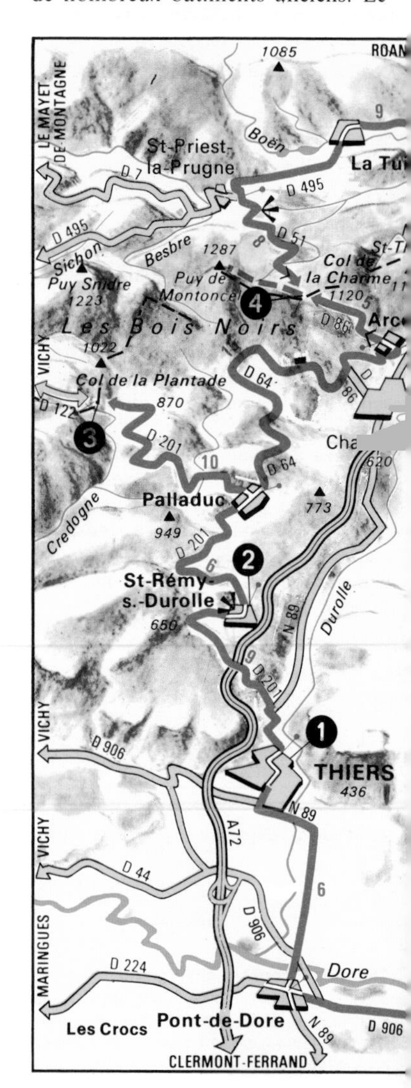

plus important est l'église N.-D.-de-l'Espérance. Fondée en 1226, elle n'a été achevée que deux cents ans plus tard. Elle n'en offre pas moins une unité de style, bien que le chœur soit du XIIIe s. et le portail du XVe. L'intérieur se compose d'une seule nef à hautes fenêtres et d'une abside à cinq pans. La Diana, près du chevet, est une vaste salle construite en 1296 à l'occasion du mariage de Jean Ier, comte de Forez. Elle est couverte d'une remarquable voûte de bois divisée en 1 700 caissons peints (vis. sam. apr.-m. et mercr., toute l'année. Groupes sur R.-V.). Au musée d'Allard, collections d'histoire naturelle, ensemble de poupées et de mobiliers miniatures et bénitiers de chevet (t.l. apr.-m., sauf mardi. Groupes : le matin sur dem.). Visites guidées de la ville (sam. apr.-m. en été ; sur réserv. le reste de l'année. Rens. à l'O.T., tél. : 77-96-08-69).

⓫ **Col des Supeyres** (1 339 m). Le site est typique des « hautes chaumes » des sommets des monts du Forez.

⓬ **Ambert,** capitale du Livradois, a été, du XIVe au XVIIe s., le centre papetier le plus important de France. Les eaux de la Dore et des rivières des vallées voisines actionnaient près de trois cents moulins (voir aussi p. 110). Jules Romains lui a donné un regain de célébrité en faisant du centre de sa mairie circulaire le rendez-vous de ses « Copains » en expédition punitive. L'église St-Jean, en granit du pays, est de style gothique flamboyant. La façade est dominée par une haute tour carrée de structure gothique et de décoration Renaissance.

⓭ **Olliergues,** que l'on atteint en longeant la rive droite de la Dore, échelonne ses maisons du XVe et du XVIe s. sur la colline portant les ruines du château des Turenne (XVe s.).

Thiers, sur un éperon rocheux dominant la Limagne, s'adosse au flanc de la vallée de la Durolle, dont les eaux ont longtemps fait tourner les meules des coutelleries.

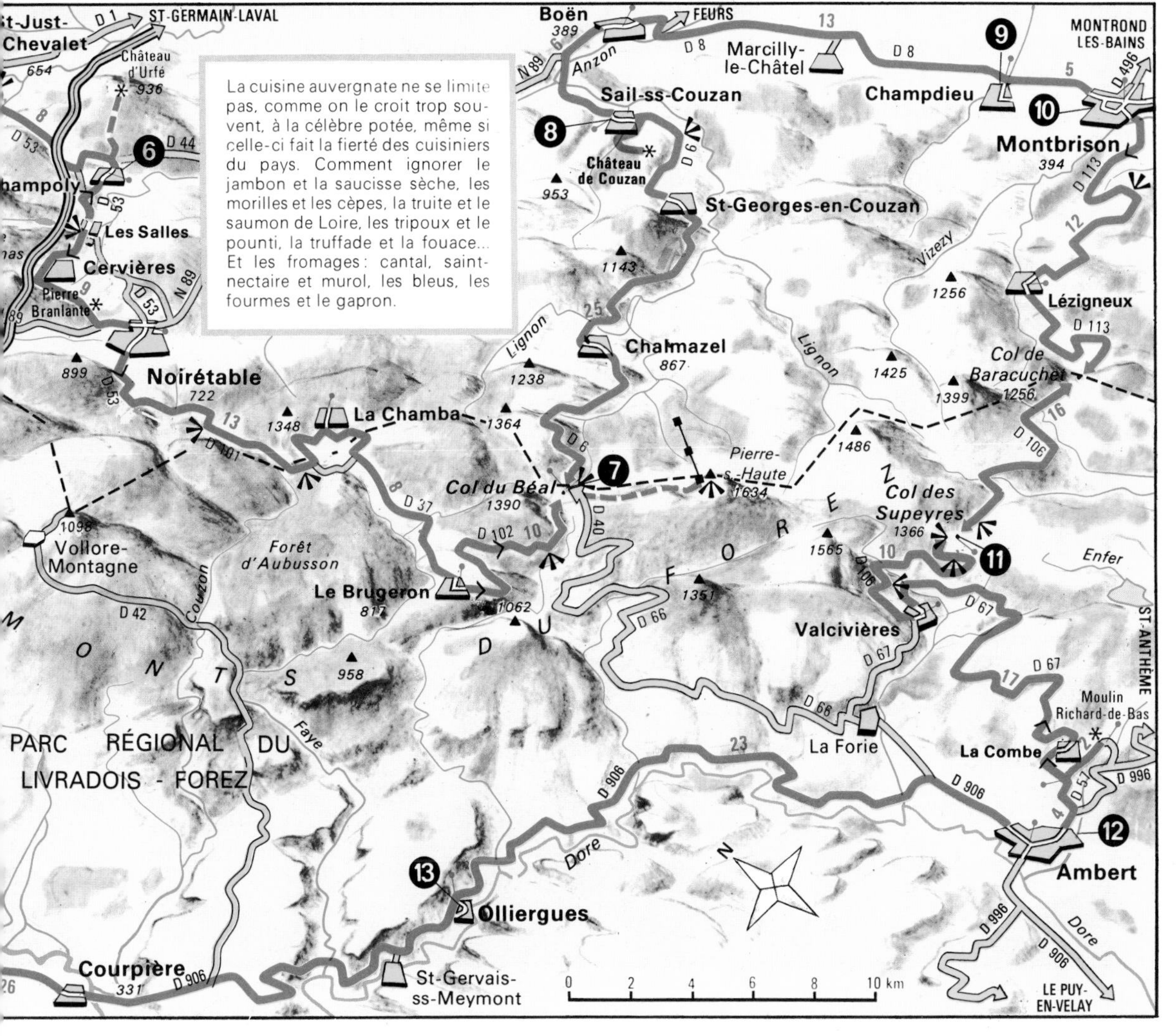

LE MOULIN RICHARD-DE-BAS

MUSÉE HISTORIQUE DU PAPIER

Non loin d'Ambert, niché dans une combe d'Auvergne où coulent les eaux pures du ruisseau de Laga, le moulin à papier Richard-de-Bas est un endroit envoûtant : on dirait que le temps, depuis plusieurs siècles, s'y est arrêté. Là, comme dans un conte de fées, se fabriquent des feuilles de papier si précieuses que flottent dans leur pâte des fleurs et des feuilles. L'auteur de ce petit miracle est un artisan amoureux de son métier : Marius A. Péraudeau. Au XVIe s., dans le val de Laga, peut-être trois cents moulins travaillaient le papier. L'origine du moulin Richard-de-Bas est bien plus ancienne. (On a retrouvé sur un acte notarié daté de 1326 le filigrane en forme de cœur qui est la marque du moulin.) Il fut peut-être l'un des premiers à se lancer dans cette technique nouvelle : on sait qu'elle fut empruntée aux Arabes à l'époque des croisades. Eux-mêmes la tenaient des Chinois. Un certain Tsaï-lun, haut fonctionnaire de la province de Canton, avait codifié la fabrication du papier en l'an 105 ap. J.-C. Il fallut plus de mille ans pour que ce support relativement bon marché de l'écriture — et donc de la pensée — s'introduise en Occident. Lui qui, avec l'invention de l'imprimerie, devait amener tant de bouleversements, est de constitution assez simple : il n'est fait que de fibres végétales enchevêtrées. Jusqu'au XIXe s., la technique resta immuable : des chiffons, de l'eau, du temps et du travail. C'est elle que perpétue le moulin Richard-de-Bas. Minutieusement restauré en 1942, il abrite aujourd'hui le Musée historique du papier, vivante démonstration de la technique papetière traditionnelle.

On visite le Musée historique du papier et l'usine (t.l.j., sauf 25 déc. et 1er janv., de 9 h à 12 h et de 14 h à 18 h; en juill. et août, de 9 h à 20 h).

Les fleurs, cueillies au loin, parfois en haute montagne, choisies une à une, puis épétalées, seront ensuite jetées dans la cuve, où elles seront enrobées par la pâte à papier.

1. Les broyeurs à pâte. Les trois maillets réduisent les chiffons en pâte dans cinq « piles », auges d'un seul bloc taillées dans le granit.

2. La cuve. A l'aide d'un tamis de fils de laiton, la forme, l'ouvreur puise la pâte dans la cuve et, d'un geste habile, la répartit également. Le coucheur déposera ensuite la pâte sur un feutre de laine.

La fabrication du papier

Le travail débute par le triage des chiffons. Les morceaux sont ensuite pilés menu dans l'eau courante. C'est le travail de la salle des piles à maillets (1), qui dure une trentaine d'heures. La pâte fine, onctueuse et liquide, est versée dans une cuve auprès de laquelle travaillent l'ouvreur et le coucheur (2). L'ouvreur, à l'aide de la forme, tamis de fils de laiton, puise la quantité de pâte nécessaire et la répartit également. Il passe la forme au coucheur qui applique, en la retournant, la forme sur un feutre de laine. Les couches de feutre et de pâte s'empilent ; lorsqu'il y en a cent, elles forment une porse qu'on emmène à la presse (3). On procède alors au levage (4), et l'on fait sécher les feuilles, toutes fraîches, dans de grands greniers, construits en planches de sapin. Il ne reste plus alors qu'à les trier.

3. La presse. La presse de Richard-de-Bas est rigoureusement semblable à celles qui l'ont précédée. Son fonctionnement exige une force considérable : il faut quatre hommes pour actionner le cabestan.

Art de faire le papier au XVIIIe s. Cette gravure montre les instruments qui servaient à la fabrication du papier : à droite, une cuve ; au milieu, la presse ; à gauche, ouvriers procédant au levage.

4. Le levage. Sortie de la presse, la feuille est encore fraîche et molle. L'opération du levage consiste à la séparer de la couche de feutre.

52

Les monts 42 km de la Madeleine

A la bordure septentrionale du Massif central, les monts de la Madeleine forment un ensemble d'altitude moyenne bien individualisé. La côte orientale, dominant la vallée de la Loire, est le domaine des vignobles. Au-dessus, sur les pentes et les replats granitiques des sommets, les chaumes se couvrent de landes et d'étendues marécageuses. Au-delà, vers le nord, s'ouvre le pays des bois — 8000 ha de sapins et d'épicéas mêlés de hêtres et de chênes —, qui gagnent peu à peu sur les rares pâturages.

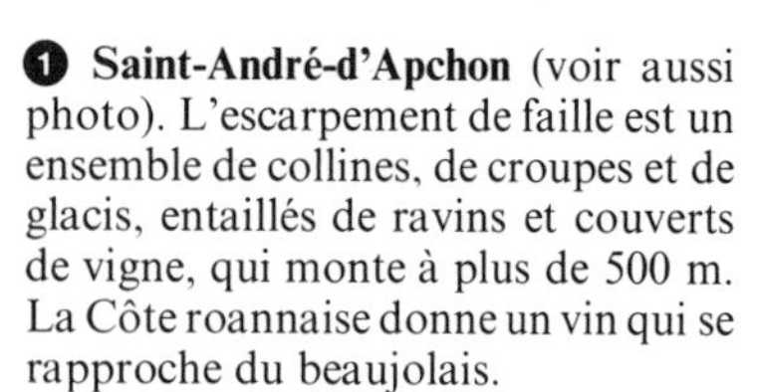

Genêt à balai *(Cytisus scoparius).* Cet arbrisseau des landes, des bois et des étendues incultes est ainsi appelé parce qu'il servait à la confection des balais.

❶ **Saint-André-d'Apchon** (voir aussi photo). L'escarpement de faille est un ensemble de collines, de croupes et de glacis, entaillés de ravins et couverts de vigne, qui monte à plus de 500 m. La Côte roannaise donne un vin qui se rapproche du beaujolais.

❷ **Les Grands Murcins** (873 m). La route suit le versant S. d'une gorge profondément encaissée. Elle traverse des prés et des champs, envahis par le genêt à balai (voir dessin) et la fougère aigle quand ils sont laissés en friche. L'autre rive, sauvage, porte le nom de « gorge du Désert ». D'Arcon, un chemin mène (quelques minutes en voiture) à l'arboretum des Grands Murcins, créé entre les deux guerres, où sont réunies de nombreuses espèces de résineux. De la table d'orientation, très beau panorama sur la Côte, la plaine de Roanne, le plateau de Neulise et les monts du Beaujolais.

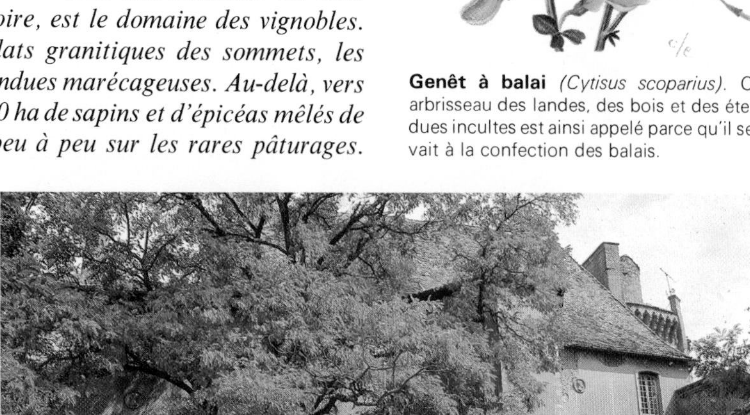

Saint-André-d'Apchon. Le château, construit au XVIe s., cache son corps de logis sous les frondaisons; sa tour veille sur la plaine du Forez et les vignobles de la Côte.

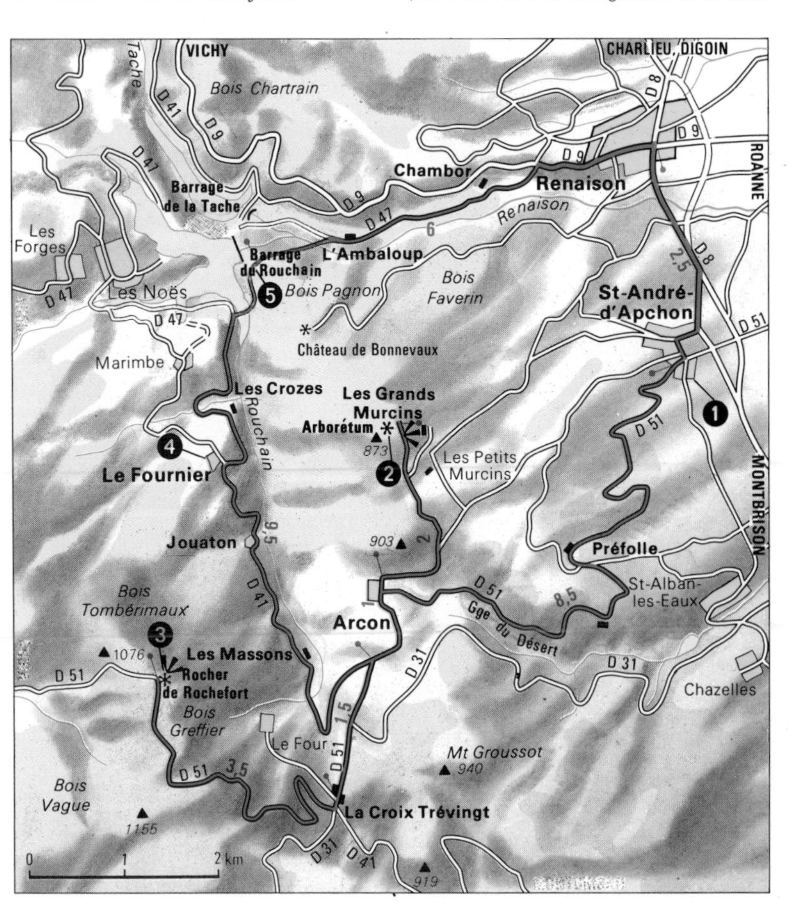

❸ **Rocher de Rochefort** (1 076 m). Le panorama permet d'observer la disposition interne des monts de la Madeleine. La dépression centrale, occupée par les villages des Noës et de St-Rirand, correspond à une faille S.-E.-N.-O., parallèle à celle de la Côte. Elle sépare le premier clignement montagneux que nous venons de franchir, et qui domine la Côte, du second, qui est plus élevé (1 160 m au bois de l'Assise) et couvert d'une forêt de sapins, avec sous-bois d'airelles ou de hêtres.

❹ **Le Fournier.** Le Rouchain, qui a creusé une gorge dans la dépression, prend sa source au pied de la Croix Trévingt (838 m), seuil qui le sépare de la vallée opposée de l'Isable. La route, bordée de noyers, est établie à l'adret et passe entre quelques hameaux, sur des replats bien exposés de la rivière.

❺ **Barrages du Rouchain et de la Tache.** Près de leur confluence, les deux vallées opposées de la Tache, venue du N., et du Rouchain, venu du S., sont fermées par des barrages, destinés à alimenter Roanne en eau potable. Le barrage du Rouchain (mise en eau commencée en 1976) a aujourd'hui une capacité de 7 millions de mètres cubes, soit le double de celui de la Tache, qui fut construit avant 1914. Des sentiers permettent de se rendre au sommet du barrage de la Tache en un quart d'heure environ. La réunion des deux rivières forme la Renaison, qui dévale vers l'E.

En sillonnant le Forez 60 km

Le massif du Forez, vaste chaîne granitique allongée du nord-ouest au sud-est, domine les plaines voisines de Montbrison et d'Ambert. Les hauteurs s'offrent en plateaux étroits pour culminer à 1634 m, à Pierre-sur-Haute. Belle montagne où, au-dessus des prairies, se mêlent en riches forêts hêtres et sapins, le Forez est aussi le domaine des ruisseaux et des torrents aux eaux pures qui s'écoulent en cascades le long des pentes bordières. Cet itinéraire, en partie pédestre, est déconseillé en hiver.

Pierre-sur-Haute. Les hauts plateaux, balayés par le vent, offrent de magnifiques points de vue sur les grands versants boisés du massif forézien. Ils sont accidentés par les empilements ruiniformes de blocs de granit.

❶ **Col des Supeyres.** Sur les plateaux du S. du massif, le col des Supeyres offre une vue d'ensemble sur les terres couvertes de prairies et de bruyères, le bassin d'Ambert, les Bois Noirs et le haut Forez. Du col, et au cours d'une marche aisée que l'on peut prolonger à volonté (prendre le chemin qui, partant du col, se dirige vers le N.-N.-E.), on découvre les molles dépressions tourbeuses qui accidentent les plateaux, et un vaste panorama, en direction du S., sur la retombée des monts du Forez dans la région de Saint-Anthème.

❷ **Valcivières.** Le flanc occidental du Forez, dans l'ensemble très raide, est, à hauteur de Valcivières, troué par une grande dépression entaillée de vallées profondes, où dévalent des torrents. A la belle saison, les eaux cascadantes, les versants parsemés de prairies fleuries et la forêt de hêtres donnent à cet amphithéâtre suspendu au-dessus du bassin d'Ambert une douceur tout à fait inaccoutumée.

❸ **Ruisseau de Vertolaye.** Encaissée de plus de 100 m dans les hauts plateaux bordiers qui dépassent 1500 m — le Plat de la Richarde, 1504 m; la montagne de Monthiallier, 1557 m — la haute vallée du Vertolaye, orientée vers le N.-O., est assez large. Ses flancs raides sont drapés de grands éboulis dus au gel, et le fond est rempli de dépôts laissés par la glace. Près de la ferme du Fossat, où il est recommandé de se rendre à pied depuis le Pré-Daval (1 km AR), le fond de la vallée, pratiquement plat, correspond à un ancien lac aujourd'hui comblé, lui aussi, par des résidus glaciaires.

❹ **Col du Béal.** A 1390 m, le col permet de découvrir les hauts sommets du Forez. Les hauts plateaux déboisés, recouverts de lande à bruyère, contrastent avec les pentes de la montagne, couvertes de forêts. De vigoureuses entailles ont modelé les flancs du massif en cirques glaciaires, comme celui de la tête du Lignon : la pente, très forte, fait passer, en quelques centaines de mètres, de 1536 m au sommet à 1242 m au fond du cirque (voir aussi itinéraire 51).

Du col du Béal à Pierre-sur-Haute, la route est interdite aux voitures; l'itinéraire se poursuit donc à pied (5 km, 2 h 30 AR).

❺ **Col de la Chamboite.** Les hauts plateaux du Forez ne sont pas de monotones étendues sans relief. Ainsi, en montant du col du Béal à Pierre-sur-Haute, le panorama, vers l'O. en particulier, s'étend jusqu'à la chaîne des Puys, qu'on embrasse d'un seul regard. Les empilements de blocs granitiques, aux proportions parfois gigantesques, évoquent des amoncellements de ruines. Ces formations, les « tors » (voir dessin), se retrouvent dans d'autres régions du Massif central — Morvan et Margeride, notamment — ainsi qu'en Grande-Bretagne, en Cornouailles et dans le Devon; c'est d'ailleurs de ces contrées d'Angleterre que les tors, aux roches parfois branlantes, tirent leur nom.

❻ **Pierre-sur-Haute.** Voir photo.

Tor. L'érosion glaciaire a provoqué la formation de blocs granitiques, les tors, qui se sont répandus sur les pentes des montagnes.

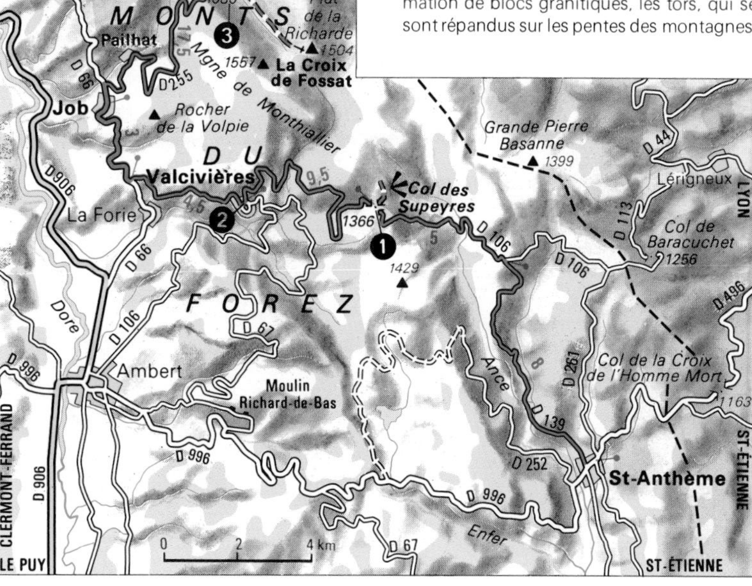

Aux environs du Puy, le Velay

80 km

168 km

Le relief du Velay s'oppose par ses formes volcaniques d'une juvénile exubérance à celui, tout en rondeurs, des autres régions montagneuses du Massif central. Pitons, escarpements et orgues jaillissent de plates vallées pour se couronner d'églises et de châteaux. Paisible région d'élevage sur les hauteurs, de polyculture dans les bassins, berceau de la dentelle, le Velay est aussi un haut lieu de l'histoire religieuse de la France comme en témoignent les abbayes du Puy et de La Chaise-Dieu.

ITINÉRAIRE Nº 1

❶ **Taulhac.** Partant de la route à gauche, un chemin mène à une pépinière d'où l'on découvre l'un des plus beaux panoramas sur la haute vallée de la Loire.

❷ **Solignac-sur-Loire,** où s'élève une église romane, occupe le bord d'un plateau basaltique.

❸ **Le Monastier-sur-Gazeille,** accroché à flanc de montagne, vit la fondation du plus ancien monastère du Velay. La façade de sa massive abbatiale est de pierres volcaniques polychromes, les chapiteaux sont sculptés de monstres et d'animaux. Le château (XIVe-XVIIe s.) est une lourde bâtisse de basalte noir.

❹ **Saint-Julien-Chapteuil,** où l'on fabrique encore des dentelles à la main, possède une jolie église romane.

❺ **Servissac.** Après ce village perché à 100 m au-dessus de la Gagne, affluent de la Loire, la route passe au pied de la Roche Rouge, dyke basaltique de 30 m de haut.

❻ **Aiguilhe.** L'église St-Michel semble prolonger les 85 m du pic de lave sur lequel elle s'élève. On l'atteint par 268 marches. Construite en pierres noires, grises et blanches, son plan épouse les contours du sommet (vis. t.l.j., du 15 mars au 12 nov. ; vac. scol. févr. et Noël, t.l.j., sauf 25 déc. et 1er janv.). Pour Le Puy, voir p. 101.

ITINÉRAIRE Nº 2

❶ **Polignac.** A une centaine de mètres au-dessus de la plaine, le sommet de la butte basaltique est occupé par les vestiges du château : logis des seigneurs, puits et donjon carré à trois étages (ne se visite plus). L'église St-Martin, très restaurée, est d'époque romane. On peut voir, dans la sacristie, un groupe en bois polychrome.

❷ **Saint-Vidal,** un peu à l'écart de l'itinéraire, possède un important château (vis. guid. t.l. apr.-m. en juill. et en août).

❸ **Saint-Paulien** fut, à l'époque gallo-romaine, la capitale du Velay. Au XVIIe s., les trois nefs de son église romane du XIIe s. ont été réunies, soulignant la sobriété de l'ensemble.

Le *château de La Rochelambert* évoque George Sand et les personnages de son roman *Jean de la Roche* (souvenirs de la romancière) ; accroché à la paroi de basalte, ce romantique manoir entouré

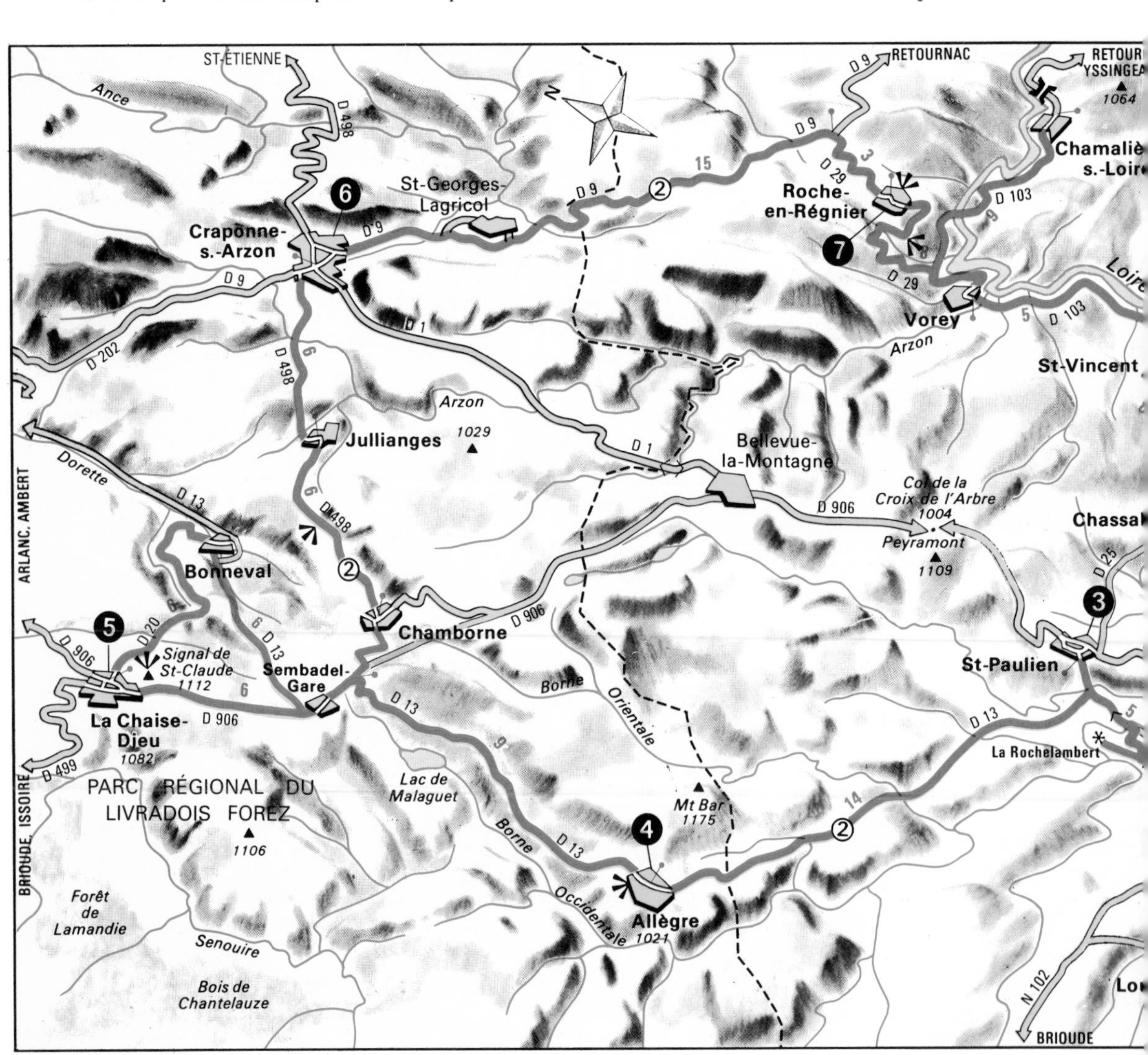

d'arbres domine le lit de la Borne. Toutes proches, des grottes préhistoriques et celtiques communiquent entre elles (vis., s'adresser au château, tél. : 71-00-48-99).

❹ **Allègre.** Les ruelles escarpées du vieux bourg conduisent aux ruines d'un château fort. Belle vue à partir de la table d'orientation.

❺ **La Chaise-Dieu** est le joyau de cet itinéraire. L'abbaye, fondée au XIe s., est surtout célèbre par l'église qu'y fit édifier le pape Clément VI, et qu'acheva son neveu, devenu pape à son tour. Le bâtiment en granit gris offre une façade austère, mais l'intérieur surprend par sa richesse. Un jubé à trois arcs ferme l'accès du chœur, qui contient 144 stalles de pur style gothique. Au-dessus, tapisseries des Flandres (XVIe s.). La *Danse macabre* est une peinture murale du XVe s. (voir texte encadré). On remarque encore l'imposant buffet d'orgue en cœur de pin (XVIIIe s.), le cloître gothique, dont il ne subsiste que deux galeries, et la tour Clémentine, qui jouxte le chœur. De la place du Monastère, on gagne à pied le Signal de Saint-Claude; vaste panorama sur les monts du Forez et du Lyonnais, le mont Pilat, les Cévennes, le Cantal et les monts Dore.

❻ **Craponne-sur-Arzon.** Son église, du XVe s., ornée de boiseries, son beffroi roman, ses demeures et ses fontaines anciennes donnent à cette bourgade un charme médiéval.

❼ **Roche-en-Régnier** s'abrite sous un haut piton volcanique que surmontent une tour médiévale et les ruines d'un château. Non loin, à *Chamalières-sur-Loire,* l'église St-Gilles (XIIe s.) est un édifice du plus pur style roman auvergnat avec ses deux tours rondes (voir texte encadré).

La Loire, à Lavoûte-sur-Loire. Au débouché des gorges de Peyredeyre, le fleuve se calme avant d'aborder les grandes gorges de Chamalières.

❽ **Lavoûte-sur-Loire.** La cité, qui se trouve située sur la rive droite de la Loire, est dominée par le clocher carré de son église romane à nef unique. Le *château de Lavoûte-Polignac*, avec ses hautes tours rondes et sa sobre façade, se dresse au-dessus de la boucle que le fleuve décrit en amont (t.l.j. à Pâques et de juin à sept. ; sam., dim. et j. fér. en mai et oct. Groupes sur dem., tél. : 71-08-50-02).

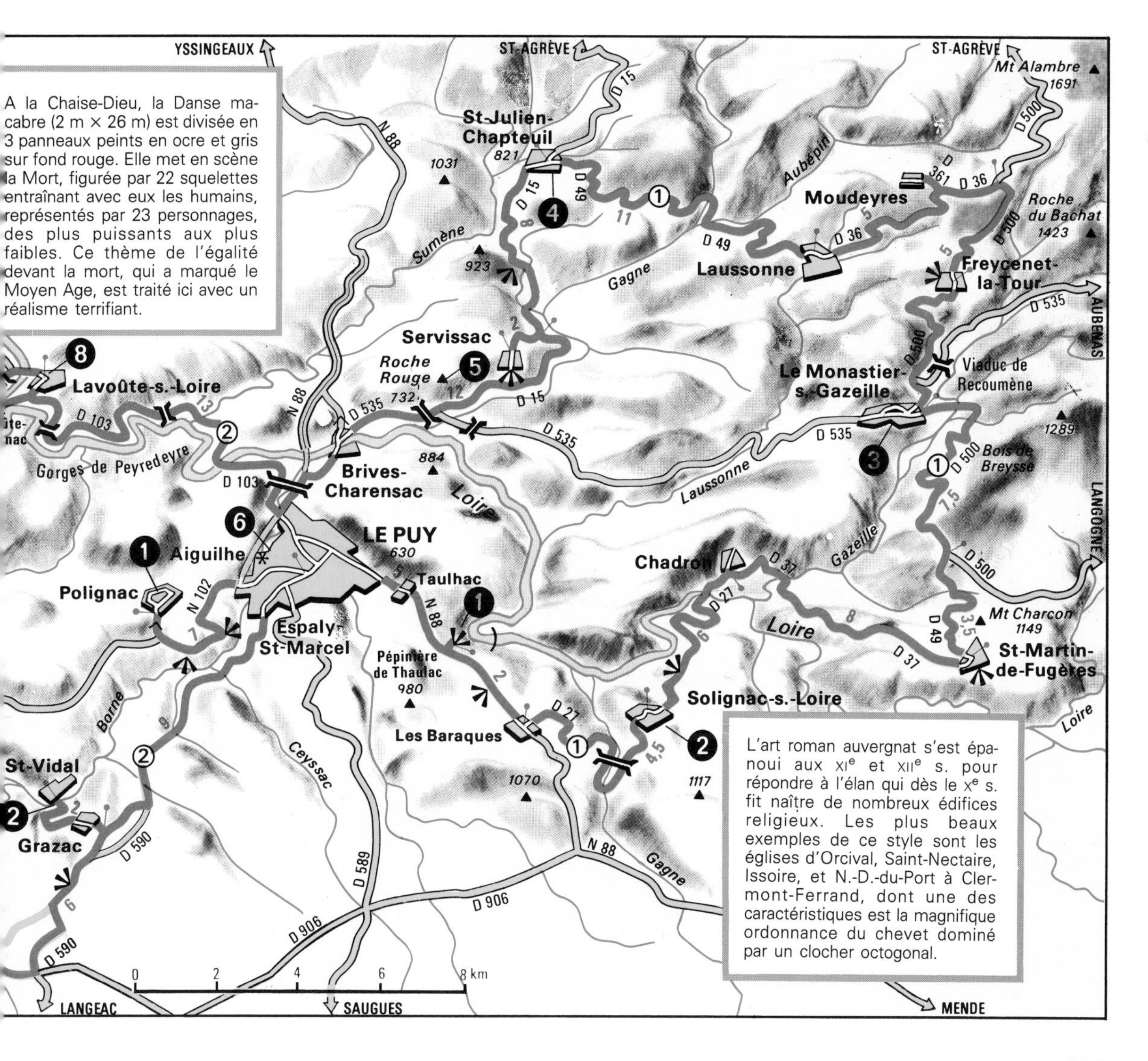

A la Chaise-Dieu, la Danse macabre (2 m × 26 m) est divisée en 3 panneaux peints en ocre et gris sur fond rouge. Elle met en scène la Mort, figurée par 22 squelettes entraînant avec eux les humains, représentés par 23 personnages, des plus puissants aux plus faibles. Ce thème de l'égalité devant la mort, qui a marqué le Moyen Age, est traité ici avec un réalisme terrifiant.

L'art roman auvergnat s'est épanoui aux XIe et XIIe s. pour répondre à l'élan qui dès le Xe s. fit naître de nombreux édifices religieux. Les plus beaux exemples de ce style sont les églises d'Orcival, Saint-Nectaire, Issoire, et N.-D.-du-Port à Clermont-Ferrand, dont une des caractéristiques est la magnifique ordonnance du chevet dominé par un clocher octogonal.

De Brioude à Lavaudieu 69 km

En aval de Brioude, l'Allier, assagi, féconde une Limagne essentiellement agricole. Mais, plus au sud, la rivière se taille d'âpres gorges entre la Margeride et le Velay, et son cours rapide et tumultueux a dessiné des sites inattendus, où se perchent de vieux villages. Sur cet itinéraire, deux chefs-d'œuvre : la basilique St-Julien de Brioude et le cloître de Lavaudieu, le seul qui, en Auvergne, soit parvenu intact jusqu'à nous.

L'Allier, après des gorges escarpées et sauvages, en aval de Blassac, se calme et élargit sa vallée, près de Saint-Ilpize, irriguant sur sa rive orientale les premières cultures en pente douce de la Limagne.

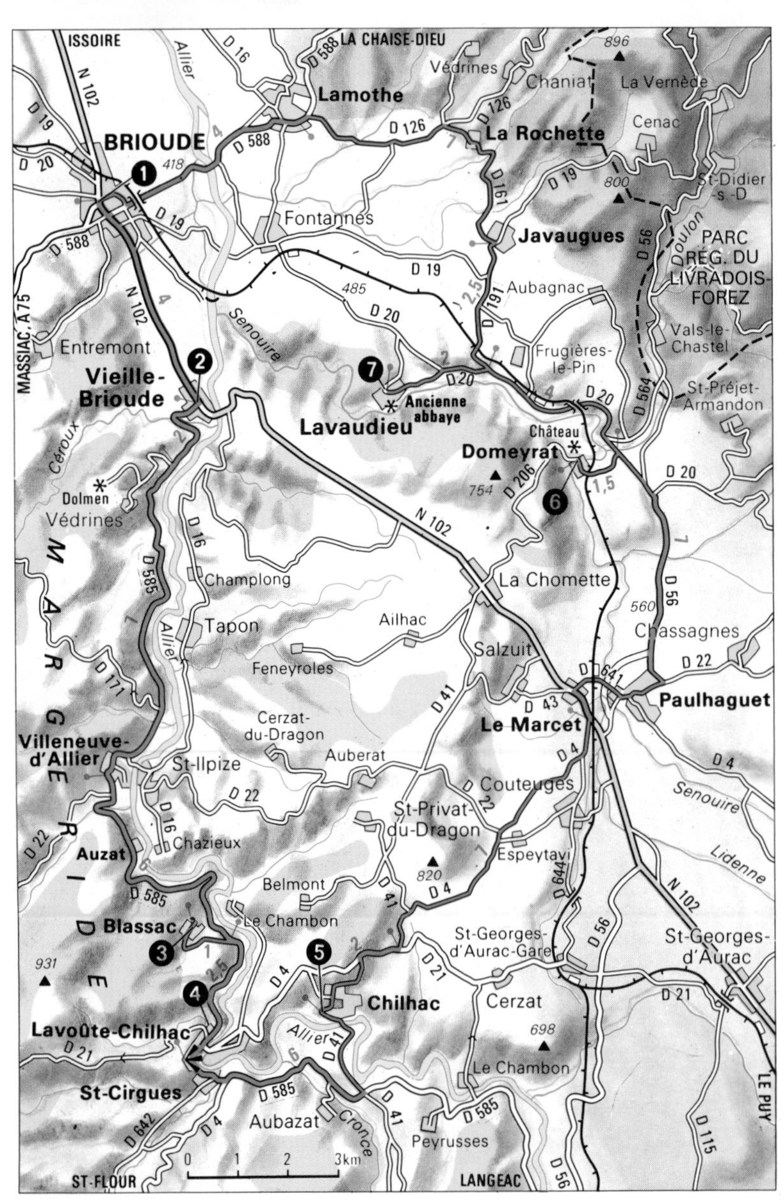

❶ **Brioude,** à l'extrême S. de la Limagne, commande la riche plaine de l'Allier. Ses vieilles maisons témoignent de l'activité, au Moyen Age, de cet important centre de pèlerinage au tombeau de saint Julien. La basilique, dédiée à ce saint, est un chef-d'œuvre de l'art roman, apparenté à celui d'Auvergne par l'ordonnance du chevet, où s'arrondissent les chapelles et le chœur aux fenêtres très ornées, et par l'utilisation des pierres de couleur. Elle s'en éloigne, en revanche, par son narthex à deux étages décoré de fresques et s'ouvrant sur la nef par une triple tribune. Le retable du maître-autel, une émouvante Vierge à l'oiseau (XIVe s.) en bois doré et un Christ « lépreux » (XVe s.), très réaliste, constituent, avec les fresques, les richesses de cet édifice.

❷ **Vieille-Brioude.** Voir photo.

❸ **Blassac,** un peu à l'écart de la route, est un petit village bâti sur une butte basaltique. Il recèle une église dont le chœur s'orne de fresques du XIVe s. découvertes en 1947.

❹ **Lavoûte-Chilhac** est baignée par l'Allier. Une courbe de la rivière isole, sur une presqu'île, une ancienne abbaye bénédictine, dont la longue façade classique est du XVIIIe s. Au-dessus, l'église Ste-Croix, construite en roches volcaniques, présente un chevet fortifié ; à l'intérieur, grand Christ roman en bois polychrome. Un pont en dos d'âne enjambe l'Allier (XIe-XVe s.).

Aux environs, *Saint-Cirgues* possède une charmante église romane (XIe-XIIIe s.), surmontée d'un clocher octogonal en forme de pain de sucre. A l'intérieur, bel ensemble de fresques.

❺ **Chilhac,** sur la rive opposée, occupe une plate-forme au sommet de curieuses orgues basaltiques, à l'aplomb de l'Allier.

❻ **Domeyrat.** Aux confins du Cantal, du Velay et de la Margeride, les collines ferment l'horizon. Les ruines du château (XVe s.) ont été dégagées ; on peut voir encore, sur la voûte de la chapelle, des fresques du XVIIe s. (ne se visite pas).

❼ **Lavaudieu** abritait au XIe s. une abbaye de Bénédictines. Il en reste l'ancienne abbatiale St-André, église romane dont les chapiteaux sculptés ont gardé leur décor original. Si le clocher de basalte a perdu sa flèche à la Révolution, il a conservé ses deux étages octogonaux. Le trésor de Lavaudieu est son cloître où s'ouvre, à l'étage, une galerie reposant sur des poutres de chêne (t.l.j., sauf mardi, de Pâques à la Toussaint ; t.l.j., 15 juin-15 sept. Rens. tél. : 71-76-45-89).

Vieille-Brioude rassemble autour de l'église romane de hautes maisons ocrées. Dominant par un à-pic les gorges de l'Allier, elle semble garder l'entrée des défilés de l'amont.

Barrages des gorges de la Truyère 250 km

Entre de mornes planèzes, anciennes coulées de lave inclinées en plateau, la Truyère a creusé des gorges profondes et sauvages. Mais l'ère de l'électricité a profondément modifié le paysage primitif, sans que celui-ci perde pour autant de son charme. Avec ses hauts barrages aux courbes élégantes, ses lacs-réservoirs où le regard se repose sur les eaux domptées de la rivière, l'imposant complexe hydro-électrique de la Truyère, conçu dans le respect de l'environnement, où il s'intègre avec bonheur, a transformé la vallée et lui a donné une toute nouvelle beauté.

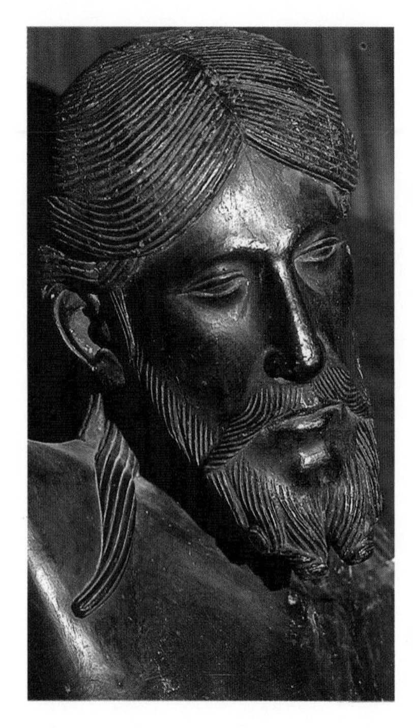

Saint-Flour. Le Beau Dieu noir. C'est le nom que l'on donne à ce grand Christ sculpté sur bois au cours du XIIIe s.

❶ **Entraygues-sur-Truyère,** situé au confluent du Lot et de la Truyère, est une petite cité qui semble sortir du Moyen Age (voir photo), alors qu'à quelques kilomètres seulement en amont se dresse déjà le *barrage de Cambeyrac,* **lequel sert de régulateur à la succession d'ouvrages hydro-électriques qui jalonnent la vallée de la Truyère. Situé près d'un pont gothique du XIIIe s., ce barrage est équipé des groupes expérimentaux prévus pour les usines marémotrices et les basses chutes en rivière.**

❷ **Mur-de-Barrez** est perché sur une colline dominant la Bromme, affluent de la Truyère. Du haut de la butte du calvaire, où subsistent les ruines de l'ancien château, la vue s'étend sur un vaste panorama : monts du Cantal, vallée de la Bromme, monts d'Aubrac, Barrez et Carladès. Le bourg a conservé ses ruelles étroites, bordées de maisons traditionnelles, aux toits pentus ; le style de l'église est composite : nef romane, portail du XIVe s., chœur du XVIIe.

❸ **Brommat** possède une église romane au clocher délicat et un château du XVIe s. Mais ce village doit surtout d'être connu à l'ensemble hydro-électrique de Sarrans-Brommat, l'un des plus importants de France.

Le barrage de Sarrans est haut de 105 m, long de 220 m ; sa production peut dépasser 1 milliard de kWh par an. L'usine hydro-électrique, devenue automatique, ne se visite plus. Sur le lac-réservoir, vaste de 1000 ha, on peut faire du bateau, du ski nautique, se baigner (baignade non surveillée). On s'y rend par les gorges sauvages de la Bromme, puis par celles de la Truyère, dont on suit le cours dans l'une de ses rares parties qui n'ont pas été transformées en retenues. Malgré l'intervention de l'homme, le paysage boisé demeure d'une grande beauté. Du belvédère du Jou, aménagé sur la rive droite, on découvre le site de Laussac. Bâti sur une éminence, le village s'est retrouvé campé sur une presqu'île lors de la mise en eau du barrage. Après le belvédère, on traverse le Brezons, affluent de la Truyère, par un pont suspendu.

❹ **Sainte-Marie.** En aval de Sainte-Marie, on aperçoit le pont de Tréboul, ouvrage moderne qui remplace l'ancien pont gothique. Ce dernier, construit par les Anglais au XIVe s., a été noyé sous les eaux de la retenue de Sarrans, mais il réapparaît, intact, en période de basses eaux. Le bourg de

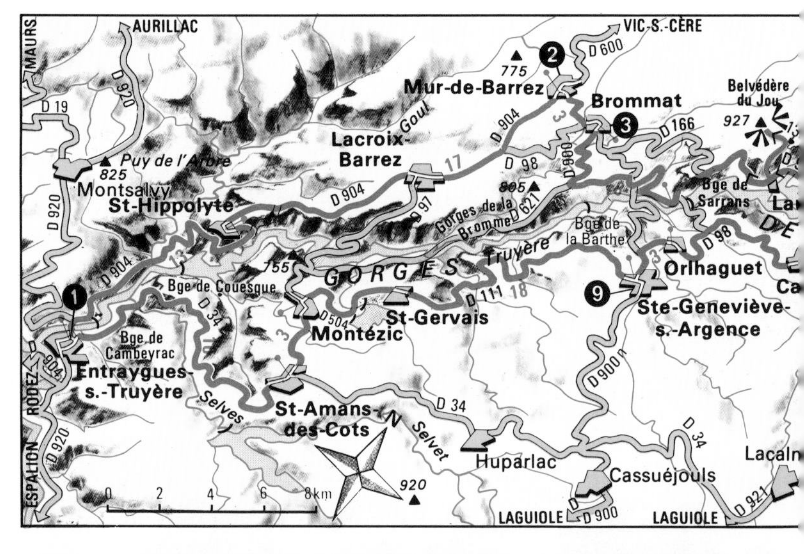

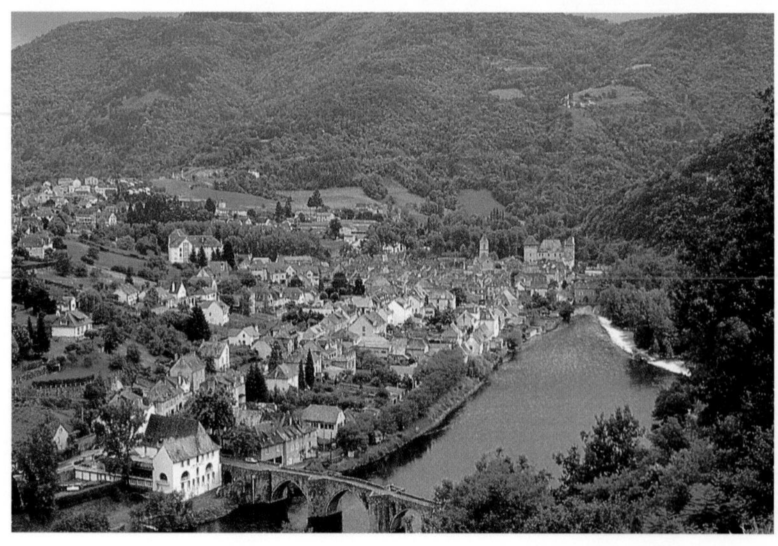

Entraygues-sur-Truyère a conservé la plupart de ses vieilles maisons des XVe et XVIe s. Le château, bâti au XIIIe s. par Henri II, comte de Rodez, est flanqué de deux tours carrées à mâchicoulis.

Sainte-Marie groupe ses maisons sur une hauteur dominant la Truyère.

Pont-de-Rochebrune est dominé par son château, qui surmonte un piton basaltique (ne se visite plus).

❺ **Alleuze.** Sur un éperon dénudé aux teintes chaudes se dressent les ruines du château d'Alleuze, au donjon rectangulaire flanqué de quatre tours rondes. Le château, ayant servi pendant sept ans de repaire à des pillards, fut incendié par les habitants de Saint-Flour (voir photo).

❻ **Saint-Flour,** à près de 900 m d'altitude, forteresse inviolée, est bâti sur un escarpement volcanique. Dans la vieille ville haute, on parcourt à pied d'étroites ruelles où s'ouvrent de belles maisons anciennes, d'odorantes charcuteries... La cathédrale St-Pierre-et-St-Flour, d'un gothique austère à l'extérieur comme à l'intérieur, s'intègre parfaitement à l'architecture de cette ville-forteresse : sans ornement. Dans les huit chapelles latérales, on peut admirer de nombreux tableaux et des statues, mais le trésor est le Christ en croix (voir photo). L'ancien palais épiscopal, actuel hôtel de ville, abrite le musée de la Haute-Auvergne (ouv. t.l.j. de juin à sept. ; sauf dim. d'oct. à mai. Fermé j. fér.) consacré à l'art traditionnel et populaire ; la maison Consulaire abrite le musée Douët (t.l.j. de juill. à sept. ; sauf dim. d'oct. à juin. Fermé j. fér.) : reconstitutions historiques ; belle coll. de meubles, tapisseries, émaux, peintures, bois sculptés anciens. Le *viaduc ferroviaire de Garabit* fut construit, de 1882 à 1884, par Gustave Eiffel. Celui-ci appliqua la technique des éléments standardisés et substitua aux piles du tablier, long de 448 m, un arc métallique unique, d'une grande audace et d'une réelle élégance. L'ouvrage, qui s'élevait à 123 m, s'élance aujourd'hui à 95 m au-dessus de la retenue de Grandval.

Alleuze. Dominant la retenue du barrage de Grandval d'une trentaine de mètres, le château d'Alleuze, environné de sapins et de hêtres, s'intègre dans un des sites les plus romantiques d'Auvergne.

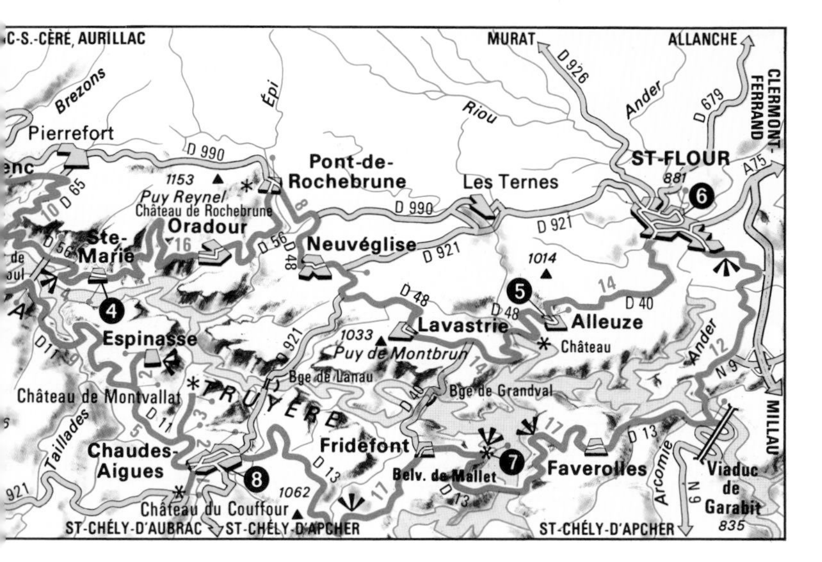

❼ **Le belvédère de Mallet,** qui porte le nom d'un village englouti, surplombe le *barrage de Grandval,* dont la retenue est la plus vaste et la plus élevée de tout le système hydraulique de la Truyère (292 millions de mètres cubes, 1 100 ha). Il est accessible à pied, à partir de la route. Le panorama, très ouvert, permet d'observer le site du barrage et le cours de la Truyère.

❽ **Chaudes-Aigues** doit son nom à ses sources chaudes, et sa notoriété, aux vertus antirhumatismales des eaux. L'eau de la source du Par, la plus chaude des sources en exploitation (entre 82 et 87 °C), a toujours servi aux divers usages domestiques, et en particulier au chauffage des maisons. Ces sources étaient déjà utilisées à des fins thérapeutiques par les Romains : radio-actives, ces eaux bicarbonatées sodiques servent à traiter les rhumatismes. Dans les rues de la ville, on remarque des statues de saints placées dans des niches vitrées. Dans l'église St-Martin-et-St-Blaise (XVe s.) se mêlent styles gothique et Renaissance. La chapelle des Pénitents abrite un retable en bois doré, un bénitier et des statues de saints du XVIIe s.

Le château du Couffour aurait été une importante forteresse flanquée de sept tours. Il n'en subsiste qu'un gros donjon, percé de petites ouvertures, et un pavillon carré. Du parc, joli panorama sur Chaudes-Aigues.

Le château de Montvallat possède des peintures sur lambris d'inspiration mythologique (le château ne se visite pas).

❾ **Sainte-Geneviève-sur-Argence.** Passé Chaudes-Aigues, la route remonte en pente raide et passe au pied d'Espinasse, qui surplombe les gorges de la Truyère, puis à *Orlhaguet*, qui s'enorgueillit d'une étonnante église fortifiée. Quelques kilomètres après, Sainte-Geneviève, petit bourg tranquille, est installée sur le plateau ras de l'Aubrac. Le circuit se termine par la traversée de *Saint-Amans-des-Cots*, dont l'église a une forme bizarre. Ensuite, la descente s'amorce ; la route s'insinue à travers bois pour rejoindre Entraygues-sur-Truyère par une corniche qui s'élève au-dessus de la Selves.

Route des Crêtes et plomb du Cantal 65 km 140 km

« L'Auvergne produit des ministres, des fromages et des volcans », si l'on en croit Alexandre Vialatte. Mais le haut pays a aussi produit... un pape et de l'or. Lignes parfaites, tantôt tout en douceur, tantôt tout en rudesse : on parcourt la vertigineuse route des Crêtes, on gravit le cône parfait du puy Mary, du plomb du Cantal, d'un seul regard on embrasse toute l'Auvergne, aux cités encore empreintes de leur passé moyenâgeux.

Murat. Sous cette mosaïque de toits gris, la vieille ville est un enchevêtrement de ruelles bordées de maisons traditionnelles. Au centre, l'église N.-D.-des-Oliviers (XVIe s.).

ITINÉRAIRE N° 1

❶ **Aurillac,** au débouché de la vallée de la Jordanne, est la capitale de la haute Auvergne. C'est de cette cité qu'est originaire le premier pape français, Gerbert, connu sous le nom de Sylvestre II. Proclamé en 999, il fut « le pape de l'an mille ». Sur la place qui porte son nom se dresse sa statue par David d'Angers. La maison Consulaire est le témoin de l'autonomie administrative de la ville. Au cœur du vieux quartier, les ruelles sont bordées d'hôtels Renaissance. Dans l'église N.-D.-aux-Neiges, Vierge Noire du début du XVIIe s. – époque à laquelle cette chapelle du couvent des Cordeliers, du XIVe s., fut restaurée, à l'exception de la sacristie qui est d'origine. L'église St-Géraud, plusieurs fois remaniée, a conservé quelques vestiges de l'église romane du XIe s. Au château St-Étienne, musée sur l'histoire géologique du Cantal et le volcanisme mondial ; présentation des milieux naturels ; coll. de minéralogie et de sciences naturelles (t.l.j., sauf lundi, de juin à oct. ; sur R.-V. d'oct. à mai. Rens. tél. : 71-48-07-00. Inform. sur le parc des Volcans t.l.j., sauf sam. et dim., tte l'année). Le musée d'Art et d'Archéologie abrite des vestiges de l'époque gallo-romaine et du Moyen Age ; peintures, coll. de photographies contemporaines (ouv. t.l.j., sauf dim. mat. et lundi, en juill.-août ; t.l.j., sauf dim. et lundi, du 15 févr. au 15 mars, et du 15 avr. au 15 nov., ainsi qu'aux vac. scol.).

❷ **Route des Crêtes.** Cette route mérite bien son nom ! Entre les vallées de l'Authre et de la Jordanne, elle suit une crête d'où l'on jouit, de part et d'autre, de vues impressionnantes. Puis on descend vivement vers Saint-Cirgues-de-Jordanne pour remonter ensuite la vallée de Mandailles (voir itinéraire 46).

❸ **Mandailles-Saint-Julien.** Le village de Mandailles est dominé par le cirque que forment, de gauche à droite, les puys Mary, de Peyre-Arse, de Bataillouse et Griou. C'est de ce bourg que partaient autrefois, à travers toute la France, les chaudronniers et les quincailliers auvergnats.

❹ **Pas de Peyrol.** Reliant Salers à Murat, ce col routier, enneigé d'octobre à mai, est le plus élevé de tout le Massif central (1 582 m). Après une forte montée, on franchit le col de Redondet ; on atteint le pas, d'où la vue sur le cirque du Falgoux (voir itinéraire 46) est exceptionnelle. Du pas de Peyrol, une excursion au puy Mary s'impose (voir texte encadré).

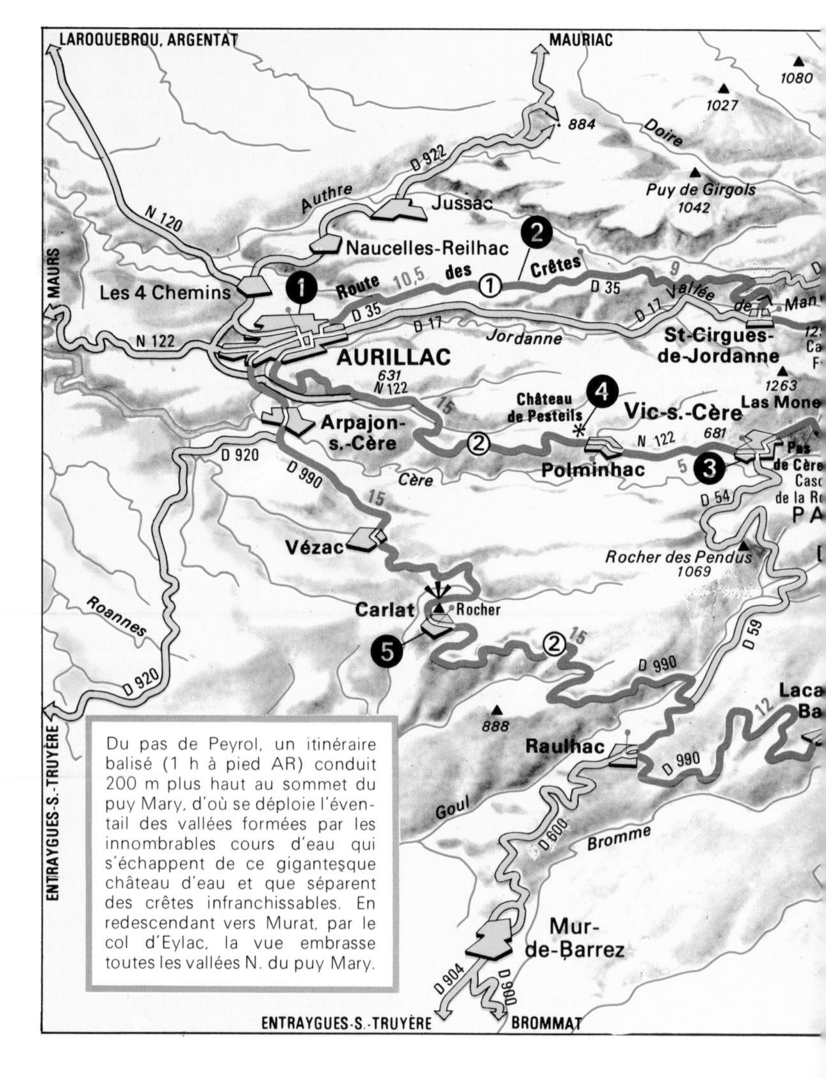

Du pas de Peyrol, un itinéraire balisé (1 h à pied AR) conduit 200 m plus haut au sommet du puy Mary, d'où se déploie l'éventail des vallées formées par les innombrables cours d'eau qui s'échappent de ce gigantesque château d'eau et que séparent des crêtes infranchissables. En redescendant vers Murat, par le col d'Eylac, la vue embrasse toutes les vallées N. du puy Mary.

❺ **Dienne** s'enorgueillit d'une église romane du XIIe s. renfermant un Christ en bois du XIIIe, une Nativité d'époque Louis XVI et un bénitier du XVIe s. en pierre sculptée. En passant par le col d'Entremont, vue au loin sur le massif des Monts-Dore.
❻ **Murat.** Voir photo.

ITINÉRAIRE N° 2

❶ **Plomb du Cantal.** Murat constitue un excellent point de départ pour la visite des monts du Cantal. Avec ses 1 858 m, le plomb du Cantal est le deuxième sommet du Massif central. Partie intégrante du parc naturel régional des Volcans, comme le puy Mary, il est accessible par de nombreux sentiers balisés, dont l'un part du Lioran (4 h AR). Mais son ascension est facilitée par le téléphérique de Super-Lioran (fermé de fin sept. à mi-déc.), qui mène au sommet (1 h AR avec une courte marche à pied). La forêt couvre les pentes jusqu'à une altitude de 1 500 m, puis laisse place à une herbe drue où l'on trouve encore de nombreuses espèces de plantes, dont certaines sont en voie de disparition. Juin est le mois le plus favorable à l'observation de la flore. Du sommet, vue sur tout le Massif central.
❷ **Thiézac,** sur la Cère, apparaît après que l'on a franchi le défilé du pas de Compaing, où la rivière s'enfonce dans des gorges étroites que longe la route en corniche. On peut admirer, dans l'église du village, un Christ assis au Calvaire, statue en bois peint du XVe s. En quittant Thiézac, on se dirige vers Las Moneyries, à 3 km, pour découvrir la *cascade de Faillitoux*, qui fait, sur des orgues basaltiques, une chute de plus de 30 m. En direction de Vic-sur-Cère, on franchit le *pas de Cère* (voir photo), qui fait communiquer les bassins de Thiézac et de Vic. La Cère s'insinue entre des falaises qui s'élèvent jusqu'à 80 m. Un sentier balisé permet de gagner (45 mn AR) une plate-forme surplombant la rivière. De là, on peut se rendre à la *cascade de la Roucolle*.

Pas de Cère. Au départ de Vic, une promenade (2 h 30 AR) permet de découvrir, au cœur du massif cantalien, le paysage paisible et verdoyant du pas de Cère.

❸ **Vic-sur-Cère** est une petite station thermale très fréquentée, dont les eaux sont recommandées pour combattre l'asthénie. Au cœur de la ville, les vieilles maisons sont regroupées autour de l'église. L'une d'elles, du XVe s., fut la résidence des princes de Monaco, qui tenaient de Louis XIII le pays de Carladès, dont Vic était la capitale (ne se visite pas).
❹ **Château de Pesteils.** Son donjon carré domine la vallée de la Cère. Du château et de son site émane un charme romantique (vis. t.l.j. en juill.-août ; l'apr.-m. seul. en mai-juin ; sur R.-V. en sept. Groupes, tél. : 71-47-44-36).
❺ **Carlat.** Le Carladès bénéficie d'un paysage riant, où jardins et vergers enserrent de vieilles maisons aux toits de lauzes. Des coulées de laves issues des volcans du Cantal, qui recouvrirent la région de basalte, il subsiste quelques sommets aux versants abrupts, tel le Rocher de Carlat, en haut duquel s'élevait jadis un château dont il ne reste que « l'escalier de la Reine », taillé dans le roc. Du rebord N. de la table que forme le Rocher, panorama sur les monts du Cantal.
❻ **Bredons** est bâti sur une colline de roches volcaniques, le Rocher de Bredons, d'où l'on domine la vallée de l'Alagnon. Dans le Rocher s'ouvrent des grottes qui servirent d'habitation et dont l'une est bien conservée. La petite église fortifiée (XIe s.) renferme plusieurs retables en bois sculpté dont un de 1720 et des stalles Renaissance (ouv. t.l.j. en juill.-août).

60

Châteaux des gorges de la Sioule

81 km

Les gorges de la Sioule constituent l'axe de ce circuit. En passant d'une rive à l'autre, on domine quelques-uns des sites les plus pittoresques des gorges et l'on découvre l'étrange relief que l'érosion des eaux a sculpté dans la masse de la roche granitique. L'itinéraire domine des sites historiques, églises et châteaux, jalons évocateurs d'une Auvergne qui connut, à l'ombre des imposants mais tranquilles sommets volcaniques, un passé glorieux, fait de luttes âpres et continuelles.

Pont de Menat. Ce pont roman à double pente, qui relie les rives boisées de la Sioule de ses quatre arches en plein cintre, est en amont d'une grande centrale thermique alimentée par les mines houillères de la région (Saint-Éloy-les-Mines).

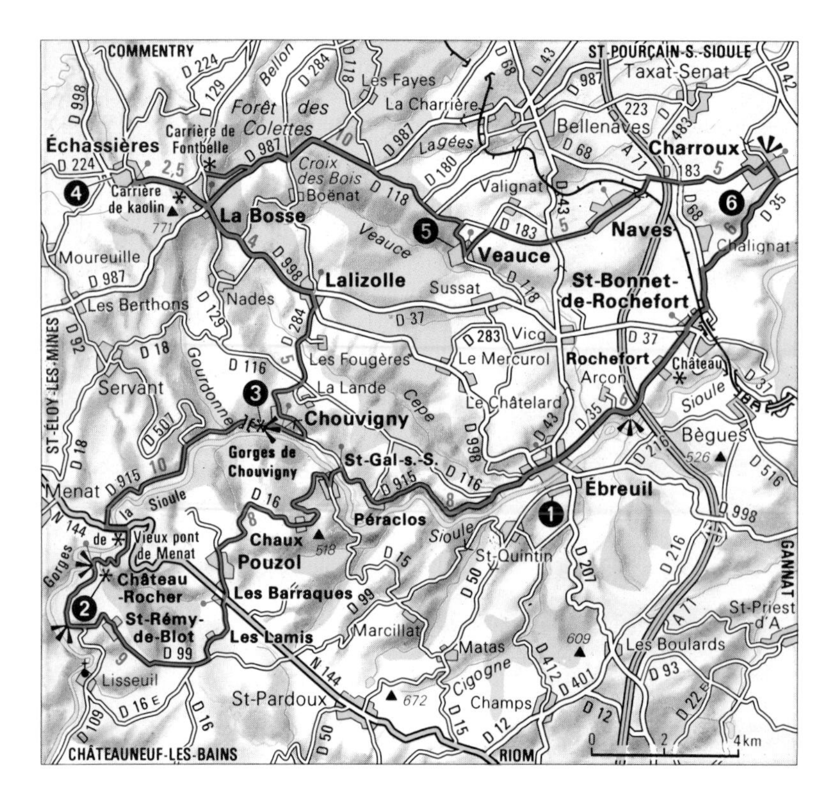

❶ **Ébreuil,** où la Sioule s'apaise avant de couler calmement en Limagne, est un gros bourg dominé par l'imposant clocher-porche à deux étages de son ancienne abbatiale St-Léger, dont le portail est surmonté d'un Christ bénissant et de deux apôtres. Elle abrite des peintures murales des XIIIe et XVe s. et, derrière l'autel, la châsse de saint Léger, en bois recouvert de cuivre argenté.

❷ **Château-Rocher** dresse ses ruines du XIIIe s. au-dessus des gorges où la Sioule s'enfonce en méandres. On quitte la rive droite en traversant la rivière à la hauteur du vieux pont de Menat (voir photo) pour gagner la rive gauche, au versant plus doux et voué aux cultures. Les passages larges alternent avec les défilés où, dans le tumulte, les eaux usent la roche, dégageant les pointes de granit.

❸ **Gorges de Chouvigny.** La route se faufile entre les rochers. Le roc Armand, isolé de la falaise, est accessible par un escalier taillé à même la muraille. Du sommet, belle vue sur les gorges, qui forment un véritable défilé long de 1 500 m d'amont en aval du village de Chouvigny, dont on remarque le château parmi les arbres et les escarpements granitiques.

❹ **Échassières.** Le château de Beauvoir (du XIIIe au XVe s.) est la propriété d'une des sociétés d'exploitation des kaolins (on ne visite plus). Extrait depuis des siècles, le kaolin est aujourd'hui encore expédié à Limoges ou exporté pour la fabrication des porcelaines — une carrière reste en activité ; on l'utilise également dans les revêtements de sanitaires et en pharmacie.

À *La Bosse*, visiter la Maison de la géologie, qui présente une belle collection de minéraux du monde entier (ouv. t.l.j. en été ; le dim. le reste de l'année). A 2 km au N. de La Bosse, on peut voir *Fontbelle*, une des carrières désaffectées de la forêt des Colettes. Couvrant plus de 1 600 ha, cette forêt est traitée en futaie : chênes, charmes, pins, épicéas ; plus de la moitié du peuplement est constituée de hêtres.

❺ **Veauce,** paroisse appartenant lors de sa fondation à l'abbaye d'Ébreuil, a gardé son église Ste-Croix, construite dans un bel appareil de pierre dorée. Cet élégant édifice roman du XIe s. est un témoin de l'expansion de l'art auvergnat, ici vers le nord. Comme l'église de Saint-Saturnin (Puy-de-Dôme), l'église Ste-Croix est dépourvue de chapelles rayonnantes. Le clocher carré est à deux étages.

❻ **Charroux** est un village fortifié bâti sur une hauteur. Des fortifications il reste l'un des bastions, la Porte d'Orient, et l'église du XIIe s., qui faisait partie intégrante du système défensif comme en attestent son clocher à flèche tronquée et une tour à créneaux en avancée. Le beffroi carré, qui s'élève sur la place, servait de tour de guet.

Bort-les-Orgues 55 km et le plateau de l'Artense

A l'orgueilleuse falaise de Bort-les-Orgues succède l'ondulant, le verdoyant plateau de l'Artense, que dominent les grands massifs volcaniques du Cantal, des monts Dore et du Cézallier. De petits lacs discrets, les uns d'origine glaciaire, les autres occupant le fond de cratères d'anciens volcans, jalonnent l'itinéraire (déconseillé en hiver) qui permet de découvrir les « troupeaux de roches polies, moutonnées », dus à l'érosion des glaces, qui parsèment le plateau de l'Artense proprement dit.

❶ **Bort-les-Orgues.** Le plateau volcanique qui domine la ville, à l'O., se termine en une grande falaise aux puissantes colonnades résultant du mode de refroidissement de la roche. Du sommet de cette table phonolithique, à 750 m d'altitude, on domine la région de l'Artense et ses bordures montagneuses. Vers le S.-E., sur le plateau de l'Artense proprement dit, on remarque bien le relief mouvant dû à l'ancien passage de la glace.

❷ **Pérol.** Dans le plateau granito-gneissique de l'Artense, troué de dépressions et accidenté de volumes rocheux, s'ouvre une vallée enfoncée d'une centaine de mètres, ancien lit de la Grande Rhue ; les glaciers y ont modelé les verrous (sortes de barres rocheuses), dont celui de Sarran est un des exemples les plus caractéristiques.

❸ **Lac de la Crégut.** Certaines dépressions du plateau sont occupées par des lacs. Celui de la Crégut (36 ha, 26 m de profondeur), d'origine glaciaire, est bordé de conifères et de prairies.

❹ **Lac de Laspialade.** Ce lac (5 ha, 12 m de profondeur) se niche entre une série de bosses rocheuses raclées et dissymétriques, « dos de baleines » sur lesquels on peut déceler des stries dues à la glace. Ce paysage, l'un des plus originaux de l'Artense, évoque certaines régions de Finlande ou d'Écosse.

❺ **Lac de la Landie.** Autre lac d'origine glaciaire, il est entouré de vastes tourbières, surtout dans l'angle S.-E. Depuis La Mareuge, on peut gagner à pied la pointe S.-O. du lac, où s'épanouissent des nénuphars (3,5 km AR).

❻ **La Godivelle.** A partir d'Église-Neuve-d'Entraigues s'ouvre le domaine des hautes terres du Cézallier, région de lande sur coulée de basalte du pliocène. Le lac d'en Haut y introduit une touche colorée : ses eaux bleues, profondes (43 m), occupent un cratère volcanique bordé de scories rouges d'âge récent. De la montagne de Janson (1 292 m), vue sur le massif montdorien, le Cézallier et le lac d'en Bas, ses marécages et ses tourbières (voir photo). Sur ce dernier, un sentier sur ponton permet de découvrir la flore remarquable des tourbières.

La Godivelle. au cœur des hauts plateaux sauvages et dénudés du Cézallier, le lac d'en Bas, peu profond, est bordé de tourbières.

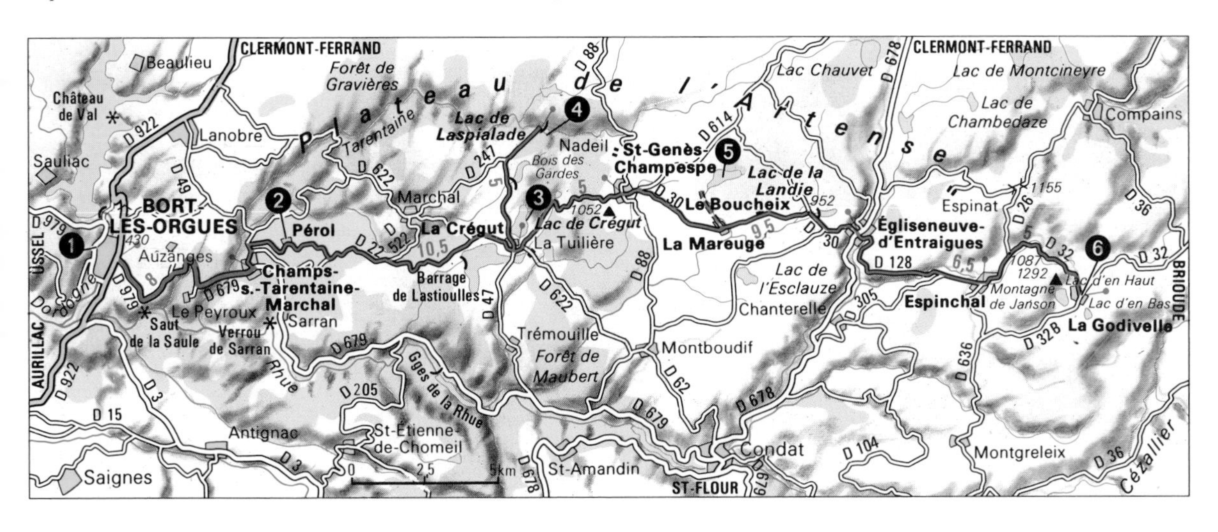

BERRY • NIVERNAIS SOLOGNE

Etang de Fontaines-en-Sologne, près de Bracieux. La multitude des étangs permet toutes sortes de pêches, en particulier au filet, comme ici.

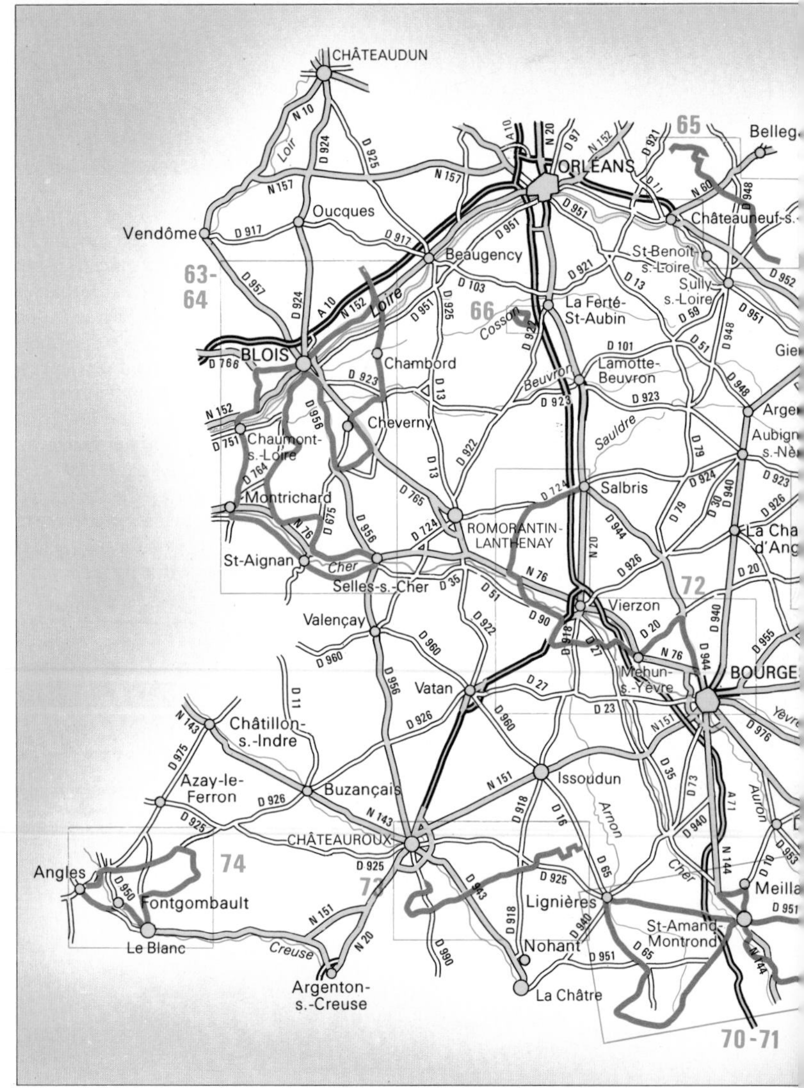

Rythme des bocages et coteaux Harmonie paysanne des villages

Le coude que la Loire, en son caprice, a amplement décrit enserre le Berry et ses approches. Quelle chatoyante tapisserie ces prodigieux artistes que peuvent être la nature, le paysan et le maître maçon — quand ils savent collaborer — ont-ils brodé là ! Sur un fond clair de plaines à boqueteaux, témoins du labeur continu des générations, se détachent les bocages de haies vives et, avec plus d'accent encore, les masses forestières. Mais ce sont les vallées, fraîches coulées où le peuplier ombrage le pré, où le village a trouvé le bonheur au pied du coteau recouvert de vignes, qui confèrent à l'ensemble son rythme. Et c'est la floraison de ses harmonieux assemblages de pierre et de brique qui donne à l'ouvrage toute sa richesse. Simple ferme aux lucarnes pointues, modestement décorée d'un rosier grimpant ; luxueux hôtel bourgeois s'ouvrant par un portail sculpté et couronné des pinacles des tours ; rude château féodal, gracieux manoir Renaissance ; église romane fermée par un chevet rayonnant, cathédrale gothique qu'illumine une verrière immense : quelle plongée dans le temps ! Et, dans tous les cas, quelle permanence dans le sens des volumes et dans l'élégance des formes ! Placez au premier plan un groupe de vignerons devisant gaiement : oui, voilà une bien chatoyante tapisserie.

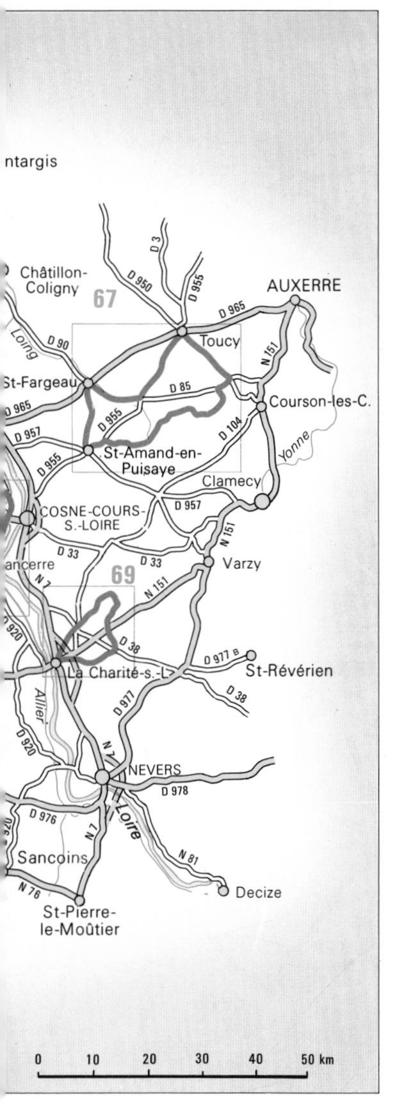

Bourges. Le palais de Jacques Cœur projette ses toits pointus dans le ciel clément du Berry.

62

Hauts lieux, trésors et paysages

Orléans est bâtie en demi-cercle, sur la rive droite de la Loire. Les quartiers centraux, ravagés pendant la Seconde Guerre mondiale, ont été reconstitués dans leur aspect d'autrefois, notamment la rue Royale, bordée d'hôtels du XVIIIe s. La ville s'ordonne autour de la place du Martroi (statue de Jeanne d'Arc) et de la cathédrale Ste-Croix, dont les parties les plus anciennes remontent au XIIIe s. (vis. guidées, tél. : 38-53-05-95). Ruinée pendant les guerres de Religion, la cathédrale porte les traces des interventions successives des rebâtisseurs. La visite du sous-sol archéologique permet de voir également les vestiges de trois édifices antérieurs. Orléans conserve un assez grand nombre de monuments où se marque la transition du gothique flamboyant à la Renaissance : hôtel Cabu (musée historique et archéologique de l'Orléanais, ouv. t.l.j., sauf mardi), église St-Aignan, église N.-D.-de-la-Recouvrance, hôtel des Créneaux. Voir les musées des Beaux-Arts (t.l.j., sauf mardi), et des Sciences naturelles (t.l. apr.-m., sauf mardi) et le centre Charles-Péguy (t.l.j. apr.-m., sauf sam., dim. et j. fér.). Au N., de longs faubourgs mènent presque à l'entrée de la vaste forêt d'Orléans (voir itinéraire 65). Sur l'autre rive, la jolie ville résidentielle d'Olivet offre la possibilité de promenades au bord du Loiret. En aval, le parc floral de la Source (vis. t.l.j., du 1er avr. au 11 nov. ; hors saison, t.l. apr.-midi) est englobé dans le campus universitaire le plus ancien et le plus étendu de France. A Orléans, les 7 et 8 mai, une fête grandiose commémore la délivrance de la ville par Jeanne d'Arc, à qui un musée est consacré (vis. t.l.j., mai-oct., sauf lundi ; t.l. apr.-midi, nov.-avr., sauf lundi).
Châteaudun ainsi que son château (voir p. 130-131) se dressent sur un promontoire entre la vallée du Loir et un vallon. Le musée de Châteaudun est célèbre grâce à sa très riche collection ornithologique.
Beaugency, petite cité très homogène, se souvient d'avoir été résidence royale et centre d'un commerce de vins. Autour d'une terrasse plantée de platanes donnant sur la Loire sont groupées des maisons médiévales et se dressent trois tours : la tour dite de César (36 m), un très beau donjon rectangulaire qui date de la fin du XIe s., la tour St-Firmin (50 m) et celle du château de Dunois, compagnon de Jeanne d'Arc. A l'intérieur, musée de l'Orléanais (vis. guid. t.l.j., sauf mardi. Expos. temp. Rens. : 38-44-55-23).
Chambord. Voir itinéraire 64.
Cheverny. Voir itinéraire 64.

Blois, située sur des collines rive N. de la Loire, offre une vue sur la Sologne à partir de la terrasse de son château (vis. t.l.j.). Construit sur les restes d'un château féodal, celui-ci présente d'admirables témoignages des styles successifs de la Renaissance (aile Louis XII et cour intérieure ; aile François Ier). Plus tard, Gaston d'Orléans transforma une autre aile et ouvrit les jardins. En contrebas des fossés, on voit l'église St-Nicolas, ancienne abbatiale du XIIe s. En amont, la fontaine Louis-XII, sur la paisible place du même nom, joyau d'architecture gothique flamboyante, est un des très rares témoignages de fontaine médiévale. Par la rue St-Honoré, où se dressent les hôtels d'Alluye et Denis-Dupont (XVIe), et la rue Pierre-de-Blois, aux demeures médiévales (maison dite de Denis Papin, en briques rouges), gagner le vieux quartier, autour de la cathédrale. Les rues, tortueuses, sont bordées de nombreuses demeures du XVIe s., notamment les hôtels Belot, Puits-Châtel et Sardini. Dans le château, musée des Beaux-Arts, Musée archéologique, ainsi que le musée Robert-Houdin, mémorial du prestidigitateur. Sur la rive gauche, dans le faubourg de Vienne, le Campo Santo, ancien cimetière à galeries, abrite un musée lapidaire. A 3 km de Blois, sur la rive gauche en direction d'Orléans, s'étend un parc de loisirs de 45 ha ; un plan d'eau est aménagé sur la Loire, le *lac de Loire*, pour les sports nautiques (ouv. de juin à oct.).
Chaumont. Voir itinéraire 63.
Montrichard. Voir itinéraire 63.
Saint-Aignan. Voir itinéraire 63.
Selles-sur-Cher. Voir itinéraire 63.
Valençay. Le château et le parc, où vivent de nombreux animaux, ont été dessinés par Philibert Delorme, à la Renaissance, mais la construction se poursuivit pendant deux siècles. Dans les appartements, nombreux souvenirs

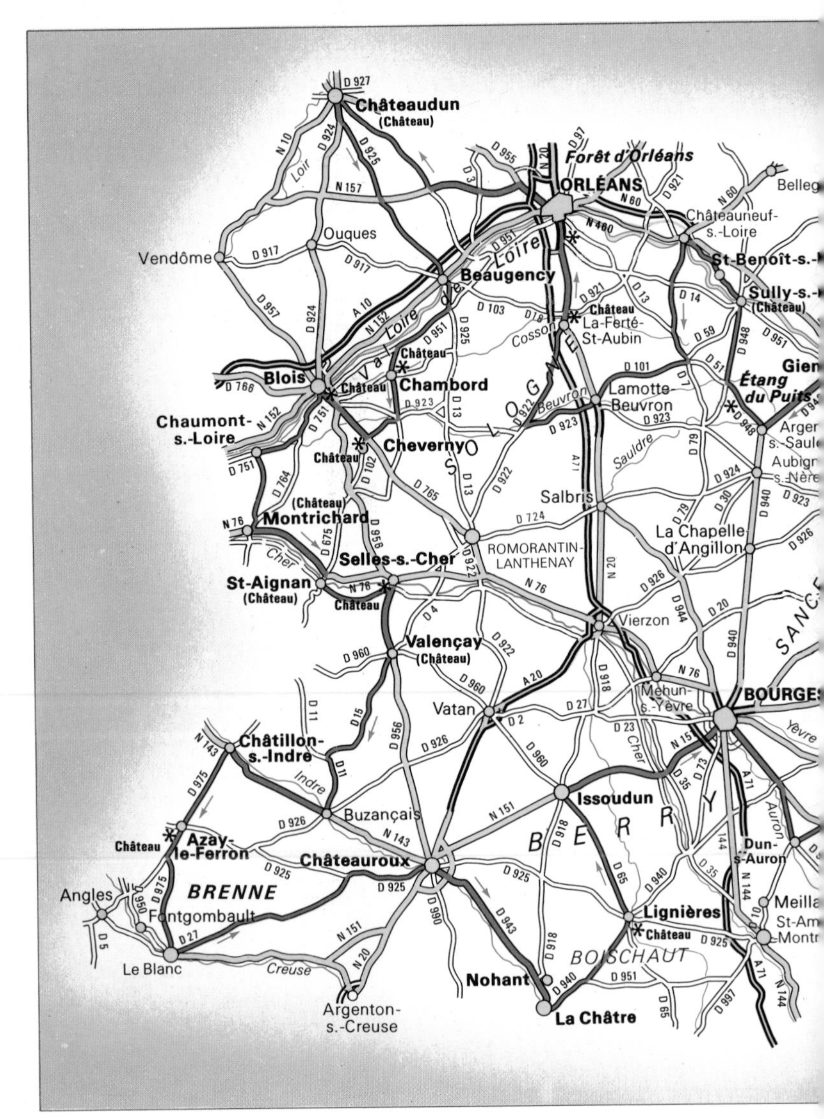

de Talleyrand, qui fut propriétaire du château (vis. guid. t.l.j., de mars à nov.). Dans le parc (vis. libre), musée de l'Automobile du Centre (t.l.j.).

Châtillon-sur-Indre. Un château (XVe s.) flanqué d'un énorme donjon circulaire du XIe s. (vis. : s'adresser au gardien) domine la ville et sa collégiale, de style roman-byzantin, qui possède de nombreux chapiteaux historiés et des stalles du XVIIe s.

Azay-le-Ferron abrite dans son château, qui remonte en partie à l'époque de François Ier, un beau mobilier (ouv. t.l.j., sauf mardi, d'avr. à sept. ; mercr., sam., dim. d'oct. à mars. Fermé j. fér. et en janvier).

La Brenne. Voir itinéraire 74.

Châteauroux, sur la rive gauche de l'Indre, doit son nom à l'antique château Raoul, rebâti au XVe s. sur des fondations datant de l'an 1000 ; il est occupé actuellement par la préfecture. Le musée Bertrand rassemble des souvenirs napoléoniens, ainsi qu'une collection consacrée au folklore et à la préhistoire de la région berrichonne ; musée lapidaire, archéologie, art contemporain (vis. t.l.j., sauf lundi, du 1er juin au 30 sept. ; t.l. apr.-m., sauf lundi, du 1er oct. au 31 mai. Fermé j. fér.).

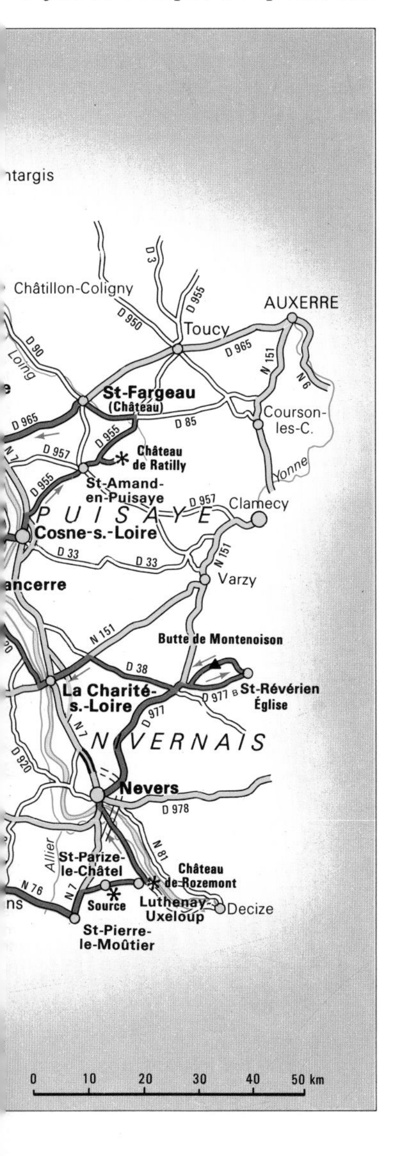

Nohant est un simple village, illustré par le souvenir de George Sand, qui y séjourna fréquemment à la fin de sa vie et qui repose dans le cimetière local. Sa maison (vis. t.l.j. Groupes, tél. : 54-31-06-04) est restée inchangée depuis sa mort. Alentour de Nohant s'étend le Boischaut, pays dont les villages ont servi de cadre à plusieurs romans de George Sand. A *La Châtre*, un musée est consacré à l'auteur et à sa région (vis. t.l.j. Fermé en janvier).

Lignières. Voir itinéraire 71.

Issoudun s'étend au pied d'une butte érigée par l'homme, où s'élève la tour Blanche, donjon du XIIe s. L'ancien hôtel-Dieu (XIIe-XVIIe s.) abrite un musée qui a été entièrement réaménagé ; dans l'apothicairerie, on verra notamment près de 380 pièces de faïence de Nevers (t.l.j., sauf mardi, 15 avr.-15 oct. ; le reste de l'année, lundi, mercr., jeudi apr.-m. ; vendr., sam., dim. tte la journée).

Bourges. Voir itinéraire 72.

Dun-sur-Auron fut autrefois une place forte importante, puis un centre d'exploitation de mines de fer. L'église, d'origine romane, est ornée de retables du XVIe s. D'assez nombreuses maisons anciennes bordent encore les ruelles de la vieille ville.

Saint-Pierre-le-Moûtier, ancienne place forte, a gardé des vestiges de son enceinte : tours, pans de remparts et fossés. L'église St-Pierre (XIIe et XIIIe s.) a été restaurée au XVe s. Son portail N. s'orne d'un tympan sculpté (XIIIe s.). Dans le bourg, plusieurs demeures Renaissance sont bien conservées.

Saint-Parize-le-Châtel. L'église (XIIe s.) possède une très belle crypte : chapiteaux sculptés, pierre tombale. Au N. de Luthenay-Uxeloup, une petite route mène au *château de Rozemont*, château fort du XIIIe s. en ruine ; emprunter le sentier qui fait le tour de l'enceinte.

Nevers est construite en amphithéâtre sur la rive droite de la Loire, au confluent de la Nièvre. Capitale de l'ancien Nivernais, elle garde des vestiges de son activité d'art industriel, la faïencerie. On peut d'ailleurs visiter le musée de la Faïence (ouv. t.l.j., sauf mardi) : sculptures, beaux-arts, très belles faïences de Nevers. Le palais ducal est un exemple de succession du style gothique et du style Renaissance (on ne visite pas). La cathédrale est un édifice imposant bâti du XIIe au XVIe s. Dans l'église St-Étienne, du XIe s., Vierge noire, en bois, du XVe s. Le Musée archéologique est installé dans la porte du Croux (t.l.j., sauf lundi matin et mardi. Groupes sur R.-V., tél. : 86-59-17-85).

Saint-Revérien possède une église du XIIIe s. Tout près, *la butte de Montenoison* est le point le plus élevé du Nivernais (417 m).

La Charité-sur-Loire s'est formée autour de l'ancienne abbaye bénédictine de Ste-Croix, dont il ne reste que le logis du prieur et l'église abbatiale. Malgré l'incendie et l'effondrement de la nef pendant les guerres de Religion, l'église garde des parties imposantes du plus pur style roman bourguignon, notamment l'abside, le tympan du portail et les chapiteaux du chœur. Du vieux pont de pierre (XVIe s.) sur la Loire, vue d'ensemble sur la ville (voir aussi photo, p. 137).

Sancerre. Voir itinéraire 68.

Saint-Amand-en-Puisaye, château de Ratilly. Voir itinéraire 67.

Saint-Fargeau. Voir itinéraire 67.

Gien. Longtemps connue comme l'une des capitales de la faïence, Gien est dominée par un château du XVe s. où l'on a installé un musée international de la Chasse : collection d'armes, salle de la fauconnerie, peintures, tapisseries (t.l.j., mai au 31 oct. ; sauf lundi le reste de l'année. Fermé Noël, et janv. à mi-févr.). Voir aussi le musée de la Faïence (t.l.j., sauf j. fér.). Les quartiers du bord de la Loire, ravagés pendant la guerre, ont été reconstruits dans le style traditionnel.

Étang du Puits. Situé au N.-O. d'Argent-sur-Sauldre, c'est le plus vaste étang de la Sologne avec une superficie de 180 ha. En été, baignade surveillée et canotage.

Sully-sur-Loire a été presque entièrement reconstruite après la dernière guerre, qui a, en majeure partie, épargné le château de Sully. C'est une construction double : d'une part, un château fort d'aspect redoutable, formant un rectangle flanqué de tours et dont la haute charpente (1363) est intacte ; d'autre part, un petit château transformé dans le goût classique par Sully lui-même (t.l.j., de mars à nov.).

Saint-Benoît-sur-Loire, ancien siège de l'abbaye bénédictine de Fleury, possède toujours sa superbe église, romane pour la plus grande part, précédée d'un clocher-porche du XIe s. La crypte abrite les restes de saint Benoît, rapportés par les moines du Monte Cassino après la ruine de leur abbaye au VIIe s. L'abbaye de Fleury connaît son apogée aux XIe et XIIe s. – elle fonde alors de nombreux prieurés. A la Révolution, les bâtiments conventuels sont détruits mais l'abbatiale, devenue église paroissiale, est épargnée (vis. guid. t.l.j., mai-sept., dim. et fêtes à 15 h 15 et 16 h 30. Groupes sur demande écrite). Depuis 1944, la vie monastique a repris à Saint-Benoît. On peut assister aux messes.

La Ferté-Saint-Aubin. On remarquera le château de La Ferté-Saint-Aubin, qui fut reconstruit au XVIIe s. sur les dessins de François Mansart. C'est un exemple caractéristique de l'architecture des gentilhommières de Sologne (t.l.j., 15 mars-11 nov. ; mercr., sam., dim., apr.-m. le reste de l'année. Vac. scol., t.l. apr.-m.).

Châteaux royaux 148 km et forêts du Blésois 98 km

Dans la boucle que forment le Cher et la Loire, à l'orée de la Sologne, s'élèvent les tours des nombreux châteaux du Blésois. Demeures royales comme Chambord, ou manoirs un peu oubliés comme Talcy et Villesavin, ils ont, pendant près de deux siècles, servi de décor à l'histoire de la dynastie des Valois, de Charles VII à Henri III. Bâtiments remis au goût du jour ou créations originales, ils témoignent, pour la plupart, de l'extraordinaire richesse artistique de la Renaissance.

ITINÉRAIRE N° 1

❶ **Chaumont-sur-Loire.** Dressé sur un coteau boisé au-dessus de la Loire, le château a, de loin, une allure de forteresse ; mais de près tout change, et la rudesse féodale fait place à l'élégance de la Renaissance. De la terrasse, la vue s'étend sur la vallée de la Loire et, au-delà, sur la Gâtine. A l'intérieur : magnifiques tapisseries et, dans la salle du Conseil, carrelage en faïence émaillée exécuté à Palerme au XVIIe s. (vis. t.l.j., sauf 1er janv., 1er mai, 1er et 11 nov., 25 déc.). Visite libre du parc. Superbes écuries (voir photo).

❷ **Montrichard** a conservé de nombreux édifices anciens : l'église N.-D.-de-Nanteuil, au portail flamboyant, la maison du Prêche (XIIe s.), la maison de l'*Ave Maria* (XVIe s.) et l'hospice, ancien hôtel d'Effiat (XVe-XVIe s.). Le donjon (ne se visite plus) dresse sa masse imposante au-dessus des vestiges des trois enceintes. Musée : paléontologie, archéologie, folklore, etc. Vols de rapaces en liberté (15 h 30, 17 h, vis. de la volerie le matin. Pour tous rens., tél. : 54-32-05-10).

❸ **Saint-Aignan** est fier de son ancienne collégiale, qui renferme de nombreux chapiteaux sculptés et des fresques dont un Christ en majesté du XIe s. De la terrasse du château Renaissance (on ne le visite pas), auquel un majestueux escalier de 140 marches donne accès, belle vue sur le Cher et sa vallée. La ville a aussi de quoi satisfaire les amateurs de sports nautiques : plage, club de voile (ouv. mai-oct. Rens. tél. : 54-75-06-10).

❹ **Selles-sur-Cher.** L'église N.-D.-la-Blanche, malgré les restaurations, reste pour l'essentiel un édifice roman du XIIe s. ; deux frises sculptées en ornent le chevet. Dans un parc aux arbres centenaires s'élèvent une austère forteresse du XIIIe s. et un charmant bâtiment XVIIe en tuffeau et brique rouge (vis. avec anim. t.l.j., 1er juill.-15 sept. ; l'apr.-m. le reste de l'année. Groupes sur R.-V.). La nef romane de l'église de *Couddes* est ornée de peintures murales du XIIIe s.

❺ **Thésée.** Des ruines témoignent de l'existence de ce village au IIe s. Dans la mairie, un musée archéologique expose les objets découverts au cours des fouilles (vis. t.l.j., sauf mardi, du 15 juin au 15 sept. ; sam., dim. et j. fér., l'apr.-midi, du 15 sept. au 15 oct. ; le sam., de Pâques au 15 juin. Hors saison, tél. : 54-71-40-20).

❻ **Fougères-sur-Bièvre.** Édifié au XVe s. par Pierre de Refuge, trésorier de Louis XI, le château est typique de la construction médiévale. Autour d'un donjon carré du XIe s., les tours rondes et les murailles forment un bloc compact. Il s'en dégage une impression de force et de sévérité qu'atténuent à peine les aménagements faits à la Renaissance (vis. t.l.j., 1er avr.-30 sept. ; sauf mardi, le reste de l'année).

Château de Chambord. Les hautes cheminées de pierre sont ornées de cercles et de losanges d'ardoise. Le château n'en possède pas moins de 365 et 63 escaliers.

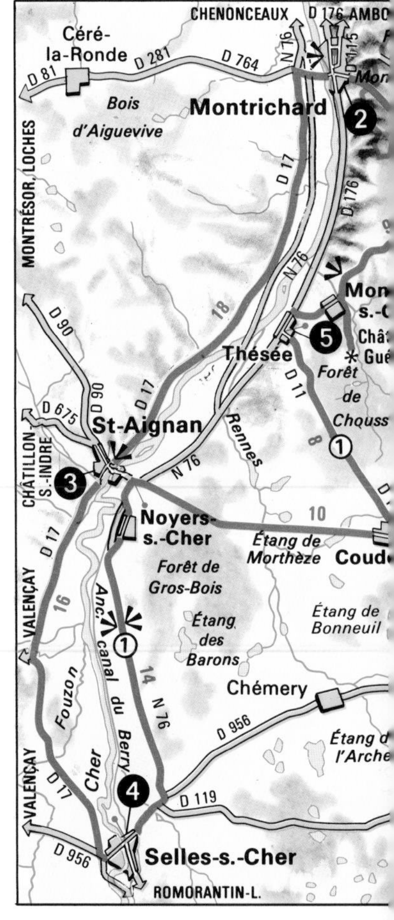

ITINÉRAIRE Nº 2

❶ **Menars.** Le château, acheté en 1760 par Mme de Pompadour, qui le fit remanier par Gabriel et Soufflot, est une élégante demeure construite au milieu de jardins à la française s'étageant en terrasses au-dessus de la Loire (ne se visite plus).

❷ **Talcy.** De Mer, une route bordée de rosiers mène au château de Talcy, construit au XVIe s. par le père de la belle Cassandre qu'aima Ronsard. C'est une demeure sobre, que des proportions harmonieuses et la douceur du parc rendent charmante. On peut y admirer un pigeonnier du XVIe s. et un pressoir du XVIIe (vis. t.l.j., de mai à sept. ; sauf mardi et j. fér. le reste de l'année).

❸ **Chambord.** Au centre d'un parc giboyeux, clos d'un mur de 32 km de long et percé de six portes encadrées chacune d'un pavillon de chasse, s'élève le merveilleux château que François Ier fit construire. Le parc est une importante réserve de faune sauvage (700 cervidés, 900 sangliers). Son accès est limité, mais 800 ha environ sont ouverts aux promeneurs. Des aires de pique-nique y sont aménagées, et des miradors permettent d'observer les animaux.

❹ **Villesavin.** Après Bracieux, où l'on peut admirer la vieille halle, on gagne le château de Villesavin. C'est une gracieuse construction Renaissance, typique de l'école de Loire, dont la cour est ornée d'une belle vasque italienne. Dans les communs, curieuse collection de voitures anciennes (ouv. t.l.j., du 1er mars au 30 sept. ; l'apr.-midi du 1er oct. au 20 déc. ; fermé du 20 déc. au 1er mars).

❺ **Cheverny.** Le château, de style Louis XIII, d'une grande unité de conception, exhale pourtant une certaine froideur. Mais, à l'intérieur, le mobilier et la décoration sont authentiques et forment un des ensembles de cette époque les plus complets existant en France. Dans les communs : musée de vénerie (vis. t.l.j.).

❻ **Beauregard.** Adossé à la forêt de Russy, le château de Beauregard domine le Beuvron. Bâti au XVIe s. par Jean de Thiers, ami de Ronsard, il est resté d'une élégante simplicité malgré des remaniements aux XVIIe et XIXe s. On y verra la galerie des Portraits et le cabinet des Grelots (t.l.j., d'avr. à fin sept. ; sauf mercr. le reste de l'année. Fermé 25 déc. et en janvier).

Chaumont-sur-Loire. Les écuries du château surprennent par leurs proportions et leur luxe. Construites en 1877, elles pouvaient abriter jusqu'à 42 chevaux.

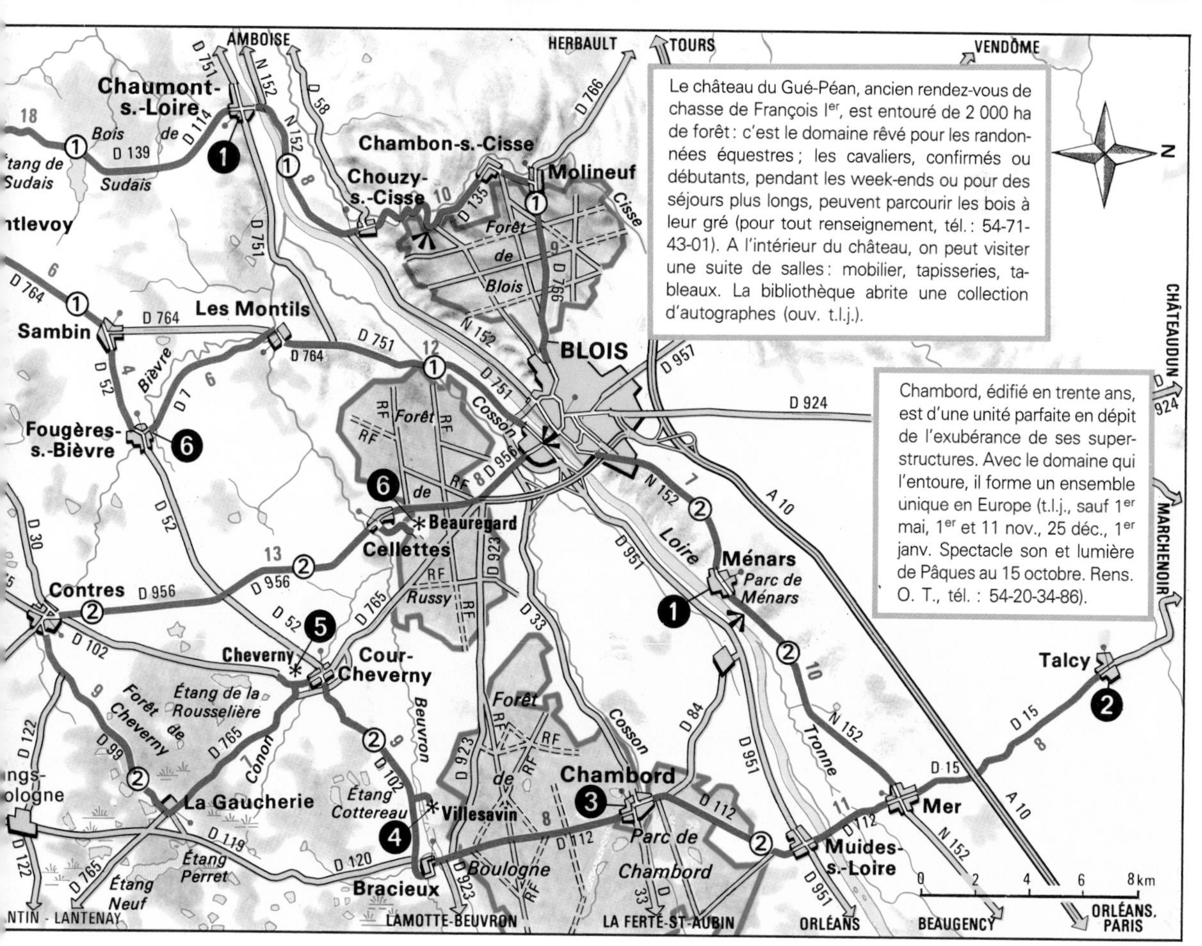
Le château du Gué-Péan, ancien rendez-vous de chasse de François Ier, est entouré de 2 000 ha de forêt : c'est le domaine rêvé pour les randonnées équestres ; les cavaliers, confirmés ou débutants, pendant les week-ends ou pour des séjours plus longs, peuvent parcourir les bois à leur gré (pour tout renseignement, tél. : 54-71-43-01). A l'intérieur du château, on peut visiter une suite de salles : mobilier, tapisseries, tableaux. La bibliothèque abrite une collection d'autographes (ouv. t.l.j.).
Chambord, édifié en trente ans, est d'une unité parfaite en dépit de l'exubérance de ses superstructures. Avec le domaine qui l'entoure, il forme un ensemble unique en Europe (t.l.j., sauf 1er mai, 1er et 11 nov., 25 déc., 1er janv. Spectacle son et lumière de Pâques au 15 octobre. Rens. O. T., tél. : 54-20-34-86).
AMBOISE
HERBAULT
TOURS
VENDÔME
Chaumont-s.-Loire
Chambon-s.-Cisse
Chouzy-s.-Cisse
Molineuf
Forêt de Blois
Les Montils
Sambin
BLOIS
Fougères-s.-Bièvre
Beauregard
Cellettes
Forêt de Russy
Contres
Cheverny
Cour-Cheverny
Forêt de Cheverny
Étang de la Rousselière
La Gaucherie
Étang Cottereau
Villesavin
Bracieux
Étang Perret
Étang Neuf
Forêt de Boulogne
Chambord
Parc de Chambord
Ménars
Parc de Ménars
Muides-s.-Loire
Mer
Talcy
Loire
Cosson
Beuvron
Tronne
CHÂTEAUDUN
MARCHENOIR
LAMOTTE-BEUVRON
LA FERTÉ-ST-AUBIN
ORLÉANS
BEAUGENCY
ORLÉANS, PARIS
0 2 4 6 8 km

CHATEAUDUN

Entre la plaine de Beauce au N. et le Val de Loire au S., le socle rocheux de Châteaudun, qui commande la vallée du Loir, fut couronné dès le VIe s. par une forteresse dont il ne reste aucun vestige; relevée de ses ruines au Xe s., elle fut de nouveau détruite; du château, une fois de plus reconstruit, il ne subsiste que le donjon, qui date du XIIe s. A la fin du XVe s., Dunois, le compagnon de Jeanne d'Arc, entreprend la construction de l'édifice actuel; son petit-fils, François II de Longueville, poursuivra son œuvre. L'ensemble n'offre pas seulement un exemple unique d'alliance des architectures romane, gothique et Renaissance. C'est surtout un témoin précieux de la transition entre l'art gothique et l'art de la Renaissance. C'est enfin le repère d'un moment charnière : le passage du Moyen Age, où dominaient les exigences militaires, aux temps modernes, quand s'ébauche un nouvel art de vivre. En ce sens, on peut dire que Châteaudun est bien le premier des châteaux de la Loire.

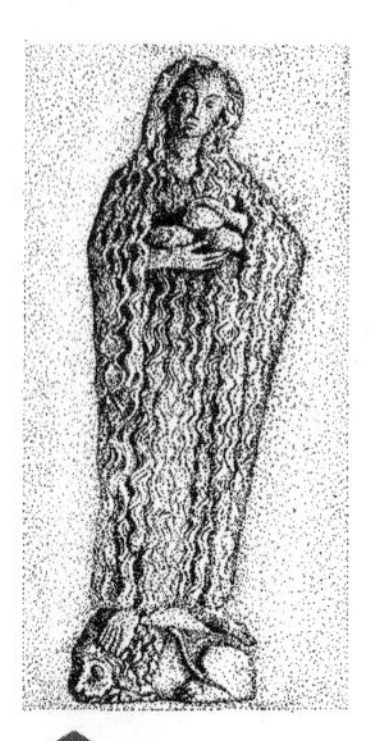

Statues de la fin du XVe s. Sainte Marie l'Égyptienne (à gauche) et sainte Barbe (à droite). Leur facture rompt avec le maniérisme du siècle précédent.

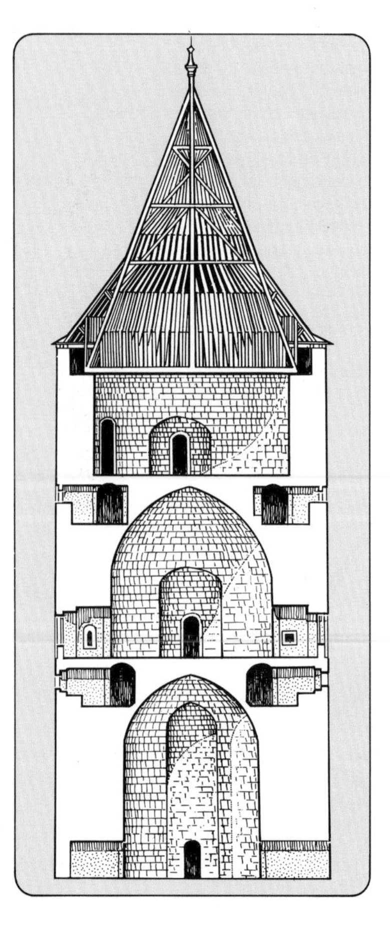

Le donjon. Alors qu'il détruisit l'ancien logis, Dunois épargna le donjon, grosse tour ronde, haute de 31 m, de 17 m de diamètre et dont les murs atteignent jusqu'à 4 m d'épaisseur. L'ouvrage est à trois étages superposés. A chaque retombée, des galeries circulaires ont été creusées à même la maçonnerie. La charpente est vraisemblablement du XVe s.

Façade ouest. La haute muraille du château se dresse à plus de 60 m au-dessus du Loir. Elle est tournée vers le N., d'où venaient les envahisseurs.

Sainte Madeleine. Cette statue du XVᵉ s. se trouve dans l'abside de la chapelle basse.

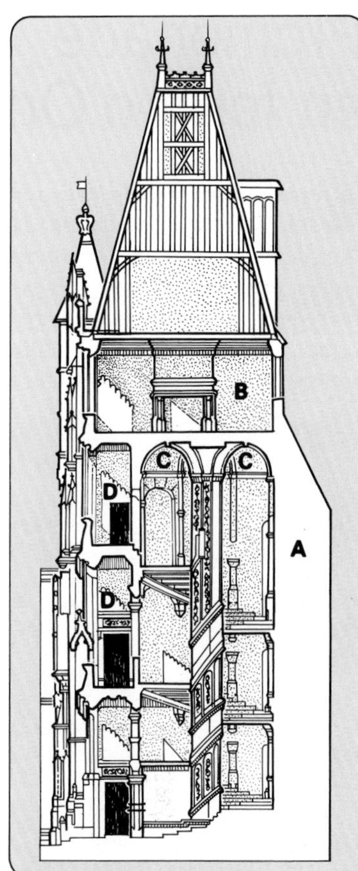

L'escalier. La tour carrée (**A**), dans laquelle il est logé, se termine par une chambre (**B**). Cet escalier à vis au noyau décoré de motifs Renaissance a des arcatures gothiques (**C**). Entre l'escalier et la façade s'ouvrent des loggias (**D**).

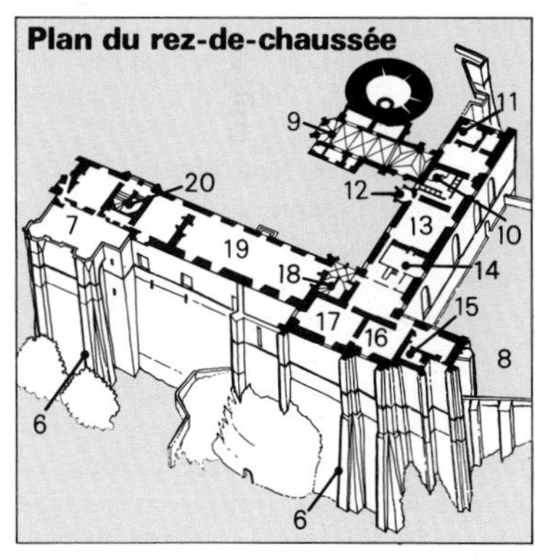

Le château et perspective du rez-de-chaussée. 1. Chemin de ronde. **2.** Échauguettes. **3.** Mâchicoulis. **4.** Fenêtres à meneaux. **5.** Pavillons. **6.** Contreforts à ressauts. **7.** Terrasse. **8.** Jardins. **9.** Sainte chapelle. **10.** Tribunal révolutionnaire. **11.** Cabinet lambrissé. **12.** Escalier extérieur gothique. **13.** Grande salle. **14.** Chambre à alcôve. **15.** Retrait rajouté au XVᵉ s. **16.** Pièce à boiseries, datant du XVIIIᵉ s. **17.** Pièce aux monogrammes et fleurs de lis. **18.** Escalier gothique. **19.** Galerie Renaissance. **20.** Escalier Renaissance.

Le château se visite t.l.j. (sauf 1er mai, 1er nov., 11 nov., 25 déc., 1er janv.), tél. : 37-45-22-70.

65

Promenade 40 km en forêt d'Orléans

La forêt domaniale d'Orléans (34 600 ha) est formée de trois massifs : Orléans, Ingrannes et Lorris. Le sous-sol est composé de sables et d'argiles. Le peuplement comprend surtout des chênes et des pins sylvestres, et le sous-bois est occupé par la bruyère et la fougère-aigle. La forêt abrite une riche faune : cerfs et biches, chevreuils, sangliers, lièvres, faisans, canards. Certains reboisements de jeunes chênes ont dû être protégés par des clôtures et sont inaccessibles.

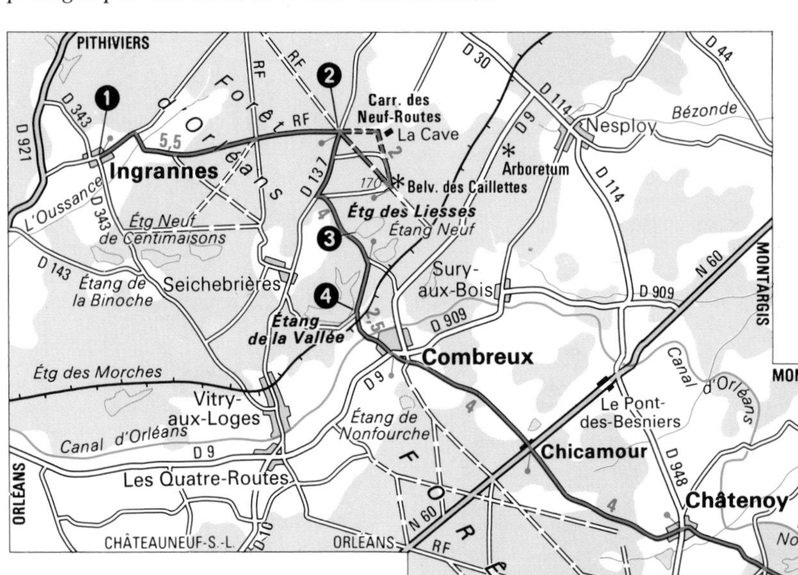

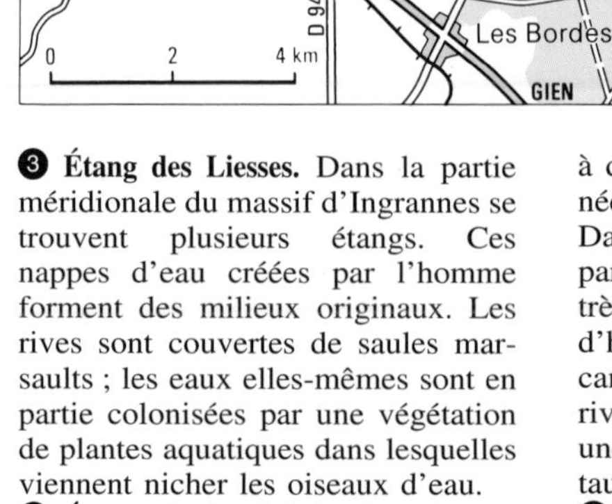

❶ **Ingrannes.** Prendre la route forestière en direction du carrefour des Neuf-Routes ; on fera un détour en prenant à gauche, à environ 3 km du village, pour aller jusqu'à l'observatoire de l'Institut géophysique du globe de Paris. Point d'information sur la forêt.

❷ **Carrefour des Neuf-Routes.** La végétation est typique de la forêt d'Orléans : chênes, pins sylvestres avec hêtres formant le sous-étage. Le sous-bois est formé de fougère-aigle. Prendre l'allée, orientée vers le S.-E., jusqu'au carrefour des Caillettes puis la route forestière d'Ingrannes à Nesploy ; au refuge, traverser la route et prendre le chemin (GR 3) en face du refuge sur 800 m pour arriver au belvédère des Caillettes, point culminant de la forêt (170 m), situé sur la ligne de partage des eaux entre les bassins de la Loire et de la Seine. Cette promenade pédestre facile (env. 1 h AR) offre quelques belles échappées sur le massif d'Ingrannes. A proximité, une carrière montre le sable burdigalien, mélange de grains de quartz et de feldspath enrobés dans l'argile. Le retour peut s'effectuer par la même voie jusqu'au refuge ; reprendre à gauche la route forestière d'Ingrannes à Nesploy sur 200 m puis à droite le GR 3 ; au carrefour de la Haute-Voie, tourner à gauche pour revenir à celui des Neuf-Routes.

❸ **Étang des Liesses.** Dans la partie méridionale du massif d'Ingrannes se trouvent plusieurs étangs. Ces nappes d'eau créées par l'homme forment des milieux originaux. Les rives sont couvertes de saules marsaults ; les eaux elles-mêmes sont en partie colonisées par une végétation de plantes aquatiques dans lesquelles viennent nicher les oiseaux d'eau.

❹ **Étang de la Vallée.** Partant de l'étang des Liesses, suivre la route des Étangs jusqu'au carrefour des Étangs (ne pas prendre la route barrée) ; continuer sur 150 m et prendre à droite le chemin de petite randonnée qui rejoint l'étang de la Vallée. Dans une clairière, au cœur d'une parcelle dense de la forêt, c'est un très bel étang dont la végétation d'herbes hautes sert de refuge à des canards et des poules d'eau. Sur la rive proche de la route de Combreux, une baignade est aménagée (bar-restaurant).

❺ **Étang des Bois.** Cet étang, ainsi que celui, tout proche, d'Orléans, est un réservoir du canal. Un chemin permet une promenade pédestre facile entre les deux étangs (45 mn AR) au milieu d'une

Étang des Liesses. Cet étang n'est pas naturel : une chaussée barre la vallée au fond argileux et retient les eaux. La flore abondante qui s'y est développée a fini par intégrer parfaitement ce plan d'eau au paysage sauvage qui l'environne.

chênaie. On peut revenir à l'étang des Bois par la route des Charretiers en traversant une belle futaie.

❻ **Carrefour de la Résistance.** Planté de séquoias, il est au point de départ d'une promenade pédestre facile (2 h) par un sentier bien aménagé, dit sentier des Sources. Le relief est un peu plus accidenté que dans le reste de la forêt. Une ligne de hauteurs de 170 m d'altitude environ sépare les bassins de la Seine et de la Loire. Le sentier, en direction du N.-E., monte au flanc de la butte où sourd la fontaine Saint-Hubert. Plus loin, on rencontre trois autres petites sources : la fontaine aux Biches, la fontaine la Reine et la fontaine le Roy, toutes trois situées au milieu d'un boisement de chênes magnifiques, les chênes du Pauvre Mort, des Nonains et du Haut du Turc. Près du chêne des Nonains s'étend le petit étang de l'Abbaye. Après le carrefour du Signal, le sentier traverse tour à tour deux types de peuplement : pins sylvestres et chênes. Dans l'exploitation forestière, les arbres conservés entretiennent une régénération naturelle. Au-delà d'une parcelle plantée en pins, on entre de nouveau dans la chênaie. Le sentier regagne le carrefour de la Résistance en permettant d'admirer le Gros Chêne et un groupe d'arbres baptisé les Cinq Frères. Cette partie de la forêt est riche en cervidés. Au carrefour, point d'information.

Randonnée à travers la Sologne 12 km

De nombreux itinéraires balisés permettent aujourd'hui de mieux connaître cette région si diverse (cultures, gibier, élevage). Cette randonnée pédestre (4 h AR ; ne pas s'écarter des chemins communaux ; propriétés privées) vous fera découvrir quelques-uns des aspects de la Sologne aux sols tantôt très secs, tantôt très humides, autrefois pays de marais et de fièvres. D'importants travaux d'assainissement et le boisement des sols très dégradés furent entrepris au milieu du XIXe s.

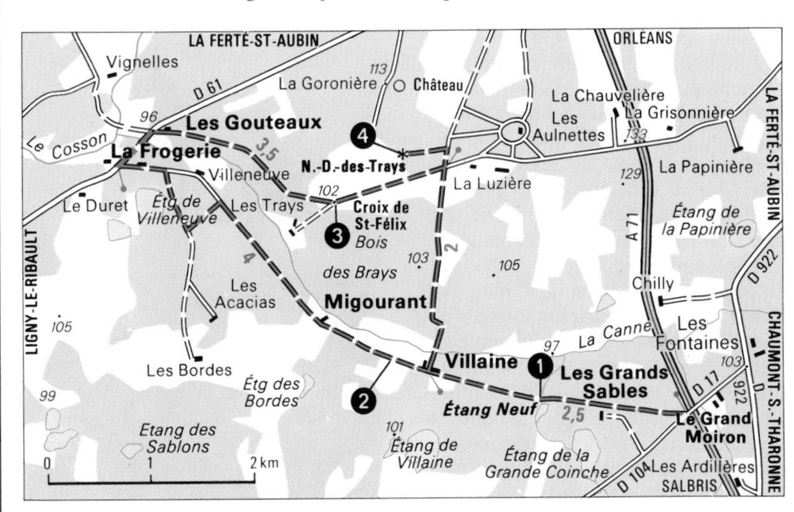

❶ **Étang Neuf.** On parcourt un bois de pins sylvestres et de bouleaux : en sous-bois, callune et mousse. Plus loin, un parc est planté de sapins de Douglas. Le sol devient très sableux et sec. Dans un léger vallon, l'humidité entretient des chênes pédonculés avec sous-bois de bruyère à balai et de fougère-aigle. L'étang est cerné de saules marsaults et les eaux sont partiellement colonisées par les phragmites. A gauche du chemin, le sol redevient très sec : des lichens apparaissent ; les arbres sont clairsemés. A droite, une légère pente avec circulation souterraine d'eau est favorable à la fougère-aigle.

❷ **Villaine.** A 500 m environ après Villaine, observer le contraste entre la lande sèche à lichens et le boisement de chênes avec fougère-aigle. Au-delà de Migourant se succèdent des parcelles reboisées d'âges divers, dont une belle futaie de pins laricios. Après l'entrée du domaine de Villeneuve, on remarque quelques cyprès de Lawson et, avant la ferme, des pins maritimes. Les rives de la Canne sont envahies par la molinie.

❸ **Croix de St-Félix.** Paysage typique de Sologne : une clairière cultivée cernée de bois. L'horizon est fermé par une ligne de hauteurs formant une longue échine entre le Cosson et la Canne.

❹ **N.-D.-des-Trays.** Une carrière montre le sable burdigalien, matériel descendu du Massif central au tertiaire et constitué de grains de quartz et de feldspath enrobés dans l'argile.

Paysage solognot. La lande à bruyère, lande sèche sur sol sableux, couvre de grandes étendues, souvent plantées de pins depuis le XIXe s.

Paisibles villages des collines de Puisaye 95 km

Entre les vignes du Sancerrois et la vallée de l'Yonne s'étend une région paisible : la Puisaye. Des collines aux formes douces, souvent boisées, un réseau dense de ruisseaux et de rivières, des villages isolés au milieu des prairies closes de haies vives composent le paysage. La Puisaye est un pays d'élevage des bovins et des volailles, qui doit avant tout sa prospérité au travail patient et minutieux des paysans, qui ont su défricher les forêts, assécher les étangs, drainer et fertiliser les terres.

Toucy. Le chevet de l'église St-Pierre s'appuie sur deux grosses tours rondes en grès (XIIe s.), vestiges d'un château des évêques d'Auxerre.

❶ **Saint-Amand-en-Puisaye,** depuis le XIVe s., est un centre de poterie important. Aujourd'hui, à côté de la poterie traditionnelle, qui s'est industrialisée, se développent les recherches de l'école de Saint-Amand, orientées vers le grès d'art et la formation de spécialistes. L'église, du XIIIe s., a été reconstruite en partie au XVIe s. Dans le château Renaissance en pierre et brique (on ne visite pas), dont la décoration semble inspirée de celle du château de Fontainebleau, musée de la Poterie (t.l.j., sauf mardi, juill. à oct. ; sam., dim., avr. à juin).

❷ **Saint-Fargeau.** L'église, dont la façade s'orne d'une superbe rosace, renferme du mobilier du XVe s. Le château (XVe-XVIIe s.) fut la propriété de la Grande Mademoiselle. Cinq bâtiments, flanqués de grosses tours rondes, forment la cour d'honneur (ouv. t.l.j., du 1er avr. au 11 nov. ; en juill.-août, spectacle historique à 22 h vendr. et sam.). Voir aussi la grande ferme à l'ancienne du château, évoquant la vie rurale en Puisaye au début du siècle.

Saint-Fargeau. Le vestibule d'angle et les façades du château ont été entièrement remaniés au XVIIe s. par François Le Vau, architecte de Versailles.

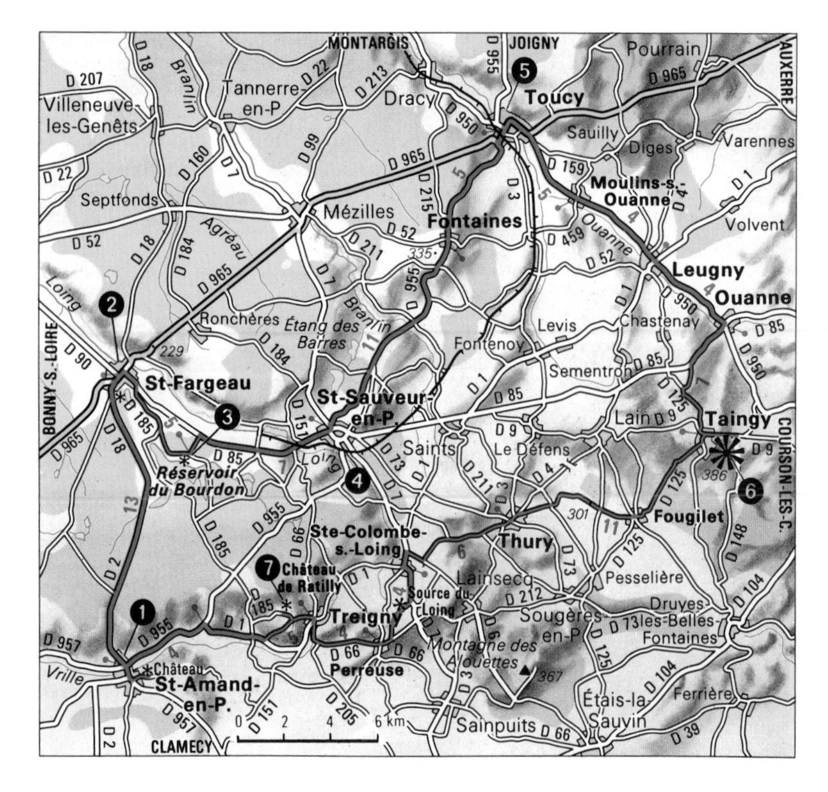

❸ **Le réservoir du Bourdon.** Le ruisseau du Bourdon alimente ce réservoir artificiel, qui couvre une surface de 220 ha et est destiné à régulariser le canal du Loing, puis celui de Briare. Ce plan d'eau au milieu des prairies a été aménagé pour les loisirs : buvette, club de voile et baignade non surveillée près de la digue ; on peut aussi y pêcher (il arrive cependant qu'il y ait très peu d'eau les années de sécheresse. Se renseigner en téléphonant au 86-74-01-41).

❹ **Saint-Sauveur-en-Puisaye** est le village natal de Colette, qu'elle a décrit dans *la Maison de Claudine* et dans *Sido* ; rue des Vignes, une plaque signale la maison où elle est née et où elle a passé son enfance.

❺ **Toucy.** Ce gros bourg qui vit naître Pierre Larousse, auteur du *Grand Dictionnaire universel du XIXe siècle* et fondateur de la Librairie Larousse, n'a guère conservé de monuments anciens. En 1429, l'armée anglo-bourguignonne détruisit l'ancien château, dont il ne subsiste que deux tours enclavées dans le château moderne. L'église St-Pierre a un curieux aspect de forteresse (voir dessin). A l'intérieur, le buffet d'orgue est un fin et délicat travail de menuiserie du XVIe s. Il provient de la cathédrale d'Auxerre et n'a été installé à Toucy qu'en 1900.

❻ **Taingy.** Au sommet de la colline (386 m), un peu au-dessus du village, un vaste panorama permet de découvrir les hauteurs voisines et la vallée de l'Yonne. *Sainte-Colombe,* dont l'église est une élégante construction du XVIe s., est toute proche de la source du Loing (suivre la route 2 km au S., puis prendre à droite).

❼ **Château de Ratilly** (XIIIe s.). Il est situé à proximité du village de *Treigny*, qui s'enorgueillit de posséder la « cathédrale de la Puisaye », édifice des XVe et XVIe s. de style gothique flamboyant. Le château, tout en grès, est un bel exemple d'architecture féodale (XIIe-XIIIe s.). Atelier artisanal de grès toute l'année ; du solstice d'été au 30 sept., expositions d'art contemporain, concerts, stages de musique. Exposition permanente de grès anciens du XVIe au XIXe s. (Renseig., tél. : 86-74-79-54.)

Dans les vignobles du Sancerrois 85 km

Le Sancerrois est une région de collines, dont le point le plus élevé est la Motte d'Humbligny (431 m). A l'ouest s'étendent des bois et des prairies coupées de haies serrées. A l'est, les pentes raides et ensoleillées sont le domaine de la vigne depuis près de dix siècles. Le vin de Sancerre, d'appellation contrôlée, est blanc, rouge ou rosé ; il se marie très bien avec le non moins célèbre crottin de Chavignol, ce petit fromage de chèvre rond qui tire son nom d'un village voisin.

❶ **Sancerre** est fièrement campée sur une butte aux pentes couvertes de vignes. Des boulevards qui ont remplacé les remparts, le panorama s'ouvre sur la vallée de la Loire et les premiers contreforts du Morvan. Des rues tortueuses, parfois bordées de maisons anciennes, mènent au beffroi (XVIe s.), qui sert de tour à l'église. Du château des comtes de Sancerre, il ne reste que la tour des fiefs (XVe s.), de laquelle on découvre un vaste panorama (fermé 1er nov.-31 mars).

❷ **La Borne** est un village de potiers situé au milieu des bois. L'existence de poteries y est attestée dès le XIIIe s., mais c'est aux XVIIIe et XIXe s. que le village se distingue par la production originale d'objets à figure humaine ou animale, dont le musée de Bourges conserve les plus beaux spécimens. Aujourd'hui encore, la tradition demeure bien vivante et un centre d'expositions permet de voir les œuvres des nombreux artistes installés dans le village (sam., dim. et j. fér., vac. scol., l'apr.-m.). Dans l'ancienne chapelle, un musée retrace l'histoire des potiers d'autrefois (de Pâques à la Toussaint, sam., dim. et j. fér., l'apr.-m).

❸ **Château de Boucard.** La cour d'honneur est encadrée de trois bâtiments du XVIe s. : deux ailes, aux fenêtres délicatement décorées, et un grand corps de logis, orné d'une frise représentant des trophées militaires et des écussons portant le nom de François de Boucard. Les aménagements intérieurs et les communs sont du XVIIe s. (t.l.j., juin-15 sept. ; sauf lundi, mardi en févr. ; sauf jeudi, mars-mai et 15 sept.-déc. Fermé janv.).

❹ **Jars.** Ce village, que domine un manoir flanqué de tours rondes (on ne visite pas), possède une des rares églises Renaissance de la région. Construite vers 1550 en grès rose et en calcaire blanc, elle est précédée d'un clocher-porche et abrite de beaux sièges rustiques.

❺ **Léré.** De la route, un peu avant d'arriver, jolie vue sur le val et le village de Léré. Celui-ci, situé au bord du canal latéral à la Loire (voir photo), est groupé autour de l'ancienne collégiale St-Martin, dont la crypte abrite des peintures du XIIIe s.

❻ **Saint-Satur.** De l'ancienne abbatiale de ce bourg, pillée et incendiée à plusieurs reprises, seuls le chœur et l'abside furent reconstruits au XVIIe s. A *Saint-Thibault*, centre de loisirs.

◀ **Léré.** Le canal latéral à la Loire, réalisé de 1822 à 1856, commence à Briare et longe les rives du fleuve sur 196 km ; il ne compte pas moins de 45 écluses.

Fabrication du crottin de Chavignol. C'est un village, à 3 km de Sancerre, qui a donné son nom au fromage, mais le lait de chèvre qui sert à sa fabrication est collecté dans une zone d'élevage qui couvre la Champagne berrichonne et le Val de Loire cosnois. Visite (t.l.j.) de la Coopérative des Garennes, et dégustation de fromage. ▼

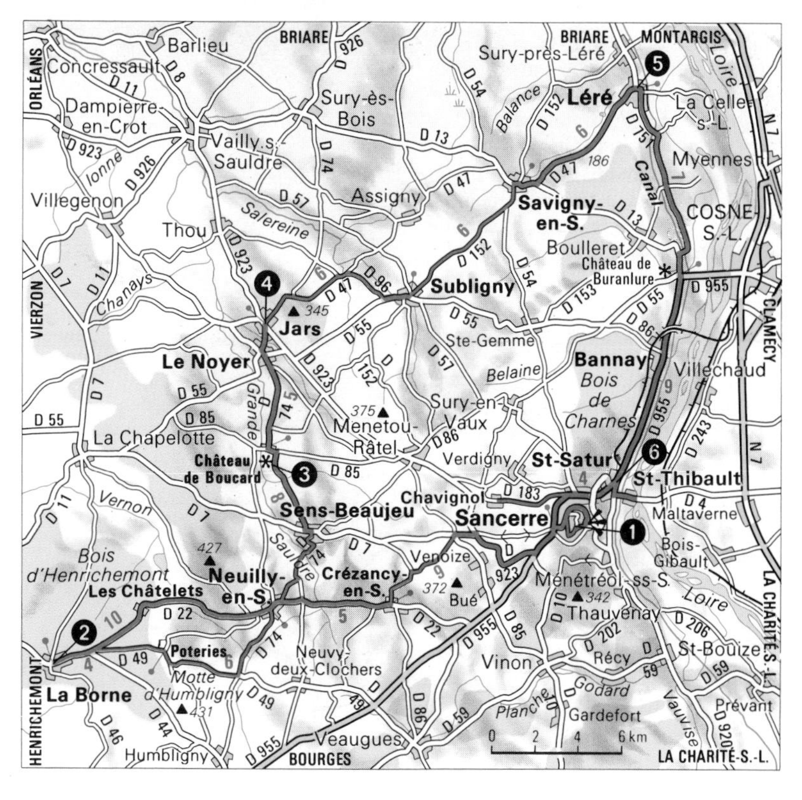

Forêts des Bertranges et de Bellary 47 km

Le Nivernais est formé de plateaux calcaires coupés de failles méridiennes. L'érosion des affluents de la Loire et de la Nièvre a creusé des vallées bien marquées et des dépressions dans les roches tendres. La surface des plateaux est couverte d'argile de décalcification peu fertile. Sur la majeure partie de ces hauteurs, on rencontre des forêts peuplées principalement de chênes, auxquels se mêlent des hêtres. Le parcours traverse deux forêts domaniales, la forêt des Bertranges et celle de Bellary.

❶ **Grand Rond-Point.** De ce beau carrefour divergent sept routes ; elles desservent toute la forêt domaniale des Bertranges (7 658 ha). La végétation forestière est constituée à peu près exclusivement de chênes, auxquels s'ajoutent quelques hêtres et conifères. Autour du carrefour ont été plantées diverses espèces de conifères et des chênes rouges d'Amérique, dont les feuilles prennent, à l'automne, une belle couleur rouille. Au printemps, le sous-bois se couvre d'anémones-sylvies ; en été, la fougère-aigle prend toute la place.

❷ **Fontaine de la Vache.** Au bord de la route forestière s'ouvre un bassin de 3 m de diamètre. Au fond, l'eau sourd de plusieurs trous, agitant le sable et la vase qui tapissent la vasque. Ce bassin est dû à l'infiltration des eaux pluviales dans les calcaires jurassiques. Le pendage des sédiments vers l'O. favorise le cheminement souterrain des eaux. De la source part un ruisseau aux ondes transparentes. A proximité de la fontaine se dresse un magnifique chêne rouvre, dont le tronc atteint 4 m de circonférence. De l'autre côté de la route, au cours d'un circuit pédestre de 4,5 km, on peut observer un reboisement récent de sapins pectinés, au premier plan, et de pins sylvestres, au fond.

❸ **Le Grand-Rond.** La forêt domaniale de Bellary a une superficie de 2 700 ha. Elle couvre une grande butte dissymétrique qui présente, vers l'E., un talus abrupt de 120 à 130 m de dénivellation. La végétation forestière est constituée de chênes rouvres (voir dessin) et pédonculés ; les hêtres sont un peu plus abondants que dans la forêt des Bertranges. Le sous-bois est rare. Au printemps, avant que l'ombre des frondaisons ne masque le sol, fleurissent de grands tapis de pervenches et, dans les lieux humides, des bouquets de primevères. Du Grand-Rond, on peut parcourir à pied la forêt, en empruntant l'allée rectiligne qui part vers le S.-E. ; on tourne ensuite à gauche dans une allée circulaire. Le retour au Grand-Rond se fait par une allée E.-O. Cette promenade facile (1 h) permet de découvrir le relief bien marqué de la butte qui supporte la forêt.

❹ **Carrefour du château de Bellary.** De ce carrefour bordé de beaux chênes, on a une jolie vue sur la vallée du ruisseau de Bellary. A gauche, une route passe devant les bâtiments de la ferme de Bellary et à proximité des ruines d'une ancienne chartreuse, fondée au début du XIIe s. A mi-chemin entre ce carrefour et Vielmanay, des parcelles forestières d'âges très différents illustrent la manière dont est menée l'exploitation de la forêt de Bellary : une haute futaie, au S.-O., voisine avec une parcelle en cours de régénération qui s'étend au N.-O.

Fontaine des Bougers. C'est la plus belle de la forêt des Bertranges, avec ses eaux qui forment un bassin sous les hautes futaies.

Chêne rouvre. Pouvant atteindre jusqu'à 30 m de hauteur et vivre plusieurs siècles, le chêne rouvre est l'essence de base de la plupart des forêts tempérées.

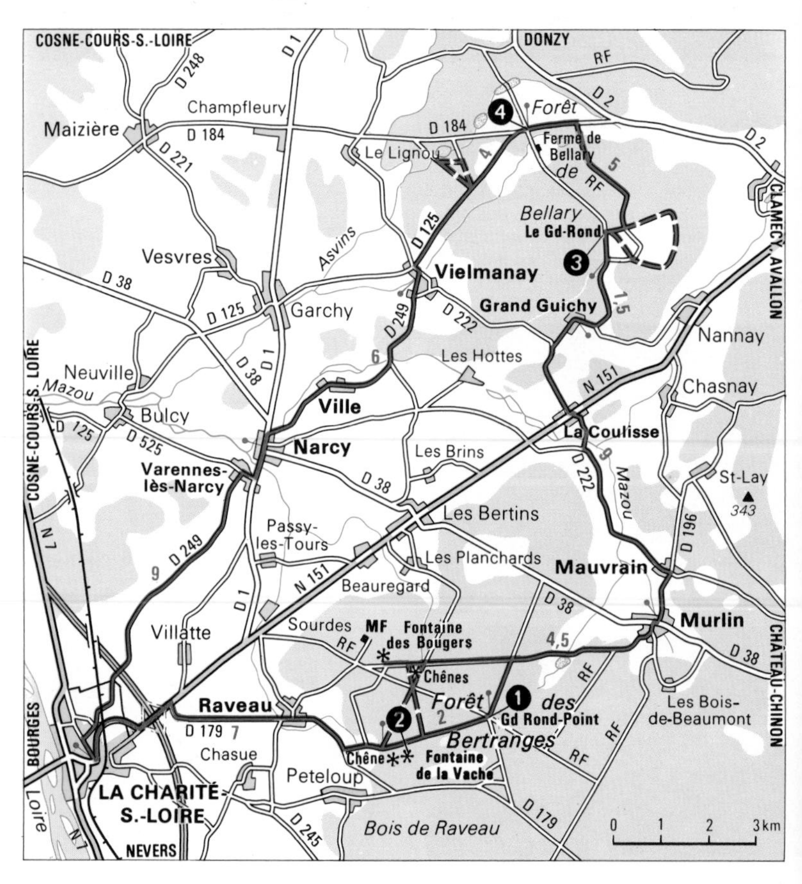

La Charité-sur-Loire, paisible petite ville bien nivernaise, doit son nom à l'un des premiers prieurés de l'ordre de Cluny, fondé au XIe s., dont il reste une tour imposante.

70 71

Châteaux méconnus du Berry

84 km

93 km

Autour de Saint-Amand-Montrond, au centre géographique de la France, s'étend un pays vallonné, couvert de prairies et sillonné d'une multitude de rivières. La douceur des espaces bocagers donne une apparence paisible à ce territoire où l'histoire et la préhistoire ont laissé leur empreinte, tandis que les forêts comme celle de Tronçais, dont les sombres futaies se reflètent dans des étangs perdus, confèrent au paysage ce mystère qu'évoquent, encore de nos jours, bien des légendes.

Château de Meillant. Sur les murs de la tour du Lion, on reconnaît l'emblème des Chaumont (une montagne en flammes).

ITINÉRAIRE N° 1

❶ **Saint-Amand-Montrond.** Son vieux quartier a gardé de belles maisons des XVIIe et XVIIIe s. Le musée St-Vic, dans l'hôtel du même nom (XVe-XVIe s.) abrite des collections d'archéologie, de peinture et d'arts et traditions populaires du Berry (t.l.j., sauf mardi et dim. mat.). Ancienne église des Carmes, l'hôtel de ville a une façade Renaissance. Dans l'église St-Amand (XIIe-XIIIe s.), mobilier des XVIe et XVIIe s. Par la route de Bruère-Allichamps, on atteint *l'abbaye de Noirlac*, l'un des monastères cisterciens les mieux conservés de France (t.l.j., févr. à sept. ; sauf mardi le reste de l'année).

❷ **Meillant** doit sa célébrité à son château (vis. t.l.j. ; ferm. 15 déc.-31 janv.). Transformé vers 1500 par la famille d'Amboise, il a pourtant gardé, avec ses murailles baignées par l'eau des douves, un aspect médiéval contrastant avec l'ornementation flamboyante de la façade sur cour flanquée de tours au décor exubérant.

❸ **Charenton-du-Cher.** Quelques maisons anciennes, une église (XIIe-XIIIe s.) au narthex roman, les vestiges d'une abbaye, fondée en 620 par saint Chalan, donnent à ce petit bourg discret un charme mélancolique.

❹ **Forêt de Tronçais.** Le carrefour de Rond-Gardien est le cœur de l'une des plus remarquables forêts de France (voir texte encadré).

❺ **Ainay-le-Vieil.** Avec son enceinte du XIVe s., flanquée de tours et entourée de douves, le château a conservé une allure médiévale. Aussi est-il surprenant de découvrir, à l'intérieur de l'enceinte, un logis Renaissance (vis. t.l.j., févr.-nov. ; l'apr.-m. seul. en févr. ; sauf mardi, févr.-avr. et 15 oct.-fin nov. Fermé déc., janv.

❻ **Drevant.** De la ville gallo-romaine, il reste les vestiges d'un théâtre et d'un temple, tandis qu'en face les fouilles du camp de César attestent l'ancienneté de l'implantation des hommes dans cette région.

ITINÉRAIRE N° 2

❶ **Lignières.** Le bourg, qui fut un centre important de la Réforme, s'enorgueillit de son château construit au XVIIe s. par François Le Vau. Cette belle demeure à l'ordonnance régulière se reflète dans les douves de l'ancien château (seul le parc est ouvert, t.l.j., juill.-20 sept. ; t.l. apr.-m. le reste de l'année. Fermé nov.-déc.). L'église romane renferme des stalles du XVe et une chaire du XVIIe s.

❷ **Le Châtelet.** Ce village, qui doit son nom au château (XVe-XVIe s.) dont les ruines dominent la rivière du Portefeuille, a conservé une ancienne abbatiale, l'église de Puy-Ferrand (XIIe-XIIIe s.) : beaux fonts baptismaux Renaissance.

❸ **Châteaumeillant.** Le musée archéologique Émile-Chénon présente une très importante collection d'amphores italiques provenant des fouilles locales de l'ancien oppidum de Mediolanum, ainsi qu'un ensemble de céramiques régionales ; préhistoire, arts et traditions populaires : une exposition d'outils fait revivre les métiers anciens (t.l.j., du 1er juin au 30 sept. Hors saison sur R.-V.). Ancienne église du Chapitre, la mairie a gardé un chevet roman et des fresques de la fin du Moyen Age. Dans l'église St-Genès (XIIe s.), les chapiteaux, en grès rose et gris, sont sculptés de scènes de la Genèse. C'est l'un des plus beaux édifices romans de la région.

❹ **Culan.** Le château dresse ses tours garnies de hourds à pic au-dessus de l'Arnon. Cette austère forteresse (voir photo) abrite en été concerts, expositions, spectacles (ouv. t.l.j., de mars à mi-nov. Pour tout renseignement, tél. : 48-56-64-18).

Château de Culan. Reconstruit en grande partie au XVe s., c'est un des plus beaux exemples d'architecture médiévale.

Buffet-vaisselier berrichon. Dessins très simples et symétrie parfaite donnent à ce meuble rustique une légèreté harmonieuse.

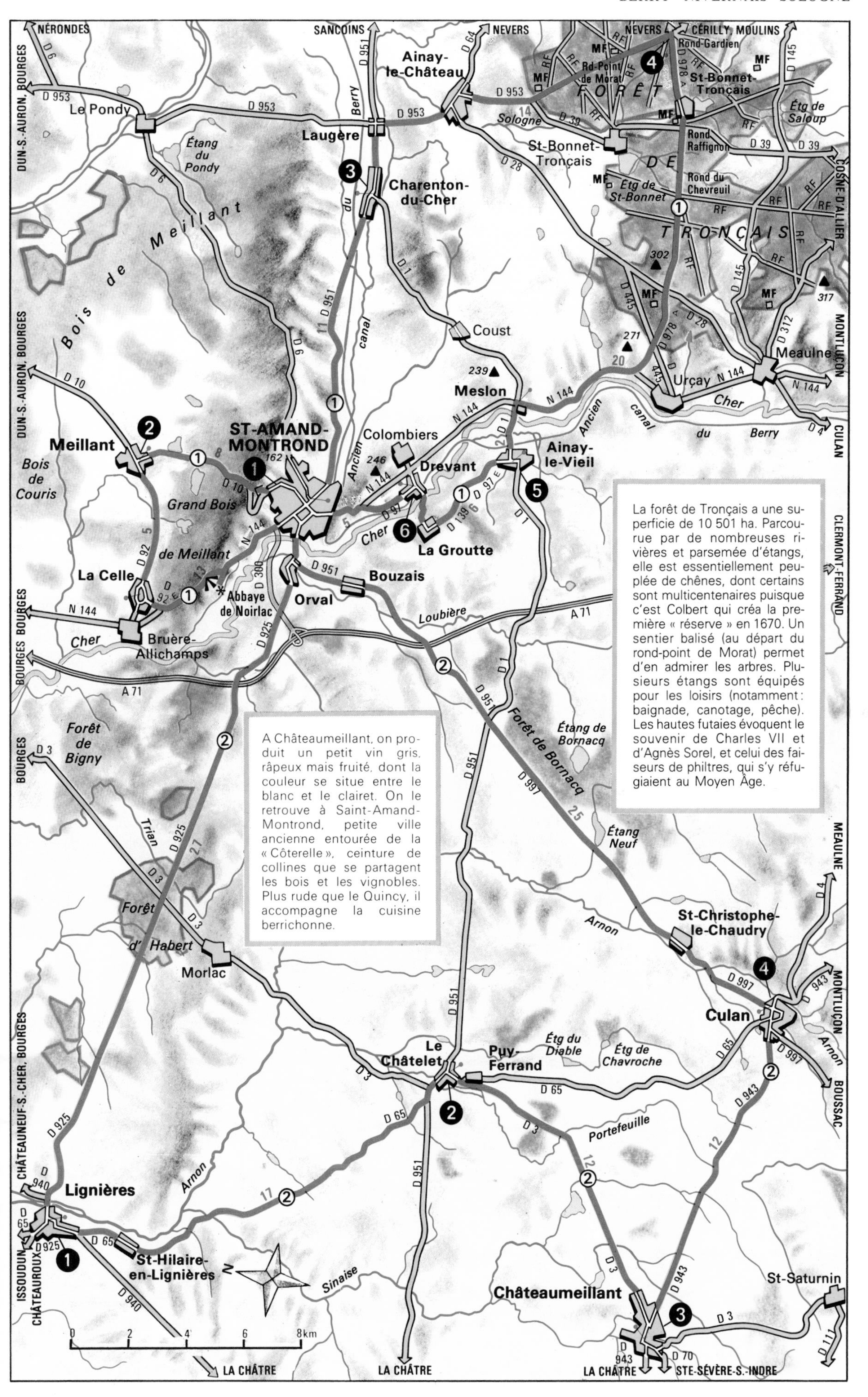

A Châteaumeillant, on produit un petit vin gris, râpeux mais fruité, dont la couleur se situe entre le blanc et le clairet. On le retrouve à Saint-Amand-Montrond, petite ville ancienne entourée de la « Côterelle », ceinture de collines que se partagent les bois et les vignobles. Plus rude que le Quincy, il accompagne la cuisine berrichonne.

La forêt de Tronçais a une superficie de 10 501 ha. Parcourue par de nombreuses rivières et parsemée d'étangs, elle est essentiellement peuplée de chênes, dont certains sont multicentenaires puisque c'est Colbert qui créa la première « réserve » en 1670. Un sentier balisé (au départ du rond-point de Morat) permet d'en admirer les arbres. Plusieurs étangs sont équipés pour les loisirs (notamment : baignade, canotage, pêche). Les hautes futaies évoquent le souvenir de Charles VII et d'Agnès Sorel, et celui des faiseurs de philtres, qui s'y réfugiaient au Moyen Âge.

Bourges et la vallée du Cher 103 km

*De Bourges à Salbris, les paysages sont changeants. Aux damiers de cultures maraîchères que dessine un réseau compliqué de petits canaux succède un plateau forestier de futaies basses et serrées. Plus loin apparaît un paysage typiquement solognot, avec ses bois de bouleaux, qui contraste avec une large bande cultivée, la vallée de la Sauldre. Villes et villages ont souvent conservé des monuments anciens qui rappellent le rayonnement extraordinaire de la capitale berrichonne au XV*e *siècle.*

Coiffe berrichonne. De linon blanc, elle était souvent agrémentée de rangées de dentelles tuyautées.

❶ **Bourges.** La capitale du Berry, malgré des vicissitudes de toutes sortes, présente un ensemble rare de maisons anciennes. Les rues Bourbonnoux, Coursalon, Mirebeau et la place Gordaine sont bordées en presque totalité de maisons à colombage ou en pierre, des XVe et XVIe s. Les plus caractéristiques sont la maison de la Reine Blanche ; l'hôtel Pellevoysin, l'hôtel-Dieu ; l'ancien hôtel des Échevins, agrandi au XVIIe s. ; l'hôtel Lallemant à la précieuse décoration intérieure (t.l.j., sauf dim. mat. et lundi) ; l'hôtel Cujas, qui abrite le musée du Berry : coll. sur l'histoire et la vie rurale de la province (t.l.j., sauf dim. mat. et mardi). Le palais de Jacques Cœur (voir photo, p. 125) possède un intérieur luxueux et confortable qui permet de se faire une idée de la vie quotidienne des riches seigneurs et bourgeois au XVe s. (ouvert t.l.j.). Des XVIIe et XVIIIe s. subsistent quelques beaux hôtels particuliers, rue Molière, rue Édouard-Branly et place des Quatre-Piliers : l'ancien Grand Séminaire (centre administratif), la fontaine de Fer, petite station thermale, et l'hôtel de ville. La cathédrale, élevée pour l'essentiel du XIIe au XIVe s., en impose par son ampleur. La façade aux cinq portails sculptés (voir photo) est encadrée de deux tours ; les portails latéraux, sous des porches du XIIIe s., sont romans ; à l'intérieur : cinq nefs majestueuses et un ensemble incomparable de vitraux du XIIe au XIVe s. Bourges détient d'autres églises : l'église St-Pierre-le-Guillard, l'église Notre-Dame et l'église St-Bonnet, où se trouvent un tableau de Jean Boucher et plusieurs vitraux (XVIe s.) attribués à Jean Lescuyer.

❷ **Forêt domaniale d'Allogny.** Sur 2 350 ha alternent les chênes, hêtres, charmes, bouleaux et pins sylvestres. Non loin de Bourgneuf, dans une clairière (prendre, au N., la grande allée forestière sur 2,5 km, puis continuer à pied par un chemin à droite), se dressent les ruines du prieuré de Bléron

Bourges. Au tympan de la porte centrale de la cathédrale est sculptée la plus ample représentation du Jugement dernier qu'ait jamais produite la sculpture gothique.

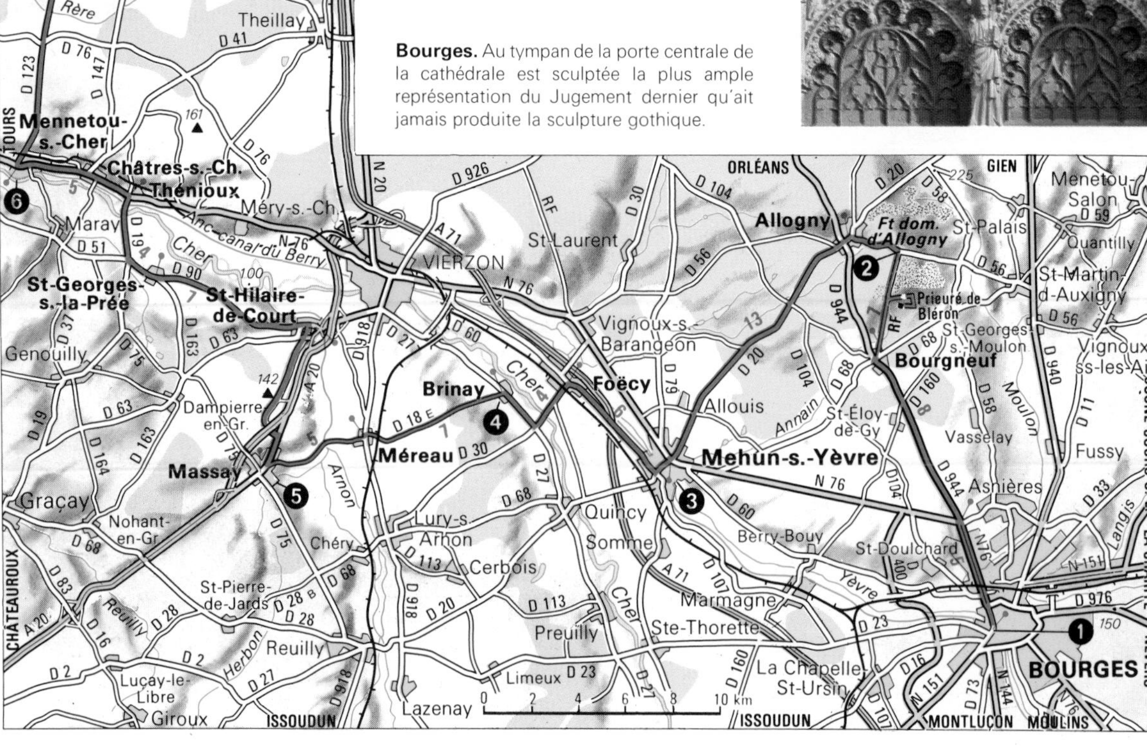

(XIIe et XVIe s.) ; plusieurs sentiers pédagogiques et un parcours d'initiation vous permettront de connaître la vie de la forêt (doc. à Allogny et communes alentour). Au cœur de la forêt, restes d'une abbaye du XIIe s. et d'une demeure du XVIe s.

❸ **Mehun-sur-Yèvre.** Cette petite ville industrielle, spécialisée dans la fabrication de la porcelaine de table, fut autrefois la résidence du duc Jean de Berry. Elle était célèbre grâce au château que celui-ci y avait fait édifier vers la fin du XIVe s., et dont la beauté fit l'admiration des grands artistes de l'époque ; une miniature des *Très Riches Heures du duc de Berry* en a conservé l'image, la seule que l'on possède, car il ne reste qu'une tour abritant un petit musée d'histoire et d'archéologie (t.l.j., sauf mardi, juill.-sept. ; sam., dim. en oct. ; dim. en juin. Groupes, renseign., tél. : 48-57-30-25) et des ruines. La porte de l'Horloge (XIVe s.), flanquée de deux tours, rappelle que la ville était entourée de remparts. L'église Notre-Dame a été construite aux XIe et XIIe s. et agrandie d'une chapelle au XVe s.

❹ **Brinay.** A l'écart de la route s'élève une modeste église romane, dont rien ne laisse soupçonner qu'elle renferme des fresques du XIIe s. Découvertes en 1913 sous plusieurs couches de plâtre, d'un dessin élégant et raffiné, elles retracent les travaux des mois et des scènes de la vie du Christ.

❺ **Massay** fut autrefois le siège d'une abbaye bénédictine célèbre (738-1735). On peut visiter (t.l.j.) l'ancienne abbatiale (XIIe-XIIIe s.), devenue l'église du bourg ; c'est un vaste édifice à nef unique percé de hautes fenêtres et précédé d'une tour carrée, dont la balustrade dessine le nom de celui qui fut son constructeur : Bertrand de Chamborant (XVe s.). On peut visiter aussi (t.l.j.) la chapelle Saint-Loup (XIIe s.), qui fut la chapelle de l'abbé. On verra, de l'extérieur, la salle capitulaire, les celliers et les granges (XIIe et XIIIe s.).

❻ **Mennetou-sur-Cher** a conservé son aspect médiéval, car une grande partie de l'enceinte qui la protégeait au Moyen Age est encore debout. Trois portes en commandent l'accès : la porte d'En-Bas, avec une cheminée du XVe s. ; la porte d'En-Haut, ornée d'une baie géminée ; la porte Bonne-Nouvelle, accolée à une tour ronde. A l'intérieur de l'enceinte, la Grande-Rue présente un ensemble remarquable de maisons gothiques à colombage et Renaissance. Les rues tortueuses mènent à l'église St-Urbain, de style gothique angevin, qui possède un riche mobilier du XVIIe s.

❼ **Salbris.** Cette petite ville occupe une position agréable sur la rive gauche de la Sauldre, dont les eaux serpentent au milieu des cultures et des peupleraies. L'église St-Georges abrite un retable du XVIIe s.

En forêt près de Châteauroux — 50 km

Au sud de la Champagne berrichonne, des terrains pauvres, sols détritiques venus du Massif central et sols de décalcification des calcaires jurassiques, portent de grands massifs forestiers, qui marquent la frontière entre la plaine céréalière et le bocage du Boischaut. Ces forêts au sous-bois de fougère-aigle sont peuplées de chênes.

❶ **L'Abbaye.** Un sentier permet d'atteindre à pied cette abbaye en ruine. Cette partie de la forêt de Châteauroux est une zone de silence dans laquelle la circulation des véhicules à moteur et l'usage des transistors sont interdits.

❷ **Notre-Dame-du-Chêne.** La végétation est typique de la forêt de Châteauroux, dont les 5 207 ha sont, pour 90 %, des futaies de chênes rouvres.

❸ **Vallée de la Bouzanne.** Du versant S., en pente douce, on a une belle vue sur la Bouzanne et sa vallée. En face, l'autre versant est plus nettement marqué, et son sommet est couronné par la forêt. La dissymétrie des versants est due au relèvement des sédiments vers le S.

❹ **Chaussée de César.** Les légions romaines prenaient cette route qui traverse chênes et fougères-aigle (voir dessin). A environ 1 km au N., près de la route Louis-XIII, se creuse un large entonnoir où disparaissent les eaux de pluie. D'autres « gouffres » de ce type s'ouvrent dans la forêt ; ils correspondent à un réseau souterrain de circulation des eaux, creusé dans le calcaire jurassique.

❺ **Source de la Théols.** Les eaux pluviales infiltrées dans la région au S. de la forêt domaniale de Bommiers réapparaissent dans cette source située à gauche et en contrebas de la route.

❻ **Étang des Biches.** C'est une petite nappe d'eau cachée au milieu des arbres. Tout près, un parc à sangliers a été aménagé. La forêt abrite une riche faune et l'on peut espérer rencontrer au hasard d'une promenade, à condition d'être discret et attentif, cerfs ou chevreuils.

❼ **Carrefour de la Croix-Blanche.** Dans la forêt domaniale de Chœurs-Bommiers, comme dans celle de Châteauroux, le stationnement est autorisé au bord des routes forestières sauf devant les barrières, à condition de ne pas gêner la circulation. De ce carrefour bien aménagé (bancs et abri) partent des chemins pour des promenades pédestres faciles.

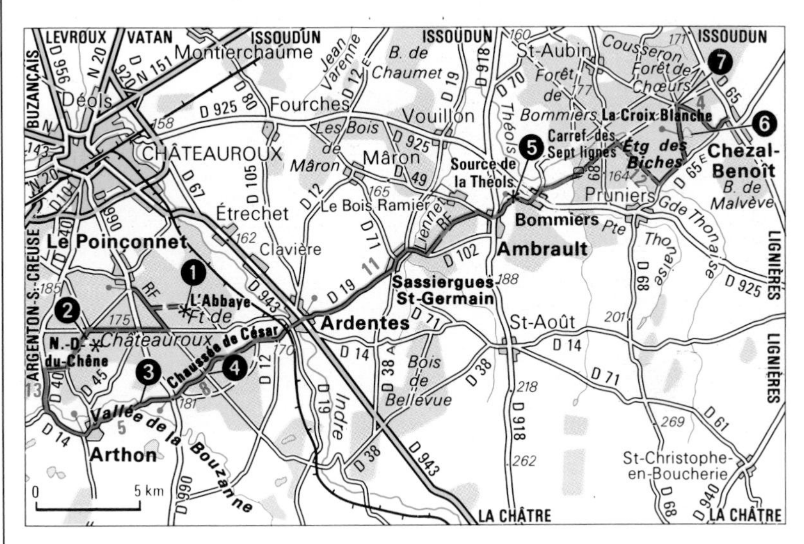

Fougère-aigle (ou grande fougère), ainsi appelée parce que la coupe de la tige offre l'image d'un aigle à deux têtes.

De la Brenne à la vallée de l'Anglin 68 km

Au nord-est de la vallée de la Creuse s'étend la Brenne, région au paysage insolite, zone humide de première importance, devenue parc naturel régional. C'est le « pays des mille étangs », à la faune et à la flore remarquables, parsemés de monticules de grès rouge, les buttons, qui portent une végétation qu'on attendrait plutôt dans des régions plus arides ! Ces étangs, dont le vidage se fait en automne, ont été jadis créés par les moines afin de pratiquer la pisciculture.

❶ **Le Blanc.** La Ville haute s'étage sur la rive gauche de la Creuse, autour du château Naillac (XIIe s.), qui abrite l'écomusée de la Brenne et du pays blancois (vis. t.l.j., juin-sept. ; mercr., sam. et dim. apr.-m. hors saison). La cave des Charassons, suite de deux salles souterraines (XIIIe s.), en dépendait peut-être (ne se visite pas). L'église St-Étienne (XVIIe s.) conserve un retable et un reliquaire en émail limousin du XIIIe s. L'église St-Cyran, désaffectée, est un édifice du XIe s. : expositions et concerts (rens. à l'O.T., tél. : 54-37-05-13).

❷ **Pouligny-Saint-Pierre,** qui produit un kirsch renommé et dont l'église abrite une fresque du Moyen Age, est situé dans un véritable paysage de causse. La Creuse, du Blanc à Lurais, est très encaissée. Le Suin, au N. de Pouligny, se perd après Douadic en un grand nombre d'entonnoirs.

❸ **Le Bouchet.** Bâti aux XIIIe, XVe et XVIIe s., ce château (voir photo) fut longtemps occupé par les Anglais. Mme de Montespan séjourna, dit-on, dans cette demeure austère (sauf mardi mat. et dim. t.l.j., juill.-août et t.l. apr.-m. le reste de l'année) plantée sur un button qui domine l'étang de la Mer Rouge, le plus vaste de tous (180 ha). Maison du Parc au hameau. Au N., voir les étangs de la Gabrière et du Gabriau. A la Gabrière, la réserve ornithologique permet une observation facile des oiseaux d'eau (maison d'accueil : vis. guid., expos., vidéos...).

❹ **Tournon-Saint-Pierre,** séparé de Tournon-Saint-Martin par le Suin, possède une église à nef unique (XVIe s.).

❺ **Angles-sur-l'Anglin** est dominé par un château dont les ruines imposantes se dressent à 40 m au-dessus de la rivière (voir photo). De l'ancienne abbaye Ste-Croix, il ne reste que la façade et une travée de l'église.

❻ **Fontgombault** fut choisi à la fin du XIe s. par Pierre de l'Étoile pour y bâtir une abbaye bénédictine. Les bâtiments sont de styles divers, mais l'église, restaurée au XIXe s., est un magnifique édifice roman au chevet ample et harmonieux. A l'intérieur, Vierge en pierre du XIIe s., dite Notre-Dame-du-Bien-Mourir, et gisant roman du fondateur de l'abbaye (voir aussi dessin). Le public est admis à certains offices comportant des chants grégoriens (se rens. à l'abbaye pour les horaires, tél. : 54-37-12-03).

Le Bouchet : la ferme et le château. Celui-ci a conservé une allure imposante bien que ses remparts aient été démantelés au XVIIe s.

Abbaye de Fontgombault. Personnage sculpté d'un chapiteau du portail roman du XIIe s. Les autres chapiteaux sont ornés de végétaux et d'animaux fantastiques.

Angles-sur-l'Anglin. C'est de la rive gauche de la rivière qu'il faut apercevoir les ruines du château (XIIe et XVe s.), qui veillent sur les maisons du bourg coincé entre la falaise et l'Anglin.

BORDELAIS
LANDES • PAYS BASQUE

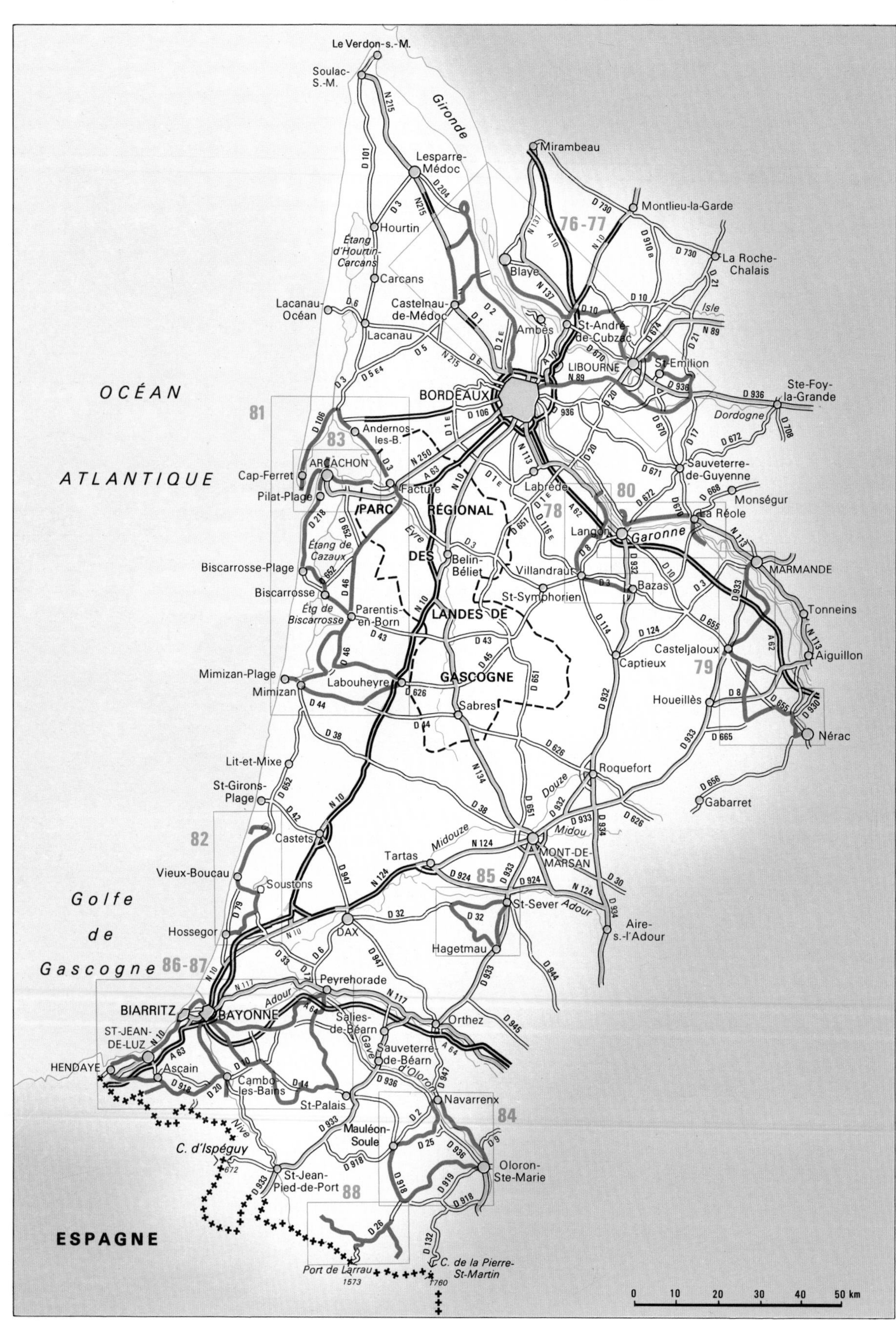

Forêts, collines et vignobles au grand ciel de l'Aquitaine

Le Midi aquitain, c'est notre Midi océanique, celui du grand vent d'hiver, du printemps clair, de l'été très ensoleillé, de l'automne si doux ; celui qui associe le blé au maïs, le mieux venu de France, n'ignore rien des secrets de la culture de l'arbre fruitier et de la vigne, et dont les produits de basse-cour font la table savoureuse. C'est un Midi aimable, « où le parler est une forme de politesse », où la gaieté se nuance de réserve et se teinte de malice, où se manifeste un réel attachement pour un terroir qui le mérite bien. Mais de ce Midi, il faudrait faire trois parts. La première serait celle des collines. Collines allongées, bocagères, soignées de la Chalosse, terre par excellence du maïs. Collines roides et altières de la Guyenne, où, parmi les champs de tabac, se perchent les villages pyramidaux. Collines élégantes de l'Agenais, aux versants laniérés par les étroites joualles. Collines menues de l'Entre-Deux-Mers — deux mers qui sont deux généreuses coulées de vignobles — aux couleurs bariolées de la polyculture. Coteaux et vallées du Bordelais qui collectionnent autour de la « grande ville blanche » les crus les plus réputés et les châteaux les plus opulents. Viendrait en second le pays landais. Ici, sur les sols stériles, mais bien drainés, règne le pin maritime, au tronc blessé par la hachette du résinier. La forêt ne s'entrouvre que pour le large pare-feu ou pour l'airial, cette oasis, où la ferme à colombage, au grand auvent cintré, se donne de l'aise. Cette forêt tient serrés les étangs et n'abandonne la partie que devant les flots argentés de l'Océan. La dernière région serait basque et béarnaise : un petit monde de collines intensément vertes qui commencent à jouer à la montagne, des villages pimpants aux etches blanches et trapues, assemblées autour du clocher carré et du fronton de pelote. Et partout, en ce Midi, se découvrent de petites villes aux places charmantes, bordées d'arcades, se dressent des églises dont le portail finement ouvragé peut conduire à un chœur flamboyant, s'égrènent de nobles demeures, des hôtels discrets, où le sourire de la Renaissance adoucit le gothique finissant. Surprenante Aquitaine : la Bretagne y vient au-devant de la Toscane.

Langon, petite ville marché caressée par le fleuve et parfumée par le Sauternes, résume l'Aquitaine.

Hauts lieux, trésors et paysages

La forêt des Landes est une création qui date du Second Empire, époque où les pins maritimes, qui en constituaient le principal peuplement, firent leur apparition. Cet immense ensemble forestier de 900 000 ha s'inscrit dans un triangle, dont l'un des côtés est la Côte d'Argent, vaste plage de sable baignée par l'Atlantique. L'intérieur est entrecoupé d'étroites vallées creusées par de petites rivières. Dans un premier temps, la forêt produisit du bois pour l'industrie, ainsi que la gemme (voir texte encadré, p. 155). Après les grands incendies de 1944 à 1949, qui détruisirent plus de 300 000 ha, la forêt a été reconstituée et réaménagée : un parc naturel régional y a été créé, et son exploitation pour l'industrie du papier, rationalisée.

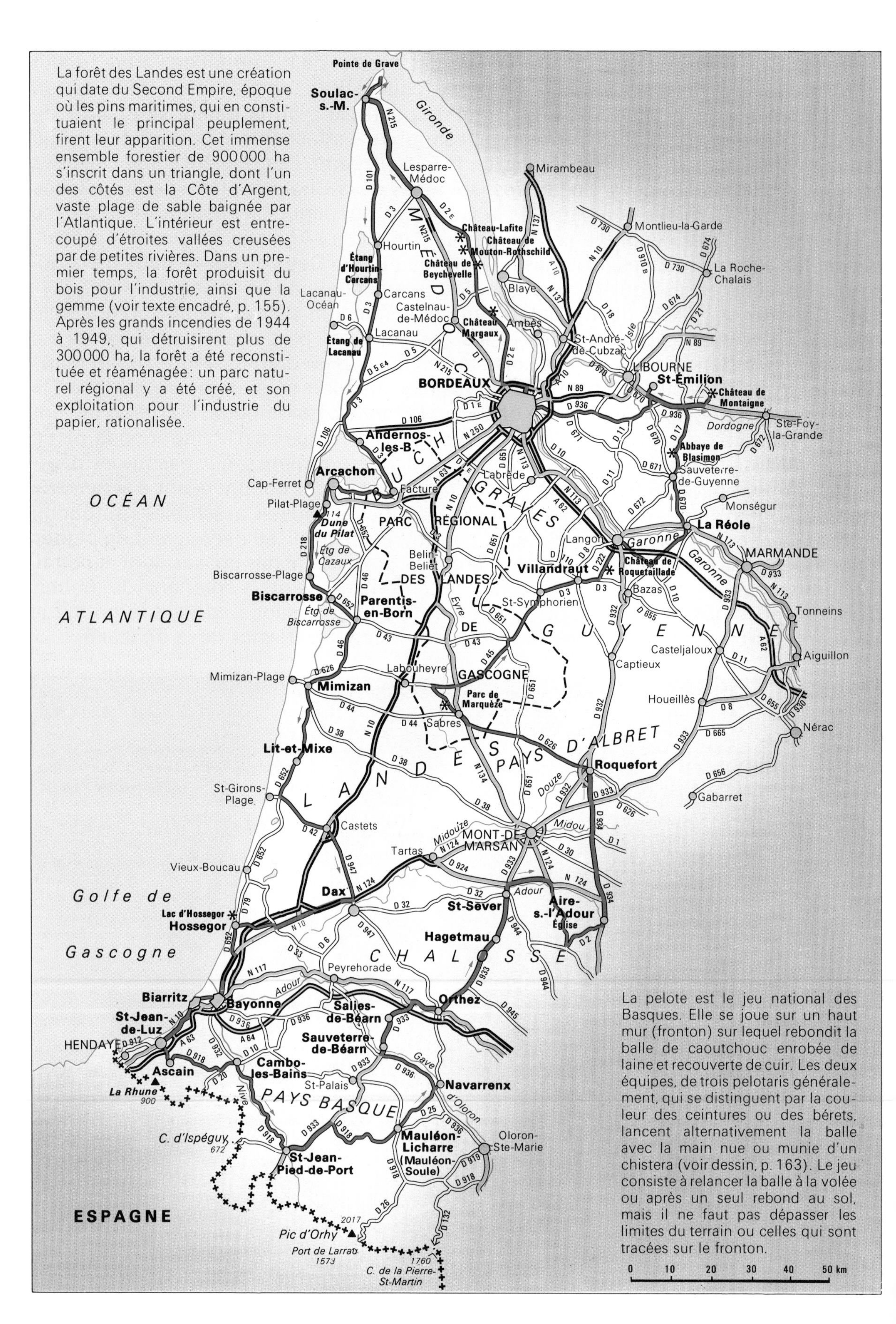

La pelote est le jeu national des Basques. Elle se joue sur un haut mur (fronton) sur lequel rebondit la balle de caoutchouc enrobée de laine et recouverte de cuir. Les deux équipes, de trois pelotaris généralement, qui se distinguent par la couleur des ceintures ou des bérets, lancent alternativement la balle avec la main nue ou munie d'un chistera (voir dessin, p. 163). Le jeu consiste à relancer la balle à la volée ou après un seul rebond au sol, mais il ne faut pas dépasser les limites du terrain ou celles qui sont tracées sur le fronton.

Bordeaux, autrefois port d'escale pour les cap-horniers, de transit pour les esclaves ou de trafic avec les colonies, a conservé son importance commerciale. Si Rome et le Moyen Age y ont laissé peu de souvenirs, la métropole a reçu profondément l'empreinte du XVIIIe s. que l'on découvre dans ses vieilles rues et sur la façade de ses monuments. Dans sa partie la plus ancienne, sur la rive gauche de la Garonne, que l'on traverse sur le pont de Pierre, Bordeaux présente maints édifices à l'intéressante architecture. Le clocher hexagonal de la basilique gothique St-Michel, construit en 1472-1492, est extérieur à l'édifice et repose sur le caveau des momies. L'église Ste-Croix présente un intéressant portail roman saintongeais (XIe s.), alors que la cathédrale St-André, toute hérissée de pinacles et flanquée de son clocher hors œuvre, la tour Pey-Berland, doit son charme au contraste apporté par chaque époque de sa construction (du XIIe au XVIe s.). L'église St-Seurin et sa crypte (ouv. t.l. apr.-m. Groupes sur demande écrite), supportée par des colonnes gallo-romaines, contribuent à la richesse des édifices religieux de la ville. L'architecture civile trouve ses lettres de noblesse dans l'ensemble monumental de la place de la Bourse et de la place de la Comédie, ornée du Grand Théâtre (XVIIIe s.). Le palais Rohan (vis. guid. mercr. apr.-m. et j. fér.) abrite, lui, le musée des Beaux-Arts (ouv. t.l.j., sauf mardi), riche en toiles de Véronèse, de Delacroix et de peintres contemporains. En l'hôtel de Lalande, le musée des Arts décoratifs (ouv. t.l. apr.-midi, sauf mardi) expose de belles collections de céramiques et de faïences de la région. D'un passé plus lointain, la ville a conservé la porte de la Grosse Cloche (XVe s.), la porte Cailhau (XVe s.) et les ruines du palais Gallien, vestiges d'un amphithéâtre romain du IIIe s.

Château-Margaux. Voir itinéraire 77.

Château de Beychevelle. Voir itinéraire 77.

Château de Mouton-Rothschild, Château-Lafite. Voir itinéraire 77.

Soulac-sur-Mer est une charmante station balnéaire adossée à la forêt plantée pour arrêter la progression des dunes. C'est ainsi qu'en 1756 la basilique N.-D.-de-la-Fin-des-Terres était ensevelie sous le sable. Dégagée et restaurée en 1860, elle offre au regard une nef majestueuse à quatre travées et des chapiteaux historiés.

Pointe de Grave. C'est la pointe septentrionale du Médoc. A l'E., sur les rives de la Gironde, un port bien abrité sert de refuge aux bateaux. Du bout de la jetée, panorama sur le phare de Cordouan (voir p. 420-421) et la côte charentaise.

Étang d'Hourtin-Carcans. Il est situé au milieu des landes et des forêts de pins maritimes ; c'est le plus grand plan d'eau de la région. S'étalant sur une longueur de 16 km et une largeur de 4 km, avec ses belles plages de sable abritées par des dunes, il offre d'excellentes possibilités pour la navigation de plaisance.

Étang de Lacanau. C'est une nappe d'eau de 2 000 ha aux rives sinueuses, tantôt bordées de roseaux et de joncs, tantôt présentant de petites baies isolées par des dunes. Riche en poissons, l'étang offre les plaisirs de la pêche aussi bien que les joies des sports nautiques (baignade, canotage, etc.).

Andernos-les-Bains. Voir itinéraire 81.

Arcachon. Nombreuses possibilités de promenades en bateau (rens. U.B.A., tél. : 56-54-60-32), notamment le tour du bassin, et visites de parcs à huîtres. Voir aussi itinéraire 83.

Dune du Pilat. Voir itinéraire 81.

Biscarrosse. Voir itinéraire 81.

Parentis-en-Born. Voir itinéraire 81.

Mimizan. Voir itinéraire 81.

Lit-et-Mixe, à la lisière d'une forêt de pins maritimes où dans les dépressions formées par les dunes poussent des ajoncs, des genêts et des arbousiers, possède dans son église du XVe s. une tribune à panneaux de bois flamboyants et une pietà du XVe s.

Dax doit sa renommée, depuis l'Antiquité, aux propriétés curatives de ses boues et de ses eaux chaudes (64 °C) sulfatées, recommandées pour les rhumatismes. Par ailleurs, la vieille ville, bâtie sur la rive gauche de l'Adour, a conservé une partie de ses remparts gallo-romains, ainsi que la cathédrale Notre-Dame, reconstruite au XVIIIe s., qui a gardé un beau portail gothique orné de statues. A Saint-Paul-lès-Dax, le chevet de l'église est décoré de remarquables chapiteaux et panneaux de marbre sculptés du XIIe s.

Lac d'Hossegor. Voir itinéraire 82.

Bayonne puise dans sa longue histoire l'origine de ses produits célèbres comme les baïonnettes, le jambon et le chocolat. Là, parmi les vieilles maisons aux balcons en fer forgé, se dresse la cathédrale Ste-Marie, de style gothique méridional, qui se distingue par une nef à l'élévation audacieuse et un triforium à claire-voie. Au musée Bonnat (vis. t.l.j., sauf mardi et j. fér.) : œuvres de Dürer, Vinci, Rubens, Goya, Ingres. Au Musée basque (fermé actuellement), arts et traditions populaires, histoire.

Biarritz. Voir itinéraire 87.

Saint-Jean-de-Luz. Voir itinéraire 87.

Ascain, la Rhune. Voir itinéraire 87.

Cambo-les-Bains. Voir itinéraire 87.

Saint-Jean-Pied-de-Port est une ancienne place forte bâtie sur les bords de la Nive. Dans la vieille ville ceinte de remparts, la rue de la Citadelle, bordée d'hôtels en grès rouge (XVIe-XVIIe s.), conduit à la forteresse (on ne visite pas) ; de l'esplanade, vaste panorama sur la ville.

Mauléon-Licharre. Voir itinéraire 84.

Navarrenx. Voir itinéraire 84.

Sauveterre-de-Béarn occupe un site pittoresque, sur un escarpement qui domine un grand méandre du gave d'Oloron ; un pont le franchissait, il n'en reste qu'une arche coiffée d'une porte fortifiée (XIIe s.).

Salies-de-Béarn. Cette station thermale, bâtie sur les rives du Saleys, est connue depuis le XIe s. pour ses eaux « chlorurées sodiques ». Visiter le musée du Sel (t.l. apr.-m., sauf dim. et lundi, du 15 mai au 30 sept. ; jeudi et sam. apr.-m., de Pâques au 15 mai et en oct. Fermé de nov. à Pâques).

Orthez, un moment capitale du Béarn, est aujourd'hui une des capitales du jambon dit « de Bayonne » et du foie gras. De son passé, la ville a conservé quelques maisons anciennes, la tour Moncade (t.l.j., 1er avr.-30 sept. Groupes : rens. à l'O.T., tél. : 59-69-02-75), vestige du château, et, enjambant le gave de Pau, le Pont Vieux, surmonté d'une tour de défense.

Hagetmau. Voir itinéraire 85.

Saint-Sever. Voir itinéraire 85.

Aire-sur-l'Adour. Le confit d'oie est une des spécialités de cette petite ville adossée aux coteaux de la Chalosse. La cathédrale, du XIIe s., dédiée à saint Jean-Baptiste, possède de belles orgues et d'intéressantes boiseries du XVIIIe s. dans le chœur. On verra surtout, dans la crypte de l'église Sainte-Quitterie du Mas d'Aire (t.l.j., sauf jeudi), un magnifique sarcophage (IVe s.) en marbre.

Roquefort. Le bourg, situé au confluent de la Douze et de l'Estampon, fut la capitale du pays de Marsan. Il possède une église fortifiée, avec une tour percée de meurtrières.

Marquèze. Voir p. 156 et 157.

Villandraut. Voir itinéraire 78.

Le château de Roquetaillade est bâti au sommet d'une colline de calcaire rougeâtre et se compose de six grosses tours rondes et crénelées, encadrant un corps de logis aux immenses salles voûtées pourvues de larges cheminées. L'ensemble est dominé par un gros donjon central de plan carré (t.l. apr.-m. de Pâques à la Toussaint ; t.l.j. en juill.-août ; le reste de l'année, dim., j. fér. et vac. scol., l'apr.-m.).

La Réole. Le site (voir itinéraire 80), les maisons anciennes, les restes d'un château et une ancienne abbaye bénédictine font tout le charme de cette vieille ville aux rues tortueuses.

Blasimon. Isolée au milieu d'un vallon s'élève l'ancienne abbatiale St-Maurice ; la façade romane, surmontée d'un clocher-mur, est ornée d'un portail aux voussures sculptées. A côté, ruines des bâtiments claustraux.

Château de Montaigne. Dans la tour de la Librairie, maximes gravées dans les solives par l'auteur des *Essais*, qui aimait y méditer (ouv. t.l.j. en juill.-août ; sauf lundi et mardi le reste de l'année. Fermé du 6 janv. au 18 févr.).

Saint-Émilion. Voir itinéraire 76.

De la Dordogne aux crus du Médoc

144 km
127 km

Que ce soit sur les rives de la Dordogne ou de la Gironde, ces deux itinéraires serpentent dans des vignobles aux noms prestigieux, que parsèment des cités anciennes au charme tranquille. Dans le Libournais, on ne peut ignorer les grands noms de Saint-Émilion et de Fronsac, tandis que dans le Blayais on remonte le temps jusqu'à la préhistoire dans la grotte de Pair-non-Pair. Sur la rive gauche de la Gironde, où le fleuve se perd déjà dans la mer, le haut Médoc offre les meilleurs crus du Bordelais.

ITINÉRAIRE N° 1

❶ **Vayres.** Le principal attrait de ce petit port de la rive gauche de la Dordogne est le château, qui fut propriété d'Henri IV. Un élégant châtelet d'entrée mène au corps de bâtiment muni de tours d'angle et d'une tour centrale pour l'escalier (voir dessin) ; (ouv. t.l. apr.-m., juill.-août ; vis. guid. dim. et j. fér., l'apr.-m. le reste de l'année. Groupes sur rendez-vous, tél. : 57-74-85-15).

❷ **Saint-Émilion** est une petite cité médiévale encore ceinte d'une partie de ses remparts, aux rues bordées de

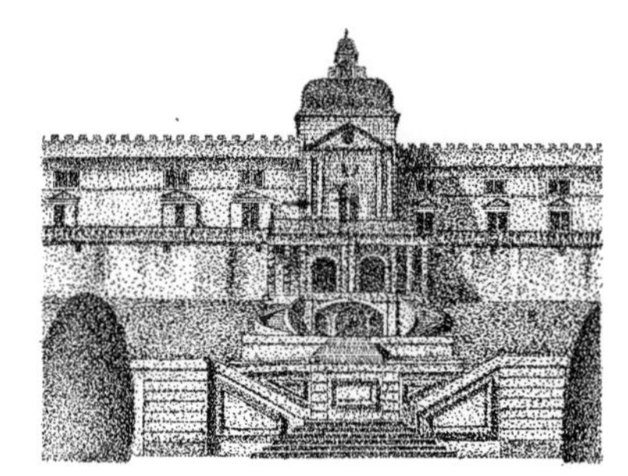

Vayres. Symétrie de la colonnade et de l'escalier monumental à double rampe, équilibre classique des proportions.

Château de la Grave. Situé sur les côtes de Bourg, à la périphérie de la ville, c'est un exemple des domaines du Bordelais.

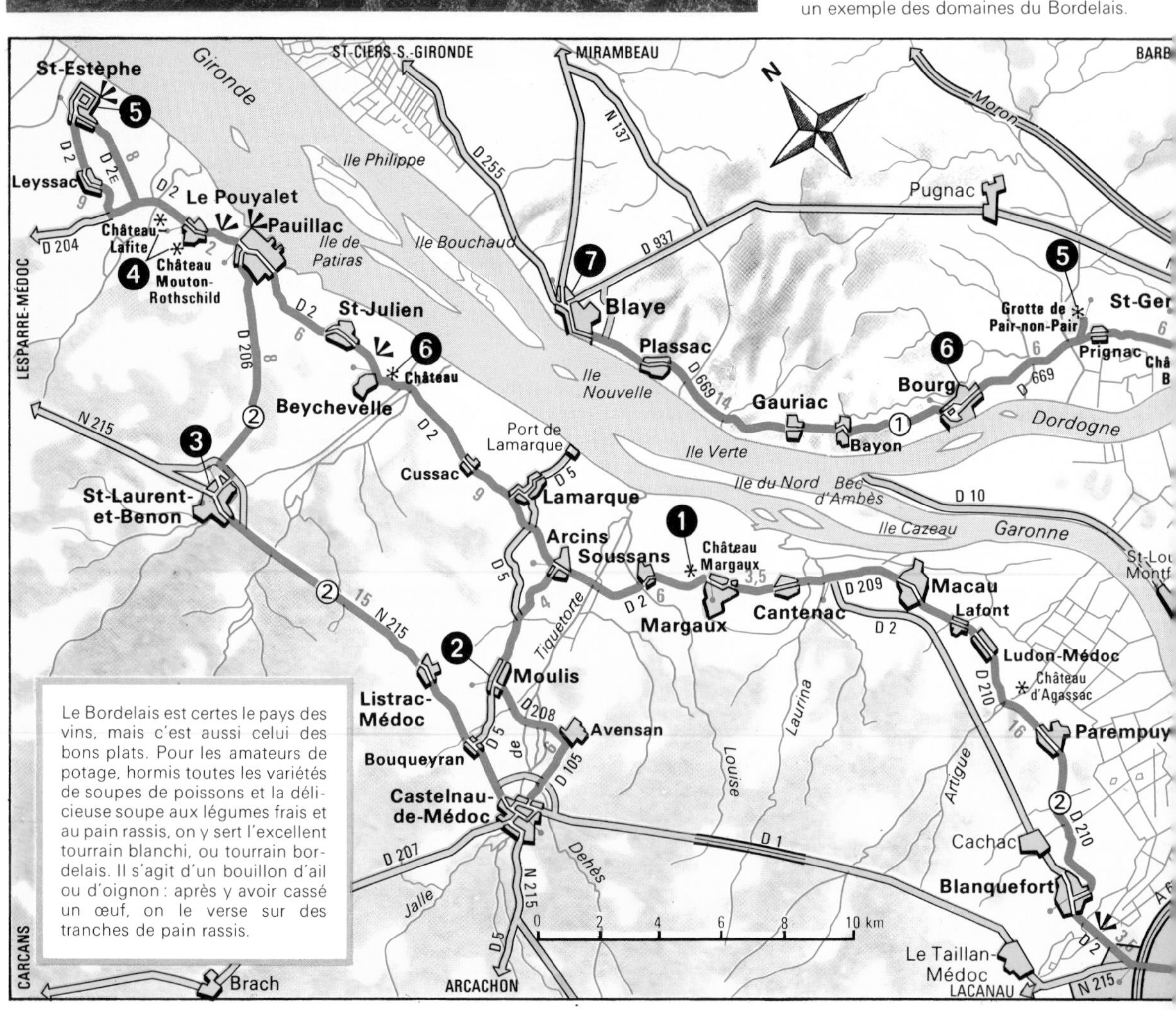

Le Bordelais est certes le pays des vins, mais c'est aussi celui des bons plats. Pour les amateurs de potage, hormis toutes les variétés de soupes de poissons et la délicieuse soupe aux légumes frais et au pain rassis, on y sert l'excellent tourrain blanchi, ou tourrain bordelais. Il s'agit d'un bouillon d'ail ou d'oignon : après y avoir cassé un œuf, on le verse sur des tranches de pain rassis.

maisons anciennes. Elle se dresse, au-dessus de ses célèbres vignobles, sur deux collines formant amphithéâtre. Dans la roche calcaire qui supporte la vieille ville sont creusées des catacombes, de nombreuses caves où sont conservés les produits de la vigne, ainsi qu'une église monolithique (XIe-XIIe s.) unique en Europe, composée de trois vastes nefs et d'un berceau soutenu par de robustes piliers quadrangulaires. L'église collégiale, à nef du XIIe s. et clocher-porche, possède des peintures du XIIIe s. et un cloître aux arcades flamboyantes (ouv. t.l.j., sauf 24, 25, 31 déc. et 1re sem. de janv. Vis. guid. pour l'ensemble des monuments tte l'année).

❸ **Libourne.** Située au confluent de la Dordogne et de l'Isle, la ville est un centre important de commerce des vins de Bordeaux. Du pont de la Dordogne, long de 220 m, constitué de neuf arches de pierre, on a une vue d'ensemble sur le port, dont l'activité au cours des siècles est attestée par le quai de l'Isle (XVIIe s.) et la tour du Grand-Port (XIIIe s.). Dès la sortie de la ville, on pénètre au cœur des vignobles. Le *tertre de Fronsac* offre un vaste panorama sur la région de l'Entre-Deux-Mers, la vallée de l'Isle et la « barre de la Dordogne » à marée montante, lorsque l'Océan se heurte au fleuve.

❹ **Château du Bouilh.** Sous ce château du XVIIIe s. (vis. guid. du 1er juill. au 1er oct., jeudi, sam., dim. et j. fér., l'apr.-m.) sont creusées des caves, où vieillit le cru du domaine.

❺ **Grotte de Pair-non-Pair.** Elle est située dans les flancs calcaires du vallon du Moron et contient des gravures de l'époque aurignacienne (env. 30 000 ans av. J.-C.) : mammouths, bisons, chevaux, bouquetins (vis. t.l.j., sauf j. fér.).

❻ **Bourg.** Des fortifications de la vieille ville, bâtie sur une falaise calcaire dominant la Dordogne, il ne subsiste que deux portes et le château de la citadelle, ancienne résidence des archevêques de Bordeaux. Vue magnifique jusqu'au Bec d'Ambès.

❼ **Blaye** est dominée par sa magnifique citadelle achevée par Vauban. A l'intérieur se trouve le musée d'Histoire et d'Art du pays blayais (t.l.j. du 1er juin au 31 oct. ; dim. tte la journée du 15 avr. au 31 mai. Fermé de nov. au 15 avr.).

ITINÉRAIRE No 2

❶ **Château-Margaux.** Son vignoble de 80 ha (vis. des chais t.l.j., sauf sam., dim., août et vendanges ; uniq. sur R.-V.) fait partie, en Médoc, des premiers crus classés des grands vins de Bordeaux. On admirera les proportions du château (début XIXe s.).

❷ **Moulis.** Ce petit village possède une église romane à nef unique flanquée d'un clocher de style gothique tardif ; à l'intérieur, curieux chapiteaux historiés. A proximité, l'église de *Castelnau-de-Médoc* abrite un bas-relief du XVe s. en albâtre représentant la Crucifixion.

❸ **Saint-Laurent-et-Benon,** proche du vignoble de la Tour-Carnet, s'agrémente d'une curieuse église à abside romane dominée par un clocher-porche de plan carré.

❹ **Châteaux Mouton-Rothschild et Lafite-Rothschild.** Dans leurs chais s'alignent de précieuses et vénérables bouteilles (vis. du château Lafite sur R.-V. uniquement, l'apr.-m., du mardi au vendr., du 1er nov. au 31 juill. ; tél. à Paris : 42-56-33-50). Au château Mouton, on visite les chais (voir photo) et le musée : collections de peintures et de sculptures se rapportant au vin, orfèvrerie (sur R.-V., appeler le 56-59-22-22).

❺ **Saint-Esthèphe** est sur une éminence, dominant une vaste étendue de vignes qui produisent des vins rouges réputés. La vue s'étend au loin sur la Gironde et les côtes de Blaye.

❻ **Château de Beychevelle.** Un peu à l'écart du village, celui-ci est installé dans une ancienne chartreuse du XVIIIe s. (vis. des chais sur R.-V., appeler le 56-59-23-00).

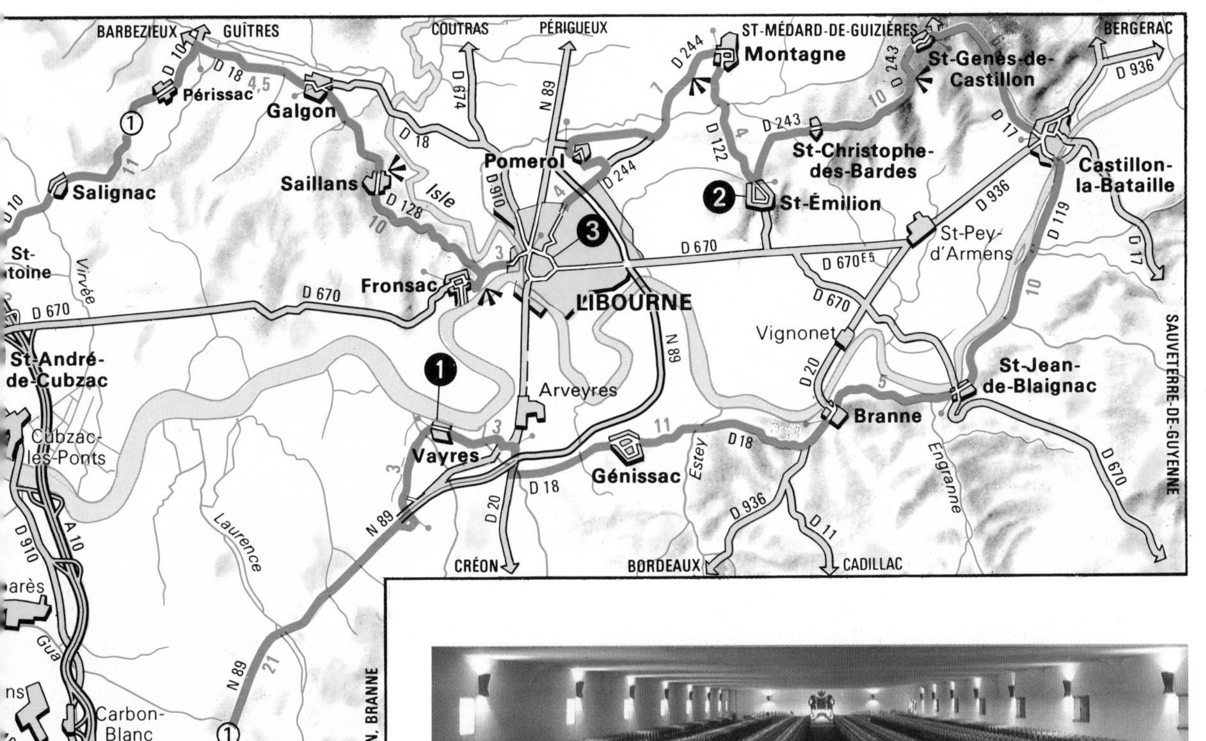

Château Mouton-Rothschild. Dans le grand chai reposent les barriques de vin nouveau, l'un des plus célèbres grands crus de Bordeaux, d'une finesse et d'un moelleux exceptionnels.

De Cadillac à Bazas par le vignoble 48 km

De Cadillac à Bazas, l'itinéraire chemine parmi les vignobles mondialement connus du Bordelais. Dans les domaines des vins rouges ou blancs, les crus des Côtes de Bordeaux, de Sauternes représentés par le Château d'Yquem, du Barsac et du terroir des Graves, se succèdent en une envolée enivrante propre à faire rêver les gourmets, pour lesquels les plaisirs de la table s'enrichissent d'un cadre enchanteur.

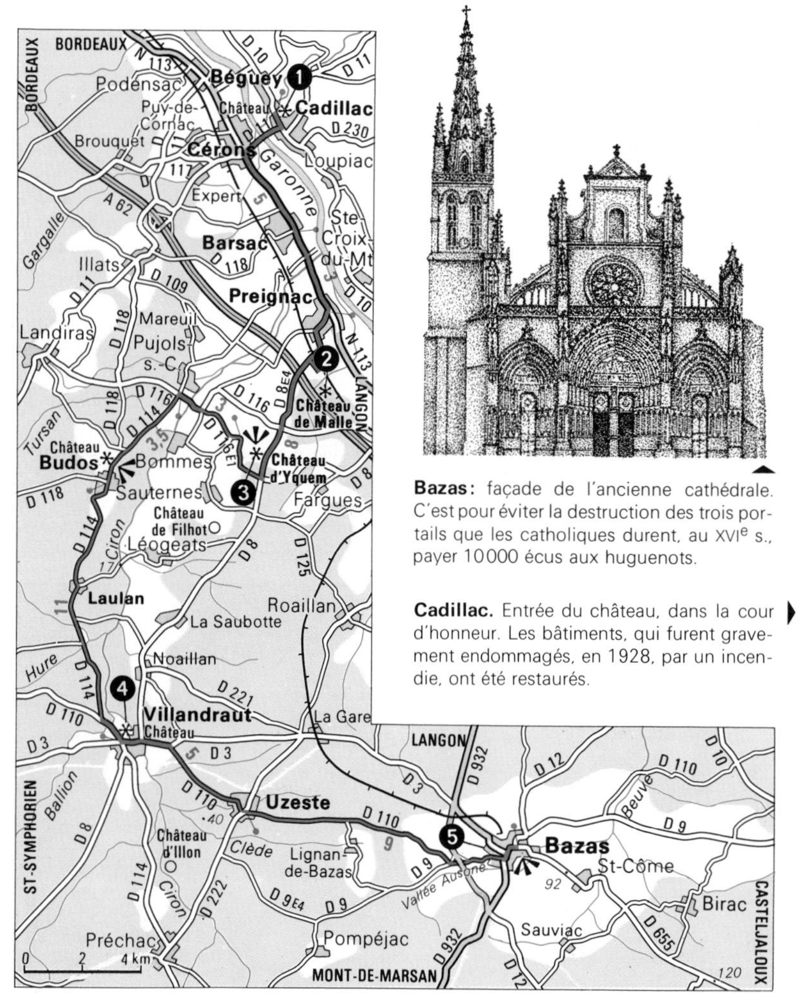

Bazas : façade de l'ancienne cathédrale. C'est pour éviter la destruction des trois portails que les catholiques durent, au XVIe s., payer 10 000 écus aux huguenots.

Cadillac. Entrée du château, dans la cour d'honneur. Les bâtiments, qui furent gravement endommagés, en 1928, par un incendie, ont été restaurés.

❶ **Cadillac,** vieille ville médiévale édifiée sur la rive droite de la Garonne, doit son attrait au château que Jean-Louis de Nogaret de La Valette, duc d'Épernon, y fit construire. Ce magnifique édifice du début du XVIIe s., comme en témoignent les traces de sa splendeur passée (voir photo), était conçu pour abriter la véritable cour qu'y entretenait son fastueux propriétaire. Si son aspect extérieur évoque les austères forteresses d'antan, avec ses bastions, ses échauguettes et ses douves, l'intérieur (vis. t.l.j., toute l'année) rappelle un peu le luxe des somptueuses réceptions d'autrefois. Les sous-sols se composent de belles salles voûtées. Dans les étages, des plafonds à la française et huit cheminées décorées ornent les appartements. La chapelle funéraire des ducs d'Épernon (1606), face au château, est séparée de l'église St-Blaise par une clôture en marbre ajouré et contient un retable de pierre du XVIIe s.

❷ **Château de Malle.** Non loin de Preignac, dans la région des vins blancs de Sauternes, s'élève le château de Malle, dont le vignoble réputé s'étend également sur le terroir des vins rouges de Graves. Au centre de beaux jardins à l'italienne, l'édifice du XVIIe s., avec des ailes latérales abritant le chais, possède à l'intérieur un grand vestibule aux portes encadrées de marbre vert, une importante collection de silhouettes en trompe-l'œil du XVIIe s. et un très beau mobilier (vis. guid. du château, t.l.j. d'avr. à fin oct. Fermé le reste de l'année. Visite libre des jardins).

❸ **Le château d'Yquem** est l'aboutissement d'une promenade dans les vignobles du Sauternais par la visite du plus célèbre de ses crus (voir photo). La famille de Lure-Saluces, implantée dans le pays depuis le XVIIe s., veille jalousement à la qualité de ce vin ambré et liquoreux (vis. du château et des chais sur rendez-vous).

❹ **Villandraut,** à l'orée de la forêt des Landes, est établie sur la rive gauche du Ciron, affluent de la Garonne. La cité était défendue par une forteresse gothique, exemple type des châteaux forts de plaine. Bâti par Bertrand de Got, le futur Clément V, premier pape à s'installer à Avignon, l'édifice est entouré d'un profond fossé, et, si les trois corps de logis sont en ruine, la visite des fortifications flanquées de quatre grosses tours rondes, d'où la vue découvre la forêt landaise, ne manque pas d'intérêt. Un petit musée retrace l'histoire locale jusqu'au XIXe s. (t.l.j., 1er juin-15 sept. ; hors saison, tél. : 56-25-37-62).

❺ **Bazas,** installée sur un promontoire au-dessus de la riche vallée de la Beuve, est ceinte de remparts gothiques en ruine, dont la porte du Gisquet, avec ses deux tours rondes et trapues, constitue la partie la mieux conservée. Cependant, le passé monumental de la ville, malgré les destructions des guerres de Religion, est surtout perceptible sur la place principale bordée d'anciennes maisons à arcades. L'église N.-D.-du-Mercadil est ornée de six hautes fenêtres et d'une corniche à modillons (on ne visite pas). La cathédrale St-Jean-Baptiste, l'un des plus remarquables édifices gothiques du Bazadais (voir dessin), a une façade à trois niveaux percée de trois portails (XVIIIe s.). Bazas est le point de départ de promenades tranquilles dans la vallée de la Beuve, qui porte, en amont de la ville, le nom de vallée « Ausone », du nom du poète latin.

Château d'Yquem. Flanqué de tours d'angle rondes, il présente, au cœur d'un vignoble parfaitement ordonné, et dont on fait un «sauternes» célèbre, une façade d'une majesté simple.

Marmande 81 km et le pays d'Albret

En Agenais et en pays d'Albret, sur les marches des Landes, à l'ouest, et des collines de Gascogne, au sud, à travers les vertes forêts du Mas-d'Agenais et de Campet, par les vallées de la Gélise et de la Baïse, voici une région haute en couleur et jalonnée de villes séduisantes. Là, malgré quelques épisodes mouvementés, l'histoire a surtout retenu le souvenir des aventures amoureuses d'Henri III de Navarre, futur Henri IV, roi de France, tantôt seigneur à Nérac, tantôt meunier à Barbaste.

❶ **Marmande** possède l'un des plus beaux édifices gothiques de l'Agenais : l'église Notre-Dame, où l'on remarque des traces de l'influence anglaise et dont le cloître (voir photo), est un chef-d'œuvre de la Renaissance. A l'intérieur, retable en bois sculpté représentant saint Benoît.

❷ **Le Mas-d'Agenais** présente dans son église romane très restaurée des chapiteaux historiés de scènes de l'Ancien Testament et un magnifique Christ en croix de Rembrandt, peint sur bois (1631).

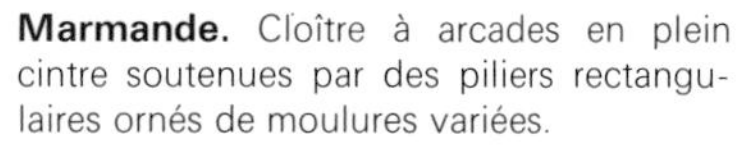

Marmande. Cloître à arcades en plein cintre soutenues par des piliers rectangulaires ornés de moulures variées.

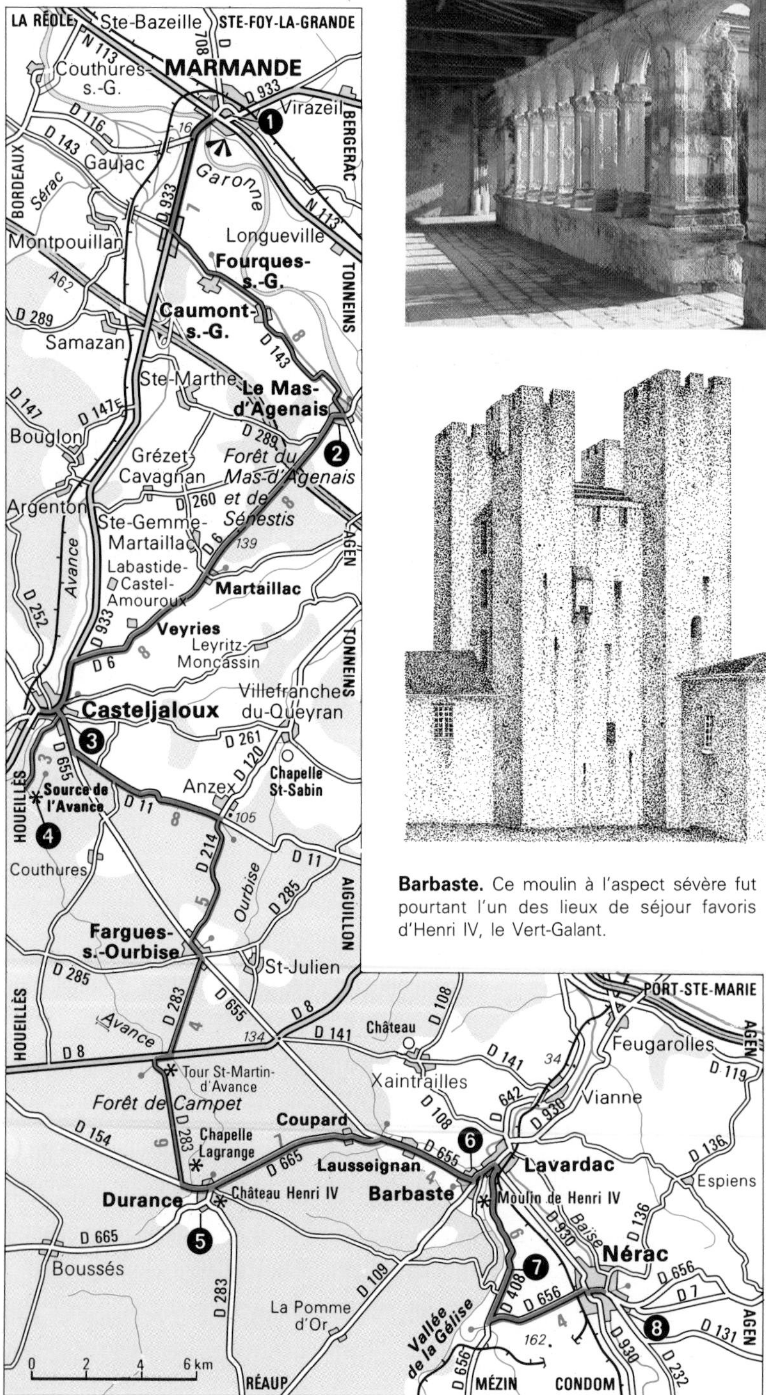

Barbaste. Ce moulin à l'aspect sévère fut pourtant l'un des lieux de séjour favoris d'Henri IV, le Vert-Galant.

❸ **Casteljaloux.** La mairie du village est installée dans une ancienne commanderie de l'ordre des Templiers. Vieilles maisons de bois typiques.

❹ **Source de l'Avance.** Située en pleine forêt landaise, à 3 km au S. de Casteljaloux, elle est en fait constituée par trois sources aménagées.

❺ **Durance.** A l'entrée se trouvent les vestiges d'un ancien prieuré, la chapelle Lagrange. Le village abrite les restes d'un ancien rendez-vous de chasse d'Henri IV, des fortifications du XIIIe s., et une belle église gothique.

❻ **Barbaste.** A Barbaste, au-delà du vieux pont gothique à dix arches cintrées qui enjambe la Gélise, se dresse un moulin fortifié (voir dessin), bel ensemble à quatre tours d'angle crénelées (ne se visite pas). Une exposition d'artisanat a lieu en juillet et en août à la mairie.

❼ **Vallée de la Gélise.** Affluent de la Baïse, la Gélise forme une petite gorge dans les calcaires blancs de l'Agenais en bordure de la forêt landaise (à 2 km au S. de Barbaste, baignade).

❽ **Nérac** possède dans son vieux quartier un château Renaissance, résidence préférée de la sœur de François Ier, Marguerite d'Angoulême, reine de Navarre. L'édifice abrite un musée (vis. t.l.j. de juin à sept. ; sauf lundi en avril-mai ; sauf lundi et mardi d'oct. à mars) où sont exposées des collections d'objets préhistoriques et gallo-romains. Curieuse cheminée dans la salle des gardes. La ville s'agrémente de la magnifique promenade de la Garenne, plantée de chênes et d'ormes, qui longe la Baïse.

En descendant la vallée de la Garonne 40 km

Entre Agenais et Bordelais, exactement en Réolais, la descente de la grande vallée garonnaise et quelques incursions dans les pays qui l'encadrent permettent d'observer les principaux paysages que le fleuve a façonnés, tant du point de vue géologique que topographique. L'homme aussi a profondément marqué la région : axes de circulation et agglomérations dans la vallée, habitat dispersé, cultures délicates et vignobles florissants sur les coteaux, forment un ensemble empreint d'une noble sérénité.

❶ **Meilhan-sur-Garonne.** Perché à une cinquantaine de mètres au-dessus de la Garonne, le « tertre » de Meilhan est un très vigoureux éperon rocheux de calcaire tertiaire d'âge stampien renfermant des coquilles (calcaire à astéries). Découpé par la Garonne et l'un de ses minuscules affluents de rive gauche, le tertre présente un abrupt d'autant plus spectaculaire qu'il se trouve pratiquement situé à la verticale au-dessus du fleuve et du canal latéral de la Garonne. La vallée s'étale sur 5 km de largeur. En aval, le fleuve forme le méandre de Jusix, enfermant entre ses eaux un lobe de terrasses constituées d'alluvions récentes. Ces terrains limoneux et fertiles ont été mis en valeur : l'habitat y est dispersé, et une agriculture riche, associant champs (blé, maïs, légumes, primeurs), prés (élevage bovin) et grands vergers modernes, s'y est développée.

❷ **Signal du Mirail.** Quelques centaines de mètres avant d'atteindre La Réole (voir itinéraire 75), prendre, sur la droite, une petite route montueuse qui mène au signal du Mirail ; du sommet, la vue plongeante sur le site de La Réole se prolonge par une échappée sur la vallée de la Garonne et, dans le lointain, sur le Bordelais. Si on regarde vers l'E., ce sont les « ramiers », bois submergés par les crues hivernales qui répandent chaque année une nouvelle couche d'alluvions. L'agriculture gagne de plus en plus sur ces terres propices à l'exploitation du tabac et des primeurs qui trouvent là des conditions climatiques très favorables.

❸ **Saint-Macaire.** L'itinéraire longe ensuite la rive droite de la Garonne jusqu'à Saint-Macaire. Porte du Bordelais, cette cité médiévale, qui dut sa prospérité à son port fluvial et au commerce des vins, offre un intéressant ensemble urbain. On y pénètre par la porte de Benauge. Il faut flâner dans les rues et sur la place du Marché (mercadiou, en gascon), entourée de couverts et de belles maisons de marchands gothiques et Renaissance. Voir l'église Saint-Sauveur (XIIe s.) et les peintures murales (XIIIe s.) des voûtes du chœur, inspirées de l'Apocalypse. A côté, de la terrasse, vue sur la Garonne.

❹ **Sainte-Croix-du-Mont.** Sortir de Saint-Macaire par le N. et escalader par la route le pittoresque abrupt drapé de vignes, qui porte d'abord le nom de Côtes-de-Bordelais-Saint-Macaire, puis de Sainte-Croix-du-Mont et de Loupiac dans les communes de ce nom, enfin de Premières-Côtes-de-Bordeaux jusqu'à la métropole aquitaine.

Le bourg de *Verdelais* constitue une halte agréable (voir photo). Au pied de l'église et du château de Tastes, à Sainte-Croix-du-Mont, la corniche de calcaire est formée, sur plusieurs mètres d'épaisseur, d'une carapace d'huîtres fossiles dans laquelle a été creusé un petit caveau de dégustation. La vue porte sur la vallée de la Garonne, livrée non plus tant à la vigne qu'aux prés, aux champs de maïs, aux peupleraies, notamment dans les anciennes îles, maintenant rattachées à la terre ferme.

Verdelais, où repose le peintre Henri de Toulouse-Lautrec, veille sur un beau vignoble producteur d'un vin liquoreux.

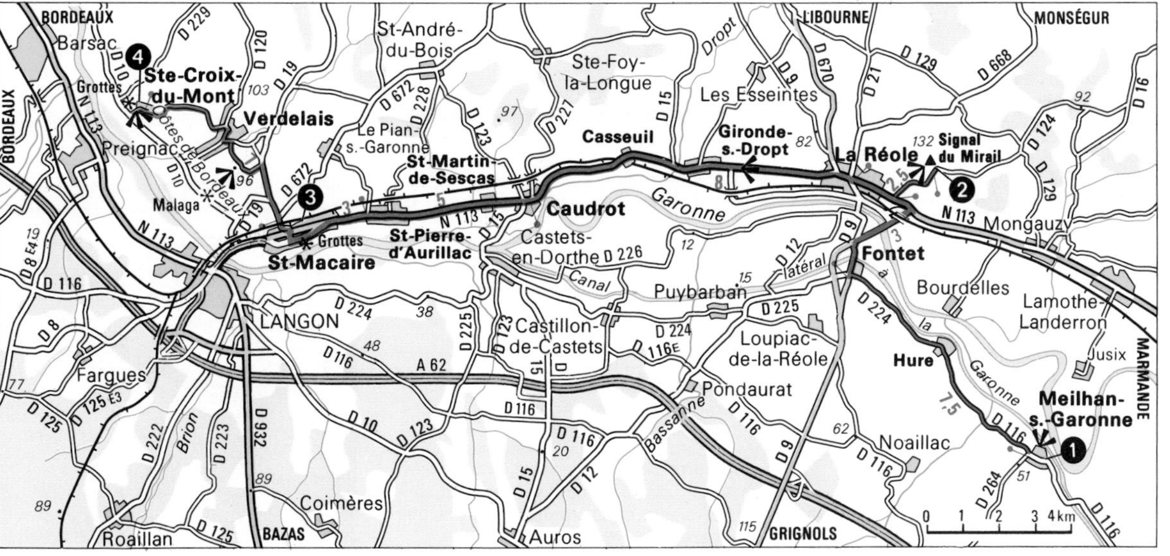

81

Étangs et forêts au départ du Pilat 218 km

Eaux et forêts... rarement appellation n'aurait autant été méritée: de vastes forêts de pins maritimes, quatre étangs, dont chacun a son charme propre, un bassin aux eaux calmes que l'on peut parcourir à marée basse, d'immenses plages de sable fin couronnées de dunes, les unes imposantes, les autres plus secrètes, et l'Atlantique aux flots tantôt apaisés, tantôt déchaînés, un désert hors saison, l'été une fourmilière: ce n'est pas une quelconque région exotique, mais les Landes. Ce paysage dépaysant ne peut faire oublier le pays lui-même, vivant et dynamique, dont l'activité s'étend de l'industrie du bois à l'ostréiculture et à l'extraction du pétrole.

❶ **Dune du Pilat** (voir photo). Les chercheurs y ont trouvé les preuves d'une occupation ancienne par la forêt et par les hommes, puisque des monnaies et des outils de l'époque néolithique y ont été découverts. Du sommet, panorama sur l'océan Atlantique et le cap Ferret, et vue d'ensemble sur le bassin d'Arcachon.

❷ **Biscarrosse,** au milieu de forêts de pins maritimes dont la majeure partie, au sud, est interdite (zone militaire), est située entre le Petit Étang de Biscarrosse et le Grand Étang de Biscarrosse et Parentis. En face de l'église (XVe s.) se trouve un orme légendaire, vieux, dit-on, de 600 ans. Chaque année, au printemps, apparaît, à la naissance des grosses branches, une couronne de feuilles blanches.

❸ **Parentis-en-Born** est une localité installée à la pointe E. du triangle qui dessine l'étang de Biscarrosse et Parentis. Cette nappe d'eau de 3 500 ha présente des rivages tantôt boisés avec des anses sableuses, tantôt bordés de marais, ou bien encore agrémentés de dunes paraboliques. Les amateurs peuvent assister dans les arènes à des courses de vaches landaises (juill. et août). Dans l'église, restaurée, Christ en bois, du XVIIe s., et statue de la Vierge à l'Enfant, du XVIIIe. Cependant, Parentis doit sa célébrité au pétrole, qui y fut découvert en 1954 et qui y est exploité aujourd'hui par la société Esso-Rep. L'or noir provient d'un gisement souterrain, le plus important des Landes, qui épouse la forme de l'étang. La nappe est située à 2 000 m environ de profondeur. Les puits sont implantés sur terre ou sur le lac même. Un musée (visite sur rendez-vous ; téléphoner au 58-78-40-02) initie aux techniques de prospection et d'exploitation du pétrole. Avant d'atteindre Mimizan, la nappe d'eau de *l'étang d'Aureilhan*, dans un site agréable, permet une halte reposante. Ses rives, boisées de pins maritimes ou bordées de prairies humides, sont façonnées en marais au N.-E. et au S.-E. A Aureilhan, baignade et pêche.

❹ **Mimizan** est un bourg charmant, dont la partie ancienne a été recouverte par les dunes au XVIIIe s. Près de la dune du Dos se dresse encore le clocher-porche d'une ancienne abbatiale bénédictine. Le portail roman (XIIe s.), aux voussures et au tympan incurvés, est orné de sculptures (vis., s'adresser au musée, tél.: 58-09-00-61). Toute proche, la plage de Mimizan, très fréquentée à la belle saison, offre un beau rivage de sable fin. Du haut des dunes, vue panoramique sur l'Océan et les forêts littorales.

Dune du Pilat. Avec ses 103 m, c'est la dune la plus haute d'Europe. Elle s'allonge sur près de 3 km, dominant l'Atlantique d'un côté et la forêt des Landes de l'autre.

L'ostréiculture consiste à fixer les naissains (petites huîtres) sur des tuiles, des planches chaulées ou des pieux. Après 1 à 2 ans, elles sont décollées et mises dans des parcs à l'abri des prédateurs; à 3 ans, elles sont placées dans des bassins peu profonds, ou *claires*.

Maison sur pilotis. Il en existe encore quelques-unes dans le bassin d'Arcachon.

Cap-Ferret. Implantation d'un parc à huîtres. Au début juillet, à marée basse, les tuiles sont empilées entre des pieux de bois. Les huîtres s'y fixeront.

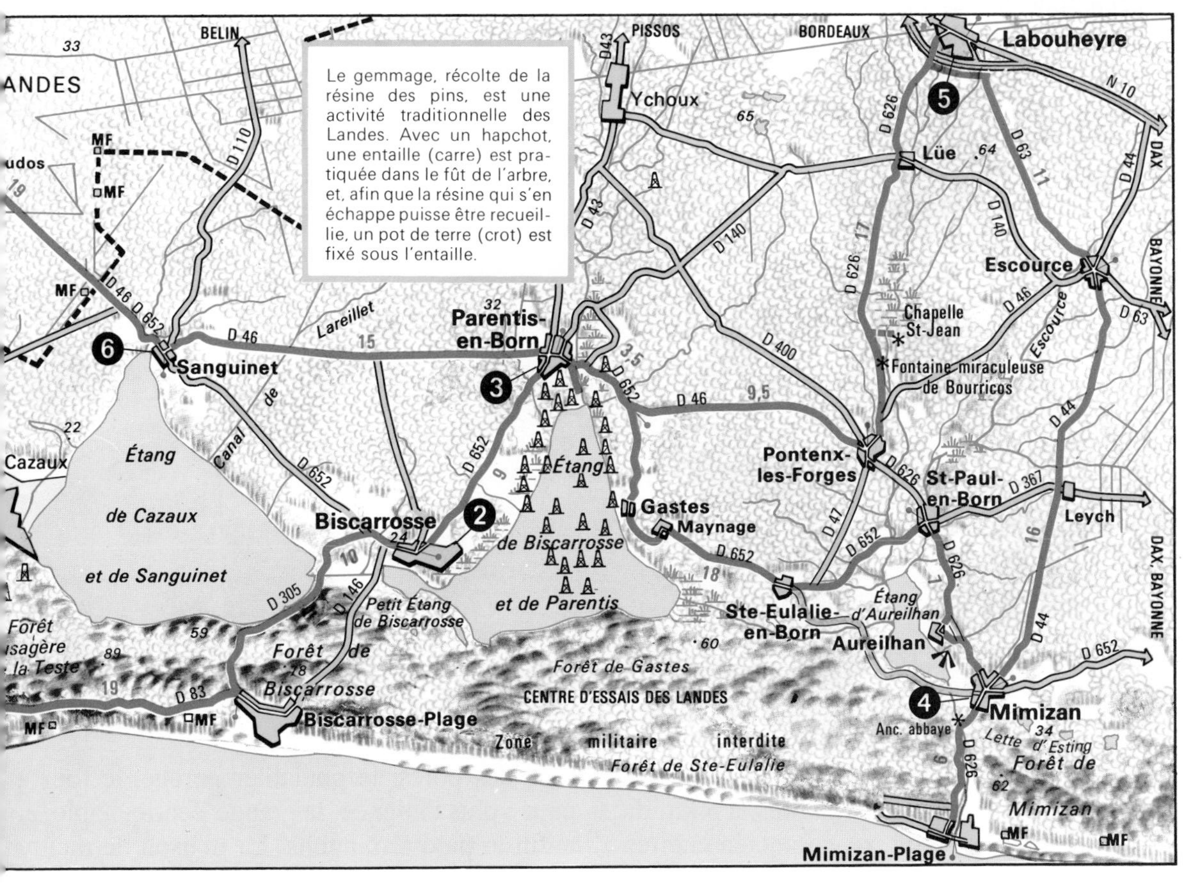

Le gemmage, récolte de la résine des pins, est une activité traditionnelle des Landes. Avec un hapchot, une entaille (carre) est pratiquée dans le fût de l'arbre, et, afin que la résine qui s'en échappe puisse être recueillie, un pot de terre (crot) est fixé sous l'entaille.

❺ **Labouheyre.** De Mimizan à Labouheyre par Leych et Escource, la route s'enfonce à travers la forêt. Dans une clairière, Labouheyre, petit bourg landais, vit sur l'exploitation de la forêt et de l'industrie du bois. La porte des anciens remparts et le portail (xve s.) de l'église flanquée d'un clocher-porche attestent que cette cité était un centre très actif dans le passé. L'itinéraire retrouve la grande forêt des Landes et traverse Lüe. Sur la gauche, la chapelle St-Jean et le vallon de Bourricos, avec sa fontaine miraculeuse, procurent un agréable moment de repos.

❻ **Sanguinet,** aux maisons landaises typiques implantées à l'ombre de vieux chênes, est situé sur les rives de l'étang de Cazaux et de Sanguinet, la plus grande étendue d'eau (5 600 ha) au S. du bassin d'Arcachon. Par endroits, des pentes boisées de pins dominent des plages et des anses sableuses ; mais, sur la côte, là où sont situées les plus grandes profondeurs (24 m), l'étang est bordé par un fort cordon dunaire.

Mios est l'une des portes du parc naturel régional des Landes de Gascogne, où au milieu de l'immense forêt de pins les vallées offrent le contraste de couloirs étroits bordés d'arbres à feuilles caduques et de prairies verdoyantes.

❼ **Andernos-les-Bains.** Sa grande plage de sable fin, bordée de pins, est caractéristique de la côte au N. du bassin d'Arcachon. A marée basse, les fonds sablo-vaseux sont découverts et parcourus de multiples chenaux ; ils forment de petites îles, les crassats, qui servent à l'ostréiculture. Le vaste plan d'eau qui s'étend devant la station balnéaire est voué aux sports nautiques et à la voile. De la ville, la vue embrasse tout le bassin.

❽ **Cap-Ferret,** à l'extrémité S. du cordon, se flatte d'une spécialité culinaire très appréciée des amateurs d'huîtres : la dégustation de portugaises accompagnées de saucisses chaudes. Visite des parcs à huîtres (voir photo) lors de la marée basse. Cependant, la localité est surtout réputée pour sa magnifique plage de sable fin. Du phare de la Croix des Marins, splendide panorama (t.l.j., 15 juin-15 sept. ; l'apr.-m., vac. scol. et j. fér. Se rens. auparavant auprès du gardien, tél. : 56-60-62-76).

A SABRES LA VIE DANS L'ANCIENNE LANDE

L'écomusée de Marquèze

Autrefois, les Landes de Gascogne n'offraient qu'un sol infertile coupé de marécages insalubres et de dunes de sable qui se déplaçaient au gré des vents. D'immenses travaux de reboisement entrepris au XIXe s., sous l'impulsion de Brémontier, puis conduits sous l'action plus systématique et plus vaste de l'ingénieur Chambrelent ont contribué à transformer radicalement la physionomie de cette région, qui est aujourd'hui le plus important massif forestier français. C'est au cœur de ce massif qu'est né, en 1969, le premier musée de l'environnement, élément du parc naturel régional des Landes de

Gascogne. L'écomusée de la Grande Lande est implanté sur la commune de Sabres, à 5 km du bourg auquel il est relié par un ancien chemin de fer. A Marquèze, un cadre et un mode de vie révolus ont été patiemment restitués. Il s'agit de la reconstitution de la vie de « quartier » qui se caractérise par un isolement presque total vis-à-vis de l'extérieur. Une population très structurée (cultivateurs, bouviers, bergers, gemmeurs...) vivait dans une société équilibrée de type patriarcal groupant souvent trois générations sous le même toit.

La place ne manquant pas, l'homme s'était donné une aire assez vaste pour ses travaux quotidiens et le parcours de nombreux animaux domestiques : c'est l'« airial », si caractéristique de la Grande Lande et qui n'a pas son équivalent exact ailleurs. Cette vaste clairière, enserrée aujourd'hui dans le « pignada », était à l'origine un îlot de colonisation au milieu de la Lande désertique et mal drainée. Il témoigne d'une occupation humaine relativement ancienne, certainement antérieure à la plantation systématique de la forêt de pins au XIXe s. Ce vaste espace, où poussent une pelouse, des chênes centenaires, des châtaigniers et autres arbres fruitiers, est parsemé de maisons à colombage et en torchis passés au lait de chaux, et de divers bâtiments d'exploitation, pour moitié restaurés sur place, pour moitié transférés de quartiers voisins.

Aux abords de l'habitation proprement dite s'éparpillent le puits à balancier, l'auge-abreuvoir, la loge des porcs, le poulailler perché, le four à pain ; plus éloignée, la grange-écurie-étable, et enfin le parc à moutons. La maison de maître « le Mineur » (1772), et celle dite « de Marquèze » (1824), de plan régulier et à auvent central, témoignent d'une architecture traditionnelle remarquable. La maison du meunier et le moulin sur piliers de bois, détruits au siècle dernier, sont fidèlement reconstitués.

Dans le prolongement de l'airial, on pourra voir le champ de seigle, la culture du millet, le rucher ; plus loin, le pré d'embouche et l'aire meunière. Un sentier en forêt montre aussi les techniques d'exploitation de la résine.

La réalisation de l'écomusée progresse chaque année. A Luxey, à 22 km de Sabres, on pourra visiter l'atelier de produits résineux, qui a fonctionné entre 1859 et 1954 ; à Moustey, l'église Notre-Dame abrite un musée du Patrimoine religieux et des croyances populaires.

Four à pain. Il est installé dans un petit bâtiment toujours séparé de la maison pour éviter les incendies; la voûte est constituée d'assises concentriques de briques pleines.

Ruche. L'apiculture a toujours été très répandue. Le «bournac» est constitué d'une ossature en châtaignier.

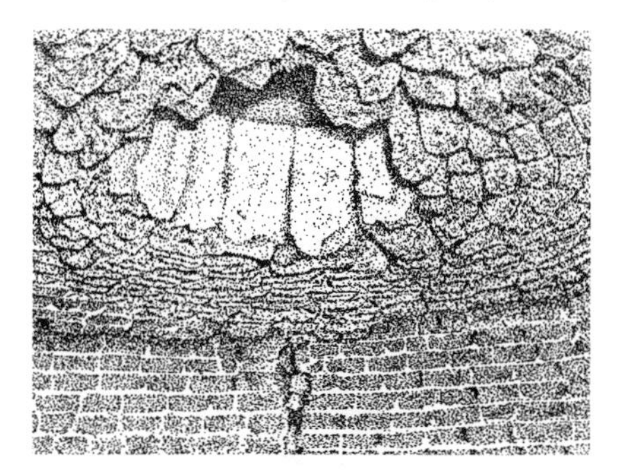

Poulailler perché. Entièrement en bois et équipé d'une échelle mobile, il abrite la volaille des prédateurs tel le renard; la fiente est recueillie pour servir d'engrais.

Moulin à eau. Le moulin était, comme les maisons, en bois et torchis. Son entretien nécessitait une attention soutenue à cause des crues dévastatrices.

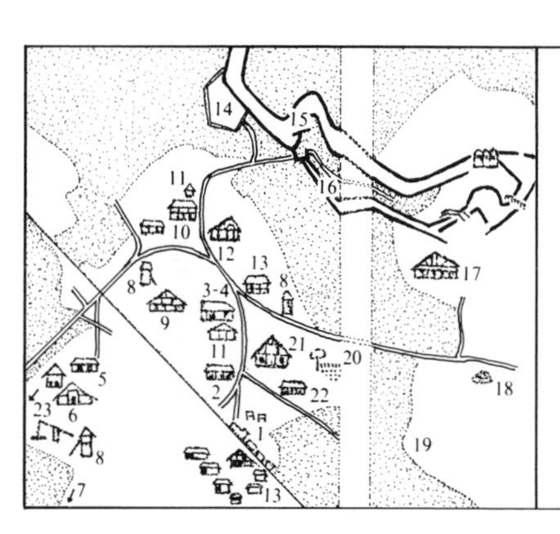

Plan de la visite et renseignements pratiques

1. Informations, accueil, restaurant. 2-3-4. Présentation du parc régional et programme audiovisuel. 5. Exposition de « la lande au pain » et de « la lande au miel ». 6. Maison le Mineur (1772). 7. Les champs, le seigle, la vigne. 8. Poulaillers perchés. 9. Parcs à moutons. 10. Maison de métayers. 11. Porcheries. 12. Grange haute. 13. Fours à pain en fonctionnement. 14. Pré d'embouche. 15. Lavoir. 16. La galerie de feuillus : la rivière. 17. Moulin et maison du Meunier. 18. Charbonnière dans une coupe. 19. Semis de pins. 20. Pins gemmés selon différentes techniques (pour plus de détails, visiter l'écomusée de Luxey). 21. Maison de Marquèze (1824). 22. Métairie. 23. Aire de pique-nique. Ouv. sam. apr.-midi, dim. et j. fér., d'avr. à nov. ; t.l.j., de juin à sept. Le reste de l'année, en semaine : avr. et mai, t.l. apr.-m. (train à 15 h) ; oct. au 1er nov., sur rendez-vous pour les groupes scolaires (rens. tél. : 58-07-52-70). Seul accès autorisé : le train en partance de la gare de Sabres. La visite peut durer la journée.

Récolte de la résine. La technique du gemmage, incision du pin pour recueillir la résine, a beaucoup évolué. Le dessin ci-dessus illustre la méthode traditionnelle de l'entaille verticale avec le «hapchot».

Attelage. Le «bros» est un char à deux roues tiré à l'aide d'un joug à cadre. Il sert à transporter le «soutrage» (fougères et branches composant la litière puis la fumure), les «grumes» (billes de bois écorcées), ou des fûts de résine.

82

Les anciennes bouches de l'Adour 43 km

Dans la partie méridionale des Landes, le littoral et la forêt atlantiques forment un paysage original : c'est un pays plat, où l'Adour a divagué jusqu'à ce que son embouchure soit fixée par l'homme à Bayonne. La rivière a laissé sur ses différents passages des petits étangs. Ceux-ci sont séparés de l'Océan par une ligne de dunes boisées et y sont raccordés par des émissaires dont le flot varie avec les marées, les « courants ».

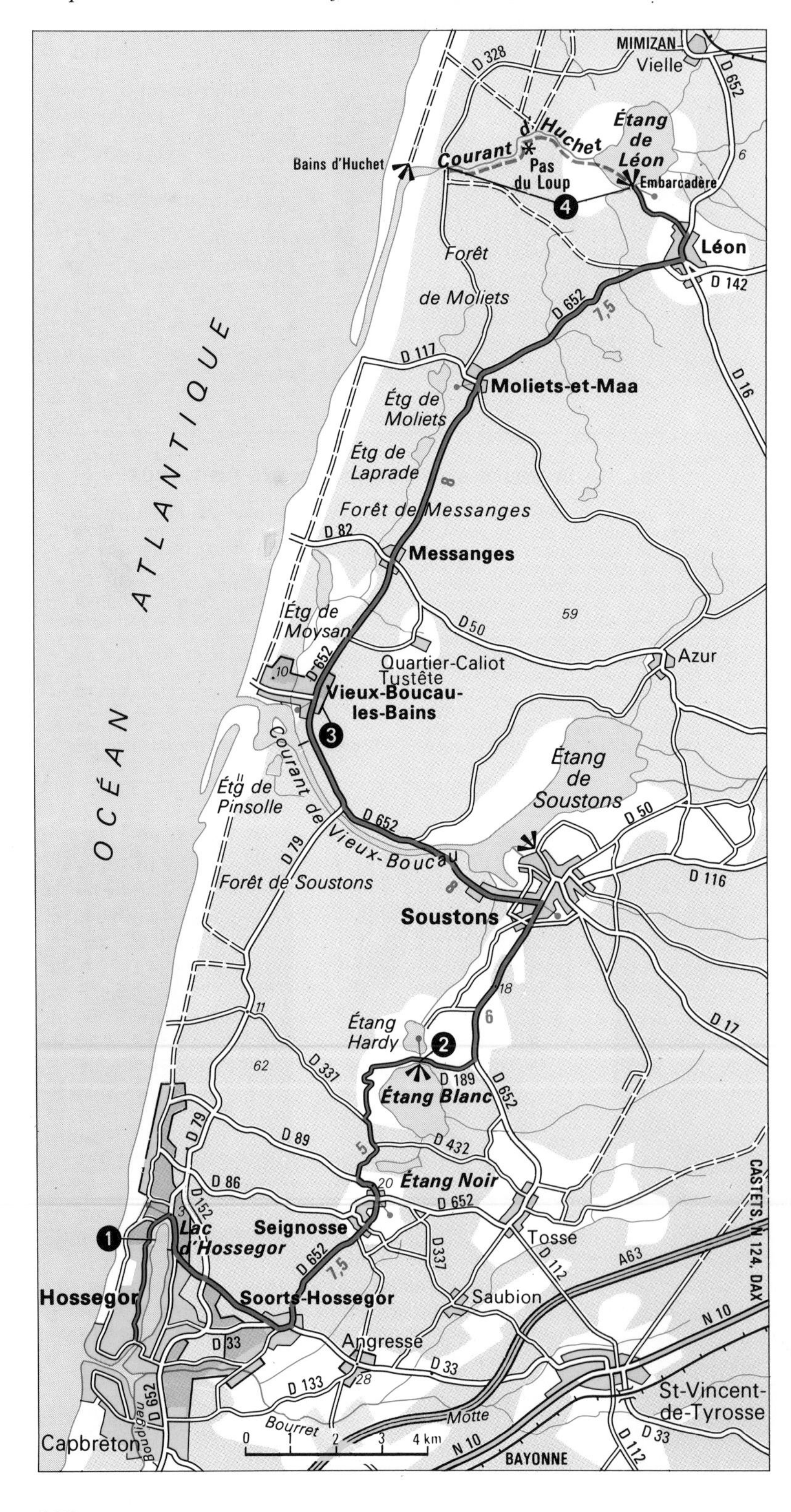

❶ **Lac d'Hossegor.** Il communique avec l'océan Atlantique par un canal artificiel et l'embouchure du Boudigau. C'était par cette embouchure que l'Adour se jetait dans l'Océan jusqu'au XIVᵉ s. ; à Bayonne, le cours de la rivière bifurquait vers le N. et se terminait en estuaire face au Gouf de Capbreton, fosse marine de plus de 2 000 m de profondeur. A marée basse, on peut faire le tour du lac à pied.

❷ **Étang Noir et étang Blanc.** Par le bourg de Seignosse, gagner l'étang Noir puis l'étang Blanc : le premier, aux eaux sombres, est une réserve naturelle remarquable par sa flore extrêmement variée et par sa faune. Une passerelle est aménagée pour l'observation (accès libre tte l'année. Vis. guid. sur dem. Rens. pavillon de la réserve de mars à oct.). Promenades en barque, ainsi qu'à pied le long des berges de l'étang Blanc. Puis l'itinéraire mène à l'*étang de Soustons*, nappe d'eau de

Pin maritime. Son tronc crevassé laisse sourdre une grande quantité de résine. Ses aiguilles peuvent atteindre 20 cm de long.

Étang de Moliets. Cerné par la pinède et la roselière, il communique avec d'autres étendues d'eau dormante ou avec la mer par de multiples chenaux.

739 ha, de faible profondeur, bordé de pins. Sa bordure O., marécageuse, laisse échapper le courant de Soustons, qui rejoint l'Océan à Vieux-Boucau.

❸ **Vieux-Boucau-les-Bains.** On retrouve ici, avec le terme de « boucau », qui signifie « bouche », une ancienne embouchure utilisée par l'Adour après l'obstruction, au XIVe s., par une grande tempête, du passage de Capbreton. La route traverse ensuite la *forêt de Messanges*. La végétation originale de pin maritime (voir dessin) mais aussi de chêne-liège a donné naissance dans la région à une industrie de la bouchonnerie aujourd'hui presque disparue ; le sous-bois est d'ajonc, de bruyère et de molinie bleue ; sur la dune triomphe le « gourbet » qui a fixé le sable.

❹ **Étang de Léon et courant d'Huchet.** De très belles promenades en barque sont organisées par la Batellerie sur réservation (t.l.j. de Pâques à oct. Retenir à l'avance, tél. : 58-48-75-39, ou au bureau des bateliers, au bord de l'étang). On traverse d'abord l'étang de Léon, étendue d'eau peu profonde, bordée de roseaux et de pins, très poissonneuse. Il recueille, en arrière d'un important massif de dunes, les eaux venues du plateau landais par des ruisseaux. A l'O., on s'engage alors dans le chenal qui relie l'étang à l'Océan. Ce courant d'Huchet, le plus beau de la côte landaise, est entouré d'une extraordinaire végétation exotique implantée par l'homme : à côté de pins, chênes et roseaux foisonnent arums, hibiscus, cyprès chauves, fougères et tamaris géants. Cette luxuriance se reflète dans un ruisseau tranquille, aux eaux vertes orangées. C'est une véritable forêt-galerie d'espèces hygrophiles, dont les frondaisons couvrent le « courant ». Quelques échappées dans la verdure amphibie permettent d'admirer la grande forêt landaise et de petites clairières sableuses aux maisons rares avec des jardinets et des vignes minuscules.

A la découverte du bassin d'Arcachon 16 km

Bien que l'homme l'ait profondément marqué de son empreinte, le bassin d'Arcachon recèle encore une vie naturelle surprenante. Même en plein été, une facile marche à pied ou une simple excursion en bateau suffisent pour se mettre au diapason des oiseaux et des eaux.

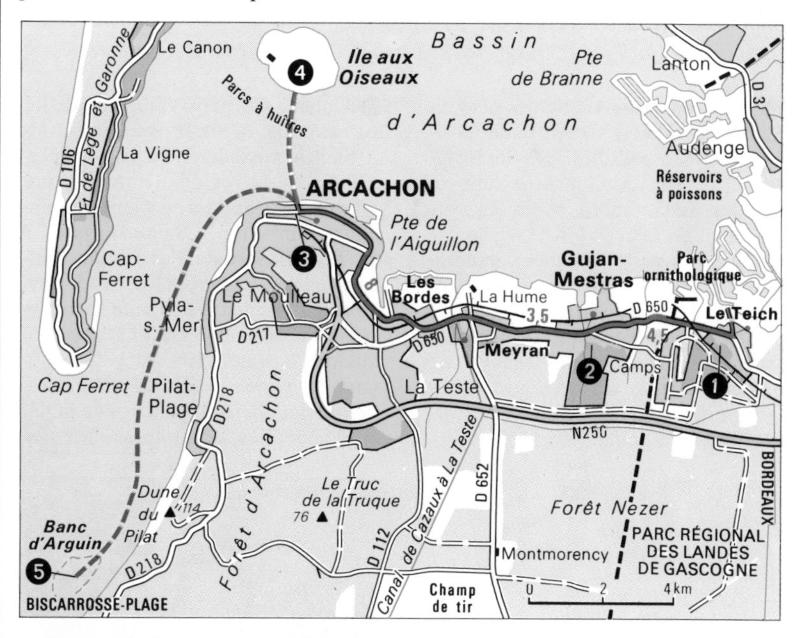

Cygne. Ce sont les hivers particulièrement froids qui poussent vers nos régions les cygnes : ceux-ci voyagent le plus souvent en groupe.

❶ **Le Teich.** Le parc ornithologique (ouv. t.l.j., toute l'année) s'étend sur 120 ha aménagés presque en totalité et constitués, entre autres, par les parcs des Artigues et de la Moulsette, le reste de la réserve n'étant pas entièrement accessible au public. C'est au tout début du printemps, l'une des périodes les plus intéressantes pour les observations, qu'il faut s'y rendre. Si les muges, bars, anguilles restent discrets, des milliers d'oiseaux composent un fond sonore parfois assourdissant ; à côté d'oiseaux tels que hérons et rapaces, ainsi que de très nombreuses espèces de canards et des oiseaux exotiques, vivent, de façon plus ou moins fixe, cigognes, cygnes (voir photo), oies, plongeons, bernaches, macreuses, chevaliers...

❷ **Gujan-Mestras.** Petit bourg pittoresque aux maisons de bois, c'est le centre de l'ostréiculture du bassin. Tous les ans, la 1re quinzaine d'août, durant 4 nuits et 3 jours, *Foire aux huîtres* (expos., films sur l'ostréiculture, dégustations, bals, galas).

❸ **Arcachon.** L'Aquarium montre les phases de l'évolution de l'huître et des poissons et crustacés du bassin et de l'Océan (ouv. t.l.j., du 20 mars au 2 nov. ; nocturnes jusqu'à 23 h en juill.-août. Fermé le reste de l'année).

❹ **Ile aux Oiseaux.** D'une surface variant de 150 à 1 200 ha selon les marées, c'est le lieu de rendez-vous de quantité d'oiseaux. On en fait le tour en bateau, même hors saison, sauf par gros temps (départ à 15 h 30. S'adresser à l'U.B.A., tél. : 56-54-60-32).

❺ **Banc d'Arguin.** C'est une île sableuse en partie recouverte par les eaux, située entre le cap Ferret et la dune du Pilat. Refuge pour certains oiseaux migrateurs, comme les sternes, c'est une réserve naturelle. Il est possible de s'y rendre en bateau pour la journée (juill.-août, départ à 11 h, retour à 17 h. Prévoir un pique-nique. Groupes sur R.-V. plusieurs jours à l'avance. Interdit aux chiens. Rens. à l'U.B.A.).

La haute plaine de Soule 92 km

A l'est, par sa bordure de la vallée du gave d'Oloron, la plaine de Soule confine au Béarn ; au sud, elle s'adosse aux sommets pyrénéens. Cette région du Pays basque a un folklore enraciné de longue date et toujours vivace à travers de nombreuses fêtes, les « pastorales », dans la tradition médiévale. L'architecture et la décoration des églises sont les seuls témoins de l'influence mauresque d'avant et d'après la Reconquête.

❶ **Mauléon-Licharre.** Sur les rives du Saison, la ville est un centre de fabrication des espadrilles. De la forteresse (XIe-XIIe s.), dont il ne subsiste que les tours rondes et les cachots (vis. t.l.j. de Pâques à oct., visite extérieure le reste de l'année), panorama sur la vallée. Le château d'Andurain (XVIe s.), de style Renaissance, présente une curieuse façade ornée de fenêtres asymétriques à meneaux, de mascarons et de masques grotesques (vis. t.l.j., juill.-août). Excursions vers la haute Soule.

❷ **Gotein.** Ce petit village souletin, au seuil de la forêt de hêtres des Arbailles, possède une église caractéristique de la région. D'architecture sobre, le clocher à trois pignons identiques symbolise la Sainte-Trinité.

❸ **Tardets-Sorholus** est un petit village aux vieilles maisons à arcades qui donne accès aux vallées de la haute Soule. C'est aussi un haut lieu du folklore basque (dans ce village ou, selon les années, dans un village voisin ont lieu, deux dimanches de juillet ou d'août, des « pastorales »).

Oloron-Sainte-Marie. Détail de broderie : celle-ci provient du trésor de l'ancienne cathédrale qui conserve une remarquable collection de chapes aux broderies colorées.

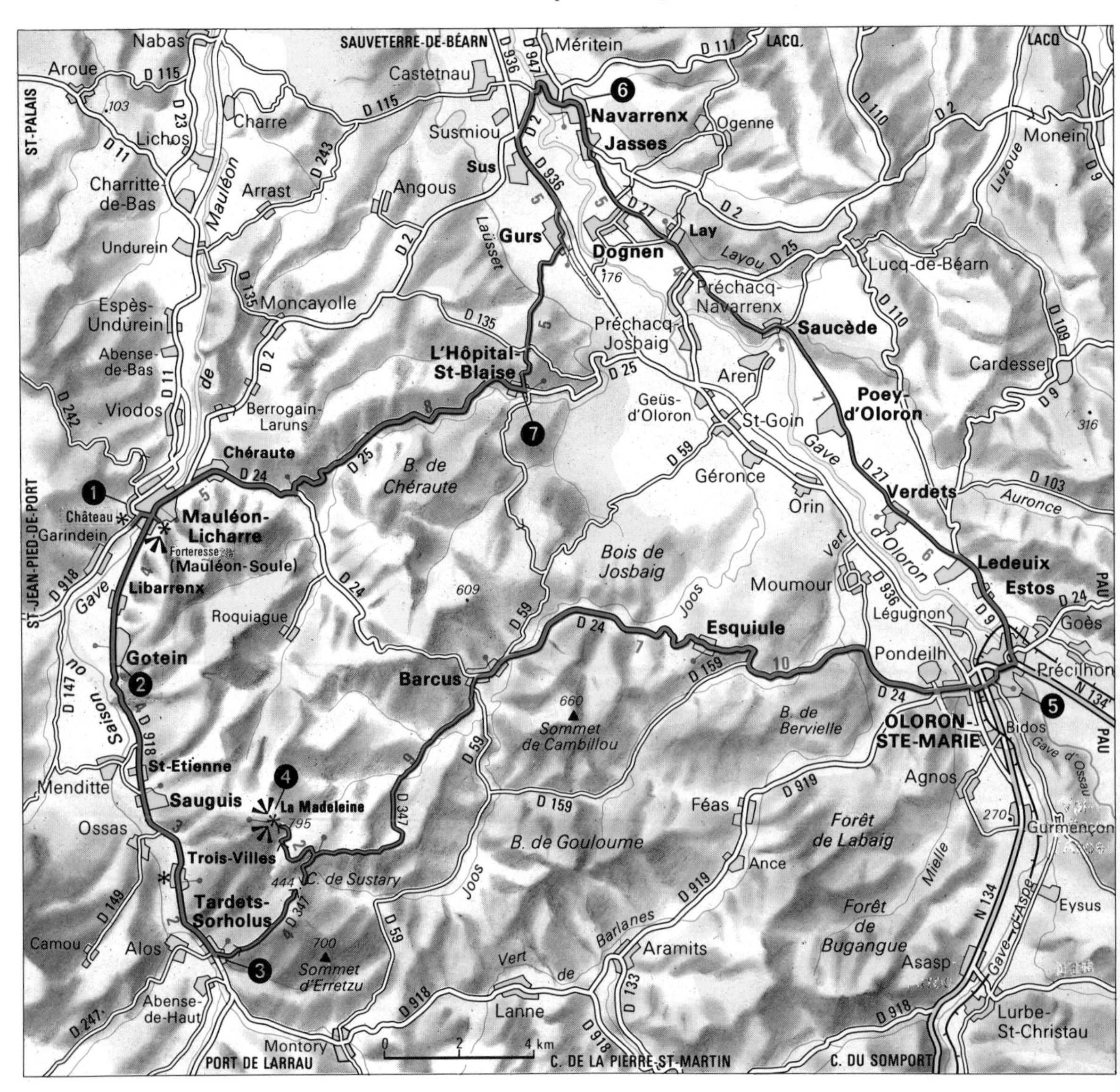

❹ **La Madeleine.** L'itinéraire quitte la vallée du Saison par une petite route montueuse (pente de plus de 13 %, dangereuse par temps de neige et de verglas) menant à la colline de la Madeleine, dôme dressé à 200 m au-dessus des éminences avoisinantes et surmonté d'une chapelle, dont un des murs porte une inscription romaine. Du sommet de la colline, on découvre un magnifique panorama sur le pic du Midi d'Ossau, le pic du Midi de Bigorre et les crêtes de la frontière franco-espagnole.

Sabots basques. Au cours des « pastorales », fêtes traditionnelles du Pays basque, les paysans chaussent leurs sabots d'apparat, en bois foncé et sculpté.

❺ **Oloron-Sainte-Marie** est située au confluent des gaves d'Ossau et d'Aspe, qui forment ensuite le gave d'Oloron. Elle a conservé dans sa partie plus ancienne, sur une colline et parmi des vieilles maisons, un édifice roman, l'église Ste-Croix, dont la coupole (XIIIe s.) à nervures en forme d'étoile à huit pointes rappelle l'architecture mudéjare. L'ancienne cathédrale Ste-Marie, dans un ensemble gothique, n'a conservé de l'époque romane qu'un clocher-porche quadrangulaire avec un magnifique portail, dont les trois baies en plein cintre sont décorées de personnages sculptés. La sacristie contient, outre de beaux chapiteaux, une coll. de vêtements sacerdotaux (voir photo) ; (s'adresser à la cure, tél. : 59-39-04-15). Tous les deux ans, un festival rassemble des groupes de tous les pays et donne lieu à de nombreuses manifestations.

❻ **Navarrenx.** Petite ville fortifiée en 1538, puis renforcée par Vauban. De la cité primitive il ne reste que la tour Herrère (XVe s.). Face à un pont du XVe s., la porte St-Antoine (1647) permet de franchir les remparts.

❼ **L'Hôpital-Saint-Blaise,** un ancien hospice pour les fidèles se rendant à Saint-Jacques-de-Compostelle, n'a conservé que son église du XIIe s. L'édifice, érigé en granit du pays sur un plan de croix grecque, est flanqué d'un clocher octogonal à flèche en ardoise. Sa coupole centrale à nervures en forme d'étoile à huit pointes ainsi que les fenêtres à claire-voie en pierres ajourées trahissent l'influence hispano-mauresque.

85

Dans les riches coteaux de la Chalosse 49 km

Adossée au Pays basque et au Béarn, au sud, bordée à l'est par la Gascogne, la Chalosse et ses riches coteaux sont séparés de la verte forêt landaise par l'Adour. Riche en vestiges du passé, la Chalosse est également dans ses vallées heureuses le pays du poré et du vin.

❶ **Saint-Sever,** autrefois dénommé Cap-de-Gascogne, est bâti sur une colline dominant l'Adour, d'où la vue s'étend très au loin sur la plaine des Landes et la forêt de pins. Outre les anciens couvents des Jacobins et des Capucins, la ville possède le plus remarquable édifice roman de la région, l'abbatiale St-Sever, construite au XIIe s. : chevet, chapiteaux à corbeille évasée, autel, buffet d'orgue en bois sculpté (XVIIIe s.).

❷ **Audignon.** De l'époque romane, il ne reste dans l'église Notre-Dame que la nef, plus large que le chœur, et l'abside circulaire: retable gothique en pierre orné de peintures du XVe s., beau clocher-donjon à flèche.

❸ **Hagetmau,** au cœur de la Chalosse, est la cité du foie gras. L'église St-Roch renferme un beau Christ en ivoire du XVIIe s. En sortant du bourg, sur la route de Doazit, la crypte romane de St-Girons présente douze chapiteaux historiés et abrite un lutrin en bois polychrome (XVIIe s.) portant deux aigles. Belle clef de voûte.

❹ **Doazit** est dominé par le château de Candale, érigé au début du XVIe s. Dans le village, l'église fortifiée de St-Jean-d'Aulès (XIe-XIIe s.) possède un beau porche gothique. L'itinéraire rejoint la vallée de l'Adour à *Mugron,* bourg sur une colline, au-dessus de la rive gauche de la rivière: belle vue sur les Landes (voir photo).

❺ **Nerbis.** A la sortie E. de Mugron, une petite route mène jusqu'au village de Nerbis: reste d'un prieuré bénédictin, l'église gothique a une abside romane (XIe s.); les clefs de voûte sont sculptées de blasons, et les chapiteaux, ornés de fleurs et de têtes.

Mugron, près de Nerbis. Du village, situé sur une terrasse, vue, au premier plan, sur les cultures de la vallée de l'Adour et, dans le lointain, sur la forêt des Landes.

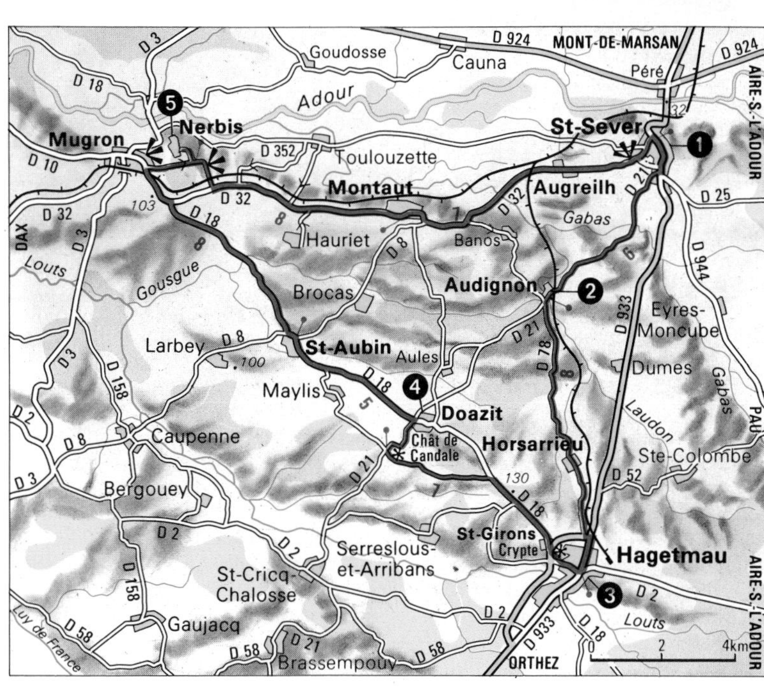

86 87

La côte basque 139 km
et le Labourd 119 km

Le Labourd est la fenêtre du Pays basque français sur l'Océan. L'eau délimite son contour : l'Atlantique à l'ouest, l'Adour au nord, la Bidassoa au sud, la Joyeuse à l'est. La partie de l'itinéraire qui longe la côte est plutôt à éviter pendant l'été, car le flux de circulation vers l'Espagne le rend pénible à cette époque. Mais le Pays basque, terre de soleil où la beauté de la côte rocheuse coupée de plages de sable fin ne le cède en rien au charme de ses vastes landes et de ses coteaux riants, a, de tout temps, attiré les visiteurs. C'est à Saint-Jean-de-Luz que Louix XIV épousa l'infante d'Espagne, à Biarritz que séjournèrent Napoléon III et Eugénie, et à Ascain que Pierre Loti écrivit Ramuntcho.

Aïnhoa. L'église et les maisons anciennes sont soigneusement blanchies à la chaux ; leurs poutres de bois débordent sous les toits recouverts de tuiles rondes.

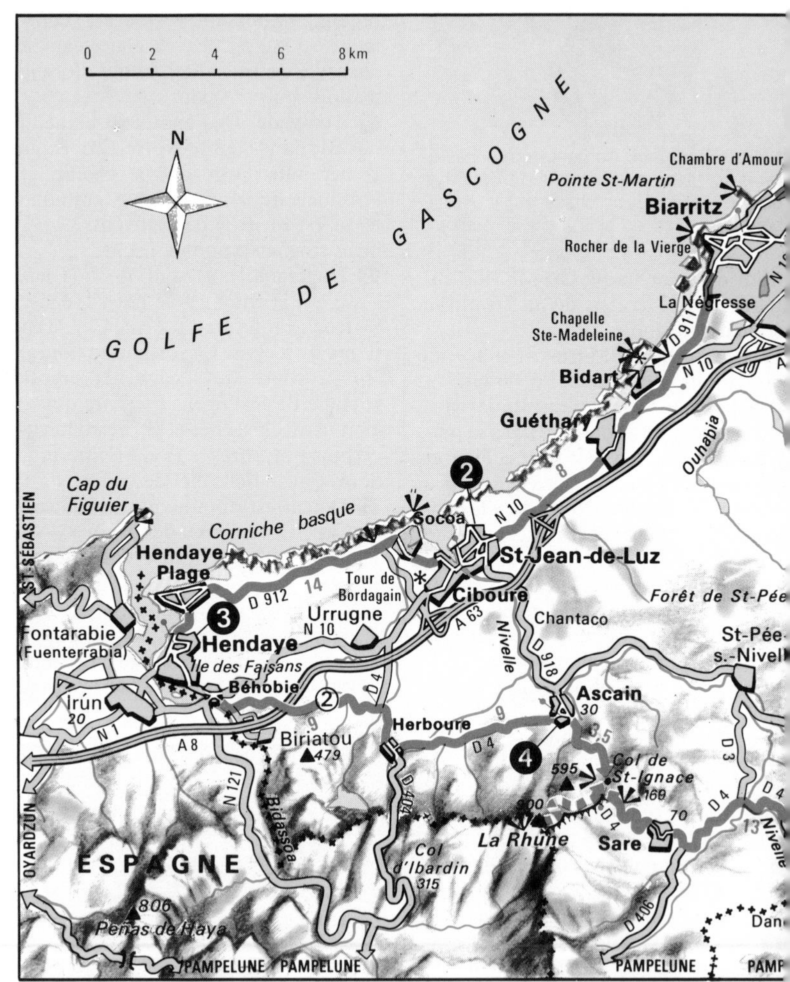

ITINÉRAIRE N° 1

❶ **Hasparren.** « Au cœur du chêne », telle est la signification en basque du nom de cette ancienne cité romaine. Aujourd'hui, les chênes ne sont plus qu'un souvenir, mais, sous le maître-autel de l'église, une dalle de marbre porte une inscription exprimant la volonté de ses habitants d'être rattachés à l'Ibérie et non à la Gaule. C'est aussi dans ce village que repose le poète Francis Jammes.

❷ **Grottes d'Isturits et d'Oxocelhaya.** (vis. t.l.j., sauf le matin le lundi et le mardi, du 15 mars au 15 nov. ; t.l.j. en juill.-août, les j. fér. et aux vac. scol.). Dans la grotte d'Isturits, de nombreux témoignages d'une activité humaine préhistorique (dessins et gravures rupestres, ossements) ont été trouvés. Celle d'Oxocelhaya est une merveille naturelle aux galeries ornées de colonnes de calcites et de stalagmites.

❸ **Bidache.** Bourg situé sur une éminence, entre les vallées du Lihoury et de la Bidouze, qui s'enorgueillit du château de l'ancien duché-pairie des Gramont, dont il subsiste un gros donjon rond du XVe s. et un corps de logis de style Renaissance (pour visiter, tél. : 59-56-08-79). Au château, la « Cité des Aigles » permet de voir des vols de rapaces. On peut ensuite approcher les oiseaux ; rapaces nocturnes en sous-sol (t.l. apr.-m., de Pâques à sept.).

❹ **Peyrehorade.** La cité est installée sur les rives du gave formé par la réunion des gaves de Pau et d'Oloron. Elle abrite en ses murs le château d'Orthe, pourvu de quatre tours rondes et d'un corps de logis datant du XVIIIe s. ; des expositions ont lieu dans les caves du château durant l'été. La colline qui domine la cité s'orne des ruines du château d'Aspremont (on ne visite pas), au donjon polygonal, vestige de l'ancienne forteresse des vicomtes d'Orthez. De *la butte de Miremont*, vue sur la chaîne des Pyrénées et le bassin de l'Adour.

ITINÉRAIRE N° 2

❶ **Biarritz**, rendue célèbre par la visite de l'impératrice Eugénie et de Napoléon III en 1854, possède un remarquable front de mer. Le port des Pêcheurs, encadré par le promontoire de l'Atalaye et le rocher du Basta, est, comme le rocher de la Vierge (voir photo), un but de promenades classique. Le musée de la Mer (ouv. toute l'année) est consacré à tous les aspects de la vie marine.

❷ **Saint-Jean-de-Luz.** C'est dans l'église de ce petit port que Louis XIV épousa, le 9 juin 1660, l'infante d'Espagne Marie-Thérèse. Intéressant musée de cire (rens. tél. : 59-51-24-88). Témoins de ce mariage : la Maison de l'infante (on ne visite pas), qui abrita l'infante d'Espagne, et le château Lohobiague (ouv. t.l.j., de juin à sept. Groupes sur R.-V., tél. : 59-26-03-16).

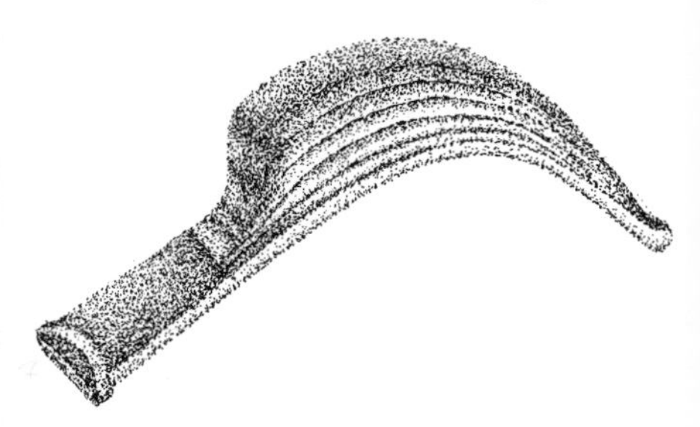

Chistera. C'est une sorte de gouttière recourbée, en osier, qui sert à attraper et renvoyer la «pelote» de caoutchouc ou de cuir. Il est fixé à la main du joueur par des lanières.

Biarritz. En bordure de la plage se dresse le rocher de la Vierge, îlot environné d'écueils et de brisants. Fouetté par les vagues, il est rattaché à la côte par une étroite passerelle.

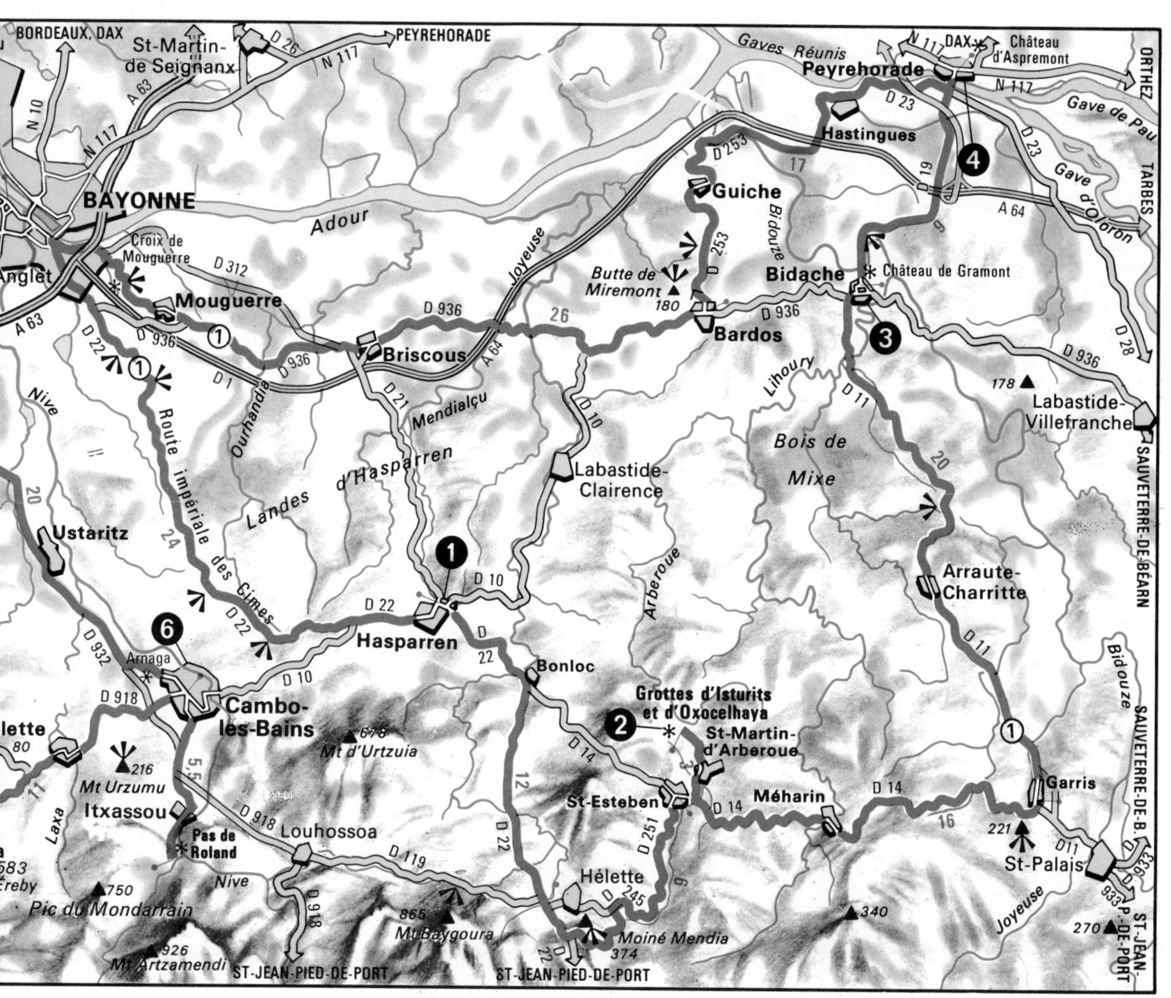

résidence du jeune monarque. Saint-Jean-de-Luz est un port thonier.

❸ **Hendaye**, face à Irun, porte du Pays basque espagnol, sur les premiers contreforts des Pyrénées, est une station balnéaire réputée, dotée d'une belle plage. Vue, en Espagne, sur Fontarabie et le cap du Figuier. Au milieu de la Bidassoa, rivière frontière, émerge l'île des Faisans, où une plaque commémore la signature, entre la France et l'Espagne, du traité des Pyrénées, le 7 novembre 1659. Il est possible d'en faire le tour en bateau (rens. tél. : 59-20-65-52).

❹ **Ascain**, dans la verte vallée de la Nivelle, dispose ses maisons labourdines de torchis à pans de bois apparents autour de son église et de son fronton de pelote, théâtre du jeu national basque (voir texte encadré p. 146). Du col de Saint-Ignace, un chemin de fer à crémaillère conduit à *la Rhune* (t.l.j., juill.-sept. ; sam., dim. et j. fér., mai-juin et oct.-15 nov. Hors saison sur R.-V., tél. : 59-54-20-26) : vaste panorama.

❺ **Aïnhoa** est un village basque typique avec de nombreuses maisons du XVIIe s. (voir photo).

❻ **Cambo-les-Bains.** Cette station climatique, construite sur une hauteur dominant la vallée de la Nive, possède une église basque du XVIIe s. Edmond Rostand y écrivit *Chantecler*. Un musée lui est consacré villa Arnaga (t.l.j., mai-sept. ; l'apr.-m., avr. et oct.) ; très beaux jardins. A 5 km, on atteint le *Pas de Roland* : au terme de la route très étroite qui longe la rive gauche de la Nive, le chemin se fraye un passage à travers un rocher qui domine la rivière. La légende raconte que c'est Roland, compagnon de Charlemagne, qui ouvrit ce passage.

Promenade dans la forêt d'Iraty

56 km

Cet itinéraire de belle saison mène au cœur même de la montagne basque. Il se compose de deux secteurs bien différents : le premier, facilité par la création de nombreuses routes, permet de rayonner autour d'un centre de séjour ; le second, qui exige une bonne forme physique, ne peut se faire qu'à pied et dans des conditions climatiques très favorables.

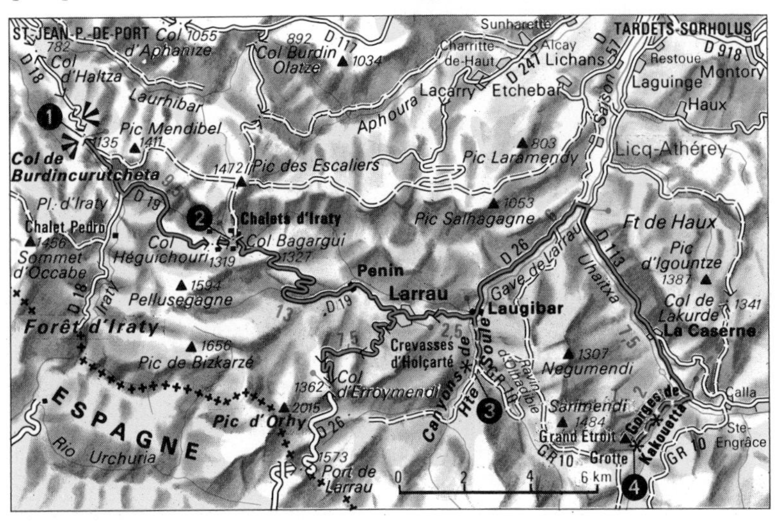

❶ **Col de Burdincurutcheta** (en français, col de la Croix-de-Fer). Le col est accessible à partir de Saint-Jean-Pied-de-Port en remontant le vallon du Laurhibar. Un arrêt, peu après le col, donne l'occasion d'un premier contact avec la forêt (voir photo ci-dessous) ; elle est implantée dans une cuvette profondément incisée à même des massifs sauvages et escarpés, et drainée par une rivière, l'Iraty, qui coule vers l'Espagne. Seulement desservie par de mauvais chemins muletiers, elle est restée longtemps inaccessible. Surexploitée au cours du XIXe s. pour fournir en bois les petites forges du bas pays, la forêt devint par la suite le pays des contrebandiers et des chasseurs de palombes. En cours de rénovation (plus de 100 km de routes goudronnées et de pistes ouvertes), gérée par l'O.N.F. en futaie jardinée où vivent cerfs, sangliers, chevreuils, elle est partiellement devenue une réserve.

❷ **Chalets d'Iraty.** Du plateau d'Iraty et du chalet Pedro (restaurant tte l'année), on peut se rendre compte de ce qu'était auparavant le paysage en observant les constructions rudimentaires, nommées « cayolars », où s'abritent encore les bergers (voir dessin), et les treuils qui actionnaient les filins utilisés pour le transport des billes de bois. En remontant vers Héguichouri et Bagargui (en français, la « crête blanche » et la « hêtraie clairsemée »), on atteint les principaux centres aménagés, en particulier les chalets appartenant au syndicat de Soule (rens. : tél. 59-28-51-29). En bois, de taille variable, ils sont parfaitement équipés. Le séjour est possible toute l'année ; accès par Mauléon-Licharre et Saint-Jean-Pied-de-Port. En été, centre hippique, tennis, camping, pêche, vélo tout terrain ; en hiver, centre de ski de fond. L'essentiel est cependant le cadre montagneux et les multiples promenades, notamment l'ascension du pic d'Orhy (2 015 m). On peut y accéder depuis les chalets d'Iraty ou prendre à Larrau la direction du col d'Erroymendi ; de là, on monte à pied jusqu'au sommet.

❸ **Canyons de haute Soule.** Ils sont parmi les plus impressionnants et les moins connus des gorges calcaires de France. Laisser la voiture au lieu dit Laugibar, près du pont sur le gave. Sur la droite, un chemin de forêt, à flanc de montagne, mène (1 h) au confluent des ravins d'Olhadibie et d'Ibyharca, d'où la vue sur les crevasses d'Holçarté, quelques centaines de mètres en contrebas, est saisissante. On peut même, par une passerelle, traverser l'abîme au fond duquel gronde le torrent.

❹ **Gorges de Kakouetta.** On les parcourt par le bas. Au confluent du gave de Larrau et du torrent d'Uhaïtxa, prendre à droite la petite route qui longe le torrent (circulation difficile) ; 11 km plus loin, laisser la voiture et continuer à pied (vis. t.l.j., Pâques à oct.) ; un sentier taillé dans le roc sur une longueur de 1 300 m permet d'admirer un fantastique paysage : au Grand Étroit, les parois du canyon s'élèvent jusqu'à 300 m alors que la largeur du passage ne dépasse pas une dizaine de mètres. La lumière, qui pénètre difficilement, donne un aspect grandiose un peu oppressant à cet endroit. Le parcours, sportif mais non dangereux (circuit aménagé), mène à une grotte au-delà de laquelle toute remontée est impossible (2 h 30 AR).

Cabane de bergers. Ce « cayolar » servait de refuge aux bergers qui y faisaient sécher le fromage de brebis.

Forêt d'Iraty. Typique du Pays basque et de la moyenne montagne, elle est restée longtemps sauvage. Le hêtre y domine.

Les pottoks, petits chevaux du Pays basque vivant en liberté, ressemblent aux chevaux représentés dans les grottes préhistoriques.

BOURGOGNE • MORVAN

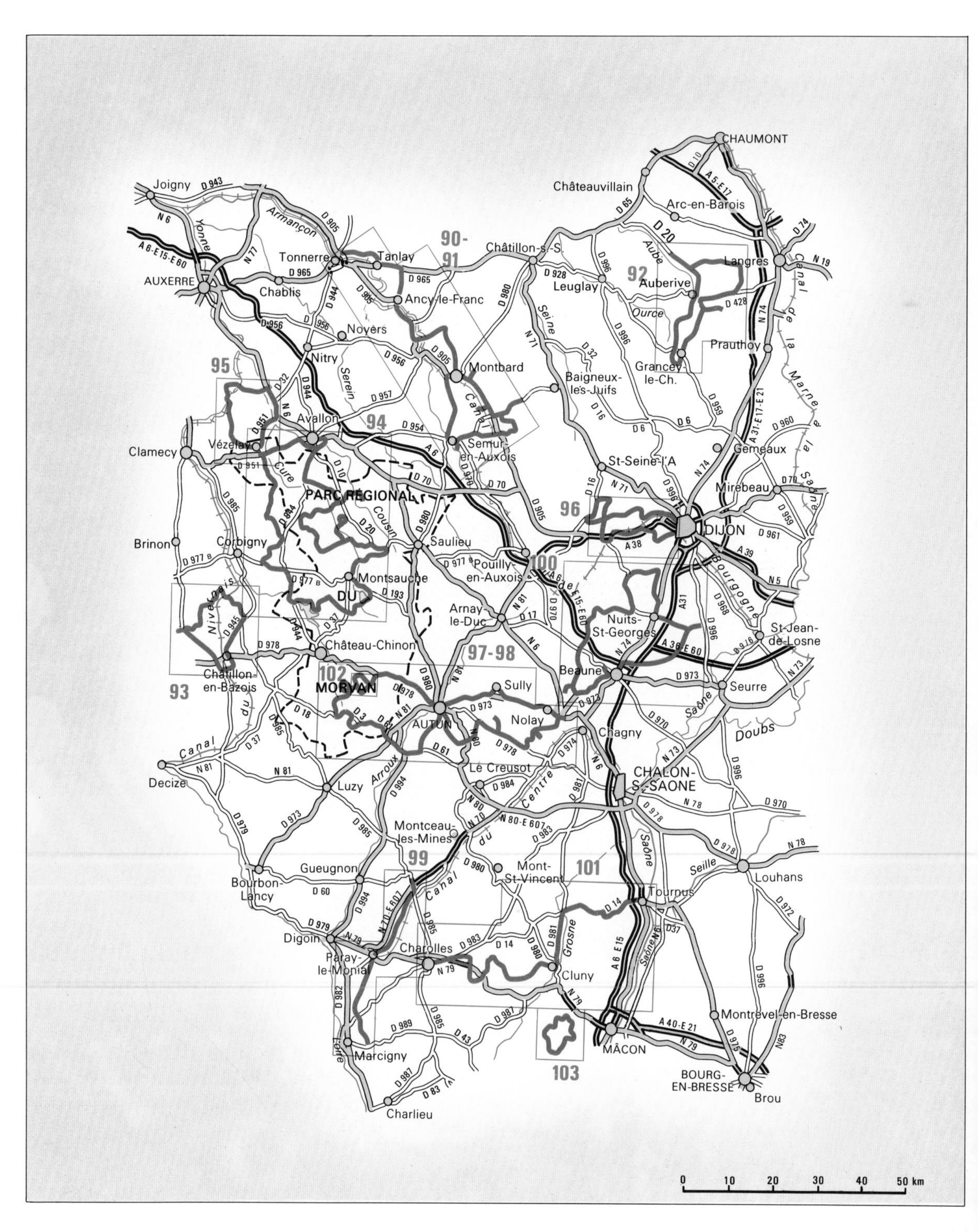

Vallées, plaines et coteaux de vert et d'or
Arts anciens, talents de toujours

A ne considérer que la géographie, il n'y a pas qu'une Bourgogne, mais dix, mais vingt Bourgogne : une Bourgogne morvandelle, aux noires forêts, aux lacs clairs ; une Bourgogne de plateaux si bien perchés qu'on parle dans le pays de « Montagne » : les horizons y ont quelque chose de champenois, et les boisements, quelque chose de lorrain ; une Bourgogne, dite basse, où la grâce tournante des vallées s'allie à celle des lignes concentriques du relief ; une Bourgogne, toute remuée par les derniers soubresauts du Massif central et qui, en sa fraction nivernaise, annonce l'Ouest ; et, en contrebas de la Côte d'Or, la bien nommée, car « vineuse » à souhait, comme aux abords de la Saône, une Bourgogne calmée, aux lignes nettes. Mais consulter son histoire, c'est n'en plus voir qu'une seule, et avec quelle diversité d'éclairages : lumière rougeoyante de la clairière celtique des Éduens, ces « hommes du feu » qui oublièrent vite Alésia pour adopter la loi du vainqueur et devenir les meilleurs Gallo-Romains du monde en leur cité d'Autun ; lumière spirituelle des nonnains et des grands saints qui les inspirèrent, et qui rayonne encore dans l'harmonieuse architecture des églises et des abbayes romanes : nobles proportions du clocher, arc brisé de la nef, mouvement ascensionnel du chœur ; lumière brillante qui jaillit de l'époque des grands ducs valois, amateurs éclairés de miniatures gothiques et de sculptures flamboyantes, fous de luxe ; « lumières » (au sens que le XVIIIe s. donnait à ce terme) des robins dijonnais, bien lettrés et bien savants, amoureux de la belle pierre. Et converser avec le Bourguignon, autour d'une bonne table, illuminée par quelque bonne bouteille, c'est bien constater qu'il n'est, en tout et pour tout, qu'une Bourgogne, sage, fine, pleine de malice.

La Chapelle-sous-Brancion. La vallée bocagère du Grison compose avec le village un tableau bourguignon.

Hauts lieux, trésors et paysages

Dijon, au confluent de l'Ouche et du Suzon, a gardé la splendeur de son ancien rang de capitale du royaume, puis du vaste duché de Bourgogne. C'est un centre universitaire actif, un haut lieu de la gastronomie, une ville d'art (vis. guid., s'adresser à l'O.T.). Le palais des Ducs de Bourgogne, aujourd'hui hôtel de ville et musée (t.l.j., sauf mardi), a été rebâti plusieurs fois: deux tours (la tour Philippe le Bon et la tour de Bar) et la salle des gardes appartiennent à l'âge d'or du duché (XVe s.) ; le reste fut réordonné sur les plans de Jules Hardouin-Mansart au XVIIe s. Le musée des Beaux-Arts, augmenté de la donation Granville (ouv. t.l.j., sauf mardi), est l'un des plus prestigieux de France : il faut voir la salle des gardes, qui comprend les tombeaux de Philippe le Hardi et de Jean sans Peur, et les retables provenant de la chartreuse de Champmol. Le palais de justice est une élégante construction du XVIe s. L'église St-Michel, également de la Renaissance, et l'église Notre-Dame, chef-d'œuvre du gothique bourguignon, sont situées au cœur d'un lacis de rues médiévales. Jadis église d'une abbaye bénédictine, la cathédrale St-Bénigne abrite dans l'ancien dortoir des moines un musée archéologique (t.l.j.,

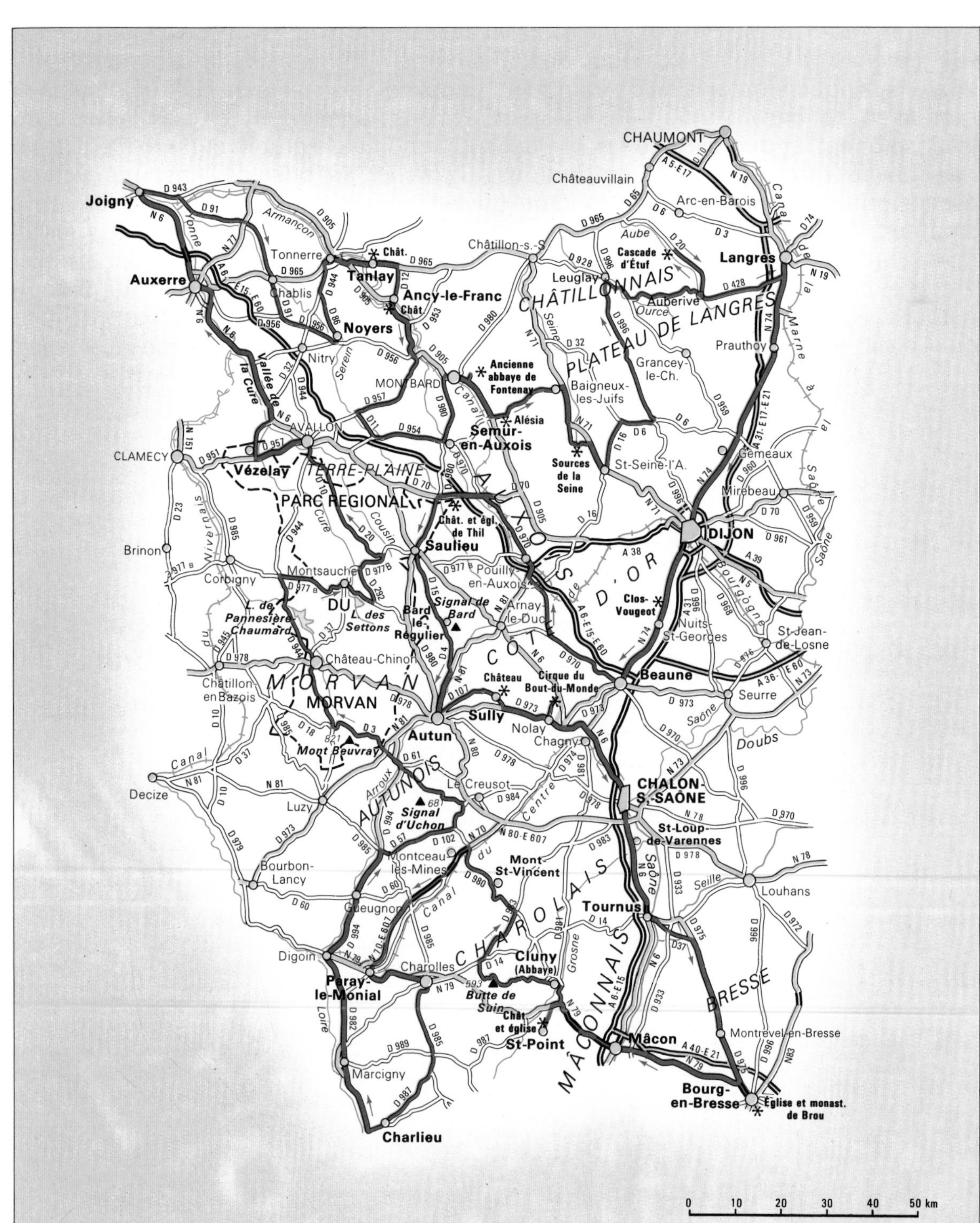

sauf mardi). Les ruines de la chartreuse de Champmol (statues du portail et puits de Moïse) complètent ce magnifique ensemble de gothique flamboyant (vis. t.l.j.).
Clos de Vougeot. V. itinéraire 100.
Beaune. V. itin. 100 et p. 184-185.
Thil. L'église et le château sont deux constructions médiévales à demi ruinées, qui dominent la rive gauche du Serein, affluent de l'Yonne, au seuil d'une vallée coupée de bois et de marais, où l'on commence à apercevoir les vignobles de Chablis.
Saulieu, centre gastronomique réputé, est situé sur un plateau boisé, qui marque la limite du Morvan. L'église St-Andoche, de pur style roman bourguignon dans ses parties anciennes, est ornée de magnifiques chapiteaux. L'église St-Saturnin (XVe s.), dont les fondations remontent à une haute antiquité, se dresse dans un champ de stèles funéraires gallo-romaines.
Signal de Bard (555 m). Il offre une double vue sur le Morvan, au S.-O., et l'Auxois, au N.-E. Le village de *Bard-le-Régulier* possède une église (XIVe s.) à tour octogonale, à l'intérieur de laquelle le niveau du sol reparaît à trois hauteurs différentes.
Autun. Voir itinéraire 97.
Château de Sully. Voir itinéraire 98.
Cirque du Bout-du-Monde. A partir de Nolay, la remontée de la vallée de la Cosanne jusqu'à sa source (au-delà de Vauchignon) permet d'admirer les impressionnantes falaises de Cormot et le Bout-du-Monde, cirque de corniches calcaires d'où tombe une cascade d'une trentaine de mètres.
Chalon-sur-Saône est un important centre industriel. Il faut assister aux fêtes du carnaval, qui dure une semaine (rens., tél. : 85-48-37-97). Festival de montgolfières à la Pentecôte. Le musée Vivant-Denon possède de belles collections préhistoriques et archéologiques (ouv. t.l.j., sauf mardi). On peut visiter le très intéressant musée Niepce, consacré à la photographie (t.l.j., sauf mardi). L'ancienne cathédrale St-Vincent offre un répertoire des variations du style bourguignon du XIIe au XVe s.

A 7 km, le village de *Saint-Loup-de-Varennes* garde le souvenir de Nicéphore Niepce, qui y mit au point la photographie en 1822 et y mourut.
Tournus. Voir itinéraire 101.
Bourg-en-Bresse possède un des trésors d'art français : l'église et le monastère de Brou, édifiés au XVIe s. sur le site d'un très ancien ermitage. L'église, de style flamboyant tardif, renferme un extraordinaire jubé et les tombeaux en marbre blanc richement décorés du duc Philibert de Savoie (oncle de François Ier), de sa mère, Marguerite de Bourbon, et de sa veuve Marguerite d'Autriche. Celle-ci fit construire, de 1505 à 1536, cet ensemble surchargé et raffiné presque jusqu'au délire (ouv. t.l.j.). Le monastère de Brou, de la même époque, mais d'un style plus sobre, abrite, autour de ses cloîtres à étages, le musée de l'Ain : sculptures, peintures, tapisseries (vis. t.l.j.).
Mâcon est le centre d'un pays de vignobles fameux et d'élevage de volailles. Un remarquable plan d'eau y permet d'importantes régates. Il ne subsiste que des ruines de l'ancienne cathédrale St-Vincent, de style roman. Cette ville a gardé plusieurs beaux édifices du XVIIIe s. : l'hôtel de ville, le palais de justice, l'hôtel-Dieu (construit par Soufflot) et l'hôtel Senecé, où se trouve le musée consacré à Lamartine (avr. à fin oct., t.l.j., sauf mardi et dim. mat. ; mars, nov., déc., l'apr.-m. Fermé janv. févr., et j. fér.). Au musée des Ursulines, peintures, céramiques anciennes et collections archéologiques (t.l.j., sauf mardi, dim. mat. et j. fér.).
Saint-Point est le carrefour des itinéraires de Lamartine. Le musée attenant au château (t.l.j., mars-15 nov. Groupes sur R.-V. tte l'année) abrite des souvenirs du poète, enterré dans une chapelle voisine de l'église.
Cluny. Voir itinéraire 101.
Butte de Suin. Voir itinéraire 101.
Mont-Saint-Vincent (603 m). Ce village forme la proue d'une grande colline. Un bâtiment de la Météorologie nationale y porte à son sommet une table d'orientation : immense panorama sur les deux bassins de la Loire et du Rhône. Non loin se dresse une église de style clunisien (XIe s.) avec un tympan sculpté et une coupole.
Paray-le-Monial. Voir itinéraire 99.
Charlieu possède les restes d'une abbaye bénédictine édifiée aux XIe et XIIe s. par les architectes de Cluny. Très abîmée à la Révolution, l'abbatiale St-Fortunat a conservé son narthex avec un magnifique portail, dont les sculptures sont un des sommets de l'art roman bourguignon. Plus tardif, le cloître (XVe s.) donne accès à une salle capitulaire voûtée d'ogives (vis. t.l.j. ; déc.-janv., tél. : 77-60-12-42). Un peu à l'écart, le cloître gothique de l'ancien couvent des Cordeliers a d'intéressants chapiteaux (vis. guid. t.l.j., avr.-30 sept. ; sauf mardi et mercr., oct.-mars. Fermé déc. et janv.).
Signal d'Uchon (681 m). Il s'élève non loin du petit village d'Uchon, localité pittoresque qui semble se confondre avec les roches granitiques, d'origine glaciaire, qui l'entourent. Du signal, large vue sur la vallée de l'Arroux.
Mont Beuvray. Voir itinéraire 97.
Barrage de Pannesière-Chaumard. Voir itinéraire 94.
Lac des Settons. Voir itinéraire 94.
Vézelay. Voir itinéraires 94 et 95.
Vallée de la Cure. V. itinéraire 95.
Auxerre. Du pont Paul-Bert et des quais rive droite de l'Yonne, vue d'ensemble sur les vieux quartiers. Auxerre garde de son riche passé des édifices religieux d'un grand intérêt. Parmi eux, l'église abbatiale St-Germain, dont les cryptes (ouv. t.l.j., sauf mardi et j. fér.) sont ornées de fresques de l'époque carolingienne, la cathédrale St-Étienne, une des plus belles églises gothiques de France (XIIIe-XVIe s.), dont on remarquera les sculptures des portails de la façade, les splendides vitraux et la fresque de la crypte (t.l.j., sauf le matin, dim. et jours de fête religieuse), et la galerie romane de l'ancien évêché (on ne visite pas). Voir la chapelle des Visitandines (juil.-août). Enfin, le musée Leblanc-Duvernoy abrite de remarquables tapisseries du XVIIIe s. (t.l. apr.-m., sauf mardi et j. fér.). Voir aussi le conservatoire de la nature Paul-Bert et la Maison de l'eau.
Joigny, au bord de l'Yonne, a conservé nombre de maisons en bois des XVe et XVIe s. bien restaurées. De la même époque de transition entre le gothique et la Renaissance datent l'église St-Thibault (Vierge en pierre peinte), l'église St-Jean (tombeaux en marbre blanc), et l'église St-André, aux jolies verrières.
Noyers-sur-Serein, au milieu d'une vallée verdoyante, est un bijou gothique et Renaissance : autour de la place à arcades s'ordonnent les vieux logis, l'église et les ruines d'une enceinte.
Tanlay. Voir itinéraire 90.
Ancy-le-Franc. Voir itinéraire 90.
Semur-en-Auxois. V. itinéraire 91.
Ancienne abbaye de Fontenay. Voir itinéraire 91.
Sources de la Seine. A 10 km de Saint-Seine-l'Abbaye, elles jaillissent dans un petit vallon planté de sapins, la plus importante nichée dans une grotte. Peu en aval, des fouilles ont mis au jour les vestiges d'un temple attestant un culte rendu à la « déesse Seine » et aux divinités forestières par les Gallo-Romains. La plupart des objets découverts ont été déposés au Musée archéologique de Dijon.
Cascade d'Etuf. Voir itinéraire 92.
Langres est édifiée sur un promontoire de son immense plateau. Elle conserve le tracé et certaines parties de ses anciens remparts : la tour St-Fergeux (XVe s.), la tour de Navarre (XVIe s.) et la porte des Moulins (XVIIe s.), qui donne sur la promenade de Blanchefontaine, où jaillit la source de la Grenouille (fontaine du XVIIIe s.). La cathédrale St-Mammès appartient au style roman bourguignon, sauf le portail et les tours, reconstruits au XVIIIe s. Langres possède nombre de maisons des XVIe et XVIIIe s. Au musée de Langres, préhistoire, archéologie gallo-romaine, beaux-arts (t.l.j., sauf mardi). Le musée Du Breuil-de-St-Germain (t.l.j., sauf mardi) est un musée des arts décoratifs : mobilier, peinture, incunables, faïence locale. Une place est réservée à Diderot, enfant du pays.

90 91

Autour du canal de Bourgogne 63 km 92 km

De Tonnerre à Semur, l'Armançon — ou ses affluents — s'est creusé une vallée assez profondément encaissée dans les calcaires du Tonnerrois et de l'Auxois. Les caprices de la rivière ont ainsi découpé les collines et les plateaux, créant des sites pittoresques ou stratégiques au flanc desquels s'accrochent de vieux bourgs. Ainsi en est-il de Tonnerre, de Montbard, de Flavigny-sur-Ozerain et de Grignon. L'histoire a marqué cette région, qui vit la défaite de Vercingétorix devant Alésia.

ITINÉRAIRE N° 1

❶ **Montbard.** Dans cette petite vilie, tout rappelle Buffon, célèbre naturaliste du XVIIIe s. Dominant la ville, le parc renferme les jardins aménagés par le savant, son cabinet de travail et les restes du château des comtes de Montbard : donjon du XIIIe s., un mur d'enceinte et une tour (vis. guid. t.l.j., sauf mardi, avr.-30 sept. ; sauf vendr., sam., oct.-mars).

❷ **Nuits-sur-Armançon** se trouvait autrefois à la limite de la Bourgogne et de la Champagne, comme l'indique l'obélisque surmontant le pont qui franchit l'Armançon en direction de Ravières. Un peu à l'écart, le château du XVIe s. offre l'alternance de ses deux façades : l'une, sobre et dépouillée ; l'autre, parée d'élégance et de grâce (vis. guid. t.l.j., 1er avr. à nov.).

❸ **Ancy-le-Franc.** Le beau château, commencé en 1546, ne fut achevé qu'en 1662 ; le plan initial ayant été scrupuleusement respecté, ses quatre façades présentent une unité parfaite dans le style de la Renaissance italienne classique. La décoration intérieure fut confiée au Primatice, à Nicolo Dell'Abate et son école, qui en firent un prestigieux ensemble (vis. guidée. t.l.j., 1er avr. à nov.).

❹ **Tanlay.** Son harmonie architecturale, ses douves envahies de nénuphars et les arbres du parc donnent un air aimable à ce château Louis XIII (vis. guid. t.l.j., sauf mardi, d'avr. au 15 nov.). A l'intérieur, cheminées sculptées, décors en trompe-l'œil et fresques célèbres (voir photo).

❺ **Tonnerre.** La Fosse-Dionne, source vauclusienne aux eaux d'un étrange bleu-vert, et la grande salle de l'ancien hôpital du XIIIe s., aux proportions impressionnantes, sont les principales curiosités de cette ville.

ITINÉRAIRE N° 2

❶ **Semur-en-Auxois.** C'est une véritable cité médiévale : quatre grosses tours rondes, des remparts, une porte fortifiée protègent encore les maisons anciennes de cette petite ville, campée sur un promontoire de granit rose. De l'ensemble se détachent les tours de l'église Notre-Dame, élégant édifice gothique qui abrite des vitraux corporatifs et un ciborium du XVe s.

❷ **Flavigny-sur-Ozerain.** Ce village, connu pour ses bonbons à l'anis, a encore l'allure d'une place forte. Ce fut un bourg florissant grâce à une

Château de Bussy-Rabutin. Les douves et le parc s'harmonisent avec les grosses tours du XVe s., qui relient le bâtiment principal (XVIIe s.) à deux ailes Renaissance.

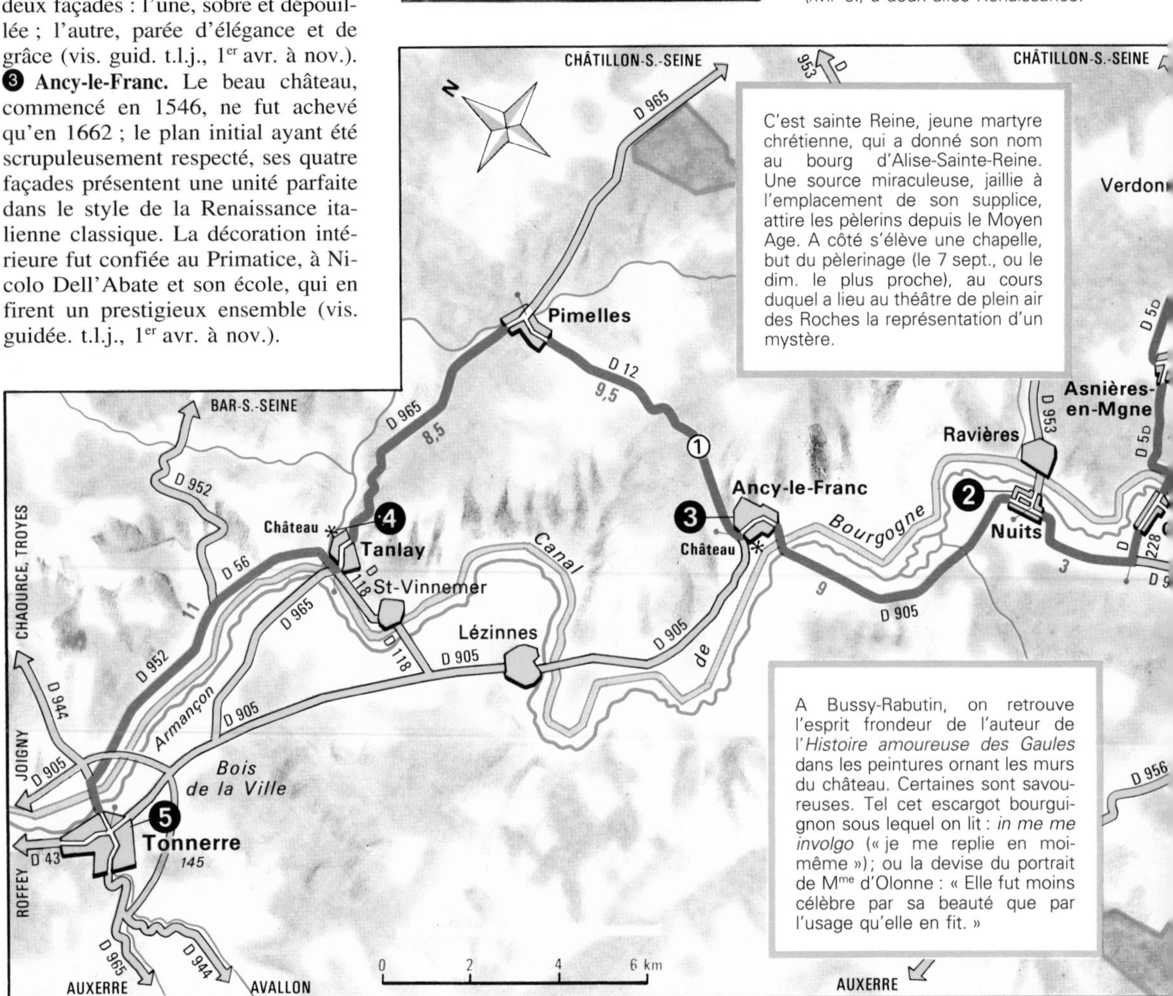

abbaye dont il ne reste que la crypte (vis. guid. t.l.j., sauf sam., dim. et j. fér.). Dans l'église St-Genest, magnifique statue de l'Ange de l'Annonciation. Demeures anciennes.

❸ **Alise-Sainte-Reine** est adossée au mont Auxois (407 m). C'est au sommet de cette butte, site stratégique naturel (vaste panorama), que se dressait le fameux oppidum gaulois d'Alésia. Des fouilles ont mis au jour les restes d'une ville gallo-romaine et de nombreux objets antiques (voir dessin), qui sont conservés au musée Alésia (vis. t.l.j., sauf du 6 nov. au 30 mars). Voir aussi encadré.

❹ **Bussy-Rabutin.** Un parc dessiné par Le Nôtre entoure le château (voir photo) où Roger de Rabutin, cousin de Mme de Sévigné, passa des années d'exil qu'il consacra à la décoration de sa demeure : peintures, portraits, devises satiriques (voir encadré) en font l'originalité (t.l.j., avr.-sept. ; sauf mardi, mercr. le reste de l'année. Fermé j. fér. Groupes sur R.-V., tél. : 80-96-00-03). Située de l'autre côté du Rabutin, l'église romane de *Bussy-le-Grand* est remarquablement restaurée ; point de vue sur l'ensemble du site.

Perché sur une colline, *Grignon*, avec son église et son vieux château, est un village caractéristique de la région de l'Auxois.

Château de Tanlay. Décorant la voûte de la pièce où se réunissaient les huguenots au temps des guerres de Religion, cette fresque figure, à gauche, des personnages de la cour de Catherine de Médicis incarnant le Vice ; à droite, le parti huguenot représente la Vertu.

❺ **Abbaye de Fontenay** (XIIe s.). Isolée au fond d'un vallon boisé, elle est le type même des abbayes cisterciennes. Austérité et rigueur se retrouvent dans la façade de l'église, dans les arcades du cloître, dans les travées aux voûtes sur croisée d'ogive de la salle capitulaire (vis. t.l.j.).

Alise-Sainte-Reine. Cette statuette gallo-romaine, trouvée au cours des fouilles d'Alésia, représente la déesse Épona, qui veillait sur les ânes et les chevaux.

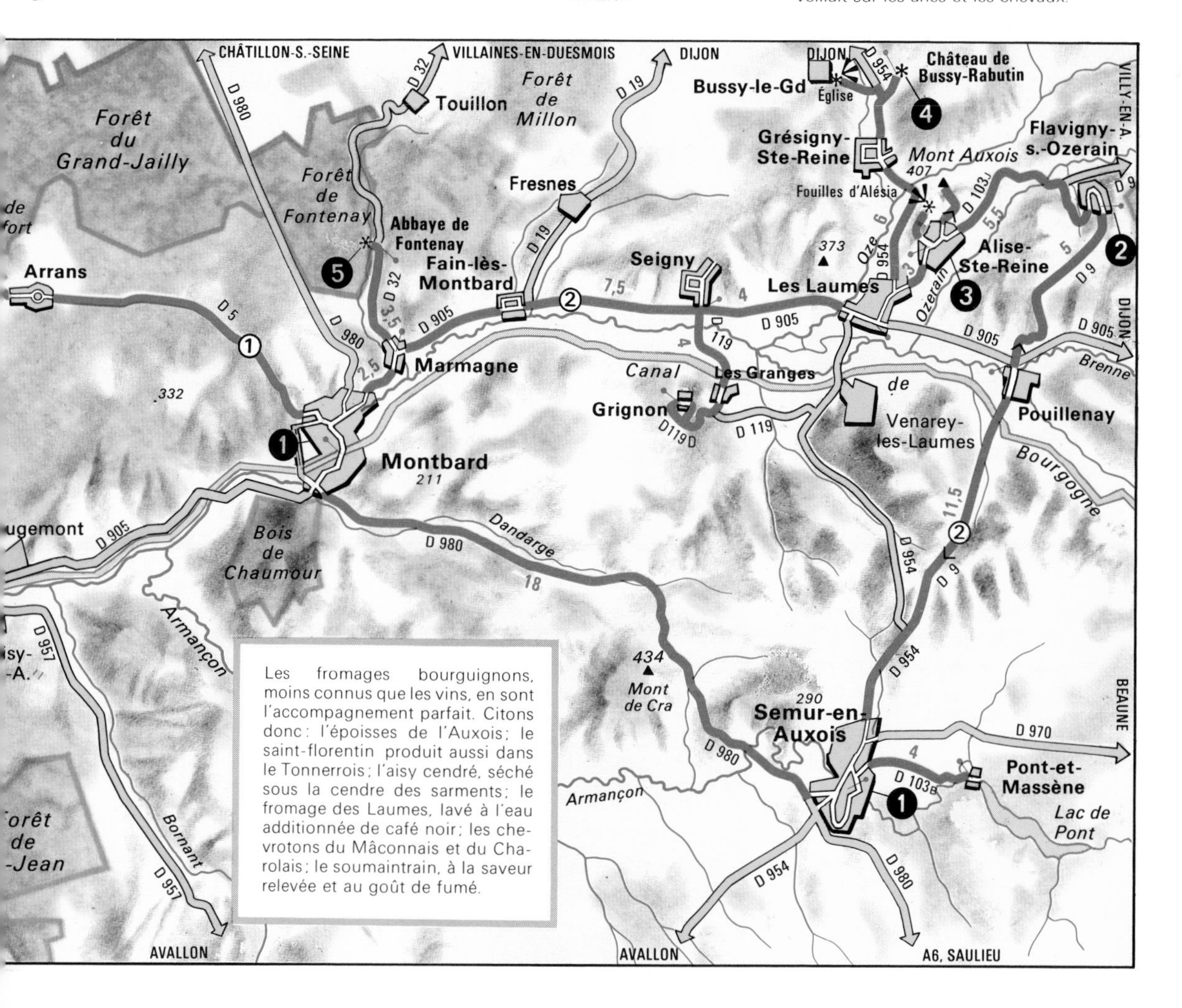

Les fromages bourguignons, moins connus que les vins, en sont l'accompagnement parfait. Citons donc : l'époisses de l'Auxois ; le saint-florentin produit aussi dans le Tonnerrois ; l'aisy cendré, séché sous la cendre des sarments ; le fromage des Laumes, lavé à l'eau additionnée de café noir ; les chevrotons du Mâconnais et du Charolais ; le soumaintrain, à la saveur relevée et au goût de fumé.

Forêts du plateau de Langres

105 km

Le plateau de Langres est une vaste table calcaire, dont l'altitude dépasse constamment 400 m. Coupé par les vallées de la Seine, de l'Ource et de l'Aube, il prolonge les monts de Bourgogne, au nord-est, et forme la terminaison sud-orientale du Bassin parisien. Les forêts qui le couvrent sur la presque totalité de sa surface, le climat froid et humide, les villages isolés au fond des clairières donnent à ce pays un aspect sauvage et secret.

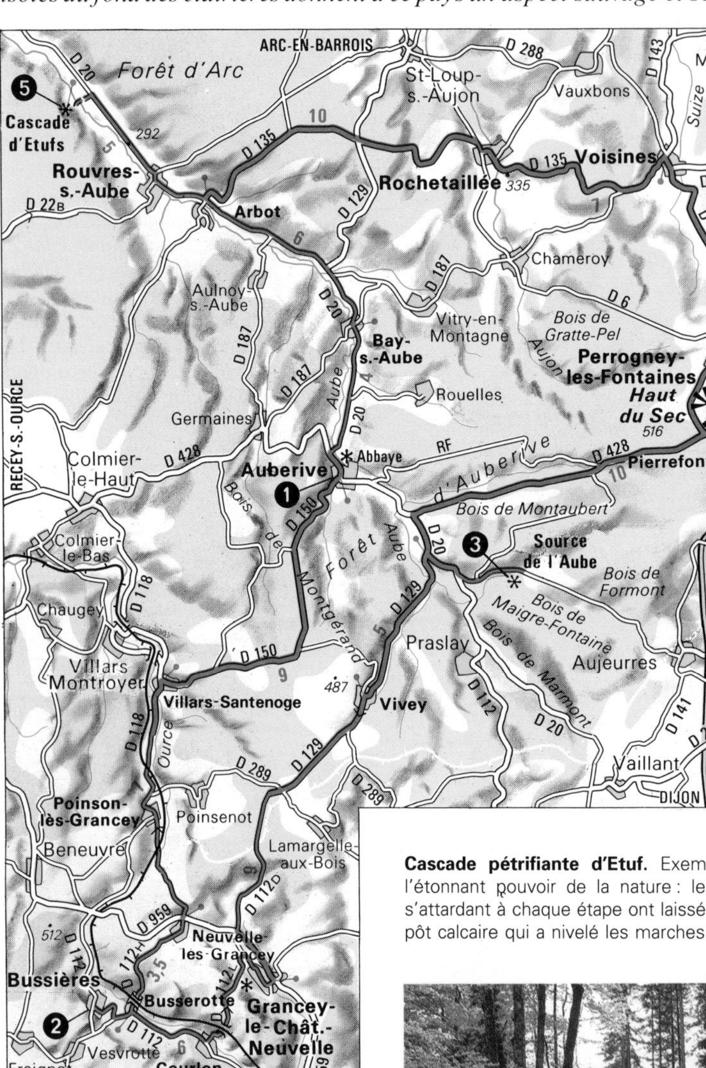

❶ **Auberive.** Comme son nom l'indique, ce village est situé au bord de l'Aube, qui prend naissance non loin, à environ 5 km. On y verra les restes d'une ancienne abbaye cistercienne, fondée en 1135 par saint Bernard de Clervaux. De l'époque médiévale subsistent le chevet plat de l'église, aux lignes pures et dépouillées, ainsi qu'une curieuse salle capitulaire aux voûtes gothiques. Les bâtiments claustraux ont la noble grandeur des reconstructions du XVIIIe s. (voir dessin). Les bois entourent le village, notamment la forêt domaniale d'Auberive, où hêtres, chênes rouvres, érables sycomores, érables planes, fruitiers (alisier torminal) et charmes composent d'imposantes futaies.

❷ **Bussières.** Le bourg conserve les vestiges d'un château et de fortifications dont il reste trois tours. L'église Notre-Dame, datant du XIIIe s., possède des peintures murales du XVe s. Dans le transept nord, thème de la Crucifixion de l'école provençale ; il reste peu de choses des autres compositions.

A *Grancey*, on admirera de loin le château (ne se visite pas). Édifié sur une terrasse constituée par une très ancienne forteresse reconstruite au XIIe s. puis rasée au XVe, dont on voit encore un mur et l'amorce de tours, il date du début du XVIIIe s.

❸ **Source de l'Aube.** Non loin d'Auberive et environ 5 km après Vivey, sur la droite, une petite route pénètre dans la forêt. Dans un vallon encaissé au cœur des bois de Montaubert, de Formont et de Maigre-Fontaine, naît l'Aube. Ses eaux claires et la végétation font de l'endroit un charmant but de promenade.

❹ **Le Haut du Sec** est le point culminant du plateau de Langres (516 m). Prendre la petite route à gauche avant Pierrefontaines et monter au sommet : beau panorama.

❺ **Cascade pétrifiante d'Etuf.** Après Rouvres-Arbot, prendre la direction d'Aubepierre. A 3 km, garer la voiture face à une route qui mène, à gauche, vers un château. Contourner la propriété par la droite. Les eaux jaillissent en pleine forêt et descendent un escalier rocheux de vasque en vasque, formant à chaque chute une nappe d'eau régulière. Ce type de cascade est unique en France (voir photo).

Cascade pétrifiante d'Etuf. Exemple de l'étonnant pouvoir de la nature : les eaux s'attardant à chaque étape ont laissé un dépôt calcaire qui a nivelé les marches.

Abbaye d'Auberive. La grille d'entrée a été exécutée par Jean Lamour, connu pour être l'auteur des célèbres grilles de la place Stanislas de Nancy.

Étangs et villages du Bazois 60 km

Pays de grosses fermes et d'embouches, où paissent les bœufs blancs de la race charolaise, le Bazois forme une dépression verdoyante mollement vallonnée, au pied du versant ouest du Morvan. Le pays est drainé par l'Yonne, dont le cours, après sa sortie du Morvan, reste rapide ; en sens inverse, l'Aron se traîne paresseusement jusqu'à la Loire. Les étangs, les bois, les points de vue donnent à cette région son attrait et son charme.

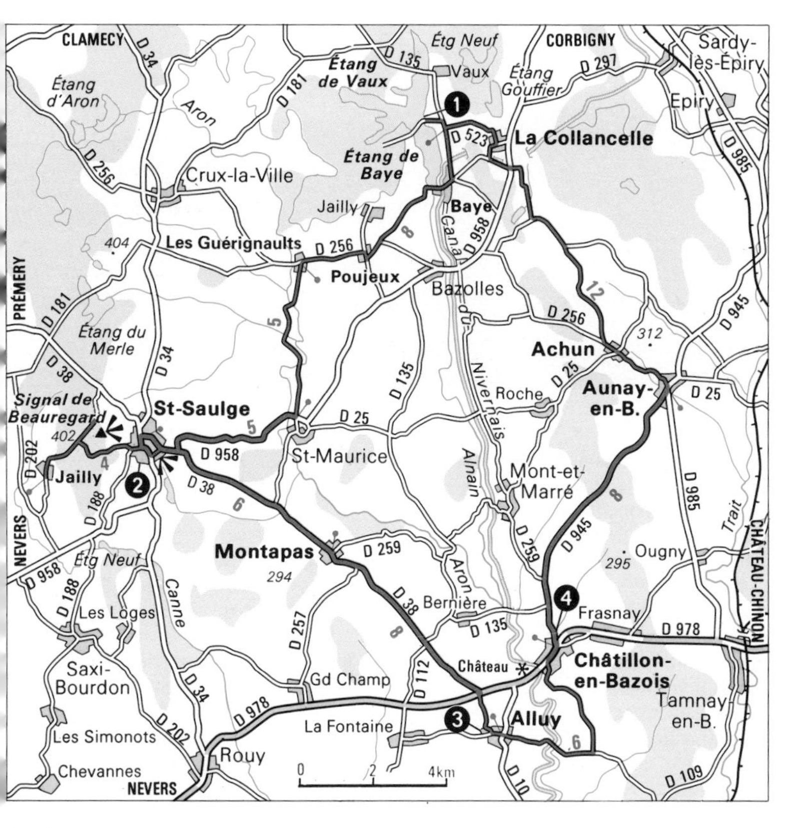

❶ **Étangs de Vaux et de Baye.** A l'O. de La Collancelle, le canal du Nivernais franchit la ligne de partage des eaux entre les bassins de la Seine et de la Loire par un bief souterrain de 4 km (intéressantes promenades en péniche sous les voûtes en juill.-août). Il est alimenté par plusieurs réservoirs naturels, dont les plus importants sont les étangs de Vaux et de Baye, séparés par une digue et couvrant une étendue de 200 ha. Les bois, la lumière, l'eau font de ce double plan d'eau un centre de loisirs variés ; on pêche à Vaux ; à Baye, baignade, voile ; base de ravitaillement pour les plaisanciers qui fréquentent le canal ; école de voile.

❷ **Saint-Saulge.** Par Poujeux, Les Guérignaults et Saint-Maurice, on gagne ce petit bourg qui a donné son nom à un massif de 20 km de long et de 5 km de large, sorte de petit Morvan isolé au-dessus du Bazois, des Amognes et des Vaux de Montenoison. Beaux points de vue, notamment sur le Bazois et le Morvan depuis le champ de foire de Saint-Saulge (310 m), à droite de l'église. Celle-ci est un édifice gothique flamboyant à trois nefs, doté de belles voûtes d'ogives et d'harmonieux vitraux (XVIe s.). Les habitants de Saint-Saulge sont réputés dans la région pour ne pas posséder tout leur bon sens ; ils entretiennent volontiers, avec bonne humeur et humour, les légendes à ce sujet.

Les promenades aux alentours ne manquent pas : le *Signal de Beauregard* (20 mn au N.-O.) offre, à 402 m d'altitude, un beau panorama ; à 4 km à l'O., l'église de *Jailly* est perchée sur une colline et coiffée d'un clocher octogonal. Le grand porche, isolé de l'édifice lui-même, devait être autrefois précédé d'un narthex. La nef suit la pente de la colline et monte par des degrés jusqu'au chœur, bel exemple d'adaptation de l'architecture au site.

❸ **Alluy.** L'église de ce petit bourg, commencée au XIIe s. et remaniée au cours des XIIIe et XVe s., est construite sur une crypte (XIIe s.) ; sa voûte est en berceau surbaissé, et les murs sont ornés de peintures du XIIIe s. Dans une tribune, un haut-relief en pierre polychrome représente la Vierge en gloire, étonnante de naïveté.

❹ **Châtillon-en-Bazois** est un très agréable village sur les bords du canal du Nivernais et de l'Aron. Dans l'église, édifiée au XIXe s. dans le style roman, pierre tombale d'un seigneur de la ville, mort en 1370, et peinture attribuée à Mignard, représentant le baptême du Christ. Un peu à l'écart, surplombant le canal (voir photo), se dresse le château qui fut au Moyen Age une place forte considérable. A la pointe N. subsiste une tour ronde du XIVe s. La façade O., remaniée, a cependant conservé une tour d'escalier carrée du XVe s. Jeux de lumière en été. Manifestations artistiques : expos., concerts (vis. t.l.j., sauf lundi, en juill. et en août).

Châtillon-en-Bazois. Depuis les bords du canal du Nivernais, qui a vu se développer un florissant tourisme fluvial, un aperçu de l'ancien château seigneurial.

Avallon, Vézelay et le Morvan 235 km

Le Morvan est un massif ancien couvert de sombres forêts et de maigres prairies sillonnées par une multitude de rivières, de ruisseaux et de cascades. Ce pays, austère et sauvage, fut longtemps « une véritable impasse pour les pays voisins » ; l'accès en est encore difficile certains hivers. Ce n'est qu'à partir de 1830 que des travaux d'aménagement considérables — construction de routes, édification de barrages, amendement dès sols — apportèrent une relative prospérité à cette région. De nos jours, l'effort de promotion porte sur le développement du tourisme.

Avallon a conservé nombre de maisons anciennes comme cette demeure du XVe s. dite des sires de Domecy.

❶ **Avallon.** Du parc des Chaumes ou de la Mormande, la vue s'étend sur la vieille ville, qui se dresse fièrement sur un promontoire escarpé, isolé par deux ravins. Les maisons anciennes (voir dessin), les promenades ombragées des Terreaux et de la Petite Porte — qui domine de 100 m la vallée du Cousin —, la tour de l'Horloge (XVe s.) et l'église St-Lazare, dont les portails restent remarquables malgré les mutilations, forment un ensemble plein d'harmonie. Le musée de l'Avallonnais (t.l.j., sauf mardi, 15 juin-15 sept.) présente des collections sur la géologie, la minéralogie, ainsi que sur la préhistoire de la région ; on peut aussi y admirer des pièces de l'époque gallo-romaine et de l'orfèvrerie. Musée du costume (t.l.j., 1er avr.-31 oct.).

❷ **Vault-de-Lugny.** Après Pontaubert et son église de style roman bourguignon apparaît le château de Vault (XVe-XVIe s.), entouré de douves et dominé par un impressionnant donjon (ne se visite pas). Dans l'église (XVe s.), une grande peinture murale du XVIe s. illustre la Passion du Christ. Sur le *Montmarte* s'élèvent les ruines d'un temple gallo-romain.

❸ **Saint-Père** possède une remarquable église de style gothique bourguignon ; elle est surmontée d'une élégante tour-clocher, et sa façade, précédée d'un porche du XIVe s., est richement décorée. L'intérieur, d'un style pur, abrite de belles sculptures de pierre. Il faut aussi visiter le site des Fontaines-Salées ainsi que le Musée archéologique, qui sont d'un grand intérêt : de précieux objets provenant des fouilles sont exposés, notamment des cuvelages en bois de l'âge du Fer, des objets provenant d'un temple gaulois et du mobilier issu de l'établissement thermal gallo-romain (t.l.j., du 1er avr. à la Toussaint. Rens. tél. : 86-33-36-14).

❹ **Vézelay.** Perché au sommet d'une colline, ce bourg paisible aux rues étroites bordées de maisons anciennes est un haut lieu de l'histoire de la chrétienté. Dès le Xe s., son abbaye bénédictine, qui conserve les reliques de sainte Madeleine, est un but de pèlerinage fréquenté (il a encore lieu tous les ans, le 22 juillet), et saint Bernard y prêche la deuxième croisade en 1146. De l'abbaye, il ne subsiste que la salle capitulaire et l'église (XIIe-XIIIe s.), restaurée au XIXe s. par l'architecte Viollet-le-Duc. Magnifique vue depuis la terrasse de la basilique. L'extérieur, sévère et sobre, contraste avec la luminosité de la nef, l'ampleur de la voûte aux arcs-doubleaux ocre et blancs, et la richesse décorative des portails du narthex. Le tympan du portail central, figurant le Christ en gloire, est un chef-d'œuvre de l'art roman, de même que les admirables chapiteaux. Voir aussi itinéraire 95.

❺ **Lormes.** Centre d'excursions en Morvan (barrage de Chaumeçon) et en Nivernais. La terrasse de l'église, qui culmine à 470 m, et le mont de la Justice (à 1,5 km au N.-O.) sont d'excellents belvédères sur le Bazois, le Nivernais et le Morvan, et les gorges et la cascade de Narvau peuvent faire l'objet d'une promenade à pied.

Pannesière-Chaumard. Ce vaste plan d'eau formé par la retenue du barrage s'étend dans un paysage de collines boisées et de bocages, typique du Morvan.

❻ **Barrage de Pannesière-Chaumard.** Commencé avant la guerre, mis en eau en 1950, il est long de 340 m et haut de 50. Sa retenue (82 millions de mètres cubes) permet la régularisation du cours de l'Yonne et la production d'électricité (environ 20 millions de kilowatts par an). De la crête du barrage, la vue embrasse toute la retenue et, au loin, les monts du haut Morvan. (Voir aussi photo.)

❼ **Lac des Settons.** Formé par un barrage retenant les eaux de la Cure, ce réservoir aménagé pour tous les sports nautiques, en particulier aux Settons, s'intègre parfaitement dans le paysage. On peut découvrir le site

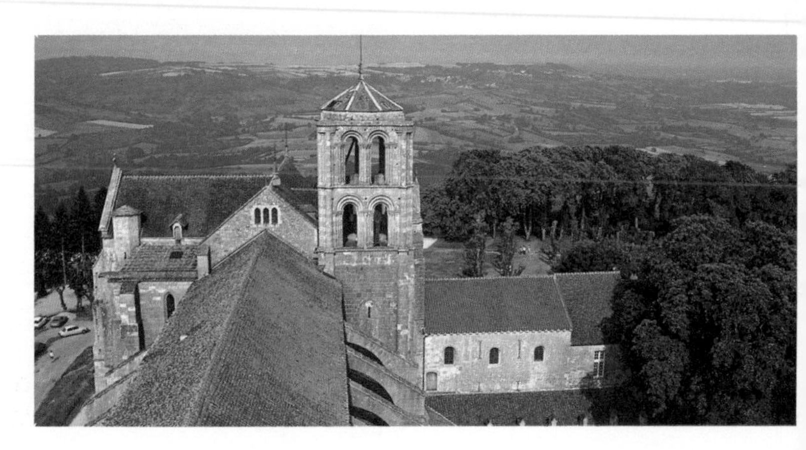

Vézelay. De la plate-forme de la tour St-Michel, on jouit d'une vue étendue sur les toits de la basilique et le cloître, la vallée de la Cure, le Morvan et l'Auxerrois.

d'U.L.M., ou encore faire de l'équitation ou du vélo tout terrain. Sur la route de Gouloux, à droite du pont sur la Cure, le Caillot franchit des rochers de granit en une pittoresque cascade, le *saut de Gouloux*.

❽ Forêt de Breuil et forêt Chenue. Elles s'étendent de part et d'autre de la rivière Vignant, que longe la route. La forêt de Breuil, qui possède une des dernières hêtraies de haute futaie du Morvan, est traversée par le GR 13 (gîte d'étape ouv. t.l.j.). Randonnée, rochers d'escalade, parc à daims. Belle excursion dans la forêt Chenue jusqu'au dolmen de Chevresse.

❾ Rocher de la Peirouse. Point culminant du département de l'Yonne, il s'élève dans la forêt Au Duc, une des plus grandes du Morvan (1 430 ha). Panorama sur la vallée de la Cure.

❿ Quarré-les-Tombes doit son nom étrange aux nombreux sarcophages qui entourent l'église (il y en eut, dit-on, jusqu'à deux mille). Leur origine est incertaine, mais la légende la fait remonter au IXe s., lors de l'écrasement des Normands scandinaves. La ville est le point de départ de nombreuses excursions. A 3,5 km, un sentier qui traverse la forêt Au Duc conduit à la Roche des Fées (518 m), d'où l'on a une belle vue sur le bourg. A 5 km au N. se trouve le village natal de Vauban : *Saint-Léger*. Et, à 10 km, dans un très beau site au milieu des bois et près du ruisseau de Trinquelin, qui forme de petites cascades dans les rochers (Saut de la Truite), se dressent les bâtiments de *l'abbaye de la Pierre-qui-Vire*. Construite au XIXe s. dans le style gothique et agrandie en 1954, elle se nomme ainsi parce qu'elle s'élève à proximité d'une grande pierre plate, qui oscillait d'une simple poussée de la main. Aujourd'hui, cette pierre est immobile et on l'a surmontée d'une statue de la Vierge.

Les vallées de l'Yonne et de la Cure 56 km

A l'extrémité occidentale des plateaux bourguignons, enfoncées dans d'épaisses couches de calcaires blancs et résistants formant de hautes corniches, les vallées de l'Yonne et de la Cure déroulent deux rubans de verdure. Au fil de leur cours sinueux s'offre un paysage varié d'escarpements hardis à gravir, de grottes profondes aux riches vestiges à explorer, de buttes et de belvédères sur de vastes horizons calmes et harmonieux.

❶ **Vézelay** occupe un site remarquable, accroché à une butte escarpée de calcaire jurassique, surplombant la vallée de la Cure, qui coule 150 m plus bas. De la terrasse, la vue s'étend fort loin au N. : l'extrémité occidentale des plateaux de basse Bourgogne se termine à l'E. et au S. par le front d'une cuesta fortement entaillée, au-dessus de la dépression liasique de la Terre Plaine; au S. s'élèvent doucement les premières pentes boisées du Morvan; la vallée de la Cure sert de trait d'union entre ces divers éléments. Observer ce panorama de préférence le matin et le soir, de façon à profiter d'un éclairage favorable. Voir aussi itinéraire 94.

❷ **Blannay.** A la sortie de Blannay, lorsque la route engage sa montée au-dessus du village vers l'O., on profite d'un point de vue sur un autre aspect des plateaux, où sont découpées les deux vallées confluentes du Cousin et de la Cure, et où se dresse la butte majestueuse de Vézelay.

❸ **Roches de Saint-Moré.** Laisser le véhicule à droite de l'entrée du tunnel et parcourir à pied le chemin qui contourne la rive convexe d'un méandre parfait de la Cure, que dominent les roches de Saint-Moré, percées de grottes et taillées dans ce calcaire rauracien particulièrement résistant et caractéristique des plateaux de l'Auxerrois du S. (35 mn). Un sentier à forte pente permet de prolonger ce circuit (25 mn) en gravissant la Côte de Char, qui offre une vue sur les plateaux et la vallée de la Cure, dont les eaux sont d'ordinaire de couleur sombre, sauf au printemps, lorsque la floraison des plantes aquatiques qui y foisonnent les teinte d'un blanc éclatant.

❹ **Grottes d'Arcy-sur-Cure.** Une petite route conduit à l'entrée des grottes, curiosité naturelle et station préhistorique, creusée dans la haute corniche calcaire, que forme la rive concave du méandre de la Cure. Les grottes ont été creusées par les eaux à trois reprises : à la première phase correspondent les parties hautes des grottes du Trilobite, des Fées et de l'Hyène, ainsi que de la Grande Grotte. Lorsque le lit de la Cure s'est abaissé, une deuxième phase de creusement a découpé un second système souterrain, formant les grottes de l'Ours et du Cheval, la partie inférieure de la grotte de l'Hyène, le deuxième étage de la Grande Grotte et l'étage moyen de la grotte des Fées. Depuis 10000 ans environ, un troisième réseau est en cours de creusement : son niveau se situe à hauteur

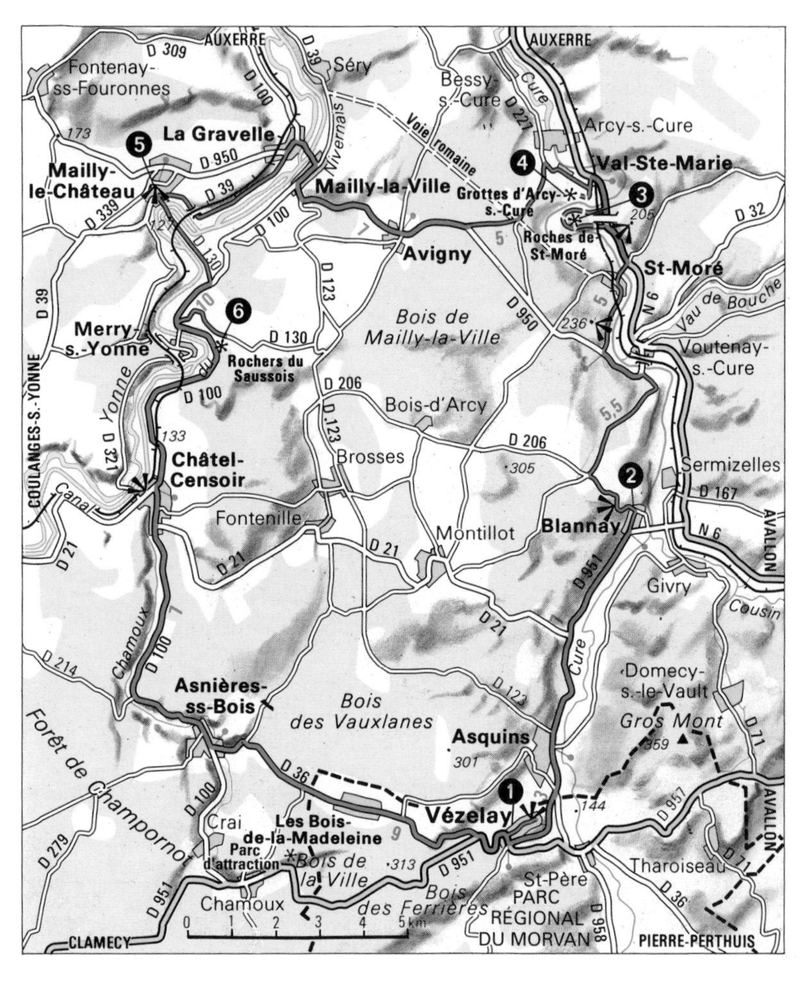

Mailly-le-Château. Dominant la rive concave d'un méandre de l'Yonne, la terrasse offre un panorama sur les plateaux boisés et les pâturages bordant la rivière; au premier plan : le Bourg-du-Bas.

des trois plans d'eau de la Grande Grotte. Les eaux de la Cure se perdent, pour partie, aux Goulettes, et resurgissent de l'autre côté de la cuesta, au lieu dit Barbe-Bleue. Les grottes des deux premières phases ont été habitées par les hommes préhistoriques. Des gravures ont été découvertes sur les parois de la grotte du Cheval : elles appartiennent, croit-on, à l'époque magdalénienne (ne se visite pas). L'ensemble du réseau offre près d'un kilomètre de promenade souterraine. Dix vastes salles et de nombreuses galeries ont été aménagées. Un éclairage suggestif permet d'admirer de nombreuses stalactites, stalagmites et concrétions (voir dessin) aux formes diverses et souvent étranges (vis. t.l.j., de mars à nov.).

❺ **Mailly-le-Château.** Le méandre de l'Yonne est surmonté par une terrasse d'où l'on peut contempler un paysage varié, assez fortement contrasté, mais tout de douceur (voir photo) : les corniches de la rive concave de l'Yonne surplombent la rivière et le canal du Nivernais. L'Yonne a un cours lent et incertain ; l'insuffisance de la pente a provoqué la formation de nombreux bras. L'ensemble est bordé de prairies et de haies de peupliers.

❻ **Rochers du Saussois.** Dominant un autre méandre de l'Yonne, à Merry-sur-Yonne, les rochers du Saussois, avec leur à-pic de 60 m, leurs surplombs, leurs cheminées, constituent une école réputée d'escalade. Selon les capacités de chacun, l'ascension se fera soit par divers sentiers raides à travers les rochers eux-mêmes (45 mn AR), soit par un chemin circulaire facile (1 h 30), soit en voiture en prenant une route à gauche avant d'arriver à Merry : vaste panorama surplombant les plateaux secs et dénudés et la vallée de l'Yonne.

Fontaine Sainte-Marguerite, dans la Grande Grotte d'Arcy-sur-Cure. Cette imposante colonnade est l'une des plus belles concrétions qui ornent les grottes.

Promenade dans l'Arrière-Côte dijonnaise 65 km

Vastes plateaux calcaires déroulant leur monotone surface boisée, talus escarpés, hautes corniches, vallées larges ou fortement encaissées, c'est l'Arrière-Côte dijonnaise, marge frontière séparant le bassin hydrographique de la Seine de celui de la Saône à la faveur du « pont de socle », mais aussi unissant en profondeur le Morvan aux Vosges.

Canal de Bourgogne. Suivant le cours de l'Ouche, dans une large vallée dominée par des plateaux, le canal de Bourgogne marque le paysage de son charme un peu désuet.

❶ **Corcelles-les-Monts.** Au-dessus de ce village se dresse la haute table calcaire boisée du mont Afrique, bastion avancé de la « montagne » bourguignonne avec ses 600 m d'altitude. Le contraste topographique se double souvent en automne d'un contraste climatique : tandis que Dijon et les plaines de la Saône sont noyées dans le brouillard, le soleil illumine la montagne. Le tour du *mont Afrique* peut être effectué à pied depuis Corcelles. On suit le chemin de ronde, fortifications désaffectées du siècle dernier (7,5 km : 2 h) : points de vue sur Dijon, puis, à l'E., sur les plaines de la Saône et le Jura, ainsi que le massif du Mont-Blanc par temps exceptionnel, enfin, vers l'O. et le N., sur les plateaux bourguignons entaillés par la large coupure de la vallée de l'Ouche et du canal de Bourgogne (voir photo). On peut préférer la promenade parallèle dans le sous-bois, à mi-pente vers le N. et le S., puis remontant sur le sommet vers l'E. (9 km : 2 h 30).

❷ **Mâlain.** A la sortie du village, en direction de Baulme-la-Roche, monter sous les arches du viaduc du chemin de fer ; dans une ancienne carrière, au « trou de Mâlain », on peut observer le contact entre le sol ancien et sa couverture sédimentaire : c'est la surface d'érosion posthercynienne.

❸ **Baulme-la-Roche** s'étire au fond d'une vaste reculée, surmontée d'une corniche calcaire. Un circuit pédestre (2 h 45 environ) permet de gagner le sommet des Roches : panorama vers le S. sur le cirque taillé par l'Ouche, dans les plateaux bourguignons. Rejoindre ensuite le Puits 15 (587 m), cheminée d'aération du tunnel ferroviaire de Blaisy ; on se trouve exactement sur la ligne de partage des eaux des bassins versants de la Manche et de la Méditerranée.

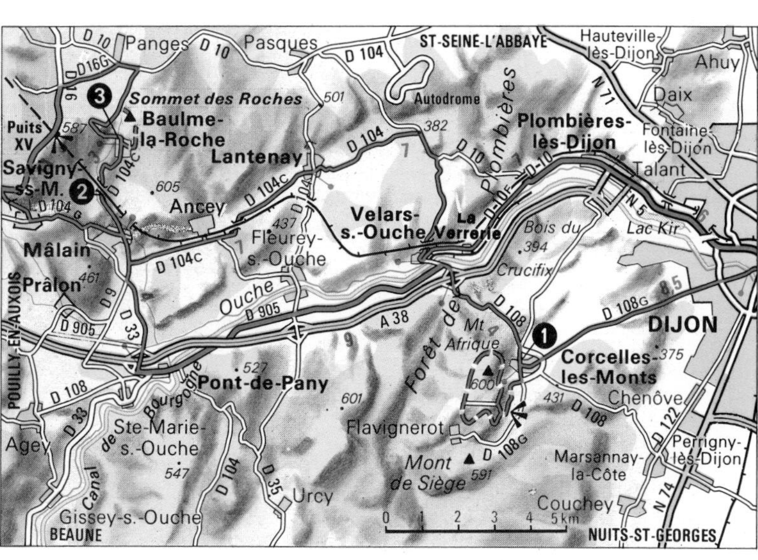

Forêts et châteaux des environs d'Autun

82 km
92 km

Les monts de l'Autunois rappellent le Morvan par plus d'un côté, mais sans en avoir l'aspect montagnard, rude et sauvage. Le sol, le relief, le climat, tout est plus doux, et, au nord-est, la vigne fait déjà son apparition. Autun, dans le bassin de l'Arroux, marque la transition entre ces deux régions. Transition géographique certes, mais historique aussi. De l'oppidum gaulois de Bibracte aux châteaux médiévaux de La Rochepot et de Couches, l'histoire passe par Autun, ville romaine et romane.

Couches. Dans un paysage typique de l'Autunois s'élève le château où Marguerite de Bourgogne, épouse adultère de Louis X le Hutin, aurait trouvé asile.

ITINÉRAIRE Nº 1

❶ **Autun.** Il est difficile d'imaginer aujourd'hui en voyant la porte d'Arroux, pourtant imposante et richement ornée, et les quelques vestiges gallo-romains que cette ville tranquille aux toits de tuiles rouges, dominée par les bois de la colline de Montjeu, fut, au début de notre ère, une des plus grandes et des plus belles de l'Empire romain (voir photo). Il est certes plus aisé, devant la cathédrale St-Lazare, de concevoir l'importance religieuse que la cité eut au Moyen Age, et ce, malgré la disparition de nombreux sanctuaires. Modifié au cours des siècles, cet édifice reste un chef-d'œuvre de l'art roman par la beauté de la conception intérieure et les admirables sculptures des chapiteaux et du portail représentant le Jugement dernier, et signé Gislebertus. Le musée Rolin (t.l.j., sauf j. fér. et mardi), qui, outre son important fonds d'archéologie gallo-romaine, possède la *Tentation d'Ève* (sculpture XIIe s.), ainsi que la *Nativité* du Maître de Moulins et le musée lapidaire, dans l'ancienne chapelle St-Nicolas (t.l.j., fermé févr. et j. fér.), sont un complément à la visite de la ville.

❷ **Gorges de la Canche.** A partir des Guillaumes, la route forestière longe le versant gauche des gorges, dans un

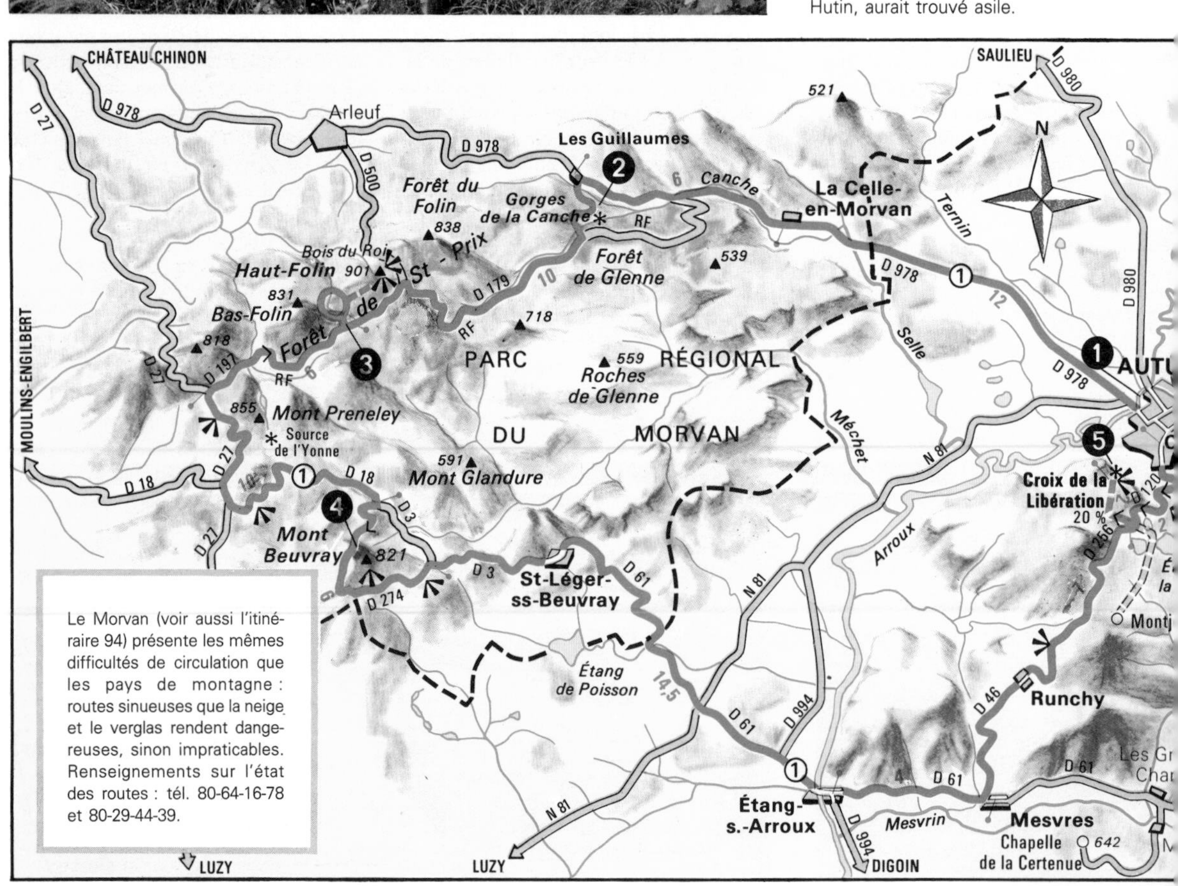

site sauvage hérissé de roches, dominées par les futaies de hêtres des forêts du Folin et de Glenne.

❸ **Haut-Folin.** Au cœur de la forêt de Saint-Prix (voir itinéraire 102), une route circulaire conduit à la station de ski du Haut-Folin et un sentier permet d'atteindre le Bois du Roi, point culminant du Morvan (902 m). Panorama avec table d'orientation.

❹ **Mont Beuvray** (821 m). Accès par une route à très forte pente (20 %) et à sens unique. C'est un vaste plateau sur lequel s'étendait Bibracte, l'oppidum des Éduens qui servait de refuge et de marché. Vercingétorix y organisa la résistance contre les légions romaines. De la terrasse bordée d'arbres centenaires — d'aucuns disent millénaires —, la vue s'étend sur l'Autunois, le Charolais, le Morvan et, par temps clair, jusqu'à l'Auvergne et au Jura. Pour se rendre compte vraiment de ce que fut l'oppidum, il est bon de voir au musée Rolin d'Autun les plans, dessins et objets relatifs aux découvertes de Bibracte.

Autun. Du clocher de la cathédrale, la vue s'étend sur les toits de la ville, les remparts, la tour des Ursulines et, au loin, les pentes boisées de la montagne Saint-Sébastien.

❺ **Croix de la Libération.** Un chemin à forte pente (20 %) mène à ce monument de granit, érigé en 1945 pour commémorer la libération d'Autun. Point de vue sur la ville, les étranges cônes des Télots (terrils subsistant d'une exploitation de schistes bitumineux), l'Arroux et le Morvan.

ITINÉRAIRE Nº 2

❶ **Nolay.** Pour voir le remarquable *château de Sully* (vis. guid. t.l.j., des Rameaux au 30 oct. Groupes sur R.-V., tél.: 85-82-10-27), un détour s'impose avant de gagner Nolay. Ce bourg, qui vit naître Lazare Carnot, le conventionnel, possède des halles du XIVe s., couvertes de lauzes, et une église du XVIIe, au mobilier intéressant.

❷ **La Rochepot.** Dominant le village, le château, aux toits de tuiles multicolores, est visible de fort loin. Presque entièrement reconstruit au XIXe s., il a fière allure et sa visite (t.l.j., sauf mardi, des Rameaux à la Toussaint) est passionnante. L'église du village possède de merveilleux chapiteaux rappelant ceux d'Autun.

❸ **Mont de Rome-Château** (545 m). A Mazenay, prendre la direction de Saint-Sernin-du-Plain puis à gauche à l'entrée de ce village. Au sommet s'étendait un oppidum, qui commandait la voie romaine Chalon-Autun ; vaste panorama.

❹ **Couches.** Les monuments anciens de cette bourgade sont un peu éclipsés par la présence du château (voir photo), qui se dresse au milieu des vignes (ouv. dim. et j. fér. à partir des Rameaux ; t.l.j. en juill.-août ; l'apr.-m. seul. en juin et sept. Groupes sur R.-V., tél. : 85-49-63-54. Visite des souterrains). Très restauré et malgré certaines démolitions, il a encore l'air d'une puissante forteresse avec ses tours rondes (XIIIe s.) et son donjon carré (XIe s.).

❺ **Saint-Émiland** était, à l'époque gallo-romaine, un centre de fabrication de sarcophages de grès ou luziers (plusieurs sont encore visibles dans le cimetière) ; ainsi s'explique le nom de la forêt toute proche : *Pierre-Luzière*. Le lac formé par un barrage est un joli but de promenade.

❻ **Couhard** apparaît après les chênaies et les hêtraies de la forêt de Planoise, où murmure la cascade de Brisecou. Mais le village est connu surtout pour sa « pierre », vestige d'une sorte de pyramide édifiée, croit-on, à l'époque romaine.

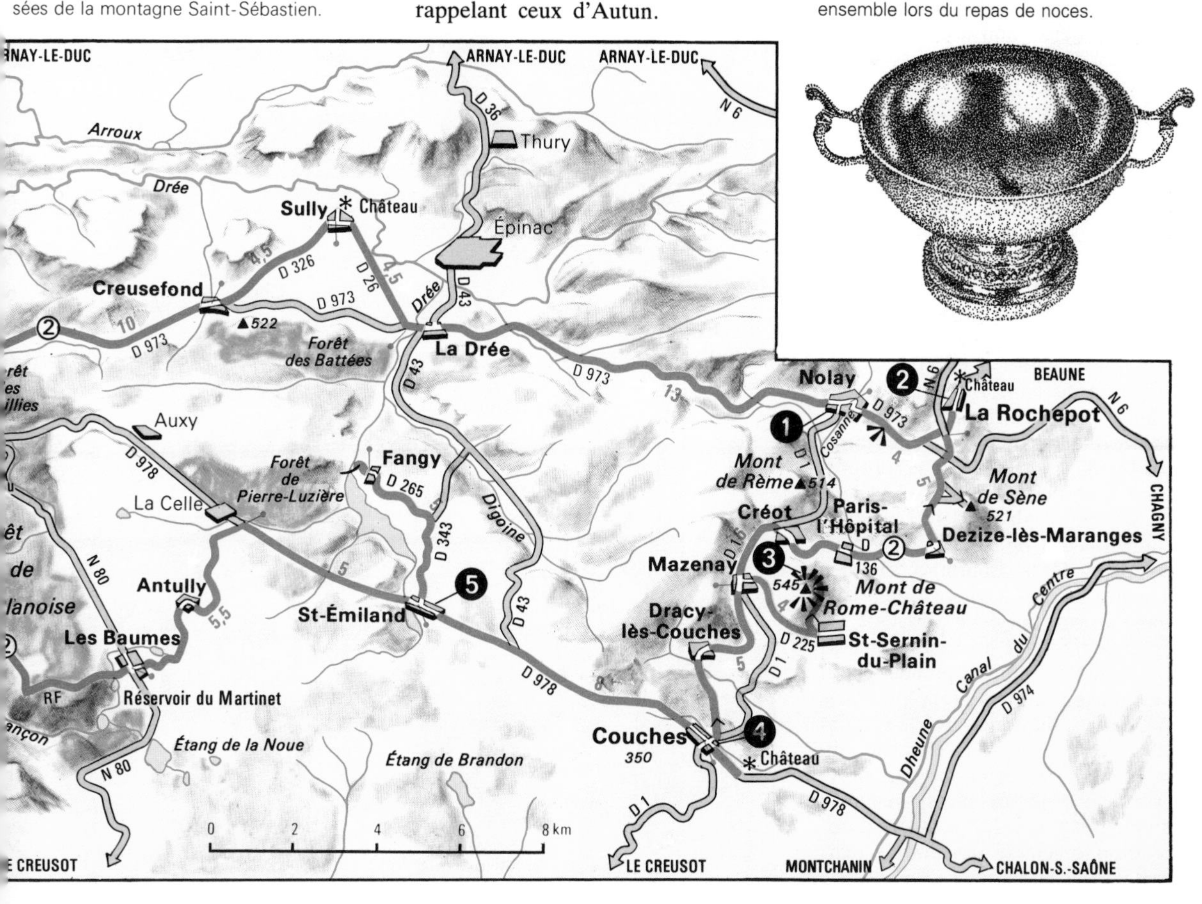

Coupe de mariage en argent. C'était la tradition bourguignonne d'en offrir une aux jeunes mariés ; ils devaient y boire ensemble lors du repas de noces.

Paray-le-Monial et les coteaux du Brionnais 54 km

Des limites de l'Autunois et du Charolais au cœur du Brionnais, cet itinéraire est un peu celui de Cluny. A chaque étape, dans chaque village, une église aux tons presque dorés — couleur de la pierre du pays — révèle, par sa conception et la richesse de ses sculptures, l'inspiration clunisienne, dont Paray-le-Monial est le plus beau témoignage.

Anzy-le-Duc. C'est de très loin qu'on aperçoit le clocher de l'église, l'une des plus élégantes du Brionnais, avec son portail au tympan sculpté d'un beau Christ en gloire.

❶ **Perrecy-lès-Forges** possède une curieuse église. Son aspect lourd et trapu est dû en partie à la dissymétrie de l'édifice qui a perdu le collatéral N. de la nef, le croisillon S. du transept et son ancien clocher. Le narthex (XIIe s.) est admirable : son architecture est d'une élévation inattendue ; le portail est finement sculpté et les sujets qui ornent les chapiteaux sont d'une étonnante variété.

❷ **Paray-le-Monial** (voir dessin) est un lieu de pèlerinage artistique et religieux, dont la basilique est comme le symbole. Commencé en 1109 sous la direction de saint Hugues, abbé de Cluny, restauré aux XIXe et XXe s., cet édifice d'une grande simplicité frappe par l'unité et l'ampleur de ses proportions. Le site ajoute son charme à l'ensemble : l'église reflète la chaude couleur ocre de ses pierres dans les eaux de la Bourbince, bordée d'arbres. Chef-d'œuvre de l'art roman, cette ancienne abbatiale est devenue basilique du Sacré-Cœur en 1875, deux ans après le premier grand pèlerinage à sainte Marguerite-Marie Alacoque, dont les reliques sont conservées dans la chapelle du couvent de la Visitation (vis. libre, excepté pendant les offices). Le musée du Hiéron abrite des peintures d'inspiration religieuse des grands maîtres italiens et français (Tiepolo, Le Brun, Mignard...) et le tympan (XIIe s.) de l'ancien prieuré d'Anzy-le-Duc (le musée est fermé actuellement).

❸ **Anzy-le-Duc.** C'est par une allée bordée d'arbres qu'on accède à l'entrée de l'église des XIe et XIIe s. (voir photo). A l'intérieur, chapiteaux décorés de scènes fantastiques (XIIe s.). En contournant la ferme qui s'élève à droite de l'église, il est possible de voir la tour et un beau portail sculpté, restes de l'ancienne abbaye.

❹ **Semur-en-Brionnais.** Ce petit bourg occupe un site agréable en haut d'un promontoire couvert de vignes et dominant un vallon verdoyant. Sur la place s'élève l'église St-Hilaire (voir photo). Une élégante tribune arrondie, en encorbellement, orne le revers de la façade. Le portail est richement décoré de torsades de fleurs, de galons ; au tympan, Christ en majesté dans une mandorle ; au linteau, légende de saint Hilaire. Du donjon St-Hugues, la vue s'étend sur les coteaux environnants et sur les monts de la Madeleine et du Forez (vis. t.l.j., de fin mars à la Toussaint).

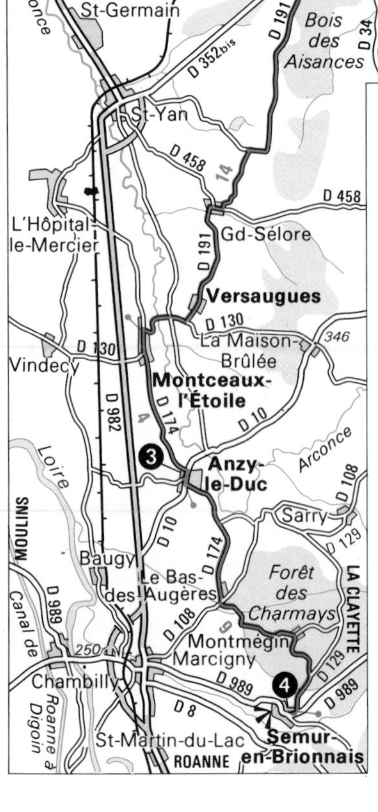

Paray-le-Monial. La décoration de cette demeure (XVIe s.), aujourd'hui hôtel de ville, est plus caractéristique de l'art gothique finissant que de celui de la Renaissance.

Semur-en-Brionnais. Le clocher octogonal de l'église St-Hilaire (XIIe s.), dont seule la partie supérieure est ajourée (XIIIe s.), domine le chevet aux proportions très équilibrées.

Beaune et le vignoble de la Côte

139 km

La Côte s'étend sur plus de 50 km entre l'Ouche et la Dheune, au-dessus des plaines de la Saône. C'est un escarpement de faille rectiligne, haut de 150 à 200 m, entaillé par des combes et dominé par la Montagne, à l'ouest, qui atteint 600 m. Alors que celle-ci est le domaine des bois ou des friches, la Côte est couverte d'un des plus prestigieux vignobles qui existent, méritant ainsi fort bien son nom de Côte d'Or. Mais si le vin de Bourgogne, apprécié des papes et des rois depuis le Moyen Age, a acquis cette gloire internationale, c'est grâce au labeur minutieux du vigneron, qui a, durant des siècles, élaboré une technique incomparable.

Château du Clos de Vougeot. Construit au XVIe s., il est formé de deux ailes en équerre. Des fenêtres à meneaux éclairent le premier étage ; la toiture s'orne de hautes lucarnes.

❶ **Beaune** a donné son nom à un vignoble, dont le Volnay, le Pommard, le Meursault sont les crus les plus réputés. Des remparts garnis de tours rondes enserrent la ville du XVe s., qui a su conserver intacts les souvenirs de son passé. L'église Notre-Dame, d'aspect gothique avec son large porche à trois nefs et ses arcs-boutants du XIVe s., est, à l'intérieur, une église romane d'inspiration clunisienne ; parmi un riche mobilier, les œuvres de Pierre Spicre (XVe s.) sont particulièrement remarquables : fresques représentant la résurrection de Lazare et, dans le chœur, tapisseries de la Vie de la Vierge. Mais Beaune s'enorgueillit surtout de posséder un incomparable hôtel-Dieu. Fondé en 1443 par le chancelier Rolin pour abriter « les pôvres », il nous est parvenu intact. Dans la cour d'honneur, deux des bâtiments sont couverts de vastes toitures décorées de tuiles vernissées multicolores et hérissées de lucarnes aux gâbles de bois. Malgré l'aspect sévère des deux autres bâtiments, les toits et les galeries ouvertes donnent un air gai et paisible à l'ensemble. A l'intérieur, la grande salle aux proportions imposantes possède une magnifique charpente et un dallage, qui est la réplique du dallage primitif, de même que le mobilier et les objets sont la reconstitution fidèle de ceux d'autrefois (voir aussi p. 184-185). Le musée présente diverses collections, mais le polyptyque du *Jugement dernier* de Van der Weyden les éclipse toutes. Des promenades dans les rues de la ville permettent de découvrir de nombreuses demeures anciennes : l'hôtel de la Rochepot (XVIe s.) et l'hôtel des ducs de Bourgogne, où est installé le musée du Vin de Bourgogne (t.l.j., avr. à fin nov. ; sauf mardi, déc.-mars. Fermé 25 déc., 1er janv.) ; l'hôtel de ville, ancien couvent des Ursulines, qui abrite le musée des Beaux-Arts, ainsi que le musée Marey, inventeur de la chronophotographie (musées ouv. t.l.j., avr. à nov. et durant la vente aux enchères des vins) ; l'hospice de la Charité, qui forme avec l'hôtel-Dieu les hospices de Beaune, au profit desquels a lieu chaque année (le 3e dim. de nov., sous les halles de Beaune) la vente aux enchères des vins que produisent leurs 58 ha de vignobles.

❷ **Saint-Romain,** situé sur une butte calcaire, est dominé à l'O. par un escarpement de la montagne bourguignonne. Du sommet (accès par la route de Saint-Romain à Orches), on découvre, 200 m en contrebas, le village, au pied de son château fort, et une des plus belles vues de la Bourgogne sur la Montagne et l'Arrière-Côte, la « combe » de Meursault et les plaines de la Saône.

❸ **Bouilland** est le point de départ de promenades pittoresques. Au N.-O., un sentier mène au fond de la combe de Grotey, fermée par une falaise de 100 m de haut et au pied de laquelle jaillissent plusieurs fontaines et la source de Rhoin. Au S.-O., un autre sentier donne accès aux ruines romantiques de l'abbaye Ste-Marguerite (XIIe-XIIIe s.) ; vers le S., on rejoint la route après être passé sous l'arche naturelle de la Roche Percée. De l'autre côté s'ouvrent, dans un cadre boisé, les corniches ruiniformes de la Combe à la Vieille. On revient à Bouilland en empruntant la route qui longe le Rhoin.

Combe Pertuis. En descendant vers Arcenant, on profite, sur la droite, de beaux points de vue sur ce village et la Combe Pertuis, gorge profonde au fond de laquelle le Raccordon prend sa source.

❹ **Gevrey-Chambertin.** A l'entrée de la combe de Lavaux, au milieu des coteaux qui portent le vignoble célèbre, se dresse le vieux bourg, serré autour de son église romane (mobilier intéressant) et dominé par son château (ouv. tte l'année, mais, hors saison, téléphoner au 80-34-36-13).

Le pinot noir fin est le cépage qui a fait la renommée du vignoble bourguignon. Il produit les grands vins rouges : Chambertin, Pommard, Clos de Vougeot, etc.

❺ **Chambolle-Musigny.** Les maisons aux toits de tuiles brunes se tassent autour d'une charmante église du XVIe s. ; à l'intérieur, peintures murales, statues et dalles funéraires de la même époque. La vigne qui couvre les coteaux donne un vin délicat.

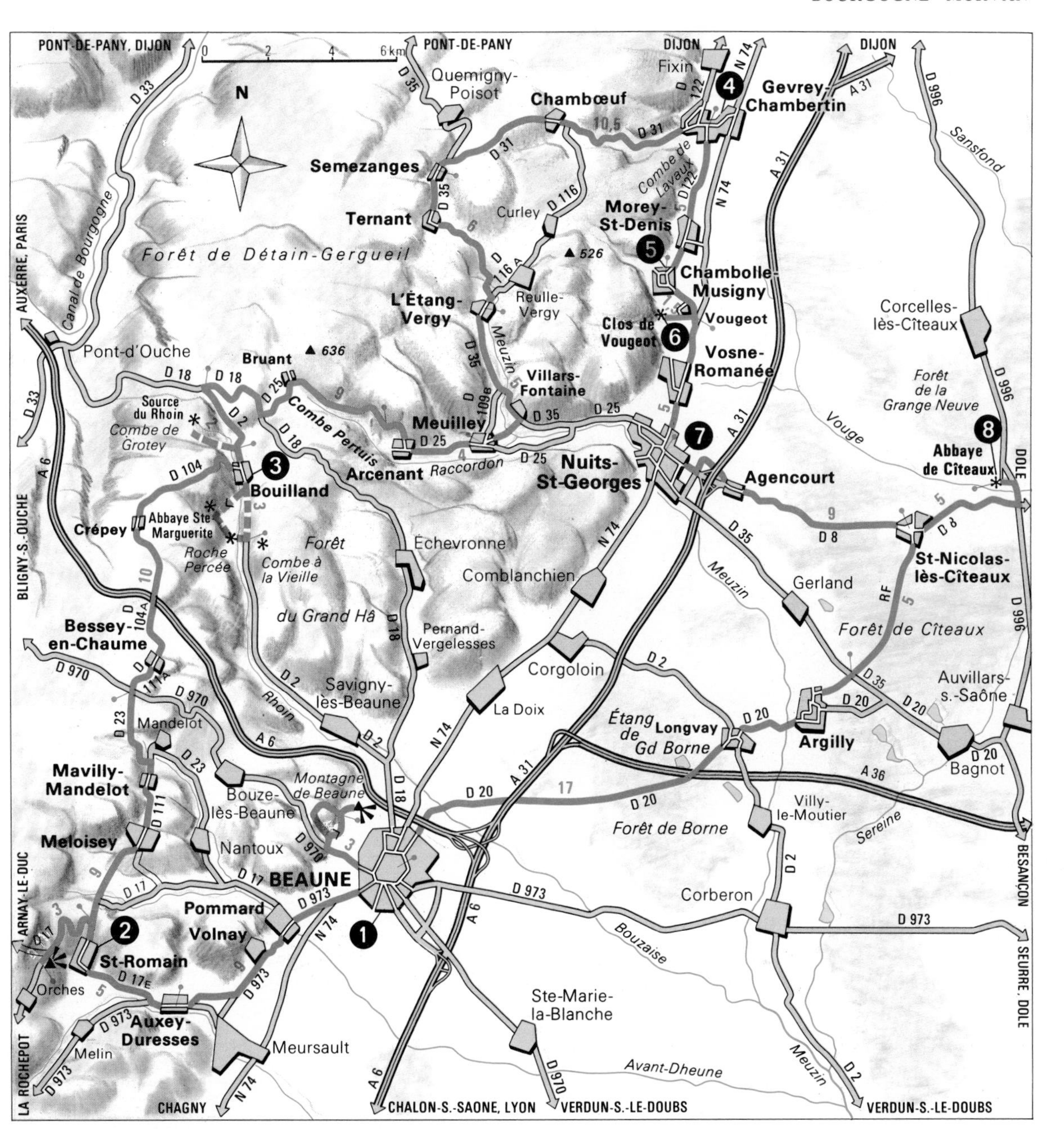

❻ **Clos de Vougeot.** Ce vignoble de plus de 50 ha fut la propriété de l'abbaye de Cîteaux jusqu'à la Révolution. Au centre du domaine se dresse le château (vis. guid. t.l.j., avr.-fin sept. ; le reste de l'année, t.l.j., 9 h à 11 h 30 et 14 h à 17 h 30. Fermé Noël et jour de l'an), aujourd'hui propriété de la confrérie des chevaliers du Tastevin. C'est là, dans le vaste cellier roman à la magnifique charpente, qu'elle tient ses « disnées ». La cuverie abrite quatre pressoirs du XIIIe s. d'une taille étonnante.

❼ **Nuits-Saint-Georges** a donné son nom à la Côte dont elle est la capitale : le Saint Georges, vignoble qui remonte à l'an mille, est un cru très coté. Nuits a conservé une église St-Symphorien (fin XIIIe s.), romane et gothique avec à l'intérieur un triptyque de 1609 et, sur le bas-côté N., une peinture murale illustrant le martyre de sainte Christine. La tour du beffroi (XIIe s.) n'est pas ouverte au public. Le Musée archéologique abrite des objets gallo-romains et mérovingiens découverts au cours des fouilles du chantier des Bolards (vis. t.l.j., sauf mardi, de mai à fin oct. Groupes sur R.-V., tél. : 80-61-13-10).

❽ **Abbaye de Cîteaux.** Dans la forêt de Cîteaux, peuplée de chênes, de hêtres et de charmes, au milieu d'une clairière, Robert, abbé de Molesmes, fonda en 1098 l'ordre des Cisterciens, dont la pensée, sous l'influence de saint Bernard, eut un rayonnement considérable. Au XIIe s., l'ordre comprenait, en Europe et en Palestine, plus de 1 000 abbayes. Mais il en est de Cîteaux comme de Cluny, et il ne reste presque rien des anciens bâtiments, à part une émouvante construction du XVe s. : l'ancienne bibliothèque à la façade de briques émaillées (vis. de la chapelle t.l.j. ; audiovisuel sur le monastère à l'entrée).

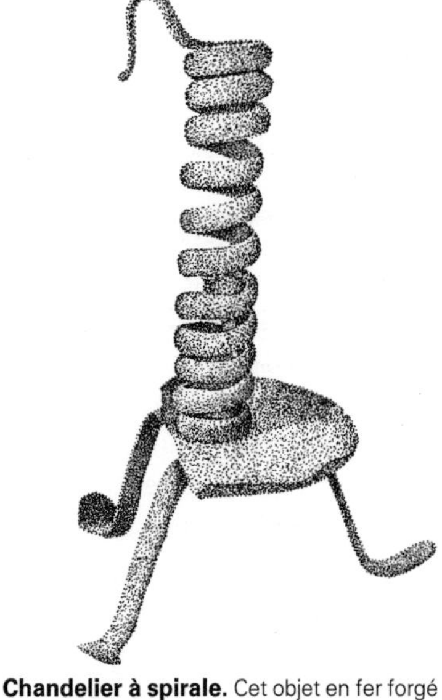

Chandelier à spirale. Cet objet en fer forgé est spécifiquement bourguignon. On l'utilisait en pays vigneron pour éclairer les caves.

A BEAUNE
UN HOPITAL DU MOYEN AGE

Beaune est née sur la voie des Flandres à l'Italie, lieu de grand passage sur cet axe Nord-Sud (aujourd'hui autoroute du Soleil) que constituent les vallées de la Saône et du Rhône. Rien d'étonnant que, depuis le haut Moyen Age, monastères, maladreries et «maisons-Dieu» s'y soient multipliés pour accueillir les voyageurs et les malades. Les hospices de Beaune, fondés en 1443, nous sont parvenus dans un remarquable état de conservation. A la fin de la guerre de Cent Ans, le malade qui entre ici doit laisser à la « pouillerie » ses vêtements, qui passeront à l'étuve. Une sœur le conduit dans la «chambre des pôvres», vaste salle commune de 52 m sur 14,5, sous un plafond haut de 16 m voûté en berceau par un lambris peint. De chaque côté s'alignent quatorze lits monumentaux couronnés d'un pinacle gothique. Des tapisseries somptueuses ornent les murs. De grosses pelisses et des bottes se trouvaient à la disposition des malades pour se rendre «ès chambres nécessaires». En hiver, un « eschauffoir » en étain, chargé de braises, est promené de long en large à travers la grande salle. En été, l'aération est assurée efficacement par de larges fenêtres. Hormis la lèpre et la peste, les maladies sont mal identifiées. Le médecin cache son ignorance derrière quelques formules «savantes» ou magiques. Il prescrit saignées, clystères, purgations, sangsues et traite généralement les plaies par la cautérisation au fer rouge. Le fiel de vipère, la poudre de corne de rhinocéros, le broyat de cloportes sont des « médicaments » classiques. Les religieux préconisent volontiers les simples et les reliques. Les assistants du médecin sont le barbier et le chirurgien. Ce dernier traite surtout les traumatismes et les blessures de guerre. Éventuellement, il opère une hernie inguinale ou, en cas d'accouchement difficile, procède à une embryotomie. Les attributions du barbier comprennent la tonsure, la saignée, l'application des ventouses, les soins dentaires, l'organisation des bains et la vente de divers onguents.

Vis. t.l.j., toute l'année. Vis. guidée sur rendez-vous. Pour les groupes, s'y prendre très à l'avance. Rens. tél. : 80-24-45-00.

Porte d'entrée de l'hôtel-Dieu. Son heurtoir en fer forgé figure une salamandre (symbole : confiance en Dieu au milieu des tribulations) pourchassant une mouche (le démon).

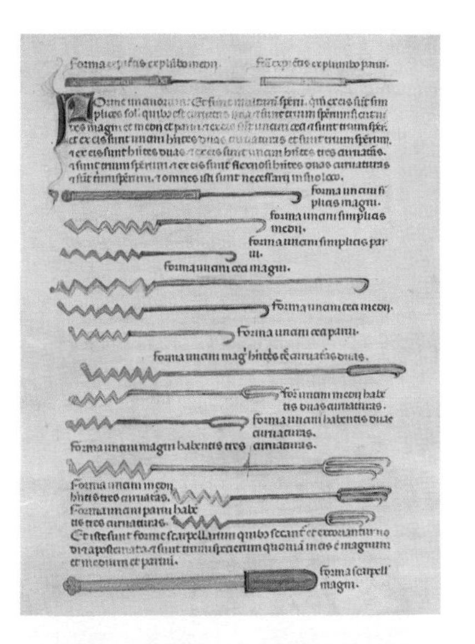

La chirurgie au Moyen Age

La fonction de chirurgien était d'exécuter les « basses besognes » que le médecin n'effectuait jamais. Il apprenait son métier au sein de confréries et à l'aide de quelques rares ouvrages, quand il savait lire le latin ou le grec. L'amputation était une de ses principales activités. Quelques rares anesthésiques (poisons soporifiques, népenthès) ne suffisaient pas à atténuer la douleur provoquée par cette opération « à vif ».

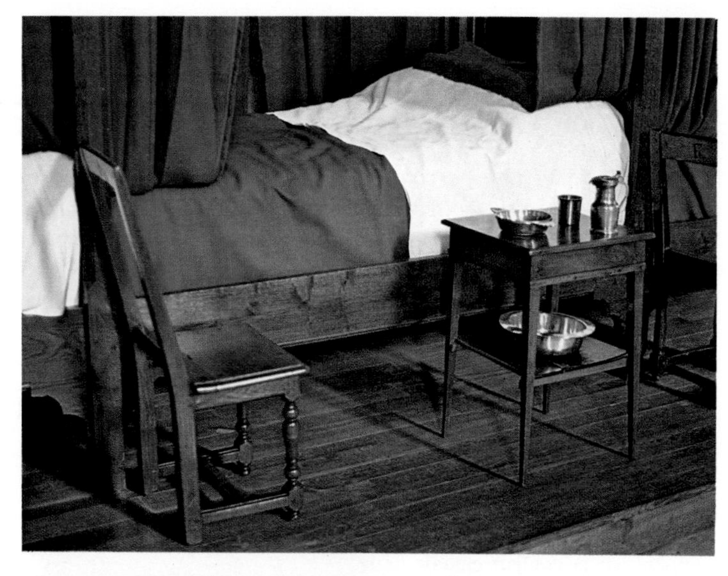

Lit de malade. Au XVe s., chaque lit d'hôpital recevait un ou plusieurs malades selon la contagion estimée et, surtout, selon les places disponibles. Pour tout vêtement, chacun ne portait qu'un bonnet ; la chemise de nuit ne fit son apparition qu'au XVIe s.

Religieuse des hospices. Depuis le XVe s. jusqu'au milieu du XXe (1953), la communauté religieuse assurant le service des hôtes a conservé le même costume : robe de laine, bleue l'hiver, écrue l'été, un trousseau de clés pendant à la ceinture et le hennin de toile blanche.

Cuisine. Au Moyen Age, bon nombre de maladies sont dues à des carences alimentaires. Dans les chartes de dotation des hôpitaux, la question des repas semble capitale. La cuisine des hospices en témoigne, avec sa cheminée à deux corps, ses landiers, sa crémaillère...

Tournus et les collines du Charolais

86 km

Il n'est que de suivre le parcours de Tournus à Charolles, en passant par Cluny, pour ressentir l'extrême richesse du Charolais. Ce sont d'abord des prés d'embouche d'une terre excellente où paissent de placides troupeaux de bovins. Mais cette richesse est double puisque c'est aussi dans ces collines et sur ces plateaux aux lentes ondulations qu'est né, puis s'est épanoui, dans toute sa splendeur, l'art roman bourguignon.

❶ **Tournus,** patrie du peintre Greuze, est une vieille ville célèbre surtout par l'abbaye St-Philibert, dont il ne reste que l'église et des vestiges des bâtiments monastiques : cloître, salle capitulaire, réfectoire, cellier (voir photo). La façade a un aspect sévère tempéré par la couleur chaude de la pierre : c'est un véritable donjon sans autre ouverture que des meurtrières, ni d'autre décoration que des bandes et arcatures lombardes. Antérieure à Cluny, l'abbaye fut aussi un centre monastique important. Si l'église actuelle date du XIe s., elle a conservé certaines parties de l'édifice primitif du IXe s., ainsi que la crypte et l'étage inférieur du narthex du Xe s. A Tournus, on peut suivre toute l'évolution de l'art roman depuis ses premiers tâtonnements. Le premier centre d'études romanes y a été créé. Le musée consacré à Greuze, qui renferme également des objets préhistoriques et des pièces d'archéologie antique et médiévale, est fermé. Il doit être transféré à l'hôtel-Dieu (se rens. à l'O.T., tél. : 85-51-13-10).

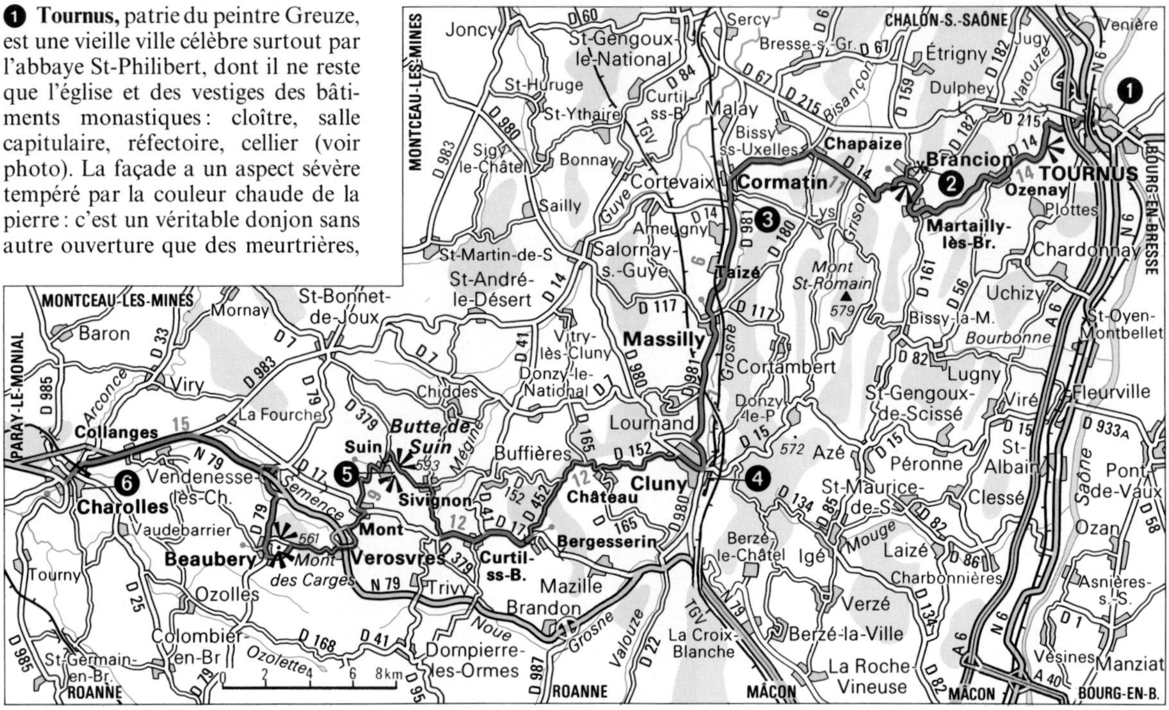

L'hôtel-Dieu possède une remarquable pharmacie du XVIIe s. : collection de faïences. Enfin, le Musée bourguignon, installé dans une maison du XVIIe s., expose des collections de coiffes et de costumes, et des reconstitutions de scènes de la vie quotidienne d'autrefois en Bourgogne (t.l.j., du 1er avril au 1er novembre ; fermé le reste de l'année).

❷ **Brancion.** Juché à 400 m d'altitude sur un promontoire isolé par deux ravins, c'est un petit bourg féodal dominé par les ruines majestueuses d'un château des Xe et XIe s. (vis. t.l.j., du 15 mars au 15 nov. ; les dimanches et jours fériés en hiver). Les ruelles

Tournus : cloître St-Ardain. Sur le flanc S. de l'abbatiale s'allonge une des galeries du cloître, qui date du XIe s. et dont une bonne restauration a su rendre la primitive beauté.

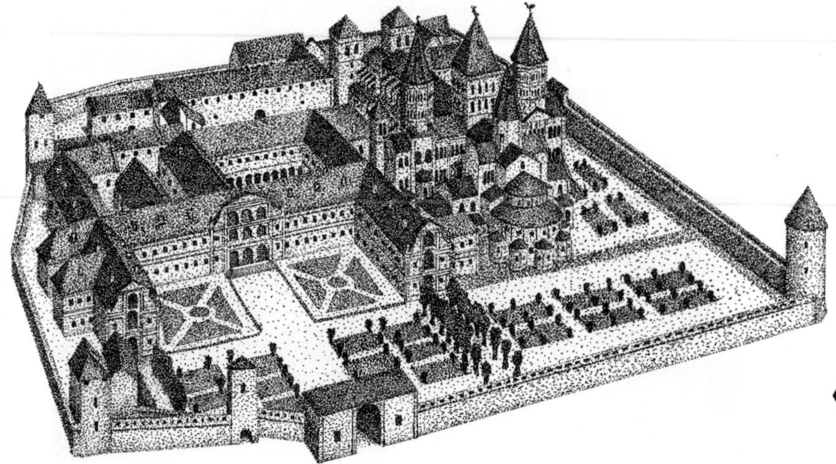

Cluny. Maquette réalisée en 1855 et représentant l'abbaye telle qu'elle était avant la Révolution. On peut se rendre compte de l'ampleur de l'abbatiale dans son entier.

anciennes et les hallès datent du XVe s. L'église St-Pierre (XIIe s.) est une des plus belles églises romanes de Bourgogne. A l'intérieur : fresques du début du XIVe s. et gisant de Josserand de Brancion, compagnon de Saint Louis.

❸ **Cormatin.** Au milieu d'un grand parc s'élève le château (XVIIe s.), dont l'intérieur est d'une richesse somptueuse : boiseries Louis XIII, mobilier rare, tapisseries des Gobelins, lambris et plafonds par Claude Gellée, Nattier et Rigaud (t.l.j. d'avr. à nov.).

❹ **Cluny,** fondée en 910, fut l'un des foyers spirituels les plus importants de l'Occident. Chef d'ordre, à la tête d'un véritable empire monastique, ce phare de la chrétienté médiévale connut son apogée au XIIe s., à travers un extraordinaire rayonnement intellectuel et une splendeur artistique inégalée. Indépendante de tout pouvoir seigneurial ou ecclésiastique, l'illustre abbaye bénédictine relevait directement du pape. La grandiose abbatiale St-Pierre-et-St-Paul (1088-1130), immense édifice à cinq nefs long de 187 m au riche décor sculpté et peint, conçu par l'abbé Hugues de Semur, fut la plus vaste et la plus élevée du monde avant Saint-Pierre de Rome au XVIe s. Transformée en carrière au début du XIXe s. et démolie, il n'en subsiste que de rares vestiges : le bras sud du grand transept coiffé du clocher de l'Eau bénite (voir dessin), ainsi que les huit merveilleux chapiteaux sculptés du chœur (1110-1120), présentés dans le Farinier (XIIIe s.). Les autres bâtiments s'échelonnent du XVe au XVIIIe s. De l'enceinte fortifiée, il ne reste que quatre tours, dont la tour des Fromages (XIIe s.) et la tour Fabry (XIVe-XVe s.). Au musée d'Art et d'Archéologie, dans l'ancien palais abbatial de Jean de Bourbon, maquettes et collections lapidaires provenant de l'église (la Cluny III des archéologues) et de la ville (vis. t.l.j. sauf j. fér.). Voir aussi les belles maisons romanes jadis habitées par des commerçants et des artisans.

❺ **Butte de Suin.** Du sommet de la butte (593 m), accessible par un sentier qui passe près de l'église, vue circulaire (table d'orientation) sur les embouches charolaises, le pays de Loire, le Brionnais et le Beaujolais.

❻ **Charolles.** Au cœur du Charolais, c'est une ville où ont lieu chaque année de très importantes foires et ventes aux enchères de taureaux et de veaux reproducteurs. L'ancien château des comtes du Charolais, dont il reste une porte fortifiée et les tours du XIVe s., domine la cité. Petit musée de sculpture (t.l.j. sauf mardi, de Pâques à la Toussaint) ; faïencerie d'art, créée en 1845. Voir le musée du Prieuré : faïences du XIXe et du XXe s., peinture, folklore (ouv. t.l.j. sauf mardi, de Pâques à fin oct.).

102

Randonnée dans la forêt de Saint-Prix — 13 km

La forêt domaniale de Saint-Prix appartient à un vaste massif forestier qui comprend en outre la forêt du Folin et celle du Grand Montarnu. Ce circuit pédestre de 13 km (3 heures), sans difficulté notable, permet de parcourir l'une des plus belles futaies morvandelles.

❶ **Maison forestière de la Croisette.** Hautes terres montant doucement vers le S., le Morvan, la « Montagne Noire » est un bastion isolé, au climat rude, assez fortement enneigé l'hiver — une station de sports d'hiver est installée au Haut-Folin. La grande étendue boisée qui recouvre la partie méridionale du massif est largement pénétrée par de nombreux sentiers, chemins et routes. La maison forestière de la Croisette, spécialement aménagée, dans le cadre du parc naturel régional du Morvan, pour l'accueil des touristes et des randonneurs (possibilités d'hébergement la nuit, aire de pique-nique), constitue une excellente base de départ pour les excursions pédestres.

❷ **Les Maçons.** Quelque 500 m après ce carrefour commence la zone des conifères. En effet, cette partie du Morvan, jadis couverte de chênes et de hêtres, a été en grande partie reboisée en sapins, épicéas (voir dessin) et pins sylvestres, dont la croissance plus rapide permet une rotation des coupes et un rendement jugé supérieur. Ce nouveau peuplement a eu pour conséquence la disparition quasi totale des sous-bois et de leur faune variée, notamment des oiseaux.

❸ **Fontaine Blanche.** Cette source se trouve à 100 m environ à droite du sentier ; ses eaux, intermittentes, alimentent la Canche. On retourne vers

Épicéa. Il peut atteindre 1 m de diamètre et 30 de haut. On l'utilise pour les charpentes, le soutènement, les poteaux.

la Croisette en suivant la route forestière et la vallée de la Canche. Çà et là, aux abords de quelques rares clairières et selon la saison, on peut retrouver genêts et bruyères. La Canche s'est creusé là une vallée profondément encaissée.

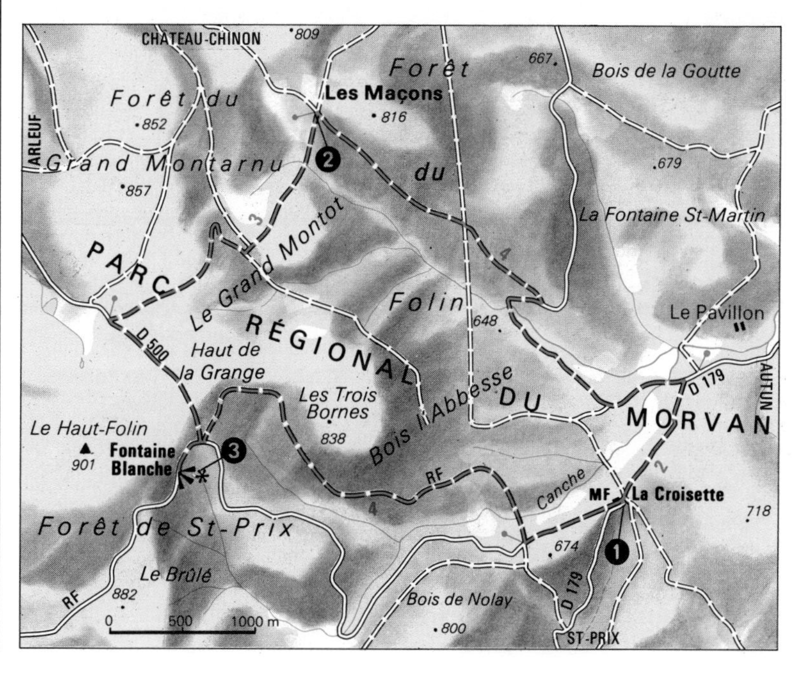

Les roches escarpées du Mâconnais 41 km

Maison de vigneron. Au rez-de-chaussée se trouve la cave ou le cellier. L'escalier extérieur mène à l'étage d'habitation.

Région de contrastes topographiques fortement marqués, au relief compartimenté constitué de nombreux blocs cristallins à couverture calcaire basculés vers les plaines de la Saône, le Mâconnais présente des paysages très variés, d'aspect déjà méditerranéen par leur physionomie, leur douce lumière et leur climat agréable. Ses escarpements calcaires se succèdent en lignes de crêtes disposées en bandes parallèles et dominent un bas pays à l'agriculture riche : cultures, prairies et surtout vignoble réputé.

❶ **Roche de Vergisson.** Elle illustre la structure monoclinale du Mâconnais. Le profil dissymétrique est dû à la lente montée d'E. en O. d'une table de calcaire jurassique, qui se termine par une haute corniche tournée face au massif ancien. On accède au sommet à pied (40 mn AR) par un sentier aisé, à travers des vignes, de maigres pelouses parsemées de buis nains. Vue d'ensemble : bois sur les sommets, riches cultures dans les fonds et vignobles sur les versants bien exposés (voir photo).

❷ **Roche de Solutré.** Plus étroite et plus hardie (école d'escalade) que la précédente. Le sommet (493 m) est atteint par le « sentier des Roches » très pentu, véritable escalier naturel dans sa partie médiane (20 mn AR); on peut aussi y parvenir en prenant un chemin plus facile qui emprunte le versant oriental (40 mn AR). Au pied de la roche, dans le site du « Crot du Charnier », ont été découverts de très nombreux ossements de chevaux (plus de 100 000), des silex et des traces d'habitat humain. On a longtemps supposé que, aux temps préhistoriques, les chevaux étaient dirigés vers cette roche, puis précipités vers le bas pour être dépecés et mangés. Très beau musée de Préhistoire (rens. tél. : 85-35-85-24).

Vignoble de Pouilly-Fuissé. Le « Chardonnay » est le cépage qui donne à ce vin fruité sa belle couleur d'or vert. Au loin, on aperçoit la roche de Vergisson.

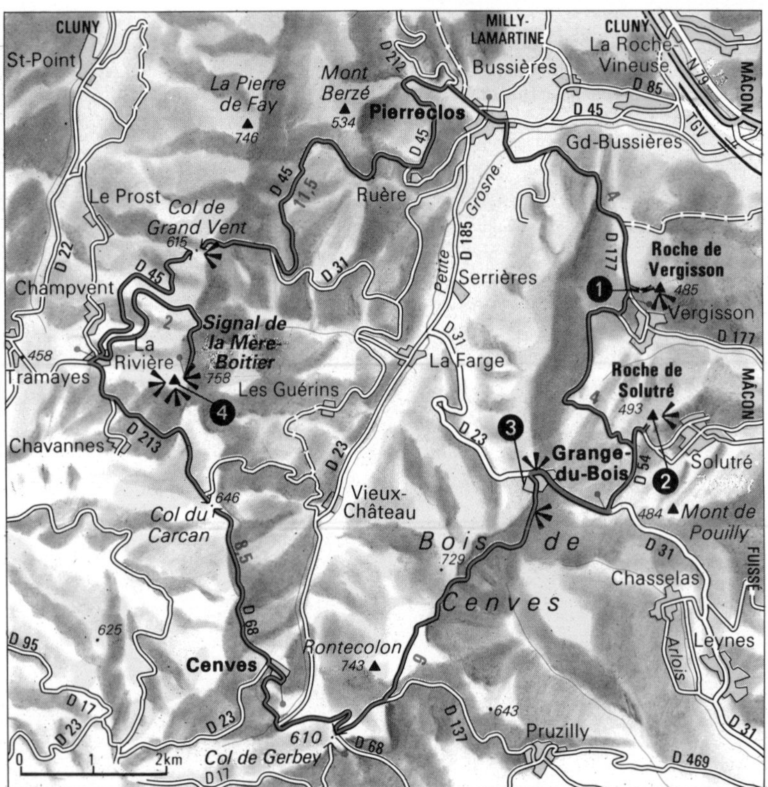

❸ **Grange-du-Bois.** A partir de ce village, la petite route forestière qui serpente vers le S. jusqu'au col de Gerbet (610 m) offre un large panorama : vers l'E. et le N., le Mâconnais, les roches de Solutré et de Vergisson, les plaines de la Saône et le Jura ; vers le S., les monts granitiques du Beaujolais.

❹ **La Mère-Boitier.** Culminant à 758 m, ce sommet peut être atteint en voiture; un sentier (10 mn AR) conduit ensuite à une table d'orientation. Un circuit pédestre (1 h 10) permet de parcourir une partie de la forêt, qui recouvre les monts cristallins de ce bloc faillé et soulevé. Du sommet, panorama presque circulaire sur les régions voisines.

Vergisson. De la roche, vue vers le S. sur Vergisson. C'est un village viticole du Mâconnais, entouré de parcelles de vigne dans un paysage de bocages, de champs et de prairies.

BRETAGNE

Manche
Océan Atlantique
PERROS-GUIREC
Tréguier
Paimpol
Lannion
Roscoff
St-Pol-de-Léon
Ploudalmézeau
Le Folgoët
I. d'Ouessant
Landivisiau
Morlaix
Guingamp
St-Quay-Portrieux
ST-BRIEUC
Lamballe
BREST
Landerneau
Le Conquet
PARC RÉGIONAL D'ARMORIQUE
Camaret
Crozon
Huelgoat
Pleyben
Châteaulin
Douarnenez
Locronan
Audierne
QUIMPER
Gourin
Rostrenen
Loudéac
Canal de Nantes à Brest
Pontivy
Kernascléden
Pont-l'Abbé
Concarneau
Pont-Aven
Quimperlé
Hennebont
LORIENT
Josselin
Ploërmel
I. de Groix
Auray
VANNES
Questembert
Carnac
Locmariaquer
Quiberon
La Roche-Bernard
PARC RÉGIONAL DE BRIÈRE
Pontchâteau
Guérande
LA BAULE
ST-NAZAIRE
Pornic
Le Palais
Belle-Ile
108-109
110
111
112-113
114
115
116
117
118
119
120-121
122
123
107
0 10 20 30 40 50 km

Eaux vives et forêts des fées Rivages lumineux de la mer

Lancée dans l'espace marin, fécondée par un peuple particulariste, la Bretagne est certainement l'une des plus personnelles de nos régions. Le vieux massif, usé, réduit à un moutonnement de collines que dominent quelques barres rocheuses, baigne dans une moite fraîcheur et verdoie de tous ses bocages. L'intérieur offre le murmure de l'eau vive qui abonde au fond des vallées encaissées, la quiétude de ses forêts hantées par les fées et les enchanteurs, la nostalgie des dépressions, où joncs et roseaux prennent vie dans l'eau trouble du marais, les sensations fortes des hauteurs où le vent hurle parmi la lande. Mais l'attrait majeur vient de la côte : ici plus élevée et délicatement découpée dans le granit rose; là envahie par l'onde dont les cheneaux épargnent les îles à fleur d'eau, tout naturellement parées d'une flore quasi méditerranéenne. Et la mer, apaisée sous le ciel bien propre où voguent quelques nuages blancs, et parfois furieusement dominée par le vent de la tempête. Rudesse, douceur, qui aident à comprendre l'âme bretonne, que caractérise aussi l'attachement au passé. C'est ici que s'est le mieux conservée la très ancienne civilisation des mégalithes; c'est ici que renaquit la civilisation celtique : elle perdure dans la langue, et peut-être dans le type physique; c'est ici également qu'en plein cœur du siècle classique l'on a ciselé les porches et les clochers des églises, réalisé les enclos paroissiaux, tardifs témoignages du gothique finissant et d'un art populaire réaliste et naïf; c'est ici que l'on conserve un attachement solide à la foi des aïeux; c'est ici enfin que l'on modernise l'agriculture, que l'on appelle l'industrie pour rester au pays. Car il n'est guère de race aussi intimement accordée à sa province.

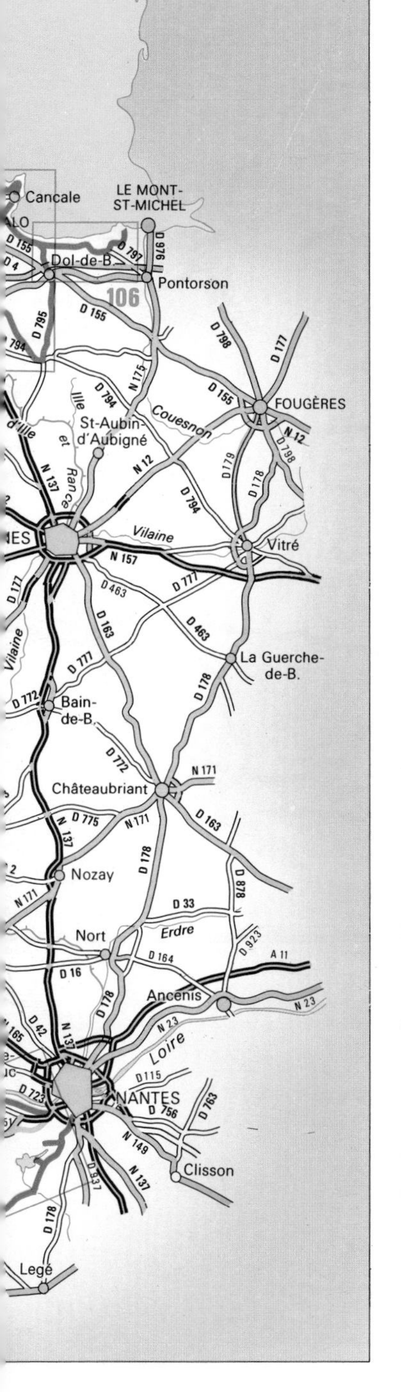

Ouessant. Côte déchiquetée aux écueils frangés d'écume hérissés vers le ciel.

Hauts lieux, trésors et paysages

Fougères. Les vieilles rues ont gardé leur aspect médiéval. Les treize tours du château (XIIe s.), différentes de forme et d'époque, illustrent l'évolution de l'architecture militaire au Moyen Age (ouv. t.l.j., sauf en janvier. Rens. à l'O.T., tél. : 99-94-12-20). Dans l'église St-Sulpice (XVe-XVIIIe s.), statue de N.-D.-des-Marais (XIe s.).

Rennes. Du Moyen Age ne subsistent que la porte Mordelaise, le vieux logis et l'église Notre-Dame. Du XVIIIe s. datent la plupart des églises, de style jésuite, l'hôtel de ville, la cathédrale, fort remaniée, et le palais de justice. Le musée de Bretagne est consacré à l'histoire et à l'art de la province et le musée des Beaux-Arts expose peintures, dessins et œuvres d'artistes régionaux (ouv. t.l.j., sauf mardi et j. fér. Groupes sur R.-V. auprès de l'O.T., tél. : 99-79-01-98).

Dinan. Voir itinéraire 105.

Vallée de la Rance. De Dinan à Saint-Malo, la vallée de la Rance, aux versants escarpés, dévoile sites et vestiges de l'époque féodale. Excursion en bateau au départ de Dinan, Dinard ou Saint-Malo (4 h AR.).

Pointe du Grouin. V. itinéraire 105.

Saint-Malo. Voir itinéraire 105.

Dinard. Voir itinéraire 105.

Cap Fréhel. Il domine de 70 m les vagues qui battent ses falaises. On visite le phare (du 1er juill. au 15 sept., à Pâques et les j. fér.). Une réserve ornithologique y a été aménagée.

Pointe de l'Arcouest. V. itinéraire 109.

Ile de Bréhat. Voir itinéraire 109.

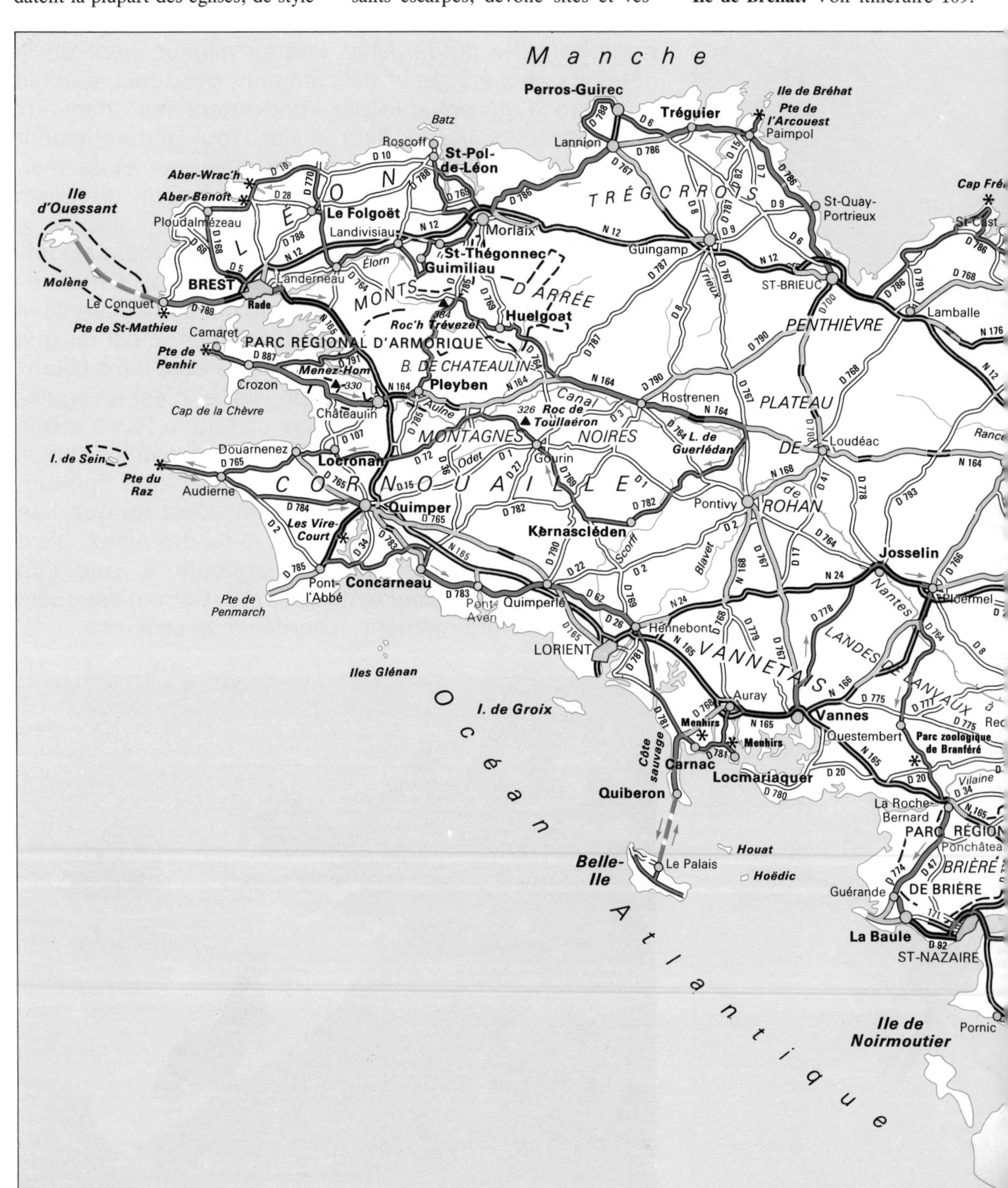

Tréguier. Voir itinéraire 109.
Perros-Guirec. Voir itinéraire 108.
Saint-Pol-de-Léon. La cathédrale, édifice sobre de style ogival normand (XIIIe-XIVe s.), est en pierre de Caen. Les flèches ajourées atteignent 55 m de hauteur et la flèche du Kreisker 77 m.
Saint-Thégonnec possède l'un des plus beaux enclos paroissiaux de Bretagne : porte triomphale (1587) ; ossuaire (1676), du plus pur style Renaissance ; calvaire (1610). L'église, remaniée aux XVIIe et XVIIIe s., garde son aspect Renaissance.
Guimiliau possède un remarquable enclos paroissial, dont un calvaire de plus de 200 personnages sculptés.

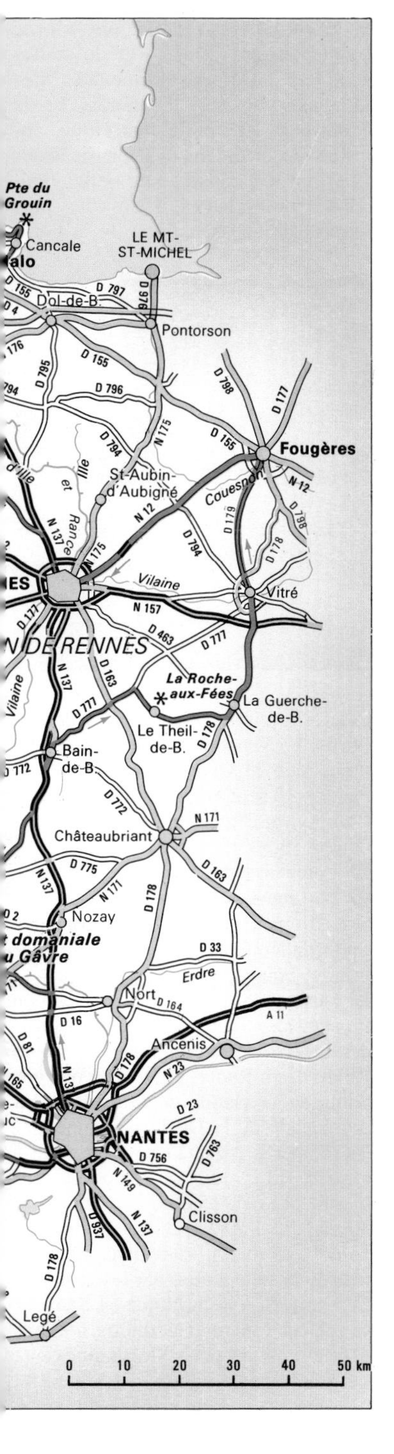

Le Folgoët est le lieu d'un des plus grands pardons bretons (voir texte encadré p. 198). La basilique, de style gothique flamboyant, a été achevée en 1423. A l'intérieur, jubé à trois arcs en granit. Au chevet jaillit une fontaine dont la source est sous l'autel.
Aber-Wrac'h. Voir itinéraire 110.
Aber-Benoît. Voir itinéraire 110.
Brest, sur la ria de la Penfeld, au fond d'une rade de 15 000 ha, est le premier port militaire français (vis. de la rade, d'avr. à fin sept. Rens., tél. : 98-44-44-04). Tout le cœur historique de la ville a été reconstitué après la guerre, de même que le quartier de Recouvrance. Dans le château, forteresse des XVe et XVIe s. remaniée par Vauban, se trouve le musée de la Marine (t.l.j., sauf mardi). Au musée des Beaux-Arts, peintures de la fin du XVIe s. à nos jours, collections diverses, notamment de cornemuses. Expositions temporaires (t.l.j., sauf mardi, dim. mat. et j. fér.). Le pont de Recouvrance est un pont levant de 87 m de portée ; il donne accès au quartier de Recouvrance, où est situé le musée du Vieux-Brest, dans la tour de la Motte-Tanguy (t.l.j., juill.-août ; l'apr.-m. seul. juin et sept. ; mercr., jeudi, sam., dim. apr.-m. d'oct. à mai).
Pointe de Saint-Mathieu. Sur cette plate-forme sauvage se dressent un sémaphore, un phare (s'adresser au gardien) et une abbaye bénédictine en ruine. Expositions sur l'histoire de l'abbaye et du site (t.l.j., juill.-août ; l'apr.-m. 1re semaine de sept. ; sam., dim. apr.-m., juin et sept. Groupes sur R.-V., tél. : 98-48-35-73).
Ile d'Ouessant. Voir itinéraire 111.
Pointe de Penhir. V. itinéraire 114.
Menez-Hom. Voir itinéraire 114.
Pleyben offre un ensemble complet de l'architecture bretonne : porte triomphale (1725), ouvrant sur l'enclos paroissial ; ossuaire du XVIe s. ; calvaire en arc de triomphe (vers 1555, restauré au XVIIe s.) ; église du XVIe s., avec clocher-porche Renaissance.
Roc'h Trévezel. Voir itinéraire 113.
Huelgoat. Voir itinéraire 112.
Lac de Guerlédan. Ses rives sinueuses sont bordées par la forêt de Quénécan (voir itinéraire 115), les landes de Saint-Gelven et le bois de Caurel. Sports nautiques, randonnée, escalade. (Rens., tél. : 96-66-82-22).
Kernascléden, simple hameau, a une église de style flamboyant. A l'intérieur, peintures murales du XVe s.
Roc de Toullaëron (326 m). A 6 km au N.-O. de Gourin, c'est un des points culminants des Montagnes Noires. Du sommet, la vue est belle ; elle s'étend sur le bassin de Châteaulin et sur une partie de l'Arrée.
Locronan. La place est bordée par des maisons Renaissance, l'église du XVe s. et la chapelle du Pénity.
Pointe du Raz. Cette longue presqu'île profile ses falaises de granit hautes de 72 m jusqu'à la pointe du Van. En avant du sémaphore et de N.-D.-des-Naufragés, belle vue sur l'Océan.
Quimper. Voir itinéraire 118.
Les Vire-Court. Voir itinéraire 118.
Concarneau, deuxième port de pêche français, a son cœur situé sur un îlot entouré de remparts du XIVe s. : rues tortueuses, maisons anciennes, vieux beffroi (vis. t.l.j., de Pâques au 30 sept.) et musée de la Pêche (ouv. t.l.j.).
Quiberon. Voir itinéraire 121.
Belle-Ile. Voir itinéraire 116.
Carnac. Voir itinéraire 121.
Locmariaquer. Voir itinéraire 121.
Vannes. Voir itinéraire 120.
Josselin est bâti à l'ombre de son château (XVe s.), forteresse aux rares ouvertures, mais dont la façade intérieure est un chef-d'œuvre du gothique tardif (t.l.j., de Pâques à la Toussaint, groupes sur réserv. Musée de la Poupée : t.l.j., de juin à sept. ; mercr., sam., dim. apr.-m., de Pâques au 30 mai, sept., oct. et vac. scol.).
Branféré. Propriété de la Fondation de France, ce vaste domaine dont 60 ha sont ouverts au public abrite de nombreuses espèces animales en liberté dans un parc botanique vieux de plusieurs siècles. Arboretum (ouv. t.l.j. Vis. guid.).
La Baule, grande station balnéaire de la côte atlantique, offre une plage de sable fin sur 8 km.
Nantes. La cité rivale de Rennes depuis le Xe s. encercle une colline, où s'élèvent les principaux monuments. Le château, rebâti au XVe s., a l'aspect d'une forteresse, mais la façade intérieure, donnant sur une vaste cour, est de style gothique et Renaissance. Il abrite le musée d'Art populaire régional ainsi que l'exposition « Nantes, ville portuaire », qui reprend les collections du musée des Salorges (t.l.j., sauf mardi ; juill.-août, t.l.j.). Dans la cathédrale (XVe s., remaniée), dont la nef est un chef-d'œuvre du gothique flamboyant, voir le tombeau de François II, dernier duc de Bretagne, et de Marguerite de Foix, sa femme (XVIe s.). En contrebas, le quai de la Fosse et les rues de l'Ile-Feydeau sont bordés de maisons d'armateurs, du XVIIIe s. Visiter le musée Dobrée : collections de préhistoire et d'art régional, le musée des Beaux-Arts et le musée Jules-Verne, consacré à l'écrivain, enfant du pays (les trois musées : vis. t.l.j., sauf lundi et j. fér.).
Forêt domaniale du Gâvre. Au N.-O. de Blain s'étend, sur 4 479 ha,, une futaie de chênes, de hêtres et de pins. Nombreuses promenades.
La Roche-aux-Fées, à 4 km au N.-E. du Thiel-de-Bretagne, est une allée couverte, bâtie en blocs de schiste et longue de 22 m. Elle donne accès à une chambre de vastes proportions. C'est l'un des plus beaux monuments mégalithiques de France.

Saint-Malo, Dinard 140 km et la vallée de la Rance

Si les côtes de Bretagne sont parées de noms enchanteurs, c'est que, pour une beauté comparable, elles sont d'une diversité extrême. L'itinéraire passe par deux hauts lieux de la Côte d'Émeraude : Saint-Malo et Dinard. La vieille cité corsaire fait face à la doyenne des stations balnéaires bretonnes. L'intérieur est axé sur la profonde ria de la Rance ; le charme préservé de Dinan compense le modernisme de l'usine marémotrice. Richesse surtout de ce pays : les hommes de la terre, du Guesclin, Chateaubriand, et ceux du large, Surcouf, Jacques Cartier. Car la Bretagne n'est pas oublieuse de son histoire, ni de ses fils.

❶ **Saint-Servan-sur-Mer,** avec ses plages et ses jardins, est une station balnéaire réputée. De la promenade de la corniche d'Aleth (nom primitif de la ville), vue sur Saint-Malo et ses remparts, et sur les îles, pointes et récifs de la Côte. La tour Solidor, bel exemple d'architecture militaire du XIVe s., se compose de trois tours rondes reliées par d'étroites courtines percées de meurtrières. Le Musée international du long cours cap-hornier (t.l.j. sauf mardi. Fermé 1er mai, 1er et 11 nov., 25 déc. et 1er janv.) y est installé. Le parc des Corbières et son sentier en corniche dominent l'estuaire de la Rance.

❷ **Saint-Malo,** cité inexpugnable des corsaires, est situé sur un ancien îlot et entièrement ceinturé de remparts (voir photo). Par la porte St-Vincent, on accède à la vieille ville et au château (XVe s.), qui abrite le musée d'histoire de la ville et d'ethnographie du pays malouin (t.l.j., avr.-oct. ; 2 nov.-fin mars, t.l. apr.-m., sauf mardi, Noël et 1er janv.) ; dans la tour Quic-en-Groigne, musée de cire (vis. guid. t.l.j., avr.-sept.). A proximité, l'aquarium et l'exotarium (ouv. t.l.j.). Deux promenades à faire à marée basse exigent de la prudence : l'une (15 mn AR), au Fort national (XVIIe s.), construit par Vauban : l'autre (45 mn AR), au tombeau de Chateaubriand sur l'îlot du Grand Bé.

Saint-Malo. Sous les remparts de granit de la Ville Close, les bateaux se pressent dans le bassin Vauban, symboles de la tradition maritime de la cité malouine.

Combourg. Le village regroupe ses maisons au pied du château féodal, qui vit la jeunesse de Chateaubriand (vis. t. l. apr.-midi, sauf mardi, de Pâques au 30 sept.).

Dinan offre un remarquable ensemble de maisons anciennes. Celle-ci, rue de l'Horloge, est caractéristique par son encorbellement reposant sur un pilier de pierre et son décor de pans de bois.

❸ **Pointe du Grouin.** Elle surplombe la mer de plus de 40 m. Vue du cap Fréhel au Mont-Saint-Michel.

❹ **Cancale,** port de pêche actif, doit sa célébrité à ses huîtres. Dans le bourg s'élève l'église St-Méen : du haut de la tour (vis. t.l.j., s'adresser à l'O.T., tél. : 99-89-63-72 ; table d'orientation), vaste panorama sur la baie du Mont-Saint-Michel et, par temps favorable, sur les îles Anglo-Normandes. De l'église, gagner à pied la pointe du Hock pour observer, à marée basse, les parcs à huîtres. De la pointe de la Chaîne, on a la meilleure vue sur les rochers de Cancale, trois îlots effilés et abrupts.

❺ **Mont-Dol.** Au sommet (65 m), calvaire de granit, moulin à vent et chapelle Notre-Dame-de-l'Espérance. On peut visiter le moulin (t.l.j., de juin à septembre), en état de fonctionner (voir itinéraire 106).

❻ **Dol-de-Bretagne.** La cathédrale St-Samson (XIIe-XIIIe s.) était le siège de la primatie de Bretagne. En granit, de style gothique normand, elle s'orne d'une verrière (XIIIe s.) et de stalles sculptées. De la promenade des Douves, vue sur le marais et le Mont-Dol. Le centre historique, autrefois enserré dans des fortifications (XIVe-XVe s.), conserve de belles maisons à colombages. Parmi les plus remarquables, la maison de la Guillotière (XVIIe s.), la cour Chartier (XVIe s.). Maison romane des XIe-XIIe s. Voir le Musée historique (t.l.j., Pâques-30 sept.). En direction de Combourg, menhir du Champ-Dolent (9,50 m).

❼ **Combourg.** Voir photo.

❽ **Le Tronchet** a gardé quelques vestiges d'une ancienne abbaye bénédictine fondée en 1170, dans un site frais et boisé.

❾ **Dinan** est l'une des villes de France les mieux conservées (voir dessin). Du Jardin anglais, vue sur la vallée de la Rance, le vieux pont gothique et le viaduc de Lanvallay. La promenade de la Duchesse-Anne suit les remparts. Au château : Musée historique (t.l.j., juin au 15 oct. ; sauf mardi, 15 oct.-15 nov. et 15 mars-30 mai ; l'apr.-m. sauf mardi, 15 nov.-15 mars). On peut faire le tour de la ville à pied par les remparts (2,5 km). Si à la basilique St-Sauveur se mêlent roman et gothique, l'église St-Malo est de pur style flamboyant.

Le village de *Léhon*, à 1 km au S., possède un ancien prieuré du XIIe s.

(ouvert tous les jours en juillet et en août). On peut s'y rendre soit en voiture, soit à pied en prenant un chemin qui longe la Rance.

⑩ **Saint-Suliac.** On peut se rendre à ce petit port sur la Rance, dont l'église gothique a un curieux clocher à flèche de pierre découronné, en faisant, depuis Châteauneuf-d'Ille-et-Vilaine, un circuit pittoresque : prendre à l'aller la branche droite de la route, qui passe au menhir de Chablé, et, au retour, l'ancienne route qui monte au sommet du mont Garrot (72 m).

⑪ **Dinard** occupe une situation privilégiée sur la rive gauche de l'estuaire de la Rance et sur la mer. Cet ancien village de pêcheurs est devenu une élégante station balnéaire « inventée », il y a plus d'un siècle, par les Anglais. L'une des promenades possibles mène à la pointe du Moulinet, d'où l'on découvre un vaste horizon, du cap Fréhel à Saint-Malo. La promenade du Clair-de-Lune, qui ne se parcourt qu'à pied, longe l'estuaire de la Rance. De la pointe de la Vicomté, par un chemin piétonnier, points de vue sur la ville, Saint-Servan, Saint-Malo, l'estuaire de la Rance et l'usine marémotrice (vis. t.l.j. Groupes uniq. sur R.-V., tél. : 99-46-21-89). L'Aquarium est consacré à la faune marine de la côte, et le musée de la mer présente des collections relatives aux expéditions polaires du commandant Charcot.

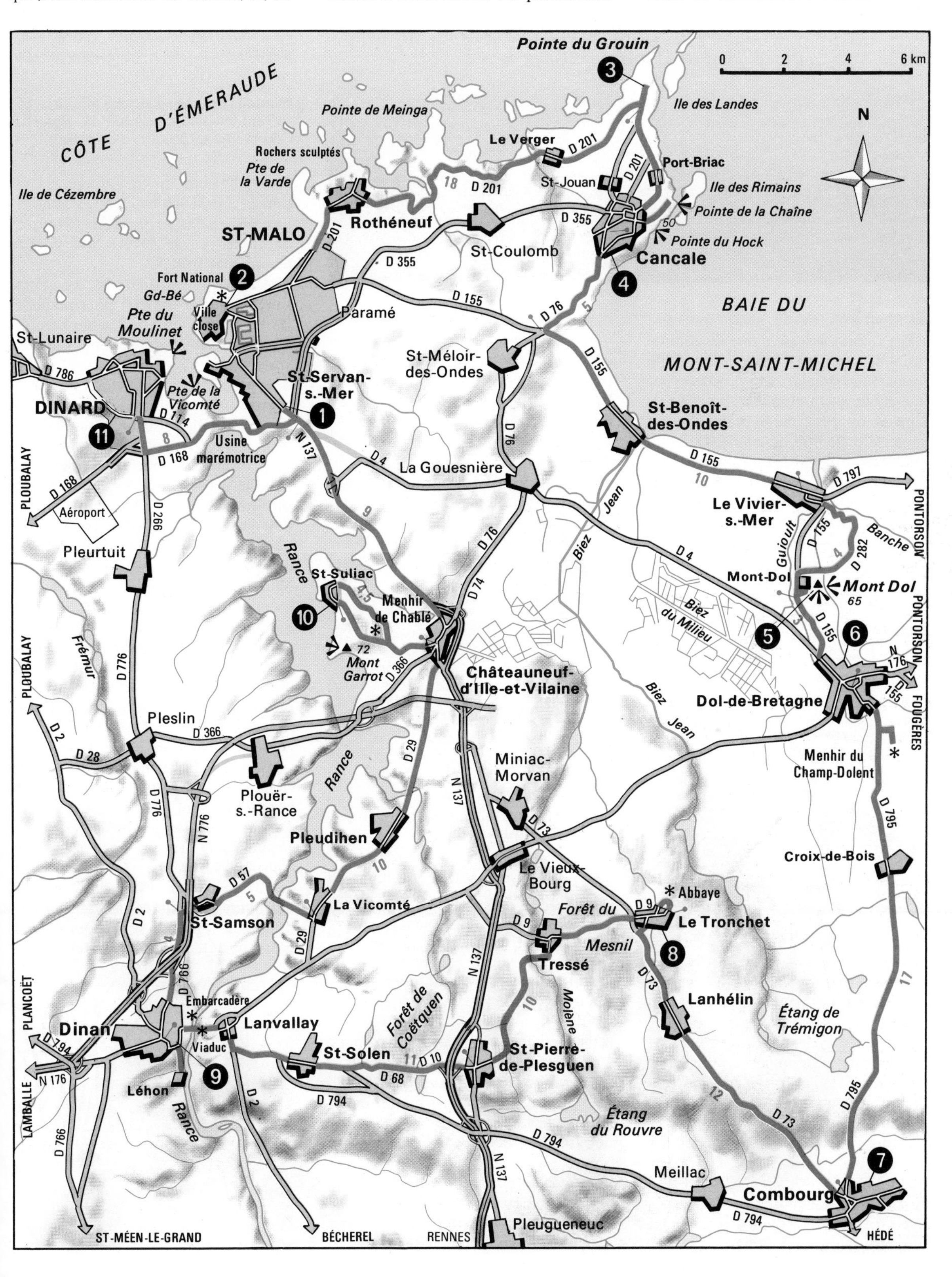

Marais et polders autour de Dol-de-Bretagne 27 km

Situé au fond de la baie du Mont-Saint-Michel, le marais de Dol se divise en trois parties. Le marais noir — mares de Bruyère et de Saint-Coulban, à l'ouest de Dol —, au sol tourbeux, est encore mal asséché. Le marais blanc — de Saint-Benoît-des-Ondes à Beauvoir —, formé par la tangue accumulée au fond de la baie, est verdoyant et bocager. Les polders, damier de digues et de canaux, se déploient du Couesnon à la chapelle Sainte-Anne, avec, au nord de la grande digue, l'herbu.

Marais de Dol. Les canaux, ou « biez », du marais tranchent le paysage. Les prairies et les cultures fourragères occupent les terres gagnées sur la mer et les marécages.

Moutons de prés salés. Des troupeaux parcourent l'herbu et paissent sa végétation halophile de salicorne et d'obione.

❶ **Mont-Dol.** (Voir aussi itinéraire 105.) C'était autrefois une île comme le sont encore Tombelaine et le Mont-Saint-Michel. On y accède par une route qui part de l'église du village et on peut en faire le tour en suivant le chemin de ronde. De cette butte granitique, on découvre l'un des plus beaux panoramas de la Bretagne orientale. Les collines de Hédé et de Bécherel et le pays de Dinan sont au S. et à l'O., mais c'est vers le marais que la vue est la plus intéressante. Le marais blanc et les courtils sont au premier plan; les polders forment un quadrillage de multiples nuances vertes; les herbus se fondent dans la brume lointaine. Le regard se perd dans le miroitement des estuaires de la Sélune et de la Sée, effleure les falaises de Carolles, et revient toujours sur Tombelaine et l'admirable profil bleuté du Mont-Saint-Michel.

❷ **Chapelle Sainte-Anne.** L'herbu se rétrécit, la mer est plus proche. La chapelle, simple et solitaire, se détache sur la ligne de fuite de la digue N. Entre Cherrueix, Le Vivier et le Mont-Dol, vieilles maisons typiques.

❸ **Saint-Broladre.** La route sépare deux domaines géographiques : d'une part, le « fond du marais », comprenant prairies tournantes, vergers, courtils (petits jardins clos) et champs légumiers; d'autre part, les pentes en prés humides et maigres taillis, qui forment le « terrain » ou rebord du massif ancien (schiste et granit). Plusieurs points de vue permettent d'observer le marais blanc.

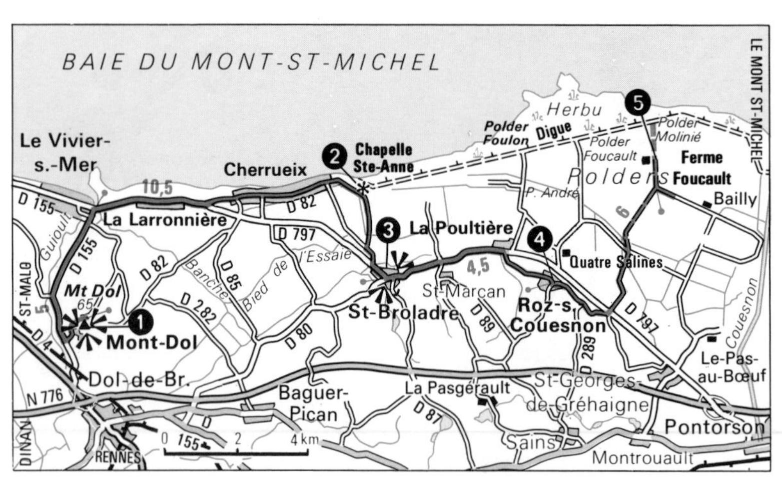

❹ **Roz-sur-Couesnon.** Le village domine le marais de Dol et les polders. Vue remarquable depuis le belvédère.

❺ **Ferme Foucault.** Aux abords de cette ferme, le cadre est majestueux : le Mont-Dol se profile sur un vaste horizon marin; les herbus et les grèves s'étendent au loin. Laisser la voiture et poursuivre à pied jusqu'à la grande digue N. Les polders Molinié, à l'E., et Foucault, à l'O., sont récents; ils ont été enclos entre 1919 et 1932. Leur aménagement est rationnel : prairies et champs sont regroupés en vastes parcelles entourées de fossés et de levées qui portent chemins et routes.

Au-delà de la digue N., on gagne l'herbu, qu'on franchit pour atteindre les premières lames de sable humide. La partie haute du schorre est couverte d'une végétation rase et dégradée par les déplacements des troupeaux (plantain, triglochin sur les bosses de tangue sèche, fétuque [*Festuca arenaria*], lavande de mer [*Statice limonium*], jonc maritime). Plus loin, le schorre est découpé par des rigoles qui, en se rejoignant, forment des chenaux (creeks) au cours capricieux et aux versants grisâtres et dénudés. La végétation est entièrement halophile : c'est le domaine de l'obione *(Obione portulacoïdes)*, surtout aux abords des chenaux : le botaniste relève encore la présence du spartina (voir dessin). La flore est moins drue sur la haute slikke (partie recouverte à chaque marée) : la salicorne *(Salicornia herbacea)* et la soude *(Suaeda maritima)* sont les espèces les plus communes. En revenant vers l'intérieur, on retrouve la succession des paysages agraires variables selon l'ancienneté des polders : les enclos récents sont en prairie rase ou en fourrages (polder Foulon, 1920-1932); le polder André porte prairies et cultures entourées de haies (1890-1900); les arbres sont nombreux à partir des Quatre-Salines (1867).

Spartina *(S. Townsendii).* Cette graminée, commune sur les côtes de l'Atlantique et de la Manche, a, dans les années 30, brusquement envahi le littoral du marais de Dol.

De Redon à Ploërmel, le bocage breton 72 km

On ne saisirait pas la Bretagne dans toute son originalité en longeant seulement ses côtes. A l'intérieur des terres, à l'écart des grands axes, un chapelet de petites villes, presque ignorées, mais préservées, donne une autre mesure à la région. Pétries d'histoire, ces cités en ont gardé l'empreinte. Le paysage est tout en nuances : pas de sites grandioses, juste un moutonnement léger d'arbres et de cultures, des vallons peu profonds. Discret bocage, loin des foules, même au plus fort de l'été.

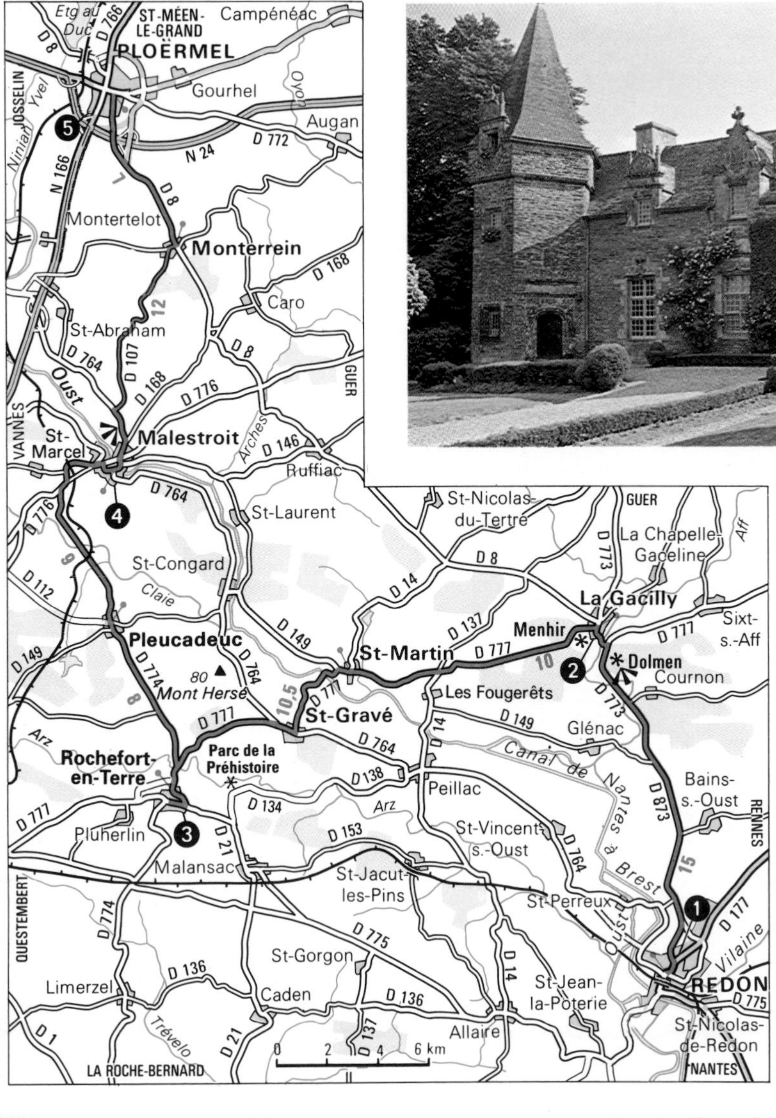

❶ **Redon.** Bâtie sur la Vilaine, qui entame là son cours maritime, elle profite de l'Oust avec le canal de Nantes à Brest. Port à la fois fluvial et maritime, la cité favorisa par cette situation le développement de ses industries et d'un important marché agricole. Musée de la Batellerie. Place St-Sauveur s'élève le clocher gothique séparé de l'église par un incendie en 1782. Cette ancienne abbatiale garde une tour du XIIe s., seul clocher roman important de Bretagne. Le chœur est gothique (fin du XIIIe s.). Une chapelle fortifiée du XVe s. est adossée à l'abside. Les bâtiments de l'abbaye, reconstruits au XVIIIe s., abritent un collège dont on peut visiter le cloître du XVIIe s. (vis. t.l.j.).

❷ **La Gacilly** est environnée de collines d'où l'on a de belles vues sur l'Aff canalisé. Avant d'entrer en ville, renversé près de la route, dolmen dit Tablette de Cournon ; en sortant en direction de Rochefort, menhir dit la Roche piquée, qui atteint une hauteur de 5 m.

❸ **Rochefort-en-Terre** est établie sur un promontoire dominant de profonds vallons. Son château fort gardait l'étroit défilé de l'Arz (voir photo). La ville est charmante : ses vieilles maisons de granit, parfois agrémentées d'arcades ou de tourelles, célèbres pour la profusion de fleurs dont elles sont ornées, attirent les artistes. La plupart sont regroupées le long de la Grande-Rue. A l'église Notre-Dame de la Tronchaye, sur une place ornée d'un calvaire du XVIe s., curieux bœufs sculptés aux angles du clocher.

Rochefort-en-Terre. Le château actuel est constitué par les communs de l'ancienne forteresse médiévale (vis. t.l.j., de juin à fin sept. ; sam., dim. et j. fér. en avril, mai et oct. Groupes sur R.-V.).

❹ **Malestroit**, ancienne ville fortifiée, compte nombre de maisons gothiques et Renaissance en bois ou en pierre. Certaines sont sculptées de scènes humoristiques. L'église St-Gilles se caractérise par la juxtaposition de deux nefs du XVe s., contreforts sculptés aux attributs des Évangélistes, groupés deux à deux. Après avoir franchi l'Oust, belle vue d'ensemble sur la ville et son site, de part et d'autre de la rivière.

❺ **Ploërmel** était une ancienne ville close. Dans l'église St-Armel, le gothique flamboyant se mêle au Renaissance : sur la face latérale N., s'ouvre un portail empruntant à ces deux styles. Quelques éléments d'origine (XVe s.) ont été réutilisés pour une remarquable restauration après les bombardements de 1944. A l'intérieur, tombeau avec statues en granit de Kersanton, sablières sculptées et deux magnifiques verrières, dont une représentant l'arbre de Jessé. Dans la rue Beaumanoir, la maison des Marmousets (Renaissance), dont la façade est richement ornée de sculptures sur bois, et l'ancien hôtel des Ducs de Bretagne, qui se font face, sont les plus importantes maisons anciennes de la ville : elles datent toutes les deux du XVIe siècle.

De Tréguier à la Côte de granit

155 km
101 km

Pardon de saint Yves. Le 3ᵉ dimanche de mai, procession de Tréguier à Minihy-Tréguier, où naquit « l'avocat des pauvres ».

Autour de Tréguier se déploie le Trégor, royaume du granit rose, aux plages de sable bien abritées. Le visiteur s'émerveille de cette multitude de rochers, mais le marin redoute ce semis d'écueils, de récifs et de brisants. Tout au long de la côte, des routes en corniche ouvrent à chaque détour des horizons nouveaux, tandis qu'à l'intérieur, tourné sur lui-même, des chemins discrets obligent à fouiller le creux des vallées pour y découvrir ces merveilles de pierre que l'homme a bâties parmi les arbres.

ITINÉRAIRE Nº 1

❶ **Saint-Gonéry.** Les voûtes en bois de la chapelle sont décorées de peintures, d'une facture naïve, des XVᵉ-XVIᵉ s. A l'intérieur, on verra le tombeau et la châsse du saint (procession 3ᵉ week-end de juill.). Une belle route mène jusqu'à la pointe du Château.

❷ **Port-Blanc.** La chapelle Notre-Dame (XVIᵉ s.) a un toit qui s'abaisse d'un côté jusqu'à terre. Face au port, multitude d'îles et d'îlots.

❸ **Perros-Guirec** annonce la Côte de granit rose. Station réputée depuis 1900, elle est accueillante au navigateur (bassin à flot) comme au baigneur (deux plages bien abritées). De la pointe du Château, où s'ouvre une grotte, belle vue sur l'île Tomé, la côte de Port-Blanc, à l'E., et les Sept-Iles, à l'O. Celles-ci constituent une réserve ornithologique dont on peut faire le tour en vedette. A la plage de Trestraou commence l'une des plus belles routes de la région, la Corniche bretonne, ainsi que l'une des plus belles promenades (2 h 30 AR) : gagner Ploumanac'h à pied par le sentier des douaniers, à mi-falaise, de préférence à marée haute. On rejoint par la grève Saint-Pierre la pointe de Squewel.

❹ **Trégastel-Plage** possède une église flanquée d'un ossuaire de la fin du XVIIIᵉ s. L'île Renot est reliée au rivage ; à la pointe : panorama sur la côte et sur la plage. En avant de la

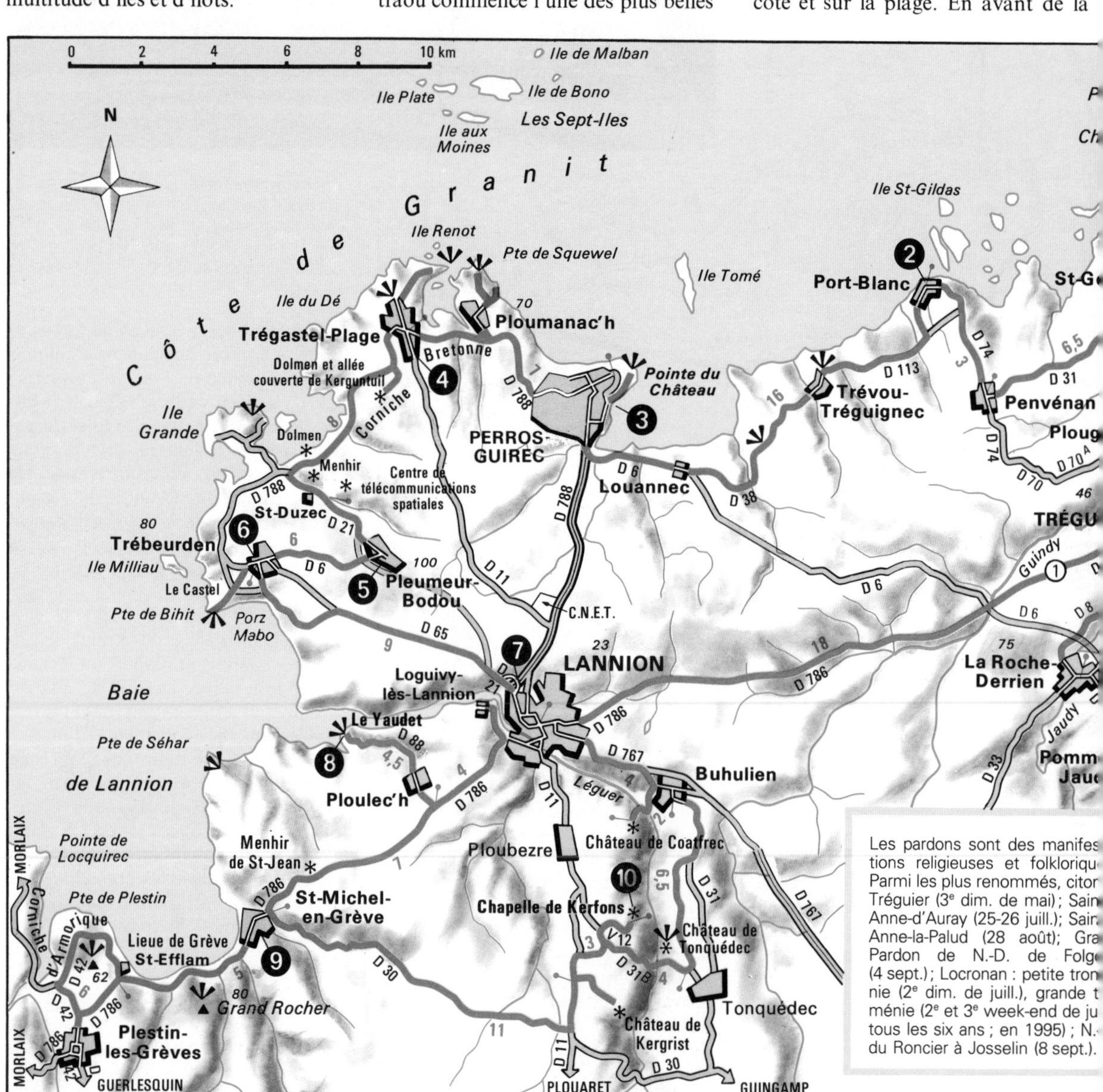

plage de Coz Pors se dressent des rochers pourvus de noms suggestifs : la Tête de Mort, le Tas de Crêpes et le célèbre Dé, masse cubique en équilibre. En s'éloignant de la côte, la Corniche bretonne longe le dolmen et l'allée couverte de Kerguntuil.

❺ **Pleumeur-Bodou.** Un peu à l'intérieur des terres se situent les installations de télécommunications par satellite (vis. t.l.j., 1er mai-30 sept. ; sauf sam. le reste de l'année. Fermé janv. Rens. tél. : 96-46-63-80). Un musée retrace l'histoire des télécommunications. Non loin, visiter le planétarium du Trégor (fermé janv.).

❻ **Trébeurden.** De la presqu'île du Castel, la vue s'étend sur la côte, de l'Ile-Grande à Roscoff. A la pointe de Bihit, aux falaises escarpées, même vue magnifique (table d'orientation).

❼ **Lannion,** sur l'estuaire du Léguer (voir photo), s'étage jusqu'aux hauteurs de Brélévenez. L'église de la Trinité, romane, a été remaniée dans le style gothique : beaux retables du XVIIe s. La ville a gardé des vieilles maisons aux toits d'ardoises.

❽ **Le Yaudet** garde des vestiges romains. Dominant la mer, sa chapelle abrite un groupe sculpté original. Beau panorama.

❾ **Saint-Michel-en-Grève** commande toute l'anse de la baie de Saint-Michel, bordée par la superbe Lieue de Grève, plage de sable de 5 km de long, découvrant sur 2 km à marée basse. Au centre s'amorce le sentier montant au Grand Rocher (80 m), d'où l'on a une vue exceptionnelle à l'heure du flux. L'église de St-Michel (XVIe-XVIIe s.), au clocher ajouré, est entourée d'un cimetière en terrasse sur la grève. Vers l'O., la corniche d'Armorique suit les contours de la baie de Lannion.

❿ **Chapelle de Kerfons.** Elle renferme un magnifique jubé en bois polychrome du XVIe s. (vis. guid. t.l.j., 15 juin-15 sept. Hors saison, clés à la mairie). Une route mène au château de Tonquédec (t.l.j., juill.-août ; l'apr.-m. avr.-juin et sept., oct. Groupes sur R.-V.). Du vertigineux chemin de ronde, c'est l'arrière-pays trégorrois qui se révèle. Près de Buhulien surgissent les ruines du château de Coatfrec (XIVe s.).

ITINÉRAIRE N° 2

❶ **Tréguier** commande l'estuaire, où confluent le Jaudy et le Guindy. La cathédrale s'ouvre par trois porches des XIIIe, XIVe et XVe s. et trois tours la surmontent. Des vitraux modernes reprennent des thèmes médiévaux. Il faut voir les 46 stalles Renaissance, le groupe de Saint Yves (voir dessin), redresseur de torts et consolation des pauvres, le retable flamand du chœur, la grande verrière, le trésor et le cloître (s'adresser à la sacristie). Dans la maison natale d'Ernest Renan, un musée évoque l'écrivain (t.l.j., sauf mardi et mercr., Pâques-30 sept.). Le troisième dimanche de mai, « pardon des pauvres » et pardon des avocats et des hommes de loi. Procession jusqu'à Minihy-Tréguier, village natal de saint Yves.

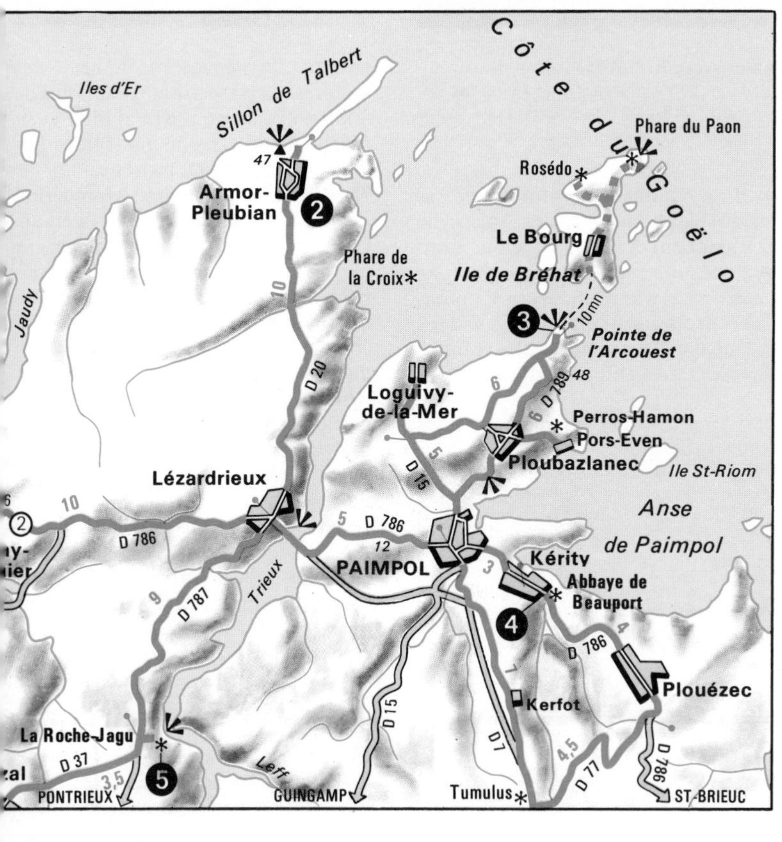

L'estuaire du Léguer. Après une section encaissée dans un plateau granitique, le Léguer coule dans un lit plus large.

❷ **Armor-Pleubian.** L'église de granit rose est moderne (1932). A 1 km s'amorce le sillon de Talbert, étroite bande de sable et de galets s'avançant en sinuant dans la mer sur 3 km. En haut de la falaise, panorama sur la pointe de l'Arcouest, Bréhat et une multitude d'îles et d'îlots.

❸ **Pointe de l'Arcouest.** Elle semble fermer la côte qui, à l'E., plonge vers le S. La route en corniche domine la mer de près de 50 m. C'est le point de départ pour l'*île de Bréhat* (15 mn), l'« île des rochers roses » (Vedettes de Bréhat, tél. : 95-55-86-99. Parking à la pointe de l'Arcouest).

❹ **Abbaye de Beauport.** L'église a des arcs en tiers-point ; ceux du réfectoire sont en plein cintre. Salle capitulaire, voûtée d'ogives, et cloître du XIIIe s. (t.l.j., tte l'année. Rens. tél. : 96-20-97-69).

❺ **La Roche-Jagu.** Le château qui domine l'estuaire du Trieux eut une vocation défensive (XVe s.), comme en témoignent ses tours et son chemin de ronde (t.l.j., des vac. scol. de févr. à la Toussaint. Expos. en période estivale. Rens. tél. : 96-95-62-35).

❻ **La Roche-Derrien** ferme l'estuaire du Jaudy. Les ruines du château (XIe s.) sont surmontées d'une chapelle. L'église St-Catherine est gothique ; à l'intérieur, retable Renaissance. Des vieilles maisons à pans de bois ornent toujours la place.

Tréguier. Saint Yves entre le Pauvre et le Riche, dans la cathédrale St-Tugdual : sculpture en bois polychrome du XVIIe s.

Aber-Wrac'h 36 km
Aber-Benoît

On appelle aber, sur la côte du Léon, une vallée fluviale, parfois ramifiée, envahie aujourd'hui par la mer. Cet ennoiement a deux causes : la dernière avancée de la mer, au quaternaire, et un mouvement d'affaissement local qui a amplifié les effets de la montée des eaux. Ces abers — en particulier l'Aber-Wrac'h et l'Aber-Benoît — semblent de vastes estuaires dans lesquels débouchent de modestes cours d'eau : il faut les parcourir à marée haute, lorsque le flot se lance à l'assaut des vasières et des landes.

Aber-Wrac'h. Prés, taillis et landes du plateau du Léon s'achèvent souvent en falaises sur l'aber. A marée basse, cette belle nappe d'eau laisse la place à des vasières.

Le cormoran. Cet hôte typique des côtes rocheuses de Bretagne ne s'éloigne guère du rivage. Il dévore quantité de poissons.

❶ **Grèves de Lilia.** Du bourg partent quelques chemins qui conduisent à Saint-Cava ou à la pointe de Kerazan, bons observatoires de l'entrée de l'Aber-Wrac'h. A marée basse, des écueils se dégagent, et les îles changent de forme (Vierge, Vrac'h, Stagadon). Avec le flux, l'estuaire semble se dilater ; grèves, îlots et parcs à huîtres disparaissent.

❷ **Perros.** A hauteur de ce hameau, l'estuaire se resserre brusquement. Deux secteurs s'opposent. Le secteur aval est vraiment maritime avec ses anses (Saint-Antoine, des Anges, de Kéridaouen) et ses îles (Bilou, Longue, Cézon, Erch rattachée par une chaussée à Kerazan). Vers l'amont, l'aber proprement dit (ou « ria », dans le langage des géographes) s'enfonce dans les terres entre des rives souvent élevées, parfois façonnées en petites falaises : ce second secteur correspond à l'ancienne vallée fluviale envahie.

❸ **Plouguerneau.** Les virages de la route, de Plouguerneau à Paluden, donnent quelques beaux points de vue sur l'estuaire : à la chapelle de Traon, puis au virage suivant, qui s'avance vers l'O. entre deux ramifications de l'aber, enfin au pont de Paluden. A marée basse, le cours d'eau, bien maigre, serpente au milieu des vasières. La ria se prolonge sur plus de 4 km à l'E. du pont de Paluden, et sa morphologie est plus nettement fluviale : vallée étroite, pentes raides.

❹ **Presqu'île de Sainte-Marguerite.** De l'anse de Saint-Antoine à Pen-ar-Créac'h, le regard ne quitte jamais la mer. La presqu'île de Sainte-Marguerite présente deux paysages : sa partie orientale est entièrement couverte de champs allongés et bordés de petits murets ou de haies basses ; à l'O., on trouve successivement des landes rases, des dunes, puis un haut-fond rocheux fragmenté en de multiples récifs (Tariec, Guenioc, Garo, etc.). La presqu'île de Sainte-Marguerite, fragment de plateau très bas (18 m), est ainsi très exposée à l'érosion marine.

❺ **Saint-Pabu.** Au S. du village, l'Aber-Benoît s'élargit en recevant deux petits ruisseaux, et ces deux embouchures secondaires forment l'anse de Locmajan. Le cours de l'aber forme plusieurs coudes, qui sont déterminés par l'orientation de lignes de failles et le degré de résistance variable des roches. A l'E. de Locmajan, l'aber découvre à chaque marée basse et semble une petite mer intérieure large de 600 à 800 m. A l'O., vasières et bancs de sable encombrent une étroite vallée, où l'Aber-Benoît décrit de nombreux méandres.

❻ **Colline de Ker-Vigorn.** C'est un endroit parfait pour analyser le paysage littoral, qui environne l'embouchure de l'Aber-Benoît : un estran assez étroit, une vaste grève s'étendant vers l'O., des groupes d'îlots au profil changeant et sombre, escortés de nombreux récifs.

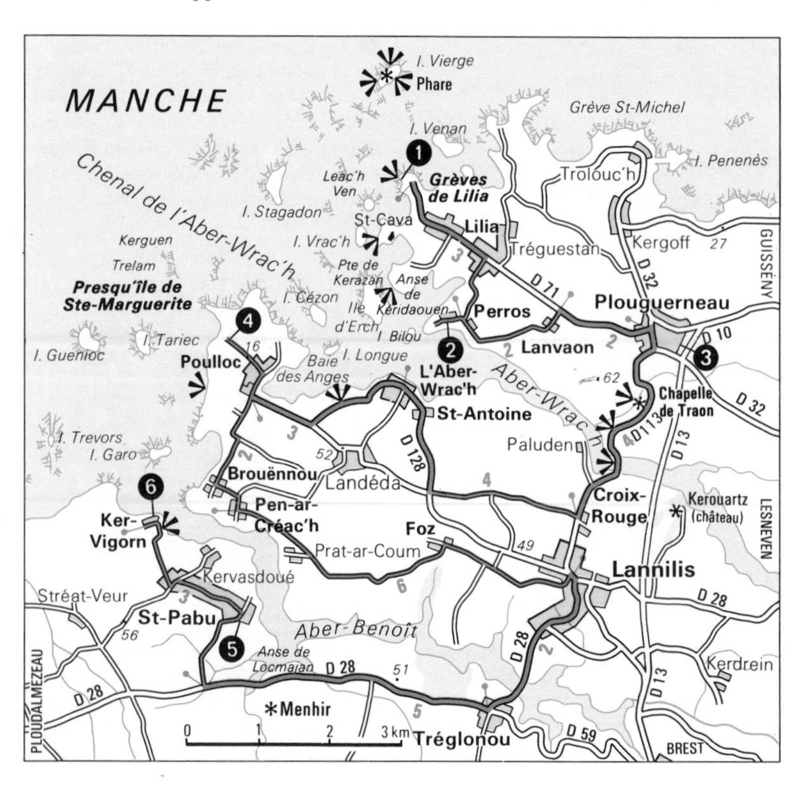

A la découverte de l'île d'Ouessant 20 km

Ouessant, « Enez-Eussa » en breton, est célèbre par les difficultés de navigation que présentent ses abords, mais aussi pour la douceur de son climat. Longue de 7 km et large de 4, elle domine la mer de 65 m — d'où son nom gaulois : « Uxisama », « la plus élevée » des îles de l'Ouest breton. Par beau temps, la traversée à partir de Brest et du Conquet est d'un grand intérêt : belles vues sur la côte, de Brest à la pointe de Saint-Mathieu, puis sur le littoral du Léon et sur les îlots qui jalonnent le trajet.

La Proëlla. Ce petit monument, dans le cimetière de Lampaul, était destiné à recevoir les croix de cire représentant les Ouessantins disparus en mer. La cérémonie, qui n'existe plus aujourd'hui, s'appelait la Proëlla, mot signifiant « retour au pays ».

Accès à Ouessant. En été, les voitures ne sont admises que pour un séjour minimal de deux mois avec autorisation : ce circuit est donc pédestre (5 h). On peut louer une bicyclette en arrivant dans l'île.

En été : liaison assurée par la Compagnie maritime Penn-ar-bed, téléphone : 98-80-24-68.

Au départ de Brest : un AR tous les jours en juillet et en août. La durée de la traversée est de 2 h 30.

Au départ du Conquet : quatre AR tous les jours en juillet et en août. La durée de la traversée est de 1 h.

Toute l'année : liaison assurée par la Compagnie maritime Penn-ar-bed (voir téléphone ci-dessus).

❶ **Pointe de Pern.** Au N. de la baie de Lampaul (voir photo), la pointe de Pern et toute la partie du littoral qui court jusqu'à hauteur de l'île de Keller témoignent de l'intense érosion marine qui a façonné l'île. Ouessant est en effet formée par deux bandes de granit parallèles de direction N.-E.-S.-O. Cette partie de la côte correspond au revers septentrional de la bande N. ; massive dans l'ensemble, elle est en fait extrêmement découpée.

❷ **Phare de Créac'h.** Au pied du phare, intéressant musée des Phares et balises où l'on peut voir de superbes optiques (t.l. apr.-m. ; sauf lundi hors saison, tél. : 98-48-80-70).

La vue, à son pied, est très belle : au loin, vers l'E., apparaît le profil des grands caps finistériens et de la côte léonarde ; plus près, une multitude d'îlots semble prolonger vers l'O. la terre bretonne ; enfin, le relief littoral se découvre, à marée basse, dans tous ses détails.

Près du phare de Créac'h, important centre ornithologique conçu pour accueillir les groupes et les scientifiques. Suivi des grandes migrations et des mouvements d'oiseaux de mer et terrestres. Recensement. Étude de l'évolution des populations d'oiseaux habitant l'île.

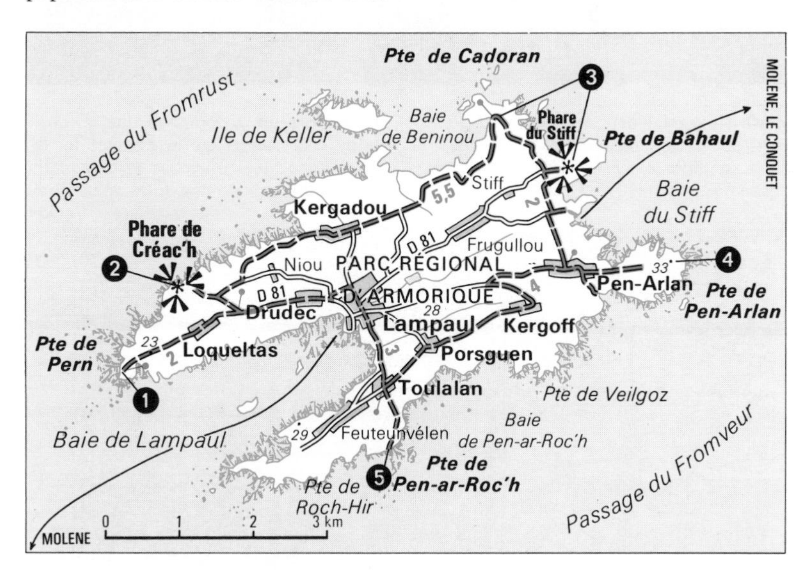

Découverte du milieu insulaire (pour tout rens. : tél. : 98-48-82-65).

❸ **Pointes de Cadoran et de Bahaul.** Ces deux pointes, avec le phare du Stiff, qui correspond au point culminant de l'île, offrent d'autres paysages rocheux, très découpés : falaises abruptes, rochers presque géants qui entourent la baie de Beninou, plages de sable nichées au fond de la baie du Stiff. A marée basse, une plature très disséquée se découvre, et, du haut de la falaise, on distingue d'importantes surfaces planes de rocher qui restent submergées à faible profondeur. La végétation littorale : algues et goémon, fucus, zostères et lichens, contraste avec la pauvreté relative de la flore à l'intérieur de l'île – sauf aux abords des ruisseaux marécageux.

❹ **Pointe de Pen-Arlan.** Elle forme l'extrémité orientale de l'île. Non loin, la vallée Darland est un lieu de passage d'oiseaux migrateurs.

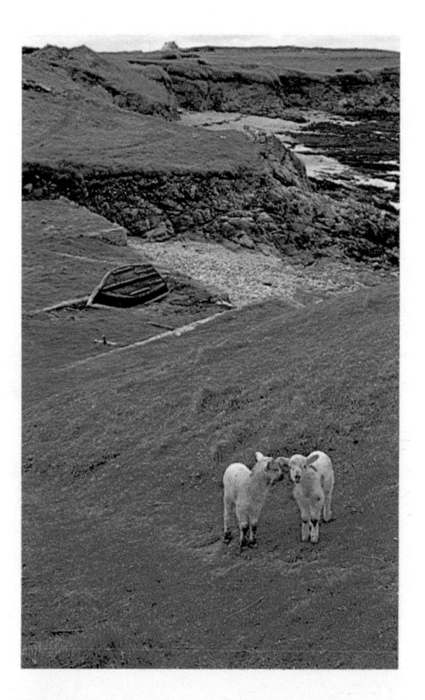

Baie de Lampaul. Largement ouverte vers le S.-O., elle correspond à un évidement de la partie centrale et schisteuse de l'île.

❺ **Pointe de Pen-ar-Roc'h.** La côte méridionale mérite plusieurs arrêts, notamment aux pointes de Pen-ar-Roc'h, de Veilgoz et de Roch-Hir, que séparent des anses peu profondes.

Forêt de Huelgoat 80 km et monts d'Arrée 83 km

A l'abri des fureurs de l'Océan, la Bretagne possède un second cœur, l'antique Argoat. Des montagnes bien modestes, mais dans un paysage qui ne laisse pas d'impressionner : les légendes en font foi. Au printemps, lorsque pique un vent plus vif que froid, les ajoncs bruissent ; à l'automne, le frémissement des bruyères parcourt la lande. Et dans le granit des églises et des calvaires se lit la ferveur immémoriale du peuple breton.

ITINÉRAIRE N° 1

❶ **Huelgoat,** au bord d'un étang fréquenté, occupe un site unique, intégré au parc naturel régional d'Armorique. A la sortie du village, dans la chapelle N.-D.-des-Cieux, de style Renaissance, des panneaux sculptés figurent des scènes de la Vie de la Vierge. Dans l'église (XVIe s.), groupe sculpté représentant saint Yves refusant la bourse du Riche et accueillant les doléances du Pauvre. Deux circuits pédestres sillonnent les environs immédiats de Huelgoat (demander les plans à l'O.T.). Le premier (1 h AR) mène au chaos du Moulin, où la rivière d'Argent tombe en cascades dans un îlot de verdure, puis à la grotte du Diable ; un sentier conduit aussi à la Roche Tremblante et à un chaos de rochers, le Ménage de la Vierge. On poursuit, par l'allée des Violettes, jusqu'au pont rouge.

La seconde promenade (1 h 30) conduit à la grotte d'Artus, coiffée par un énorme bloc de pierre, à la mare aux Sangliers, sous les ombrages, et au camp d'Artus, vestiges d'une enceinte fortifiée celtique. Enfin, au S. de la Roche Cintrée, vue sur Huelgoat, son site, la forêt, les monts d'Arrée et les Montagnes Noires.

❷ **Berrien.** A 2 km environ de Huelgoat, sur la gauche de la route, un chemin mène au menhir de Kerampelven. L'église de Berrien (XVe-XVIe s.) s'élève parmi les arbres du cimetière ; elle renferme des statues anciennes. En direction de Lannéanou, on passe au pied des rochers du Cragou (268 m).

❸ **Lannéanou.** La route serpente sur la ligne de crêtes des monts d'Arrée : belles perspectives, dont une juste avant d'atteindre la bourgade, en direction du pays de Léon.

❹ **Vallée du Squiriou.** C'est une gorge profonde, envahie par la végétation. La rivière prend sa source au pied des rochers du Cragou pour se jeter dans l'Aulne, à 10 km au S. Vue du Squiriou, du pont qui le franchit, entre Scrignac et Berrien. La route traverse la forêt de Huelgoat, ses sources et ses cours d'eau (voir photo).

❺ **Forêt du Fréau.** Très peu fréquentée. On en découvre toute la fraîcheur à partir de Quénéquen, bien que ses plus anciennes futaies de chêne aient disparu pour la plupart, détruites par la tempête en 1987. Regagner Huelgoat par le S., en empruntant des routes paisibles.

❻ **Le Gouffre** est la perte de la rivière d'Argent, en une chute d'une dizaine de mètres parmi les roches. Les eaux réapparaissent quelques centaines de mètres plus loin. On peut s'approcher du gouffre en descendant un escalier.

Roc'h Trévezel. Il est constitué de schistes durs, qui crèvent le sol, à 384 m d'altitude. Du sommet, vue sur la lande alentour et l'ensemble des monts d'Arrée.

Lit clos breton. Il comporte une ou deux portes coulissantes qui le ferment totalement. A gauche, une armoire et, devant, un coffre permettent de ranger les vêtements.

ITINÉRAIRE N° 2

❶ **Saint-Herbot** est célèbre par sa chapelle (XVe-XVIe s.) de style flamboyant, précédée d'une croix dont les personnages sont finement sculptés dans du granit de Kersanton, le plus réputé de Bretagne. A l'intérieur, clôture de chœur du XVIe s. à panneaux de bois sculptés de figures païennes et chrétiennes. Pour obtenir la protection de saint Herbot, patron des bêtes à cornes, les paysans déposaient en offrande du crin de queue de bovins sur les tables de pierre situées à droite et à gauche du chœur. Le site de Saint-Herbot est un chaos d'énormes boules de granit qu'un sentier permet de suivre, sur la rive gauche de l'Élez.

Loqueffret, à 8 km, possède une église du XVIe s., au milieu du cimetière ; elle est flanquée d'une belle croix à personnages.

❷ **Lannédern.** Son enclos paroissial renferme près de l'église de St-Édern (XVIIe s.), la chapelle-ossuaire Ste-Anne et un calvaire. Très typique des villages bretons, l'enclos paroissial est un ensemble de monuments religieux, regroupant généralement autour de l'église le calvaire et l'ossuaire. Entourant aussi le cimetière, il s'ouvre souvent par une porte triomphale.

❸ **Brasparts.** Son calvaire est typique du culte des morts. L'église est du XVIe s. et a un porche Renaissance. L'ossuaire reprend le thème de l'Ankou (la Mort), omniprésent dans la statuaire bretonne.

❹ **Montagne Saint-Michel** (380 m). Ce mamelon de grès est le meilleur observatoire sur les monts d'Arrée. On accède au sommet, couronné par une chapelle, par une route qui s'achève en sentier. Immense panorama sur les monts d'Arrée, les Montagnes Noires, la plaine du Léon jusqu'à la côte et le Yeun Élez au pied, vaste tourbière où la légende situait l'entrée de l'Enfer. La route de Sizun passe près du Signal de Toussaines (Tuchenn Gador), point culminant de la Bretagne (384 m).

Saint-Rivoal est en plein cœur du parc naturel régional d'Armorique. La maison Cornec fait partie de l'écomusée des monts d'Arrée.

❺ **Sizun** est l'un des plus grandioses ensembles paroissiaux du Léon : porte triomphale à triple arcade en plein cintre et colonnes corinthiennes d'inspiration antique, église à clocher-porche et flèche ajourée, chapelle-ossuaire de grand style Renaissance et belle sacristie à deux étages.

Entre Sizun et Commana, *les moulins de Kerouat* (t.l.j., juill.-août ; mars à juin, sept.-oct., t.l. apr.-m. Groupes sur R.-V.).

❻ **Commana** est isolé sur une butte. Dans l'enclos paroissial des XVIe et XVIIe s. se retrouvent un porche monumental, un ossuaire et deux croix-calvaires. Dans l'église, admirer trois retables, dont celui de sainte Anne, d'une richesse stupéfiante, l'un des plus remarquables du Léon. L'allée couverte de Mougau-Vian, de 14 m de long, abrite cinq tables gravées. Peu après pointent les crêtes du Roc'h Trévezel (voir photo).

❼ **Brennilis.** L'église Notre-Dame (XVIe s.) s'orne d'un élégant clocher ajouré. A l'intérieur, autel sculpté et Vierge du XVe s. Le village domine le Yeun Élez et les 800 ha de retenue du réservoir de Saint-Michel, dont les eaux refroidissent la centrale nucléaire des monts d'Arrée. A 500 m du bourg, dolmen Ti-ar-Boudiked (maison des nains) en partie enterré sous un tumulus.

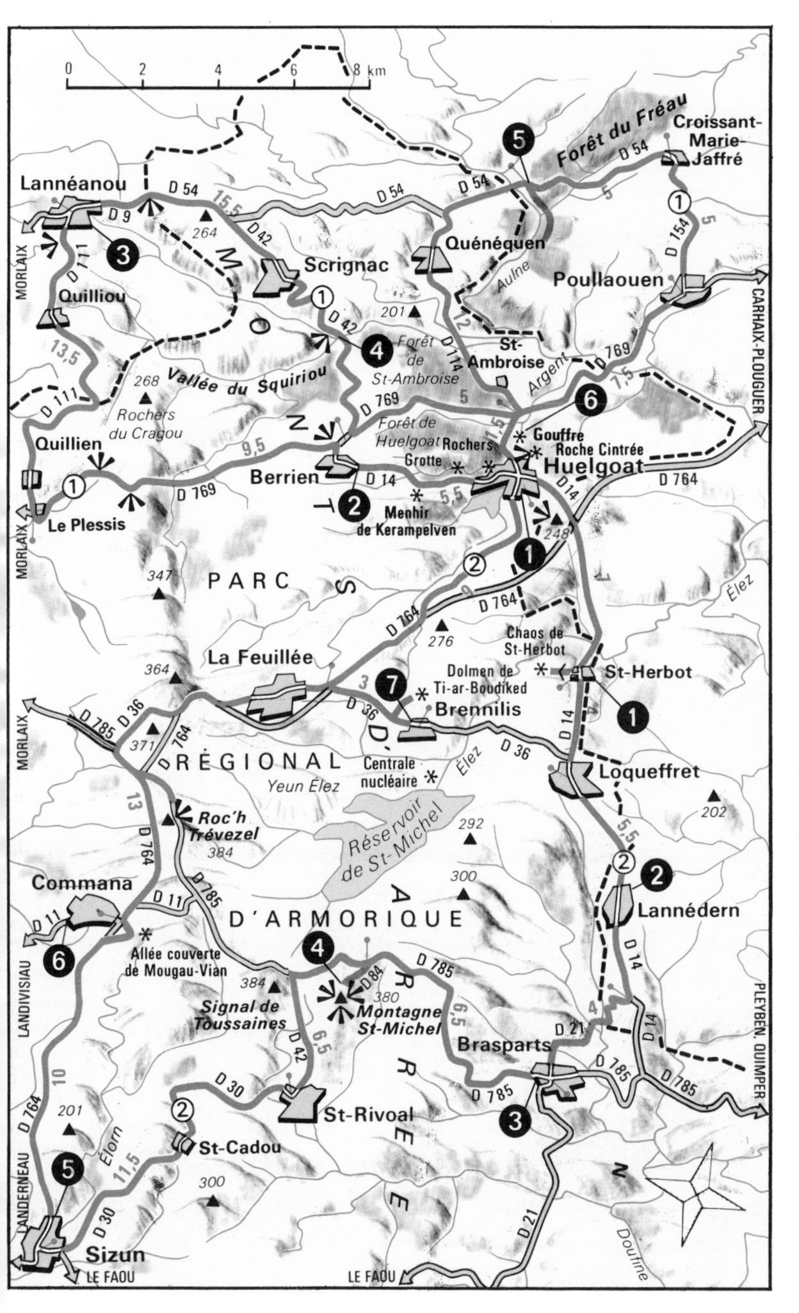

Le Clair Ruisseau. Dans la forêt de Huelgoat, au cœur de la hêtraie, s'écoulent une multitude de ruisseaux aux eaux limpides, comme le Clair Ruisseau.

114

Landes et falaises de la presqu'île de Crozon — 115 km

Quand les Brestois veulent échapper à la ville, leur promenade les mène le plus souvent « en presqu'île », entendez dans la presqu'île de Crozon. Car ses attraits sont réels, d'une sauvage beauté, toute bretonne. Des landes plongent dans l'Océan en d'impressionnantes falaises déchiquetées, battues par les vents et les vagues. Les pointes rocheuses y sont nombreuses, et leur accès difficile garantit leur tranquillité. Les petits ports, sans prétention, deviennent, la belle saison venue, d'aimables stations balnéaires.

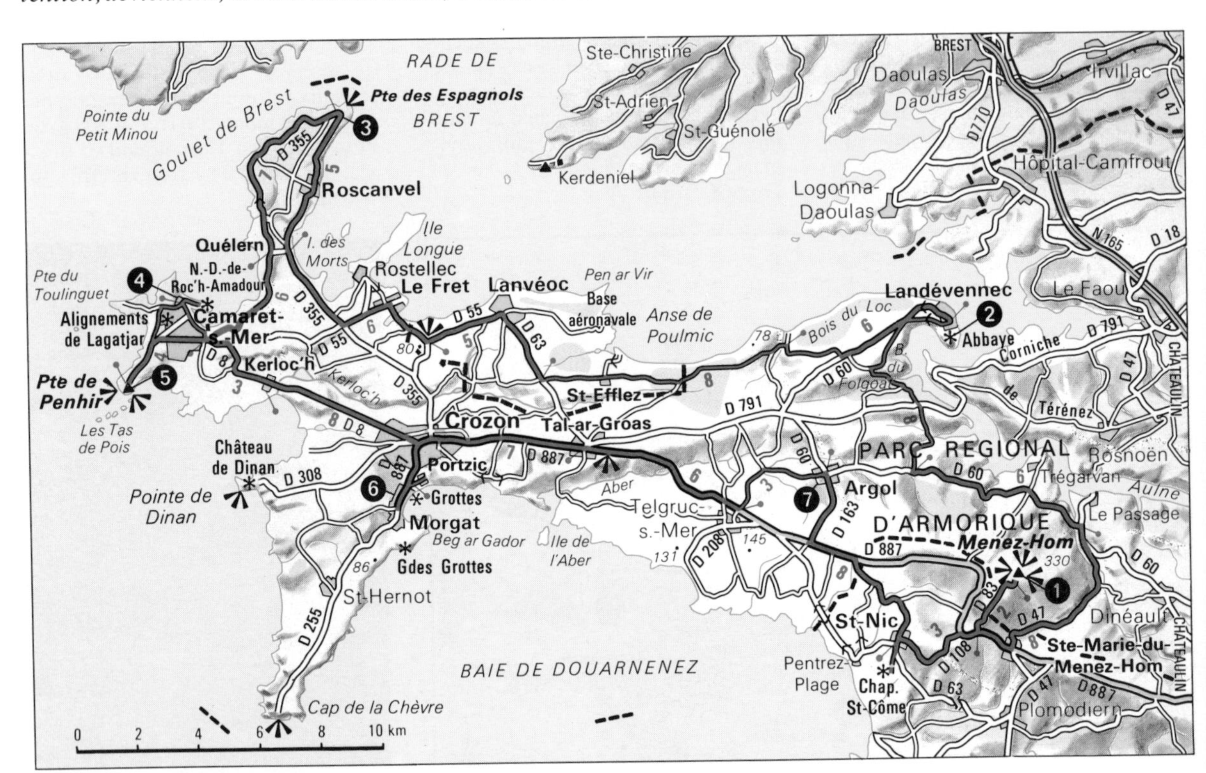

❶ **Menez-Hom** (330 m). Ce sommet isolé, détaché des Montagnes Noires, constitue un remarquable belvédère (table d'orientation) : vue quasi aérienne sur la presqu'île de Crozon et le parc naturel régional d'Armorique. Au pied de la colline, le village de *Sainte-Marie* possède une chapelle des XVIe et XVIIIe s., dont le majestueux portail au décor antique est surmonté d'un clocher entouré d'un triple balcon à balustres. A l'intérieur, au croisillon N., belles sablières (pièces de bois horizontales) sculptées de scènes paysannes ou bibliques et retables chargés de nombreuses statues.

❷ **Landévennec** est environné d'une végétation toute méditerranéenne. Ce village occupe une presqu'île formée par un méandre de l'Aulne : la route descend fortement, ménageant de belles échappées. Au S. du bourg s'élèvent les ruines de l'ancienne abbaye bénédictine St-Guénolé. Des fouilles ont mis au jour des soubassements et des dallages dessinant entièrement le plan de cet édifice des Xe et XIe s. Un musée fait revivre les grandes heures de l'abbaye (t.l.j., sauf dim. mat., en juill.-août ; sam., dim. apr.-m., le reste de l'année ; t.l.j., vac. scol. Groupes sur R.-V., tél. : 98-27-35-90).

Le Fret est un charmant petit port coquillier de la rade de Brest qui conserve une tradition de construction navale.

❸ **Pointe des Espagnols.** Elle doit son nom à un fort du XVIe s. : panorama sur Brest, la rade, l'estuaire de l'Élorn et la presqu'île de Plougastel.

❹ **Camaret-sur-Mer.** (Voir photo.) Le sillon de Camaret est une digue naturelle couverte de galets (600 m).

Camaret. De là partirent, dès les années 1900, les langoustiers qui en ont fait le premier port français spécialisé dans cette pêche lointaine, avant la « guerre de la langouste ».

A sa pointe, la chapelle Notre-Dame-de-Roc'h-Amadour (roc au milieu de la mer) accueille un pardon, le premier dimanche de septembre. La tour Vauban, qui servait à la défense de Brest, abrite chaque année des expositions durant la saison (ouv. t.l.j.). En se dirigeant vers la pointe de Penhir, on passe près des alignements de Lagatjar, qui comptent près de 150 menhirs blancs.

❺ **Pointe de Penhir.** Elle domine la mer de 70 m de hauteur en une falaise profondément entaillée par le flot. Vue étendue, en particulier sur le groupe de récifs des Tas de Pois ; au N.-O. se dessine la pointe de Saint-Mathieu et, au large, Ouessant ; au S.-O., on aperçoit la pointe du Raz et l'île de Sein ; plus près, dans la presqu'île même, on distingue, au N., la pointe du Toulinguet portant son phare et, au S., la pointe de Dinan et le Château de Dinan, rocher ruiniforme relié à la côte par une arche naturelle.

❻ **Morgat,** petit port thonier, est une station balnéaire fréquentée et un port de plaisance animé. Les Petites Grottes, accessibles à marée basse, sont creusées dans les falaises qui séparent les plages de Morgat et du Portzic. Les Grandes Grottes, qui s'ouvrent sur le large, peuvent être visitées par bateau (de juill. à sept. Se renseigner au port).

❼ **Argol.** L'enclos paroissial s'ouvre par un portail (voir dessin) en arc de triomphe à trois ouvertures (XVIIe s.). L'église est entourée par un cimetière ; ossuaire et croix à personnages complètent l'ensemble. Plus au S., après Saint-Nic, s'arrêter à la chapelle St-Côme, dont les sablières sont ornées de monstres et d'une frise sculptée dans un style naïf.

Argol. La statue équestre qui surmonte l'ouverture centrale de l'arc de triomphe est celle de Grallon Meur, fondateur au IVe s. de l'État de Cornouaille.

Promenade en forêt de Quénécan — 20 km

Avec les bois qui l'environnent — bois du Fao, de Mérousse, de Gouarec, de l'Abbaye et du Squel —, la forêt de Quénécan couvre un peu plus de 3 000 ha. Elle borde la rive droite du Blavet canalisé, dont le cours s'élargit ici en un véritable et superbe lac, lac de retenue du barrage de Guerlédan, devenu un centre important de sports nautiques. Elle est surtout formée de taillis, mais elle comprend aussi quelques belles futaies et offre de splendides panoramas sur le cœur de l'Argoat.

❶ **Abbaye de Bon Repos.** Ruines de l'abbaye cistercienne fondée en 1184. Bâtiments du XVIIIe s. Dans ce cadre, en août, un spectacle Son et Lumière joué par 500 habitants évoque l'histoire de la Bretagne, des légions de César aux Chouans (tél. 96-24-85-28). On pénètre ici dans la forêt de Quénécan, qui compte encore quelques beaux quartiers de chênaie et de hêtraie, mais noisetiers, aulnes et saules y sont abondants. Des reboisements en pins, sylvestres et maritimes, ont créé localement un paysage nouveau. Le châtaignier est partout présent. Sur la périphérie du massif, les landes tiennent une grande place.

❷ **Georges du Daoulas.** Site sauvage où, parmi les landes humides, se dressent de pittoresques escarpements de schiste. La flore y est très riche. Sur la gauche, un chemin mène aux trois allées couvertes de Liscuis, édifiées au néolithique.

❸ **Les Forges des Salles.** C'est un ancien village sidérurgique des XVIIIe et XIXe s., entouré de trois étangs. Autour du haut fourneau, on peut y voir les ateliers de transformation du minerai de fer, le logis du maître de forge, les maisons des ouvriers, l'école... (t.l. apr.-m., juill.-août ; sam., dim., Pâques-Toussaint). La route de Perret permet d'atteindre le rocher du Saut du Chevreuil : belles vues sur la forêt.

❹ **Étang des Salles.** C'est le plus méridional des étangs en chapelet qui collectent les eaux de l'O. de la forêt. Ruines du château des Salles, premier fief de la famille des Rohan. Plus loin, au Ruello, belle vue d'ensemble sur l'étang et son site.

❺ **Le Breuil du Chêne.** Une des crêtes les plus élevées (281 m) accidentant le S. de la forêt offre un panorama sur la région de Pontivy. A droite, après la lande du Gouvello, un sentier de grande randonnée monte à ce chaos rocheux.

Forêt de Quénécan. Le Blavet serpente entre les taillis et futaies de la forêt et des clairières, où l'ajonc est roi.

COIFFES BRETONNES « KANT BRO, KANT GIZ »

Coiffes de Vannes. Jeunes Vannetaises à la fête des « Filets bleus » de Concarneau. Un col « marin » de dentelle, dégageant le cou, complète la coiffe qui se replie sur le front.

Coiffes de Plougastel-Daoulas. La coiffe de deuil est en coton, non amidonnée; le manteau est noir. Mais il s'agit d'une mode localisée, dont le costume est resté archaïque.

« Kant bro, kant giz », « Cent pays, cent modes » : la variété des coiffes bretonnes est infinie, et les différences marquées entre les coiffes d'artisanes, la noire « jubilinen » de l'île de Sein et la splendide « kornek » de Baud. Leur diversité s'amorça lors de l'abolition des lois somptuaires par la Révolution de 1789 et s'accentua vers le milieu du XIXe s. Aujourd'hui, elles ne sont plus guère portées que par les vieilles femmes, le dimanche, pour se rendre à la messe. R. Y. Creston, qui étudia le costume breton, distingua 66 aires de répartition des modes. Certaines sont limitées parfois à une commune, comme celle de Plounéour-Trez, dont la coiffe est somptueuse. D'autres sont plus étendues : celles de la « toukenn » trégorroise, de la coiffe de Vannes et, en haute Bretagne, des coiffes de Rennes et du Pays nantais ; la « giz foën », ou mode de Fouesnant, règne de l'Odet à la Laïta.

A l'intérieur des grandes aires, l'initié reconnaît les variantes locales à de simples détails. Ainsi, pour la « giz foën », la forme de la collerette, la disposition des bandeaux de dentelle, la couleur des rubans. Ici, la « toukenn » a ses pointes tournées vers l'avant, là, vers l'arrière. Les cornettes, évocatrices du hennin du XIVe s., sont plus ou moins relevées sur la tête. C'est en basse Bretagne que la richesse et la diversité des coiffes sont le plus surprenantes.

L'évolution des coiffes

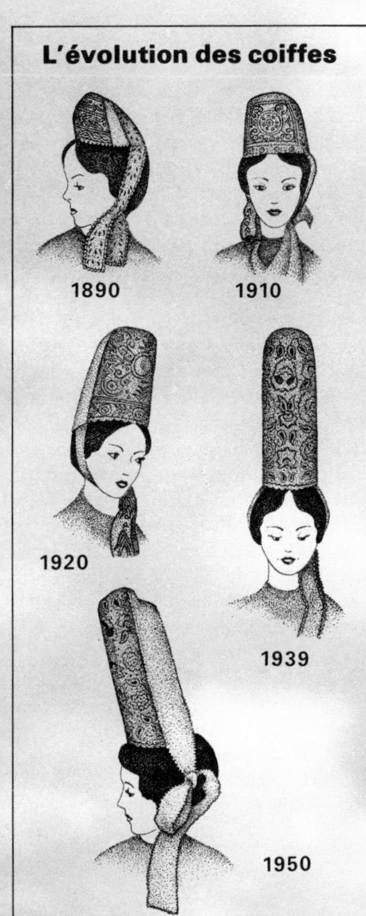

Les coiffes ont beaucoup évolué, tantôt en s'amenuisant, comme dans le pays Pourlet (Guémené-sur-Scorff) ou dans la région de Châteaulin, tantôt en prenant de l'ampleur. On peut suivre ci-dessus l'évolution de la coiffe bigoudène de 1890 à nos jours. D'horizontale, elle est devenue verticale en modifiant sa forme et en gagnant beaucoup en hauteur.

Coiffe de l'île de Sein. Les iliennes portent la « chipillien », ou coiffe de deuil, depuis l'épidémie qui décima la population.

Coiffe de la région de Lorient. Cette coiffe en bandeaux est portée avec une robe à petite collerette.

Coiffe de Fouesnant. La grande collerette à godrons et le beau gorgerin de dentelle de la «giz foën».

Belle-Ile 59 km
Ile de Groix 18 km

Deux belles solitaires, deux petits mondes, deux îles bretonnes. L'une, sauvage sans être rude : Groix. L'autre, douce sans être mièvre : Belle-Ile. Toutes deux d'accès facile, elles sont vulnérables : les grandes marées touristiques sont parfois les plus noires. Aussi, c'est un peu avant l'été, ou un peu après, qu'elles se laisseront le mieux découvrir. On devrait débarquer sur une île sans voiture et sans horaire : seule la bicyclette — on peut en louer au port de débarquement — permettra de se faufiler partout.

Belle-Ile. Le petit port naturel de Goulphar est l'un des sites les plus charmants de l'île. Entre les falaises de la côte S. s'ouvre une crique que baigne une eau transparente.

ITINÉRAIRE N° 1

Accès à Belle-Ile. Au départ de Quiberon, la traversée dure 45 minutes. Le service est assuré par la Compagnie morbihannaise de navigation, Le Palais, 56360 Belle-Ile, tél. 97-31-80-01. A Quiberon, tél. 97-50-06-90. Pour les véhicules, réserver par téléphone ou par courrier à Belle-Ile le plus tôt possible. En période d'hiver, de novembre aux vacances de Pâques, cinq services quotidiens sont assurés. En période d'été : d'avril à juin, sept ou huit services quotidiens ; en juillet et en août, treize services quotidiens.

❶ **Le Palais** est dominé par sa citadelle du XVIe s. ; celle-ci fut renforcée par Fouquet, qui, propriétaire de l'île, voulait en faire sa place forte personnelle. Plus tard, Vauban en compléta les défenses, puis elle servit de prison et de caserne. Aujourd'hui, un petit musée installé dans ses salles voûtées est consacré au passé de l'île (vis. t.l.j., toute l'année).

❷ **Pointe de Kerdonis.** C'est par une demi-traversée de l'île dans sa plus grande longueur, où alternent les champs cultivés et les vallons boisés, que l'on gagne le meilleur point de vue sur Hoedic et Houat, petites îles sœurs

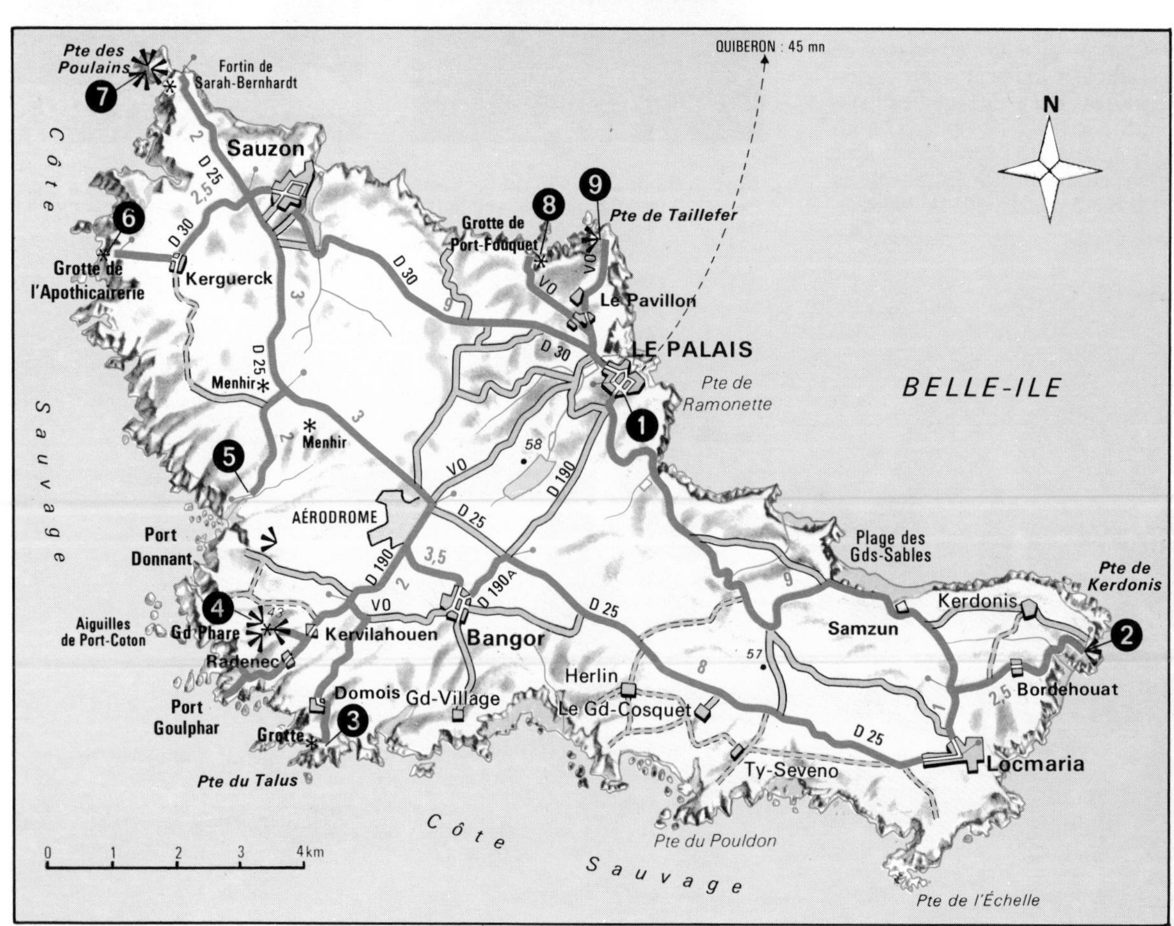

voisines. Un phare balise le passage entre cette dernière et Belle-Ile.
❸ **Pointe et grotte du Talus.** A la pointe du Talus s'élève un sémaphore. En dessous, une grotte est accessible à marée basse. Il peut cependant être très dangereux de s'y rendre.
❹ **Grand Phare** (ouv. juill.-août. Hors saison, sur R.-V.). C'est l'un des phares les plus puissants d'Europe. Du sommet (256 marches suivies d'échelles), à 85 m au-dessus du niveau de la mer, panorama sur la baie de Quiberon, sur toute la côte, de Lorient au Croisic, et sur l'île elle-même. Presque au pied du phare se dressent les aiguilles de Port-Coton. Quelques-unes de ces roches ruiniformes recèlent des grottes mais il faut veiller à ne pas s'aventurer au bord de la falaise.
❺ **Port Donnant.** Un embranchement de la route transversale (il n'y a pas de route côtière à Belle-Ile) conduit, après avoir dépassé les deux menhirs de Jean et Jeanne, à la petite plage de Port Donnant, nichée entre de hautes falaises (surv. en juill.-août, baignade dangereuse, surf interdit). Les sentiers des douaniers permettent de faire agréablement le tour de l'île à pied.
❻ **Grotte de l'Apothicairerie.** Elle doit son nom aux milliers de nids alignés comme des bocaux que les cormorans y ont édifiés. C'est le plus beau site de l'île, et l'une des merveilles naturelles de la Bretagne. Un escalier taillé dans le roc mène dans la cavité, où la mer s'engouffre. De l'intérieur, vue sur la Côte sauvage. Cependant, l'accès, devenu extrêmement dangereux, en est définitivement interdit.
❼ **Pointe des Poulains.** Elle tire son nom de Beg-er-Polen, qui signifie rocher avancé ou isolé. Rattachée à la côte par un isthme sableux, elle se transforme en île, lors des grandes marées. Un phare s'y dresse. Sur la gauche, le fortin (en ruine) où habita Sarah Bernhardt ; le château qu'elle occupa par la suite fut détruit pendant la dernière guerre. De cette extrême pointe de l'île, panorama sur la Côte sauvage et, au large, sur la baie de Quiberon et les îles.
❽ **Grotte de Port-Fouquet.** Venant de Sauzon, avant de rejoindre Le Palais, un chemin conduit presque jusqu'à l'anse de Port-Fouquet, où une belle grotte peut être visitée ; accès par la mer uniquement.
❾ **Pointe de Taillefer.** Du haut des falaises, on découvre une vue d'ensemble sur la partie O. de l'île, la côte du Morbihan et l'île de Groix.

ITINÉRAIRE N° 2

Accès à l'île de Groix. Au départ de Lorient. Service assuré par la Compagnie morbihannaise et nantaise de navigation, bd Adolphe-Pierre, 56100 Lorient ; tél. : 97-64-77-64 (trajet 45 mn). Réservation par courrier très à l'avance pour les véhicules. En hiver (de sept. à Pâques) : quatre services quotidiens en semaine. En été : environ six services quotidiens et, de juill. à début sept. : huit services.
❶ **Port-Tudy.** C'est dans ce petit port, fréquenté à la belle saison par de nombreux plaisanciers, qu'accostent les bateaux faisant le service Lorient-Groix. Dès l'arrivée, visiter l'écomusée sur l'histoire de l'île. Ensuite, une rue en pente conduit au bourg de *Groix*, groupé autour de l'église St-Tudy. Si, au faîte du clocher, c'est un thon qui tourne au vent au lieu du coq national, c'est que les Grésillons ont été thoniers pendant un siècle. Bénédiction de la mer en juillet.
❷ **Locmaria** fait face au large, plein S. Le relief de la côte y est doux et a dégagé une belle anse de sable. Au village, la chapelle N.-D.-de-Placemance donne sur la baie. L'île ne compte qu'un petit nombre de mégalithes, dont un dolmen à Locmaria. Vers l'E. s'avance la pointe des Chats, portant un phare. Une intéressante réserve géologique est à découvrir (vis. guid. Rens. Maison de la Réserve au Bourg).
❸ **Pointe d'Enfer.** Là commencent les hautes falaises, presque verticales, de la Côte sauvage. Une profonde entaille forme le Trou d'Enfer.
❹ **Port-Saint-Nicolas.** C'est un fjord qui va s'élargissant vers l'intérieur des terres. Il est formé par des falaises verticales, plongeant profondément dans la mer, si bien que les bateaux peuvent les longer sans risques.
❺ **Pen Men** se détache de l'île, à son extrémité occidentale. Des blocs de rocher effondrés s'entassent au pied des massives falaises. Du sentier qui mène au sommet, on découvre toute la côte S. et, au N., la Basse des Bretons, qui sépare l'île de la côte morbihannaise. Réserve ornithologique.

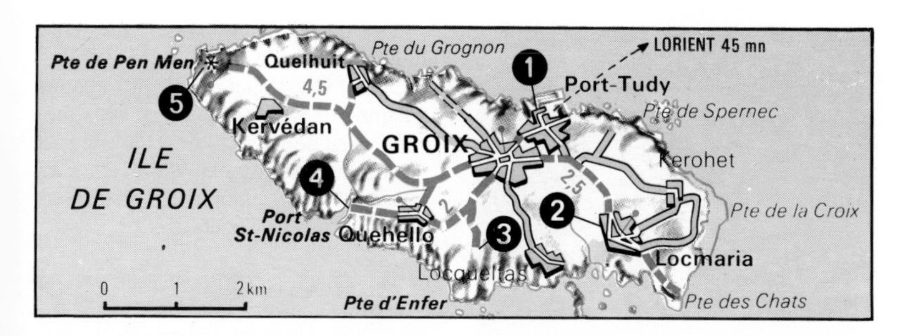

Groix. Locqueltas, à l'O. de Locmaria, regroupe en hameau ses blanches maisons basses. Comme dans toute l'île, la friche a envahi le plateau, qui a été profondément entaillé par la mer.

Thonier. Les chalutiers ont remplacé les bateaux à voiles à bord desquels, naguère, les marins de Groix allaient pêcher le thon.

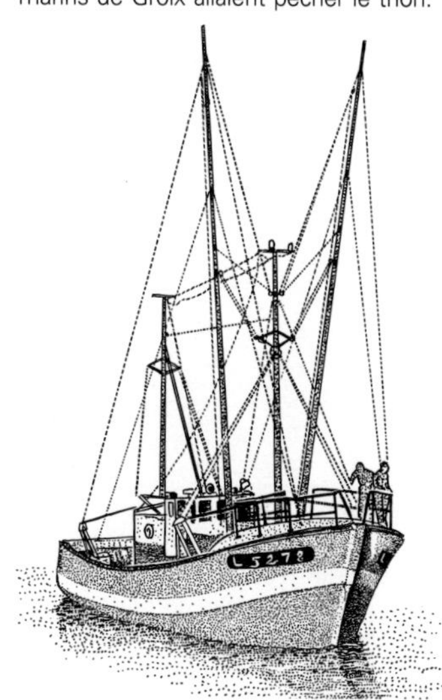

Cornouaille et Pays bigouden 90 km

La Bretagne a, pour le monde entier, le visage de la Cornouaille. Et la Cornouaille est le sourire de la Bretagne : c'est un véritable Midi que nous allons parcourir. Sur la côte, ouverte et gaie, que ponctuent des petits ports actifs, se mêlent les voiles des pêcheurs et des plaisanciers. De la pointe de Penmarch, où, selon la légende, s'unirent dans la mort Tristan et Iseut, à Quimper, l'écheveau des traditions est encore le plus serré de Bretagne : le Pays bigouden les concentre et les met en valeur.

❶ **Quimper.** Les différentes parties de la cathédrale (du XIIIe au XVe s.) montrent bien l'évolution du style gothique régional vers sa forme la plus achevée. Si les tours sont du XVe s., les flèches ont été édifiées au siècle dernier. Vitraux du XVe s. Toute proche, dans le vieux quartier, la rue Kéréon est bordée de maisons traditionnelles. Le Musée départemental breton (t.l.j., juin-sept. ; sauf dim. mat., lundi le reste de l'année) est installé dans l'ancien évêché, dont on admirera l'escalier à vis ; celui des Beaux-Arts, à côté de l'hôtel de ville (t.l.j., juill.-août ; sauf mardi, avr.-juin, sept.-oct. ; dim. mat. et mardi, 1er nov.-31 mars). Musée de la faïence (t.l.j. sauf dim. et j. fér., 15 avr.-31 oct.).

En suivant la rive gauche de l'Odet, on atteint *Locmaria*, dont les faïenceries ont fait la renommée (vis. t.l.j., sauf sam., dim. et j. fér. Fermé entre Noël et 1er janv.). L'église est composite ; dans la nef romane, une poutre de gloire supporte un Christ en robe rouge. Avant Bénodet, voir la *chapelle du Drennec* (pietà), précédée d'une fontaine du XVIe s. A *Clohars-Fouesnant*, le porche de l'église abrite une Trinité en pierre du XVe s.

Saint-Guénolé. La Bigouden en coiffe affirme sa farouche appartenance à la « Tribu magnifique ». Une image devenue rare.

❷ **Bénodet.** De la pointe (table d'orientation), le panorama s'étend de la pointe de Mousterlin à Loctudy. Sur l'autre rive de l'estuaire (accès par le pont à péage de Cornouaille), *Sainte-Marine* s'offre dans son site de criques rocheuses ombragées de pins.

❸ **Pont-l'Abbé.** Ici commence le Pays bigouden, où les femmes portent encore parfois une coiffe extraordinaire (voir photo ci-contre et p. 206-207). La ville tient son nom d'un pont que les abbés de Loctudy firent construire au Xe s. Le Musée bigouden (costumes et mobilier) est installé dans le château édifié par les puissants barons du Pont (ouv. le matin, 15 avr.-31 mai ; t.l.j., sauf dim., juin-sept. Fermé hors saison). L'église a un beau chevet. Rejoindre la route de Penmarch en longeant la muraille fortifiée du château de Kernuz.

❹ **Phare d'Eckmühl** (on peut visiter la lanterne tous les jours, de juin à sept.). Il faut gravir 307 marches pour atteindre la lanterne (65 m de haut, 54 km de portée), mais le spectacle est inoubliable : la pointe de Penmarch, la baie d'Audierne, la pointe du Raz, l'archipel des Glénan. La chapelle N.-D.-de-la-Joie (XVe s.) se dresse en bordure de la mer : le site ne manque pas de grandeur (pardon le 15 août). Les rochers de Saint-Guénolé sont assaillis par toutes les fureurs de la mer.

❺ **Notre-Dame-de-Tronoën.** Face au calvaire (voir dessin), la chapelle du XVe s. domine, au loin, l'immense baie d'Audierne.

❻ **Les Vire-Court.** Ce pittoresque surnom désigne les brusques méandres de l'Odet entre Quimper et l'estuaire. Au niveau de Trébé, les hautes rives boisées étant très resserrées, l'effet est spectaculaire.

Notre-Dame-de-Tronoën. Détail du calvaire, un des plus anciens de Bretagne (fin du XVe s.). Sur le socle, scènes de l'Enfance du Christ et de la Passion comportant cent personnages sculptés.

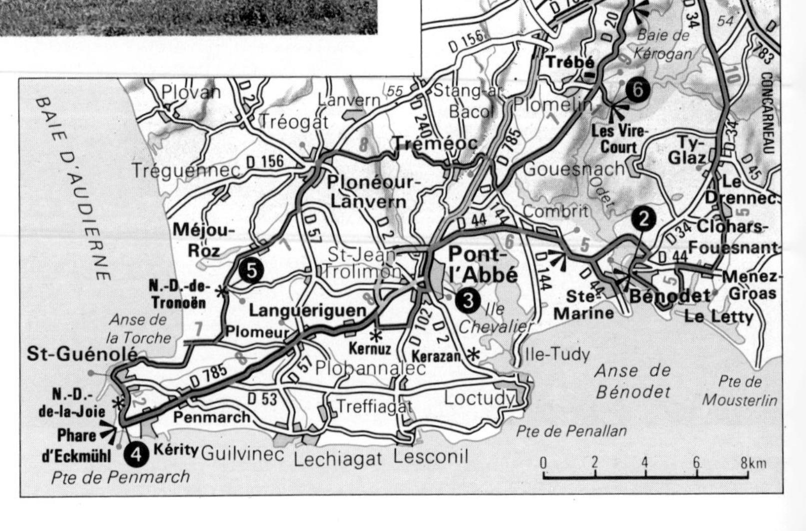

En route vers les îles du golfe du Morbihan 25 km

Le golfe du Morbihan est une « petite mer » intérieure d'environ 100 km²; il communique avec l'Océan par un goulet étroit de moins d'un kilomètre entre les pointes de Port-Navalo et de Kerpenhir. Ce golfe est une zone d'affaissement récent, envahie par la mer à l'époque historique. Ses rivages, granitiques vers l'ouest, taillés dans les schistes et le gneiss vers l'est, sont bas et découpés. Des routes le contournent, mais c'est en bateau qu'il faut découvrir chacune de ses grandes îles.

❶ **Rivière de Vannes.** Elle présente tous les caractères des rias bretonnes. Elle s'élargit progressivement et, après le Grand-Conleau, forme avec la baie de Séné et celle de Vincin une belle étendue d'eau et de vasières fermée au S. par la presqu'île de Langle.

❷ **Ile d'Arz.** Après avoir doublé la pointe Roguedas à l'O. et l'île de Boëdic à l'E., le bateau aborde à l'île d'Arz (pointe de Bélure). L'île, peu élevée, est découpée en anses larges qui s'appuient sur quelques bosses rocheuses, d'où l'on peut observer la côte orientale du golfe.

Une courte escale à la *pointe d'Arradon* permet d'analyser les diverses composantes du paysage morbihannais: les îles Dronec, d'Irus, d'Arz et l'île aux Moines; des pointes basses: Arradon, le Trech, Penmern; des avancées maritimes comme la rivière du Moustoir. La vue est magnifique au coucher du soleil.

Golfe du Morbihan. Fleuron du pays vannetais, cette « petite mer » (ce que signifie Morbihan) semée de « cailloux » offre un magnifique plan d'eau.

❸ **Ile aux Moines.** Bois de pins et jardins la rendent très verdoyante, et la douceur exceptionnelle du climat explique la présence de camélias, mimosas, figuiers, grenadiers, etc. L'île est une longue échine dont l'altitude atteint 30 m et d'où l'on peut admirer tout le pourtour du golfe, qu'elle sépare en deux parties : la partie orientale et centrale correspond à une zone d'affaissement tertiaire ; ce secteur est aujourd'hui en voie de comblement (vasières, flèches de sable). Dans la partie occidentale, les eaux sont plus profondes.

Entre les pointes de Larmor-Baden et d'Arzon, le golfe se resserre et devient plus profond. Le bateau double plusieurs îles rapprochées, vestiges d'une ancienne barre granitique: Gavrinis (voir itinéraire 121), île Longue, île de la Jument. Ces îles sont des sites préhistoriques comme en témoignent le tumulus de Gavrinis (voir dessin) et le double cromlech d'Er Lanic, en partie submergé.

❹ **Port-Navalo.** Voir photo ci-dessus et itinéraire 120.

❺ **Pointe de Kerpenhir.** De Locmariaquer, gagner la pointe de Kerpenhir (5 km AR), d'où la vue offre l'étonnant contraste des vastes paysages océaniques avec ceux de l'intérieur du golfe, semé d'îles.

Cette excursion peut se prolonger par un parcours sur la rivière d'Auray, soit au départ d'Auray, soit au départ de Vannes (service saisonnier de Pâques à octobre). Pour tout renseignement, s'adresser à Navix, Vedettes du golfe à Vannes, tél. : 97-46-60-00.

Ile de Gavrinis. Les parois de la chambre funéraire et de la galerie du tumulus sont faites d'une suite de blocs de granit, décorés de mystérieux motifs géométriques gravés.

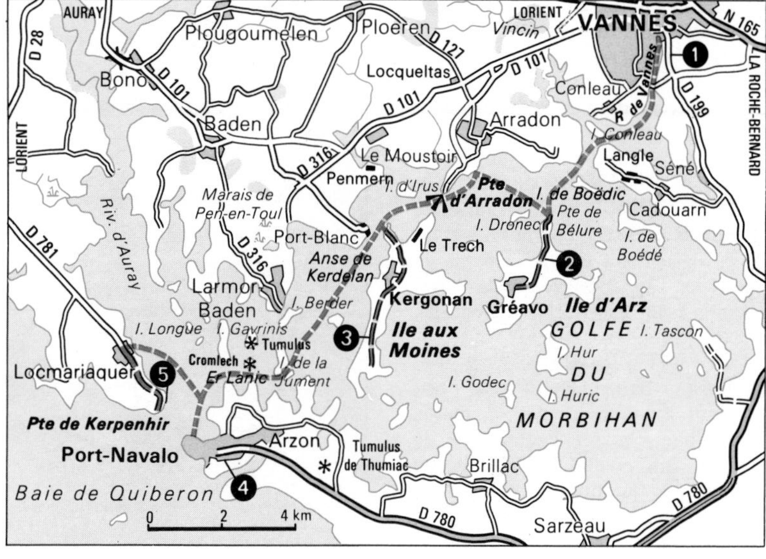

Golfe du Morbihan, 125 km
Carnac, Quiberon 135 km

Saint-Gildas-de-Rhuys. Du chevet de cette ancienne abbaye, restaurée au XIXe s., on voit bien les chapelles du chœur qui ont conservé leur pur style roman.

Où trouver le vrai visage de cet énigmatique et fascinant Morbihan : dans l'incroyable — et inexpliquée — concentration de mégalithes sur un si modeste territoire? Dans la douceur du climat et l'aimable paysage du golfe et de la presqu'île de Rhuys? Dans la tonifiante vigueur des embruns de Quiberon? Dans la ferveur séculaire des pèlerins de Sainte-Anne? Dans ces multiples témoins des combats qui opposèrent républicains et chouans, les bleus et les blancs, ce bleu du ciel et ce blanc des nuages, incomparable toile de fond de ce pays de terre et d'eau?

ITINÉRAIRE N° 1

❶ **Vannes.** C'est la nuit, quand ont lieu des illuminations, que l'on peut le mieux admirer les remparts enserrant la cathédrale St-Pierre et les vieilles maisons (du 15 juin au 1er oct., et vac. scol.). Le château Gaillard, manoir des XVe-XVIe s., abrite un musée de préhistoire : coll. provenant des grands dolmens de la région (t.l.j., sauf dim. et j. fér., avr.-fin oct. ; l'apr.-m., sauf dim. et j. fér., nov.-mars). Le *golfe du Morbihan*, où la marée basse découvre une vaste étendue de tourbières, est parsemé d'îles et d'îlots. Passé St-Colombier, la blancheur du château de *Kerlévenan* surprend dans ce pays de granit (vis. sur dem. écrite).

❷ **Port-Navalo**, dans un site de rochers et de cyprès à la pointe de la presqu'île de Rhuys, n'est séparé de Locmariaquer que par un chenal large de 1 km. De la pointe de Port-Navalo, vue splendide sur le golfe.

❸ **Saint-Gildas-de-Rhuys**, avec ses falaises et ses plages, occupe une agréable situation en bordure de la presqu'île de Rhuys, sur laquelle de nombreux sentiers pédestres ont été aménagés. Dans l'ancienne abbatiale (voir dessin), le trésor recèle des reliquaires du fondateur et une croix de vermeil sertie d'émeraudes (t.l.j., sauf dim., du 1er juill. au 31 août).

❹ **Château de Suscinio.** De cette ancienne résidence des ducs de Bretagne (XIIIe-XVe s.), il reste des ruines imposantes : courtines à mâchicoulis et six des huit tours dont elles étaient flanquées (1er avr.-30 sept., t.l.j., sauf mercr. mat. H. S., s'adresser au château, tél. : 97-41-91-91, ou à l'O.T.).

❺ **Pointe de Pen-Lan.** Elle commande l'extrémité N. de l'embouchure de la Vilaine. Beau point de vue à partir du phare. De l'ancienne *abbaye de Prières* (XVIIIe s.) subsistent quelques bâtiments.

ITINÉRAIRE N° 2

❶ **Larmor-Baden.** De ce petit port, on peut atteindre à pied, à marée basse (bac à marée haute), l'île de Berder, qui porte un château, un cromlech et un tumulus. Mais Larmor-Baden est avant tout le point de départ pour l'île de Gavrinis (traversée 15 mn), où se trouve un des monuments mégalithiques le plus intéressant et l'un des plus beaux du monde (voir itinéraire 119). Du sommet du tumulus, vaste panorama sur le golfe et les îlots avoisinants.

❷ **Locmariaquer.** Sur le territoire de ce village se trouvent plusieurs des plus célèbres mégalithes bretons. Le Grand Menhir s'est complètement effondré ; il mesurait plus de 20 m. La Table des Marchands est un dolmen

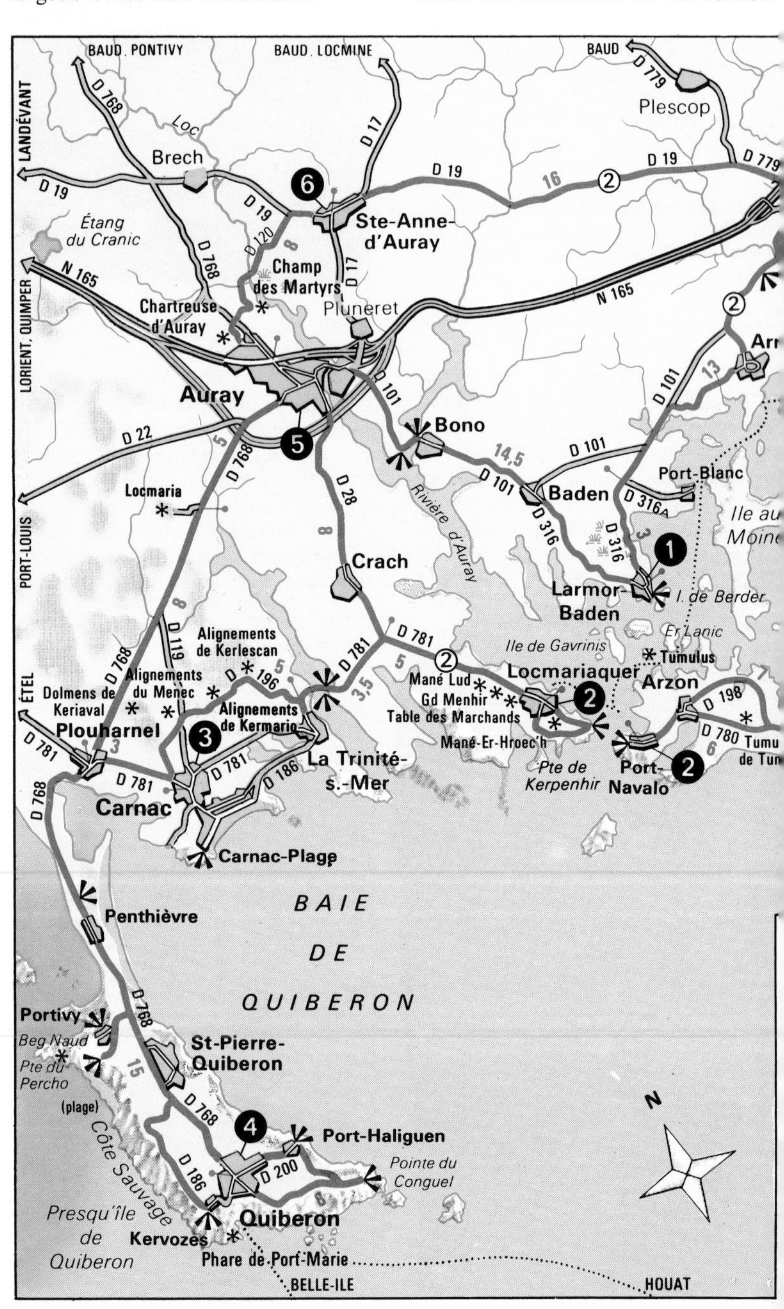

Carnac. Les alignements du Menec s'étendent sur une longueur de 1 167 m et une largeur de 100 m environ : ces menhirs auraient eu une signification religieuse.

PLOËRMEL
Château de Trémohar
Berric
QUESTEMBERT
VANNES
N 165
Theix
Noyal-Muzillac
Étang de Pen-Mur
Noyalo
Surzur
Muzillac
Ambon
Billiers
Abbaye de Prières
Pte de Pen-Lan
GOLFE DU MORBIHAN
St-Armel
St-Colombier
Étier de Caden
La Tour-du-Parc
Château de Kerlévenan
Sarzeau
Château de Suscinio
Penvins
St-Gildas-de-Rhuys
Pointe de St-Jacques
PÉAULE
NANTES
0 2 4 6 km

inséré dans un tumulus ; seule la table est apparente, les menhirs gravés étant souterrains. On gagne l'intérieur par une galerie. Tout proche, le dolmen de Mané-Lud affleure le sol entre les ajoncs. Le tumulus Mané-Er-Hroec'h (12 m de haut) est en pierre sèche ; il s'élève sur la route de la pointe de Kerpenhir (voir aussi itinéraire 119), après laquelle s'ouvre l'allée couverte des Pierres-Plates.

❸ **Carnac.** C'est le plus grand centre mégalithique avec les 2 935 menhirs que comptent les champs du Menec (voir photo), Kermario, Kerlescan et le tumulus St-Michel (t.l.j., du 2 avr. au 6 nov. Fermé le reste de l'année). Ce dernier comporte plusieurs chambres funéraires dont les objets sont au musée Miln-Le Rouzic (t.l.j. juill.-août ; le reste de l'année, t.l.j., sauf mardi. Fermé les 1er janv., 1er mai, 25 déc.). L'église St-Cornély (XVIIe s.) possède une riche décoration intérieure.

❹ **Quiberon** est une ancienne île granitique reliée à la côte par un isthme sableux. A la pointe du Conguel, belle vue sur la baie de Quiberon, les îles et les récifs (table d'orientation), de même que du phare de Port-Marie (ne se vis. plus). La côte O., ou Côte Sauvage, offre de belles promenades sur les falaises déchiquetées. Au-delà se détache la pointe de Beg Naud, dernier éperon rocheux.

❺ **Auray,** sur les rives du Loc, est l'une des plus anciennes villes de Bretagne. A l'intérieur de l'église St-Gildas, harmonieuse et sobre, beau retable sculpté du XVIIIe s. La promenade du Loc, en bordure de rivière, offre une jolie vue sur le port et le vieux quartier St-Goustan, auquel on accède par un pont du XVIIe s. Des maisons du XVe s. bordent les ruelles pentues.

A la *chartreuse d'Auray*, voir le mausolée contenant les restes des chouans et des émigrés royalistes capturés à Quiberon par l'armée républicaine en 1795, et passés par les armes, ainsi que la chapelle de la chartreuse et le cloître (t.l.j., sauf lundi).

❻ **Sainte-Anne-d'Auray** est le lieu de pèlerinage le plus fréquenté de Bretagne, en particulier lors du pardon de la sainte (25 et 26 juill.). Sa fondation est liée aux apparitions de celle-ci à un paysan en 1624 et 1625. L'ancien couvent des Carmes, avec son cloître du XVIIe s., abrite le trésor, qui compte une relique de sainte Anne et des exvoto (vis. t.l.j. de mai à oct., de nov. à mai sur demande).

Maison morbihannaise. Généralement en granit, elle se distingue des autres constructions bretonnes par son toit de chaume qui épouse la courbure des lucarnes.

Marais salants de Guérande 50 km

De vastes marais s'étendent entre La Turballe, le pays de Guérande et la presqu'île du Croisic, à l'emplacement d'un golfe marin aujourd'hui partiellement comblé par les alluvions marines. Ces marais salants sont les plus septentrionaux de France : la chaleur et une relative sécheresse de la belle saison expliquent cette localisation. Au sud de cette zone fragile de marais, de vasières et de parcs à huîtres, l'ancienne île granitique de Batz, rattachée aujourd'hui à la terre ferme par la flèche de sable du Pouliguen à l'est, est un véritable môle de protection contre les attaques de l'Océan, à l'abri duquel s'est installé le port du Croisic. Par soleil, temps gris ou tempête, la Grande Côte est toujours séduisante.

Étrille, bigorneaux, crevette bouquet, moule. On trouve ces espèces sur les côtes rocheuses des mers tempérées, au creux des rochers, sous les pierres, les algues ou dans les flaques et petites mares.

◀ **La Grande Côte.** Les rochers, découpés et fissurés, sont des lieux privilégiés de pêche et de cueillette lors des fortes marées.

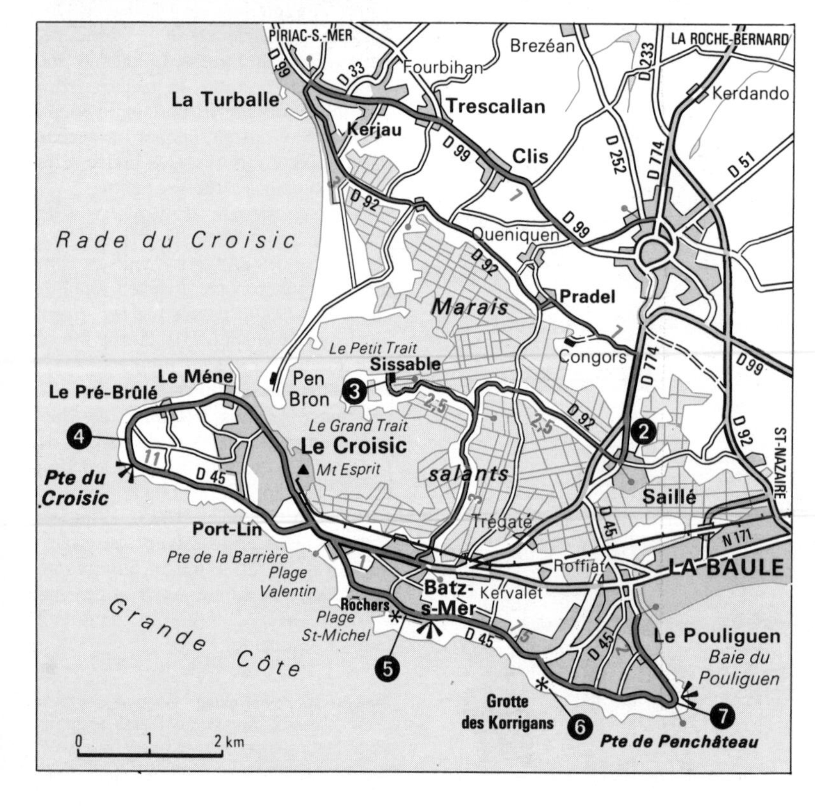

❶ **La Turballe** est aujourd'hui le premier port de pêche de la façade atlantique. Remodelé, modernisé, il comporte deux bassins dont un pour les plaisanciers.

❷ **Saillé** est un village de paludiers. Dans une église désaffectée, la Maison des Paludiers présente outils, mobilier et costumes des travailleurs du sel de jadis (t.l.j., 1er mars-31 oct. Vis. de saline en exploit.).

Les marais salants sont formés d'un grand nombre de compartiments, le plus souvent géométriques, alimentés en eau de mer par des canaux ramifiés, les étiers (voir photo). L'eau circule lentement de compartiment à compartiment. Les plus profonds (environ 50 cm), les « vasières » et les « gobiers », sont au début de cette circulation ; ils permettent une première concentration du sel par évaporation. Les autres, « adernes » et « œillets », juste recouverts d'eau, sont adaptés à la récolte du sel après cristallisation. A la belle saison, le sel est ramassé au « las » (râteau), mis en petits tas sur les ladures, plates-formes rondes qui flanquent deux œillets, puis rassemblé en vastes tas de réserve ou « mulons », souvent recouverts d'une bâche. La saumaison dure à peu près quarante jours. On compte environ 8 200 œillets, produisant chacun en moyenne 1,3 t de sel gris par an.

❸ **Sissable,** ancien îlot granitique, sépare les deux golfes marécageux du Petit Trait, au N., et du Grand Trait, au S. A marée basse, Sissable est entourée de vasières. Lors de chaque marée, de violents courants évacuent l'excédent de vase vers le chenal du Croisic : le bilan des dépôts et de l'érosion est nul. Les marais salants, toujours exploités, laissent la place, ici et là, à des parcs à huîtres.

❹ **Pointe du Croisic.** A l'extrémité occidentale de l'ancienne île du Croisic rattachée à l'île de Batz, elle semble escarpée malgré sa faible hauteur. La route est suffisamment élevée pour offrir le double panorama de la rade du Croisic, au N., et de la Grande Côte, au S.-E. Vers l'O., l'île du Four et, par beau temps, les îles de Hoedic et de Houat, au loin, brisent l'immensité de l'Océan.

❺ **Batz.** La corniche du menhir de Pierre Longue, que l'on suit par le sentier des douaniers, domine la plage Saint-Michel et offre de beaux points de vue maritimes.

❻ **Grotte des Korrigans.** Accessible à marée basse par des marches, c'est la plus belle des grottes de la Grande Côte, qui toutes attestent la force de l'érosion marine.

❼ **Pointe de Penchâteau.** Elle ferme vers l'O. la baie du Pouliguen. Le regard s'étend très loin, vers les belles plages de La Baule et de Pornichet, la pointe de Chémoulin et les îlots des Evens, de Bagueneau, de Pierre-Percée et du Grand-Charpentier.

Marais salant. Une étroite bande de terre, «le bossis», entoure le bassin d'évaporation, ou œillet. Au printemps, quand le sel cristallise, le marais devient rose: il est «en feu».

123

Pornic et le pays de Retz

160 km

C'est là que tout bascule. La Bretagne semble lâcher prise, et la Loire, soumise au rythme des marées, a déjà tout changé. C'est presque la Vendée, mais le pays de Retz est une transition pleine de personnalité : quelques bourgs sévères dans un paysage quasiment plat, puis, vers l'Océan, des marais, d'anciens ports aujourd'hui figés dans les terres, un littoral hésitant d'où le flot se retire très au loin. L'hiver, le lac de Grand-Lieu sert de refuge aux oiseaux migrateurs.

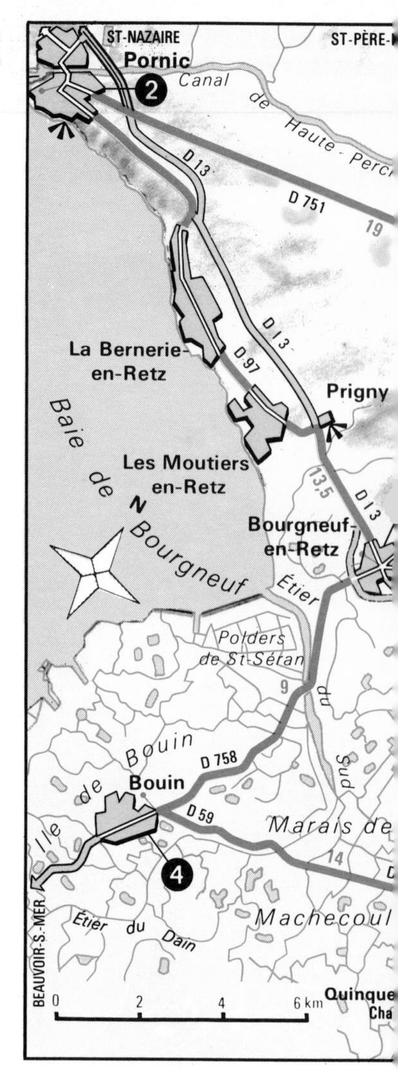

❶ **Le Pellerin.** Si l'on vient de la rive droite de la Loire, un bac, embarquant les voitures, fonctionne tous les jours (départ toutes les 20 mn, de 6 h 30 à 20 h 30). A 16 km en aval de Nantes, cette petite localité, qui possède une église moderne à haute flèche, est l'une des portes du pays de Retz. Celui-ci s'étend à l'O. en une presqu'île dont le littoral présente des aspects variés : marais, plages de sable ou côte rocheuse ; le Marais breton constitue la limite S. ; quant à la limite orientale, plus floue, elle s'organise au niveau de la dépression occupée par le lac de Grand-Lieu.

❷ **Pornic.** Sur la baie de Bourgneuf, l'anse de Pornic est une crique étroite formée par l'embouchure de l'étier de Haute-Perche canalisé. La ville est bâtie sur des hauteurs plantées de pins, de part et d'autre de ce petit port naturel qu'anime un perpétuel mouvement de bateaux. En dépit de la modestie de ses plages, Pornic est une station balnéaire réputée en raison de son micro-climat exceptionnellement doux et de sa végétation quasi méditerranéenne. A l'entrée du port se dresse un château des XIIIe et XIVe s., qui fut propriété de Gilles de Rais (vers 1400-1440), grand seigneur sanguinaire (on ne visite pas). Par un chemin en corniche, une promenade à pied (30 mn) permet d'atteindre la plage de la Noëveillard, dominée par de belles villas entourées de jardins. Un port de plaisance y a été aménagé. Beaux points de vue sur l'île de Noirmoutier (voir itinéraire 241) dans sa partie N.-E. Un service de bateaux assure la liaison Pornic-Noirmoutier (rens. à l'O.T., ou *La Pimpante*, tél. : 40-82-49-43). Cette traversée (1 h) est recommandée en été, pour éviter l'afflux au pont de Noirmoutier : panorama sur la baie, de la pointe de Saint-Gildas à Fromentine. L'itinéraire se dirige ensuite vers Bourgneuf-en-Retz par la route côtière, bordée de plages.

Moulin à vent. Jusqu'au début du XXe s., de très nombreux moulins couronnaient les moindres éminences du pays de Retz.

Aux *Moutiers-en-Retz*, sur la place, s'élève une lanterne des morts (XVe s.) encore utilisée lors des décès. Dans l'église, retable du XVIIe s. et statues anciennes. A 1,5 km, sur la route d'Arthon-en-Retz, la *chapelle de Prigny* (XIe s.) domine le site d'un ancien port de sel. A l'intérieur se trouvent trois statues de bois polychromes : saint Guénolé, saint Marcoul et une Vierge déhanchée (fin du XIIIe s.). Panorama sur les marais salants et, à marée basse, sur les vasières de la baie de Bourgneuf.

❸ **Bourgneuf-en-Retz,** qui fut un port au Moyen Age, se trouve aujourd'hui à 3 km de la mer. La baie de Bourgneuf, entre le continent et Noirmoutier, s'ouvre largement vers le N.-O. ; en revanche, au S., elle est fermée par l'étroit goulet de Fromentine, où a été établi le pont routier (péage) menant dans l'île. Le paysage terrestre est celui d'une plaine dénudée, absolument plate, où d'innombrables étiers (canaux) parcourent en tous sens de vertes prairies. A Bourgneuf, dans un logis du XVIIe s., le Musée du pays de Retz est consacré à l'histoire locale : vestiges préhistoriques et gallo-romains, maquette de marais salants (Bourgneuf fut un grand port de sel

Lac de Grand-Lieu. Réserve naturelle, ce vaste espace marécageux où la végétation dispute sans cesse la place à l'eau abrite une avifaune exceptionnelle.

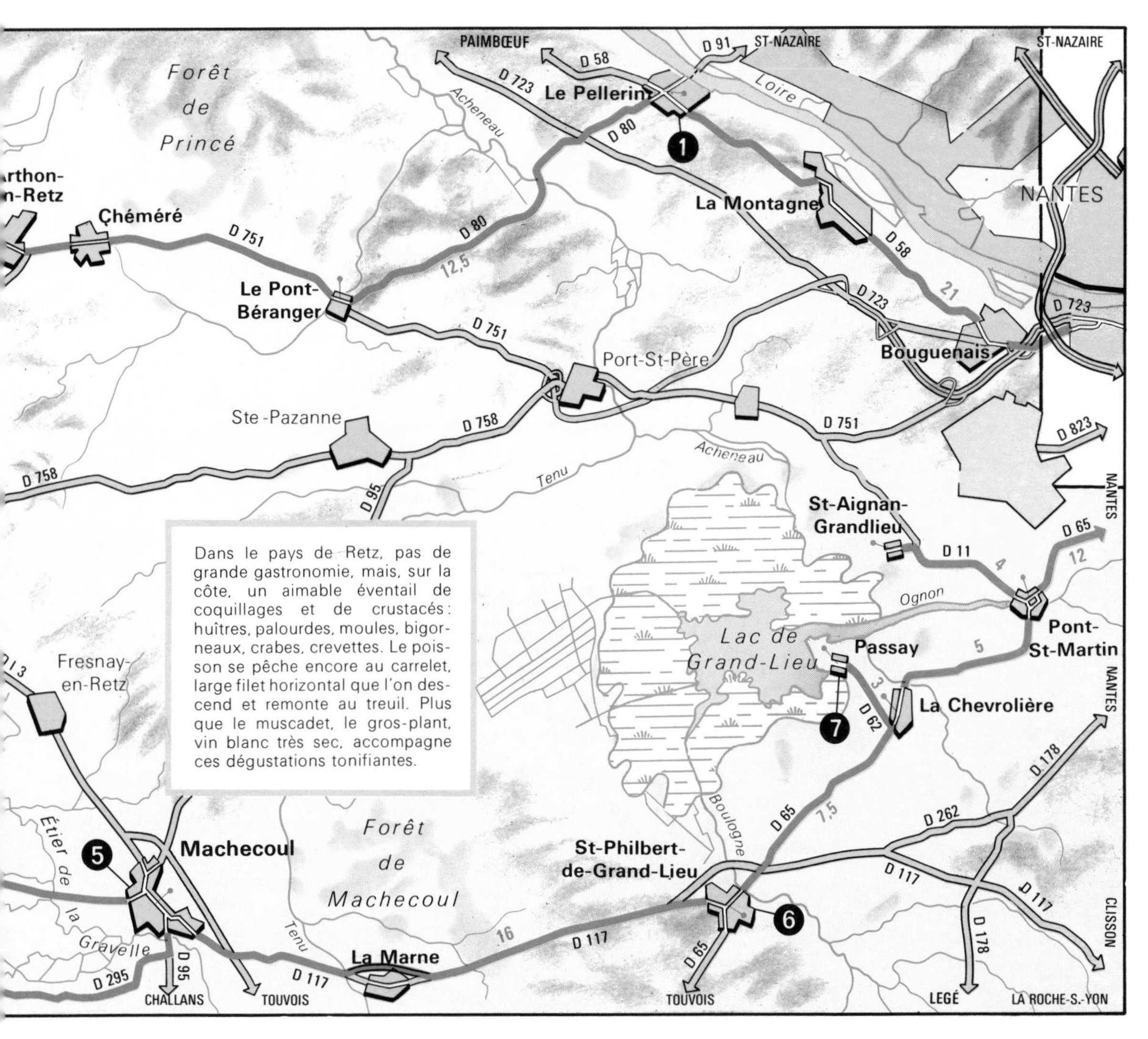

pendant trois siècles) outils, ustensiles, costumes (t.l.j., juill.-août ; sauf mardi, du dernier dim. de mars au 30 juin et de sept. au 15 nov. Groupes sur R.-V. Fermé le reste de l'année).

❹ **Bouin,** à l'origine, était une île. Le comblement de la baie, comme à Bourgneuf, n'a plus, dès le XVe s., laissé place qu'à un chenal, d'abord large et fréquenté par des navires de fort tonnage. Réduit à un étroit canal endigué au XIXe s., il relie le marais à la mer à travers les polders reconquis et agrandis en 1963, après leur destruction par une violente tempête en 1940.

❺ **Machecoul** était la capitale du duché de Retz. C'est dans son château, aujourd'hui complètement ruiné, que se réfugia Gilles de Rais avant d'être arrêté, traduit en justice et exécuté à Nantes en 1440. Le bourg compte quelques maisons anciennes.

Quinquénavant abrite une chapelle romane où s'ouvre une crypte.

❻ **Saint-Philbert-de-Grand-Lieu** a conservé son église abbatiale, ancienne abbaye carolingienne. Désaffecté en 1870, puis restauré et rendu au culte, l'édifice a encore un transept à arcades et piliers en appareil de brique et de pierre appartenant au bâtiment d'origine. Dans la crypte, on peut voir le tombeau de saint Philbert, où quelques reliques ont été replacées. L'afflux des pèlerins a suscité l'agrandissement du chevet, où furent aménagées cinq chapelles. Les bâtiments monastiques sont des XVIe et XVIIe s.

❼ **Passay.** Principal accès au lac de Grand-Lieu, c'est un rendez-vous de pêcheurs (chaque année, fête des anguilles et fête des pêcheurs). Le lac (voir photo) est formé par une nappe d'eau centrale, environnée par un marais, dont la surface peut atteindre jusqu'à 8000 ha en période d'hiver, lorsque l'Ognon et la Boulogne y déversent leurs eaux, alors que l'Acheneau, unique émissaire, s'écoule vers l'estuaire de la Loire. Ainsi relié à la mer, le lac subit l'influence de la marée, et son niveau peut varier d'une hauteur de 1 m. Dans la luxuriante végétation des marécages se réfugient des milliers d'oiseaux, pour lesquels le lac de Grand-Lieu est une étape sur la route des migrations.

Bourrine. Elle est longue et basse pour offrir la moindre prise au vent. Ses murs sont d'argile chaulée, et son épaisse toiture de roseaux déborde jusqu'aux fenêtres. ▶

CHAMPAGNE • ARDENNE

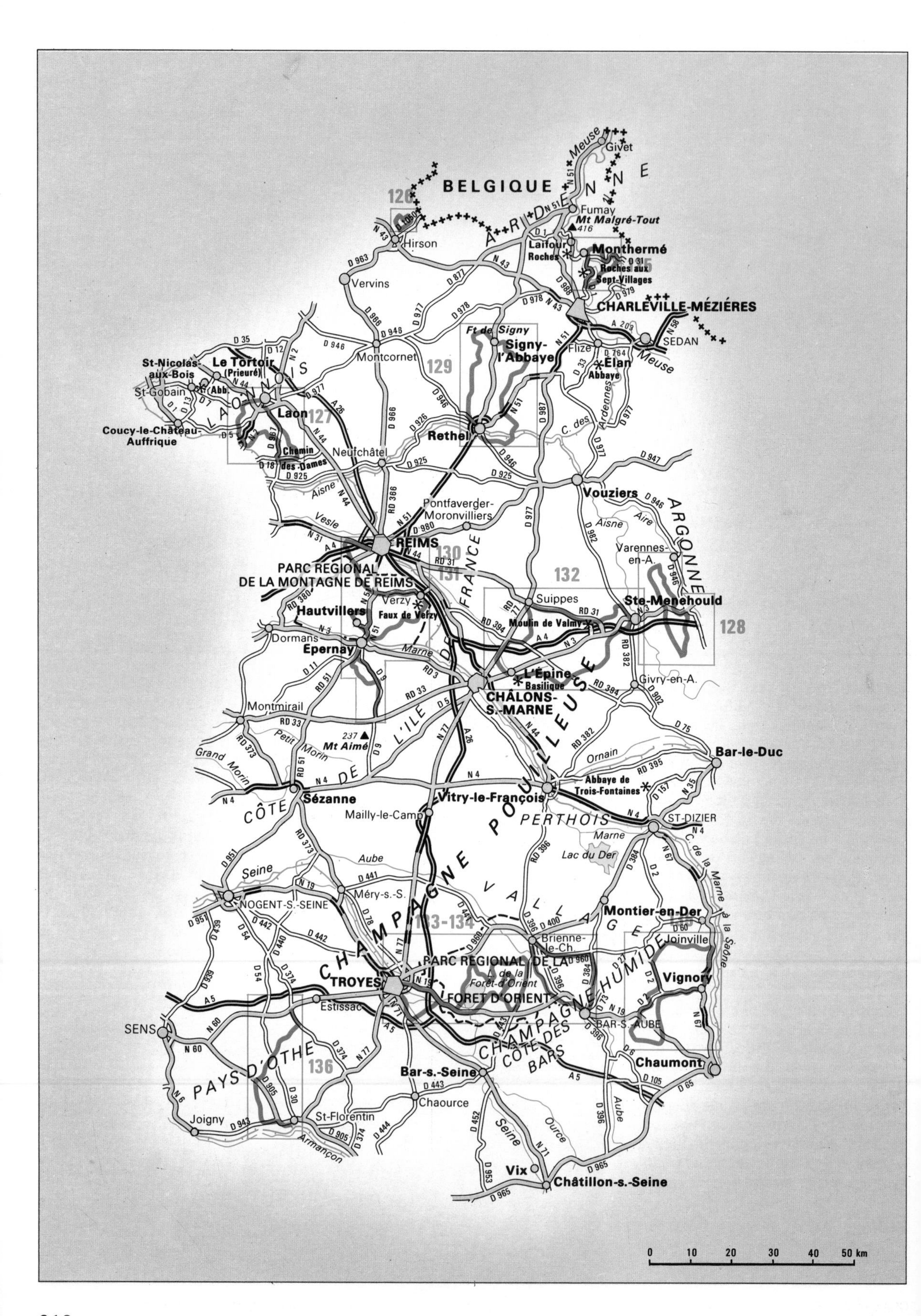

Vignobles riants, villages et cathédrales
Témoins des grandes heures du destin français

Pourquoi la Champagne n'évoque-t-elle souvent que le paysage de sa partie centrale, avec longues ondulations de craie blanchâtre, où la végétation rare de la lande fait un modeste cortège aux petits bois des garennes ? C'est ignorer que cette « pouilleuse », maintenant épouillée, est devenue l'un des greniers les plus féconds de la France. C'est oublier qu'elle sait être avenante en maintes contrées : dans la Champagne humide et fraîche, aux taillis de trembles et de tilleuls sous les futaies de chênes, aux maisons à colombage regroupées autour des églises de bois, ou dans le Rethelois, pays des vergers et des étangs. C'est oublier que ses reliefs prennent de l'accent dans le pays d'Othe, bastion aux multiples ravins, ou dans le Vallage aux horizons forestiers et aux vallées encaissées, où les moines trouvaient silence et recueillement ; ou encore dans l'Argonne des oseraies, des chemins creux et des crêtes taillées dans la gaize grise et verte. C'est oublier que l'Ardenne est une véritable montagne où les rivières ont tracé de profonds sillons et de grands méandres. C'est oublier enfin que la Champagne sait être riante en son vignoble : les doux épaulements de la côte se parent, entre la couronne sommitale boisée et la ligne des villages prospères, du tapis précieux des ceps et des pampres. Et comment taire les grandes heures de son histoire, qui sont aussi celles de tout un peuple rassemblé pour couronner ses rois et pour briser l'élan impétueux de l'ennemi ? Valmy, la Marne, le Chemin des Dames parlent d'eux-mêmes ! Comment ignorer son rayonnement artistique ? Celui de Reims, prodige d'équilibre entre une architecture qui appelle la sculpture, et une sculpture conçue pour le monument. Celui de Troyes, qui fait place à une statuaire plus féminine et toujours élégante. Celui, plus modeste, des hôtels urbains : pignons champenois et tourelles d'escalier à loggias. Comment ne pas apprécier sa table aux spécialités ancestrales, ses vins qui sont une apothéose ? Comment ne pas estimer l'homme champenois, réaliste, tenace et qui, confronté au malheur, sait, malgré tout, sourire ?

Chemin des Dames. Malgré l'or des blés, ce lieu reste à jamais marqué par le souvenir des combats sanglants de la guerre.

Hauts lieux, trésors et paysages

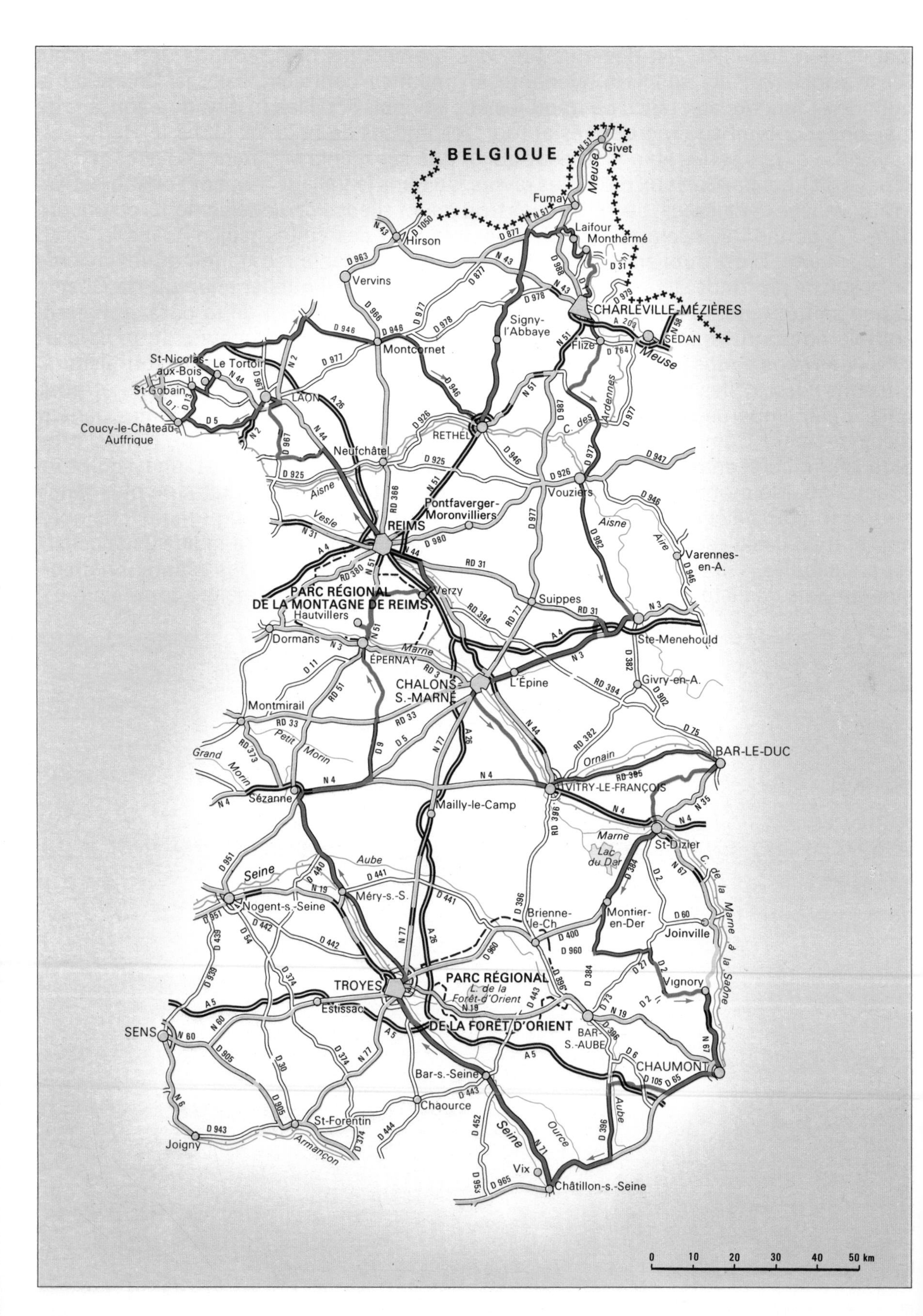

Reims. Ville des sacres depuis le baptême de Clovis, vers l'an 500, Reims est devenue aujourd'hui un pôle économique.

La cathédrale Notre-Dame est un chef-d'œuvre de l'art gothique français, édifié au XIIIe s., à l'exception des tours, achevées à la fin du XVe s. Sa statuaire est riche en œuvres de styles très divers (voir photo p. 228 et 229), dont le fameux Ange au sourire. Le trésor, au palais du Tau (ouv. t.l.j.), montre notamment le calice « d'or » de saint Remi (XIIe s.). On peut aussi admirer la basilique St-Remi (XIe-XIIe s.), de structure romane pour l'essentiel, remaniée en gothique à la fin du XIIe s. Dans l'abbaye St-Remi, musée d'histoire et d'archéologie de la ville de Reims, section d'histoire militaire régionale (t.l. apr.-m.). L'église St-Jacques (XIIe s.) a été dotée de vitraux d'artistes contemporains. La porte de Mars, arc de triomphe du IIIe s. à trois baies encadrées de colonnes corinthiennes, est un témoin du passé gallo-romain de la cité ainsi que le cryptoportique (IIIe s.). Voir l'hôtel de ville d'époque Louis XIII, l'hôtel de la Salle, à la décoration Renaissance, ou l'hôtel Le Vergeur (XIIIe-XVe s.), qui abrite le musée du Vieux-Reims (ouv. t.l. apr.-midi, sauf lundi et j. fér.). Au musée des Beaux-Arts, installé dans l'ancienne abbaye St-Denis (ouv. t.l.j., sauf mardi et j. fér.), sont exposées des toiles de Philippe de Champaigne, de Corot... Au palais du Tau, ancien archevêché, on peut également voir des tapisseries (XVIe et XVIIe s.) et, provenant de la cathédrale, des statues (originaux et moulages). Et puis, Reims, c'est aussi la « capitale » du champagne. Pour visiter les caves, s'adresser à l'O.T., square du Trésor, rue Guillaume-de-Machaut (au pied de la cathédrale), tél. : 26-47-25-69.

Chemin des Dames. V. itinéraire 127.

Laon. Voir itinéraire 127.

Coucy-le-Château-Auffrique. Le bourg, entouré de fortifications des XIIe-XIIIe s., domine la plaine marécageuse de la vallée de l'Ailette. On franchit la première enceinte par la porte de Laon ou par la porte de Soissons ; visite de la tour-musée, où sont exposés d'intéressants documents et maquettes relatifs à Coucy. Un second rempart donne accès à la salle des gardes (vis. de l'ensemble t.l.j. Groupes, rens. à l'O.T., tél. : 23-52-44-55).

Saint-Nicolas-aux-Bois. A Saint-Gobain, prendre vers Laon, puis la deuxième route à gauche (près de la maison forestière). Au fond d'un vallon, dans la forêt, apparaissent les vestiges d'une ancienne abbaye bénédictine, bordée de douves et d'une enceinte qui protégeaient le logis abbatial (XVe s.) ; le donjon carré est du XIVe s. (on ne visite pas).

Le Tortoir. Le prieuré, composé d'une chapelle, d'un corps de logis et du grand bâtiment des hôtes, est aujourd'hui transformé en ferme, dont les bâtiments fortifiés (XIVe s.) se mirent dans les eaux calmes d'un étang (vis. sur demande).

Rethel. Voir itinéraire 129.

Signy-l'Abbaye. Voir itinéraire 129.

Mont Malgré-Tout. A gauche, à la sortie de Revin, près du monument à la mémoire du maquis des Manises, se détache un sentier schisteux à forte pente qui permet d'accéder (30 mn AR) à un belvédère à 400 m d'altitude, d'où la vue plonge sur Revin, la vallée de la Meuse et la vallée de Misère.

Roches de Laifour. Les versants de la vallée de la Meuse sont de hautes falaises escarpées, aux pentes abruptes. Le petit bourg de Laifour est surplombé par des roches aiguës, les Dames de Meuse, dont les pentes de schiste s'enfoncent, 270 m en contrebas, dans la Meuse.

Monthermé. Voir itinéraire 125.

Roche aux Sept Villages. Voir itinéraire 125.

Charleville-Mézières. Bâties de part et d'autre de la Meuse. Charleville et Mézières ne forment plus aujourd'hui qu'une seule ville. A Mézières, la basilique Notre-Dame, de style gothique et Renaissance, fait face aux murailles du front O. des fortifications (XVIe s.). La préfecture est installée dans l'ancienne école du Génie, où Monge enseigna de 1764 à 1784. Charleville s'ordonne autour de la place ducale, remarquable ensemble architectural. Le Vieux Moulin abrite le musée Arthur-Rimbaud, où sont conservés les souvenirs du poète, né à Charleville en 1854 (expos. temp.). Voir aussi le musée de l'Ardenne (ouv. t.l.j., sauf lundi. Groupes sur R.-V. Rens. tél. : 24-32-44-65).

Élan (à 4,5 km au S. de Flize), au cœur d'une forêt de 872 ha, peuplée de futaies de hêtres et de chênes, possède une ancienne abbatiale cistercienne fondée en 1148 et dont le premier abbé fut saint Roger. A proximité, près de la source de l'Élan, s'élève une chapelle dédiée à ce saint.

Vouziers. Voir le portail Renaissance de l'église St-Maurille (XVIe s.). Commencé en 1534, il ne fut rattaché à l'édifice principal qu'en 1769. Les tympans des trois porches sont richement décorés ; celui de gauche représente un squelette, celui du centre figure l'Annonciation et celui de droite porte le Christ ressuscité.

Sainte-Menehould. V. itinéraire 132.

Valmy. Voir itinéraire 132.

L'Épine. Voir itinéraire 132.

Châlons-sur-Marne. La cathédrale St-Étienne, bâtie sur une crypte (XIIe s.) et ornée d'une tour romane, est un ensemble gothique (XIIIe s.) harmonieux. La façade classique date de 1634. Le trésor renferme des vitraux du XIIe s. L'église N.-D.-en-Vaux (XIIe s.) a une façade romane à contreforts rehaussée par deux tours carrées sommées de flèches de plomb. Église St-Alpin (XIIe-XIIIe s.), beaux vitraux en grisaille datant du XVIe s. D'anciens hôtels jalonnent les rues de la cité : rue de la Marne (Moyen Age), rue de Chastillon (XVIIIe s.). A la préfecture, ancien hôtel de l'Intendance de Champagne (1759-1764), voir la cour intérieure. L'hôtel du département possède une belle façade du XVIIe s. à damiers de pierres et de briques. Au Musée municipal (vis. t.l. apr.-m., sauf mardi), collection unique en France de statues de l'Inde du Sud ; archéologie, beaux-arts, ethnologie locale.

Vitry-le-François. Sur la place d'Armes, l'église Notre-Dame (XVIIe-XVIIIe s.) est un bel exemple d'architecture classique. A l'intérieur, d'une blancheur de craie, le maître-autel est surmonté d'un baldaquin à six colonnes de marbre gris supportant un dais doré (XVIIIe s.).

Bar-le-Duc. Dans la ville basse, la rue du Bourg est bordée de maisons traditionnelles. Mais c'est surtout dans la ville haute qu'on admire un bel ensemble d'hôtels anciens, du XVIe au XVIIIe s., en contrebas des murailles de l'ancien château. De l'esplanade, vue sur la ville basse et la vallée de l'Ornain. Dans l'église St-Pierre datant du XVe s. se trouve la fameuse statue dite « le Squelette », exécutée par Ligier Richier en 1547. Elle représente le cadavre de René de Chalon, prince d'Orange.

Trois-Fontaines. De l'ancienne abbaye fondée en 1116 par les moines de Cîteaux, il reste un portail monumental, le logis abbatial et les ruines de l'église du XIIe s. (vis. libre).

Montier-en-Der. Dans l'ancienne église abbatiale (XIe-XIIe s.) à voûte de bois, statue polychrome de pierre (XVIe s.) de saint Berchaire, statues des apôtres Pierre et Paul, en bois, exécutées par J.-B. Bouchardon (1737).

Vignory. Voir itinéraire 135.

Chaumont. Dans le cadre de vieilles maisons, sa basilique (XIIIe-XVIIIe s.) renferme une Mise au tombeau, à onze personnages grandeur nature, en pierre polychrome (1471).

Châtillon-sur-Seine. Voir p. 234-235.

Bar-sur-Seine. On verra, dans l'église St-Étienne (XVe-XVIe s.), des bas-reliefs en albâtre et des vitraux du XVIe s.

Troyes. Voir itinéraire 133.

Sézanne. Des vantaux finement sculptés (1634) ferment le portail de l'église (XVe-XVIe s.), flanquée d'une tour Renaissance haute de 42 m. A l'intérieur, peintures du XVIIe s. et buffet d'orgue de style Louis XIII.

Mont Aimé. Voir itinéraire 131.

Épernay. Voir itinéraire 130.

Hautvillers. Voir itinéraire 130.

Faux de Verzy. Voir itinéraire 130.

Belvédères de l'Ardenne française 50 km

L'Ardenne française ne constitue qu'une parcelle d'un massif schisteux dont la plus grande part est située en Belgique. Plissée à l'ère primaire, plusieurs fois pénéplanée, l'Ardenne se présente en hauts plateaux peu accidentés que couvre une épaisse forêt de chênes rouvres et de charmes, où se sont réfugiés sangliers et cervidés. La Semoy et la Meuse, enfoncées de plusieurs centaines de mètres dans le massif, décrivent de nombreux méandres que jalonnent villages perchés, châteaux et belvédères.

❶ **Longue-Roche.** Après La Rowa, on dépasse la Roche-à-Sept-Heures ; puis la route continue jusqu'à un parking aménagé (aire de pique-nique). De là, un chemin forestier ombragé mène sans difficulté à l'observatoire de la Longue-Roche, marqué par un drapeau tricolore (15 mn de marche). A 365 m d'altitude, ce site domine la Meuse de 140 m. La vue embrasse toute la vallée.

❷ **Roche-à-Sept-Heures.** De la Longue-Roche, on revient vers la Roche-à-Sept-Heures, éperon d'où la vue plonge sur le méandre de Monthermé (voir photo), principal centre d'excursions des Ardennes, au confluent de la Meuse et de la Semoy. En amont se distinguent les fonderies de Laval-Dieu puis Château-Regnault. Le paysage est à peu près le même que celui dont on jouit de la Longue-Roche.

❸ **Roc de la Tour.** De l'aire de pique-nique et du parking aménagé, un chemin conduit aux énormes blocs de quartzites et d'éboulis rocheux, qui constituent le Roc de la Tour. Au milieu d'un bois, ces rochers offrent une vue splendide sur les monts du Fay et les fonds de la Semoy.

❹ **Roche aux Corpias.** En poursuivant la route forestière puis en prenant à droite en direction de Thilay (chemin non revêtu), on accède à la Roche aux Corpias. En patois ardennais, « corpia » signifie corbeau. Sous l'action du gel, la roche se désagrège et des blocs se détachent en laissant des excavations, où les corbeaux édifieraient leurs nids. La Roche aux Corpias est un point de contact entre deux terrains primaires : le dévonien et le cambrien ; on y trouve des coraux de l'époque, dont la structure rappelle des nids d'abeilles.

❺ **Croix d'Enfer.** Dès la sortie des Hautes-Rivières, prendre la première route à droite. Du terre-plein non aménagé, un sentier forestier permet de parvenir (10 mn) à la Croix d'Enfer. De là, belle vue sur la vallée de la Semoy et le bourg des Hautes-Rivières. En arrière de la vallée s'étend le vallon de Linchamps dominé par le massif accidenté du

La Meuse. Vue sur la boucle de la Meuse à Monthermé qui, sur environ 2 km, enserre la vieille ville. ▶

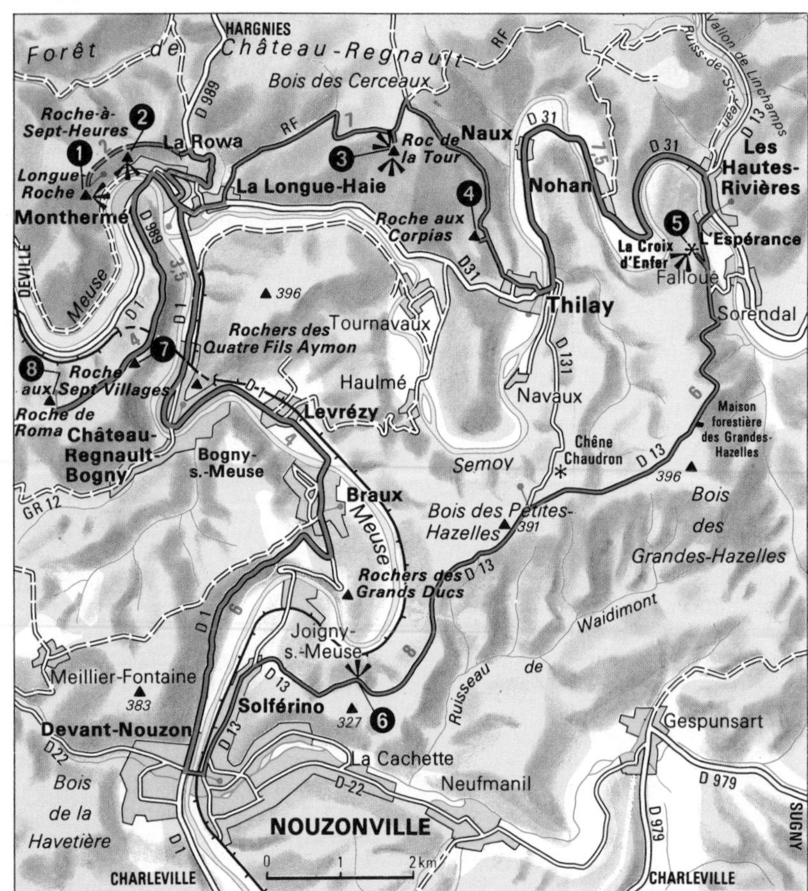

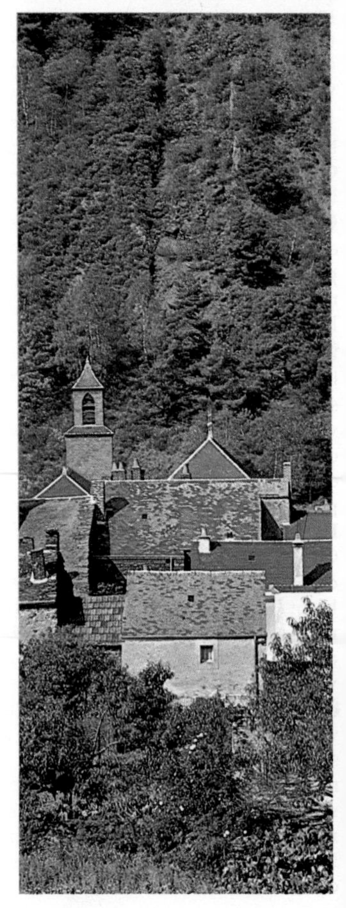

Myrtille. C'est un arbrisseau, appelé aussi airelle, dont les baies sont comestibles. On le trouve en buissons dans les sous-bois.

Monthermé. L'ancienne cité et son église fortifiée (XVe s.) dominent le célèbre méandre : la Meuse forme une boucle de 2 km qui enserre une longue échine rocheuse.

bois des Haies, dont le sommet, la Croix Scaille, point culminant de l'Ardenne française, atteint 504 m.

❻ **Rochers des Grands Ducs.** Situé dans la descente vers Nouzonville, ce point de vue aménagé permet d'admirer les roches qui surplombent le village de Joigny-sur-Meuse.

❼ **Roche aux Sept Villages.** Un escalier conduit au sommet de ce piton de schiste émergeant de la forêt. De là, vue sur les méandres de la Meuse, que jalonnent sept villages, de Braux, en amont, à Deville, en aval (voir photo). L'un de ces villages, Château-Regnault, est célèbre par le rocher des Quatre Fils Aymon, chevaliers légendaires qui, avec leur cheval Bayard, luttèrent contre les troupes de Charlemagne. Les quatre cimes dentelées des rochers figurent ces preux chevauchant leur unique monture.

❽ **Roche de Roma.** De ce belvédère, la vue englobe tout le méandre qui s'étire de Monthermé à Deville. On remarquera une des anciennes ardoisières qui contribuèrent au dynamisme industriel de la vallée de la Meuse, dont Deville reste l'une des cités les plus actives.

126

Randonnée 10 km en forêt d'Hirson

Aux confins des plaines crayeuses et monotones de la Picardie et de la Champagne, en Thiérache, la forêt d'Hirson est, avec la forêt domaniale de St-Michel, l'un des derniers vestiges de la plus profonde et de la plus sauvage des forêts gauloises, la Theorascia Sylvia. Nombre de médailles et de pièces romaines ont d'ailleurs été retrouvées dans le ruisseau de la Fontaine à l'Argent. Cette promenade pédestre de quatre heures environ est particulièrement recommandée à la fin de l'été.

❶ **Milourd.** On laisse la voiture dans le village pour se diriger au S.-O. vers la forêt, imposante futaie de chênes mêlée de quelques hêtres, charmes et bouleaux, aux vallons ombragés, aux nombreux ruisseaux à truites, à faune abondante (on rencontre en particulier des chevreuils).

❷ **Étang du Pas-Bayard.** C'est le cheval Bayard qui, transportant les quatre fils Aymon, aurait dessiné cette profonde empreinte au fond de laquelle s'allonge l'étang du Pas-Bayard ; à l'origine, ce n'était guère qu'un élargissement de l'Oise. Au siècle dernier, la société qui gérait les usines du Pas-Bayard édifia une forte digue, formant ainsi l'étang actuel. Celui-ci couvre une superficie de 6 ha. L'exploitation industrielle ayant complètement cessé, le Pas-Bayard est devenu un rendez-vous de pêcheurs et de promeneurs.

❸ **Carrefour Amélie.** Les carrefours de la forêt — Louise, Marie, Amélie et Hélène — sont plantés de sapins. De là, on peut rayonner dans la partie O. de la forêt seulement — la partie E. étant domaine privé.

❹ **Étang de la Neuve Forge.** Il ne fait que prolonger sur le territoire d'Hirson les étangs qui existent en Belgique, car l'Oise, avant d'entrer en France, sert de frontière sur 3 km. Comme pour l'étang du Pas-Bayard et celui de Milourd, sur le chemin du retour, une digue y fut construite pour en augmenter l'étendue et la hauteur de la chute. Derrière l'étang de la Neuve Forge, la forêt s'éclaircit peu à peu et fait place aux herbages de la «Petite Suisse du Nord».

Bouleau *(Betula alba)*. Cet arbre croît dans tous les terrains, même les plus pauvres. On l'exploite généralement en taillis.

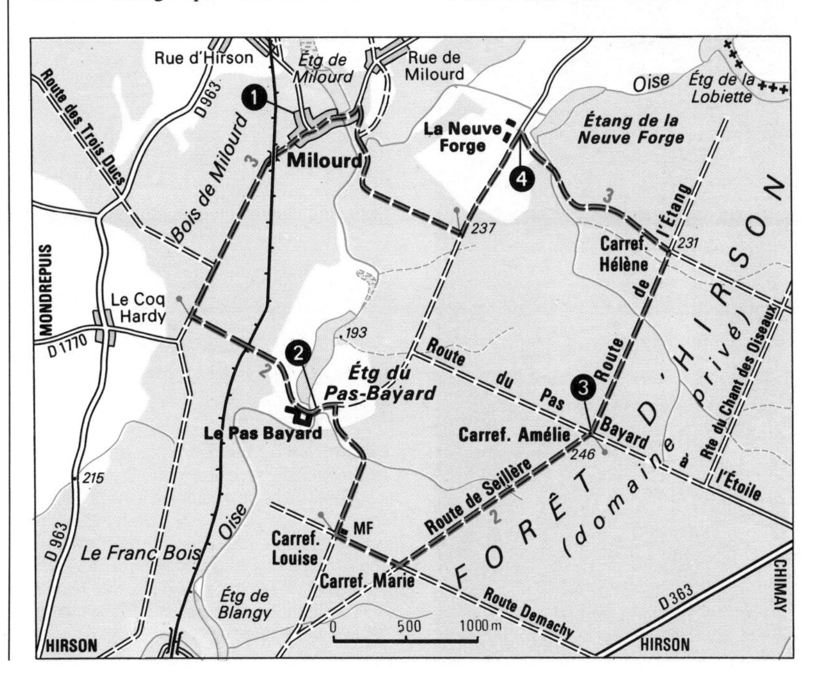

Promenade 61 km dans le Laonnois

Laon occupe une butte isolée, au-dessus de la plaine champenoise. Vieille cité carolingienne, ruinée à plusieurs reprises par les guerres, elle demeure une ville active. L'évocation de la richesse architecturale de la ville ne peut cependant faire oublier le site du Chemin des Dames, qui fut, pendant la Première Guerre mondiale, le théâtre de combats sanglants et qui reste comme un symbole des luttes fratricides.

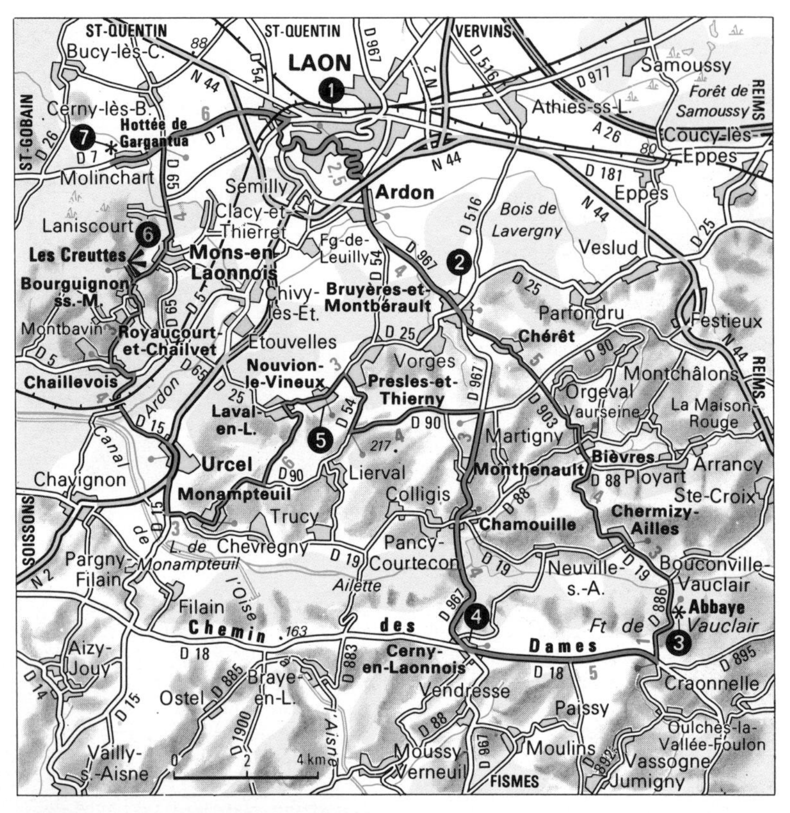

Cathédrale de Laon. L'édifice ne compte pas moins de sept tours, dont deux sont inachevées. Les plus célèbres sont celles qui somment la façade : seize bœufs de pierre (voir le dessin ci-dessus) ont été érigés aux angles du dernier étage, en hommage à ceux qui traînèrent les matériaux à pied d'œuvre. A la croisée du transept, la tour-lanterne déverse sa lumière à profusion par les doubles fenêtres de ses quatre faces.

❶ **Laon.** La ville est entourée sur plus de 5 km par des remparts flanqués de tours (XIIIe s.) qui en faisaient une redoutable forteresse. Des parapets, vaste vue sur la plaine alentour. Par les rues étroites bordées de vieilles maisons aux façades ornées de balcons, de corniches et de lucarnes, on accède à la cathédrale (voir photo et dessin) dont la façade occidentale, à trois porches profonds, est parée d'une belle statuaire. A l'intérieur, la nef, élevée sur quatre étages, se termine par un chevet plat de modèle cistercien. Dans la chapelle des Templiers, petit bâtiment octogonal de style roman couvert de dalles de calcaire, le musée municipal (t.l.j., sauf mardi) présente une collection grecque et romaine de sculptures, céramiques, verres et bronzes, des antiquités régionales gallo-romaines et mérovingiennes (vis. guid. de la ville par le S.I., tél. : 23-20-28-62).

❷ **Bruyères-et-Montbérault** possède une église romano-gothique dominée par une tour carrée. Le chevet a trois absides en cul-de-four, où modillons et chapiteaux sont sculptés de feuillages, de personnages et d'animaux fantastiques.

❸ **Abbaye de Vauclair.** Proche de la forêt de Vauclair, sur l'échine de calcaire qui porte le Chemin des Dames, elle est installée dans un site cultivé depuis l'Antiquité (très beau jardin de plantes médicinales). De cette abbaye cistercienne subsistent les ruines d'un cloître, du cellier, du réfectoire, de la salle capitulaire, ainsi que deux fours de potiers gaulois et un four à minerai (s'adresser sur place au Révérend Père Courtois).

❹ **Chemin des Dames.** (Voir photo p. 219.) Ancienne voie romaine, il doit son nom à *Mesdames de France*, filles de Louis XV. Cette étroite crête dénudée de la falaise calcaire, séparant les vallées de l'Aisne et de l'Ailette, a été rendue célèbre par les combats de 1917. Après l'échec des armées allemandes sur la Marne, le général Nivelle décide de déloger l'ennemi de la crête. L'offensive, très meurtrière, ne débouche sur aucun résultat décisif ; elle sera l'une des causes de la mutinerie de 1917.

❺ **Nouvion-le-Vineux.** (Voir photo.) A l'intérieur de l'église, fonts baptismaux dû XIe s. et chapiteaux romans sculptés de sphynx ailés, de lions et de personnages divers.

❻ **Les Creuttes** sont des grottes troglodytiques, autrefois habitées, creusées dans les flancs de la montagne de Laon. Des hauteurs, vue sur Mons-en-Laonnois et Laon.

❼ **Hottée de Gargantua.** C'est un amoncellement de blocs de grès de 10 m de haut. La légende veut que Gargantua ait vidé là sa hotte. Pour y accéder, laisser sa voiture sur la place de Molinchart, d'où part le sentier fléché qui y conduit.

Nouvion-le-Vineux. A mi-coteau, au milieu du cimetière, l'église campagnarde, édifiée du XIIe au XIVe s., est dominée par un superbe clocher-tour roman à trois étages.

128

La forêt du massif de l'Argonne

61 km

L'Argonne est un massif fortement individualisé : elle est limitée par la Champagne, à l'ouest, et la Lorraine, à l'est ; sa largeur n'excède pas 12 km et son altitude 308 m, au sud de Clermont-en-Argonne. C'est pourtant un véritable rempart naturel qui ne peut être franchi que par d'étroits défilés. L'Argonne est presque entièrement recouverte d'une forêt de chênes et de hêtres, où s'ouvrent de petites vallées verdoyantes.

Carrefour de la Croix-de-Pierre. La forêt, dégradée par une exploitation intensive, est aujourd'hui peu à peu renouvelée.

❶ **Beaulieu-en-Argonne.** Ce village, situé sur un promontoire rocheux et environné de forêts, a su préserver son cachet traditionnel ; il est le point de départ de promenades pédestres : plan près du pressoir (XIIIe s.), seul vestige d'une abbaye fondée au VIIe s. On peut faire le tour de Beaulieu par la corniche rocheuse : panorama sur la forêt et sur la vallée de l'Aisne, qui sépare le plateau d'Argonne de la plaine crayeuse champenoise. Un sentier de grande randonnée (3 h AR) passe au fond du ravin du Saut du Boulanger. Le chemin remonte ensuite le versant N. du ravin et sinue au cœur de la forêt jusqu'aux étangs de Saint-Rouin, près desquels se trouve un petit ermitage. En dehors des nombreux circuits pédestres, 450 km de pistes VTT ont été balisés sur l'ensemble du massif.

❷ **Clermont-en-Argonne,** ancienne capitale du comté de Clermontois, occupe le flanc d'une colline, dont le sommet est le point culminant de l'Argonne. Du promontoire de la chapelle Ste-Anne, accessible par une large allée, vue sur le plateau forestier que limite, à l'E., un talus dominant l'Aire et sa vallée. Ce talus est une cuesta taillée dans l'épaisse couche de gaize, roche siliceuse jaunâtre ou verdâtre. L'argile sous-jacente donne des sols froids, favorables à la forêt et aux pâturages : son imperméabilité explique les nombreux ravins qui échancrent la cuesta. L'escarpement est précédé d'un large replat formé par les alluvions de l'Aire, puis d'une dépression que surmontent de nombreuses buttes témoins : Vauquois, Montfaucon. Une table d'orientation, à l'orée du chemin, localise ces reliefs. Clermont est aussi un point de départ de circuits pédestres en forêt.

❸ **Haute Chevauchée.** Le relief de ce secteur, parcouru par une route carrossable, a été bouleversé au cours de la Première Guerre mondiale : tranchées et « entonnoirs » de la guerre des mines en témoignent. Entre le carrefour de la Croix-de-Pierre (voir photo) et le monument de la Fille Morte, des sentiers balisés conduisent en plein cœur de la forêt à des stèles commémoratives des combats qui ont été livrés ici de 1914 à 1918.

Varennes mérite un détour pour son musée de l'Argonne : histoire, archéologie, éthnologie locale.

❹ **Four de Paris.** A 2 km avant ce carrefour, panorama sur le N. du massif forestier et la vallée de la Biesme, qui scinde en deux parties le plateau dans le sens N.-S. Voir au passage l'abbaye cistercienne de Lachalade, la seule qui subsiste de tout l'est de la France. La vallée, avec ses versants dissymétriques, présente un aspect caractéristique. On y observe les mutations que subit actuellement la forêt : reconstitution de futaies de chênes et de hêtres, plantation de feuillus précieux (merisier, sycomores).

Sanglier. Ce porcin sauvage s'est réfugié dans les forêts denses. Il ne sort de sa bauge que la nuit, pour chercher sa nourriture.

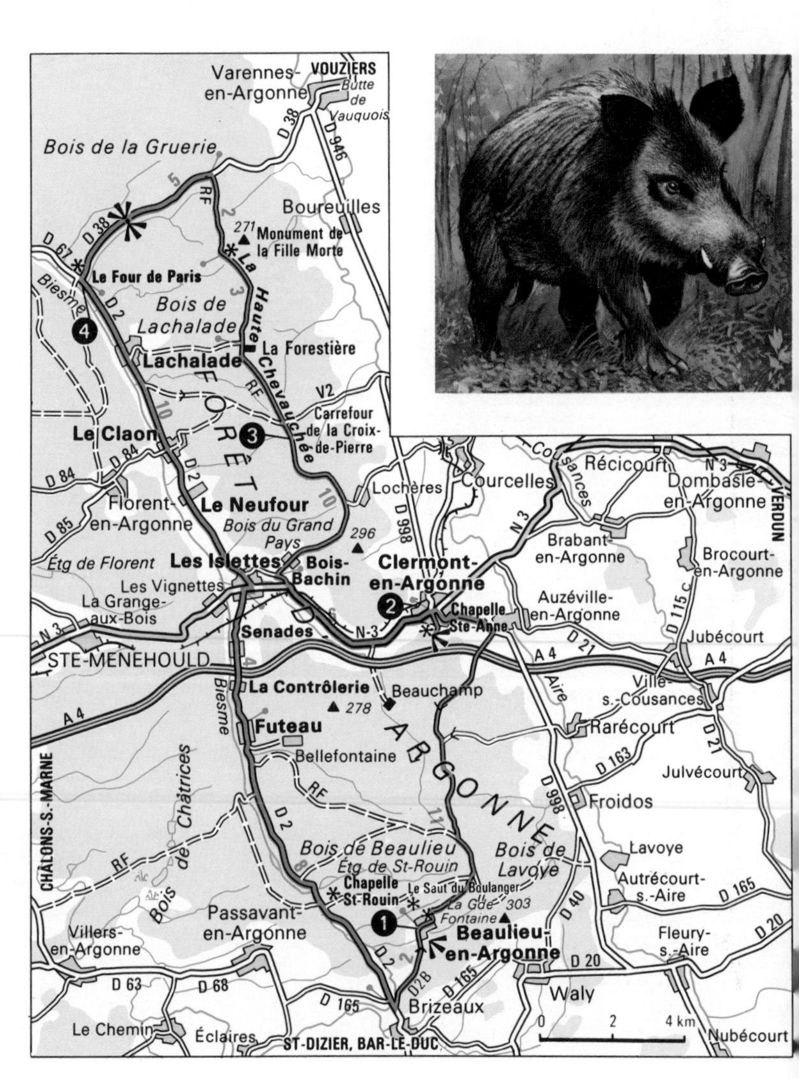

Vallées des environs de Rethel

89 km

Le long de la fertile vallée de l'Aisne, entre la Champagne sèche, au sud, et la verte Thiérache, au nord-ouest, le Rethelois fait partie de l'ancien Porcien. Le sol argileux a donné un paysage de campagne bocagère plein de fraîcheur. De belles forêts, comme celle de Signy-l'Abbaye, et des vallons profonds annoncent déjà l'Ardenne. Les vergers plantés de pommiers Rambourg égayent cette région au charme parfois un peu austère.

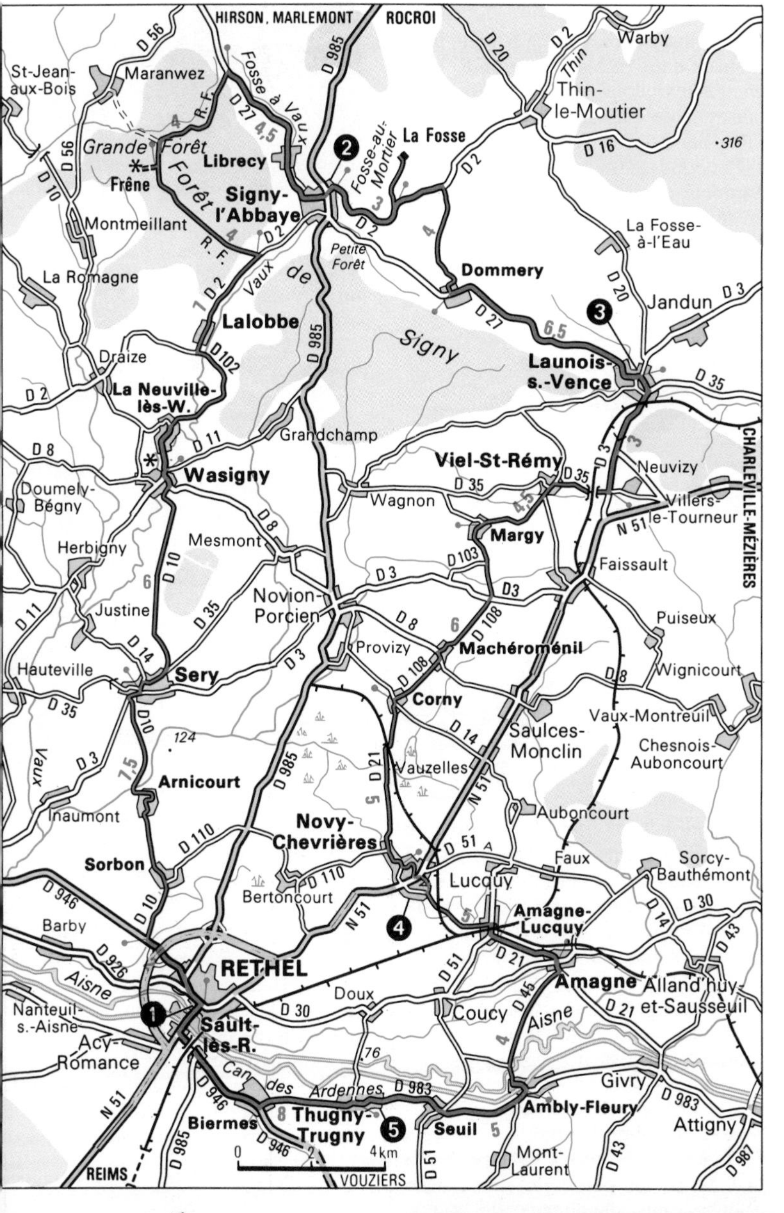

❶ **Rethel,** sur la rive droite de l'Aisne, est dominée par les 160 m des Coquins de Rethel, couple de longues échines crayeuses (2 km), désertes et larges seulement de quelques mètres. Du sommet, vue sur la ville et l'ensemble de la vallée. De son passé mouvementé, la cité, détruite à 85 % lors des guerres mondiales, a conservé l'église St-Nicolas, bien restaurée. De style gothique, elle est composée de deux sanctuaires juxtaposés. La nef de gauche (XIIe-XIIIe s.) dépendait d'un prieuré bénédictin, et la nef de droite (XVe-XVIe s.) était destinée à la paroisse. Au S. s'ouvre un portail gothique tardif encadré de deux tourelles. A l'O. se dresse une massive tour carrée de style classique. On s'arrêtera à *Wasigny* pour l'église (XVIe s.) et les halles (voir dessin).

❷ **Signy-l'Abbaye.** La Petite et la Grande Forêt de Signy sont peuplées de chênes et de hêtres, dont certains sont très âgés (itinéraires fléchés). Les « fosses » sont de véritables vallées sèches très étroites et profondes, qui rayonnent tout autour du village. Certaines sont très longues : la Fosse-à-Vaux, au N. de Signy ; leur profondeur peut atteindre de 80 à 100 m. La Fosse-au-Mortier (2 km au N.-E. du village) abrite un petit lac. A Signy même jaillit le gouffre du Gibergeon, qui rassemble les eaux souterraines drainées dans les forêts.

❸ **Launois-sur-Vence,** dans un paysage bocager préfigurant l'Ardenne, s'orne d'une église dont la nef a une voûte en berceau supportée par des doubleaux en plein cintre ; l'autel à baldaquin est du XVIIIe s.

❹ **Novy-Chevrières** possède encore les bâtiments d'un ancien monastère et l'ancienne priorale Notre-Dame où le classique se mêle au gothique (vis., tél. : 24-38-21-58).

❺ **Thugny-Trugny.** Installée dans l'un des fertiles bassins alluviaux de l'Aisne, la bourgade possède un vaste château des XVIe et XVIIe s. (on ne visite pas). Dans le village, l'église St-Loup (XVe-XVIe s.) possède une chapelle à abside voûtée, s'ouvrant sur le bras sud, et des chapiteaux Renaissance. La cuve baptismale romane, en pierre de Meuse, est ornée de têtes et de palmettes.

Wasigny. Les halles, au centre d'une petite place en pente, sont construites tout en bois ; le toit est d'ardoises grises.

Champagne crayeuse. L'habitat est dispersé en petits bourgs et en grosses fermes, isolées au milieu de grandes exploitations vouées aux cultures céréalières.

Villages et vignobles autour de Reims 96 km 51 km

De la Montagne de Reims, aux aspects parfois étranges comme aux Faux de Verzy, à la côte des Blancs, ces itinéraires mènent à travers les vignobles que les champagnes illustrent des noms les plus célèbres de par le monde entier : Moët et Chandon, dom Pérignon, Mercier, Castellane... De charmants villages champenois, dont le cachet parfois vieillot souligne la force des traditions régionales, parsèment cette terre où des siècles de guerres n'ont laissé subsister que de rares monuments.

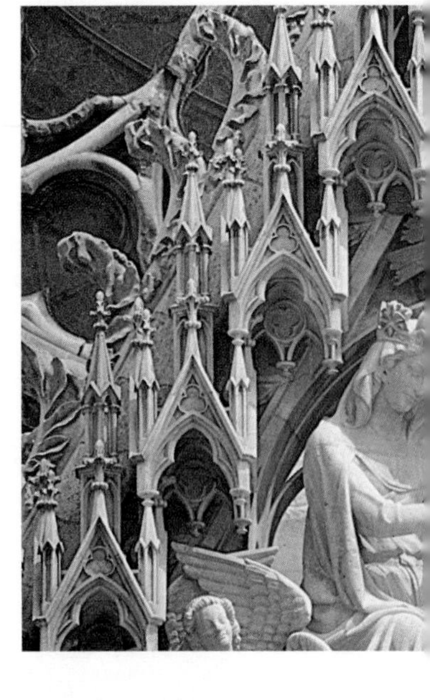

Cathédrale de Reims. Portail central de la façade : couronnement de la Vierge. L'original est au musée du Tau (voir p. 221).

ITINÉRAIRE N° 1

❶ **Épernay,** au pied des coteaux couverts de vignobles, est tout entière vouée au champagne. Voir l'église Notre-Dame, avec un beau portail (1540). Mais le principal intérêt d'Épernay réside dans ses caves, profondément creusées dans la terre (20 à 30 m en moyenne), où vieillissent des millions de bouteilles de champagne. Parmi les plus renommées : Moët et Chandon (t.l.j., sauf sam., dim., du 1er nov. au 1er avr. ; t.l.j., du 1er avr. au 31 oct.) ; Mercier (t.l.j. ; fermeture l'hiver : se rens. tél. : 26-54-75-26) ; Castellane (t.l.j., du 1er mai à fin oct. ; fermé le reste de l'année). Chez Castellane, visiter le jardin des Papillons et le musée de la Tradition champenoise et des Métiers du champagne (rens. tél. : 26-55-15-33).

❷ **Hautvillers** présente le charme des bourgades d'antan avec ses vieilles maisons aux nombreuses enseignes (voir dessins ci-contre). C'est ici que dom Pérignon, cellérier de l'abbaye bénédictine, « inventa » le champagne au XVIIe s. Voir l'église, ancienne abbatiale. Du village accroché au versant sud de la Montagne de Reims, belle vue.

❸ **Ay,** que l'on atteint après une promenade dans la Montagne de Reims, en partie recouverte d'une forêt de hêtres et de chênes, est entouré d'un vignoble dont la réputation remonte à l'époque gallo-romaine et qui fut apprécié des rois de France, comme en témoigne une maison ancienne à colombage, dite Pressoir d'Henri IV. L'église St-Brice demeure un édifice flamboyant d'une rare unité de conception (XVe-XVIe s.) en dépit de ses restaurations ; la façade s'orne d'un beau portail central.

Hautvillers. Les enseignes, dessinées par le maire et des étudiants des Beaux-Arts, sont exécutées par les artisans de la région.

Pressoir en bois. Mû par un système de roues, le plateau écrasait le raisin, dont le jus s'écoulait dans une grande cuve en bois (Épernay, musée du Vin de Champagne ; t.l.j. sauf mardi et 1er mai, 14 juill., 1er nov.).

❹ **Avenay-Val-d'Or** est situé sur la rive droite de la Livre. L'église St-Trésain, construite au XIIIe s., puis remaniée au XVIe, s'ouvre par un portail flamboyant paré de statues. Son mobilier comprend un buffet d'orgues du XVIIe s. et plusieurs toiles des XVIe-XVIIe s. ; elle renferme également les reliques de saint Gombert et de sainte Berthe.

❺ **Louvois.** Ce bourg champenois a une église en partie du XIe s., avec d'intéressants chapiteaux du XVIe s. Le château, construit pour le ministre de Louis XIV, qui appartint aux filles de Louis XV, s'élève au milieu d'un parc fermé par une belle grille en fer forgé du XVIIIe s. (on ne visite pas).

Montagne de Reims, aux environs d'Hautvillers. Les versants sont occupés par les vignobles, tandis que les bois, où vivent chevreuils et sangliers, couvrent les sommets.

❻ **Verzy** est connu pour la qualité de son cru de champagne. Le village, installé dans un site viticole et forestier, possède dans son église une belle Vierge en pierre du XIe s.

Dans la direction de Verzenay, à la sortie du bourg, prendre à gauche jusqu'à la chapelle St-Basle, d'où une route goudronnée conduit aux *Faux*

de Verzy. Ces « faux », ou hêtres tortillards de Saint-Basle, sont une curiosité unique au monde; aucune explication botanique précise n'a pu en être donnée; on raconte que Jeanne d'Arc se serait assise sur l'un d'eux. Également à partir de la chapelle, un chemin forestier mène, à travers une épaisse futaie de chênes, à l'observatoire du *mont Sinaï,* qui, avec 283 m, est le point le plus élevé de la Montagne de Reims. De son sommet, utilisé comme observatoire lors du premier conflit mondial, on découvre un vaste panorama.

❼ **Rilly-la-Montagne.** Dans l'église (XIIe et XVIe s.), les stalles sont sculptées de scènes illustrant les différents travaux de la vigne. Beau circuit dans la forêt en prenant le GR 141, qui traverse Rilly. On peut se procurer une documentation à la Maison du Parc à Pourcy, tél. 26-59-44-44.

❽ **Ville-Dommange** est dominée par une haute butte, qui culmine à 223 m, et au sommet de laquelle est bâtie la chapelle St-Lié, d'où la vue plonge au loin sur Reims.

ITINÉRAIRE No 2

❶ **Oger.** En quittant Épernay, on traversera *Pierry,* à proximité du confluent du Cubry et du Sourdon. Jacques Cazotte, auteur du *Diable amoureux,* nouvelle fantastique, l'un des joyaux de la littérature française du XVIIIe s., y vécut jusqu'à sa mort, sous la guillotine, en 1792. Sa maison est devenue aujourd'hui la mairie. Un peu plus loin, la petite ville d'Oger est située sur la côte des Blancs, ainsi nommée en raison de la couleur du raisin qui y pousse; toutes les grandes marques de champagne y détiennent au moins un vignoble. L'église (XIIe s.) est flanquée d'un clocher carré.

❷ **Vertus.** Ville active au Moyen Age, son destin est lié aujourd'hui à la vigne. Dans un cadre de maisons anciennes (XVIe s.), et parmi de nombreuses fontaines qui jaillissent sous ses murs, se dresse l'église St-Martin. Ce bâtiment du XIIe s., bien que restauré au lendemain de la Seconde Guerre mondiale, a conservé de belles ogives primitives dans le chœur et le transept, les trois chapelles et la crypte, ainsi que des fresques et statues du XVIe s. dans la nef.

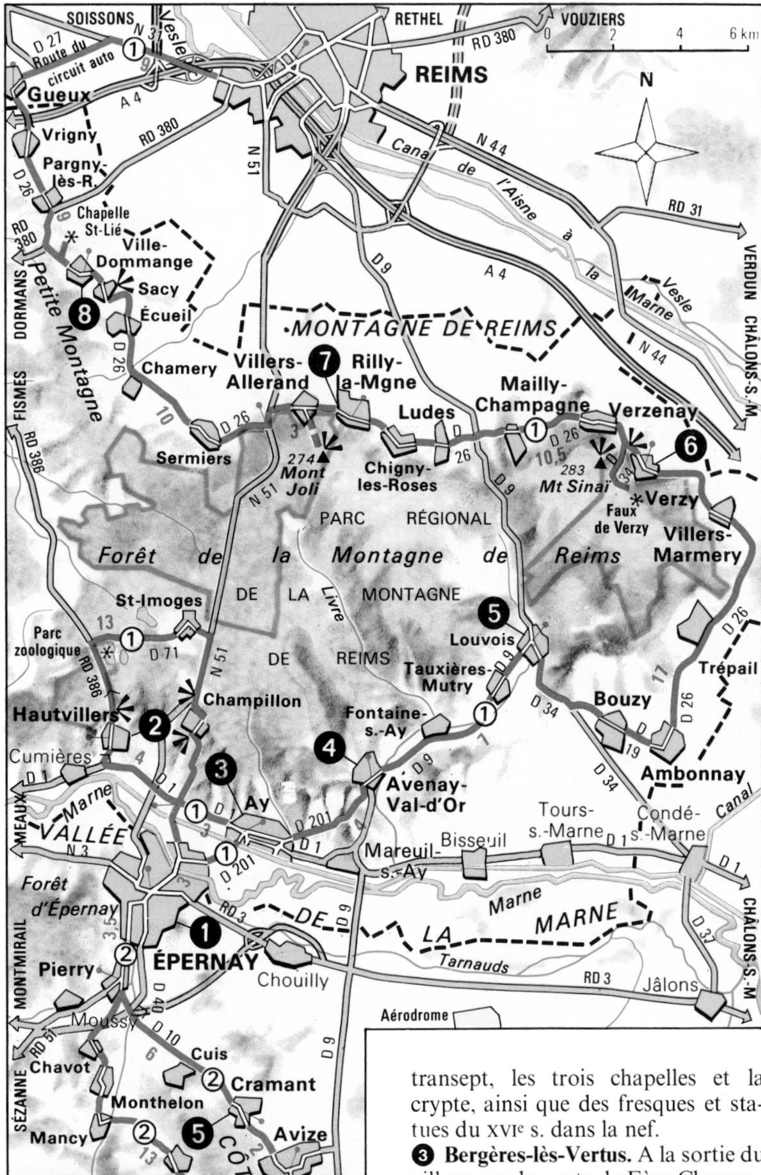

❸ **Bergères-lès-Vertus.** A la sortie du village, sur la route de Fère-Champenoise, à 2 km sur la droite, un chemin sinueux et à forte pente permet d'accéder au *mont Aimé,* une butte témoin de 237 m d'altitude, du haut de laquelle s'offre un large panorama sur la plaine champenoise et les marais de Saint-Gond.

❹ **Avize** doit sa réputation à ses vignobles; on y remarquera une très curieuse église romano-gothique pourvue d'une toiture en bois.

❺ **Cramant.** Dans un site attirant, sur une avancée de la Côte, ce village est le berceau d'un des premiers crus de champagne, couramment appelé « blanc de blanc ».

Sainte-Menehould 108 km et le plateau champenois

Du camp d'Attila à la bataille de Valmy, treize siècles ont passé et maints conquérants ont vu leurs ambitions anéanties. Les guerres ont cependant épargné quelques chefs-d'œuvre, de Sainte-Menehould, adossée à l'Argonne, jusqu'à L'Épine, au cœur de la grande plaine. Sur ce plateau étoilé de grosses fermes, les hommes se sont regroupés dans des bourgs pour se défendre contre les invasions.

❶ **Sainte-Menehould.** Dans la vallée de l'Aisne, autour d'une butte rocheuse, s'étend la cité où, le 21 juin 1791, Louis XVI fut reconnu par Jean-Baptiste Drouet, qui le fit arrêter à Varennes. Dans la ville basse, on peut encore voir des vieilles maisons du XVIIIe s. en pierre et en brique. La ville haute, qui a gardé son aspect rural, est dominée par l'église Notre-Dame. Ce beau monument de style gothique champenois (1289 à 1350) abrite sous une arcade trilobée, dans le mur de la sacristie, un groupe figurant la Dormition de la Vierge : travail local en pierre, aux formes un peu figées mais non dénuées de finesse. De la promenade de la ville haute, la vue se porte sur la ville basse, la vallée de l'Aisne et sa confluence avec l'Auve, ainsi que sur les hauteurs boisées de l'Argonne. (Voir aussi photo.)

Moulin de Valmy. Le moulin actuel n'est qu'une reconstitution (1947) du bâtiment près duquel les sans-culottes se groupèrent.

❷ **La Neuville-au-Pont,** malgré les destructions de la Première Guerre mondiale, conserve une église de style flamboyant (XIVe-XVIe s.). Le bâtiment a sur son flanc droit une tour octogonale, décorée d'une salamandre sculptée, et terminée en terrasse avec une tourelle en pierre et en brique. Le portail O., de la Renaissance, s'orne au trumeau d'une statue de la Vierge; il est surmonté d'une rose, dont le motif central est une fleur de lis sculptée dans la pierre. A l'intérieur, dans le bas-côté gauche, remarquer la belle clef de voûte pendante.

Sainte-Menehould. Vue sur les toits de la ville basse et l'église St-Charles, construite au XIXe s. en style néo-roman.

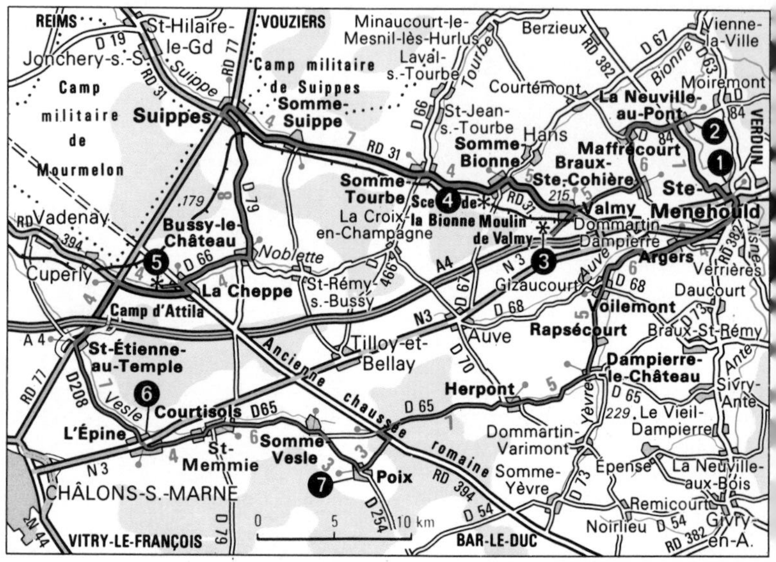

❸ **Moulin de Valmy.** (Voir dessin.) Il est situé sur une colline au S. du village. Les stèles et monuments qui l'entourent marquent le souvenir des volontaires « sans-culottes », qui, le 20 septembre 1792, sous les ordres de Dumouriez et de Kellermann, défirent les Prussiens du duc de Brunswick aux cris de « Vive la Nation ! »

❹ **Source de la Bionne.** A gauche après le premier virage sur la route de Suippes, en quittant Somme-Bionne, jaillit la Bionne. Il s'agit en fait d'une « somme », ou source alimentée seulement lorsque la nappe phréatique atteint son niveau maximal.

❺ **Camp d'Attila.** Il s'étend sur 25 ha, à quelques centaines de mètres du village de La Cheppe (chemin balisé). Composé d'une enceinte elliptique, bordé par la Noblette et entouré au S.-O. par un profond fossé et un parapet, il serait d'origine soit gauloise, soit romaine. En 451, il servit de camp de base aux Huns d'Attila avant la bataille des champs Catalauniques, où les Huns, alliés aux Gépides et aux Ostrogoths, furent écrasés par les Romains, les Francs, les Burgondes et les Wisigoths coalisés.

❻ **L'Épine.** Vaste édifice gothique, la basilique se détache au loin dans la campagne champenoise. Bâtie de 1410 à 1524, à l'endroit où, dit-on, fut découverte, dans un buisson épineux, une statue de la Vierge, la façade flamboyante est dominée par deux flèches ajourées. A l'intérieur, le jubé en pierre est du XVIe s.; le puits, de 96 m de profondeur, date du XVe s. (Voir aussi photo.)

❼ **Poix.** C'est à l'entrée de ce village que la légende situe le tombeau de Théodoric Ier, roi des Wisigoths, qui fut tué au cours de la bataille des champs Catalauniques.

L'Épine. De nombreuses gargouilles représentant des animaux réels ou fabuleux, ou des personnages symbolisant les vices, sont sculptées dans la façade de la basilique.

De Troyes à Bar-sur-Aube

127 km

64 km

Au sud de la Champagne sèche, de la vallée de la Seine à celle de l'Aube par le parc naturel régional de la forêt d'Orient, ces deux itinéraires, à l'écart des grands axes touristiques, témoignent l'un et l'autre de deux moments de l'histoire de la France. Le premier restitue la splendeur passée de Troyes, première ville européenne par ses foires et surtout centre de l'art champenois de la Renaissance ; le second, plus secret, évoque les tout débuts — et la fin — de l'épopée napoléonienne.

Art troyen. Ce fragment d'un calvaire en pierre, représentant les deux larrons, date de l'apogée de l'école troyenne (XVIe s.). Il est exposé au musée des Beaux-Arts, à Troyes.

ITINÉRAIRE N° 1

❶ **Troyes,** dont les foires, au Moyen Age, attiraient les marchands venus de toute l'Europe, fut aussi un centre d'art (architecture et sculpture, vitrail) dès le XIIe s. Les nombreuses églises de la ville en témoignent. La cathédrale St-Pierre-et-St-Paul présente un bel éventail d'architecture champenoise avec deux tours en forte saillie, dont une seule est achevée, et son portail N. (XIIIe s.), orné d'une rose du XVe s. A l'intérieur, vitraux du XIIIe s. Une longue promenade permet de visiter sept églises: St-Nizier, de style Renaissance avec trois portails et une façade richement décorés; St-Urbain, chef-d'œuvre du gothique champenois aux splendides vitraux; St-Remi (XIVe s.), bien restaurée: remarquer la flèche, le cadran solaire, et, à l'intérieur, vingt-quatre panneaux de bois peint; Ste-Madeleine (XIIe s.) et son jubé flamboyant à trois arcades de festons; St-Jean (XIVe et XVIe s.), avec ses verrières, un groupe en pierre de la Visitation et des hauts et bas-reliefs en marbre (XVIIe s.); St-Pantaléon, mi-gothique, mi-Renaissance, qui, sous sa nef couverte d'un berceau de bois, renferme de nombreuses statues de l'art troyen du XVIe s. ; St-Nicolas, son escalier monumental et sa tribune supportant un calvaire. On aura, en parcourant les rues de la vieille ville, remarqué nombre de maisons traditionnelles (voir dessin), en pisé, à pans de bois et à étages en encorbellement (XVIIe s.), notamment vers St-Jean et St-Pantaléon. L'hôtel de Vauluisant abrite le musée historique de Troyes et de la Champagne, et le musée de la Bonneterie (voir texte encadré). La tradition textile de la région auboise remonte au début du XVe s. et fit de la contrée « le pays des bonnets de coton ». Au musée des Beaux-Arts, dans l'ancienne abbaye St-Loup : œuvres de Mignard, Watteau et Boucher. Dans l'important musée d'Art moderne, à l'ancien évêché, peintures de 1850 à 1950, verreries, objets d'art africains. Voir le musée de la Pharmacie à l'hôtel-Dieu-le-Comte (pour ces 5 musées, vis. t.l.j., sauf mardi et j. fér.) et la Maison de l'Outil, hôtel de Mauroy : 10 000 outils anciens (t.l.j.).

Dienville, village tranquille, s'étend sur la rive droite de l'Aube. L'église, dont le clocher carré domine les toits, renferme une belle grille de chœur du XVIIIe s.

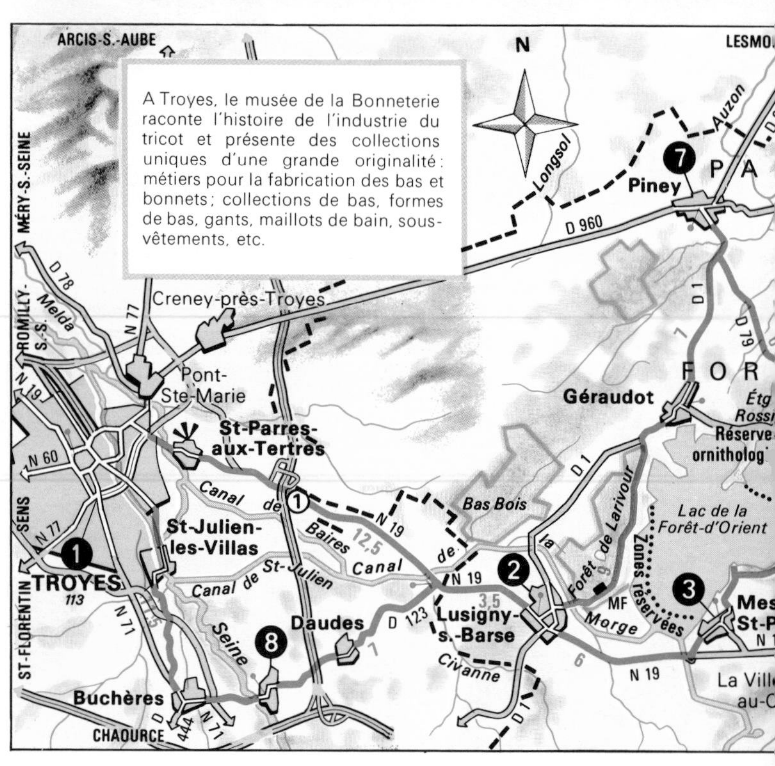

A Troyes, le musée de la Bonneterie raconte l'histoire de l'industrie du tricot et présente des collections uniques d'une grande originalité : métiers pour la fabrication des bas et bonnets ; collections de bas, formes de bas, gants, maillots de bain, sous-vêtements, etc.

❷ **Lusigny-sur-Barse** donne accès à la forêt de Larivour et au lac de la forêt d'Orient, destiné à régulariser le cours de la Seine (sports nautiques).
❸ **Mesnil-Saint-Père.** Une belle plage est aménagée sur le lac de la forêt d'Orient. Parc d'animaux en semi-liberté (vis. sam., dim. et j. fér.). Réserve ornithologique.
❹ **Forêt du Temple.** Les taillis de charmes alternent avec les futaies de chênes et sont entrecoupés de rus qui vont alimenter l'Aube, au cœur du parc naturel régional de la forêt d'Orient. Sentier botanique. Nombreuses allées piétonnières.
❺ **Vendeuvre-sur-Barse** abrite dans son église, mi-gothique, mi-Renaissance, un bas-relief de saint Hubert (XVIe s.) et un maître-autel attribué au Troyen François Girardon. Dans le parc du château (XVIe-XVIIe s.) se trouve la source de la Barse.
❻ **Amance** s'orne d'une charmante église (du XIIe au XVIe s.). Fabrique de poterie et tuilerie.
❼ **Piney** a conservé de vieilles maisons et des halles médiévales en bois.

Troyes. La tourelle de l'Orfèvre (XVIIe s.), avec ses poutres apparentes et sa délicate toiture conique, orne un angle d'une vieille maison en bois et pisé de la rue Champeaux.

▲
Champagne pouilleuse. C'est une vaste plaine agricole à l'aspect ingrat. Ici et là, quelques bosquets tranchent sur la blancheur monotone du sol crayeux.

La qualité du vin de champagne ne peut faire oublier quelques spécialités culinaires : salade au lard, potée, escargots des vignes, boudin blanc de Rethel, andouillettes de Troyes, etc.

A la maison du Parc, accueil et documentation, expositions (ouv. t.l.j.).
❽ **Verrières.** L'église (XVIe s.) a un portail avec un haut-relief en pierre représentant le couronnement de la Vierge par la Trinité.

ITINÉRAIRE N° 2

❶ **Bar-sur-Aube,** construite dans un site agréable (coteaux boisés et vignobles), a deux églises intéressantes : St-Pierre et St-Maclou. La première, de style gothique, est entourée d'une pittoresque galerie de bois, qui servait autrefois de halle et abritait les éventaires des marchands de Provins ; la seconde, avec sa tour fortifiée du XIIe s., était l'ancienne chapelle du château des comtes de Bar. On verra aussi le beau groupe en pierre du XVIe s., dans la chapelle de l'hôpital.

A 3 km au S.-O. de la ville, un chemin étroit, à gauche dans un virage de la route, conduit à la *chapelle Ste-Germaine* : vue sur la vallée de l'Aube.
❷ **Soulaines-Dhuys.** Les vieilles maisons à colombage et une chapelle en bois et pisé (XVe s.) sont dominées par l'église de style flamboyant et Renaissance que précède une tour carrée.
❸ **Brienne-le-Château.** La ville, qui est dominée par un imposant château (on ne visite pas), doit sa renommée à Napoléon Bonaparte : d'abord comme élève au collège militaire des Minimes (1779-1784), puis comme empereur lors de la campagne de France (1814).
❹ **Dienville.** Voir photo.
❺ **Jessains.** Au S. de ce village, qui possède une charmante petite église (XIIe-XVe s.) et un tilleul planté sous Henri IV, à partir de la départementale, le chemin dit de la Voie creuse conduit à un point de vue sur la vallée de l'Aube. Sauvage et étroite au sortir du plateau du Barrois, la vallée s'élargit ensuite pour laisser couler l'Aube au niveau de la plaine.
❻ **Jaucourt.** Du château de Philippe le Hardi il ne reste que les traces des anciens fossés. Intéressante église, qui conserve des parties du XIIe s.

A CHATILLON
LE TRÉSO

Le cratère. C'est un grand vase à deux anses dans lequel on mélangeait le vin et l'eau, car les vins de l'Antiquité étaient forts en alcool et très corsés. On filtrait quelquefois le liquide, c'est pourquoi le couvercle se présentait sous la forme d'une cuvette-passoire. Haut de 1,64 m, d'un diamètre maximal de 1,27 m, pesant plus de 200 kg, capable de contenir 1 100 l, le cratère de Vix est unique par sa taille : les autres exemplaires connus n'atteignent au plus que 70 cm de hauteur. En bronze, chef-d'œuvre de chaudronnerie et de sculpture à la cire perdue, il a traversé les âges sans dommage.

Musée archéologique de Châtillon-sur-Seine. Ouvert t.l.j. ; sauf mardi du 16 sept. au 15 juin. Groupes sur demande.

Lorsque, en janvier 1953, René Joffroy aperçut pour la première fois une anse du cratère (grand vase à vin) émergeant de la boue, il y avait déjà plus de cinq ans que ce professeur consacrait ses loisirs à fouiller le mont Lassois. Proche du village de Vix, à 6 km au N.-O. de Châtillon-sur-Seine, cette colline domine d'une centaine de mètres le fleuve et commande en amont la haute vallée : de là son importance stratégique.

De longs siècles auparavant, cet oppidum avait abrité une cité gauloise qui avait connu une rapide et imposante fortune. A l'âge du bronze succéda, au début du Ier millénaire avant notre ère, l'âge du fer, que les spécialistes divisent en deux grandes périodes : celle dite « de Hallstatt », qui s'étend jusque vers 450 av. J.-C., et celle dite « de La Tène », qui lui est postérieure, jusqu'à l'ère chrétienne.

C'est à la fin de la période de Hallstatt, vers l'an 560 av. J.-C., que les habitants du mont Lassois se lancèrent dans de gigantesques travaux : ils ceinturèrent leur colline d'un fossé long de 2,7 km, profond de 5 m et doublé d'un rempart de terre haut, aujourd'hui encore, de 3 m. Cet ouvrage défensif révélait la richesse commerciale : ville étape, ville marché, le mont Lassois commandait selon toute vraisemblance une des routes de l'étain. Pour les objets somptuaires et la statuaire, le monde étrusque et grec avait besoin du métal noble : le

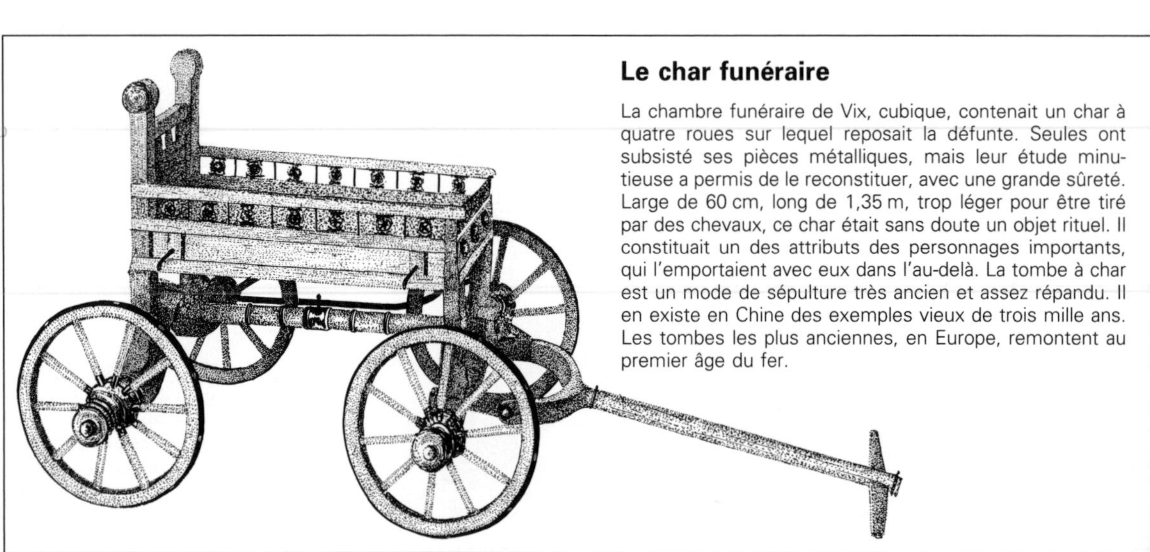

Le char funéraire

La chambre funéraire de Vix, cubique, contenait un char à quatre roues sur lequel reposait la défunte. Seules ont subsisté ses pièces métalliques, mais leur étude minutieuse a permis de le reconstituer, avec une grande sûreté. Large de 60 cm, long de 1,35 m, trop léger pour être tiré par des chevaux, ce char était sans doute un objet rituel. Il constituait un des attributs des personnages importants, qui l'emportaient avec eux dans l'au-delà. La tombe à char est un mode de sépulture très ancien et assez répandu. Il en existe en Chine des exemples vieux de trois mille ans. Les tombes les plus anciennes, en Europe, remontent au premier âge du fer.

UR-SEINE
DE VIX

bronze, l'airain, alliage de cuivre et d'étain. Pour sa plus grande part, l'étain venait de l'autre côté de la Manche, de Cornouailles. Remontant la Seine, avant de transiter par l'actuelle Suisse et le col du Grand-Saint-Bernard, l'étain s'arrêtait au pied du mont Lassois et changeait de mains.

Unique par sa taille, le cratère trouvé près de Vix fut certainement fabriqué en Grande Grèce (Italie du Sud) vers 530 av. J.-C. La cruche en bronze et les deux grands bassins sont d'origine étrusque. Le diadème en or vient peut-être des rives de la mer Noire. Les coupes proviennent de la région d'Athènes. Troqués ou donnés, portés par un puissant courant commercial, ces objets manufacturés devaient rester en Bourgogne. Vers l'an 500 av. J.-C., les habitants du mont Lassois enterrèrent au pied de l'oppidum, sous un énorme tumulus de 42 m de diamètre, une femme de haut rang d'environ trente-cinq ans, parée de ses bijoux, qui était peut-être leur princesse ou leur prêtresse. Selon les rites d'alors, auprès de son corps, dans la chambre funéraire, ils déposèrent ses possessions. Les temps changèrent, la prospérité s'estompa, il y eut des invasions, mais la sépulture resta inviolée. Et aujourd'hui, le visage même de la « dame » de Vix a pu être reconstitué par les archéologues. L'ensemble du mobilier de cette opulente tombe princière est conservé au musée archéologique du Châtillonnais.

La coupe. Au moment de l'inhumation, des mains pieuses ont déposé sur le couvercle du cratère un certain nombre de récipients, dont cette coupe attique à figures noires. Le décor représente un combat entre guerriers grecs et amazones. Cette céramique a été fabriquée entre 530 et 520 av. J.-C.

La statuette. Mesurant 19 cm de haut, placée au sommet de l'ombilic du couvercle du cratère, cette petite statue de femme vêtue d'un long péplos et coiffée d'un voile présente des aspects à la fois simples et hiératiques. Elle paraît d'une facture plus archaïque que la frise du col, et pourtant elle provient du même atelier. Est-elle une simple mortelle ou bien l'image d'une divinité, par exemple Artémis, protectrice et nourricière des chevaux de guerre et de course ? Il est impossible de répondre.

L'œnochoé. Cette cruche à vin, de fabrication étrusque, est en bronze. Son bec est tréflé. Sa panse est asymétrique, la partie située sous le bec est plus bombée, ce qui évitait à la cruche vide d'être déséquilibrée. Elle a été restaurée. Très en vogue dans le monde celtique, les œnochoés ont fait l'objet d'une intense importation. On a même retrouvé des copies gauloises.

Un chef-d'œuvre d'orfèvrerie

Le « diadème » de Vix, en or massif, pèse 480 g. D'une pureté de ligne toute moderne, il est le produit d'un artisanat très raffiné, vers 500 av. J.-C. Le serre-tête se compose d'un arc outrepassé, plus épais au centre, aux extrémités en pattes de lion. Les boules piriformes se terminent par une base plane richement ornée de motifs d'oves, cercles et croisillons. L'orfèvre a disposé, derrière les pattes de lion, deux petits chevaux ailés (Pégase ?) : ils ressemblent de façon étonnante aux petits chevaux des steppes asiatiques. D'où l'hypothèse de René Joffroy : ce bijou serait de fabrication soit grecque, mais exécuté dans une colonie d'Asie — Crimée —, soit peut-être même scythe. Son origine demeure inconnue.

Forêts de la haute Marne

98 km

Au sud de la Champagne humide, par-delà les Côtes de Bar, à l'ouest, et confinant à la plate vallée de la Marne, à l'est, s'étend une région verdoyante et boisée à laquelle les tons roux de l'automne confèrent un charme particulier. Les souvenirs qui s'y rattachent sont ceux de deux hommes hors du commun : Voltaire et le général de Gaulle, auquel le paysage inspira « une certaine idée de la France ».

❶ **Vignory.** Non loin de la Marne, le village, situé au fond d'un vallon couronné par les ruines d'un donjon du XIe s., doit sa célébrité à l'église St-Étienne (Xe-XIIe s.). Construite en même temps que le prieuré dont elle relevait, elle demeure, dans la tradition carolingienne, un bel exemple de l'architecture romane. La tour du clocher, coiffée d'un toit octogonal, dresse vers le ciel trois étages de baies tandis qu'à l'intérieur la charpente apparente, tranche avec la blancheur des murs sur lesquels elle s'appuie. Des arcades jumelées permettent de communiquer avec les bas-côtés et le triforium. Dans une des chapelles latérales, figurines en pierre polychromes, dont certaines proviendraient d'une curieuse Nativité du XVe s. : Joseph faisant la soupe, Marie couchée...

❷ **Lamothe-en-Blaisy** commande la haute vallée de la Blaise. Le cours de cette rivière, qui se jette dans la Marne, s'allonge entre deux lignes de hauteurs boisées depuis Juzennecourt en une succession de vallons verdoyants et calmes. On peut y pêcher la truite. L'itinéraire traverse ensuite la *forêt domaniale des Dhuits*, peuplée de hautes futaies de hêtres.

❸ **Colombey-les-Deux-Églises** doit sa notoriété à Charles de Gaulle, qui y possédait une propriété, « la Boisserie », dans laquelle il se retira en 1969 et où il mourut le 9 novembre 1970. C'est là qu'il rédigea ses *Mémoires*. Un monument commémoratif en forme de croix de Lorraine a été érigé sur une éminence proche du village. De là, point de vue sur la forêt de Clairvaux et sur le Barrois.

❹ **Cirey-sur-Blaise,** dans la vallée de la Blaise, est dominé par son château des XVIIe et XVIIIe s. qui a conservé un donjon carré de l'époque médiévale (vis. t.l.j., 15 juin-15 sept. Pour les groupes, du 1er avr. au 31 oct. sur R.-V. Tél. : 25-55-43-04). C'est là que Voltaire chercha refuge, chez Mme du Châtelet, pour échapper à une lettre de cachet. Il y passa dix années (1734-1744) consacrées à la rédaction de plusieurs ouvrages, notamment des pièces de théâtre, l'*Essai sur les mœurs* et le *Siècle de Louis XIV*.

❺ **Blécourt.** L'église de style ogival très pur de ce petit village est dominée par un clocher barlong percé de hautes baies. A l'intérieur, on remarquera, parmi une intéressante statuaire locale, sculptée dans du bois, une Vierge à l'Enfant, au visage fin.

❻ **Gudmont-Villiers** est situé sur la route de Vignory, au bord de la Marne, que double le canal du même nom, dans la vallée qui serpente entre les collines. Cette petite bourgade possède une église dans laquelle se trouve un saint-sépulcre en pierre à huit personnages (XVIe s.). Le château du XVIe s., remanié au XVIIIe, ne se visite pas.

Vignory. La vision de saint Hubert, statue en pierre, sur un socle encastré dans le mur de l'église St-Étienne (XVIe s.).

Curmont, à 2 km de Lamothe-en-Blaisy dans la verdoyante vallée de la Blaise, est un petit village champenois typique.

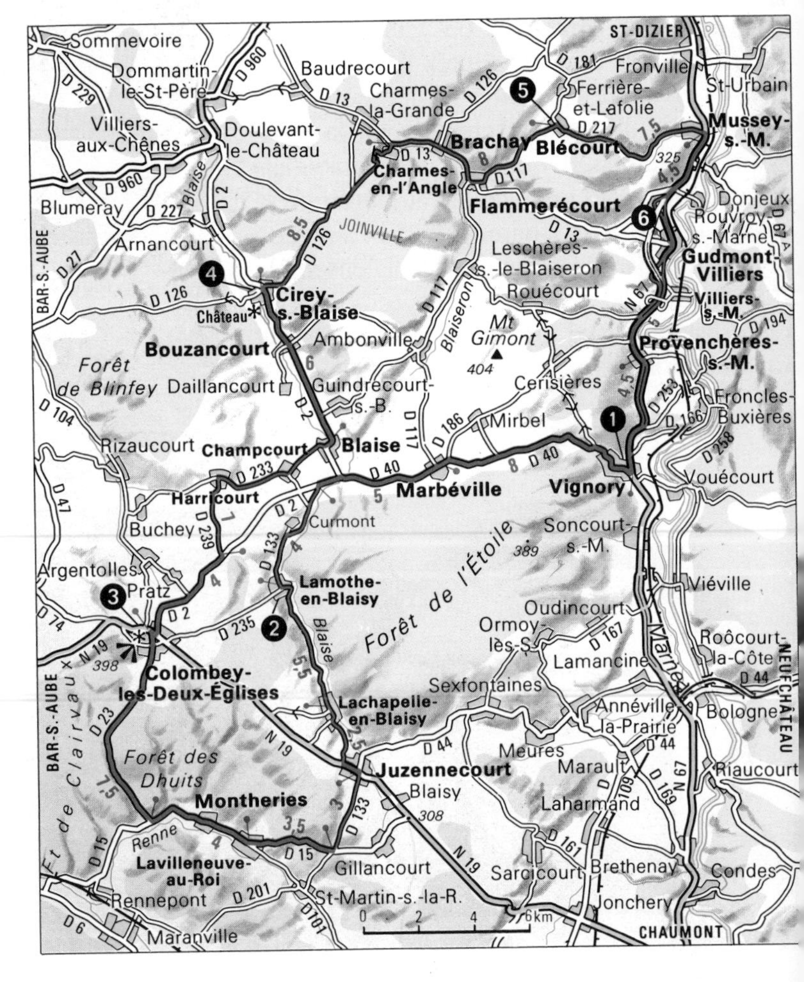

Coteaux du pays d'Othe 47 km

Prolongement vers le sud de la côte de Champagne, le pays d'Othe est bien délimité par la Seine à l'est, la Vanne au nord, l'Yonne à l'ouest et l'Armançon au sud. C'est un plateau crayeux, à l'hydrographie généreuse, parsemé de vallons, aux coteaux plantés de vignes. La partie méridionale que bordent une crête et des versants abrupts est occupée, presque entièrement, par la grande forêt d'Othe.

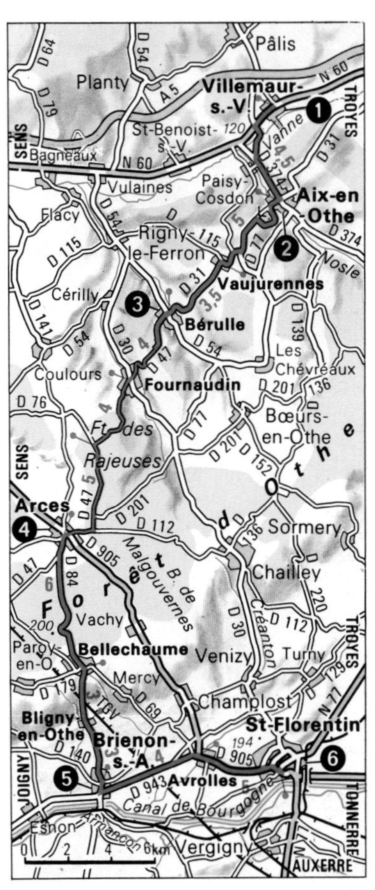

❶ **Villemaur-sur-Vanne.** Cette petite bourgade possède une église (XIIIe-XVIe s.), ornée d'un très curieux clocher. (Voir dessin.) A l'intérieur, le jubé en bois (1521) est décoré de panneaux représentant la Vie de la Vierge et la Passion.

❷ **Aix-en-Othe** doit son nom aux deux sources qui incitèrent les Romains à y bâtir des thermes, dont ont été découverts quelques vestiges. Dans l'église de cette ancienne capitale du pays d'Othe, on peut voir aussi des peintures Renaissance en trompe-l'œil, une tapisserie du XVIe s. représentant le martyre de sainte Reine et des tableaux sur bois (XVIe-XVIIe s.).

❸ **Bérulle** est dominé par les 57 m de la haute tour de son église (XVIe s.). Des verrières représentent des scènes de la Passion et de la Vie de la Vierge.

❹ **Arces.** La forêt d'Othe, implantée sur une cuesta entre les vallées de l'Armançon et de la Vanne, se compose principalement de chênes, de charmes et de hêtres. Découpé par de nombreux cours d'eau, son sol a toujours comporté des silex : on y trouve encore des pierres taillées.

❺ **Brienon-sur-Armançon.** La collégiale St-Loup, dont le porche date du XVIIIe s., a une nef ogivale ; le très beau chœur Renaissance est éclairé par des vitraux du XVIe s.

❻ **Saint-Florentin,** qui surplombe le confluent de l'Armance et de l'Armançon, est célèbre surtout grâce au fromage auquel il a donné son nom et qui se fabrique dans la région alentour. Son église, de style gothique tardif et Renaissance, est ornée de vitraux aux coloris éclatants, notamment celui de l'Apocalypse ; le chœur est fermé par un jubé harmonieux.

Villemaur-sur-Vanne. Le clocher de l'église de plan carré, tout en charpente, est coupé par trois auvents superposés ; la couverture est entièrement faite d'essentes (petites plaques) de chêne.

Saint-Florentin. Entre Bourgogne et Champagne, la petite capitale du pays d'Othe domine la vallée de l'Armance. Non loin de la tour Brunehaut, l'église Saint-Florentin est célèbre pour ses verrières Renaissance.

JURA • FRANCHE-COMTÉ

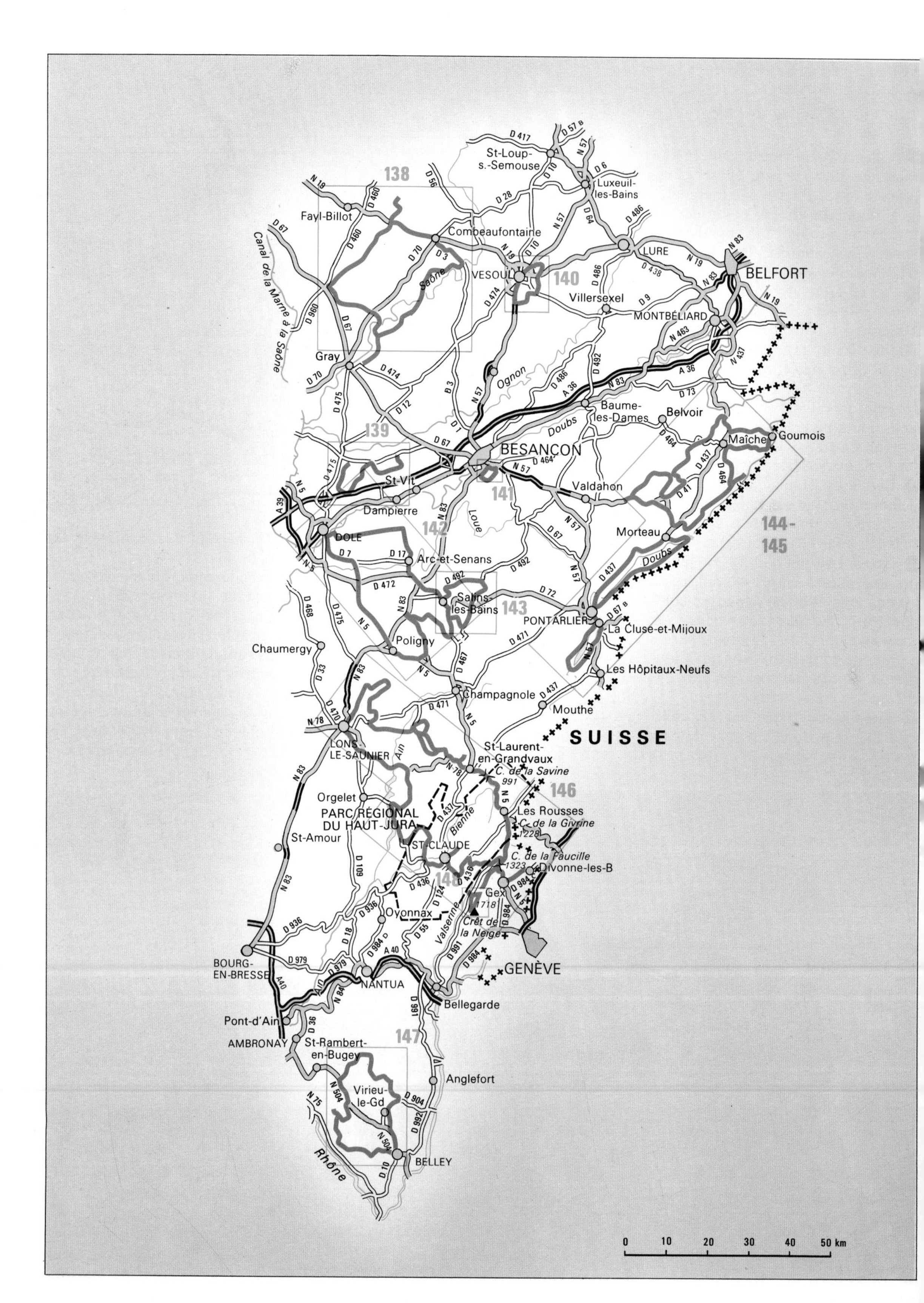

Air vif des crêtes et des plateaux
Vallées industrieuses et hospitalières

Bien que les pays de haute Saône ne soient point jurassiens, les grands horizons solitaires des plateaux pierreux, cassés, boisés, parfois travaillés par les eaux souterraines, les villages ramassés au pied du massif clocher, les édifices sévères, mais nobles, des vieux quartiers des villes sont une bonne introduction au Jura. Cette montagne n'engendre pas la monotonie, avec sa franche escarpe bordière, sauvagement disséquée par les longues et profondes reculées, avec ses plates-formes dénivelées, ridées par les chaînons, sciées par d'impressionnantes gorges, avec ses rangées de plis dont le doux profil est souvent altéré, blessé par l'érosion. L'air vif qui circule librement sur les pelouses des sommets, les couleurs — calcaires blancs des corniches horizontales ou des crêts redressés, sol ocré des plateaux, joux et pessières dont le vert vire au bleu et au noir — la fraîcheur, la pureté de l'eau du lac paisible, de la source bien alimentée, de la cascade écumante ou du miroir jaseur... c'est tout cela, le Jura. Et c'est aussi la vigne, accrochée sur les pentes qui s'inclinent vers Poligny ou vers Arbois, le troupeau de laitières tachetées qui s'égaillent dans le pré, en lisière du bois, la fruitière dont le fromager confectionne le gruyère, l'atelier d'horlogerie au village. La maison est un fidèle reflet du milieu : le vigneron l'aime étroite, une porte cintrée ouvrant sur le cellier ; le paysan du plateau l'a faite solide, vaste, de pierre, et l'a couverte de lave grise ; le montagnon encapuchonne chaudement son chalet de pierre et de bois. Les forteresses, les villes toutes préoccupées de leur défense, les ermitages des moines défricheurs disent la position frontalière de la région ; les églises, sobrement ornementées, les hôtels urbains de la Renaissance ou de l'âge classique, la sculpture sur bois, d'une réelle virtuosité, sont une allusion à la diversité des influences subies, à leur tardive acceptation. Le Jurassien est, en effet, un homme positif, réfléchi, têtu, dit-on, mais fraternel, capable de s'enflammer pour défendre ses idées et son indépendance.

Village jurassien. Ses maisons de pierre, ses jardins clos ponctuent la retombée des plateaux forestiers sur la plaine.

137

Hauts lieux, trésors et paysages

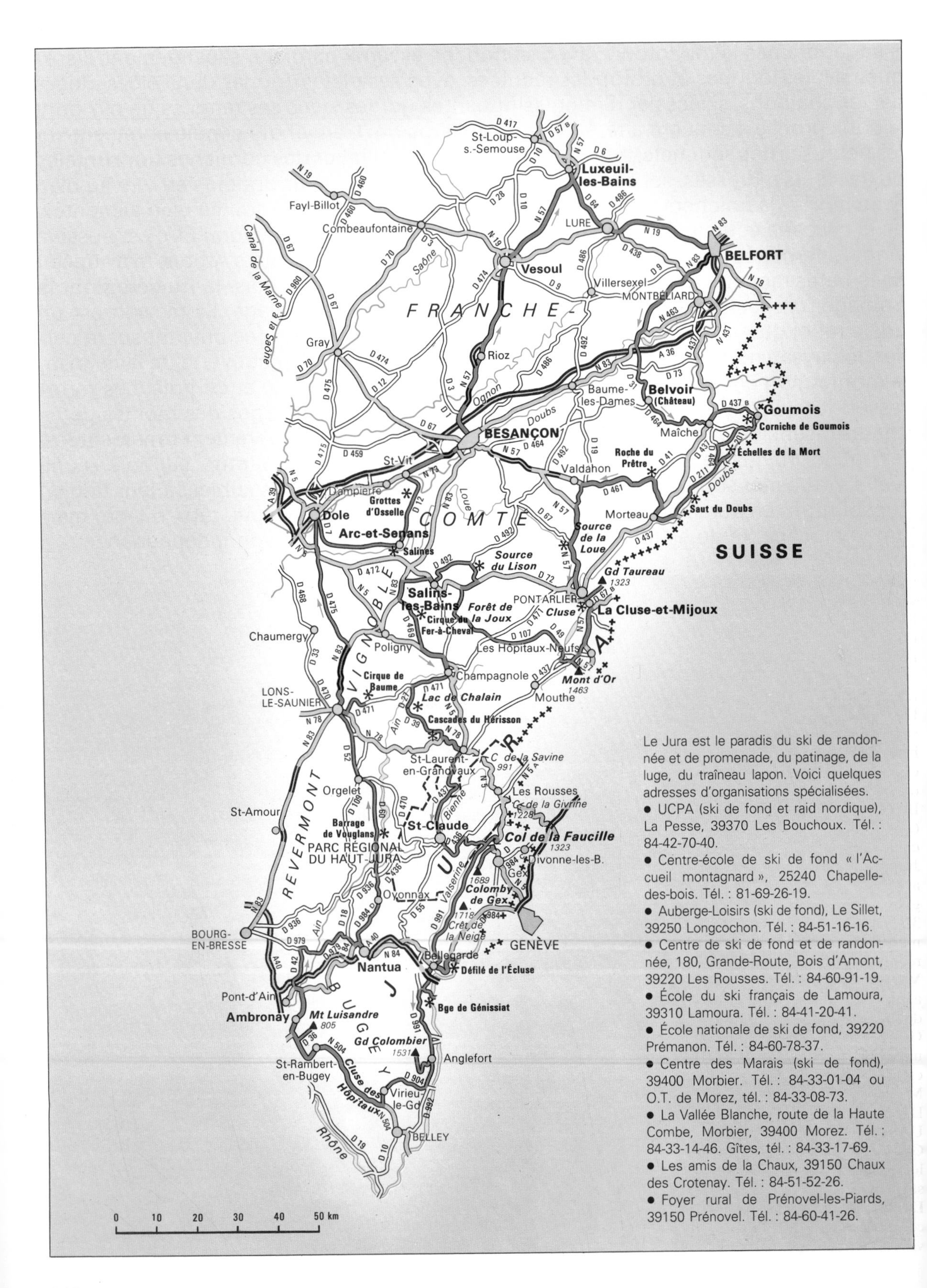

Le Jura est le paradis du ski de randonnée et de promenade, du patinage, de la luge, du traîneau lapon. Voici quelques adresses d'organisations spécialisées.

- UCPA (ski de fond et raid nordique), La Pesse, 39370 Les Bouchoux. Tél. : 84-42-70-40.
- Centre-école de ski de fond « l'Accueil montagnard », 25240 Chapelle-des-bois. Tél. : 81-69-26-19.
- Auberge-Loisirs (ski de fond), Le Sillet, 39250 Longcochon. Tél. : 84-51-16-16.
- Centre de ski de fond et de randonnée, 180, Grande-Route, Bois d'Amont, 39220 Les Rousses. Tél. : 84-60-91-19.
- École du ski français de Lamoura, 39310 Lamoura. Tél. : 84-41-20-41.
- École nationale de ski de fond, 39220 Prémanon. Tél. : 84-60-78-37.
- Centre des Marais (ski de fond), 39400 Morbier. Tél. : 84-33-01-04 ou O.T. de Morez, tél. : 84-33-08-73.
- La Vallée Blanche, route de la Haute Combe, Morbier, 39400 Morez. Tél. : 84-33-14-46. Gîtes, tél. : 84-33-17-69.
- Les amis de la Chaux, 39150 Chaux des Crotenay. Tél. : 84-51-52-26.
- Foyer rural de Prénovel-les-Piards, 39150 Prénovel. Tél. : 84-60-41-26.

Besançon est une ville d'art dont les églises, les hôtels, les demeures anciennes, les musées enfin constituent un ensemble exceptionnel. De son passé, elle a conservé la porte Taillée, ouverte dans le roc par les Romains et agrandie au XVIIe s., ainsi qu'un arc de triomphe, la porte Noire (IIe s.). La Citadelle, bâtie sur l'emplacement déjà choisi par les Romains pour sa position stratégique, a été commencée en 1669 par l'ingénieur d'Aspremont et remaniée après 1674 par Vauban ; elle abrite trois musées : le museum d'Histoire naturelle et d'Art africain, le Musée populaire comtois et le musée de la Résistance et de la Déportation (ouv. t.l.j., sauf mardi, 25 déc., 1er janv.). On admirera le palais Granvelle (XVIe s.), la préfecture, ancien palais des Intendants, et les hôtels de la rue Chifflet (XVIIIe s.), ainsi que de nombreux logis des XVIe et XVIIe s. Le musée des Beaux-Arts et d'Archéologie (ouv. t.l.j., sauf mardi et j. fér.), du XIXe s., a été restructuré en béton à l'intérieur. D'inestimables trésors y sont exposés : tableaux des écoles allemande, flamande et italienne du XVIe s. ; peintures françaises du XIXe s. dont plusieurs œuvres de Courbet. La cathédrale St-Jean, du XIIe s., comporte huit travées. A l'intérieur, nombreuses œuvres d'art, dont *la Vierge aux saints* (1518) de Fra Bartolomeo. Dans la sacristie, aux boiseries Louis XVI, riche trésor : pièces d'orfèvrerie et ornements sacerdotaux (vis. sur dem., tél. : 81-80-92-55). Contourner la cathédrale pour aller voir l'horloge astronomique, qui compte près de 30 000 pièces (t.l.j., sauf mardi ; sauf mardi et mercr. du 1er oct. au 1er avr. Fermé janv. et j. fér.) ; les automates sont mis en mouvement toutes les heures. L'église Ste-Madeleine est du XVIIIe s. : voir la Vierge des Cordeliers, en bois polychrome (XVIe s.). Dans l'ancienne abbatiale St-Paul (XIIIe-XVe s.) se trouve le Musée lapidaire (fermé actuell.). A l'hôpital St-Jacques (XVIIe s.), voir la pharmacie avec un mobilier du XVIIIe s. (vis. guid. sur dem. à l'O.T., tél. : 81-88-31-95). Au palais Granvelle, un futur musée du Temps est en cours de réalisation.

Vesoul occupe un bassin verdoyant au pied d'une butte témoin, la colline de la Motte (385 m). L'église St-Georges (XVIIIe s.) a une triple nef, un transept à coupole et des piliers cruciformes doriques ; à l'intérieur, Mise au tombeau en pierre (XVe s.). Dans le vieux Vesoul, le couvent des Ursulines, du XVIIe s., abrite le musée Georges-Garret, consacré à l'archéologie et à la peinture (t.l. apr.-m., sauf mardi).

Luxeuil-les-Bains, dont les Celtes connaissaient déjà les eaux, est une ville thermale et un centre d'excursion réputés, aux nombreuses maisons anciennes. Voir l'hôtel du cardinal Jouffroy, maison du XVe s. restaurée (on ne visite pas), et l'hôtel des Échevins (XVe s.), qui abrite un musée (t.l.j., sauf mardi, 15 avr.-15 oct. ; sam., dim. apr.-m. le reste de l'année). L'abbatiale St-Pierre est un édifice gothique construit aux XIIIe et XIVe s. ; à l'intérieur, stalles du XVIe s. et statue de saint Pierre (XIIIe s.). Cloître en grès rose (XIVe-XVe s.).

Belfort est surplombée par une falaise rocheuse de 67 m que couronne le château (XIIe s.), qui abrite le musée d'Art et d'Histoire (t.l.j., mai-oct. ; sauf mardi le reste de l'année). En contrebas, le fameux Lion en grès rouge, exécuté par Bartholdi, de 1875 à 1880, à la gloire de l'héroïque résistance des troupes de Denfert-Rochereau, en 1870-1871. De la plate-forme, vue sur la ville, la vallée de la Savoureuse et les sommets des Vosges du Sud (vis. : comme le Musée historique). La porte de Brisach, œuvre de Vauban, donne accès à la vieille ville ; sur la place d'armes, l'église St-Christophe (XVIIIe s.), en grès rouge, a un aspect austère.

Belvoir. Le château, bâti au XIIe s., restauré depuis 1955, domine le val de Saucey : nombreuses salles et salons meublés ; dans la salle d'armes sont exposées des armes Louis XV (vis. dim. et j. fér. de Pâques à fin oct. ; t.l.j. sauf vendr. mat. en juill.-août. Groupes sur R.-V., tél. : 81-91-06-02).

Corniche de Goumois. Voir itin. 145.

Échelles de la Mort. V. itin. 145.

Saut du Doubs. Voir itinéraire 144.

Roche du Prêtre. Voir itinéraire 145.

Source de la Loue. (Accès par Ouhans, dont on prend la direction 14 km avant Pontarlier.) C'est la résurgence la plus importante du Jura. Les eaux jaillissent d'une grotte creusée au fond d'un cirque. La source est alimentée par les pertes du Doubs et les eaux infiltrées dans les plateaux voisins.

Grand Taureau. Voir itinéraire 144.

La Cluse-et-Mijoux. V. itin. 144.

Mont d'Or (1 463 m). Aux Hôpitaux-Neufs, prendre la direction de Longuevilles-Mont-d'Or et, de là, la route du sommet du mont d'Or. Après le chalet de la Grangette, monter à pied (10 mn) jusqu'au belvédère des Chamois ; on domine les lacs suisses, la vallée de la Joux ; au loin : les Alpes.

Forêt de la Joux. Elle couvre plus de 2 500 ha et renferme les plus beaux et les plus hauts sapins de France (45 m). Route des Sapins entre Chapois et Villers-sous-Chalamont. Sentiers balisés, belvédère, arboretum.

Source du Lison. V. itin. 143.

Salins-les-Bains. Voir itinéraire 142.

Cirque du Fer-à-Cheval. Voir itinéraire 142.

Lac de Chalain et cascades du Hérisson. Voir itinéraire 146.

Saint-Claude. Voir itinéraire 146.

Col de la Faucille. V. itin. 146.

Colomby de Gex. V. itin. 146.

Défilé de l'Écluse. A l'entrée N. de Léaz, on peut observer la disposition générale de cette cluse exemplaire et le fort qui la domine (1820-1840). Juste avant le tunnel du Fort de l'Écluse, vue sur la gorge du Rhône.

Barrage de Génissiat. C'est un « barrage-poids », aussi haut qu'épais à la base (105 m × 100 m), long de 140 m, qui forme une retenue artificielle du Rhône sur 23 km (56 millions de mètres cubes). Deux canaux d'évacuation (souterrain : rive gauche ; à ciel ouvert : rive droite) peuvent débiter, à plein, 4 000 mètres cubes par seconde. L'électricité est fournie par six groupes de 6 500 kW. Deux belvédères, sur la rive droite, permettent d'apprécier l'ensemble de l'ouvrage.

Grand Colombier. Situé à l'extrémité S.-E. du Jura, ce pic est le point culminant du Bugey (1 531 m) ; il sépare la vallée du Rhône du Valromey. Du sommet, vue sur le Massif central, le Dauphiné et les Alpes.

Cluse des Hôpitaux. V. itin. 147.

Mont Luisandre (805 m). Du sommet, vue sur la Bresse, le confluent de l'Ain et du Rhône, les monts du Bugey. Au-dessus du hameau du Brédevent, laisser la voiture et gagner à pied le château des Allymes, forteresse médiévale (t.l. apr.-m., sauf mardi, avr. à nov. Expos. temp. mai-nov.).

Ambronay, vieux village cerné de fortifications dont il reste deux tours, doit sa célébrité aux vestiges de son ancienne abbaye bénédictine fondée au IXe s. (vis. t.l.j.). Dans l'église (XIIIe-XVe s.), verrières et stalles du XVe s. Au S. de la nef, le cloître a des galeries voûtées d'ogives ; la salle capitulaire est du plus pur style gothique.

Nantua est située au creux d'une cluse aux pentes raides couvertes de pins, de hêtres et de buis. Le lac, dont on a une vue d'ensemble à partir de la promenade, occupe tout le fond de la dépression. Pour les excursions en bateau, s'adresser à l'Esplanade (tél. : 74-75-25-73). L'église St-Michel, surmontée d'une haute tour-lanterne, est une ancienne prieurale de Cluny.

Barrage de Vouglans (103 m de haut, 6 m d'épaisseur à la crête). Il forme une des plus grandes retenues françaises, après celle de Serre-Ponçon. A 2,5 km au N. de Cernon, à droite, vue splendide sur la retenue.

Cirque de Baume. V. itin. 146.

Dole. Voir itinéraire 142.

Arc-et-Senans. Voir p. 248-249.

Grottes d'Osselle. Elles sont creusées dans la falaise qui domine le Doubs, à 7,5 km au S. de Saint-Vit. Connues depuis le XIIIe s., elles s'ouvrent sur 8 km de galeries : rivière souterraine, concrétions (t.l.j., d'avr. à nov. ; en oct., l'apr.-m. seul. Fermé le reste de l'année). Belle collection de minéraux.

La haute vallée de la Saône

120 km

Comme oubliée entre le sévère plateau de Langres, les Vosges comtoises et les premiers contreforts du Jura, entre les renommées partagées de la Bourgogne et de la Franche-Comté, la haute vallée de la Saône, de villages en hameaux, d'églises en châteaux, de bois en vallons, recèle, dans sa simplicité, d'agréables paysages verdoyants et d'estimables trésors.

Château de Champlitte. La façade centrale est du XVIe s. et les ailes, en retour d'équerre, sont de la fin du XVIIIe s.

❶ **Champlitte-et-le-Prélot.** Sur la rive droite du Salon, à flanc de coteau, Champlitte recèle une église à trois nefs du XIe s., dont la tour-clocher date du XVe. Au château (voir photo), il faut voir le remarquable musée départemental Albert-Demart : 40 salles retracent la vie du terroir au XIXe s. ; reconstitution grandeur nature (t.l.j., sauf mardi et dim. mat. ; sauf dim. mat., juin-août. Groupes sur R.-V.).

❷ **Chauvirey-le-Châtel.** Dans ce petit village cerné par les bois, auprès des ruines de deux châteaux, se trouve la chapelle St-Hubert, qui est considérée comme un chef-d'œuvre du baroque gothique (XVe s.) ; à l'intérieur, un retable historié en pierre montre le patron des chasseurs découvrant un Christ entre les bois d'un cerf (vis. : demander au château).

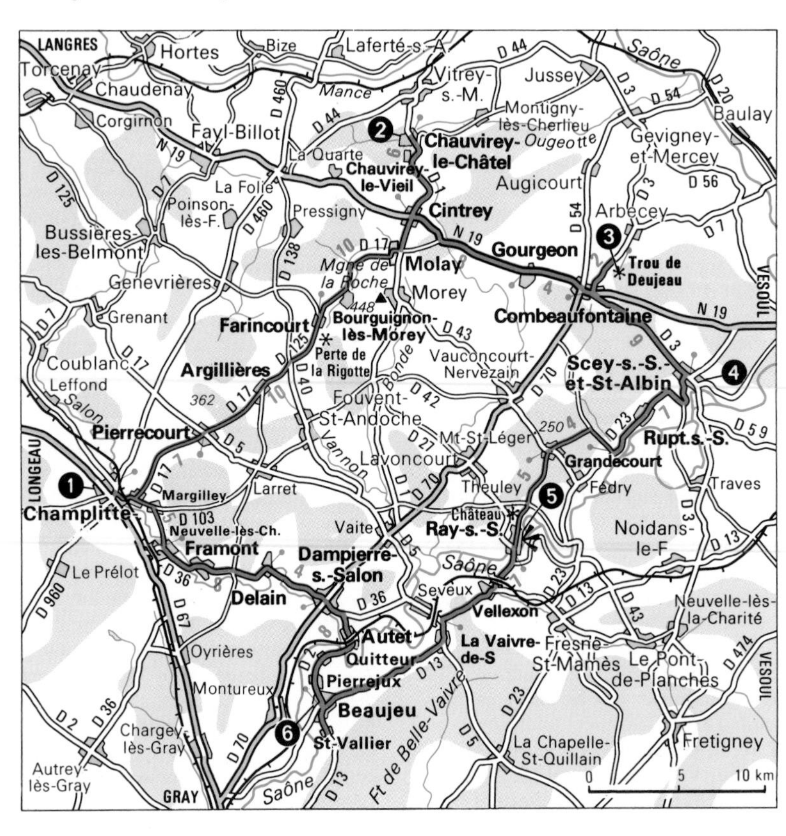

Scey-sur-Saône. Une même nappe souterraine alimente quatre sources. L'une d'elles, la fontaine Larie, a été captée dans une petite rotonde et alimente un lavoir.

❸ **Trou de Deujeau.** A Combeaufontaine, prendre la route d'Arbecey, puis, à droite, le chemin de Deujeau. Le trou est un gouffre profond de 12 m et de 3 m de diamètre, qui donne accès à 3 km de galeries parcourues par une rivière souterraine dont les eaux alimentent, 9 km plus loin, la résurgence de la Baume. L'exploration du trou de Deujeau est réservée aux spéléologues confirmés.

❹ **Scey-sur-Saône-et-Saint-Albin.** (Voir aussi dessin.) L'église-halle, élevée en 1738 sur le coteau au bord de la Saône, possède trois nefs soutenues par des piliers et des pilastres corinthiens ; les autels latéraux sont du plus pur baroque.

Au petit hameau de *Grandecourt*, l'église Ste-Marie-Madeleine est un humble chef-d'œuvre roman (milieu du XIIe s.). La charpente apparente de la nef est du XVIIIe s. La crypte, aux mêmes dimensions que celles du chœur, comprend neuf petites travées supportées par six colonnes rondes.

❺ **Ray-sur-Saône.** Le château a été reconstruit aux XVIIe et XVIIIe s. Dans la tour sont conservés quelques souvenirs de la quatrième croisade (XIIIe s.) et, dans la salle d'armes, des engins guerriers du XVIe s. La chapelle est ornée de boiseries ; dans le vestibule sont exposés un sabre et un ceinturon de Napoléon (visite extérieure seulement, toute l'année). Vue sur la vallée de la Saône, les Vosges, au N., et les monts du Jura, au S.-E.

❻ **Beaujeu-Saint-Vallier-Pierrejux-et-Quitteur.** A Beaujeu, l'église de l'Assomption a été en grande partie rebâtie en style néo-gothique à la fin du siècle dernier ; cependant, sa façade, à pignon triangulaire et aux corniches décorées de modillons, a gardé son portail nu du XIIIe s. A l'intérieur, le sanctuaire est d'époque, et le chevet plat est éclairé par un vitrail, représentant l'Annonciation, daté de 1481 ; c'est le plus ancien de la région. La toiture est en tuiles vernissées. Les bourgs de Beaujeu et de Saint-Vallier sont le point de départ de promenades faciles dans la tranquille forêt de Belle-Vaivre. Le circuit traverse ensuite la Saône et rejoint Champlitte par la vallée du Salon.

Buttes et forêts du massif de la Serre 30 km

Situé entre les vallées du Doubs et de l'Ognon, le massif de la Serre est un bloc en relief, d'altitude modeste (350-400 m), prolongé à l'est par une série de buttes. Si celles-ci sont, comme les plateaux voisins, formées de roches sédimentaires d'âge secondaire, la forêt de la Serre, composée de roches siliceuses, appartient au socle hercynien d'âge primaire.

❶ **Le Moutherot.** Du village du Moutherot, perché sur la butte la plus orientale du massif de la Serre, plusieurs perspectives offrent un panorama complet sur les régions environnantes. Vers le S. et le S.-E. s'étale l'extrémité méridionale du plateau bisontin. Ensemble calcaire doucement animé par une série de dolines et de vallées sèches, il est fortement mis en valeur par une agriculture surtout tournée vers l'élevage: les forêts ne subsistent qu'en lambeaux sur les terres les plus médiocres. Fermant l'horizon, on distingue les hauteurs de la bordure du Jura entre Besançon et Arbois, et, vers le S., le liséré forestier continu de la forêt de Chaux: l'ensemble est dominé par la lourde masse dissymétrique du mont Poupet. Au N., l'Ognon laisse paresser ses eaux dans une large vallée verdoyante, parfois plantée de peupliers. C'est par un long versant en pente douce, où l'herbe cède un peu de place aux cultures, que la transition s'opère entre la plaine et les plateaux du S. de la Haute-Saône. Ces derniers, armés en leur sommet par des calcaires pauvres, sont presque entièrement occupés par de médiocres forêts.

❷ **Saligney.** Le Gravellon, petite rivière qui prend naissance sur l'extrémité méridionale du plateau bisontin, traverse perpendiculairement tout l'alignement des hauteurs du massif de la Serre avant de rejoindre, au N., la vallée de l'Ognon. Son tracé, guidé par une faille, sépare deux unités différentes: à l'E., les buttes calcaires qui s'égrènent depuis Le Moutherot; à l'O., la forêt de la Serre, que cette coupure transversale permet d'analyser. La partie centrale du paysage est composée d'un vaste massif forestier: le plateau est taillé dans des roches dures, granit au S., grès du trias au N.; le large vallon qui l'échancre est évidé dans des roches tendres d'âge permien. Vers le S., ce lambeau de socle domine d'une centaine de mètres le plateau calcaire par un escarpement lié à une faille; le contact est en outre souligné par une petite dépression herbagère taillée dans les marnes du lias. Vers le N., le passage entre le socle primaire et les terrains secondaires se fait sans coupure apparente, et c'est par le plateau en pente douce que s'opère la transition vers les plaines de l'Ognon.

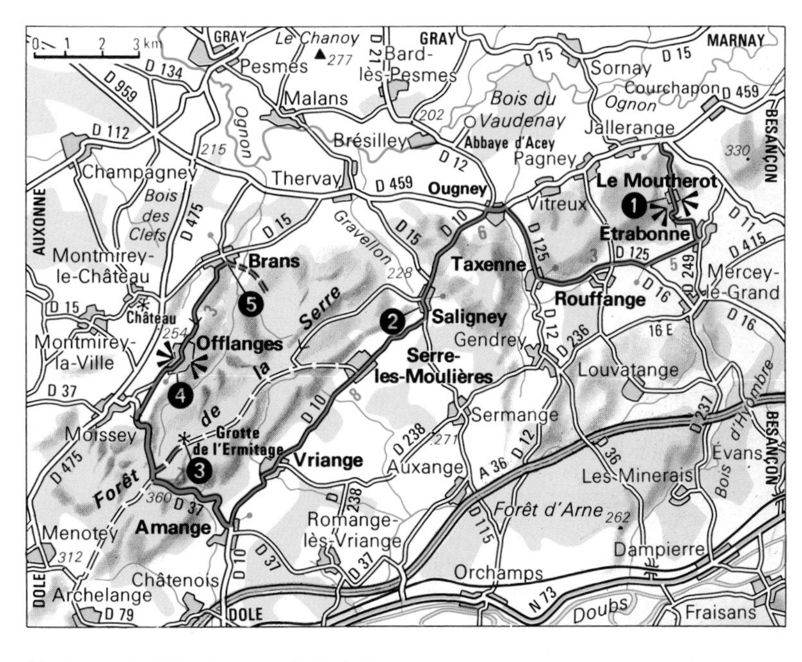

❸ **Grotte de l'Ermitage et forêt de la Serre.** De la route, sur la droite, un chemin mène à la grotte de l'Ermitage, abri sous roche qui se développe dans les terrains du trias. Dans cet ensemble sableux, certains bancs ont été grésifiés et ont mieux résisté à l'érosion. Dans la carrière inférieure, une coupe présente une belle stratification entrecroisée des dépôts. Depuis cet arrêt, de nombreuses promenades, soit à travers bois, soit par les chemins forestiers, permettent de découvrir les multiples aspects de cette forêt de plus de 3000 ha. La rigueur du climat et surtout la nature siliceuse et la pauvreté des sols expliquent le développement d'une flore originale. Le fond du peuplement est constitué par une chênaie-bétulaie à sous-bois de fougères ou d'herbacées; sur le versant N. prospère une belle hêtraie, tandis que sur le versant S., plus chaud, s'étendent quelques peuplements de châtaigniers. Entre les zones déclives du plateau sommital, les fonds mal drainés accueillent des landes tourbeuses à callunes et bouleaux. Depuis près d'un siècle, l'homme a en outre introduit de nombreux résineux, pins et épicéas.

❹ **Offlanges.** Du village, on peut observer le relief du versant N. du massif de la Serre (voir photo). Les terrains sédimentaires secondaires sont découpés en deux alignements de buttes calcaires, le plus souvent boisées, séparés par de larges dépressions marneuses. Autrefois, le sommet portait de nombreuses vignes, dont il reste encore quelques parcelles.

❺ **Brans.** Le contact entre le massif ancien et les terrains sédimentaires est souligné par un petit vallon, agréable lieu de promenade à pied. Son fond humide est occupé par de grasses prairies, tandis que le versant N. est colonisé par un taillis de hêtres.

Montagne de la Serre: bordure N., vue d'Offlanges. Les vallons sont couverts d'herbages et parsemés de bosquets. Puis la forêt s'étend jusqu'au sommet.

140

Sur les plateaux autour de Vesoul 33 km

Autour de Vesoul, c'est une partie des paysages de la haute Saône que l'on découvre : les vastes plateaux calcaires sont taraudés par l'érosion karstique ; de larges dépressions marneuses s'ouvrent, où les rivières sont souvent ourlées de terres marécageuses. Sur les versants exposés au nord subsistent quelques taillis de chênes et des lambeaux de hêtraies. Les anciens pâturages des plateaux, délaissés par l'homme, sont reconquis par le genévrier, le chêne pubescent et le pin sylvestre.

❶ **Butte de la Motte.** Du sommet de la butte, le panorama s'étend sur les diverses unités morphologiques de la région de Vesoul. Au N., des petits plateaux armés en leur sommet par les terrains calcaires peu épais du lias sont vigoureusement disséqués par le réseau hydrographique. Directement au pied de la butte et se développant largement vers l'O., une dépression marneuse, aux formes adoucies, est drainée par le Durgeon : les zones marécageuses qui le bordent disparaissent peu à peu, colonisées par les extensions récentes de la ville de Vesoul. Vers le S. et l'E. s'étalent les plateaux calcaires du jurassique moyen, défoncés par les gorges de la Colombine. Ils entrent en contact avec la dépression par une cuesta échancrée par de nombreuses reculées (Échenoz-la-Méline, Navenne) : de longs versants marneux concaves sont dominés par les falaises calcaires. A l'horizon, en direction du N.-E., on aperçoit la masse sombre des Vosges méridionales, le ballon d'Alsace et le ballon de Servance.

❷ **Grottes de la Baume et de Solborde.** Au S. de Vesoul, la reculée d'Échenoz-la-Méline est l'une des plus belles de la haute Saône ; elle indente vigoureusement la cuesta qui limite les plateaux au N. Dans les corniches calcaires, dont la hauteur peut atteindre 30 à 40 m, se trouvent deux abris sous roche dont l'accès est assez facile, mais il faut rester prudent. A l'O., la grotte de la Baume s'ouvre sur un long réseau de galeries souterraines, aux cours incertains, qui pénètrent sous le plateau du Vernois. Au cours des périodes plus froides du quaternaire, l'entrée de la grotte a servi de refuge à la faune que des fouilles déjà anciennes ont mise au jour. Au S. s'ouvre une seconde grotte d'où s'échappe le ruisseau de la Solborde, qui draine ensuite la reculée. Il s'agit de la résurgence des eaux qui se sont enfouies dans les fissures du calcaire. Un trottoir permet de remonter la Solborde souterraine, sur 30 m, sous des voûtes toujours élevées.

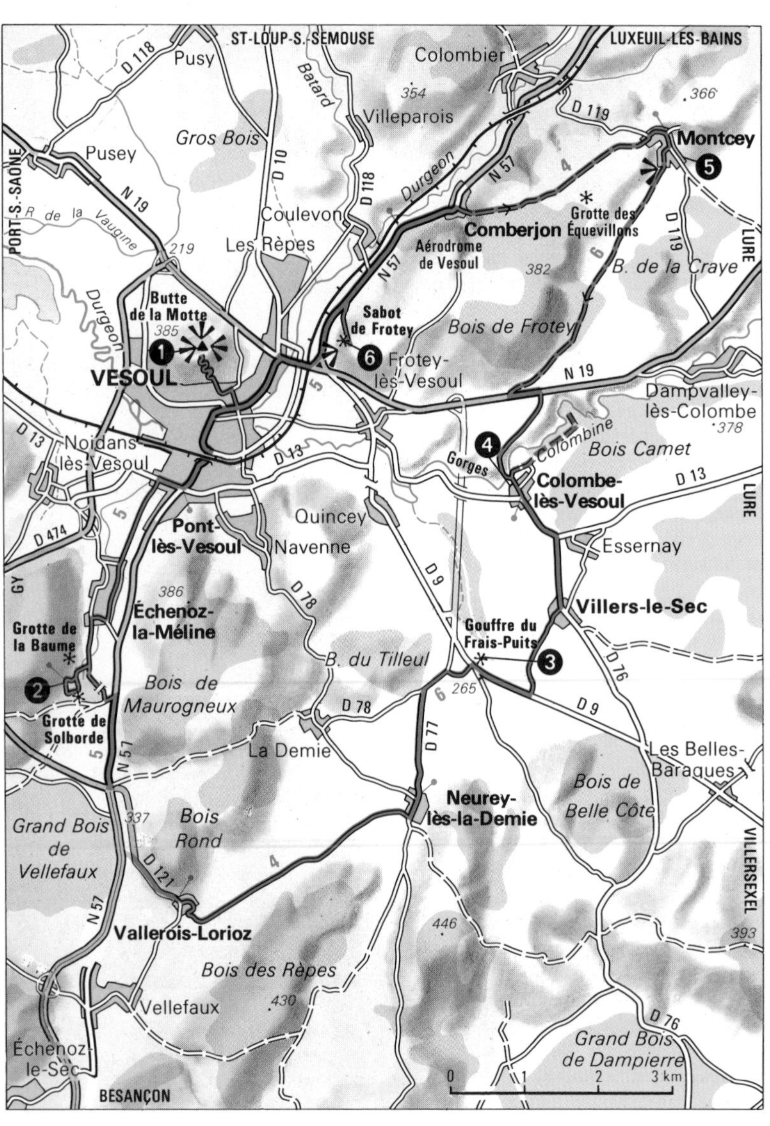

Sabot de Frotey. L'érosion a détaché un bloc en avant de la corniche calcaire et l'a curieusement sculpté en forme de sabot.

Genévrier. Ses baies sont utilisées comme condiment aromatique et comme essence d'une eau-de-vie de grains, le genièvre.

❸ **Gouffre du Frais-Puits.** C'est une vaste cavité creusée dans la surface profondément karstifiée du plateau de Villers-le-Sec, un entonnoir dissymétrique d'une cinquantaine de mètres de diamètre et d'une vingtaine de mètres de profondeur, surplombé sur presque tout son pourtour par des corniches calcaires. Le fond, encombré de cailloutis, de sable et de branchages, est le plus souvent occupé par une petite nappe d'eau stagnante. Vers le N., après une contre-pente vigoureuse, le Frais-Puits est prolongé par une vallée sèche qui rejoint la vallée de la Colombine à Frotey-lès-Vesoul. Ce gouffre fait partie d'un vaste système hydrologique de circulation souterraine qui assèche la surface des plateaux de la région. En périodes de hautes eaux, il constitue en effet l'un des exutoires de la rivière qui se perd à Cerre-lès-Noroy. Le Frais-Puits se remplit alors, et les eaux, empruntant la vallée sèche qui le prolonge, vont se mêler à celles de la Colombine.

❹ **Colombe-lès-Vesoul.** La Colombine est un petit affluent du Durgeon : elle prend sa source à Colombe-lès-Bithaine et traverse la dépression marneuse avant de s'enfoncer dans les plateaux calcaires. Elle parcourt ces derniers en s'encaissant d'une centaine de mètres à l'intérieur de leur surface. La vallée décrit de nombreux méandres qui festonnent les versants. La rivière, qui ne reçoit aucun affluent au cours de la traversée du plateau, perd une partie de ses eaux dans une série de fissures, situées en aval de Colombe-lès-Vesoul. Un petit chemin qui longe la rive droite permet une agréable promenade à pied au fond de ce petit canyon (1 h environ).

❺ **Montcey.** Dans les alentours du village, plusieurs perspectives donnent sur les plateaux s'étendant de part et d'autre des gorges de la Colombine. La surface générale, dont l'altitude se tient autour de 330 m, est parsemée de buttes, dont la plus importante porte le grand bois de Comberjon et l'aérodrome de Vesoul. Elle est par ailleurs défoncée par de très nombreuses formes karstiques superficielles : dolines aux formes variées, vallées sèches et grottes, telle celle des Équevillons. Les maigres pâturages, aujourd'hui abandonnés, sont recolonisés par le genévrier ou des fourrés d'épineux. Au N. du village, le plateau se termine par une cuesta qui surplombe franchement la vallée du Durgeon.

❻ **Sabot de Frotey.** Les plateaux de la Colombine se terminent par une falaise de 20 à 30 m de haut. Un des rochers de cette corniche a été singulièrement découpé par l'érosion (voir photo). Du bord du plateau, on bénéficie d'une vue sur Vesoul, la butte témoin de la Motte et la cuesta, entre Noidans-lès-Vesoul et Quincey.

Randonnée aux environs de Besançon

14 km

Le relief complexe de la bordure nord-ouest du Jura est recoupé par l'entaille des méandres de la vallée du Doubs. Le climat bien arrosé et les étés chauds, les expositions variées et la longue mise en valeur par l'homme expliquent la richesse végétale et l'aspect de marqueterie qu'il revêt. D'où, aux environs de Besançon, des paysages contrastés : on y fera, sans peine, une promenade à pied de cinq à six heures.

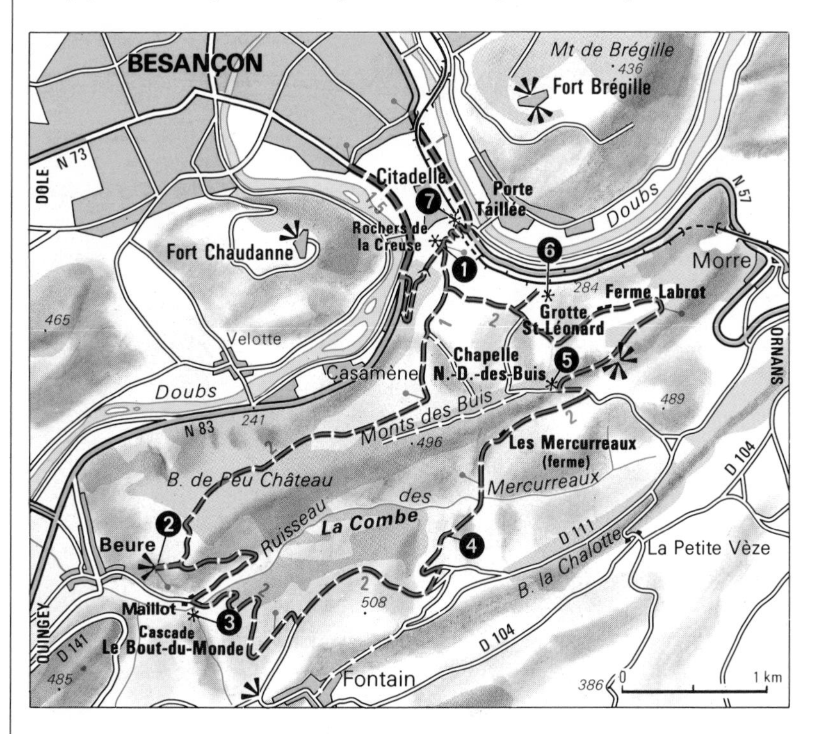

❶ **Rochers de la Creuse.** De l'arête des couches redressées du flanc S. de l'anticlinal de la Citadelle, on surplombe la cluse O. du grand méandre de Besançon. A l'aval, la rivière est coincée entre un versant à corniche lié à une faille, au S., et les collines de Chaudanne découpées dans une voûte calcaire plissée, au N.

❷ **Beure.** Au-dessus du village, la disposition des éléments du paysage rappelle celle de l'arrêt précédent, en plus ample. Ici, le versant S. est dominé par les chicots rocheux du chevauchement d'Arguel, la plaine alluviale s'ouvre largement et l'on voit mieux l'enfilade des collines plissées séparées par les méandres abandonnés du Doubs. Bois, friches, vergers, prairies et cultures couvrent ces formes d'un manteau nuancé que ponctuent les amas de roches entassées par l'épierrement séculaire des pentes.

❸ **Le Bout-du-Monde.** Une cascade haute d'une dizaine de mètres, tombant d'une corniche rocheuse sculptée en un vaste hémicycle : c'est la reculée que le ruisseau des Mercurreaux a formée au sortir d'une combe perchée à une centaine de mètres au-dessus de la vallée du Doubs.

❹ **La Combe.** Elle est amplement taillée dans les marnes, aux pentes douces occupées par des prairies. Deux crêts formant des talus boisés l'encadrent. Ce paysage, typique de la bordure plissée du Jura, contraste, par sa douceur, avec la vigueur des formes de la vallée du Doubs.

❺ **Chapelle N.-D.-des-Buis.** De l'esplanade, où est érigée une statue de N.-D.-de-la-Libération, un panorama circulaire permet une observation d'ensemble du site de Besançon avec la vallée du Doubs et les collines qui la bordent, les bas plateaux qui leur succèdent au N., et les premiers plateaux du Jura dont les ondulations boisées s'étendent vers le S.-E.

❻ **Grotte Saint-Léonard.** Aborder avec prudence les prairies qui passent sans transition du point de vue précédent aux corniches calcaires dominant la partie E. du méandre de Besançon. La grotte est un peu en contrebas ; profonde de 120 m, elle n'est pas accessible.

❼ **Porte Taillée.** Ouverte à l'époque romaine, elle troue le mur que les couches verticales de l'anticlinal de la Citadelle dressent jusqu'au Doubs, dans la cluse E. de Besançon.

Dole, Arbois et la forêt de Chaux 166 km

Le versant du premier plateau jurassien fait la part égale aux villes et à la nature : des cités d'art — Dole, Poligny — d'industrie millénaire — Salins-les-Bains, Arc-et-Senans — ou de villégiature — Arbois ; une nature généreuse en vignobles et en forêts ; un chapelet de sites qui font l'originalité du Jura : reculées, cirques, grottes, résurgences et cascades.

❶ **Dole** fut la capitale de la Franche-Comté jusqu'à son rattachement à la France en 1678. Le centre historique de la ville est un lacis de rues et ruelles en pente bordées de maisons (XVe-XVIIIe s.), avec tourelles, porches sculptés, façades décorées. L'église Notre-Dame, de style flamboyant, est précédée par un clocher carré, de 74 m, faisant porche. A l'intérieur, la tribune d'orgue est en marbre rouge. Au 43, rue Pasteur, la maison natale

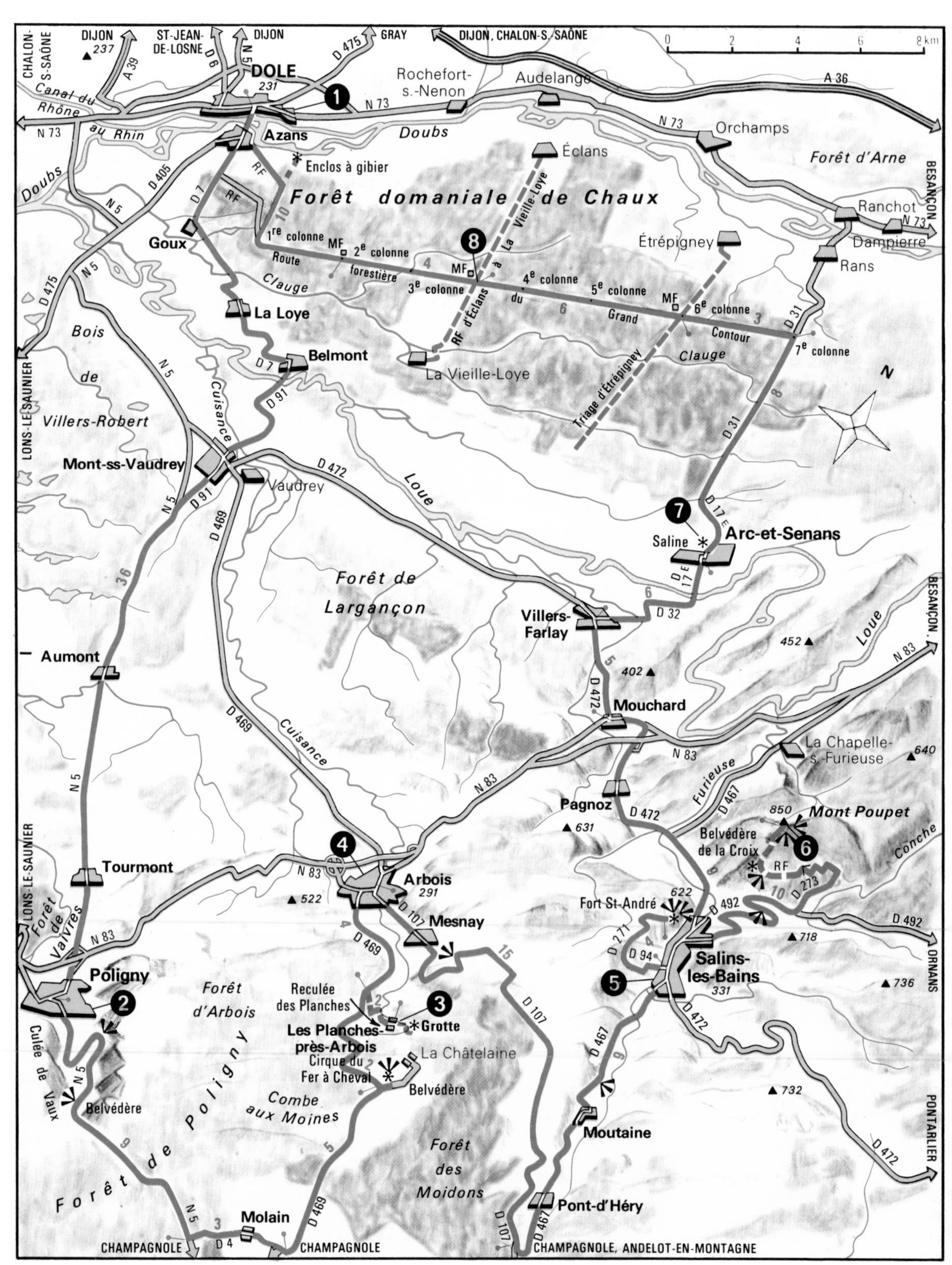

Reculée des Planches. Les parois abruptes sont taillées dans le plateau par le travail de sape du cours souterrain de la Cuisance.

Arbois, avec ses anciennes maisons gothiques et classiques, se serre, à l'entrée de la reculée des Planches, entre des vignobles.

du savant abrite le Musée pasteurien (t.l.j. en saison, sauf mardi ; hors saison, groupes sur R.-V.). Collège de l'Arc (XVIe s.), dont les deux parties sont reliées par une arche sous laquelle passe la rue, importante bibliothèque municipale. Dans le quartier Barberousse, l'ancien pavillon des Officiers abrite le musée des Beaux-Arts et d'Archéologie (t.l.j., sauf mardi), ainsi que les archives municipales. Voir aussi la façade de l'hôpital Pasteur (voir dessin) et la cour du palais de justice, ancien couvent des Cordeliers.

❷ **Poligny**, « capitale du Comté », est située à l'entrée de la Culée de Vaux, au pied du premier versant du Jura, le Vignoble, aux vins réputés. Le porche (XVIe s.) de l'église St-Hippolyte (XVe s.) s'orne d'un calvaire en bois ; à l'intérieur, dix statues de l'école bourguignonne (XVe-XVIe s.). Dans l'ancienne église du Mouthier-Vieillard, en partie romane, retable en pierre de 1534. A l'hôtel-Dieu (XVIIe s.), cour à galeries, cuisine et réfectoire voûtés, pharmacie (vis. sur dem. à l'accueil, t.l.j., sauf dim. Fermé 30 sept.-1er janv. Groupes sur R.-V.). La Grande-Rue est bordée d'hôtels du XVIIe s. aux portes sculptées (pour tous rens., O.T., tél. : 84-37-24-21).

Par une dénivellation de 240 m, à flanc de falaises, on escalade la *Culée de Vaux* pour atteindre, sur le plateau, la *forêt de Poligny* : 3 000 ha peuplés de chênes, charmes, buis et sorbiers. Nombreux sentiers fléchés.

6 km après Molain, prendre à pied, sur la droite, un sentier qui conduit à un belvédère : vue magnifique sur le vignoble d'Arbois et sur le *cirque du Fer-à-Cheval*, vaste amphithéâtre d'une beauté sauvage, aux parois taillées dans l'épaisse masse calcaire des plateaux, à l'extrémité E. de la *reculée des Planches* (voir photo).

❸ **Les Planches-près-Arbois.** 1 km après le village, suivre à pied un chemin qui mène, au fond de la reculée, à la *grotte des Planches*, creusée par le cours souterrain de la Cuisance (t.l.j., 1er avr.-12 nov., sauf vendredi en oct. Vac. scol. et groupes : tte l'année sur R.-V. Rens., tél. : 84-66-07-93). Du village, un chemin conduit au cirque du Fer-à-Cheval.

❹ **Arbois** (V. photo). Du pont sur la Cuisance, vue d'ensemble sur les anciennes demeures gothiques et classiques, et l'église St-Just (XIIe s.) à trois nefs et à clocher carré du XVIe s. La maison Louis Pasteur conserve intacts le cabinet de travail et le laboratoire du savant (t.l.j., sauf jeudi, d'avr. à oct. et vac. scol. Groupes sur R.-V. Tél. : 84-37-47-37). La place de la Liberté est bordée de maisons à arcades du XVIIe s. Le château Bontemps domine le cours de la Cuisance. Au château Pécauld, visiter le musée de la vigne et du vin de Franche-Comté (t.l.j., sauf mardi. Fermé déc.-janv. Groupes sur R.-V., tél. : 84-66-26-14).

❺ **Salins-les-Bains** s'étire dans la vallée de la Furieuse, dont on longe la rive gauche par la promenade des Cordeliers. Voir les salines déjà exploitées au temps des Romains (vis. guid. t.l.j. Fermé déc.-janv. Groupes sur R.-V.). L'église Ste-Anatoile illustre le style gothique bourguignon (XIIIe s.), en dépit de ses arcs en plein cintre. Dans la pharmacie de l'hôpital (XVIIIe s.), étains et faïences de Nevers (vis. : s'adresser au S.I., tél. : 84-73-01-34). A 4 km, au *fort Saint-André* (604 m) construit sur les plans de Vauban, vue sur Salins et la Furieuse.

❻ **Mont Poupet.** Du sommet, accessible à partir de la route par un sentier pédestre (1 h AR), vue splendide sur le mont Blanc, tout le Jura et la Bresse.

❼ **Arc-et-Senans.** Voir p. 248-249.

❽ **Forêt domaniale de Chaux.** Ses 13 000 ha de chênes et de hêtres en font une des plus belles de France. Nombreuses routes forestières. Aires de pique-nique.

Dole. Échauguette en cul-de-lampe (1686) de l'hôpital Pasteur, ancien hôtel-Dieu.

ARC-ET-SENANS CITÉ IDÉALE CONÇUE PAR LEDOUX

Les bâtiments en demi-cercle de la Saline royale de Chaux sont le cœur inachevé d'une cité idéale. C'est pourquoi ils semblent flotter dans un espace trop grand pour eux. Ils ont été dessinés par un architecte qui a beaucoup construit et davantage encore rêvé : Claude Nicolas Ledoux. Nommé en 1771 inspecteur général des Salines du roi, il se met à l'étude d'une installation nouvelle. Au S.-O. de Besançon, il choisit un site entre les villages francs-comtois Arc et Senans, en bordure de la forêt royale de Chaux. Ainsi le bois, combustible indispensable, sera proche et abondant. Moins onéreuses à transporter, les eaux saumâtres en provenance des mines de Salins parviendront à l'aide d'une sorte de pipeline en bois jusqu'à six énormes chaudières, où elles seront évaporées. A partir de ce choix économique judicieux, Ledoux construit en 1775 son usine en demi-cercle. Évoquant la course du soleil, ce parti architectural préservait l'avenir : forme inachevée destinée à se compléter lorsque, selon Ledoux, « l'industrie sera la mère de toutes les richesses ». Vingt ans après la construction de la saline, il reprendra son plan en demi-cercle et, en « rêve appliqué », imaginera la cité idéale, ville industrielle concentrique, adonnée à une nature inépuisable — le sel, le bois — et tournée vers le soleil. Réinventant l'antiquité gréco-latine, Ledoux attribue à l'architecture une puissance sans limites. Elle peut tout, elle doit tout : modeler la société, organiser l'ordre et l'harmonie, élever l'âme, susciter la vertu, le bonheur individuels. L'extravagance de Ledoux lassa ses contemporains. Au début de notre siècle, les dessins de bâtiments aux allures à la fois symboliques et fonctionnelles qu'il avait accumulés dans ses cartons lui valurent d'être reconnu comme un lointain précurseur, et la saline désaffectée abrite, aujourd'hui, un centre du futur.

En dehors de l'architecture extérieure, on peut visiter le musée du Sel, dans le pavillon du directeur, ainsi que le bâtiment des tonneliers, où une exposition permanente est consacrée à Claude Nicolas Ledoux. Expositions temporaires (t.l.j., tte l'année. Vis. guid. Rens., tél. : 81-54-45-45).

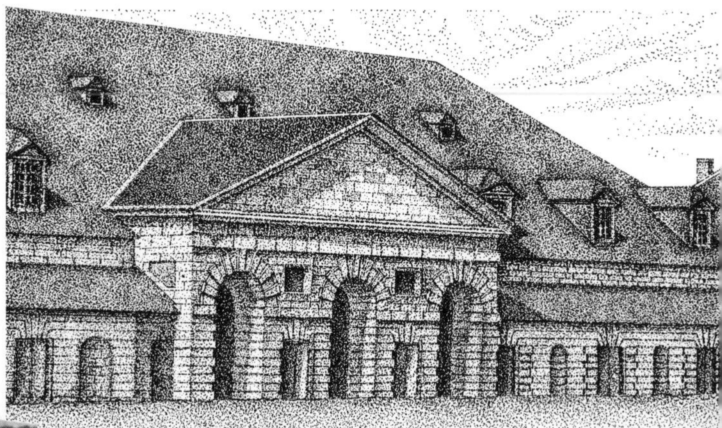

Le projet de Ledoux et sa réalisation

A gauche, la cité idéale. A droite, les bâtiments effectivement construits. En hommage au soleil, la ville s'organisait en deux cercles concentriques. La porte d'entrée abrite le lavoir, le four banal, la prison, les chambres des gardes et des portiers. Au centre, la maison du directeur. De chaque côté, les grands ateliers. Autour, les pavillons des différents corps de métier: commis, ouvriers, tonneliers, maréchaux. C'étaient des logements collectifs. Sur la seconde circonférence, Ledoux aurait placé une Bourse, un marché, des bains, une église, une forge à canons, mais aussi un temple «pacifère» dédié à la conciliation, une «cénobie» qui «imprime le mouvement des vertus sociales» ainsi que deux temples dédiés à l'Amour.

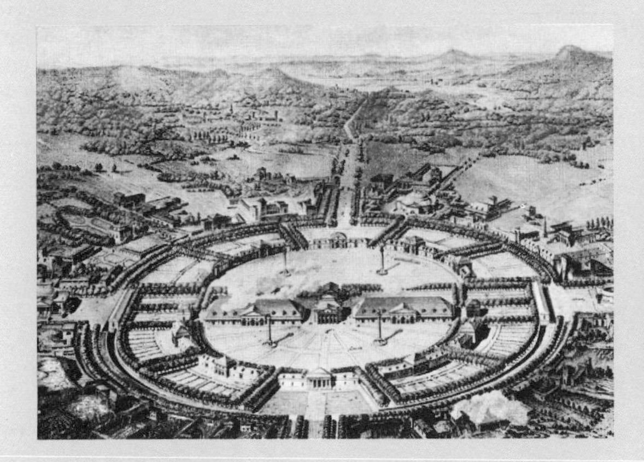

Façade de la maison du directeur. Ces colonnes baguées de cubes qui ornent la maison du directeur sont une invention de Ledoux. Il s'en est expliqué ainsi: « Dans une usine, des piliers ronds et carrés semblent être plus convenables qu'aucun des ordres connus. Les saillies produisent des ombres piquantes... »

La grotte artificielle. En franchissant les colonnes du portique d'entrée, on pénètre dans une grotte artificielle. Ledoux a voulu ainsi symboliser la raison d'être de sa ville: le sel est extrait des mines, de l'antre de la terre. Les parois de la grotte sont tapissées de sel gemme habilement imité. Le visiteur ne peut ignorer où il se trouve.

Portique d'entrée. La double colonnade d'ordre dorique est un bel exemple de la rigueur, à la fois massive et théâtrale, qu'affectionnait Ledoux: elle est faite pour en imposer. Des colonnes pour une usine? Les beaux esprits du XVIIIe s. se moquèrent de la démesure de Ledoux. Pourtant, il fut aussi un homme à la mode, sachant plaire.

Bâtiments fonctionnels. A gauche, l'un des deux ateliers. A droite, le logement des ouvriers. Les grands toits pentus sont une concession au régionalisme et au climat.

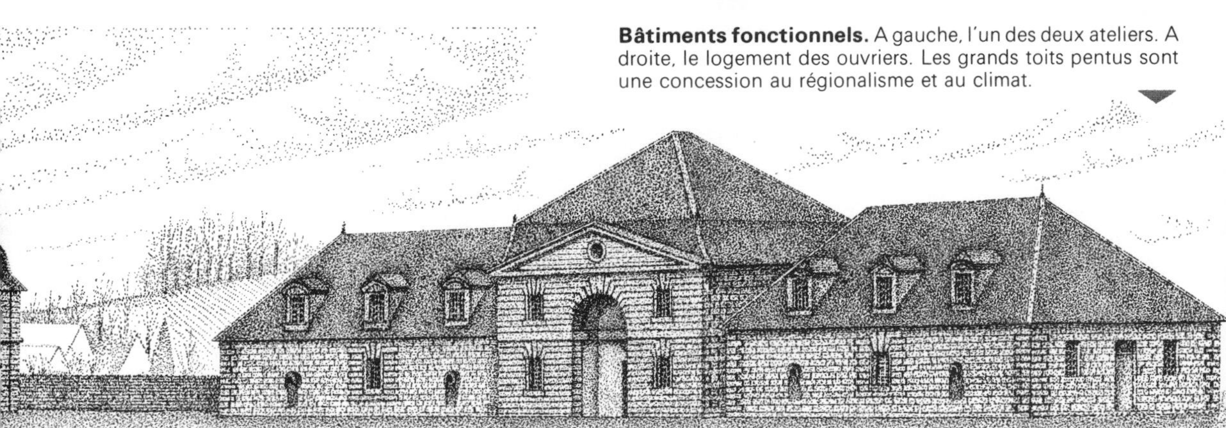

143

Promenade vers la source du Lison

37 km

La région est bien représentative des plateaux calcaires du Jura. Parfois plane, la surface est le plus souvent défoncée par de nombreuses dolines, ou animée par des reliefs plus ou moins vigoureux. Des reculées scient, par de véritables canyons, des dalles calcaires imposantes. Les nombreuses sources ou résurgences sont alimentées par les eaux qui s'infiltrent dans les plateaux voisins surtout en période de crue.

❶ **Remeton.** A hauteur de ce hameau, du bord de la route, point de vue sur la reculée de la Furieuse. Les versants, couverts d'herbes et de bosquets, sont accidentés par de nombreux glissements de terrains. Au niveau de Salins-les-Bains, la vallée se rétrécit entre deux éperons calcaires portant lé fort Belin et le fort Saint-André.

❷ **Lemuy.** Depuis l'église, on découvre le S. du plateau de Levier. Les formes douces de la topographie, les zones marécageuses et l'opulence des prairies sont liées à la présence de roches marneuses qui recouvrent le calcaire. Le ruisseau de Lemuy, qui draine ce secteur, se perd au passage d'une faille, et ses eaux alimentent la résurgence du Lison. Les hauteurs sont le royaume de la forêt de La Joux (voir itinéraire 137).

❸ **Reculée du Lison.** Entre le Pont du Diable et la source du Lison, le plateau de Levier est échancré par une reculée très étroite à l'amont et largement ouverte au-dessus du Creux Billard. De longs versants sont dominés par des falaises calcaires d'une cinquantaine de mètres de haut, dans lesquelles s'ouvrent des grottes. La rivière de la reculée se perd au niveau des fermes de Migette et rejoint la source du Lison par des conduits karstiques; mais, à la fonte des neiges, la rivière atteint le Creux Billard et alimente de grandes cascades.

Depuis le village de *Sainte-Anne*, on peut faire une agréable promenade (1 h) en prenant le sentier balisé en direction du vieux château. Beau point de vue du belvédère.

❹ **Cascade du Pont du Diable.** Vers l'amont, la reculée de Migette se termine au Pont du Diable par un véritable cul-de-sac contre des barres calcaires redressées à la verticale. Les eaux du ruisseau d'Entre-deux-Monts franchissent cet obstacle par une cascade de 50 m environ et creusent à son pied des marmites de géants (voir dessin).

❺ **Source du Lison.** (Voir photo.) Au fond d'une petite reculée dominée par d'impressionnantes falaises s'ouvre une vaste grotte d'où s'échappent les eaux infiltrées à la surface du plateau de Levier, en particulier celles du ruisseau de Lemuy. Derrière la résurgence, le Creux Billard est enserré dans une belle muraille de falaises calcaires, échancrées au S. par une cascade utilisée, lors des crues, par le ruisseau de la reculée. Les eaux rejoignent alors la source du Lison par une grotte que masquent à demi d'énormes blocs éboulés. Sur le versant O. de la reculée, un chemin forestier conduit (30 mn AR) à la *grotte Sarrazine* qui s'ouvre dans une falaise abrupte par un porche naturel de 100 m de haut. En période de crue, c'est un exutoire des eaux souterraines du Lison.

❻ **Mont Poupet** (850 m). Voir itinéraire 142.

Ferme du haut Jura. L'élevage des vaches laitières constitue la principale activité des paysans. Les grosses fermes-étables sont isolées au milieu des pâturages.

Marmites de géants. Le mouvement tourbillonnaire des eaux creuse les roches dures en forme de marmites aux parois lisses.

Source du Lison. Au S. de Nans-sous-Sainte-Anne (laisser la voiture au parking et suivre le sentier balisé ; 15 mn AR), le Lison jaillit dans un remarquable ensemble karstique.

Pontarlier, Morteau, 142 km vallée du Doubs 187 km

Le haut Jura, aux confins de la Suisse, offre à profusion tout ce qui fait la renommée de cette montagne, aisément abordable : vallées encaissées, gorges, étroits défilés ; versants abrupts couverts de pans de prairies et de forêts ; cirques, reculées et cluses, lacs et cascades. Sommets, cols et corniches des plateaux sont autant de belvédères sur cette nature d'eau et de roche. Petites villes, bourgs et hameaux se sont mis au diapason. Dans cette région hospitalière, l'homme se montre industrieux et discret.

ITINÉRAIRE N° 1

❶ **Pontarlier,** sur les bords du Doubs, au débouché du défilé de La Cluse-et-Mijoux, est un bon centre d'excursions vers le haut Jura. Visiter l'ancienne chapelle des Annonciades (1612), avec son portail Renaissance orné de vantaux à petits panneaux sculptés, et l'église St-Bénigne, du XVIIe s. (voir dessin); à l'intérieur, Vierge à l'Enfant, en bois polychrome, du XVe s. (vis. guid. de la ville, groupes ou individuel, sur r.-v., tél. : 81-46-48-33).

A 11 km à l'E. de la ville, et à moins de 1 km de la frontière suisse, le *Grand Taureau* est le point culminant (1 323 m) de la montagne du Larmont. Laisser la voiture au parking du chalet de Gounefay et continuer la route à pied (environ 2,5 km) pour atteindre la crête qui domine la vallée de la Morte (table d'orientation); vaste panorama sur les chaînons du Jura et les Alpes bernoises.

❷ **Montbenoît.** Dans le chœur de l'église de l'ancienne abbaye (voir photo), magnifiques stalles sculptées (XVIe s.). Dans le cloître (XVe s.), remarquer les chapiteaux, décorés d'animaux et de plantes de montagne.

❸ **Défilé d'Entre-Roches.** La route suit le Doubs, qui se faufile entre deux falaises, sur 5 km, et parvient au défilé du Coin de la Roche.

❹ **Morteau,** cité vouée à l'industrie horlogère, détruite par un incendie en 1865, a conservé un ancien prieuré du XVIIe s., aujourd'hui hôtel de ville, et une église des XVe et XVIIe s.

❺ **Villers-le-Lac.** C'est le point d'embarquement pour découvrir en bateau le lac de Chaillexon et les gorges (Pâques à oct., tél. : 81-68-13-25 ou 81-68-05-34), fermées en amont par le *saut du Doubs*, chute de 27 m de hauteur, que l'on peut atteindre à pied à partir des débarcadères. Accès direct au saut en voiture avec une courte marche.

❻ **Défilé d'Entreportes.** C'est une cluse verdoyante aux pentes couvertes d'épicéas et fermée par des roches en aiguilles, les Dames des Entreportes.

❼ **La Cluse-et-Mijoux.** Le fort de Joux, bâti au Xe s. sur un éperon rocheux de 940 m d'altitude, commande la cluse; transformé par Vauban, il a conservé en partie son aspect de forteresse des XIIe-XIIIe s. Musée d'armes anciennes (vis. guid. de l'ensemble t.l.j.; selon enneig. en hiver. Rens. tél. : 81-46-48-33).

❽ **Malbuisson** est la principale station estivale du lac de Saint-Point (400 ha) : sports nautiques, pêche et promenades en barque (location).

Sur la gauche de la route, 2 km environ avant Malbuisson, un chemin (15 mn AR) mène à la *Source Bleue.*

ITINÉRAIRE N° 2

❶ **Lac de Chaillexon.** A partir de Chaillexon, la route suit en corniche la rive E. du lac (voir ci-avant).

❷ **Barrage du Châtelot.** A partir du village du Pissoux, une route (pente de 13 %) mène à un belvédère qui domine de 70 m ce barrage-voûte (longueur : 148 m ; hauteur : 73 m ; épaisseur : 14 m à la base). Panorama sur les gorges du Doubs (voir photo).

❸ **Échelles de la Mort.** Au poste frontière de Fournet-Blancheroche, on prend la route de l'usine électrique du Refrain (conduire avec prudence). Un sentier fléché aboutit à trois échelles métalliques (88 échelons chacune). Par ces échelles, très sûres, bien qu'elles soient impressionnantes, on monte à un belvédère (560 m) ; vaste panorama.

❹ **Maîche** occupe une cluse percée à travers le chaînon que délimitent les gorges du haut Doubs et celles du Dessoubre. Église avec chaire en bois sculpté (XVIIIe s.), vestiges d'un château féodal, hôtels particuliers du XVIe s., château de Montalembert (ne se visite pas).

Sur la route de Goumois, du *col de la Vierge*, point de vue vers le N.-E. sur la vallée du Doubs, le haut Jura et les Franches Montagnes suisses.

❺ **Corniche de Goumois.** La route domine de 100 m le cours du Doubs ; dans un virage très serré, 2 km avant Goumois, et 800 m après, magnifiques belvédères : vues sur le Doubs traversant les chaînons par une cluse.

❻ **Saint-Hippolyte,** bien situé au confluent du Doubs et du Dessoubre, est une agréable station estivale, qui a conservé son cachet traditionnel. Remarquer, sur la place, une demeure du XVIIe s. à encorbellement. L'itinéraire remonte ensuite toute la vallée du Dessoubre.

❼ **Roche du Prêtre.** Prendre sur la droite de la route un sentier fléché (10 mn AR). Ce belvédère domine de 350 m le cirque de la Consolation.

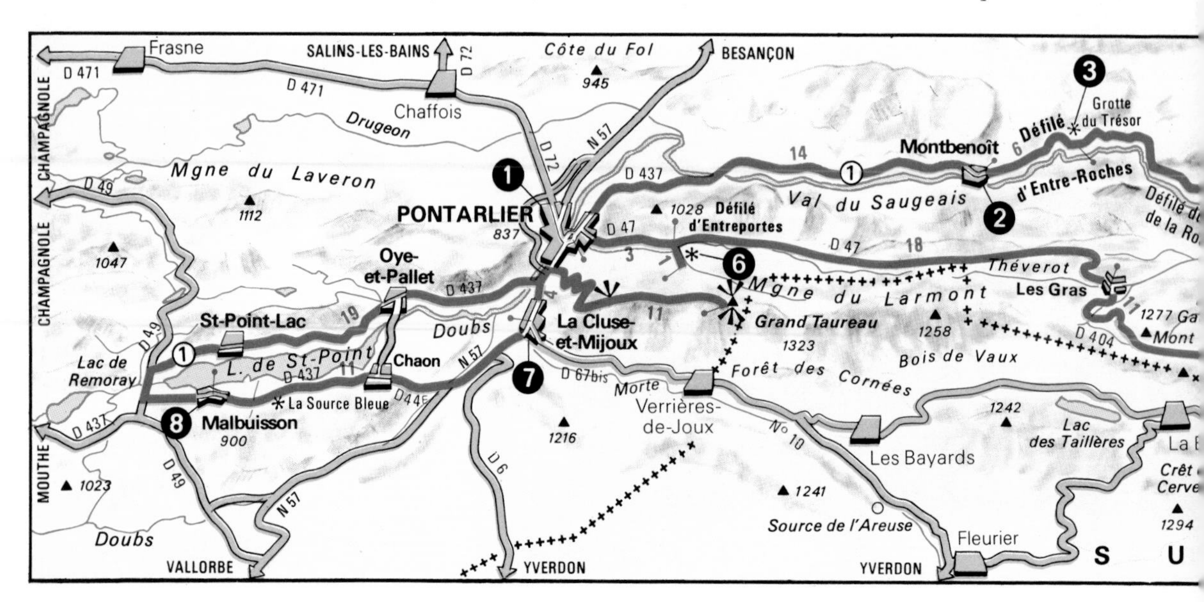

Pontarlier. Le portail classique de l'église St-Bénigne est séparé de la nef. L'ensemble est dominé par une grosse tour-clocher.

Le Doubs, en amont du barrage du Châtelot. La rivière amorce ici un nouveau cours jalonné de gorges et de rapides.

Montbenoît. L'église de l'ancienne abbaye des Augustins a été édifiée du XIe au XVIe s. Le clocher carré a été reconstruit en 1904.

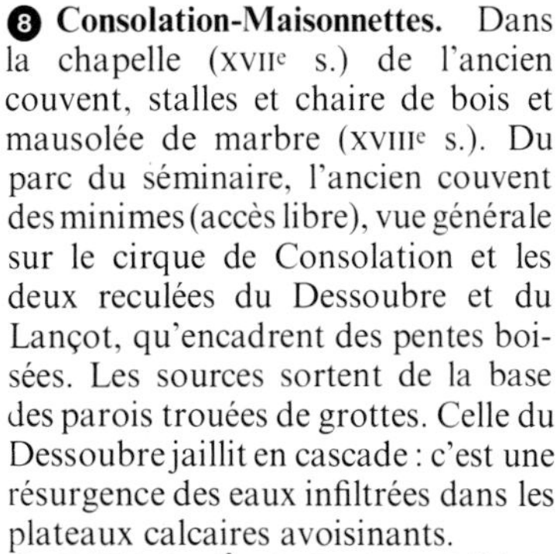

❽ **Consolation-Maisonnettes.** Dans la chapelle (XVIIe s.) de l'ancien couvent, stalles et chaire de bois et mausolée de marbre (XVIIIe s.). Du parc du séminaire, l'ancien couvent des minimes (accès libre), vue générale sur le cirque de Consolation et les deux reculées du Dessoubre et du Lançot, qu'encadrent des pentes boisées. Les sources sortent de la base des parois trouées de grottes. Celle du Dessoubre jaillit en cascade : c'est une résurgence des eaux infiltrées dans les plateaux calcaires avoisinants.

❾ **Défilé des Épais Rochers.** L'itinéraire descend la vallée du Dessoubre, puis s'engage dans celle de la Réverotte par le défilé des Épais Rochers, gorge aux versants raides et boisés, entaillée dans le calcaire.

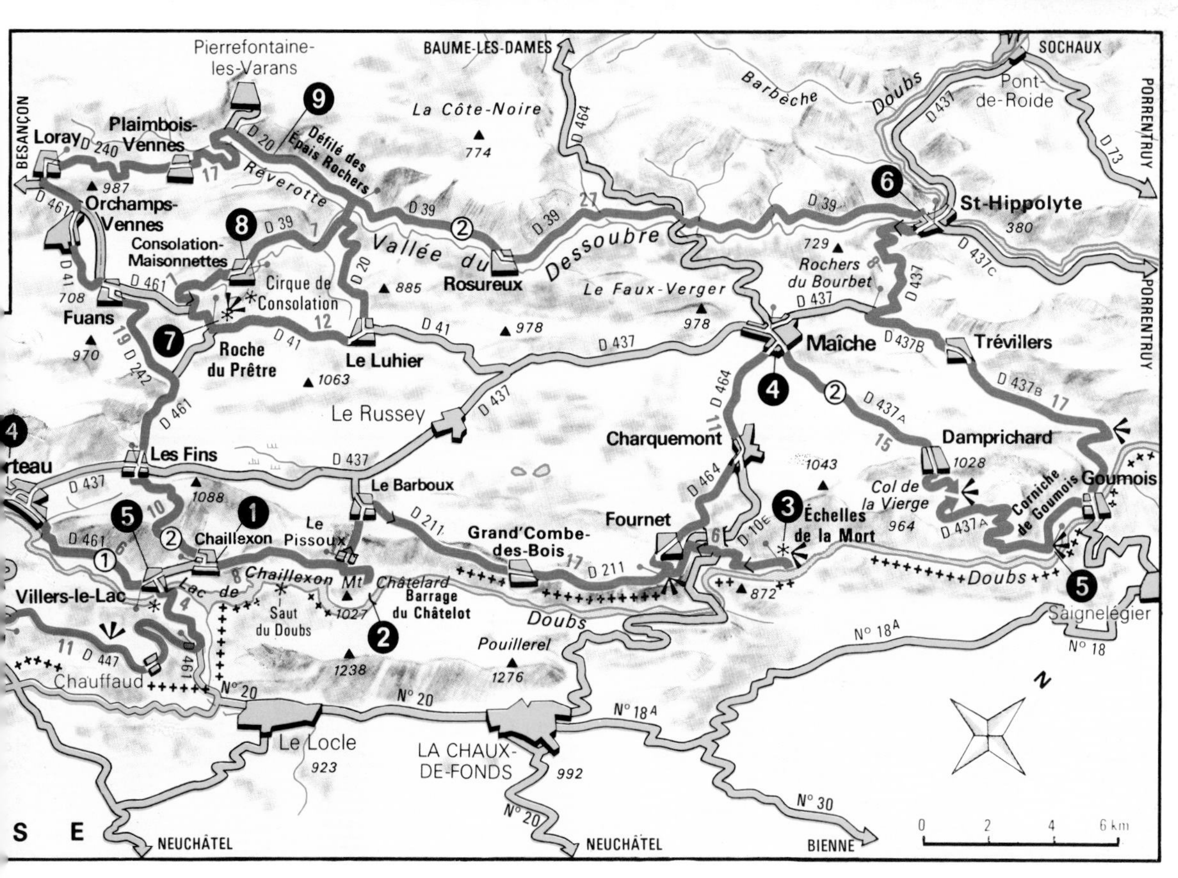

Lons-le-Saunier et le haut Jura 334 km

En une traversée de quelques dizaines de kilomètres, le haut Jura offre un éblouissant éventail de sites et de paysages. Cette région, dont la beauté est trop souvent éclipsée par la renommée des Alpes voisines, quel ensemble de montagnes, de gorges, de vallées, de lacs et de forêts! Et quelles vues changeantes : des villes industrieuses à l'échelle humaine, de profondes sapinières, des plans d'eau pure enchâssés dans les monts, et le col de la Faucille, belvédère sur le Léman, les Alpes et la Suisse.

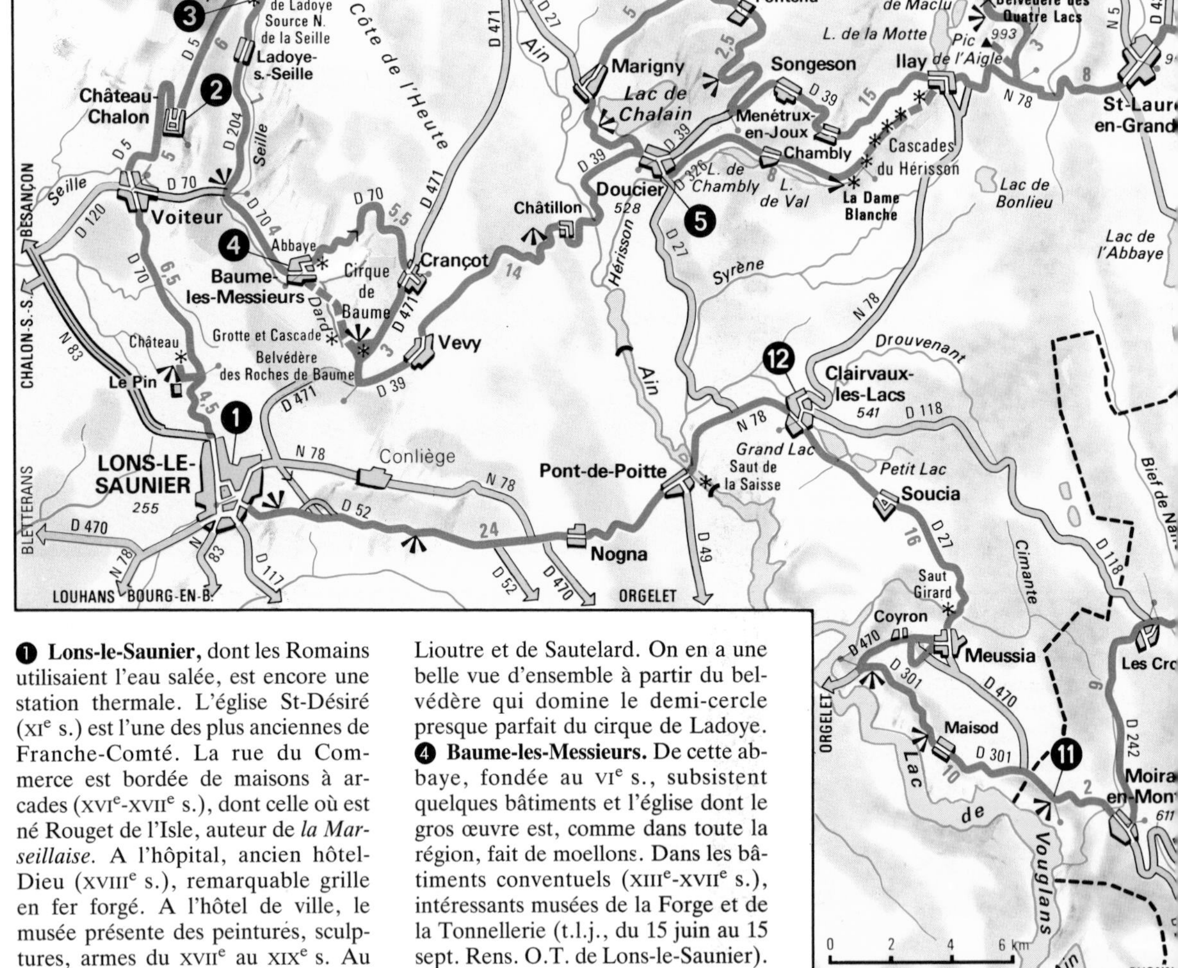

❶ **Lons-le-Saunier,** dont les Romains utilisaient l'eau salée, est encore une station thermale. L'église St-Désiré (XIe s.) est l'une des plus anciennes de Franche-Comté. La rue du Commerce est bordée de maisons à arcades (XVIe-XVIIe s.), dont celle où est né Rouget de l'Isle, auteur de *la Marseillaise.* A l'hôpital, ancien hôtel-Dieu (XVIIIe s.), remarquable grille en fer forgé. A l'hôtel de ville, le musée présente des peintures, sculptures, armes du XVIIe au XIXe s. Au musée d'Archéologie, expositions thématiques d'objets préhistoriques, gallo-romains et mérovingiens (les deux musées sont ouv. t.l.j., sauf mardi ; sam., dim. et j. fér., l'apr.-m.). A 5 km, vers Voiteur, se dresse le donjon du *château du Pin* (XIIIe s.).

❷ **Château-Chalon.** Coincé au sommet d'un éperon rocheux, le village n'a conservé de ses anciennes fortifications que les ruines du château fort et une porte. Dans l'église St-Pierre (Xe s.), curieux Christ en chêne au visage mi-tourmenté mi-serein.

❸ **Reculée de Ladoye.** Longue de 6 km, large de 600 à 700 m, encaissée de 200 m dans le plateau, elle se termine par les cirques de Ladoye, de Lioutre et de Sautelard. On en a une belle vue d'ensemble à partir du belvédère qui domine le demi-cercle presque parfait du cirque de Ladoye.

❹ **Baume-les-Messieurs.** De cette abbaye, fondée au VIe s., subsistent quelques bâtiments et l'église dont le gros œuvre est, comme dans toute la région, fait de moellons. Dans les bâtiments conventuels (XIIIe-XVIIe s.), intéressants musées de la Forge et de la Tonnellerie (t.l.j., du 15 juin au 15 sept. Rens. O.T. de Lons-le-Saunier).

De l'abbaye, une route conduit, le long de la vallée du Dard, au fond de la reculée, au pied des hautes falaises du *cirque de Baume*. Un vaste panorama s'étend du belvédère des Roches de Baume, que l'on atteint à pied par la gorge des Échelles de Crançot, aménagée en escaliers, ou en voiture en passant par Crançot. Dans le paroi S.-O. s'ouvre, à flanc de falaise, une grotte comportant plusieurs salles fort belles et d'un grand intérêt, dont la principale est la salle du Catafalque (t.l.j., de Pâques à fin sept.).

❺ **Doucier.** Avant de poursuivre vers le *lac de Chalain,* on longera les lacs de Chambly et de Val pour atteindre la Dame Blanche. De là, il faut remonter à pied le cours du *Hérisson* pour parvenir à la cascade de l'Éventail, puis à celle du Grand Saut.

On repart de Doucier en suivant la rive O. du lac de Chalain jusqu'à Fontenu : des falaises, vue sur le site.

❻ **Belvédère des Quatre Lacs.** Vue d'ensemble sur les deux lacs de Maclu, le lac de la Motte et le lac de Narlay.

❼ **Morez,** ville-rue longue de 2 km, au fond de l'étroite vallée de la

Château de Pin. Construit au XIIIe s., il fut agrandi d'un corps de logis au XVe s. (ne se visite pas).

Maisons jurassiennes. Le toit à pan coupé (à droite) est couvert de tuiles plates. En montagne, le côté de l'habitation exposé au N. est revêtu de lattes de bois (à gauche).

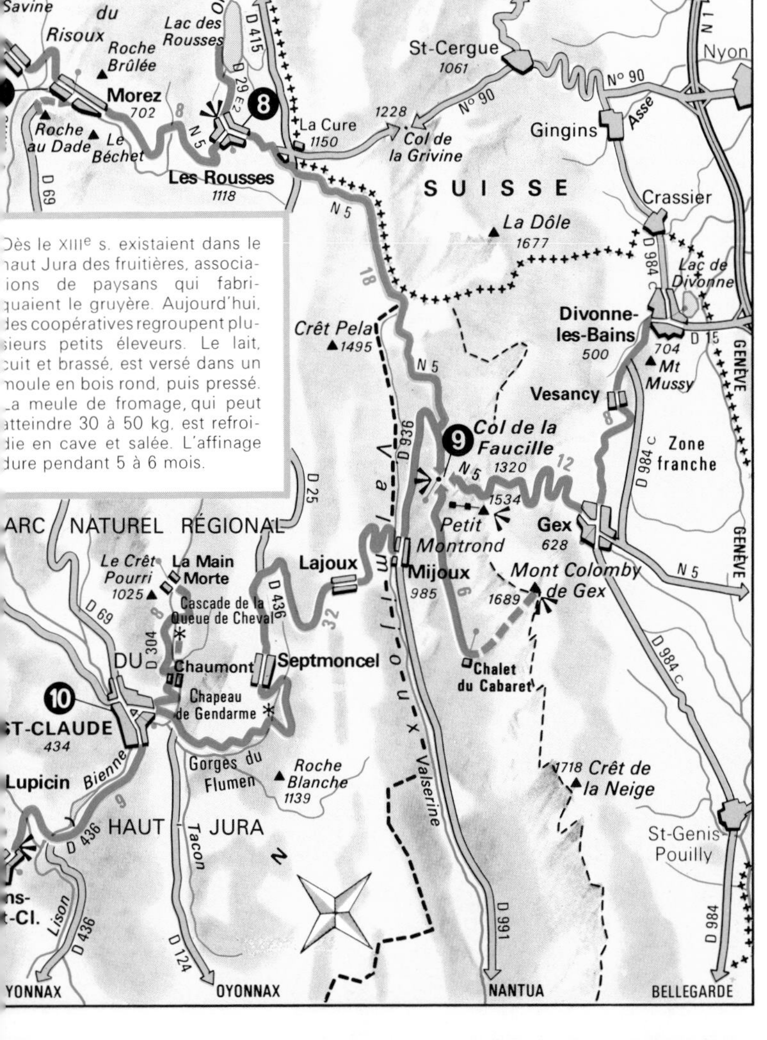

Dès le XIIIe s. existaient dans le haut Jura des fruitières, associations de paysans qui fabriquaient le gruyère. Aujourd'hui, des coopératives regroupent plusieurs petits éleveurs. Le lait, cuit et brassé, est versé dans un moule en bois rond, puis pressé. La meule de fromage, qui peut atteindre 30 à 50 kg, est refroidie en cave et salée. L'affinage dure pendant 5 à 6 mois.

Bienne, est la capitale de la lunetterie. Divers points de vue (fléchés). On ne manquera pas de remarquer le formidable viaduc du chemin de fer. Point de vue général sur la ville depuis le belvédère de la Roche au Dade (sentier pédestre balisé).

❽ Les Rousses (1 118 m). Depuis la terrasse du cimetière qui entoure l'église (XVIIIe s.), on découvre le lac des Rousses, à 2 km au N.-E. (plage aménagée très fréquentée).

❾ Col de la Faucille (1 320 m). Le col domine de ses pentes boisées la vallée de la Valserine, le «Valmijoux», qu'occupent prairies et bocages. Du *Petit Montrond* (1 534 m), de même que du mont *Colomby de Gex* (1689 m), accessible par le chalet du Cabaret, vue sur le Jura, le Léman et les Alpes (tables d'orientation).

La descente du col, par une route en lacet, conduit à travers le pays de Gex — zone franche où les habitants échappent au contrôle de la douane française — à *Divonne-les-Bains*. La station thermale est réputée pour la limpidité et la fraîcheur (6,5 °C) de ses eaux, recommandées pour les affections nerveuses. Au S.-O., le *mont Mussy* est un agréable but de promenade par des chemins fléchés (sentier des Dames, à gauche sur la route de Gex, à la sortie de la ville, 1 h AR).

Du col de la Faucille, la route descend ensuite par les gorges du Flumen. Au-dessus du dernier lacet se dresse le célèbre *«chapeau de Gendarme»*: il y a des millions d'années, les couches de calcaire se sont plissées, formant un anticlinal vertical.

❿ Saint-Claude, au confluent du Tacon et de la Bienne, environné de montagnes, est le centre touristique du haut Jura. La cathédrale St-Pierre, commencée au XIVe s. et terminée au XVIIIe, est gothique, hormis la façade et la tour carrée, qui sont classiques. A l'intérieur, trente-huit stalles admirablement sculptées et un retable Renaissance de l'époque florentine. Nombreuses excursions possibles, notamment à la double cascade de la Queue de Cheval (chute de 50 m), et au Crêt Pourri par la Main Morte.

⓫ Lac de Vouglans. C'est un lac de barrage formé par les eaux de l'Ain. Le meilleur point de vue est situé au N. de Moirans-en-Montagne.

⓬ Clairvaux-les-Lacs, dont l'église au clocher roman renferme des stalles sculptées du XVe s., possède une plage sur le Grand Lac. Vestiges d'une cité lacustre préhistorique dans le Grand Lac et le Petit Lac. Sur la plage, vitrines exposant les objets découverts. On rejoint ensuite Lons-le-Saunier en franchissant l'Ain (voir photo) à Pont-de-Poitte : du pont, vue sur le Saut de la Saisse.

L'Ain. Près de Pont-de-Poitte, la rivière prend 12 m de dénivellation par une série de cascades et de rapides.

147

Le Bugey 129 km au départ de Belley

Un itinéraire étonnant : pas de grandes villes, pas de grandes cathédrales, pas de châteaux historiques, pas de musées. Mais de gros bourgs tranquilles jalonnant un même paysage sous tous ses angles : montagnes abordables, vallons ouverts, vallées largement encaissées, rivières cascadantes, forêts de hêtres et de sapins entrecoupées de clairières et de pâturages. C'est le bas Bugey, partie la plus méridionale du Jura, trait d'union entre celui-ci, la vallée du Rhône et les Alpes.

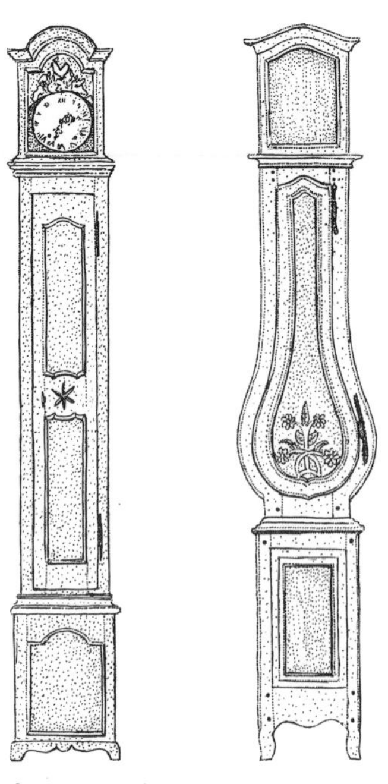

Horloges comtoises (XIXe s.). Le soubassement, la gaine – droite, pyramidale ou en violon – et la tête sont en noyer ; les disques du balancier sont en cuivre.

❶ **Belley,** ancienne capitale du Bugey, est le siège d'un évêché. Le palais épiscopal (vis. sur demande, tél. : 79-81-41-12), de style classique, est l'œuvre de Soufflot (1713-1780), architecte du Panthéon à Paris. La cathédrale, reconstruite au XIXe s. dans les styles gothique tardif et Renaissance, ne conserve de son passé qu'un portail (XIVe s.), le chœur (XVe s.) et des rosaces (XIVe-XVe s.). Dans les rues de la vieille ville, quelques belles demeures Renaissance. Deux noms célèbres sont attachés à la cité : celui de Lamartine (1790-1869), dont une statue de bronze orne l'entrée du collège où il fut élève, et celui de Brillat-Savarin (voir dessin). Belley est le point de départ de nombreuses excursions dans le bas Bugey, notamment aux lacs d'Armaille et d'Arborias.

❷ **Lac d'Ambléon.** Au-dessus du village d'Ambléon, il occupe une cuvette d'origine karstique entre la montagne de Tentanet et le val d'Innimond. Laisser la voiture le long de la route et traverser la prairie. Le lac s'étend sur un peu plus de 4 ha dans la combe boisée. Il a pour affluents les sources et les eaux du vallon, et alimente lui-même, souterrainement, la source du Sétrin.

❸ **Château de St-André.** La route qui descend en sinuant vers le hameau de Montagnieu passe à proximité du château de St-André, dont les ruines se dressent au-dessus de la vallée du Rhône (on ne visite pas). Vaste panorama sur le massif de la Chartreuse, sur le fleuve et les vignobles qui produisent un vin blanc assez réputé.

❹ **Calvaire de Portes** (1 010 m). A droite de la route (à pied, 20 mn AR), c'est un excellent belvédère sur les plis du bas Bugey, le massif du Grand Colombier (1 531 m), le plateau de Crémieu et le lac du Bourget.

Au N.O. se trouve la *chartreuse de Portes* (on ne visite pas). On peut contempler son architecture depuis les crêtes qui la dominent.

❺ **Cluse des Hôpitaux.** Ancien lit du Rhône à un stade interglaciaire, cette cluse est une gorge étroite (sa largeur atteint rarement 1 km), très encaissée entre des falaises calcaires ornées parfois de cascades, et qui dominent de 400 m un sillon d'une austère beauté.

❻ **Cascade de Charabotte.** A Tenay, après être descendue par une série de rapides et de cascades depuis Hauteville-Lompnès, l'Albarine retrouve la grande percée de la cluse des Hôpitaux. On remonte les gorges de cette rivière, dont les versants sont tapissés de forêts, jusqu'au belvédère aménagé sur un banc rocheux à hauteur de la cascade de Charabotte. Il faut se rendre à pied jusqu'à la paroi : la rivière tombe de 150 m en quatre sauts

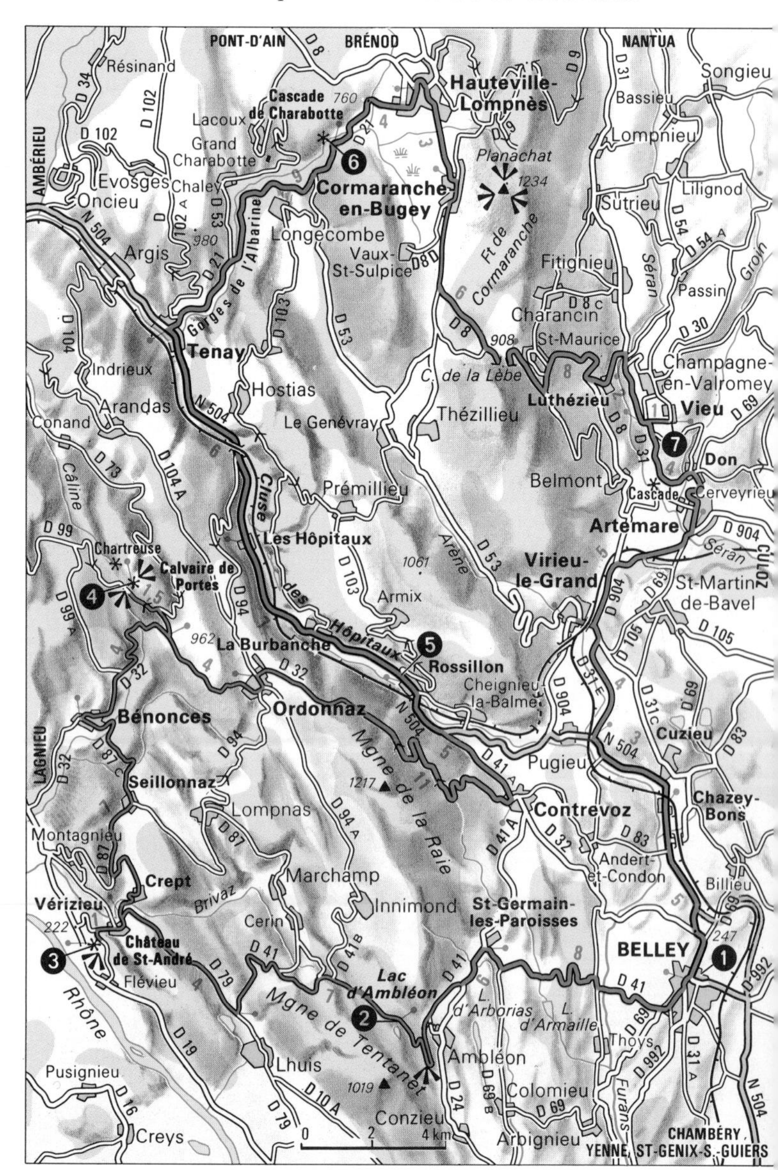

Vieu. Les maisons bourgeoises cossues côtoient les modestes maisons paysannes comme celle-ci, toujours entourées d'un petit jardin clos par un muret de pierres.

successifs, particulièrement impressionnants à la fonte des neiges ou après de fortes pluies. A mi-hauteur de la cascade, de petites sources sourdent du rocher.

❼ **Vieu** (voir photo), où Brillat-Savarin possédait une gentilhommière, occupe, au pied du Grand Colombier, le site d'une cité romaine détruite au Ve s. par les Vandales. Nombreux vestiges: temple, thermes, aqueduc. L'église de l'Assomption a une nef du XIIIe s., un chœur gothique et un fort clocher carré. Sur la route de Virieu-le-Grand, à gauche, le Séran tombe de 50 m : c'est la *cascade de Cerveyrieu,* célèbre pour ses reflets bleutés.

Au départ de cette région, nombreuses promenades possibles dans le Valromey, large vallée bordée, à l'E., par la montagne du Grand Colombier et, à l'O., par un chaînon que couvrent les forêts de Saint-Gervais et de Cormaranche.

Brillat-Savarin (1755-1826). Né à Belley, il fut magistrat et député. Mais il doit sa renommée universelle à son ouvrage, la « Physiologie du goût ».

En montant au Crêt de la Neige 13 km

Le plus haut chaînon du Jura, qui porte le Crêt de la Neige (1 718 m), domine la Plaine suisse (face aux Alpes). La flore riche et variée, les formes d'érosion, l'ampleur des vues agrémentent cette randonnée pédestre à faire de mai à octobre dans la réserve naturelle du Haut-Jura. Il faut sept heures d'une marche rude, mais sans danger si l'on est prudent.

❶ **Chalet Armion.** Au replat, vue d'ensemble sur le val de la Valserine, au fond couvert de prairies et aux versants raides, domaine des hêtres et des sapins. Vers l'O., le regard porte jusqu'au Crêt de Chalame et aux ondulations du plateau des Bouchoux.

❷ **Corniche de Praffion.** Des croupes couvertes de pelouses et trouées de dolines dominent, par des corniches calcaires, un large cirque développé par l'érosion glaciaire et nivale. Vue sur les Alpes.

❸ **Montoisey.** Ce sommet (1 657 m) aux formes lourdes correspond à l'inflexion du pli et fut modelé par la dissolution du calcaire. Vaste panorama : vers l'O., sur la descente des plateaux et des chaînons du Jura ; vers le S.-E., sur l'étalement de la Plaine suisse. Entre la Jungfrau, tout à l'E., et les Grandes Rousses, loin au S., c'est le Mont-Blanc.

❹ **Grand Crêt** (1 702 m). Entre les affleurements rocheux, les pentes sont couvertes d'une pelouse subalpine rase piquetée de touffes de buissons bas (genévrier, dryas). Le versant N. est entaillé par des « combes à neige », où la neige reste tard dans l'été.

❺ **Crêt de la Neige** (1 718 m). Le panorama est splendide. Les curieux reliefs ruiniformes du sommet sont dus à l'action de la dissolution qui a sculpté le calcaire. Elle a été facilitée par la distension des fissures provoquée par la forte inflexion du pli.

❻ **Versant nord du Crêt.** C'est la seule partie difficile du parcours : contourner prudemment par le S.-O. les corniches et les grands éboulis mis en place lors des périodes glaciaires. Ces dernières expliquent aussi la présence de plantes arctiques (lycopodes) dans la pelouse. En raison de la rudesse du climat, et malgré leur âge — certains ont de 300 à 400 ans — les pins à crochets sont rabougris.

❼ **La Combe des Planes,** évidée dans un affleurement de marnes, est occupée par une mosaïque de végétation qui mêle bosquets d'épicéas, pelouses et buissons de myrtilles, rhododendrons et raisins d'ours.

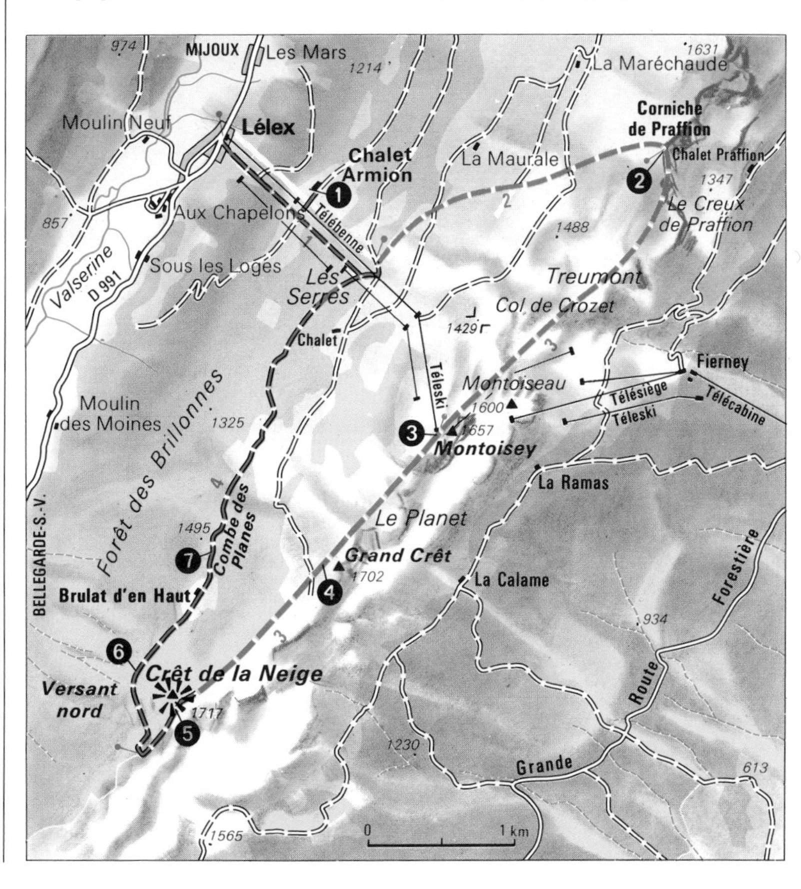

LANGUEDOC • ROUSSILLON GRANDS CAUSSES

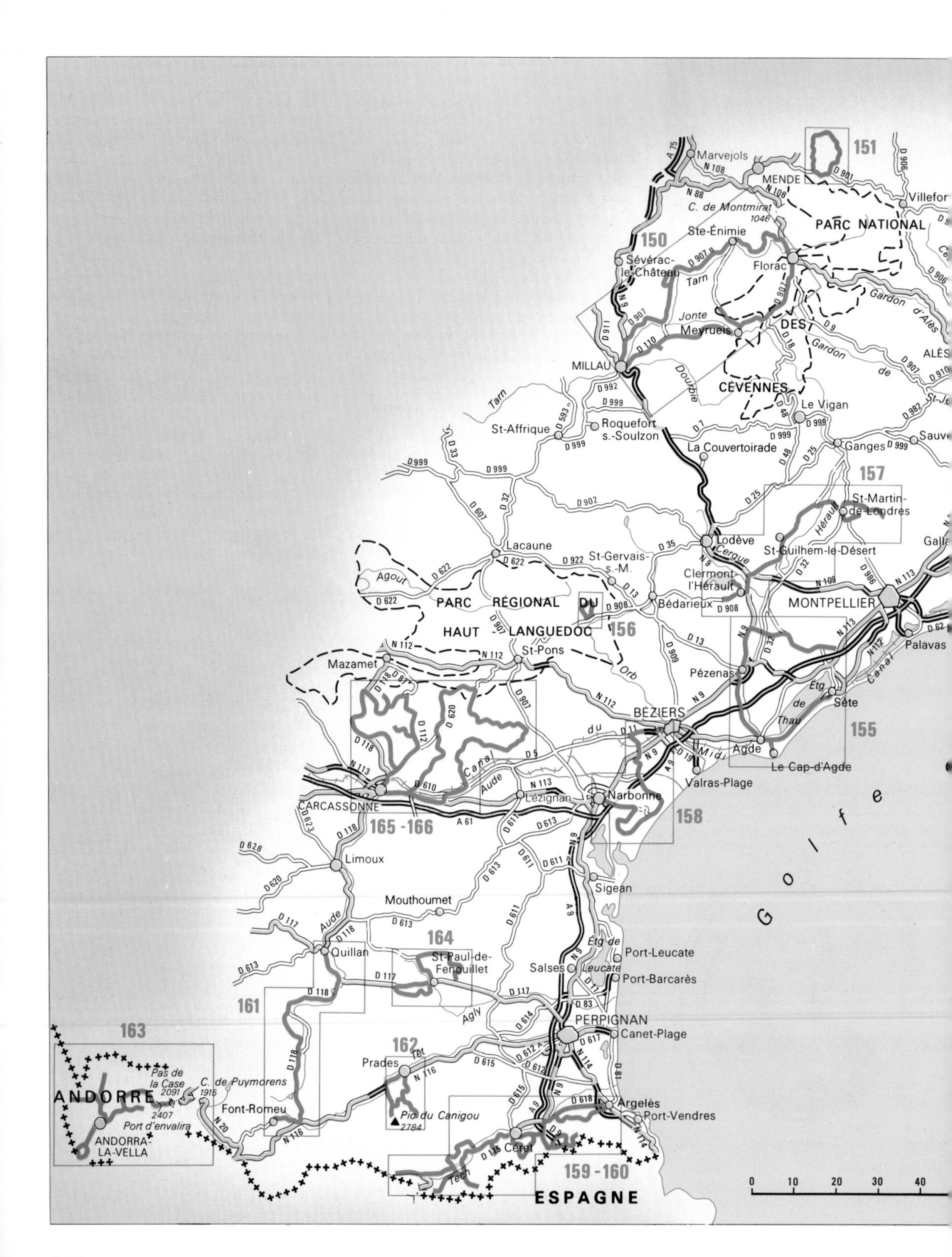

Des montagnes arides des Causses aux belles cités latines

Une lumière limpide qui découpe avec franchise les plans du paysage, une cohabitation intime de la plaine et de la montagne, une présence parfois obsédante de la vigne, la permanence de la maison de pierre, l'« oustal », élégamment coiffée du toit de tuiles rondes, décorée par la génoise, un peuple qui sait aussi bien mettre en valeur un sol souvent ingrat que sculpter le marbre et manier le langage avec éloquence, tout cela, qui est méditerranéen et peut-être latin, se trouve dans le Languedoc-Roussillon. Et c'est vers la mer des Latins que s'incline ce pays à plusieurs niveaux. A l'étage inférieur, épousant un littoral plat aux courbes harmonieuses, les basses plaines alluviales qui ont attiré les hommes sont régulièrement découpées par les files de la vigne et, en Roussillon, par les « agouilles », les canaux d'irrigation. A l'étage supérieur se profile la montagne : les Causses, nus et désolés, où souffle un vent puissant ; les pyramides finement dressées des Pyrénées orientales ; les hauts bassins catalans au visage plus amène. Enfin, au niveau intermédiaire, s'intercalent les mondes difficiles, mais dont le charme austère est prenant, des Garrigues, les bien nommées, et des Corbières, au relief si déconcertant. Terre de passage, de contact, le Languedoc « a été souvent froissé dans la lutte des races et des religions » : que de villes sévèrement murées, que d'orgueilleux donjons, que d'églises fortifiées nous le rappellent ! Mais c'est la paix — la paix romaine qui a créé tant de cités aux monuments vénérables, la paix carolingienne qui a fait éclore le premier art roman, la paix française qui a multiplié ces hôtels urbains, ces résidences champêtres, ces jardins, havres de grâce et de fraîcheur — la paix qui devait permettre à ces énergiques Catalans et Occitans de rester eux-mêmes.

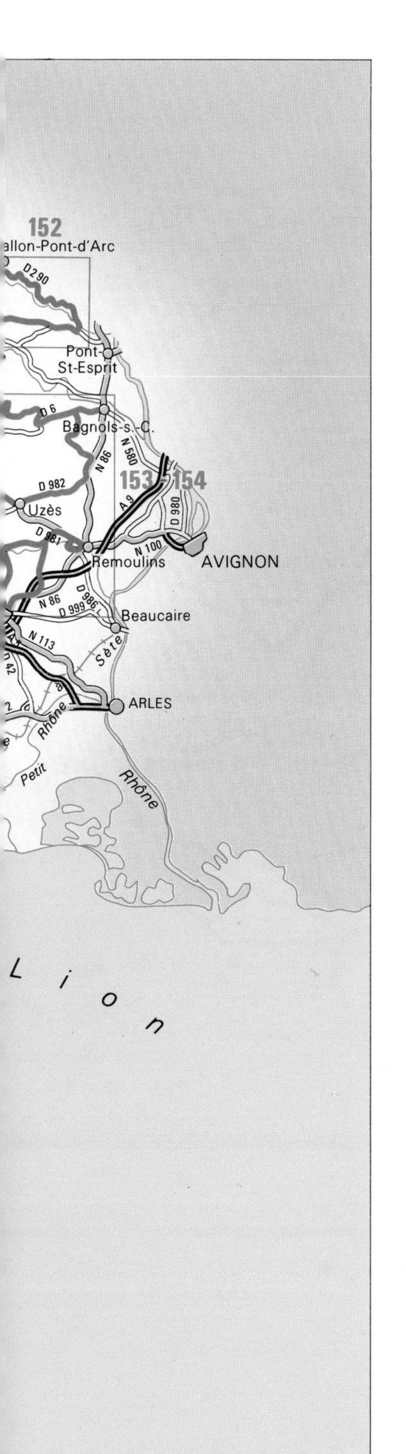

Vignoble des Corbières. Le terroir et le soleil donnent un vin fort et corsé.

Hauts lieux, trésors et paysages

Montpellier. Voir texte encadré.
Sète est un port actif et pittoresque. La vieille ville est séparée de la ville neuve par le canal qui relie l'étang de Thau à la mer. Le vieux port et le canal sont bordés de maisons typiques. Du phare, à l'extrémité du môle, vue d'ensemble sur le port et la cité. En montant vers le *mont Saint-Clair* (voir itinéraire 155), on longe le cimetière marin célébré par Paul Valéry. Un musée est consacré au poète, né à Sète (vis. t.l.j., sauf mardi).
Béziers. L'ancienne cathédrale St-Nazaire, romane (remaniée jusqu'au XIVe s.), a une façade crénelée, ornée d'une rose de 10 m de diamètre et flanquée de deux tours carrées fortifiées (XIVe s.) ; cloître gothique. Le musée des Beaux-Arts (ouv. t.l.j., sauf dim. matin et lundi), présente des peintures du XVIe au XIXe s. ainsi que des œuvres contemporaines ; très belle amphore à figures noires et coupe attique à fond

Montpellier, capitale moderne et active du Languedoc, est en plein essor depuis 1968. La promenade du Peyrou, réalisée au XVIIIe s., comprend deux terrasses, dont la plus élevée porte un château d'eau hexagonal alimenté par l'aqueduc St-Clément (XVIIIe s.), long de 880 m et haut de 22 m. Dans les vieux quartiers, rue Embouque-d'Or, rue des trésoriers-de-la-Bourse, on admirera d'anciens hôtels (XVIIe-XVIIIe s.), dont celui du Lunaret, du XVIIIe s., qui abrite le musée d'Archéologie (t.l. apr.-m., sauf dim. et j. fér. Groupes sur r.-v.). L'arc de triomphe (1691) glorifie dans ses bas-reliefs les victoires de Louis XIV; la cathédrale gothique St-Pierre, à l'aspect fortifié, est la seule église ayant échappé aux destructions des guerres de Religion. Au musée Fabre (t.l.j., sauf lundi, 1er mai, 1er nov., 25 déc.) sont exposées des sculptures de Houdon (1741-1828) et une importante collection de peintures des écoles flamande, hollandaise, italienne et française. Au musée Atger, à la faculté de médecine, très riche collection de dessins (t.l. apr.-m., sauf sam. et dim. et vac. scol.). Dans l'hôtel de Varennes, place Pétrarque, voir le musée du Vieux-Montpellier (t.l.j., sauf dim. et lundi) et le musée Fougau, consacré aux arts et traditions populaires (ouv. mercr. et jeudi apr.-m.).

noir. Musée St-Jacques (ouv. t.l.j., sauf lundi) : histoire de Béziers, musée lapidaire, belle collection de vases grecs.

Narbonne. Entourée de maisons anciennes (XVIe s.), la basilique St-Just-et-St-Pasteur, commencée en 1272 et jamais achevée, ne possède qu'un chœur aux voûtes de 40 m entouré de treize chapelles. Le trésor (t.l.j., sauf dim. mat. et j. fér., 15 juin-15 sept. ; hors saison, tél. : 68-32-09-52) renferme des manuscrits, des ivoires (IXe-Xe s.), des tapisseries (XVe-XVIe s.), et de nombreuses pièces d'orfèvrerie. Jouxtant le cloître (XIVe s.), le palais des Archevêques abrite le Musée archéologique consacré à la préhistoire et à l'époque romaine de la cité et le musée d'Art et d'Histoire (vis. t.l.j. Vis. guid. pour les groupes sur R.-V. Tél. : 68-90-30-30). Dans l'église N.-D.-de-la-Mourguié, désaffectée, important Musée lapidaire (t.l.j., juill.-août. Groupes comme ci-dessus).

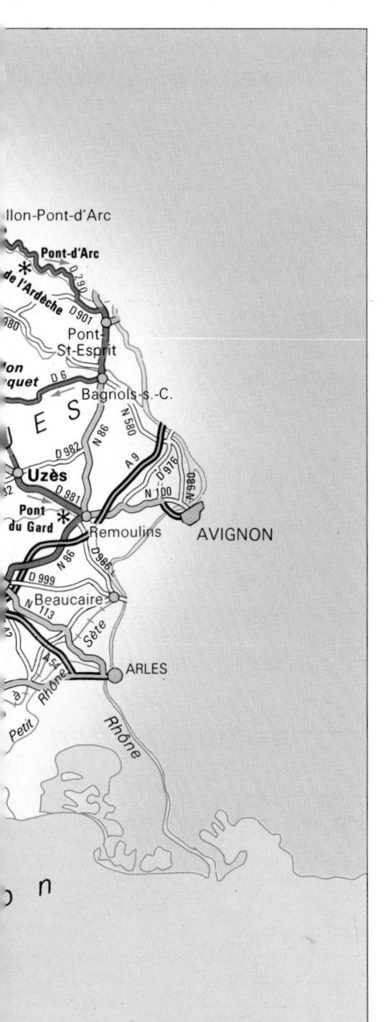

Rochefort-sur-Soulzon doit sa renommée au fromage produit dans les « fleurines » (fissures aménagées en caves) au causse de Saint-Affrique, gérées par la Société des Caves (vis. t.l.j.). Le roquefort est fabriqué à partir de lait de brebis dont le caillé est ensemencé de moisissures. *Penicillium roqueforti*, destinées à activer la maturation du fromage. Environ trois jours après l'addition de ferment, les « pains » sont frottés légèrement avec du sel marin que la pâte va absorber. Vingt-quatre heures après, les fromages sont raclés afin d'enlever l'excès de sel. Prêts à l'affinage, ils sont alors placés dans des caves dont la température varie entre 4 et 8 °C, après avoir été piqués pour que l'air pénètre dans la pâte. Quelques mois s'écoulent encore avant que le fromage soit à point.

Abbaye de Fontfroide. V. p. 272-273.

Château de Salses. Unique en Europe, ce fort des XVe-XVIe s. aux dimensions imposantes, en pierre et brique ocre, est le premier exemple de fortification rasante.

Perpignan. La citadelle, vaste forteresse (XVIe s.) de brique ocre, dominant la ville, abrite l'ancien palais des Rois de Majorque, des XIIIe-XIVe s. (vis. t.l.j.). Le plus bel élément en est le donjon-chapelle (XVe s.) à deux étages. Au Castillet, ancienne forteresse militaire (XIVe s.), est installée la Casa Pairal, musée régional (t.l.j., sauf mardi et j. fér.) où sont exposés des objets des arts et traditions populaires catalans. La Loge de Mer, ancien tribunal de Commerce (XIVe-XVIe s.), a ses sobres façades percées d'élégantes arcades et baies à ogives ; une girouette en forme de navire domine son toit. La cathédrale gothique St-Jean (XIVe-XVIe s.) est flanquée d'une tour carrée sommée d'un campanile. A l'intérieur, riches retables en marbre blanc et en bois doré du XVIIe s.

Pic du Canigou. Voir itinéraire 162.

Font-Romeu-Odeillo. Voir itin. 161.

Andorra-la-Vella. Voir itinéraire 163.

Gorges de Galamus. Voir itin. 164.

Carcassonne. Voir itinéraire 165.

Pic de Nore. Du plus haut sommet (1 210 m) de la Montagne Noire, le panorama s'étend des monts de Lacaune aux Corbières.

Monts de l'Espinouse. Situés au cœur du parc naturel régional du haut Languedoc, ces monts forment, sur une trentaine de kilomètres, la ligne de partage des eaux entre les versants atlantique et méditerranéen des Cévennes méridionales.

Saint-Guilhem-le-Désert. Ce village pittoresque regroupe ses maisons romanes le long du Verdus. De l'ancienne abbaye fondée en 804, il ne reste que l'église, bel édifice roman languedocien des XIe-XIIe s., dont on admirera surtout le porche, la nef et l'abside, et une partie du cloître. Dans le réfectoire, remarquable Musée lapidaire. Voir aussi itinéraire 157.

Grotte des Demoiselles. Dans la grande salle de l'aven, haute de 50 m, longue de 120 m et large de 80 m, peuplée d'énormes colonnes, remarquer la stalagmite de la Vierge à l'Enfant, qui repose sur un piédestal de calcite blanche (ouv. t.l.j.).

Cirque de Navacelles. En recoupant un de ses méandres, la Vis a creusé un canyon aux parois abruptes et isolé une butte conique dominant un anneau verdoyant qui tranche avec la nudité du plateau qui la surplombe.

La Couvertoirade. Situé au milieu du Larzac, le bourg a conservé, grâce à son enceinte fortifiée et à ses rues bordées de maisons de pierre à escaliers extérieurs, son aspect médiéval.

Roquefort-sur-Soulzon. Voir texte encadré.

Miliau. Voir itinéraire 150.

Chaos de Montpellier-le-Vieux. Voir itinéraire 150.

Gorges du Tarn. Voir itin. 150.

Aven Armand. Voir itinéraire 150.

Mont Aigoual. Du sommet (1 567 m), par temps clair, la vue s'étend des Pyrénées aux Alpes, par les Cévennes, les Causses et la Méditerranée.

Corniche des Cévennes. De Florac à Saint-Jean-du-Gard, on appréciera la beauté des crêtes surplombant les vallées des gardons de Saint-Jean et de Mialet (route très difficile).

Mont Lozère. Il offre des paysages pleins de contrastes sur tout son massif (32 km de long), situé dans le N. du parc national des Cévennes.

Gorges de l'Ardèche. Voir itin. 152.

Guidon du Bouquet. Voir itin. 153.

Uzès. Voir itinéraire 153.

Pont du Gard. Voir itinéraire 154.

Nîmes est une ville très riche en monuments romains bien conservés. L'Amphithéâtre (vis. t.l.j.), elliptique, de 133 m sur 101, pouvait accueillir plus de 23 000 personnes. La Maison Carrée, élevée en 5 apr. J.-C., abrite une exposition sur son histoire. Des statues de l'ancien musée des Antiques sont visibles au Musée archéologique. A la suite des jardins de la Fontaine (XVIIIe s.), sur le mont Cavalier couvert de végétation, se dresse la tour Magne (16-15 av. J.-C.) : beau panorama. Les vieilles rues : rue de l'Aspic, rue des Marchands, rue Dorée, bordées d'anciens hôtels (XVIe-XVIIe s.), conduisent à la cathédrale Notre-Dame-et-St-Castor, très restaurée au XIXe s., et au musée du Vieux-Nîmes, dans le palais épiscopal : histoire de Nîmes et du Gard, très beau mobilier, faïences. Le Musée archéologique abrite des collections du début de l'âge du fer à la fin de la période gallo-romaine ; sculptures antérieures à la conquête romaine. Au musée des Beaux-Arts, peintures du XVe au XXe s. ; expositions d'art contemporain (pour ces trois musées, vis. t.l.j., sauf lundi). Visiter aussi le Carré d'Art, le nouveau musée d'art contemporain (t.l.j., sauf lundi et j. fér.).

Aigues-Mortes dresse ses remparts (1 500 m) érigés au XIIIe s. sur les ordres de Saint Louis dans un site de marais et de salines. L'ordonnance géométrique de la cité est restée inchangée depuis le Moyen Age. Voir la tour de Constance (t.l.j., sauf j. fér.), qui servit de phare et de prison.

Le causse Méjean et les gorges du Tarn

230 km

Comme pour faire oublier l'immensité rude et désolée du causse Méjean, la nature offre sur tout son pourtour un ensemble de sites plus célèbres les uns que les autres : chaos de Montpellier-le-Vieux, aven Armand, gorges du Tarn... Devant une telle abondance de merveilles naturelles et les difficultés que présente parfois ce parcours, la hâte ne peut être de mise. Si cet itinéraire demande, en tout état de cause, plus d'une journée, c'est qu'il propose un éventail de richesses parmi lesquelles le choix semble impossible à faire. Les villes, discrètes, comme Millau, « ville des gants », Florac, « fleur des eaux », La Malène aux portes des Détroits, sont d'excellents points de départ d'excursions et de charmants lieux de séjour.

❶ **Millau.** Dans la vieille ville, voir le beffroi carré (XIIe s.) surmonté d'une tour octogonale (XVIIe s.), l'église Notre-Dame, d'origine romane, dont la nef est ornée de peintures anciennes, les arcades de la place du Maréchal-Foch, l'église St-Martin (descente de croix flamande du XIIe s.), le Vieux Moulin (voir dessin) et un lavoir du XVIIIe s.

❷ **Chaos de Montpellier-le-Vieux.** Petit train ou visite à pied par un circuit fléché (durée 1 h 30 ; un plan est remis avec le billet d'entrée à Montpellier-le-Vieux). Ce site naturel, longtemps considéré comme une ville en ruine, couvre 120 ha en quatre cirques enserrés entre de hautes crêtes. Du rempart (830 m), vue sur le site.

❸ **Grotte de Dargilan.** (Voir aussi texte encadré.) On visite la Grande Salle (142 m de long, 44 de large et 3 de haut), chaos souterrain qui se termine par la « Mosquée », aux belles stalagmites nacrées, et le « Minaret », colonne de calcite (20 m de haut), le couloir des Cascades, où se déploie une draperie colorée de 100 m de long sur 40 m de haut, la salle du Lac et le « Clocher », stalagmite haute de 20 m (t.l.j., de Pâques à la Toussaint. Groupes toute l'année ; sur R.-V. hors saison. Rens. tél. : 66-45-60-20).

❹ **Meyrueis.** Dans le bourg subsistent de vieilles maisons et des vestiges de fortifications. Un rocher de plus de 70 m domine la ville. La chapelle qui y est bâtie est accessible à pied en 45 mn AR.

❺ **Aven Armand.** Cet abîme est l'un des plus beaux du monde. C'est une nef ovale longue de 100 m, large de 55 et haute de 40 en moyenne, inclinée à 45°, appelée la Forêt Vierge en raison des quelque 400 stalagmites qu'elle contient. Du belvédère aménagé, le spectacle est fantastique (t.l.j., du 15 mars à fin oct. Groupes, rens. tél. : 66-45-61-31).

❻ **Col de Perjuret.** Passage entre les Causses et les Cévennes, le col de Perjuret relie, à 1 028 m d'altitude, le causse Méjean au N. (voir photo) et le massif de l'Aigoual au S. Panorama circulaire très étendu.

Le chaos de *Nîmes-le-Vieux* s'étend sur le causse Méjean près du village de Veygalier, où on laissera la voiture. On parcourt librement (3 h à pied AR) ce dédale de rocs ruiniformes et de cirques.

❼ **Florac** s'étire le long du Tarnon au pied du rocher de Rochefort, bord oriental du causse Méjean, dont la paroi dentelée domine la petite ville de 500 m. On accède à la crête par un mauvais chemin traversant le causse dans la direction des Vignes. Au pied du rocher, en revanche, la source du Pêcher est facile d'accès.

❽ **Ispagnac.** La douceur du climat a valu au bassin abrité d'Ispagnac le surnom de « Jardin de la Lozère ». Au

Millau. Le Vieux Moulin (XVe s.), sur la rive droite du Tarn, est perché au-dessus des eaux, à l'extrémité des arches d'un ancien pont de pierre du XIIe s.

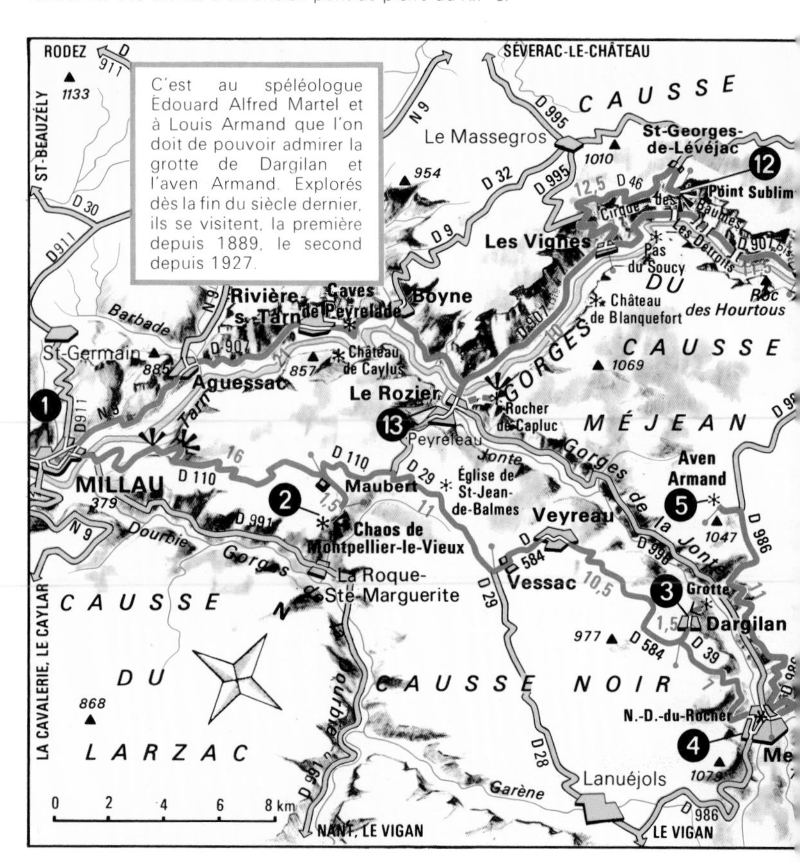

village, l'église romane est du XIIe s. Franchir le Tarn à *Quézac* : beau pont gothique, reconstruit au XVIIe s. L'église a un porche du XVIe s. On aperçoit, près de Molines, le château de Rocheblave (XVIe s.), sur la rive droite, et, avant le village de Blajoux, le château de Charbonnières (XVIe s.) perché sur la rive gauche.

❾ **Castelbouc.** Les maisons ont pour mur de fond la falaise même du causse Méjean ; une aiguille rocheuse de 60 m porte les ruines d'un château médiéval.

❿ **Sainte-Énimie** (voir photo). L'ancien monastère est devenu collège, mais on peut gagner la terrasse qui domine le bourg et les gorges. Au musée du Vieux Logis, reconstitution de l'intérieur d'une maison des gorges du Tarn. On vivait encore dans ces foyers très pauvres jusque vers 1940 (t.l.j., du 1er avr. au 30 sept.). La place au Beurre et la halle au blé forment le cœur du village.

Gagner à pied (1 h env. AR) le *rocher de l'Ermitage*, dont la paroi est creusée d'une grotte (fermée par suite de dégradations). Vue sur le canyon.

Franchir le Tarn en direction du *cirque de Saint-Chély*, d'où l'on a une vue magnifique sur les gorges. En aval, sur la rive opposée, s'ouvre le *cirque de Pougnadoires*, où les maisons sont adossées à un mur de roches rouges trouées de cavernes.

⓫ **La Malène** est le point de jonction des routes traversant le causse de Sauveterre et le causse Méjean. Le château (XIIe s.) est transformé en hôtel. Voir l'église romane du XIe s. et

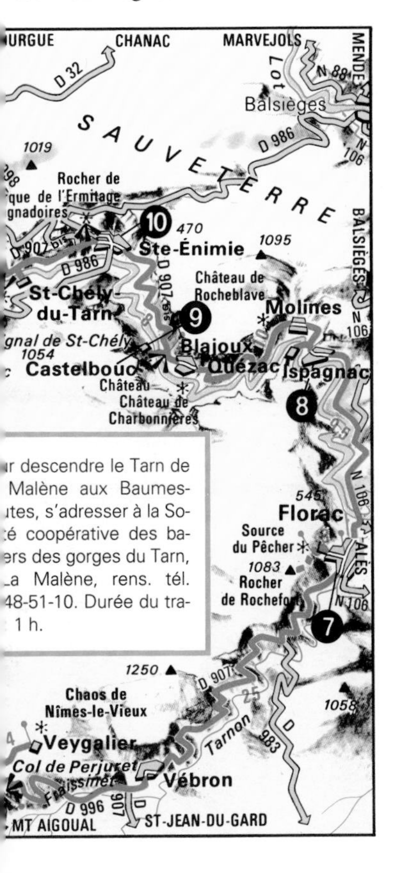

ır descendre le Tarn de
Malène aux Baumes-
ıtes, s'adresser à la So-
:é coopérative des ba-
ers des gorges du Tarn,
_a Malène, rens. tél.
48-51-10. Durée du tra-
1 h.

Causse Méjean. En été, les troupeaux de moutons des basses vallées languedociennes montent prendre possession des immenses étendues du causse, ici près de Florac.

les vieilles maisons. Entre La Malène et Les Vignes, le Tarn a creusé son lit entre des parois verticales de 100 m, surmontées d'une seconde falaise aux formes tourmentées. La hauteur totale avoisine 500 m. La meilleure façon d'apprécier les gorges est une descente en barque avec les bateliers (de Pâques à oct., voir encadré). On peut parcourir les Détroits, contempler la *grotte de la Momie* et le *cirque des Baumes*, au pied d'un amphithéâtre de falaises rouges (voir le texte encadré). En amont des Vignes, au *pas du Souci*, la rivière tourbillonne au milieu de blocs effondrés, puis disparaît sur 400 m. Deux énormes rochers dominent l'ensemble : sur la rive, la Roque Sourde, qui s'est abattue sans se briser (accès au belvédère) et, 150 m plus haut, le monolithe de l'Aiguille, incliné.

⓬ **Point Sublime.** Il surplombe la rivière de 430 m. On peut s'y rendre à pied à partir du calvaire des Baumes Basses, ou en auto depuis Les Vignes par une impressionnante corniche (parcours étroit et virages serrés). On découvre alors un panorama grandiose.

⓭ **Le Rozier** est situé au pied des escarpements des Grands Causses, au confluent de la Jonte et du Tarn. Le *rocher de Capluc*, extrémité S.-O. du causse Méjean, accessible à pied par un chemin, surplombe les deux cours d'eau. Un escalier taillé dans le calcaire conduit à une plate-forme d'où l'on peut voir le village de Peyrelau, étagé sur les pentes escarpées. On accède au sommet du rocher à l'aide d'échelles métalliques : magnifique point de vue sur les vieux villages, les gorges du Tarn et les gorges de la Jonte.

Sainte-Énimie a gardé tout son charme de village ancien, dans un environnement de verdure et de falaises ocrées. On parcourt à pied ses ruelles escarpées.

151

Montagne du Goulet et causse de Montbel 36 km

Aigle royal. Résidant dans les régions montagneuses, ce rapace majestueux peut mesurer jusqu'à 2,50 m d'envergure.

Ce circuit, dans un secteur désert et sauvage de la Lozère, permet d'observer le contraste entre le massif cristallin de la montagne du Goulet et le plateau calcaire du causse de Montbel. L'itinéraire n'est praticable dans sa totalité, avec un véhicule solide, qu'à la belle saison. On pourra aussi transformer ce parcours en plusieurs randonnées pédestres en limitant l'usage de l'automobile aux gorges du Lot.

❶ **Le Mazel d'Allenc.** A la sortie du village d'Allenc, se diriger vers le Mazel en franchissant le pont sur la voie ferrée et en remontant la vallée du ruisseau d'Allenc jusqu'au hameau du Mazel. Une corniche calcaire et une pente caillouteuse, formant le revers des couches calcaires du causse de Montbel, dominent les maisons situées au-delà de la ligne de chemin de fer. La vallée est établie sur un axe de fraction où l'on peut observer les couches d'arkose et de grès du trias. La ligne de fracture a provoqué des minéralisations: plusieurs gisements de barytine se trouvent sur la rive gauche du ruisseau, vers le village d'Allenc. En amont, des gisements d'agathe ont été exploités sur le flanc du massif cristallin et l'on peut encore y recueillir de beaux échantillons dans le tas de déblais, facilement accessible par un sentier. On traverse ensuite, par un chemin carrossable, le massif cristallin de part en part: à la hêtraie des versants succèdent des secteurs de reboisement en résineux.

❷ **Bagnols-les-Bains.** La vallée du Lot s'élargit en bassins modelés par des empreintes périglaciaires. La tectonique a favorisé l'apparition de sources thermales chaudes et fortement minéralisées.

❸ **Le Tournel.** Les méandres encaissés de la vallée du Lot ont parfois provoqué la formation de recoupements. Les terrasses alluviales marquent les phases de l'enfoncement en gorges, consécutif au relèvement puis au basculement des blocs cristallins à la fin du tertiaire (voir photo).

❹ **Sommet du Goulet** (1 497 m). On peut embrasser d'un seul coup d'œil, vers le S., le paysage forestier des blocs cristallins basculés de la Lozère centrale et, vers le N., les grands plateaux calcaires et basaltiques dénudés. Remarquer, sur le massif du Goulet lui-même, les prairies de caractère alpin occupant les sommets où se trouvent aussi de nombreuses tourbières.

❺ **Belvezet.** Le village, situé dans une dépression de contact en roche tendre, est dominé par la falaise des calcaires du jurassique formant le causse de Montbel, que l'itinéraire traverse ensuite. Des parcours pédestres permettent de découvrir de nombreux gouffres et d'observer en détail le relief typique dû à l'érosion karstique.

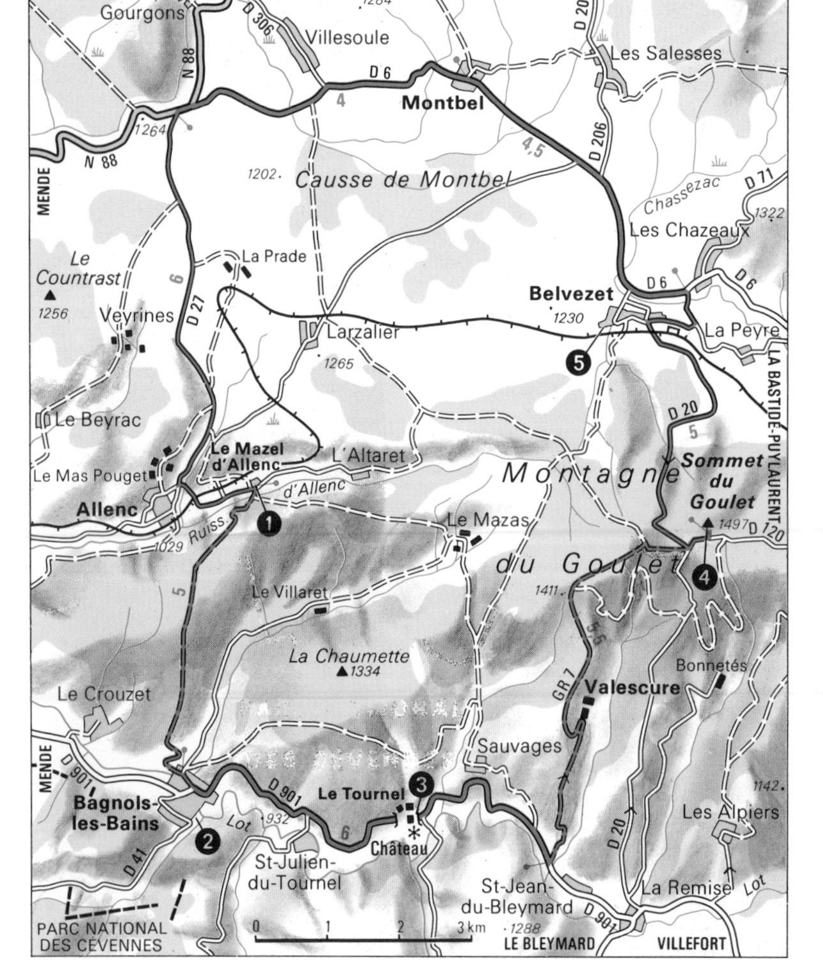

Le Lot, près du Tournel. La vallée se creuse en une série de gorges coupées de rapides et de chutes. Sur la montagne du Goulet se profilent les ruines du château du Tournel.

Pont d'Arc et les gorges de l'Ardèche 62 km

L'itinéraire comprend deux tronçons très différents. Le premier, de Vallon-Pont-d'Arc à Saint-Martin-d'Ardèche (40 km environ) suit le cours sinueux et encaissé de la vallée de l'Ardèche, que l'on peut, si l'on a un équipement adéquat et un certain entraînement, descendre en canoë ou en kayak. La route serpente au fond des gorges. La seconde partie du parcours (25 km) sur le plateau calcaire est plus paisible.

Pont d'Arc. Non loin de l'entrée des gorges, le lit de l'Ardèche est enjambé par cette magnifique arche naturelle de 59 m de largeur et de 34 m de hauteur.

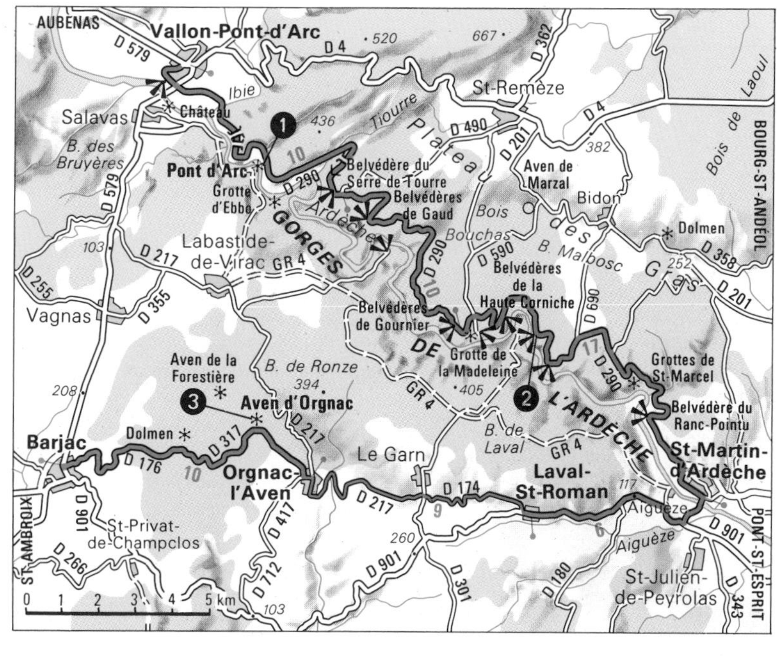

❶ **Pont d'Arc.** Les évolutions des méandres de l'Ardèche, au cours de son encaissement consécutif aux mouvements tectoniques de la fin du tertiaire, ont entraîné des recoupements qui se sont combinés avec l'exploitation d'un réseau de cavités souterraines creusées par les phénomènes de dissolution au sein de la masse compacte des calcaires du plateau des Gras. Ainsi s'est formé le Pont d'Arc (voir photo).

❷ **Gorges de l'Ardèche** La sinuosité et l'étroitesse de la vallée, formée par la succession des méandres, n'ont pas permis d'implanter un réseau routier, ni même un axe de circulation piétonnier. Pour découvrir les plans d'eau coupés par des séries de rapides et encadrés par une abondante végétation, s'adresser au S.I. de Vallon-Pont-d'Arc, qui organise à la demande des descentes des gorges en barque. La route dite « des Gorges » circule en réalité sur la rive gauche de la rivière, sur le plateau des Gras dont le nom, dérivé du latin *gradus*, évoque le relief en marche d'escalier (formé par les couches alternées de calcaires compacts et de sédiments jurassiques et crétacés). De nombreux belvédères aménagés tout au long de la route permettent d'observer des grottes. Des promenades signalées sur le parcours mènent à certaines d'entre elles.

❸ **Aven d'Orgnac.** Ce gouffre fait partie d'un ensemble de cavités souterraines formant l'un des réseaux de dissolution karstiques les plus importants du monde. Les premières salles ont été explorées en 1938. Trois salles principales et une série de couloirs permettent de découvrir toutes sortes de concrétions (voir photo). Il n'est pas possible d'accéder aux salles traversées par des cours d'eau actifs; elles constituent un système inférieur dont l'extension reste encore indéterminée malgré la poursuite des campagnes d'exploration.

De Saint-Martin-d'Ardèche à Barjac, la route traverse un grand plateau calcaire. Les nombreux défrichements anciens entourés de murets étaient plantés naguère de mûriers pour l'élevage du ver à soie.

Aven d'Orgnac : la stalagmite le « Solitaire ». Des éclairages originaux mettent en valeur d'extraordinaires concrétions de calcite (vis. t.l.j., du 1er mars au 30 nov.).

Uzès, les garrigues 123 km et le pont du Gard 92 km

Autour d'Uzès, ville encore empreinte d'un certain secret, ces deux itinéraires offrent des paysages semblables : garrigues dénudées et pierreuses, domaine du thym, du romarin et de la lavande, des chênes kermès, des cistes et des lentisques ; gorges des torrents indomptés, au nord l'Aiguillon, au sud la haute vallée du Gard ; gouffres et grottes où l'homme préhistorique trouva parfois refuge. Mais le joyau de la région est ce prodigieux témoignage de l'architecture de l'époque romaine qu'est le pont du Gard.

Pont du Gard. Les trois étages d'arcades s'élèvent à 50 m au-dessus du Gardon, sur 275 m de long au niveau supérieur, qui porte le canal lui-même. On peut le parcourir à pied.

ITINÉRAIRE N° 1

❶ **Bagnols-sur-Cèze.** La vieille ville est constituée par la tour de l'Horloge, l'église St-Jean (XIIe s.), sommée d'une flèche à crochets, la place du Marché et ses arcades, des hôtels anciens et l'hôtel de ville (XVIIe s.). Ce dernier abrite un musée : peintures contemporaines et œuvres lyonnaises du XIXe s., collections d'archéologie et de préhistoire (t.l.j., sauf mardi et j. fér. Fermé en février).

❷ **Sabran,** au flanc d'un piton, a conservé une église romane, les ruines d'un château médiéval et de chapelles romanes. Beau point de vue sur les environs.

❸ **Uzès** a gardé d'intéressants monuments et de vieilles demeures ocrées. Le Duché, château des ducs d'Uzès, dont l'antique maison remonte par les femmes à Charlemagne, rassemble des constructions de différentes époques, notamment une chapelle de style flamboyant faisant suite à une façade Renaissance (visite du château, t.l.j. Groupes sur R.-V. Rens. tél. : 66-22-18-96). Trois tours dominent la ville : la tour Bermonde, dans l'enceinte du Duché (XIe s.), la tour de l'Horloge (XIIe s.) et la tour du Roi (XIVe s.). De la terrasse de la tour Bermonde, belle vue sur la ville et les environs. Le palais épiscopal (devenu tribunal) jouxte la cathédrale St-Théodorit (voir photo). De la promenade Jean-Racine, vue sur la ville, les garrigues, les vallées de l'Eure et de l'Alzon. On sait que la ville et la campagne d'Uzès furent chantées par Racine, qui séjourna, à l'âge de 22 ans (1661), chez son oncle, vicaire général à Uzès.

A 1 km au N. de la ville, parmi les pins, voir le joli chevet roman qui subsiste de la *chapelle St-Geniès.*

❹ **Guidon du Bouquet** (629 m). Laisser la voiture au village de Seynes et gagner à pied le Guidon, point culminant de la serre de Bouquet (1 h 20 AR), qui domine de 300 m le plateau des Garrigues. Du sommet, la vue s'étend sur les Cévennes, le bassin d'Alès, Uzès, la vallée du Rhône, les Alpilles et le Ventoux.

❺ **Lussan** occupe une butte portant un château du XVe s. Par un chemin bordé de buis, on accède aux gorges de l'Aiguillon, les Concluses. Un belvédère commande l'amont du défilé, praticable lorsque le torrent est à sec (1 h AR). Passer sous le Portail, goulet naturel formé par les flancs de la gorge, et suivre les détroits rocheux : les escarpements dépassent parfois 100 m. Les personnes entraînées pourront aller jusqu'à la grotte des Bœufs vers l'amont (1 h 15 de marche) par un sentier très raide. Du Portail, un autre sentier conduit (1 h 30 AR) au menhir de Pierre Plantée, le plus grand du sud-est de la France (5,60 m) ; on peut aussi s'y rendre en voiture (chemin carrossable à partir de Malataverne, au N. de Lussan).

ITINÉRAIRE N° 2

❶ **Pont Saint-Nicolas.** Les gorges du Gardon se visitent à pied, en été, du pont Saint-Nicolas à Russan. Les falaises calcaires, blanc et ocre, ne sont jamais très resserrées, mais s'élèvent à pic jusqu'à 80 m de hauteur. Des grottes percent les murailles. En automne, des crues foudroyantes se produisent, rendant la promenade dangereuse. La grotte du barrage de Campagnac recèle un cas unique et inexpliqué d'émergence : la source peut rester plusieurs années sans couler, et, lorsqu'elle entre en activité, son rythme est intermittent.

❷ **Gouffre Espeluca.** Il s'ouvre dans la garrigue, au faîte d'une colline. Son ouverture (400 m de circonférence) est la plus vaste de France ; la végétation empêche qu'on en distingue le fond.

Uzès. Clocher roman de l'ancienne cathédrale, la tour Fenestrelle domine de 42 m les toits de la cité. Sur un soubassement carré, les six étages sont de moins en moins larges

❸ **Grotte de la Baume.** Un sentie[r] s'embranchant à Sanilhac conduit [à] cette grotte ; le parcours d'accès es[t] parfois vertigineux, car la falaise es[t] haute de 50 m (voir photo).

En amont du pittoresque village d[e] *Collias*, qui remonte à la préhistoire s'ouvre la grotte de Pasque.

❹ **Argilliers.** Près du village, le châ[-]teau (XVIIIe s.) est caractérisé par un[e] profusion de colonnades (on ne visit[e] pas).

❺ **Remoulins** est un trait d'unio[n] entre la Provence et le Languedoc De ses remparts du XIe s. subsisten[t] plusieurs tours ; la mairie est installé[e] dans une ancienne église du XIIe s.

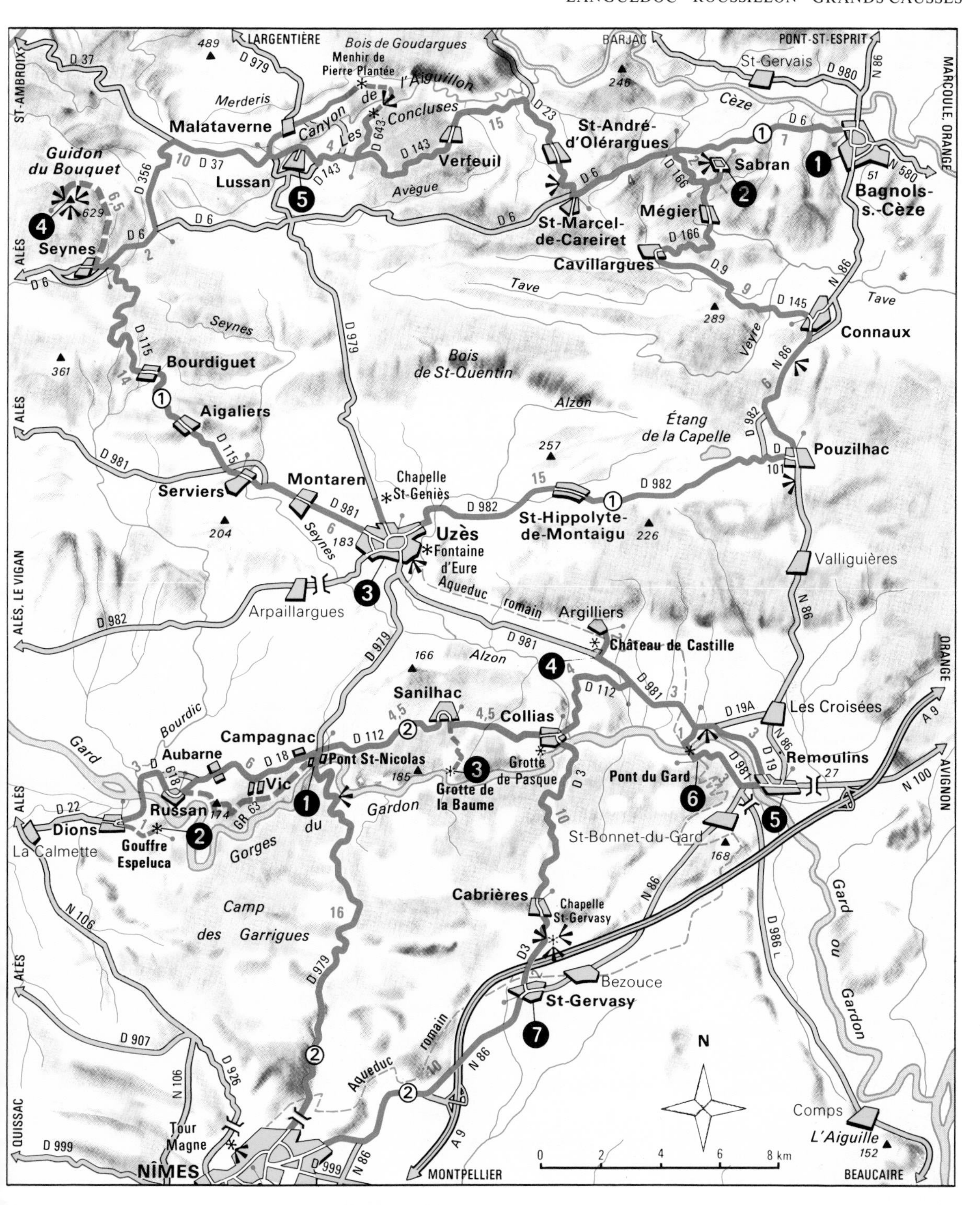

❻ **Pont du Gard.** Stationner sur le parking, à l'écart de l'ouvrage. Compter 45 mn de promenade pour admirer ce vestige d'un aqueduc romain (vers 19 av. J.-C.) qui apportait à Nîmes l'eau de la fontaine d'Eure près d'Uzès (voir dessin).

❼ **Saint-Gervasy.** Par un chemin bordé de pins, on parvient au sommet d'une butte où s'élève la chapelle St-Gervasy : vue sur les Garrigues, les Alpilles et, au loin, le Ventoux.

Gorges du Gardon. C'est dans l'éperon rocheux de la rive gauche (à droite sur la photo) que s'ouvre la grotte de la Baume, appelée aussi grotte de Saint-Vérédème.

155

De Gigean au mont Saint-Clair 84 km

En quelques heures, cet itinéraire permet de découvrir tour à tour les principales composantes du paysage du bas Languedoc : dépression synclinale de Gigean ; plateau calcaire des Garrigues, où s'ouvre la cuvette d'effondrement de Villeveyrac ; grand axe nord-sud de la vallée de l'Hérault, marqué par l'activité volcanique ; le littoral lagunaire enfin. Il est conseillé de conduire avec prudence — les routes sont étroites — et de prendre garde aux bifurcations, qui sont parfois difficiles à repérer.

❶ **Villeveyrac.** On accède à la cuvette de Villeveyrac par une route sinueuse qui emprunte une ancienne vallée sèche. Des corniches du plateau calcaire des Garrigues, on peut observer, dans l'ensemble de la dépression, la structure des sols rouges méditerranéens (argiles de décalcification) dégagés par la mise en valeur de nombreux gisements de bauxite. Les terres cultivées sont occupées par un vignoble de raisin de table.

❷ **Pont sur l'Hérault.** Après avoir traversé Saint-Pargoire (voir photo) et Campagnan, on franchit l'Hérault en direction de Paulhan. On remarquera la longueur des terrasses alluviales et les hauteurs des niveaux indiqués par les échelles de crues, qui témoignent de la puissance de la sédimentation et de l'ampleur des inondations provoquées par les fortes pluies de printemps et d'automne affectant le bassin hydrographique dans la région cévenole. Le grand vignoble de la basse vallée produit un vin de consommation courante.

❸ **Lézignan-la-Cèbe.** La vallée de l'Hérault s'est établie sur un grand axe tectonique qui a joué durant tout le tertiaire, et même jusqu'au début du quaternaire (voir photo). Depuis la route, on aperçoit les carrières de basalte en exploitation (accès interdit). Sur les éboulis basaltiques venus se mêler au calcaire des Garrigues et à quelques couches argileuses est implanté le vignoble de qualité de la Clairette.

❹ **Saint-Thibéry.** On observe un autre type de manifestations éruptives dans les pointements qui encadrent ce village. Les anciennes cheminées volcaniques ont été dégagées par l'érosion. Dans les carrières, on peut récolter des échantillons de pouzzolane.

❺ **Agde.** La montagne d'Agde est le volcan languedocien le plus complexe. Il s'est constitué à la suite d'éruptions, souvent explosives en raison de l'acidité du magma. Une promenade dans les carrières (1 à 2 h AR) permet de voir, le long de la corniche, comment l'érosion marine a mis en valeur les différences de résistance et les détails de la structure des matériaux volcaniques. Nombreuses pouzzolanes et accumulations de lapilli.

❻ **Grau de Marseillan.** Le chenal mettant en communication les eaux de l'étang de Thau et la mer constitue le grau (mot languedocien, dérivé du latin *gradus*, passage) de Marseillan. Il s'agit d'un réaménagement récent des nombreuses coupures du lido dues à la chasse des eaux continentales dans les lagunes. On pourra observer

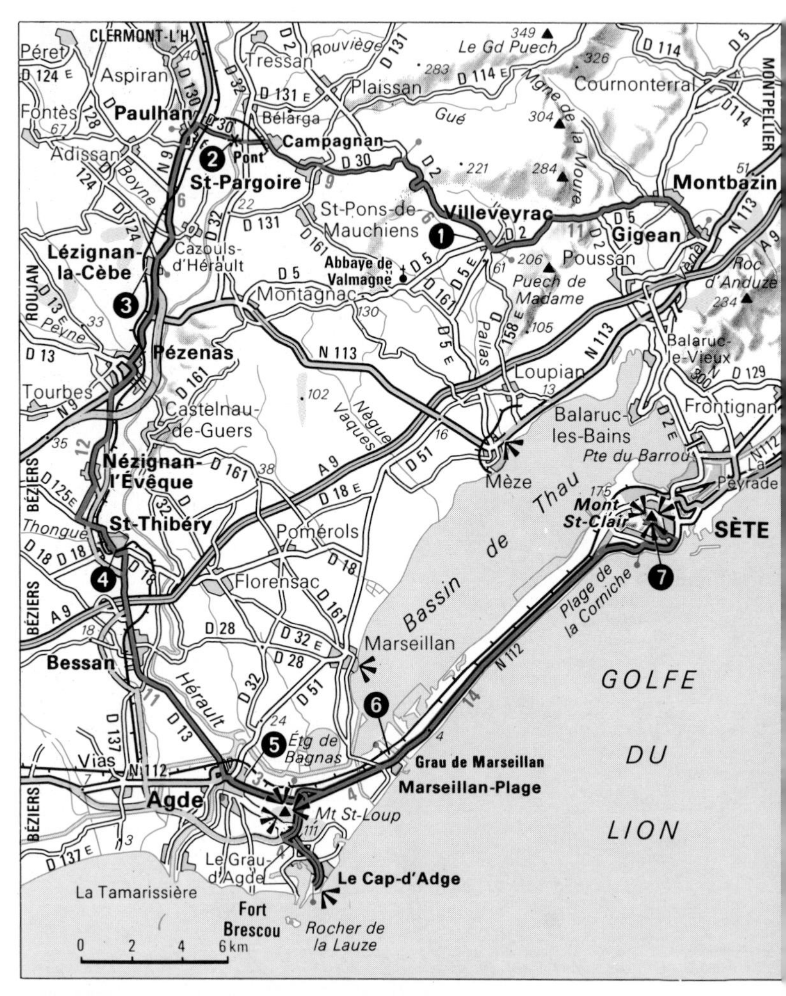

Lézignan-la-Cèbe. L'activité tectonique a provoqué une inversion du relief. Les coulées volcaniques venues du Massif central forment de grandes barres perchées.

la fragilité de la construction sableuse par l'attaque de la plage où les niveaux de tempête peuvent atteindre la route. Souvent, des dunes mobiles envahissent la chaussée. Du côté lagunaire se trouvent quelques belles prairies de salicornes.

❼ **Mont Saint-Clair.** Avant d'entrer dans l'agglomération de Sète, prendre la route du cimetière marin, sur la gauche. De la route, raide et sinueuse, qui mène au sommet du mont, vue sur le port. De la plate-forme terminale, gagner la station d'observation, au-dessus de la chapelle : vue d'ensemble sur tout le système littoral languedocien, composé d'un lido sableux s'appuyant sur des môles rocheux volcaniques (Agde, Maguelonne) ou calcaires (mont Saint-Clair, les Aresquiers). Les étangs côtiers sont souvent fort peu profonds quand ils constituent des nappes résiduelles des masses d'eau continentale (Frontignan, Vic). Par contre, le bassin de Thau est une vaste cuvette structurale dont les fonds, dépassant 8 m, résultent de l'ennoyage du synclinal de Montbazin-Gigean que l'on traverse au départ de cet itinéraire.

Saint-Pargoire. Au pied du plateau calcaire des Garrigues se sont accumulés des sédiments marneux, violemment attaqués par l'érosion, favorables aux vignobles.

Chêne kermès *(Quercus coccifera).* Cet arbuste à feuilles persistantes habite les régions méditerranéennes. Les souches, qui renferment du tanin, sont utilisées sous forme de tan pour le tannage des peaux.

Randonnée dans le massif du Caroux — 16 km

Ce parcours pédestre dans le massif de l'Espinouse permet d'observer, en une bonne journée, le contraste entre le versant méditerranéen abrupt et les hautes surfaces planes sous influence atlantique. Il ne présente guère de difficulté. Il est recommandé de faire cette excursion soit à la fin du printemps, quand fleurissent les genêts, soit au début de l'automne, quand les premières pluies font pousser les champignons. A Douch, où l'on peut pique-niquer, à mi-parcours, on boira l'eau pure d'une source.

❶ **Gorges d'Héric.** Laisser la voiture à Mons et cheminer dans les gorges d'Héric, taillées dans le massif cristallin du Caroux. On trouvera de bons exemples de phénomènes de minéralisation : plusieurs filons de granulite, avec de beaux cristaux de micas blancs, coupent le chemin ; on peut aisément recueillir des échantillons. Dans le lit de la rivière, de larges taches ferrugineuses soulignent les résurgences de sources thermales.

❷ **Cirque de Farrières.** Au fond des gorges d'Héric, le puissant ruissellement torrentiel provenant des fortes averses d'origines atlantique et méditerranéenne provoque une érosion active, qui a remodelé les formes d'influence périglaciaire : c'est le cas du gouffre du Cerisier, du cirque de Farrières et du lac de l'Airette.

❸ **Douch.** Si les revers du massif cristallin du Caroux forment de hautes surfaces planes et des croupes ondulées où les pluies très abondantes, portées par les vents d'O., donnent un paysage de prairies bocagères, les enveloppes primaires de la Montagne Noire ont un aspect tout différent (voir photo).

❹ **Le Caroux.** De la table d'orientation située au sommet du Caroux (1 040 m), on découvre vers le S. les plateaux des garrigues languedociennes, vers le N. la montagne d'Aret et les sommets de la Montagne Noire, à l'E. les hautes surfaces planes des plateaux basaltiques noirs de l'Escandorgue et des plateaux calcaires blancs des Grands Causses. Le massif du Caroux lui-même est largement couvert à l'E. par des reboisements de pins et de cèdres. Les prairies d'altitude, les bruyères et de nombreuses tourbières se partagent le sommet.

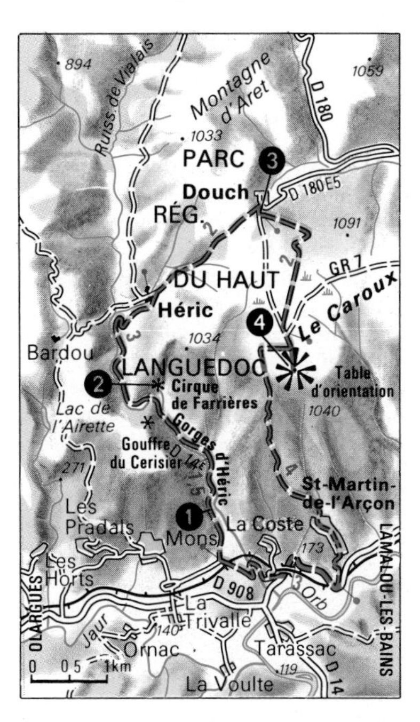

Sur le Caroux. Depuis ce sommet on voit se déployer vers le sud les garrigues des monts de l'Espinouse. Au loin se dessine la vallée de l'Orb.

157

Du pic Saint-Loup 104 km à la plaine de l'Hérault

On conduira avec prudence au long des routes, souvent étroites et sinueuses, qui traversent les paysages un peu rudes des plateaux à garrigue. L'érosion y a sculpté les formes étranges du pic Saint-Loup et du cirque de Mourèze, taillé l'abrupt de la montagne d'Hortus; elle y a ouvert des grottes, tandis que les rivières coupaient le Causse de gorges profondes. En contrepoint de cet aspect sauvage, le bassin de Saint-Martin-de-Londres et la plaine de l'Hérault offrent un visage plus paisible.

❶ **Montagne d'Hortus et pic Saint-Loup** (voir dessin). L'ascension directe des falaises de l'Hortus et du pic est à proscrire absolument, à moins d'être guidé et muni d'équipements spéciaux pour l'escalade. En revanche, à partir de Cazevieille, à 5 km au S.-E. de Saint-Martin-de-Londres, un sentier pédestre mène, par le revers S. du pic, à l'ermitage qui occupe le sommet (2 à 3 h AR).

❷ **Gorges de l'Hérault.** Après une série de virages dangereux, la route traverse les hautes surfaces horizontales des aplanissements de la garrigue à chênes verts et à chênes kermès. On s'arrêtera à l'endroit où les gorges de l'Hérault se découvrent brusquement, entaillant en profondeur les plateaux calcaires. Ces gorges résultent de l'enfoncement sur place du réseau hydrographique après les mouvements tectoniques de la fin du tertiaire. En contrebas, le fond de la vallée est ennoyée par les eaux vert foncé de la retenue d'un petit barrage hydro-électrique (voir photo).

❸ **Saint-Guilhem-le-Désert.** Agréable promenade à pied (40 mn AR) : il faut traverser ce très ancien village, aux rues étroites et pentues, et remonter jusqu'au fond la vaste reculée des gorges du Verdus; elle forme un vaste amphithéâtre où l'on peut observer la succession des strates des sédiments jurassiques et crétacés.

COUPE GÉOLOGIQUE DU PIC ST-LOUP

Hortus — Pic St-Loup — Mortiés — Nord — Sud

Alluvions récentes; Valanginien sup. : calcaires; Valanginien inf. : marno-calcaires; Berriasien : marno-calcaires; Tithonique : calcaires très durs; Rauracien : marno-calcaires; Bathonien : marnes; Bajocien : calcaires; Aalénien : argiles; Toarcien : marnes; Charmouthien : calcaires

❹ **Grotte de Clamouse.** Elle s'ouvre sur le flanc droit du couloir encaissé de la vallée de l'Hérault, en aval de Saint-Guilhem. Sa formation est due aux phénomènes de dissolution provoqués par l'érosion karstique. Cette grotte aménagée (visite guidée t.l.j., toute l'année, durée : 1 h. Renseignements tél. : 67-57-71-05) comprend quatre salles principales ornées de concrétions de calcite aux formes originales (fleurs d'aragonite). Le réseau de la Clamouse correspond à une résurgence du drainage d'un aven situé sur le plateau dominant la vallée de l'Hérault.

❺ **Cirque de Mourèze.** L'érosion a dégagé, dans les calcaires dolomitiques formés par une construction récifale corallienne de la mer tropicale jurassique, un relief ruiniforme particulièrement impressionnant.

❻ **Lac du Salagou.** Le barrage d'un des cours d'eau qui drainent le Lodévois a provoqué l'ennoyage d'une large vallée formant un lac artificiel (nautisme : moteurs interdits). Des berges, panorama : vers le N., sur la falaise abrupte du revers du Grand Causse ; vers l'O., sur les sommets escarpés des contreforts de la Montagne Noire ; et au S.-O., sur les pics de Vissou et Cabrières que dominent les falaises volcaniques de l'Escandorgue.

L'Hérault, près du causse de La Selle. Au sortir des massifs cévenols, les gorges sont ennoyées par les eaux d'un lac de barrage.

Des plages de Narbonne au canal du Midi 73 km

De Narbonne à Béziers; villes jumelles — et rivales —, et sans perdre de vue la Méditerranée, on pourrait hésiter entre deux pôles d'attraction. D'une part, la montagne de la Clape, qui émerge de la plus absolue platitude et se termine par une côte dorée où se pressent baigneurs et plaisanciers. D'autre part, l'oppidum d'Enserune, haut lieu de l'archéologie. Il faut savoir goûter les plaisirs de la plage et se plonger dans le passé à la découverte de civilisations originales, profondément ancrées.

Montady. L'étang de Montady est asséché depuis sept siècles. Des fossés rayonnant vers un collecteur central ont donné naissance à cette étrange étoile. Les eaux vont ensuite vers l'étang de Capestang.

Gruissan. Le village s'avance en presqu'île sur l'étang. Il est dominé par la tour Barberousse, accrochée à un rocher escarpé. Des dunes séparent le port du littoral sur 2 km.

❶ **Coffre de Pech-Redon.** C'est le point culminant (214 m) de la montagne de la Clape. Il domine la mer, les étangs bordant la côte et les vignobles de la basse vallée de l'Aude. Du sommet, vue sur Narbonne. Cet îlot calcaire, rocaille semée d'une maigre garrigue, est typiquement méditerranéen ; amas de pierres sur lequel se sont fixés les sables du cordon littoral, il est aussi caractéristique de la côte languedocienne.

❷ **Gruissan** est un village de pêcheurs édifié selon un plan circulaire (voir photo). Un port de plaisance creusé entre les étangs ajoute à son attrait.

❸ **Le Rec.** Gagner, à pied, par un chemin sinuant entre les genêts et les pins parasols, l'émouvant cimetière marin (30 mn AR). Des stèles, dressées au siècle dernier parmi les cyprès, y gardent le souvenir des marins perdus en mer. La chapelle N.-D.-des-Auzils s'élève au sommet de cette butte d'où l'on domine Gruissan.

❹ **Narbonne-Plage** et **Saint-Pierre-sur-Mer** ponctuent l'immense côte de sable fin. Le port Brossolette, port de plaisance, sépare ces deux stations balnéaires.

❺ **Nissan-lez-Enserune.** L'église St-Saturnin est un bel exemple de style gothique méridional (XIVe s.) ; à l'intérieur, Vierge de Miséricorde en pierre polychrome. Un musée a été aménagé dans l'église; il est consacré à l'archéologie et à l'art sacré (vis. : s'adresser au presbytère).

Les fouilles de l'*oppidum d'Enserune* ont révélé la succession de civilisations d'influence tour à tour ibère, grecque, celtique, gallo-romaine, depuis le VIe s. av. J.-C. : nombreux vestiges de remparts et de bâtiments. Aux quatre points cardinaux, des tables d'orientation permettent d'observer un immense panorama, des Cévennes au Canigou. Des bijoux, des armes et une série de vases grecs — coupes et cratères à personnages des Ve et IVe s. av. J.-C. – sont exposés au musée archéologique d'Enserune (ouv. t.l.j., sauf j. fér.).

❻ **Montady.** La route longe l'ancien étang, dont les eaux sont drainées par des fossés qui le divisent en forme d'étoile. Les parcelles ainsi délimitées sont cultivées (voir photo). Le village est groupé, sur une butte, au pied d'une tour du XIIe s.

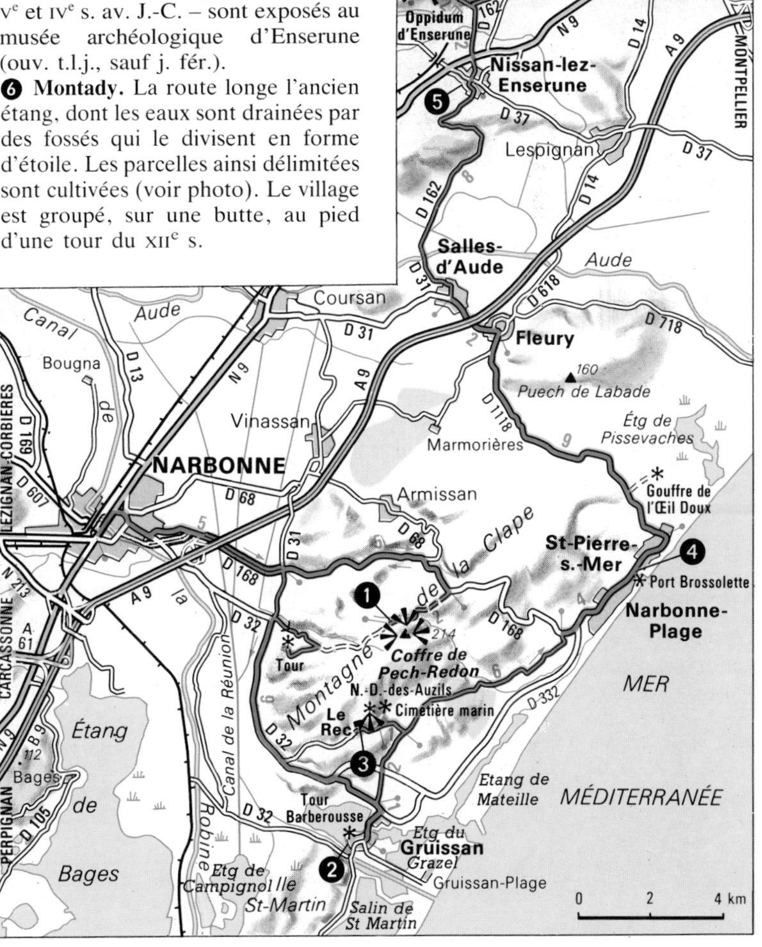

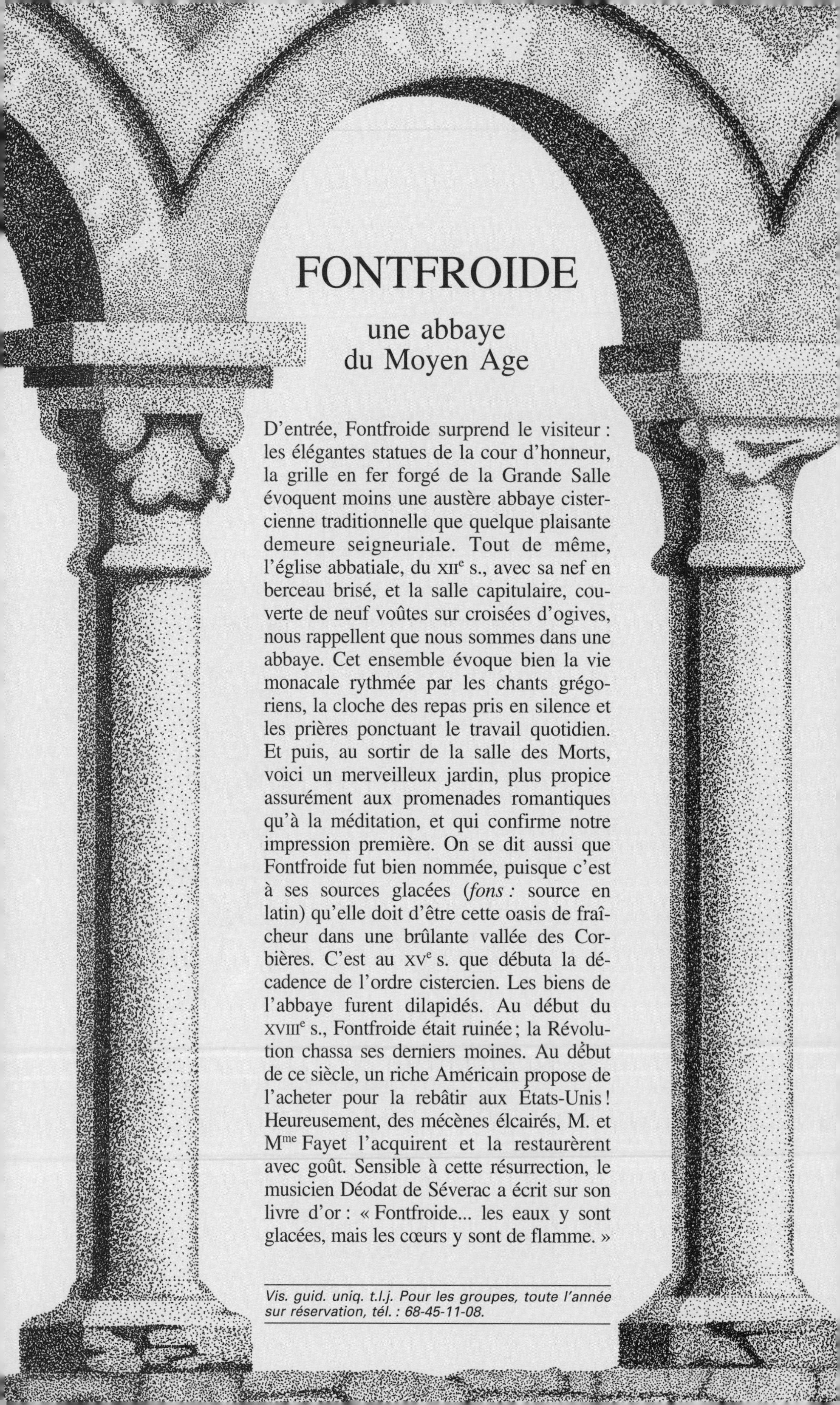

FONTFROIDE

une abbaye du Moyen Age

D'entrée, Fontfroide surprend le visiteur : les élégantes statues de la cour d'honneur, la grille en fer forgé de la Grande Salle évoquent moins une austère abbaye cistercienne traditionnelle que quelque plaisante demeure seigneuriale. Tout de même, l'église abbatiale, du XIIe s., avec sa nef en berceau brisé, et la salle capitulaire, couverte de neuf voûtes sur croisées d'ogives, nous rappellent que nous sommes dans une abbaye. Cet ensemble évoque bien la vie monacale rythmée par les chants grégoriens, la cloche des repas pris en silence et les prières ponctuant le travail quotidien. Et puis, au sortir de la salle des Morts, voici un merveilleux jardin, plus propice assurément aux promenades romantiques qu'à la méditation, et qui confirme notre impression première. On se dit aussi que Fontfroide fut bien nommée, puisque c'est à ses sources glacées (*fons :* source en latin) qu'elle doit d'être cette oasis de fraîcheur dans une brûlante vallée des Corbières. C'est au XVe s. que débuta la décadence de l'ordre cistercien. Les biens de l'abbaye furent dilapidés. Au début du XVIIIe s., Fontfroide était ruinée ; la Révolution chassa ses derniers moines. Au début de ce siècle, un riche Américain propose de l'acheter pour la rebâtir aux États-Unis ! Heureusement, des mécènes élcairés, M. et Mme Fayet l'acquirent et la restaurèrent avec goût. Sensible à cette résurrection, le musicien Déodat de Séverac a écrit sur son livre d'or : « Fontfroide... les eaux y sont glacées, mais les cœurs y sont de flamme. »

Vis. guid. uniq. t.l.j. Pour les groupes, toute l'année sur réservation, tél. : 68-45-11-08.

Vue générale de l'abbaye

Pour qui traverse l'aride pays des Corbières, Fontfroide apparaît comme une oasis au creux d'un vallon silencieux. Le grès ocre et rose des bâtiments médiévaux répond au vert des cyprès annonçant de loin au visiteur un univers de paix et d'harmonie. L'abbaye est protégée du cers, l'un des vents dominants qui dessèche la vallée, et les sources sur lesquelles elle fut bâtie, il y a neuf cents ans, lui assurent toujours une végétation luxuriante. Ses toitures savamment ordonnées, son architecture composite, cette atmosphère, comme suspendue hors du temps et des saisons, tout concourt à charmer le touriste du XXe s.

Les jardins à l'italienne sont l'œuvre des abbés de Frégose. Ces jardins furent aménagés et entretenus jusqu'en 1646 par des jardiniers lombards.

Les cellules. Elles furent considérées par le pape Benoît XII comme un « luxe » peu compatible avec la règle monastique de vie communautaire.

La cour d'honneur. Elle date du XVIIe s., et fut construite par les abbés commendataires. Elle témoigne de la richesse de l'abbaye à cette époque.

Le cloître gothique

Ses galeries gothiques appuyées aux bâtiments conventuels du XIIe s. datent de la seconde moitié du XIIIe. Par ses proportions et son originalité, ce cloître est l'un des plus beaux de tout le midi de la France. Il surprend par la sobre grandeur de ses quatre galeries. Chacune, longue de 29 m, est rythmée par la répétition de ses grands arcs; dans la partie la plus ancienne, ces arcs encadrent trois ou quatre arcatures romanes reposant sur deux fines colonnes de marbre, surmontées au tympan de larges oculi qui créent un jeu savant et harmonieux d'ombres et de lumières.

159 160

Environs d'Argelès 130 km
et vallée du Tech 154 km

Aux confins méridionaux des Pyrénées-Orientales, ces deux itinéraires sont bien différents. En tout cas, il est vivement conseillé d'effectuer l'un et l'autre en dehors des époques de grande migration estivale, car le col du Perthus est toujours le lieu de passage le plus fréquenté entre la France et l'Espagne. Le premier circuit fait découvrir quelques merveilles de l'art roman du Roussillon – la chapelle de St-Martin-de-Fenollar et ses fresques, Saint-Génis-des-Fontaines et ses sculptures – avant de revenir aux plages méditerranéennes. Le second mène dans la haute vallée du Tech, où, dans un paysage de montagne, alternent vergers et stations thermales. Dans ce Vallespir au climat exceptionnellement doux, les traditions catalanes sont restées des plus vivaces.

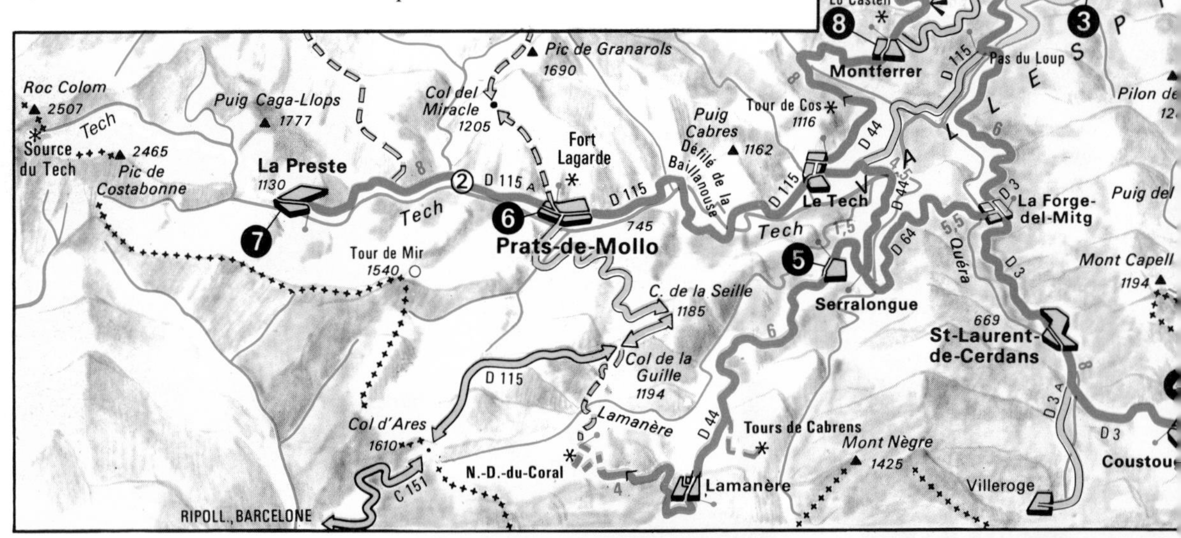

ITINÉRAIRE N° 1

❶ **Le Boulou,** au pied de la chaîne des Albères, est une station climatique et thermale. Voir l'église, dont le portail roman est l'œuvre du sculpteur dit le Maître de Cabestany (XIIe s.).

❷ **Chapelle de St-Martin-de-Fenollar.** Les fresques du début du XIIe s. constituent le plus remarquable ensemble pictural roman du Roussillon : Christ en majesté, 24 Vieillards de l'Apocalypse, Annonciation, Nativité... Elles couvrent la voûte et les murs de l'abside.

❸ **Stèle des Évadés.** On y accède par une route étroite : conduire avec prudence. Du monument, panorama sur la plaine du Roussillon et le Vallespir.

❹ **Les Cluses** ont conservé des vestiges romains. Sur un piton, ruines d'un château féodal. L'église est décorée de fresques romanes.

❺ **Col de l'Ouillat.** A partir du Perthus, une forte montée en lacets gagne le col (938 m), d'où l'on a un beau point de vue sur la chaîne des Albères. Du pic *Neulos* (1 257 m), magnifique panorama sur les Pyrénées.

❻ **Saint-Génis-des-Fontaines.** (Voir dessin.) L'église romane et une partie du cloître sont les seuls vestiges de l'abbaye, fondée au IXe s.

Prats-de-Mollo. Occupant le point le plus élevé de la ville, l'église fortifiée est du XVIIe s. De style gothique tardif, elle englobe un édifice roman dont a subsisté le clocher crénelé du XIIIe s.

❼ **Saint-André.** De l'abbaye, fondée au IXe s., subsiste l'église, restaurée au XIIe. Son linteau sculpté est plus évolué que celui de Saint-Génis. L'autel est inspiré du style mozarabe.

❽ **Argelès-sur-Mer.** L'église gothique N.-D.-del-Prat, au cœur du vieux village, recèle un retable peint sur bois, des tableaux d'influence italienne et des fonts baptismaux du XIIIe s. (vis. guid. sam. mat., tél. : 68-81-42-74). C'est une station balnéaire très fréquentée. Excursion au *château de Pujols* (circuits pédestres, voir le S.I.).

❾ **Château d'Ultrera.** Ses ruines (à 561 m d'altitude) se dressent en bordure de la forêt communale de Sorède, célèbre par ses micocouliers.

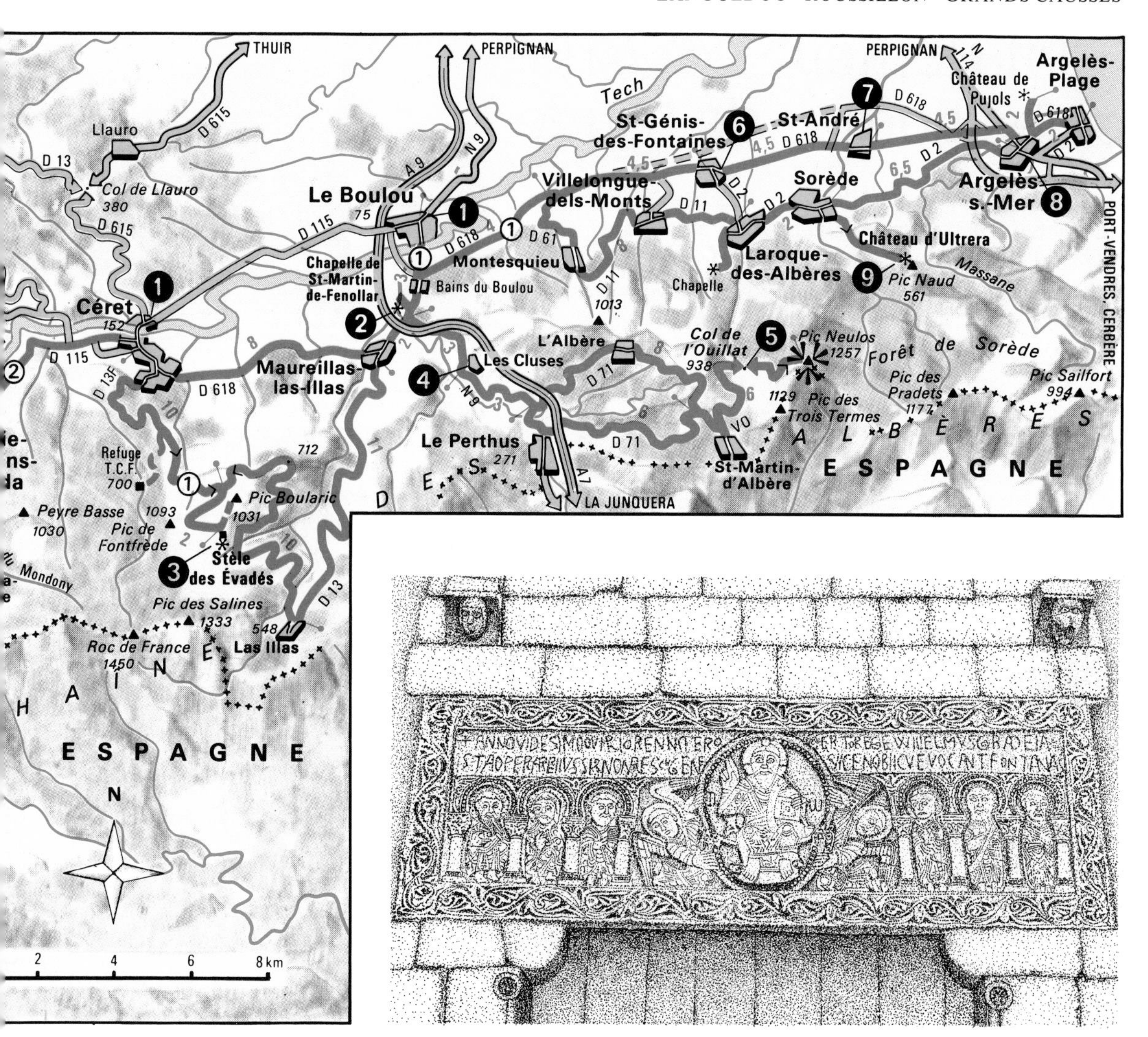

Saint-Génis-des-Fontaines. A l'église St-Michel, la sculpture du linteau du porche, datée de 1020, est la plus ancienne sculpture romane connue de France.

ITINÉRAIRE N° 2

❶ **Céret.** Voir les remparts, où s'ouvre une porte fortifiée et, sur le Tech, le pont du Diable, du XIVe s. (une route carrossable longe le bord de la rivière). L'église St-Pierre, avec son clocher du XIIe s., est romane. Au musée d'Art moderne, œuvres de Matisse, Picasso, Juan Gris, Chagall, Manelo, Masson, Marquet, Miró, Dalí, Viallat, Capdeville, etc. (t.l.j., sauf mardi et j. fér.).

❷ **Amélie-les-Bains-Palalda** est un centre de promenades faciles. Vers le S., les *gorges du Mondony* se parcourent à pied (30 mn).

❸ **Arles-sur-Tech.** Son abbaye bénédictine en fit longtemps le centre religieux du Vallespir. Le cloître gothique à arcades de marbre blanc, la Sainte-Tombe, reliquaires et retables sont les richesses du plus ancien monastère du Roussillon.

2,5 km après Arles (parc de stationnement), un sentier raide mène au débouché des *gorges de la Fou* (vis. t.l.j., Pâques-oct.) ; la visite se fait par des passerelles sur 1 500 m environ.

❹ **Coustouges.** L'église fortifiée du XIIe s. présente deux portails somptueusement sculptés ; la nef unique est surmontée d'un clocher carré.

Corsavy, adossé aux pentes du Canigou, s'étage dans la verdure. La tour qui le domine est un vestige de l'ancienne église paroissiale du XIIe s., aujourd'hui abandonnée.

❺ **Serralongue.** A La Forge-del-Mitg, emprunter une route étroite et très sinueuse : belles vues sur la vallée du Tech. L'église romane possède un portail qui a conservé des gonds et un verrou signé, du XIIe s.

De Lamanère, dominé au N.-E. par les *tours de Cabrens* (XIIIe s.), on parvient à l'ermitage de *N.-D.-du-Coral* (Vierge en ivoire du XVIIIe s.).

❻ **Prats-de-Mollo.** Après le défilé sauvage de la Baillanouse, on atteint la capitale du haut Vallespir, au pied du Canigou. La ville a gardé une partie de ses remparts et plusieurs portes fortifiées. A l'intérieur de l'église, retable du XVIIe s. Au chevet de l'église (voir photo), s'engager dans un souterrain menant au Fort Lagarde, dû à Vauban. On parcourra les ruelles et les escaliers de la ville haute.

❼ **La Preste** est une petite station thermale d'altitude (1 130 m). La route s'y achève en cul-de-sac. On peut remonter à pied le cours du Tech jusqu'à sa source située à 2 340 m, sur le flanc du Roc Colom (de 4 à 5 h).

❽ **Montferrer** possède une église romane et les ruines d'un château. En direction du village de *Corsavy* (voir photo), très beaux points de vue sur le Vallespir et le massif du Canigou.

Font-Romeu et les gorges de l'Aude 74 km

La descente de la haute vallée de l'Aude conduit des sommets lumineux des Pyrénées au bassin de Quillan. Après la Cerdagne, cuvette abritée et bien irriguée, couverte de labours et de prés, on traverse le Capcir, domaine de prairies et de forêts balayées par les vents, puis le Donezan, paisible plateau, pour s'engager dans l'ensemble des gorges et défilés que se creuse la rivière avant de s'assagir. Cet itinéraire, à faire à la belle saison, comporte des passages difficiles exigeant une conduite prudente.

❶ **Font-Romeu-Odeillo.** Le joli village de Font-Romeu s'étage entre 1680 et 1780 m au-dessus d'Odeillo. Un ensoleillement exceptionnel a fait choisir ce dernier par le C.N.R.S. pour l'installation d'un four solaire (expo. perm. sur le site, sauf du 15 nov. au 15 déc. Rens., tél. : 68-30-77-86). Son climat, l'altitude et les équipements ont fait de Font-Romeu l'une des stations les plus agréables des Pyrénées. A 1 km en direction de Mont-Louis, la modeste chapelle de l'Ermitage abrite un somptueux chef-d'œuvre : un maître-autel avec retable en bois doré que surmonte un « camaril » où est exposée tantôt Notre-Dame de Font-Romeu (voir dessin), tantôt une Vierge noire du XVIIIe s., vêtue d'une tunique brodée et coiffée d'une mantille. Cette œuvre baroque est due au sculpteur catalan Joseph Sunyer. Les jours d'« aplec » (pèlerinage), une foule considérable se rend à l'Ermitage, en particulier le 8 septembre, fête « del baixer » (de la descente), où la statue de la « Vierge de l'invention » est emmenée solennellement à Odeillo jusqu'au dimanche de la Trinité, « el pujar », où on la remonte à l'Ermitage. D'autres « aplecs » ont lieu le troisième dimanche suivant la Pentecôte et le 15 août. En continuant vers Mont-Louis, prendre un sentier à droite pour atteindre (15 mn AR) le calvaire (1857 m). Vaste panorama.

❷ **Mont-Louis** est, à 1 600 m, une station de sports d'hiver. Mais c'est surtout une ancienne place forte édifiée selon des plans de Vauban sur une terrasse dominant la Têt. La ville commandait les hautes vallées de ce fleuve et de l'Aude contre les armées espagnoles lors des luttes pour la domination de la Cerdagne au XVIIe s. Il subsiste les remparts et la citadelle. Des promenades aménagées, vue sur les montagnes.

❸ **Matemale.** A partir du col de la Quillane commence le Capcir, ou haute vallée de l'Aude, vaste bassin dépassant 1 400 m d'altitude sur plus de 15 km. Le climat y est rude ; le carcanet, vent du nord, et l'enneigement persistant isolent ce massif, où se déploient de vastes futaies de pins sylvestres et de pins à crochets, visibles

Font-Romeu. Statue (XIIe s.) dite Vierge de l'invention, car elle aurait été « inventée » (trouvée) par un taureau.

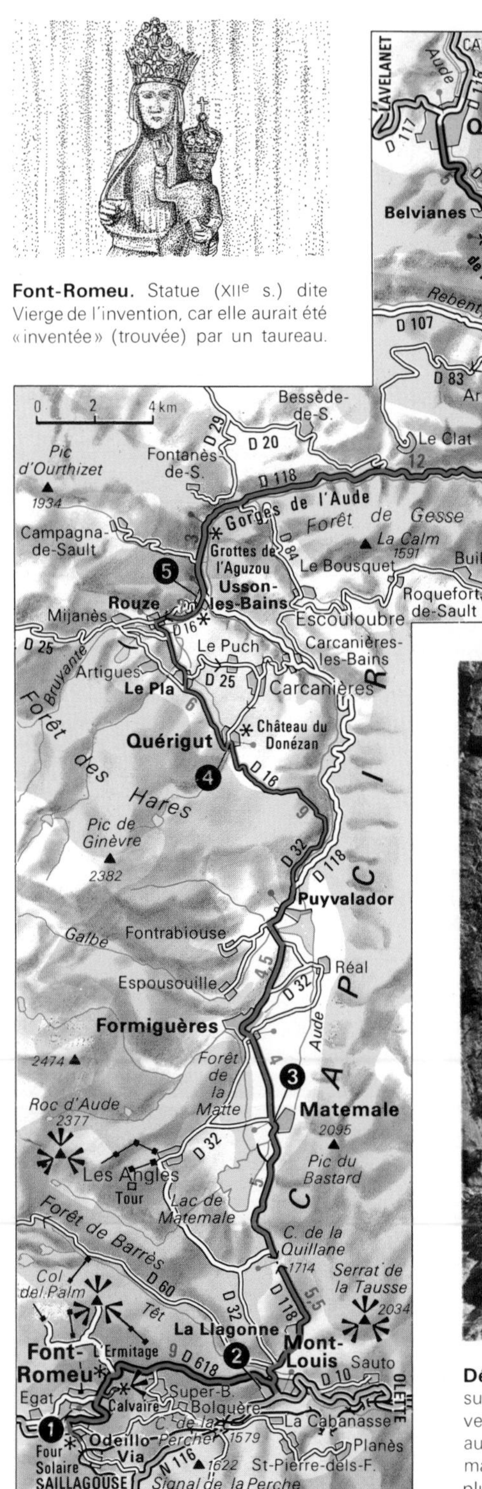

Défilé de Pierre-Lys. Point de vue sur l'Aude torrentueuse et sa falaise verticale, à partir du parking aménagé au milieu du canyon. Le resserrement maximal des parois se poursuit sur plus de 800 m de longueur.

Odeillo, le plus grand four solaire du monde (1 000 kW) ; 63 héliostats mobiles renvoient les rayons du soleil vers le miroir parabolique qui les concentre en son foyer, le bâtiment-four. L'énergie ainsi obtenue permet d'atteindre des températures de l'ordre de 3 500 °C.

de la route. La luminosité de l'atmosphère est quasi méditerranéenne. Aux extrémités du bassin, des lacs-réservoirs régularisent le cours de l'Aude, particulièrement abondant lors de la fonte des neiges, pour alimenter une série de centrales hydroélectriques.

❹ **Quérigut.** Après Puyvalador, quitter le bord de l'Aude pour suivre une route sinueuse et souvent étroite qui traverse le paysage typique du Donezan, au modelé paisible sur un plateau pourtant assez élevé. Quérigut est l'ancienne capitale de ce pays qui dépendait du comté de Foix (ruines du château). Pâturages, forêts, lacs et étangs composent le paysage.

❺ **Usson-les-Bains** est située à l'entrée des *gorges de l'Aude*. Les ruines du château dominent la vallée du haut d'un rocher isolé. D'abord évasé, le val de l'Aude se resserre ; entre de hautes parois couvertes d'une épaisse végétation bouillonne le torrent.

❻ **Gorges de Saint-Georges.** C'est un canyon impressionnant que l'Aude semble avoir creusé par suite d'un relèvement du socle pyrénéen ; long de 2 km et, par endroits, large de 30 m à peine, ses parois abruptes tombent de 100 m de haut. C'est l'un des sites les plus austères des Pyrénées.

❼ **Défilé de Pierre-Lys.** C'est une clue par laquelle l'Aude traverse la crête de la forêt des Fanges. La route s'enfonce dans le défilé qu'elle suit de bout en bout sur 4 km. Le torrent abondant et tortueux, la hauteur, la nudité des parois de calcaire et l'étroitesse du passage où se glissent la route, le fleuve et l'ancienne voie ferrée constituent l'un des grands spectacles pyrénéens. Le troisième tunnel d'une centaine de mètres remplace aujourd'hui la galerie dite *« Trou du Curé »*, ouverte au siècle dernier par l'abbé Félix Armand.

162

En montant au pic du Canigou 63 km

Un circuit court mais d'une surprenante densité, de Prades, à laquelle est désormais lié le nom du violoncelliste Pablo Casals, au sommet du pic du Canigou, d'où se découvre un fantastique panorama sur la côte du Languedoc et le littoral catalan. La montée à l'abbaye de St-Martin-du-Canigou ainsi que l'ascension — dont 6 km à pied — du Canigou ne peuvent s'improviser. Mais le temps passé à organiser ces excursions sera largement compensé par les beautés de l'itinéraire.

❶ **Villefranche-de-Conflent.** Laisser la voiture pour visiter la ville forte. L'enceinte, du XIe s., est intacte au S. ; parcourir à l'O. et à l'E. le chemin de ronde. Il subsiste quatre tours rondes du XIIIe s. (t.l.j., sauf en janv. Visites commentées). Les six bastions et le fort sont l'œuvre de Vauban (XVIIe s.). Les portes datent de 1783. Nombreuses demeures des XIIIe et XIVe s. Par la rue St-Pierre, gagner le petit pont fortifié sur la Têt.

A 1 km en direction de Vernet-les-Bains, *grottes des Canalettes* (t.l.j., des Rameaux au 11 nov. ; hors saison sur R.-V. tél. : 68-05-20-76) et des *Grandes Canalettes* (groupes sur R.-V. tte l'année, tél. : 68-96-23-11), aux concrétions d'une étonnante variété.

❷ **Abbaye de St-Martin-du-Canigou.** (Voir photo). De Vernet-les-Bains, dont les rues de la vieille ville sont rassemblées sur la rive droite du Cady, aller jusqu'à Casteil, où on laisse sa voiture. On se rend ensuite à pied à l'abbaye (ouv. t.l.j., juin-oct. ; sauf mardi hors saison). Il est possible de se faire conduire en Jeep (garage Villacèque, à Vernet, tél. : 68-05-51-14).

❸ **Pic du Canigou.** La route, en direction du chalet des Cortalets, s'élève de 842 m au col de Millères à 2 180 m, en 15,5 km (nombreux virages, pentes jusqu'à 20 %, sol souvent défoncé ; impraticable de nov. à juin ; conduire avec la plus extrême prudence). Il est conseillé de se faire transporter en Jeep. Des allers et retours sont organisés en été à Vernet-les-Bains (garage Villacèque), Prades (tél. : 68-96-26-47 ou 68-05-20-48), ou encore à Fillols (tél. : 68-05-63-06). On peut également réserver repas et hébergement au refuge des Cortalets en s'adressant à M. Taurigna : chalet du Canigou, à Prades, tél. : 68-96-36-19, ou à Fillols, tél. : 68-96-13-65. Du refuge des Cortalets, on gagne, à pied, le sommet du Canigou (3 h AR). A 2 784 m, le panorama est immense : au S.-E., les Albères et la côte espagnole jusqu'à Barcelone ; au N.-E., le littoral du Languedoc jusqu'à l'embouchure du Rhône.

❹ **Abbaye St-Michel-de-Cuxa.** Fondée en 878, elle connut sa plus grande prospérité au XIe s. Remarquer le clocher carré roman crénelé et une partie du cloître, remontée (le reste est aux États-Unis), avec quelques chapiteaux sculptés. Les arcs outrepassés de la nef sont de style wisigoth (t.l.j., sauf dim. mat., vis. guid. juill.-août, libre hors saison. Groupes, vis. guid. toute l'année). L'abbaye sert de cadre chaque année à des concerts du festival Pablo Casals.

Abbaye de St-Martin-du-Canigou. Le cloître, l'abbatiale et le clocher-tour crénelé, du XIe s. : un nid d'aigle, à 1 094 m.

Excursion en principauté d'Andorre

106 km

Curieux destin que celui de ces vallées d'Andorre, dont le premier co-suzerain fut, avec l'évêque espagnol d'Urgel, Henri IV, roi de France et héritier des comtes de Foix, auxquels ont succédé aujourd'hui le président de la République française et, toujours, l'évêque d'Urgel. Curieuse situation que celle de ce territoire minuscule, paradis fiscal — dit-on — mais surtout paradis naturel, amalgame tout en nuances de lacs et de montagnes, de vallées et de villages. La principauté d'Andorre est un État : pour y pénétrer, une carte nationale d'identité de moins de dix ans ou un passeport même périmé de moins de cinq ans est exigé, de même qu'une carte internationale d'assurance (carte verte) pour le véhicule.

Vallée du Valira d'Orient, entre de hauts sommets, aux environs de Meritxell.

❶ **Port d'Envalira.** C'est par le plus haut col des Pyrénées (2 408 m) que l'on pénètre en Andorre après avoir passé la frontière au pas de la Casa. La route domine le *circ* dels Pessons, criblé de lacs.

❷ **Église Sant Joan de Caselles.** En suivant le cours du Valira d'Orient, on atteint l'église romane, édifiée sur un rocher vers 1100, au clocher carré de style lombard; les deux porches sont gothiques. L'autel est surmonté d'un très beau retable du XVIe s., dû à un peintre anonyme catalan, le Maître de Canillo, et représentant la vie de saint Jean. Sur un fond de peinture murale ont été remontés les fragments d'un Christ sculpté, en stuc, du XIIe s., découvert en 1963.

Le village de *Canillo* est typique, avec ses maisons à toits débordants et balcons ouvragés. Plus loin, à droite, route vers le *col d'Ordino*.

Le nouveau sanctuaire de *Meritxell* (l'ancien a été détruit par un incendie) est l'œuvre de Ricardo Bofill (1976).

❸ **Encamp** est l'une des sept *parròquies* (paroisses) formant la structure administrative de la principauté. A partir des Escaldes, il faut aller jusqu'au lac d'Engolasters, à 1 616 m, d'où l'on découvre toute la vallée.

❹ **Andorre-la-Vieille** (Andorra la Vella). Dans les rues de la plus vieille cité andorrane, maisons anciennes et immeubles contemporains alternent. La Maison de la Vallée (XVIe s.) est le siège du gouvernement et du Conseil général des Vallées (28 conseillers : 2 par paroisse et 14 élus nationaux). Malgré sa vocation civile, le bâtiment a conservé quelques éléments défensifs de tradition médiévale (tour d'angle et échauguette). Le portail est surmonté d'un écusson de pierre, datant probablement du début du XIVe s., dont l'inscription désigne le lieu comme « Maison du Conseil et Siège de la Justice ». L'intérieur se visite, sauf pendant les séances du Conseil. Le rez-de-chaussée est occupé par la salle du Tribunal. Au premier étage, l'ancienne salle à manger décorée de peintures murales du XVIe s. (pietà et scènes de la Passion) communique avec la cuisine qui a conservé sa cheminée centrale entourée de bancs, son vaisselier à « musicatures » garni d'ustensiles anciens. La salle du Conseil abrite « l'armoire aux sept clefs » ; il faut, pour l'ouvrir et accéder aux archives, les sept clefs dont chaque paroisse détient un exemplaire. L'église de la ville a été restaurée; son clocher, abattu par la foudre au XVIe s., a été rebâti, et, récemment, la nef refaite et agrandie (vitraux modernes); elle abrite de beaux retables. Mais l'élément le plus remarquable de l'édifice est l'abside à deux frises superposées (arcatures et dents de scie), considérée comme la dernière construction romane du pays, vers l'an 1200. Ne faisant plus qu'un avec l'agglomération d'Andorre, la station thermale et résidentielle des Escaldes (piscines) est le centre de l'animation touristique. L'église Sant Miquel d'Engolasters dresse son haut clocher lombard (XIIe s.), tour carrée de trois étages à baies géminées, accolée à la nef, d'une grande élégance. Magnifique point de vue sur la vallée d'Andorre. La réunion du Valira d'Orient et du Valira del Nord forme le Gran Valira que suit la route.

Santa Coloma, au S. d'Andorre-la-Vieille. La nef (et sa charpente) est des IXe-Xe s. Le clocher cylindrique à quatre étages ornés d'arcatures lombardes est du XIIe s.

❺ **Sant Julià de Lòria** a gardé ses pittoresques ruelles. Dans l'église, Vierge polychrome (XIIe s.), Christ en bois (XVIIe s.) et beaux retables.

En quittant la route à Aixovall, juste avant Sant Julià de Lòria, on atteint par Bixessarri le *Santuari* de Canòlich. Le paysage est différent, plus méridional que montagneux, aux confins de l'Espagne. Au retour, la route par Fontaneda est difficile.

❻ **La Massana.** Remonter le Valira del Nord en franchissant les gorges sauvages de Sant Antoni. L'église de La Massana abrite deux retables baroques (XVIIe s.).

Dans Erts s'embranche sur la gauche une route de montagne en direction du port de Cabús (frontière espagnole), par le col de la Botella : splendide panorama.

❼ **Ordino,** village perché (1 298 m) au pied de la tour ruinée de la Meca, est célèbre par les nombreux balcons de ses maisons et par les grilles du chœur et des chapelles latérales de son église, forgés au village. Le travail du fer était la spécialité et l'orgueil du pays, mais les dernières forges se sont tues il y a bientôt un siècle. Maison d'Areny Plandolit.

En direction d'El Serrat, à *La Cortinada*, se dresse la belle église Sant Marti, à plafond de bois, ornée de peintures murales romanes (fin XIIe s.) et de retables en bois doré. La route se poursuit sur une dizaine de kilomètres au-delà d'El Serrat jusqu'aux abords des pittoresques lacs de Tristaina, isolés en plein cœur des Pyrénées (15 mn à pied).

Chapelle de Sant Roma, près d'Encamp (XIIe s.). A droite, ruines d'une tour sarrasine.

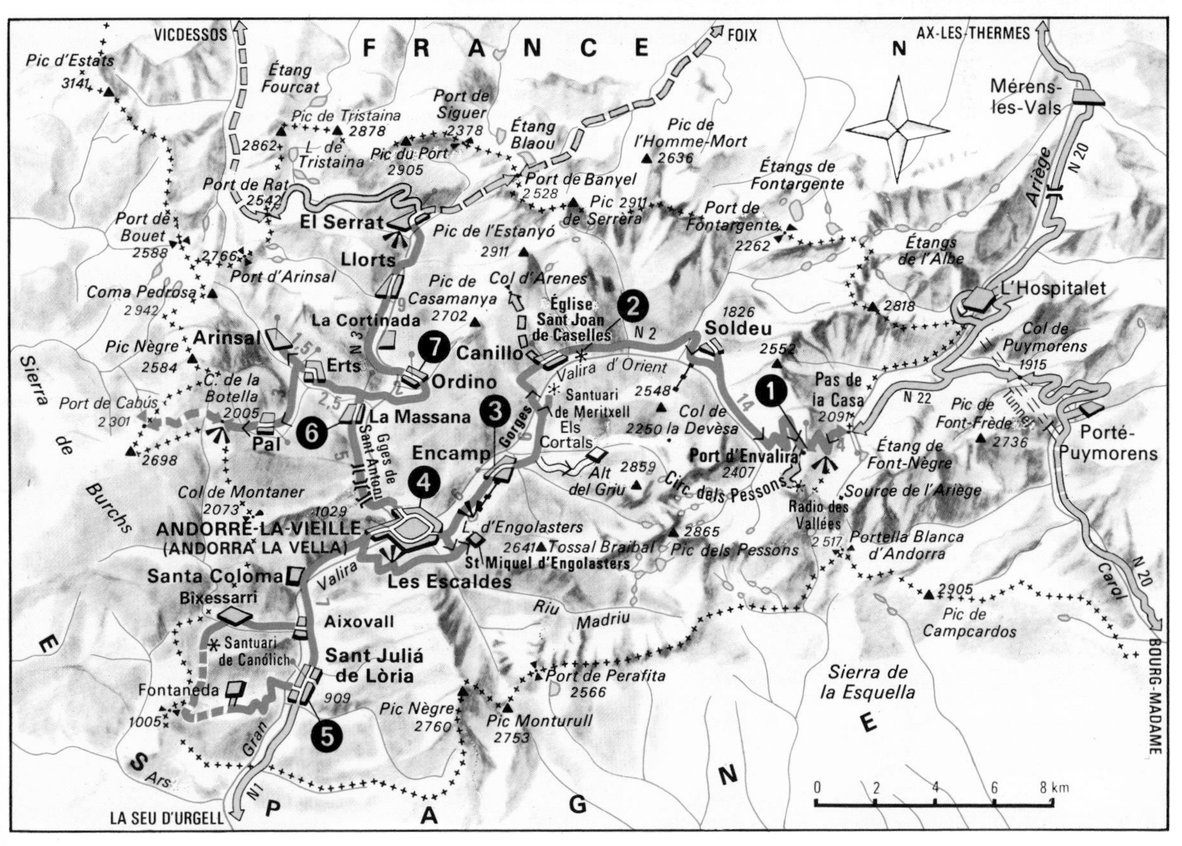

En parcourant le sillon du Fenouillèdes — 76 km

Les Corbières furent, des siècles durant, le rempart de la France contre les Espagnols. D'exceptionnels châteaux perchés en portent encore témoignage. Le paysage, partagé entre les garrigues et le roc nu, des lambeaux de forêt et les vignobles, est parcouru par de petites routes traversant des sites paisibles ou longeant des gorges impressionnantes. Le sillon du Fenouillèdes, à l'aspect parfois aride, est, pour ces modestes hauteurs, un remarquable faire-valoir face aux imposantes Pyrénées.

Cucugnan. En descendant de Quéribus, le village dont Daudet immortalisa le nom dans *les Lettres de mon moulin* apparaît tapi au pied des rudes Corbières.

❶ **Grau de Maury.** Au-dessus de la plaine viticole de Maury, on a, de ce petit col (432 m), un admirable panorama, au N., sur la chaîne calcaire des Corbières, qui domine le sillon du Fenouillèdes. Une route à forte pente, sur 1,5 km, mène au château de *Quéribus* ; on peut aussi y accéder à pied (1 h AR). Les ruines du château se confondent avec le piton sur lequel elles se dressent, occupant une position clé entre l'ancien royaume d'Aragon et la France. C'est l'un des « cinq fils de Carcassonne » qui gardaient la route de l'Espagne. Dernier bastion de la résistance cathare, il se maintint dix ans après Montségur (1255). Du donjon polygonal, dont la chapelle gothique a été restaurée, vue sur les Corbières, le pic du Canigou, la plaine du Roussillon et la Méditerranée (t.l.j., 1er avr.-11 nov. ; week-end, j. fér. et vac. scol. le reste de l'année).

❷ **Cucugnan.** Voir photo.

❸ **Duilhac.** Après avoir franchi le col du Tribi, on redescend vers ce pittoresque village bâti en amphithéâtre. A 3 km, puis à pied (30 mn AR), on parvient au château de *Peyrepertuse* (vis. t.l.j.), autre « fils de Carcassonne », campé au sommet d'une crête sauvage (voir dessin).

❹ **Gorges de Galamus.** Cubières-sur-Cinoble commande l'entrée de ces gorges (voir photo). C'est l'Agly qui, dédaignant le cours logique qu'inspire le relief, a creusé dans le calcaire cet impressionnant canyon aux flancs parfois séparés de quelques mètres seulement. De Cubières à Saint-Paul, la route suit le fond de la gorge, puis s'élève en corniche. Au rond-point de l'Ermitage, garer la voiture au parc de stationnement, d'où l'on a une belle vue sur le Fenouillèdes, littéralement scié par l'Agly. Un sentier permet de se rendre jusqu'à une chapelle aménagée dans une grotte naturelle (15 mn à pied AR), aux parois irisées.

La route descend ensuite en lacets vers *Saint-Paul-de-Fenouillet*, sur la rive gauche de l'Agly, centre viticole situé dans la dépression. On verra dans l'église St-Pierre-et-St-Paul, du XIVe s., remaniée au XVIIIe s., d'imposantes clés de voûte décorées.

❺ **Caudiès-de-Fenouillèdes.** Le village conserve des maisons à colombage. C'est un centre actif d'artisanat d'art : peinture, sculpture, ferronnerie.

❻ **Clue de la Fou.** Suivant de nouveau le cours de l'Agly, mais en remontant vers les Corbières, la route longe une clue forée par la rivière en un défilé analogue aux gorges de Galamus. On découvre les crêtes calcaires aux formes tourmentées au-delà de la rivière bouillonnante, dont le lit se creuse de « marmites de géants ».

A 1 km avant Saint-Paul, franchir l'Agly pour regagner la plaine.

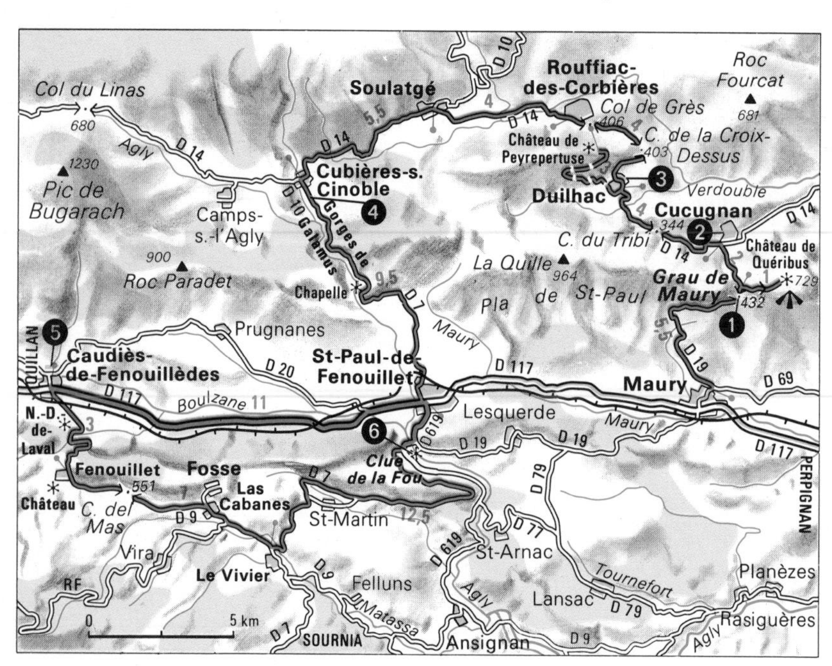

Peyrepertuse. Sur une crête longue de 300 m, cette « citadelle du vertige » aragonaise vendue à Saint Louis en 1239 n'a jamais été assiégée.

Gorges de Galamus. La route sinueuse et étroite, où le croisement est parfois impossible, suit les gorges de Galamus, creusées par l'Agly entre de vertigineuses murailles verticales.

165 166

Carcassonne 128 km et le Minervois 152 km

La Cité de Carcassonne pourrait être déjà, à elle seule, un véritable itinéraire. Mais il est aussi, sur le versant méridional de la Montagne Noire, deux petits pays qui méritent d'être connus. C'est d'abord le Cabardès : les garrigues roussies de soleil y contrastent avec les gorges étroites des rivières dévalant vers la plaine viticole de l'Aude. C'est ensuite le Minervois, où alternent de riches collines couvertes de vignes et des plateaux dénudés profondément entaillés par les cours d'eau.

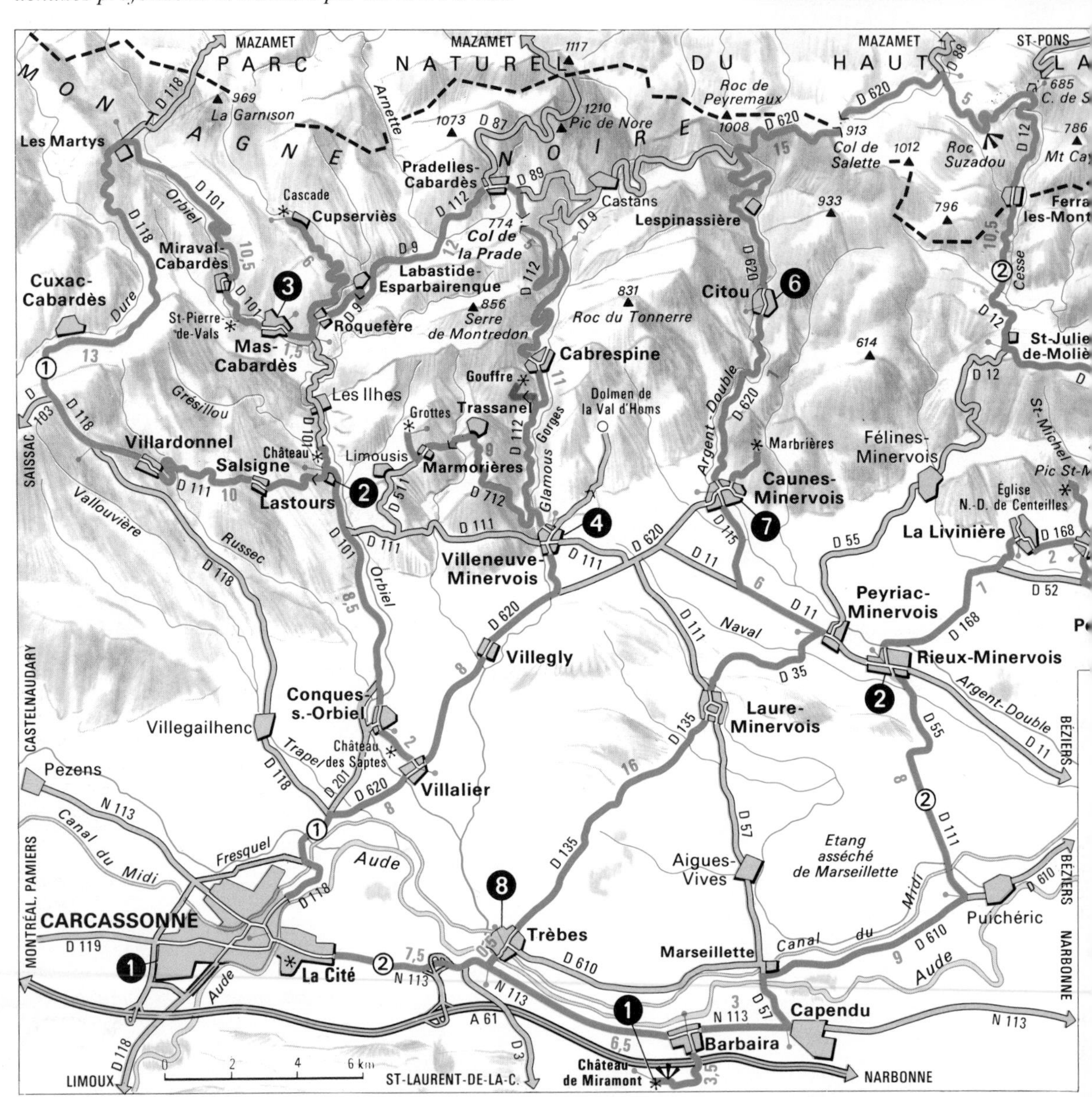

ITINÉRAIRE N° 1

❶ **Carcassonne.** Sa Cité est la plus vaste forteresse d'Europe et la plus complète qui nous soit parvenue (voir photo). On y distingue trois éléments de défenses. L'enceinte intérieure du Ve s. (reprise aux XIIe et XIIIe) se caractérise par des tours en briques et moellons, mais sa plus grande partie est en pierres grises. La porte Narbonnaise (entrée principale) est un modèle d'architecture militaire du XIIIe s. Séparée par les lices, l'enceinte extérieure enveloppe complètement la première d'un rempart crénelé flanqué de tours. Le Château comtal (XIIe s.) est isolé de l'enceinte et autonome (accès libre à la Cité et aux lices. Vis. du château, du dépôt lapidaire : sculptures de l'époque romane jusqu'au XVIe s., et de l'enceinte intérieure, t.l.j., sauf j. fér.). Sur l'autre rive de l'Aude, la ville basse a conservé son plan en échiquier et sert de noyau à la ville moderne. L'église St-Vincent (XIVe s.), gothique méridional, à vaste nef unique, est dominée par un clocher de 54 m. Au musée des Beaux-Arts, peintures du XVIIe s. aux contemporains et souvenirs d'André Chénier (t.l.j., sauf lundi et mardi, 15 juin-15 sept. ; sauf dim. et lundi le reste de l'année).

Carcassonne. Sur le flanc S. de la Cité se distingue la tour St-Nazaire ; de son sommet, à 170 m d'altitude, vaste panorama (table d'orientation). Les tourelles de l'église ont été restaurées par Viollet-le-Duc.

Rieux-Minervois. Église de l'Assomption-de-Notre-Dame. Le centre en est le chœur heptagonal, surmonté d'une coupole haute de 13 m, sommée d'un clocher.

Minerve, dans un site extraordinaire, fut un haut lieu cathare. De son passé elle a conservé les vestiges d'une enceinte fortifiée et une église romane du XIe s.

❷ **Lastours.** Quatre châteaux forts ruinés (Xe-XIIIe s.) occupent chacun un éperon rocheux entre les ravins de l'Orbiel et du Grésillou. On en a un bon point de vue en remontant sur 1 km la route de Salsigne ; ensuite emprunter le sentier menant à une plate-forme (30 mn AR). Vers le N., on peut suivre les gorges où l'Orbiel s'encaisse entre des roches métallifères. Sur la gauche de la route des Ilhes, un chemin raide conduit à ces châteaux (à pied, 1 h AR).

❸ **Mas-Cabardès.** Après les ruines de l'église gothique de Saint-Pierre-de-Vals (XIIIe s.), Mas-Cabardès occupe la gorge de l'Orbiel, au pied des restes d'un château fort. Dans le village, une croix de pierre sculptée d'une navette rappelle la vocation textile de la région. L'église (XIVe-XVIe s.) a un clocher octogonal du XVe s.

De Roquefère, on peut se rendre à la *cascade de Cupserviès* par une route très étroite en lacets ; du belvédère, vue plongeante sur la chute d'eau à triple palier (descente à pied par pente raide non jalonnée). Par Labastide-Esparbairenque, on a, au *col de la Prade*, au pied du pic de Nore (1 210 m), une vue splendide sur la Montagne Noire et la plaine de l'Aude.

❹ **Villeneuve-Minervois** est le point de départ pour la visite des *grottes de Limousis*, où alternent plans d'eau et superbes concrétions (vis. guid. t.l.j., 1er avr.-30 sept. ; l'apr.-m. en oct. et vac. scol. Groupes sur R.-V. tte l'année, tél. : 68-77-50-26).

ITINÉRAIRE No 2

❶ **Château de Miramont.** De Barbaira, une petite route mène aux ruines du château, dressé sur la crête de la montagne d'Alaric : point de vue sur la plaine viticole de l'Aude.

❷ **Rieux-Minervois,** au milieu des vignobles, a une église romane heptagonale (XIIe s.) au chœur central entouré d'un déambulatoire (voir dessin) et surmonté d'un clocher à sept côtés.

❸ **Siran.** A 2 km au N. du bourg, dans un paysage de chênes verts et de garrigue, la chapelle N.-D.-de-Centeilles abrite de belles peintures murales (fin XIIIe-XVe s.) et une mosaïque du IIIe s. (vis. tél. : 68-91-52-62).

❹ **Olonzac** a conservé des restes de ses fortifications. L'itinéraire entre dans le Minervois, qui sépare la plaine viticole de l'Aude des versants boisés du haut Languedoc.

❺ **Minerve** (voir photo). Un chemin dévale la falaise jusque dans le lit de la Cesse. La rivière, qui décrivait deux méandres, a creusé deux tunnels naturels. Le « pont grand » a 250 m de long, le « pont petit », 110. En été, on peut les parcourir à pied.

Un peu avant le hameau de *Fauzan*, sur la droite, un chemin conduit à un parking. Belle vue sur la vallée de la Cesse. Les grottes de Fauzan ne sont pas ouvertes au public. Pour les visiter dans un but exclusivement scientifique, il faut une autorisation délivrée par la Direction des antiquités préhistoriques. Face aux grottes, habitations troglodytiques. L'itinéraire fait ensuite une incursion dans le parc naturel régional du haut Languedoc jusqu'au col de Salette, à la limite de l'Hérault, du Tarn et de l'Aude, puis suit les gorges de l'Argent-Double.

❻ **Citou** est dominée par des ruines féodales perchées sur un piton. L'Argent-Double s'est foré une gorge dans laquelle la route s'insinue.

❼ **Caunes-Minervois** est célèbre pour son marbre incarnat (rose-rouge) extrait à ciel ouvert et utilisé notamment à Versailles dès le XVIIe s. L'ancienne abbatiale St-Pierre a un chevet roman et une nef gothique. On admirera plusieurs belles demeures anciennes, dont l'hôtel d'Alibert (XVIe s.). Pour atteindre les carrières de marbre, prendre un chemin au N.-E. du village, l'allée des Carrières, qui mène au lieu-dit la Terralbe (2 km).

❽ **Trèbes,** où confluent l'Orbiel et l'Aude, possède une église des XIIe et XIVe s. et a conservé des restes de remparts. Du bourg, belle vue sur le site de Carcassonne et la Cité, que l'on regagne en suivant l'Aude.

LIMOUSIN • MARCHE

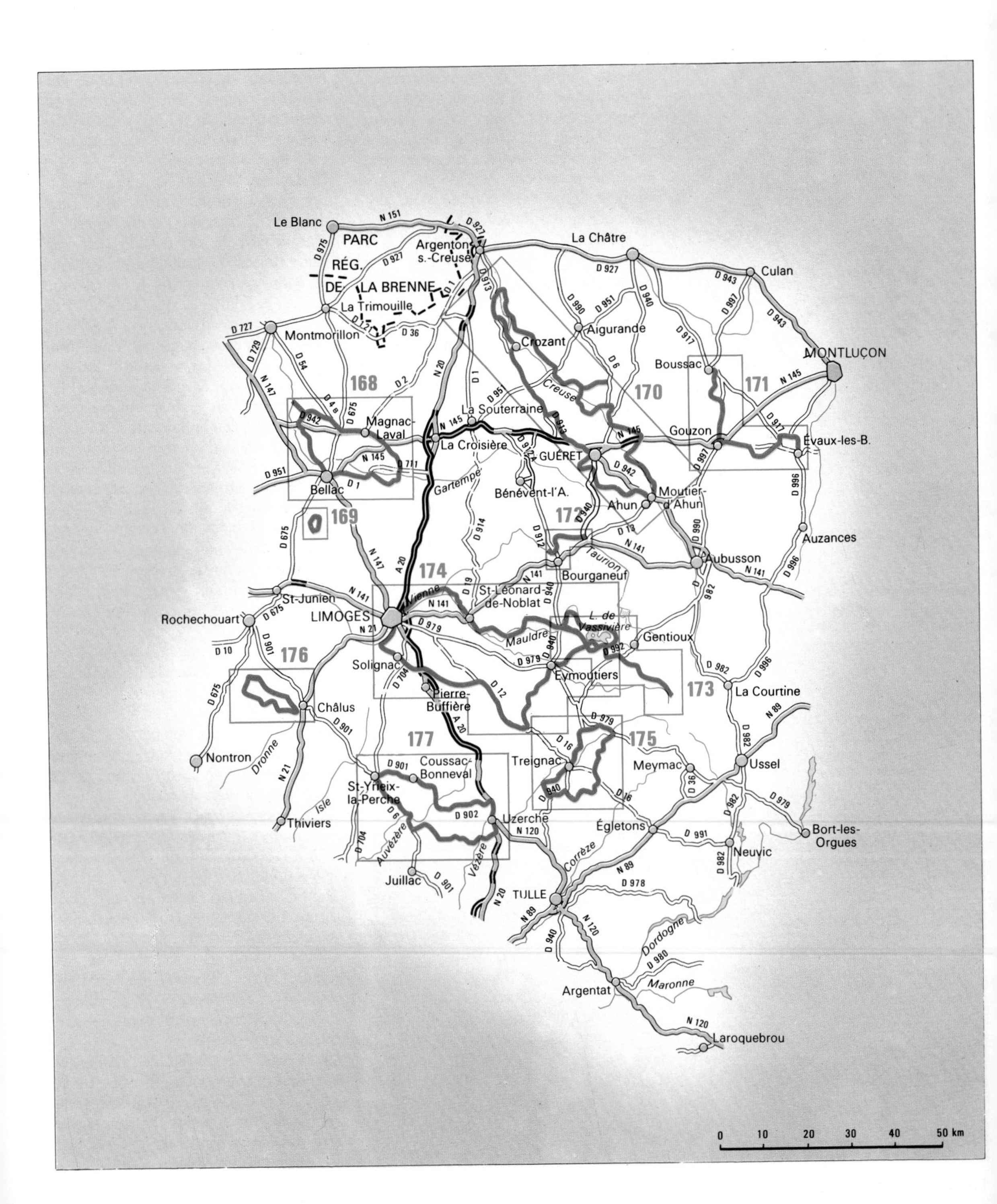

Charme secret et verdoyant des hameaux
Fermes et manoirs à l'ombre des châtaigniers

Province secrète, humide et fraîche, verdoyante et toute bossuée, le Limousin ne dévoile que peu à peu, à qui veut les mieux connaître, les charmes nombreux d'un visage multiple. On aura, ici, la vision sereine et quiète d'un bocage plantureux sous un ciel duveté, d'un hameau campé sur un replat ensoleillé, d'une ferme trapue masquée par les châtaigniers, d'un troupeau de vaches limousines au pelage roux égaillées dans les jolies prairies pentues où l'eau des « levades » s'écoule sans bruit. Là, on appréciera le tableau plus animé de la petite ville « à demi cachée dans l'arc rentrant de la rivière » et dont le clocher-porche aux archivoltes festonnées entre les lanternons — clocher dont les étages en retrait conduisent vers la flèche effilée, abside élégante accompagnée de sa procession de chapelles latérales — est le plus bel ornement; tableau agréablement complété par le foirail ombragé, la fontaine à l'eau claire, parfois par l'hôtel urbain à pignons et à tourelles, souvent par les rues étroites et la dégringolade rapide des toits de tuile, qui épouse la chute du terrain. On évoquera ailleurs le passé militaire tourmenté de la région en visitant les solides manoirs fortifiés aux beaux noms, aux épaisses tours carrées et aux fermes mâchicoulis, que le temps, hélas! n'a point toujours épargnés, ou qu'il a quelquefois transformés en d'avenantes gentilhommières. Et, face aux vastes horizons bleutés ou mauves, on pourra romantiquement rêver dans la lande de bruyères que l'août vient colorer, ou cueillir les cèpes dans les futaies issues des reboisements. On aimera les promenades au long des vallées étroites, au fond desquelles les rivières, aussi vives et fantasques que les phrases du Limousin Giraudoux, se ruent de cascades en lacs, souvent artificiels. Car cette vieille terre a trouvé dans l'hydro-électricité et dans le tourisme des richesses nouvelles. Enfin, on n'oubliera pas d'apprécier, auprès de la grande cheminée noircie par l'usage, le réconfort d'une cuisine substantielle et variée, faite de bréjaudes, de choux et de clafoutis, le pur produit d'une paysannerie « aussi douce qu'irréductible ».

Lac de Vassivière. Bon équipement, respect de l'environnement: autant d'atouts pour ce lac aux contours capricieux.

Hauts lieux, trésors et paysages

Limoges. Voir itinéraire 174.

Rochechouart. Le château (XIIIe-XIVe s.), érigé sur un promontoire rocheux au confluent de la Graine et de la Vayres, comprend des bâtiments à quatre étages de fenêtres avec des mâchicoulis en surplomb du second étage. La cour d'honneur s'orne d'une galerie soutenue par des colonnes torses. Le château abrite un musée consacré à la préhistoire et à l'époque gallo-romaine ; fresque du XVIe s. (t.l.j. sauf mardi, juill.-août ; l'apr.-m. sauf lundi, mardi, hors saison). Dans l'église St-Julien, que domine un clocher octogonal (XVIe s.), se trouvent un beau retable (XVIIIe s.) et un sarcophage roman sculpté.

Saint-Junien, un des derniers centres gantiers de France, est célèbre pour la qualité de ses gants de peau (l'O.T. organise des visites de mégisseries – où s'effectue le traitement des peaux – et de ganteries. Groupes sur réserv. tél. : 44-02-17-93). La collégiale (XIe s.) est de style roman limousin. On y pénètre par un portail à quatre voussures, divisé en deux baies et surmonté d'un clocher-porche à deux étages flanqué de deux tourelles de pierre. A l'intérieur, chapiteaux historiés et tombeau en calcaire de saint Junien (XIIe s.), orné de sculptures sur trois côtés. Fresques dans la nef. En traversant la Vienne sur le Vieux Pont (XIIIe s.), à six arches et avant-becs, on parvient à la chapelle N.-D.-du-Pont (XVe s.) de style flamboyant. Une Vierge assise (XIIIe s.), en pierre, orne le maître-autel.

Bellac. Voir itinéraire 168.

Magnac-Laval. Voir itinéraire 168.

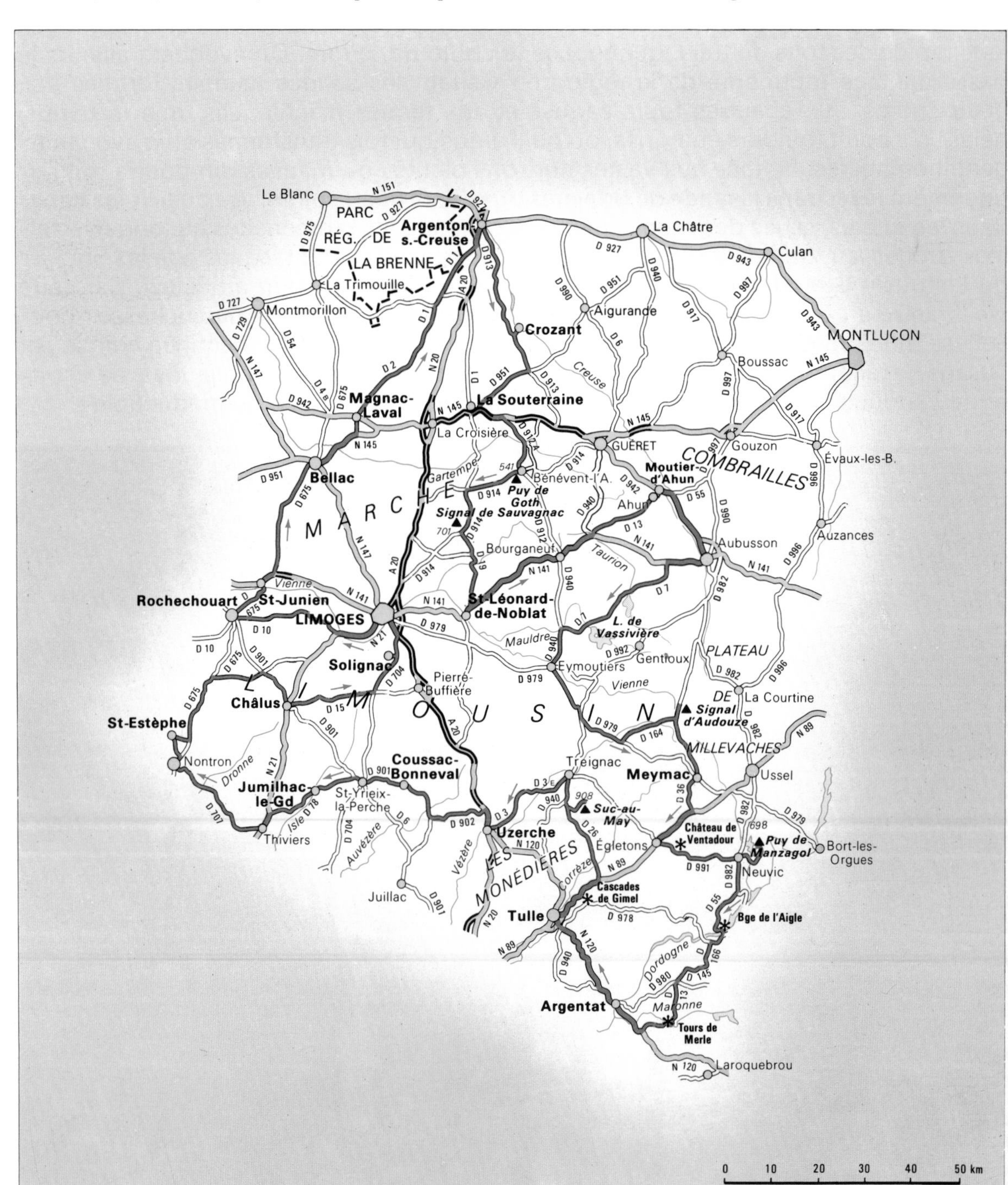

Argenton-sur-Creuse. Ses vieilles maisons à galeries et tourelles, couvertes de toits d'ardoises ou de tuiles brunes, bordent les rives de la Creuse. En traversant la rivière sur le Vieux Pont, apprécier la vue sur la Creuse, les quartiers anciens et la ville haute dominée par la statue de Notre-Dame d'Argenton, qui orne la chapelle N.-D.-des-Bancs (« pèlerinage à la Bonne Dame », 2e dim. de sept.).

Crozant. Voir itinéraire 170.

La Souterraine. Située dans un bassin verdoyant parmi les monts de la Marche, la ville possède encore quelques vestiges de ses anciennes fortifications : la porte St-Jean et la porte Notre-Dame (XIIIe-XVe s.). Bâtie en granit, l'église N.-D.-de-l'Assomption, commencée au XIIe s., est un bon exemple d'architecture romane et gothique limousine. Elle est sommée d'un clocher (XIIIe s.) rectangulaire à trois étages. A l'intérieur, les voûtes en berceau de la deuxième travée sont romanes, le chœur et le transept gothiques. La crypte, composée d'une grande chapelle axiale et de chapelles latérales voûtées d'ogives, communique avec la cella d'un temple gallo-romain pourvu de colonnes et centré autour d'un puits (ouv. t.l.j. en juill. et août ; hors saison, rens. à l'O.T.).

Puy de Goth (541 m). Au S.-E. de Bénévent, à la sortie du bourg, un chemin à forte pente conduit au sommet du puy (30 mn AR). De ce belvédère entre les monts d'Ambazac et de la haute Marche, on peut voir : au S.-O., les monts du Limousin, avec le signal de Montjouer ; au N.-E., le signal du Maupuy et le puy des Trois-Cornes ; au S.-E., et par beau temps, apparaissent les monts d'Auvergne.

Signal de Sauvagnac (701 m). Il est le point culminant des monts d'Ambazac, où l'on trouve des gisements aurifères et de pegmatite dont on extrait le feldspath utilisé dans l'industrie et la porcelaine à Limoges. Du sommet, accessible à partir du hameau de Sauvagnac (1 h AR), panorama sur les monts d'Ambazac et les monts d'Auvergne.

Saint-Léonard-de-Noblat. Voir itinéraire 174.

Moutier-d'Ahun. Voir itinéraire 170.

Lac de Vassivière. V. itinéraire 173.

Signal d'Audouze. V. itinéraire 173.

Meymac. Parmi de vieilles maisons aux toits couverts d'ardoises se dressent les halles aux piliers de granit. L'église romane (XIIe s.) faisait partie d'une abbaye bénédictine, fondée à la fin du XIe s. Le clocher-porche, qui abrite une cloche de bronze de 1745, s'ouvre sur un portail limousin, aux chapiteaux ornés de divers personnages. A l'intérieur, Vierge noire du XIIe s.

Château de Ventadour. Perché sur un à-pic (566 m), il constituait l'une des plus formidables forteresses du Limousin. Construit au XIe s. et remanié au XVe s., le château a conservé une bonne partie de son système défensif, un grand logis (XVe s.) et une tour ronde (XIIe s.) qui domine les gorges de la Luzège, connues sous le nom de fossés de Ventadour. Ce château redoutable fut, au XIIe s., le berceau d'une lignée de troubadours dont Bernard de Ventadour est le plus célèbre (visite libre).

Puy de Manzagol. Un chemin conduit au sommet (698 m) à partir du barrage de Neuvic-d'Ussel. Une table d'orientation permet de situer le lac de Neuvic-d'Ussel avec ses îlots boisés à l'O., les monts Dore au N.-E. et les monts du Cantal au S.-E.

Barrage de l'Aigle. C'est un important ouvrage situé sur la Dordogne. De forme semi-circulaire, il mesure 92 m de haut, 289 m de long à la crête et a une épaisseur de 47,50 m à la base. Il est pourvu de deux évacuateurs qui permettent l'écoulement de 3 800 m^3 d'eau par seconde. Sa retenue forme un lac d'une superficie de 750 ha (220 millions de mètres cubes d'eau).

Tours de Merle. Les ruines de la forteresse, envahies par la végétation, se dressent sur une échine rocheuse qui surplombe une boucle profonde de la Maronne. L'ensemble a été construit du XIe au XIVe s. ; il en subsiste plusieurs tours dont deux grands donjons carrés et des restes d'habitation percés de fenêtres à meneaux (visite libre).

Argentat. La ville étage ses vieilles maisons sur la rive droite de la Dordogne. Les anciennes demeures sont couvertes d'ardoises ou de lauzes ; dans le quartier de l'Escondamine, certaines maisons sont pourvues de tourelles, de poivrières et de pignons.

Tulle. Dans le dédale des ruelles et des escaliers qui quadrillent le quartier médiéval de l'Enclos, on verra la maison des Loyac (XVe s.) avec sa façade à colonnettes ornée de sculptures animalières, ainsi que les fenêtres en ogive de l'ancien hôtel de Seilhac et la maison Corne, de style Renaissance. Dominant cet ensemble, la cathédrale Notre-Dame (XIIe s.) ne présente plus qu'une nef à six travées voûtées en croisée d'ogives, fermée par un mur droit. Le porche à arcades ogivales est surmonté d'un clocher de 75 m à trois étages de baies gothiques sommés d'une flèche octogonale en granit. Jouxtant la cathédrale, le cloître gothique (XIIIe s.), sur lequel s'ouvre une salle capitulaire, abrite dans deux galeries aux arcatures en tiers-point et aux voûtes d'ogives le musée du Cloître (ouv. t.l.j., sauf mercredi et samedi matin). Des porcelaines, des faïences, des sculptures sur bois et des armes anciennes fabriquées à Tulle y sont exposées.

Cascades de Gimel. De Gimel, traverser le parc Vuillier par un sentier fléché (1 h AR) pour atteindre les trois cascades formées par la Montane, affluent de la Corrèze. Par une gorge sauvage, la rivière passe du haut plateau corrézien au plateau de Tulle en contrebas, en une dénivellation de 143 m sur 2 km. La première chute, le Saut de Gimel, tombe de 42 m ; la seconde, la Redole, fait 25 m de haut ; en aval, la Gouttatière se précipite de 27 m et se prolonge par une gorge baptisée « gouffre de l'Inferno ».

Suc-au-May. Voir itinéraire 175.

Uzerche. Voir itinéraire 177.

Coussac-Bonneval. V. itinéraire 177.

Jumilhac-le-Grand. Le château construit sur un promontoire rocheux domine les gorges de l'Isle (vis. t.l.j. du 1er juill. au 15 sept. ; dim. et j. fér., l'apr.-m., des Rameaux au 30 juin et du 16 sept. au 11 nov.). La forteresse (XIIIe-XIVe s.) présente un corps de logis coiffé de tours et de tourelles et est couronnée d'un chemin de ronde à mâchicoulis (XIVe s.). Les toits d'ardoises du château ont des combles à quatre pans, très aigus, ou sont en poivrières ornées de lucarnes, lanternons et tourelles à encorbellement. A l'intérieur, bel escalier de pierre de style Louis XIV et salon lambrissé paré d'une cheminée sculptée. L'église St-Pierre-ès-Liens (XIe-XIIe s.), sommée d'un clocher roman octogonal à deux étages d'arcatures, présente deux travées gothiques. Fresques du XVIe s. (vis. guid., tél. : 53-52-38-59). Une mine d'or, la seule existant en France, exploitée depuis le VIe s. av. J.-C., est aujourd'hui encore en activité. Il faut voir le musée (vis. comme le château), qui retrace l'histoire de l'or dans la région et ses utilisations.

Saint-Estèphe. Avant de parvenir au village, à 1 km au N. de la Picardie, sur la route de Nontron, dans une région boisée entrecoupée de prairies et d'étangs apparaît le *roc Poperdu*. Située dans un vallon, cette énorme roche granitique de 7 m de haut sur 2 m de large est posée en porte à faux sur son socle. A Saint-Estèphe, près de l'étang long de 1 200 m et d'une superficie de 30 ha, un sentier fléché (30 mn AR) conduit au Casse-Noisette, gros roc branlant, carré, qui bouge sous une légère poussée de la main. Le sentier aboutit à un chaos de blocs rocheux granitiques : le Chapelet du Diable, sous lequel l'eau se précipite en grondant.

Châlus. Cette petite ville ancienne au centre des monts boisés de Châlus est dominée par un château d'où partit la flèche qui entraîna la mort de Richard Cœur de Lion, roi d'Angleterre, qui assiégeait la forteresse. Il subsiste du château un gros donjon cylindrique, aux murs de 3 m d'épaisseur (XIIe s.), et des vestiges d'un corps de logis (XIIIe s.) en granit et d'une chapelle romane (t.l.j., 1er juill.-30 sept. ; dim. apr.-m., 15 avr.-30 juin).

Solignac. Voir itinéraire 174.

Bellac et la basse Marche

90 km

Au nord des monts d'Ambazac et de Blond s'étend la basse Marche, région de plaines riches en labours que sillonnent, en des vallées modestes, de claires rivières aux eaux poissonneuses. Pays de transition, aux affinités berrichonnes et poitevines, avec ses églises et ses cités fortifiées, et dont les terres sont coupées de haies vives et parsemées de bouquets d'arbres, la basse Marche est aussi une contrée étonnante où, comme à Magnac-Laval ou au Dorat, le sentiment religieux s'exprime par des manifestations originales, les ostensions.

La Gartempe, à Peyrat-de-Bellac. Affluent de rive gauche de la Creuse, la Gartempe draine la Marche limousine et le Poitou.

❶ **Bellac** s'étage sur une colline dominant le Vincou. C'est une petite ville qui doit sa renommée à l'écrivain Jean Giraudoux (1882-1944), dont on peut visiter la maison natale (t.l. apr.-m., vis. guid. de mai à fin août. Expos. thém. Le reste de l'année, tél. : 55-68-12-79. Groupes sur R.-V.). Dans le jardin situé à côté du château (XVIe s., restauré), occupé par l'hôtel de ville, monument à la mémoire de l'écrivain ; les six figures de femmes qui entourent son portrait sont celles de six héroïnes de ses œuvres. L'église, au clocher carré décapité de sa flèche au XVIIe s., est à deux nefs, l'une romane et l'autre gothique. Au presbytère est conservée une châsse du XIIe s. en cuivre ornée de médaillons en émail champlevé, pur chef-d'œuvre d'orfèvrerie limousine.

❷ **Cirque de Peyrat.** C'est une dépression assez brutale provoquée par l'érosion du Vincou grossi par deux rivières, la Bazine et la Glayeule plus au S. Depuis la crête, beau point de vue, vers le S., sur les monts de Blond.

❸ **Cascade du Saut de la Brame.** Au bourg de Thiat, prendre à gauche la petite route du Breuil. A partir de ce hameau, remonter à pied (10 mn) le cours de la Brame jusqu'à la cascade, bouillonnant au fond d'un trou profond, dans un site sauvage.

❹ **Le Dorat** possède l'une des plus belles collégiales du Limousin. Construite au XIIe s., elle fut ensuite fortifiée (voir dessin). Le clocher octogonal, couronné d'une élégante flèche de pierre, elle-même surmontée d'un ange en cuivre doré du XIIIe s., contraste avec le massif clocher carré de l'entrée. Le portail O., décoré de festons, révèle quelque influence mozarabe. C'est par là qu'il faut entrer: du haut de l'escalier à douze degrés, vue saisissante sur l'intérieur de l'église: longue et haute nef centrale voûtée en berceau, contrebutée par des bas-côtés étroits prolongés à la croisée du transept par une belle coupole à pendentifs. Les chapelles du déambulatoire abritent les reliques des deux saints locaux, exposées solennellement lors des ostensions (voir photo). Le Dorat a conservé plusieurs maisons du XVIe s. et des vestiges du mur d'enceinte élevé vers 1420, notamment la porte Bergère, flanquée de deux tours rondes à mâchicoulis.

❺ **Magnac-Laval,** bourgade importante par son marché de bétail, est surtout connue pour sa procession des Neuf-Lieues en l'honneur de saint Maximin. Le lundi de Pentecôte, les pèlerins partent en pleine nuit et accomplissent, jusque tard dans l'après-midi, un périple d'une cinquantaine de kilomètres jalonné par quarante-huit croix. Dans l'église (XIIe-XIIIe s.), qui renferme les reliques de saint Maximin, un vitrail moderne illustre des scènes de la procession. Au S. de l'édifice, une chapelle latérale est en fait l'église romane primitive, tandis qu'au N. la chapelle symétrique a été rajoutée au XVIIIe s. Dans le parc de l'hôpital se trouve un musée lapidaire situé en plein air (vis. t.l.j., pendant toute l'année).

❻ **Châteauponsac,** petite ville pittoresque bâtie sur un escarpement au-dessus de la Gartempe, garde de nombreux témoignages d'un passé qui remonte à la préhistoire. La vieille

Le Dorat. Achevée avant la fin du XIIe s., l'église St-Pierre, où se manifeste l'influence de l'école romane du Poitou, a été fortifiée à la fin du XVe s. Du système de défense il ne subsiste qu'une tour ronde à mâchicoulis, fixée sur l'absidiole centrale.

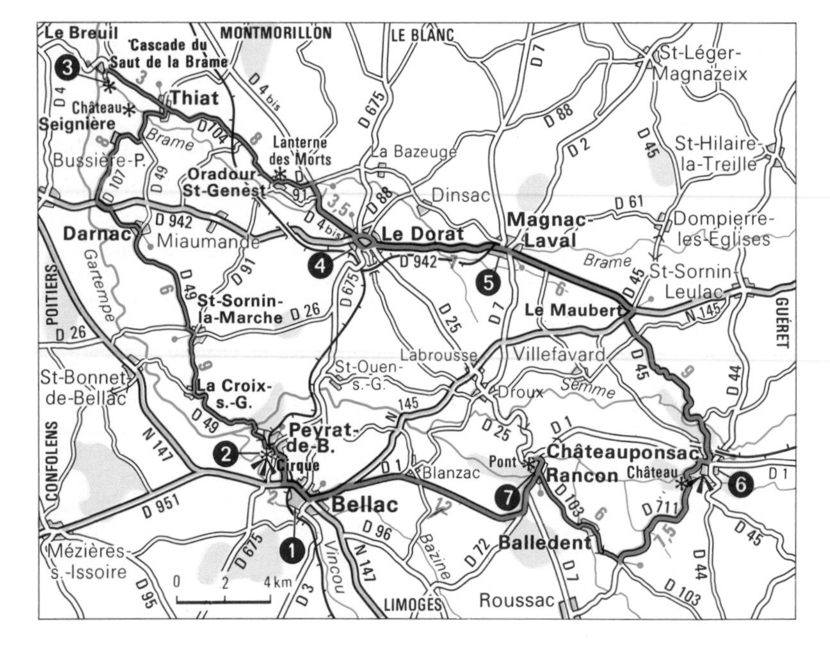

ville est groupée autour de l'église St-Thyrse (XIIe-XVe s.). Près de l'église, dans la Maison Fort (XVe s.), ancien prieuré bénédictin, se trouve le musée René-Baubérot : préhistoire, archéologie gallo-romaine, histoire, arts et traditions populaires (t.l. apr.-m., du 1er juill. au 15 sept. ; dim. et j. fér. le reste de l'année. Groupes sur R.-V., tél. : 55-76-39-52). De la terrasse, belle vue sur la vallée de la Gartempe et sur le quartier Sous-le-Moustier, aux nombreuses maisons du XVe s.

❼ **Rancon,** construit à flanc de coteau sur la Gartempe, fut un centre gallo-romain important. L'église (XIe-XIIIe s.), au clocher carré terminé en bulbe, fut fortifiée au XIVe s. : voir les mâchicoulis au chevet et les ouvertures pour le tir à l'arc. La lanterne des morts (XIIe s.) est surmontée d'une croix à cinq lobes. Vue sur la Gartempe, que franchit un pont du XIIe s.

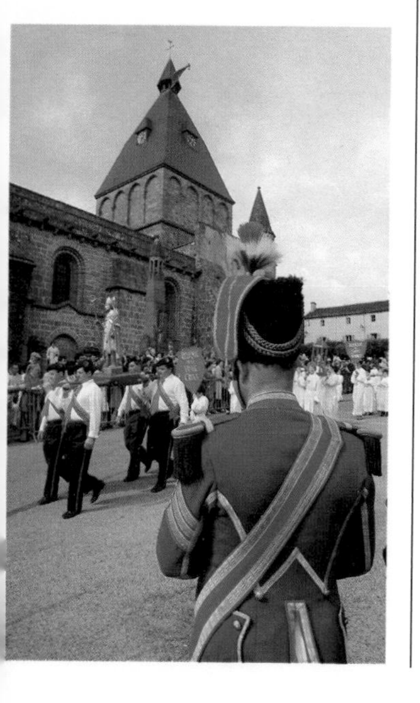

L'ostension est une manifestation religieuse au cours de laquelle sont exposées les reliques des saints locaux. Cette cérémonie, ici au Dorat, est l'occasion de processions où se mêlent les aspects religieux et folkloriques. Elle a lieu tous les sept ans ; la dernière s'est déroulée en 1995.

169

Randonnée dans les monts de Blond

20 km

Dernier massif granitique limousin s'avançant aux confins du Poitou et de la Charente, les monts de Blond rappellent par leurs paysages la Montagne limousine : alternance de collines hérissées de blocs rocheux et de vallons marécageux d'où s'échappent de minuscules ruisseaux. C'est un pays vert à l'abondante végétation, où dominent l'arbre et la haie, une vieille terre usée par des siècles de culture, aujourd'hui rendue à la friche et au reboisement. Cet itinéraire pédestre est particulièrement agréable à l'époque où les champignons commencent à apparaître.

Rochers de Puychaud. On peut observer sur la surface des blocs de nombreuses vasques, réceptacles naturels des eaux de pluie. On les a longtemps considérées comme des pierres à sacrifices.

❶ **Blond.** L'itinéraire, jusqu'aux Rochers de Puychaud, traverse un paysage boisé et bocager. La polyculture, avec ses champs bigarrés, s'inscrit dans de petites parcelles entourées de murets de pierres sèches. Mais déjà les parcelles reboisées en épicéas et les landes à bruyères et genêts, piquetées de bouleaux, se mêlent aux vieux taillis de châtaigniers.

❷ **Rochers de Puychaud.** Des blocs de granit, dégagés par l'érosion, s'empilent en équilibre instable (voir photo).

❸ **Villerajouze.** Le panorama s'étend au S.-E. sur l'ensemble des plateaux limousins : collines aux formes douces, omniprésence de la haie et de l'arbre, habitat dispersé. L'horizon est souligné par la ligne bleu sombre de la Montagne limousine.

❹ **Boscartus.** Le chemin en sous-bois mène à des étangs. Les taillis aux essences variées (chênes, hêtres, châtaigniers, bouleaux, sorbiers des oiseleurs) alternent avec des parcelles denses reboisées en épicéas.

❺ **Peyrelade.** De part et d'autre du hameau, immenses panoramas sur les plateaux limousins et charentais. Peyrelade, dont certaines maisons ont été restaurées, témoigne de la richesse de l'habitat rural traditionnel limousin : gros appareil en granit, tuiles rondes, brunes et moussues.

❻ **Rousseix.** A partir de La Fayre, en suivant la route qui conduit au village de Blond, le promeneur domine un vaste piedmont qui marque une transition avant d'aborder le Poitou. De nombreuses autres randonnées pédestres sont possibles (rens. au S.I. de Blond).

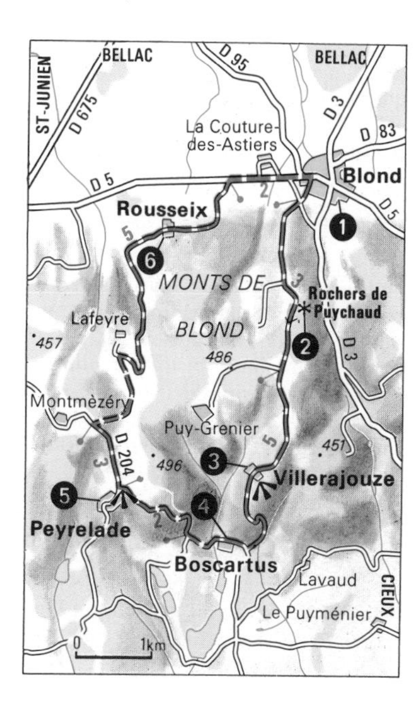

Guéret et la vallée de la Creuse

228 km

Guéret. Châsse émaillée de la fin du XIIe s., exposée au musée d'Art et d'Archéologie.

L'axe de cet itinéraire est la vallée de la Creuse, échancrure tantôt ouverte et aimable, sinuant à travers les prés humides et les bosquets de peupliers, tantôt secrète et farouche, empruntant des reflets sombres au granit où elle se taille un cours rapide. Les sites, que le temps n'a pas encore défigurés, et les ruines féodales ont attiré plus d'un artiste ; ainsi George Sand, qui vécut à Gargilesse, dont elle fit le cadre de plusieurs de ses romans, et Corot, qui vint peindre sur les bords de la rivière.

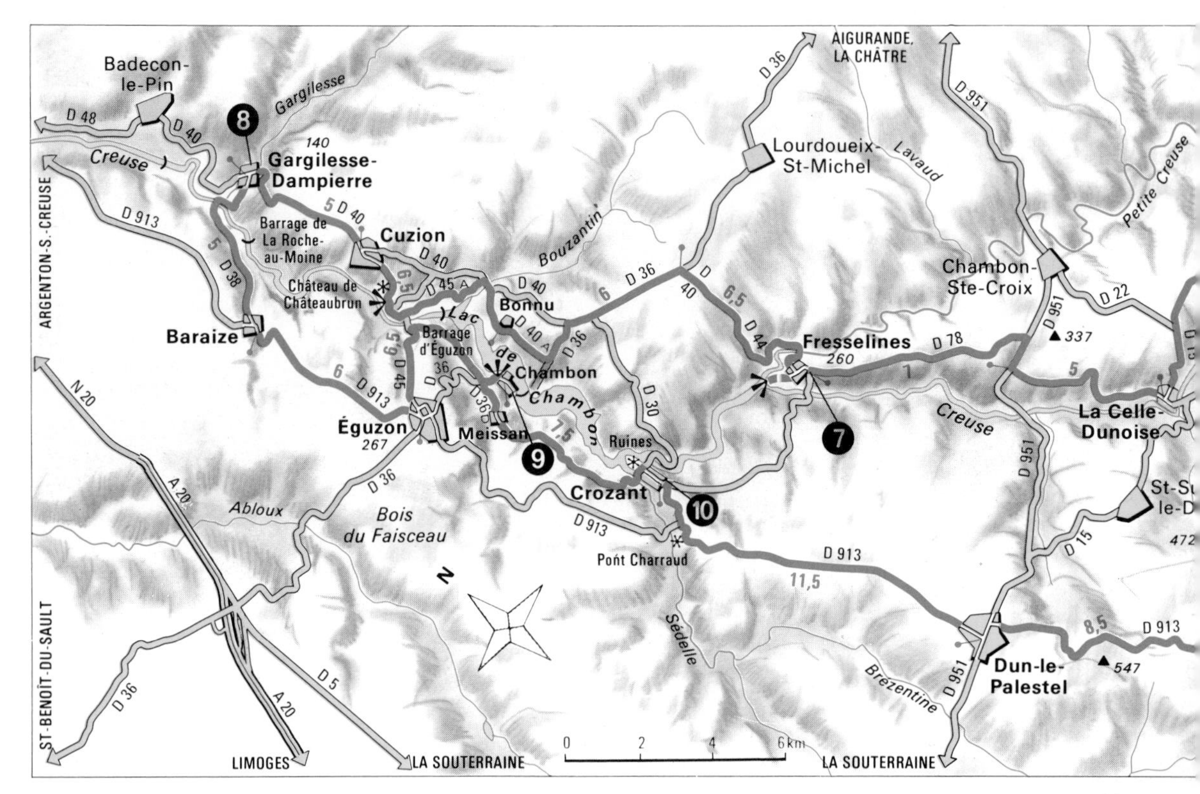

❶ Guéret. Les origines de cette ancienne capitale de la Marche remontent au VIIe s. Au musée d'Art et d'Archéologie, installé dans l'hôtel de la Sénatorerie (XVIIIe s.), vestiges d'archéologie gallo-romaine (voir photo), tapisseries des Flandres et d'Aubusson (XVIIe-XVIIIe s.), orfèvrerie et émaillerie limousines, notamment des châsses (du XIIe au XVe s.) ornées de scènes religieuses (voir dessin) et divers objets de culte. Dans le jardin qui entoure le musée, menhir provenant d'un site gaulois voisin. Le musée du Présidial présente de nombreux objets sur l'histoire régionale (pour ces deux musées, vis. t.l.j., sauf mardi ; juill.-août, sauf mardi mat. seul.). L'hôtel des Monneyroux est un bel exemple de l'architecture de transition entre le gothique tardif et la première Renaissance.

❷ Château de Sainte-Feyre. Construit sur l'emplacement d'une citadelle féodale, l'édifice date du XVIIIe s. ; à l'intérieur, salle des gardes avec mobilier du XVIIIe (ne se visite plus).

L'itinéraire traverse ensuite la *forêt de Chabrières*, qui voile les croupes granitiques de la haute Marche. Une futaie de hêtres mêlés de sapins s'élève sur les fortes pentes encombrées de blocs massifs de granit.

❸ Ahun. Sur un promontoire dominant la Creuse, l'église de ce très vieux bourg dénote une influence berrichonne. La crypte date du XIe s., le tombeau de saint Sylvain, patron de l'église, est plus ancien encore. Il est surmonté d'une niche qui permettait aux fidèles de passer sous les reliques du saint en les invoquant. L'église présente un magnifique ensemble de boiseries sculptées du XVIIe s.

A 1,5 km au N.-E., *Moutier-d'Ahun* est le complément artistique d'Ahun. Construite au Xe s., ruinée et rebâtie pendant la guerre de Cent Ans, de nouveau incendiée pendant les guerres de Religion, l'église a conservé des vestiges d'un grand intérêt : arc de triomphe ogival à l'intérieur, façade gothique décorée d'une multitude de petits personnages sculptés tant légendaires que réalistes ; les admirables boiseries du chœur sont probablement l'œuvre du sculpteur Baüer (XVIIe s.). Un pont datant du XIVe s. franchit la Creuse. La route serpente ensuite dans la vallée verdoyante, laissant voir les églises fortifiées d'Ajain (romane avec une façade gothique) et de Glénic, au centre de villages prospères.

Guéret. Urnes cinéraires en pâte de verre d'époque gallo-romaine. Musée d'Art et d'Archéologie.

Lac de Chambon. On y pratique toutes les activités nautiques : baignade, voile, ski, etc.

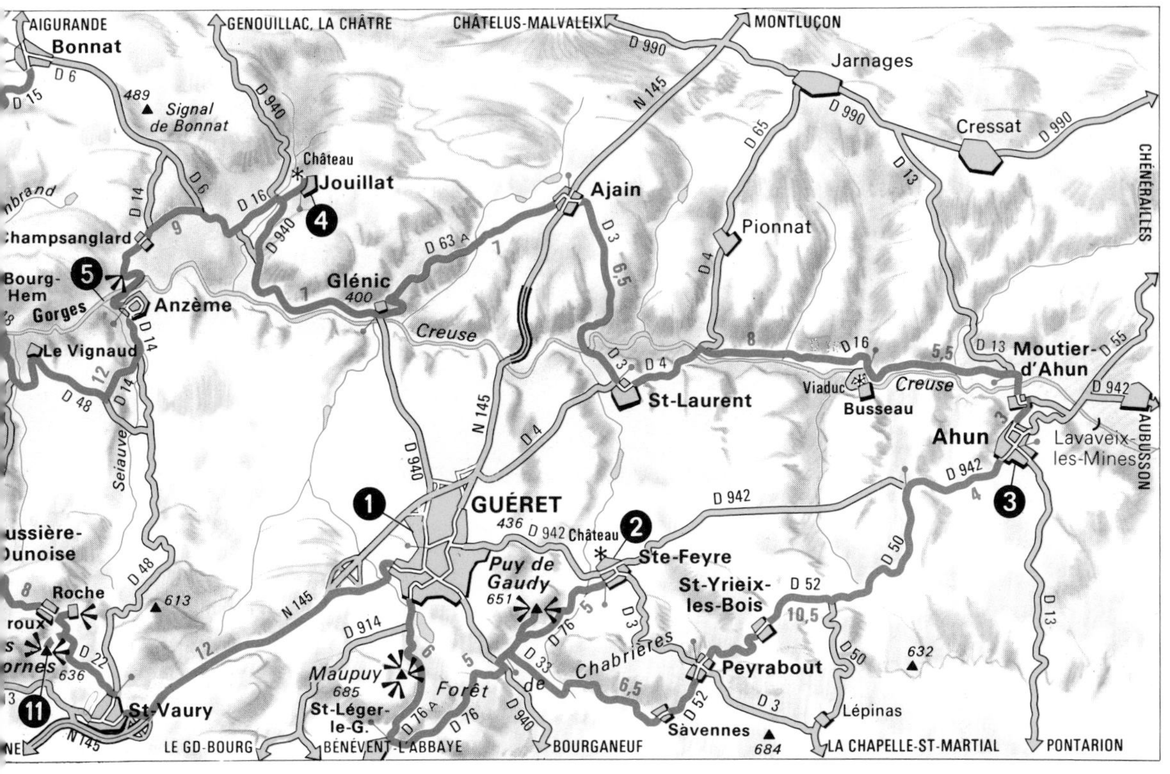

❹ **Jouillat.** L'église St-Martial, bâtie du XIIe au XIVe s., a un portail typique, encadré de pignons. Devant l'église, un lion de pierre très ancien fait face à un sarcophage gallo-romain, à couvercle sculpté. Le château aux quatre tours du XIVe s. ne se visite pas.

❺ **Gorges d'Anzème.** La Creuse se fraye un passage dans un banc granitique où affleure le quartz pur : ce sont les gorges d'Anzème, où la rivière s'engouffre sous le pont du Diable et dont les rocs moussus se dressent parmi les chênes et les genêts.

Au confluent de la Creuse et du ruisseau de Combrand, *Le Bourg-d'Hem* offre un exemple parfait de topographie limousine, opposant la pénéplaine massive aux entailles des cours d'eau.

❻ **Bonnat.** L'église St-Sylvain, à double portail, édifiée au XIIIe s., fut entourée ensuite d'un système de fortifications gothiques complet.

❼ **Fresselines.** Une promenade à pied (30 mn) vers le N.-O. mène au confluent de la Grande et de la Petite Creuse : agréable site très pittoresque. En arrivant à Cuzion, on peut voir, sur la gauche, les ruines imposantes du château de Châteaubrun, avec un donjon du XIIIe s.

❽ **Gargilesse-Dampierre** (voir photo) est bâti près du site sauvage du Pont Noir, où des sentiers permettent d'atteindre le lit de la Creuse parmi d'énormes éboulements. La « placette » est entourée de vieilles maisons, dont la plus célèbre est celle de George Sand, *l'Algira,* restaurée et transformée en musée (t.l.j., sauf mardi, de Pâques au 15 oct. Hors saison, pour les groupes seul., tél. : 54-47-84-14).

❾ **Lac de Chambon.** Ce lac a été formé lors de la création du barrage d'Éguzon (350 m de long) en 1926. Il a submergé 312 ha sur une longueur de 18 km, avec routes et maisons.

❿ **Crozant.** Ce joli village est blotti au pied d'un éperon rocheux qui s'avance entre la Creuse et son affluent la Sédelle. Les deux rivières sont parallèles sur 3 km avant de se rejoindre sous cet éperon, en bouillonnant dans des gorges profondes de 80 m. L'éperon est couronné par les ruines d'un château fort des XIIe-XIIIe s., s'étendant sur 1 km de pourtour (vis. t.l.j., de Pâques au 30 sept.).

⓫ **Puy des Trois-Cornes.** A droite de la route, un sentier mène (45 mn AR) au sommet (636 m) : panorama sur le Berry et la Marche.

Le village de *Saint-Vaury* possède dans son église un bas-relief du XVe s.

Gargilesse-Dampierre. L'église (XIIe s.) abrite une crypte ornée de fresques du XIIIe s. (t.l.j., toute l'année).

De Boussac 55 km à Évaux-les-Bains

La Marche est un vieux pays de frontières, où se sont longtemps opposées, avant de se mêler, les influences diverses de l'Aquitaine, du Limousin et de la Charente. D'un piton à l'autre, les ruines des châteaux féodaux portent encore témoignage des guerres incessantes. La Marche est un pays peu fertile, voué jadis à l'élevage des chevaux, mais ce n'est pas un pays ingrat. L'homme y a vécu dès les temps préhistoriques, et les lignes du paysage, malgré leur âpreté, s'y humanisent volontiers. On y découvrira de belles forêts, de paisibles rivières et, surtout, le charme des soirs qui teintent en mauve les proches contreforts de l'Auvergne.

Pierres Jaumâtres. Sur une lande de bruyère surgissent ces énormes blocs granitiques travaillés par l'érosion. Panorama sur le plateau de Boussac, la haute Marche et la butte de Toulx-Sainte-Croix.

❶ **Boussac.** Ce bourg médiéval, bien visible dans son ensemble à partir du pont qui enjambe la Petite Creuse, possède une église romane. Dans l'hôtel de ville, voir trois belles « verdures » de la fin du XVIIIe s. (paysages champêtres avec scènes de chasse et de pêche et pastorales). Le château (voir dessin), rebâti dans les années 1420 sur les restes d'une forteresse, dresse au-dessus de la rivière son vaste corps de logis, restauré avec goût et raffinement. C'est au château de Boussac (vis. t.l.j.) que furent conservées jusqu'en 1882 les célèbres tapisseries de *la Dame à la Licorne*.

❷ **Toulx-Sainte-Croix.** Au sommet d'une chaîne montagneuse (655 m), cet ancien sanctuaire gallo-romain s'ordonne autour d'une place archaïque, avec église du XIIe s. à clocher séparé et calvaire. D'une tour de 25 m de haut proche du village (visite libre), vue sur les monts d'Auvergne, les ondulations boisées du Berry, le Bourbonnais et, plus près, le site du chaos granitique des *Pierres Jaumâtres* (voir photo).

❸ **Gouzon.** Le seuil qui fait passer du plateau berrichon au plateau de la Marche fut longtemps marqué par les deux églises de Gouzon. De l'ancienne paroissiale ne subsiste qu'une abside semi-circulaire, avec des colonnes en contreforts (XIIe s.). L'église St-Martin présente, sous son clocher à couverture de tavaillons, une nef de trois travées. Les chapiteaux du portail formant frise sur la façade et le boudin d'encadrement d'une autre porte, aujourd'hui murée sont typiques de l'art limousin.

❹ **Chambon-sur-Voueize** est située près des gorges de la Voueize, encaissées de plus de 100 m par rapport au plateau de Combraille. De son passé, la cité a conservé l'abbatiale Ste-Valérie, un des plus beaux et des plus grands édifices de la région (87 m de long), fondée au Xe s. par des moines de Saint-Martial de Limoges. L'église actuelle date pour sa plus grande part du XIIe s. On admirera la charpente en bois (XVe s.) encore apparente, et surtout les deux clochers (voir dessin). La croisée du transept est en forme de trapèze. Le style ample des chapiteaux rappelle les églises romanes d'Auvergne. Le trésor comprend un buste reliquaire de sainte Valérie, en argent doré (XVe s.), ainsi qu'une belle peinture représentant la décollation de sainte Valérie (XVe s.)

Château de Boussac. Sur la façade principale, ornée de tourelles, apparaît le portail où est sculpté l'écu de Jean de Brosse, maréchal de Boussac, compagnon de Jeanne d'Arc, qui fit construire le château à grands frais et mourut excommunié... pour dettes.

En descendant le cours rapide du Taurion 14 km

Affluent de la Vienne, le Taurion, né dans les tourbières du plateau de Millevaches, traverse en un cours tumultueux la vallée étroite et profonde qu'il a taillée dans les plateaux limousins. De Pontarion à Bourganeuf, la rivière présente un aspect irrégulier, tantôt élargi en bassins, tantôt resserré en gorges. L'itinéraire proposé suit la rivière dans une section non équipée, qui a conservé ses caractères naturels; seul le canoë-kayak permet de faire ce parcours, qui comporte de larges secteurs faciles, mais aussi des passages de type 3. La meilleure saison est le printemps.

Chambon-sur-Voueize, ancienne priorale Ste-Valérie. Le clocher central s'élève, malgré le porte-à-faux, entre la nef et la croisée, sur la voûte même de la seconde travée.

❺ **Gorges de la Voueize.** Par un pont roman, on franchit la Voueize à Chambon. La route serpente au milieu de pittoresques éboulements granitiques. Les gorges de la Voueize multiplient les points de vue accidentés. La rivière forme une gorge étroite et sinueuse, sciant profondément le socle granitique des plateaux. Ses eaux, courant sur des rochers escarpés, sont abondantes, voire torrentielles en hiver, et souvent réduites à un filet en été. Les hauteurs environnantes sont couronnées par un bocage où les chênes rabougris sont tordus par les vents. Çà et là, des étangs coupent une lande semée de maigres boqueteaux.

Du hameau du *Châtelet*, près d'un ancien gisement aurifère, on aperçoit le viaduc de la Tardes, construit par Gustave Eiffel en 1885. Sa travée principale, qui porte le tablier à 92 m au-dessus de la rivière sur une longueur de 250,50 m, est l'une des plus belles applications par Eiffel de la technique des poutrelles en treillis.

❻ **Évaux-les-Bains** est une station thermale réputée depuis l'Antiquité. Des fontaines jaillissent directement au flanc du coteau, dispensant des eaux chargées de soufre, de sodium, de manganèse et d'iode. Ici encore, deux églises jumelles : l'église Notre-Dame, aujourd'hui maison privée, et St-Pierre-et-St-Paul, ancien siège d'une prévôté de chanoines. Cette dernière remonte à une époque très ancienne, comme l'atteste le réemploi, dans les murs extérieurs du clocher, de cartouches carolingiens. De la construction romane, à trois nefs, il subsiste quelques piliers avec de curieux chapiteaux. Mais le reste de l'édifice fut très remanié aux XVe s., alors que le clocher-porche a gardé son style roman primitif et dresse fièrement ses cinq étages. A l'intérieur, châsse en bois doré de saint Marien (XVIIe s.).

❶ **Pontarion.** La vallée du Taurion s'élargit dans un vaste alvéole creusé dans les roches métamorphiques, en limite du massif de Millevaches; le paysage, entièrement humanisé, est un bocage à petite maille, voué à l'herbage pour l'engraissement des bœufs de race limousine.

❷ **Gorges de Thauron.** (Voir photo.) Les eaux roulent, rapides, sur les nombreux seuils rocheux; les versants eux-mêmes sont accidentés de grands chicots de granit. Ce secteur a gardé un caractère naturel et sauvage. Les habitants, installés sur les plateaux, ont vécu à l'écart de la vallée, dont l'exploitation a toujours été réduite. Les versants, tapissés de chênes et de résineux, sont très boisés et d'accès difficile.

❸ **Bosmoreau-les-Mines.** A partir du pont du Palais, la vallée s'élargit brusquement dans le petit bassin houiller de Bosmoreau, qu'elle traverse lentement en un gigantesque méandre. Les sédiments houillers ont permis une exploitation du charbon, aujourd'hui abandonnée.

❹ **Pont de Chassagne.** La vallée du Taurion est bordée par des versants doux, sculptés dans le granit de Guéret, très riche en biotite. Près de Bourganeuf, des exploitations agricoles occupent l'espace; la polyculture est de plus en plus tournée vers l'élevage.

De nombreux biefs naturels où l'eau s'écoule lentement permettent au canoéiste débutant de réaliser ses premiers essais sans danger.

Gorges de Thauron. De Thauron au pont du Palais, le Taurion s'enfonce en des gorges sauvages, profondes de 80 à 100 m.

Les hautes terres du plateau de Millevaches 49 km

Hautes terres n'atteignant pas 1 000 m, plateau plus que véritable montagne, la région de Millevaches, pays des « mille sources », est devenue, grâce à l'homme, le pays des lacs. Domaine des horizons calmes où se répète à l'infini l'association de croupes et de larges cuvettes à fond plat, ce pays de landes à bruyères conserve son caractère malgré les nombreuses plantations de résineux.

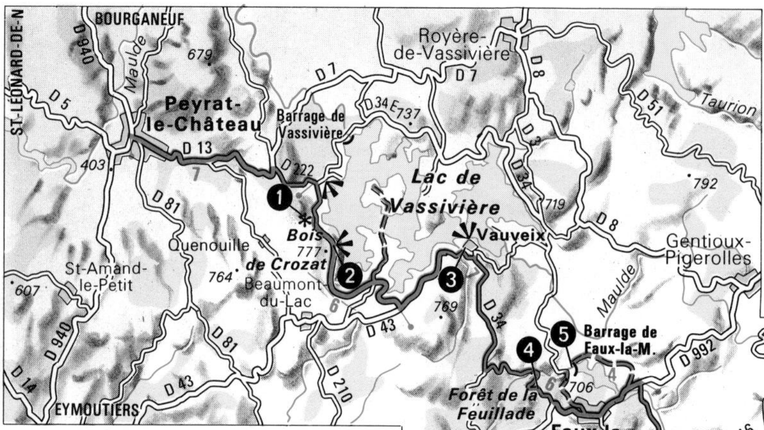

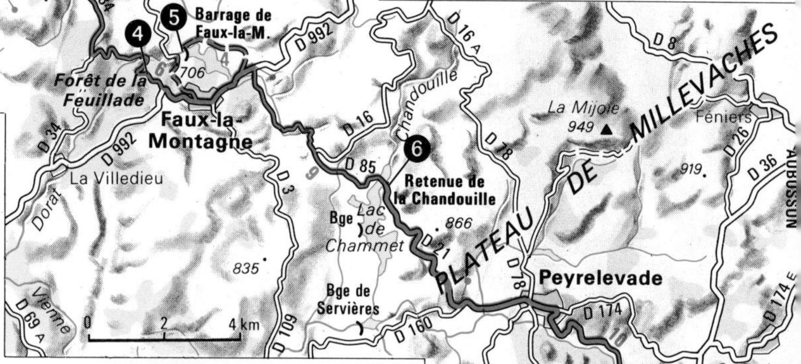

❶ **Le bois de Crozat (à Auphelle).** Quitter la route qui longe le lac de Vassivière et emprunter le chemin des Poètes (sentier pédestre balisé de stèles de granit sculptées et gravées). En direction de Quenouille, on découvre une vaste tourbière où sphaignes, joncs, linaigrettes se partagent le fond humide tandis que sur les bordures plus sèches se mêlent bruyères, fougères, genêts, pins et sorbiers des oiseleurs.

❷ **Lac de Vassivière.** Au niveau du bois de Crozat, face au lac de Vassivière, le panorama s'étend sur la plus grande partie du lac, créé par EDF en 1949, qui offre 1 000 ha de plan d'eau. Iles et presqu'îles boisées ajoutent au charme de l'ensemble (voir photo p. 285). Les grands vents d'O. qui frappent la surface de l'eau et se renforcent en face de chaque goulet en font un lieu idéal pour les amateurs de voile (bases nautiques). Un détour s'impose par l'île de Vassivière, site exceptionnel : l'arboretum, le parc animalier et le Centre d'art contemporain se partagent ses 70 ha à la flore et à la faune très riches.

❸ **Vauveix.** La presqu'île de Vauveix permet de découvrir un autre panorama sur toute la partie amont du lac. Les croupes qui plongent vers les eaux sont entièrement couvertes de reboisements en épicéas de tous âges.

❹ **Forêt de la Feuillade.** C'est une des rares forêts du plateau de Millevaches due à un reboisement ancien. A la hêtraie originelle développée sur des sols podzoliques ocre, l'homme a substitué un peuplement de sapins. Les arbres de très belle taille et largement espacés entre eux ne gênent pas le développement d'un luxuriant sous-bois, riche en fougères, myrtilles et champignons. Cette forêt contraste fort avec les reboisements en épicéas, quasiment impénétrables.

Cèpe, ou bolet. La plupart de ces champignons sont comestibles. Les plus appréciés sont le cèpe de Bordeaux, la tête-de-nègre et le cèpe bai, propre aux conifères.

❺ **Barrage de Faux-la-Montagne.** Situé dans le vallon du Dorat, affluent de la Vienne, ce barrage forme un lac de retenue très poissonneux : on pêche notamment la truite; le plan d'eau mérite une promenade à pied qui se fait par un agréable chemin conduisant à la voûte du barrage puis contournant le lac.

❻ **Retenue de la Chandouille.** Loin des grands axes de circulation, on bénéficie ici d'un très beau panorama sur ce plan d'eau, enchâssé entre des croupes dont les unes sont couvertes de landes à bruyères peu à peu reboisées et les autres vouées à la culture du seigle et de l'avoine ou traitées en prairies.

❼ **Signal d'Audouze.** Ici, comme à la source de la Vienne, c'est le point le plus élevé (954 m) du plateau de Millevaches, et l'endroit le moins perturbé sur le plan de l'écologie et de la vie rurale. Le signal d'Audouze, ou puy Curade, se détache au-dessus du plateau avec la même vigueur que ses voisins, le Mont Bessou et le puy Pendu. Cette forte butte constitue une forme résiduelle d'une très ancienne surface d'érosion que la granulite, roche dure, a préservée. Le mont a conservé en partie sa parure de lande limousine à fougères et à bruyères. Du sommet, vaste panorama circulaire; au premier plan, paysage de la Montagne limousine avec ses collines, ses landes et ses bois de sapins, et ses dépressions où se mêlent tourbières et prairies humides. A l'O. se profilent les plateaux limousins. Le regard porte loin vers l'E. sur les monts d'Auvergne.

Les précipitations sont très abondantes (environ 1 300 mm par an) sur le plateau de Millevaches, point haut de la Montagne limousine. C'est une ligne de partage des eaux; plusieurs affluents de la Loire (Creuse, Vienne) et de la Dordogne (Vézère, Corrèze) y prennent naissance. La *source de la Vienne* est située dans un vallon tourbeux et marécageux.

Plateau de Millevaches. Non loin du puy Pendu (977 m), la Vézère prend sa source, entre landes et bois de conifères, dans une des tourbières de la Montagne limousine.

Plateaux et vallées aux environs de Limoges 191 km

Nous voici au cœur géographique du Limousin, où les plateaux granitiques aux bombements aplanis couverts par la lande sont sillonnés par un réseau de torrents bouillonnants qui s'apaisent dans les vallons. Mais c'est aussi le cœur historique de cette contrée qui posséda dès l'origine des formes d'art propres : émail, céramique, porcelaine ; ce fut aussi le dernier pays au nord où se perpétua un parler issu du franco-provençal.

❶ **Limoges,** sur les escarpements de la rive droite de la Vienne, fut l'oppidum du peuple gaulois des Lémovices avant la conquête romaine, puis l'un des plus anciens évêchés de la région, évangélisée par saint Martial. Formée dès le haut Moyen Age de deux agglomérations tout d'abord distinctes, le Bourg et la Ville, la capitale du Limousin garde le souvenir de leurs deux enceintes circulaires dans le tracé de ses boulevards. La cathédrale St-Étienne est un chef-d'œuvre de l'art gothique, entrepris au XIIIe s. et achevé dans le style flamboyant au XVIe s. ; le clocher-porche (62 m de hauteur) est encore plus ancien : ses quatre étages inférieurs datent de l'époque romane. Le palais épiscopal, de genre rococo, abrite un musée municipal consacré aux émaux qui firent la renommée de Limoges dès les temps mérovingiens ; salles d'archéologie gallo-romaine (ouv. t.l.j., du 1er juill. au 30 sept. ; t.l.j., sauf mardi, du 1er oct. au 30 juin). Des jardins étagés en terrasses, vue sur la Vienne. Il ne demeure rien de la vieille abbaye St-Martial, bâtie avant l'an mille, mais on a dégagé, en 1960, la crypte où reposaient les restes du saint (vis. t.l.j., du 1er juill. au 30 sept.). L'église St-Michel-des-Lions (XIVe-XVIe s.) contient de remarquables vitraux et une pietà de même époque, due à un artiste local. Au pavillon du Verdurier, exposition de porcelaines (juill.-sept.). La biennale internationale

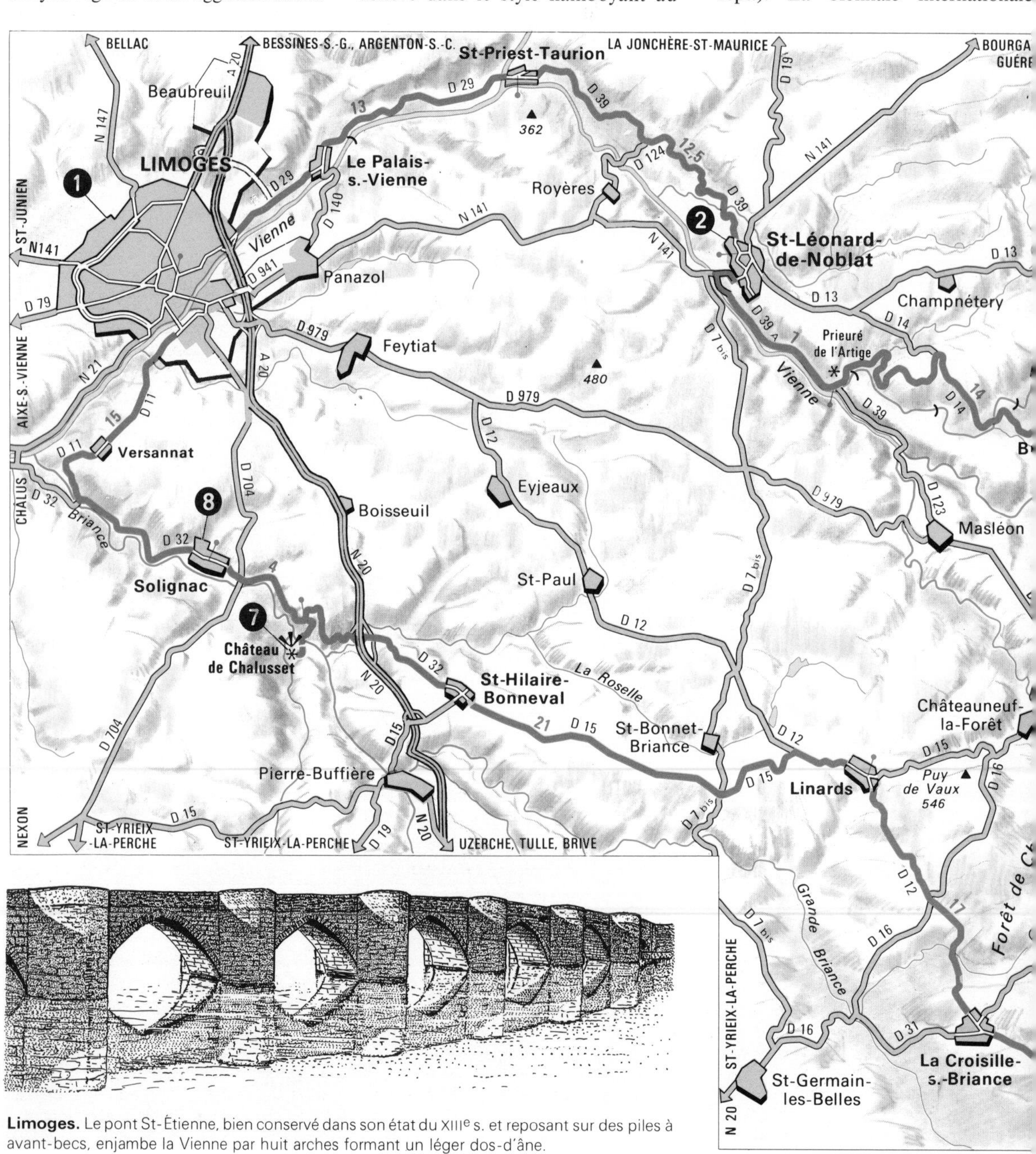

Limoges. Le pont St-Étienne, bien conservé dans son état du XIIIe s. et reposant sur des piles à avant-becs, enjambe la Vienne par huit arches formant un léger dos-d'âne.

Ferme limousine. La structure allongée du bâtiment protège la ferme contre les vents qui balayent les plateaux.

Pont-de-Noblat. Faubourg de Saint-Léonard, ce charmant village aligne ses maisons sur les rives verdoyantes de la Vienne.

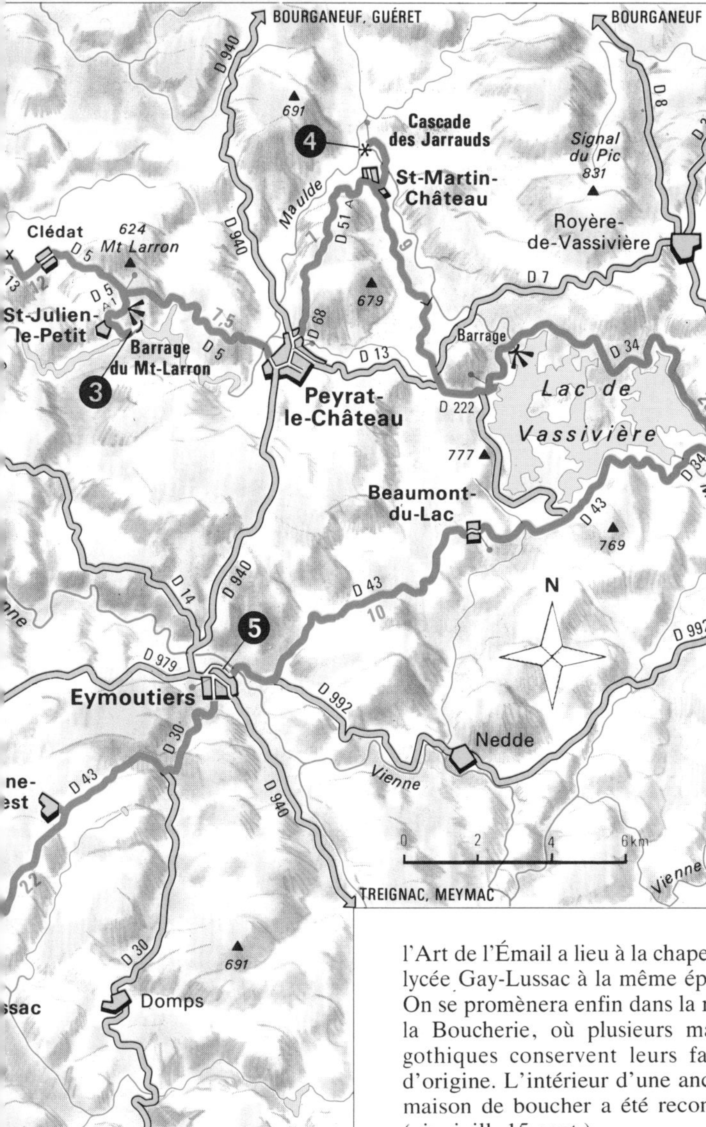

l'Art de l'Émail a lieu à la chapelle du lycée Gay-Lussac à la même époque. On se promènera enfin dans la rue de la Boucherie, où plusieurs maisons gothiques conservent leurs façades d'origine. L'intérieur d'une ancienne maison de boucher a été reconstitué (vis. juill.-15 sept.).

❷ **Saint-Léonard-de-Noblat.** (Voir aussi photo). Sur une colline, de vieilles demeures se serrent autour de l'église St-Léonard, édifice roman de style typiquement limousin, dont le chœur date des XIe-XIIIe s. Une chapelle isolée sert de baptistère (ouv. en permanence). La vallée de la Vienne s'orne de moulins à papier abandonnés (ne se visitent pas).

❸ **Barrage du Mont-Larron.** Au pied du mont (624 m), les eaux vertes de la Maulde, retenues par un barrage, forment un beau lac artificiel.

Sur une autre butte de cette vallée resserrée apparaît *Peyrat-le-Château.* Dans l'église à tour carrée (XIVe-XVe s.), retable du XVIIe s., statues de saint Martial et de saint Martin.

❹ **Cascade des Jarrauds.** Un pont permet de franchir la Maulde et d'accéder à cette chute de 12 à 15 m de haut, dont les eaux sont particulièrement abondantes au printemps et à l'automne. Par une route sinueuse, on peut monter jusqu'au panorama du lac de Vassivière (V. itinéraire 173).

❺ **Eymoutiers.** Cette ancienne place forte domine une boucle de la Vienne. L'église St-Étienne, romane, avec des ajouts du XVe s., est surmontée d'un campanile soutenu par des arcades. Elle possède une croix reliquaire à double travers, richement émaillée (XIIIe s.), et d'intéressants vitraux de la première Renaissance.

❻ **Mont Gargan** (731 m). Selon la légende, Gargantua y serait passé. Des ruines d'une chapelle, la vue s'étend, au N., sur la forêt de Châteauneuf et, au S., sur les monts du Limousin. A *Saint-Hilaire-Bonneval,* église cruciforme du XIIIe s., dont la coupole porte un clocher octogonal.

❼ **Château de Chalusset.** Sur un promontoire qui commande la fraîche vallée de la Briance, c'est un château double. Sur une première construction militaire du XIIe s. a été bâti au siècle suivant un autre château. De ce formidable ensemble subsistent des salles, des pans de remparts et un donjon. (Vis. libre.)

❽ **Solignac.** C'est autour d'une abbaye fondée par saint Éloi que s'est développée cette petite ville, berceau de l'orfèvrerie limousine. Dans l'église abbatiale St-Pierre, construite dans le meilleur style « à coupoles » de la région (XIIe-XIIIe s.), des chapiteaux d'une puissante facture contrastent avec la fantaisie décorative des arcades (vis. t.l.j.).

A LIMOGES, UNE TECHNIQUE ANCES[T

Biscuit de porcelaine (1771-1796). Ce groupe correspond au modèle « Danse à quatre », de la Manufacture royale de Limoges (1787-1788).

Tournage automatique des pièces. Certaines pièces (soupières, théières) son[t] moulées : on parle de *coulage*. Les autres sont tournées : c'est le *calibrage*. Aujour-d'hui, les tours entièrement automatiques, comme celui que l'on voit ci-dessus, produisent jusqu'à 4000 assiettes à l'heure.

Brillante, translucide et dure comme la coquille du mollusque dont elle porte le nom, la porcelaine de Limoges est une des plus belles d'Europe. Il n'y a aucune rupture entre l'humble et terreux tesson de poterie préhistorique et ces vaisselles d'apparat d'hier et d'aujourd'hui, dont l'éclatante blancheur est incrustée d'or et rehaussée de motifs aux couleurs vives et inaltérables. Lentement, en de nombreux millénaires, à travers plusieurs civilisations, les hommes ont amené une même technique jusqu'à cette perfection dont les modernes fabriques de Limoges se veulent aujourd'hui les gardiennes.

La technique de la porcelaine fut inventée en Chine au début de notre ère. Connue et admirée en Europe dès le XVe s., elle ne fut imitée avec succès qu'au XVIIIe. Il fallait d'abord connaître et retrouver la matière première, le kaolin — en chinois, *kao-ling*, haut de colline. Un certain Darnet, chirurgien de son métier, en découvrit en 1768, près de Saint-Yrieix, dans le Limousin. Cette argile très blanche provient de la décomposition d'une roche particulière. Avec le temps, la granulite, ou pegmatite, se dégrade en quartz et en feldspath. Le feldspath se dégrade en kaolin. La porcelaine naît de la fusion de ces différents éléments dans les hautes températures des fours. Avec deux cuissons successives (la première à une température de 980 °C et la seconde à 1 400 °C) et d'un émaillage, l'argile a retrouvé la dureté de la roche cristalline.

En 1981, on a fabriqué à Limoges, dans une trentaine d'usines de taille très variable — les plus petites ont de cinq à dix ouvriers, les plus grandes, plus de trois cents —, 12 531 t de porcelaine, soit 50,7 % du tonnage national. Il avait fallu toute l'opiniâtreté de l'intendant du Limousin, Turgot, pour imposer près de deux siècles auparavant l'ouverture de la première fabrique : la manufacture de Sèvres ne voulait pas de concurrence. Au millieu du XIXe s. David Haviland, un Américain, fit souche dans le pays et donna le signal des exportations : elles décuplent en dix ans. Vers 1900 cinq milions de francs-or de porcelaine sont expédiés vers les seuls États-Unis. Au lendemain de la dernière guerre, une vigoureuse modernisation a assuré la prospérité d'une réputation ancienne, mais insurpassable.

Le musée national Adrien-Dubouché présente une collection unique de 10 000 pièces remarquables de céramique de toutes époques et du monde entier (t.l.j., de juill. à sept. ; sauf mardi, d'oct. à juin).

.E : LA PORCELAINE

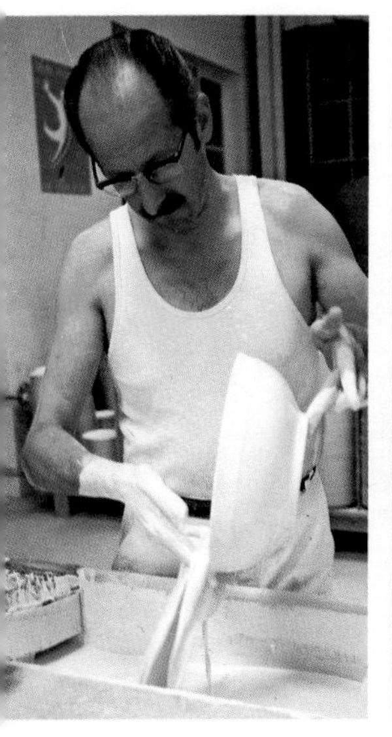

Émaillage, cuisson, décor. Après le *garnissage* (1) – ajout des becs, des anses, des boutons –, une première cuisson à 980 °C, en déshydratant l'argile, rend la pièce apte à fixer l'émail, mélange de kaolin, de quartz et de feldspath. Chaque pièce y est plongée prestement (2). Au cours de la seconde cuisson (un jour et une nuit à 1 400 °C), la pièce, en se vitrifiant dans la masse, perd 15 % de ses dimensions (3). Il ne reste plus qu'à la décorer.

.e moderne. Il faut trois ans de travail et de recherches pour mettre au point une nouvelle forme, un nouveau service comme celui-ci. Il faut compter, pour sa création, un investissement de 50000 à 1 million de francs. Fonctionnel et simple, il est destiné à une clientèle jeune qui aime les formes scandinaves. Actuellement, le service employé sur Concorde est une fabrication exclusive de Limoges.

Différents décors. Les porcelainiers de Limoges ont vu passer les styles et changer les goûts. Mais chacune des grandes fabriques conserve dans son musée personnel des pièces rares et belles. Tout à fait à gauche, la théière de style Régence est de fabrication récente. Le pot à eau avec sa cuvette date de l'Empire. A sa droite, les deux assiettes à fleurs, bordées de rinceaux de feuillages dorés en relief, sont de la Restauration : 1826. Du XIXe s. également, la veilleuse gothique-troubadour surmontée de sa théière. La coupe aux pêches et aux raisins est de 1910. Elle est peinte à la main. Les couleurs employées à la décoration sont soit des couleurs vitrifiables, soit des préparations de métaux précieux qui, en chauffant, adhèrent à l'émail. Une cuisson supplémentaire est donc toujours nécessaire. Quel que soit le procédé de décoration, cette cuisson varie de 680 °C à 900 °C, à l'exception des couleurs très rares à base d'oxyde qui se développent à 1 400 °C. Le décor jadis était peint à la main. Aujourd'hui, différents procédés de décalcomanie permettent d'économiser la main-d'œuvre tout en conservant la richesse des couleurs. Mais les anses, les becs, les boutons doivent toujours être faits à la main. La décoration à la main ne se fait plus qu'occasionnellement pour quelques pièces de grand luxe.

Promenade dans les monts des Monédières 75 km

Les monts des Monédières forment la partie méridionale de la Montagne limousine. Ce sont de fortes buttes granitiques aux sommets dénudés, mais dont les pentes sont une marqueterie de pâtures, de landes, de genêts, de bruyères et de bois. A leur pied, la Vézère roule ses eaux. Joli circuit, où l'histoire n'intervient guère : son intérêt réside dans la nature et ses paysages, dans l'homme et dans d'aimables bourgades.

Treignac. Le musée expose des charrues semblables à celle-ci, dont le modèle était répandu dans tout le sud de la France.

❶ **Treignac,** au pied des monts des Monédières, avec ses maisons anciennes groupées sur la rive gauche d'une courbe de la Vézère, dont les eaux rapides sont retenues par le barrage de Vaud en amont de la ville, est l'un des villages les plus pittoresques du Limousin (voir photo). De la ceinture de murailles percées de trois portes qui l'entourait, seule subsiste celle qui faisait communiquer la ville avec le château, dont il ne reste que quelques ruines. L'église date du XVe s., de même que le pont de pierre, à l'arche gothique en dos d'âne et couvert de lierre, qui enjambe la Vézère. Au-dessus de chacun des piliers se trouve un refuge de forme triangulaire destiné aux piétons. De là, la vue porte sur les vieilles demeures aux toits d'ardoises et souvent flanquées de tourelles. Remarquer les clochers des petites églises et des deux chapelles, des Capucins et des Pénitents. Marc Sangnier (1873-1950), fondateur du Sillon, mouvement chrétien social et démocratique, est enterré à Treignac. Le musée des Arts et Traditions de la Haute-Vézère : vie régionale, mobilier, outils (t.l.j., juill.-début sept. Groupes sur demande le reste de l'année), restitue la vie quotidienne du passé (voir dessin). Au S.-O. de la ville, un sentier balisé (1 h AR) mène au *rocher des Folles*, amoncellement de gros blocs granitiques surplombant un défilé dans lequel coule la Vézère.

A 3 km du bourg, un calvaire, construit vers 1850, est précédé d'un chemin de croix; il offre l'un des plus beaux panoramas de la région.

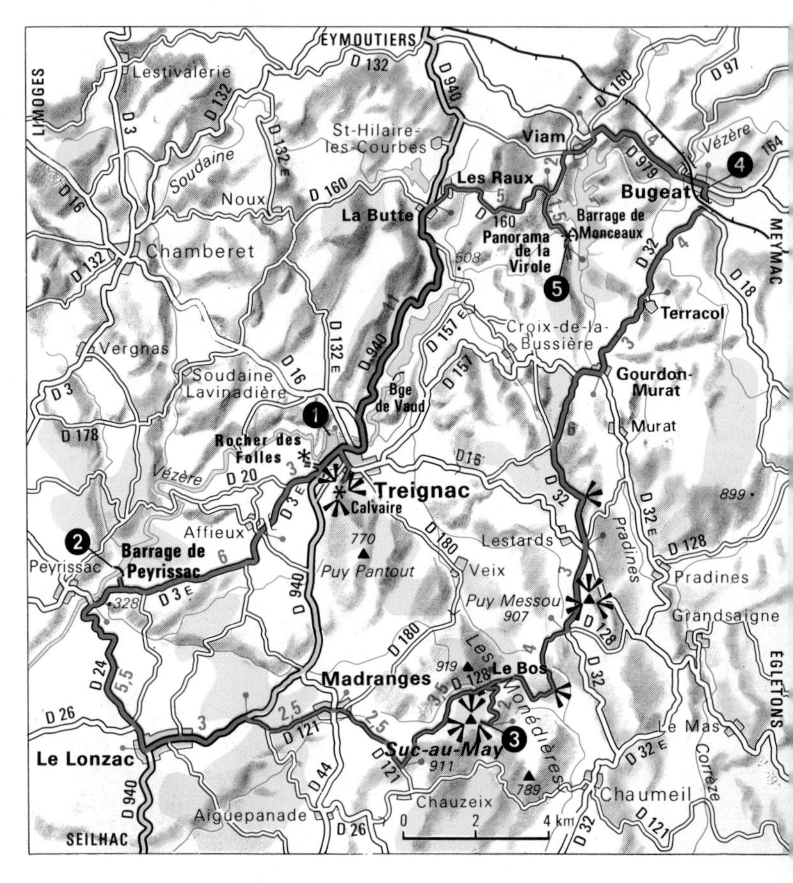

pêche sur les lacs avoisinants. Dans l'église St-Pardoux-et-St-Blaise, de style gothique, dont la nef se prolonge par un chœur intéressant, remarquer un ensemble de statues de bois du XVIIe s. Les fonts baptismaux, en granit gris sculpté, sont de la fin du XIIe s.

❷ **Barrage de Peyrissac.** A 10 km en aval de Treignac, le barrage de Peyrissac sert à réguler le débit des eaux de la Vézère sur plusieurs kilomètres. Possibilité de canoë-kayak.

❸ **Suc-au-May.** A partir du lieu-dit le Bos, sur la droite, un chemin mène au point culminant des monts des Monédières, le Suc-au-May, ou puy des Monédières (911 m). Au sommet, une table d'orientation permet de reconnaître un vaste panorama sur le bas Limousin et les monts d'Auvergne.

❹ **Bugeat** est un plaisant lieu de villégiature situé sur la rive gauche de la Vézère. De là s'offrent des possibilités de promenades en forêt et de pêche sur les lacs avoisinants.

❺ **Panorama de la Virole.** Après Viam, sur la gauche, un chemin mène à ce site, qui, bien que partiellement défiguré par la retenue du barrage de Monceaux, reste spectaculaire : la Vézère traverse une gorge profonde en une suite de rapides et de cascades dont la dernière, appelée la Queue de Cheval, est la plus impressionnante. Vue sur le barrage, d'une retenue de 20 100 000 m^3, et sur son vaste plan d'eau (183 ha).

Treignac. Vue du vieux pont. A la Pentecôte, les eaux tourmentées de la Vézère sont le théâtre d'une compétition nautique, le critérium de la Rivière sportive.

Collines des monts de Châlus 49 km

Paysage de collines aux formes douces et rondes, ne dépassant pas 496 m, les monts de Châlus forment les derniers contreforts de la Montagne limousine. Au contact de la Charente de du Périgord, ils forment un domaine de transition par leur climat océanique à la fois très doux et très pluvieux et par leur végétation où dominent les éléments atlantiques auxquels se mêlent des essences méridionales et boréales.

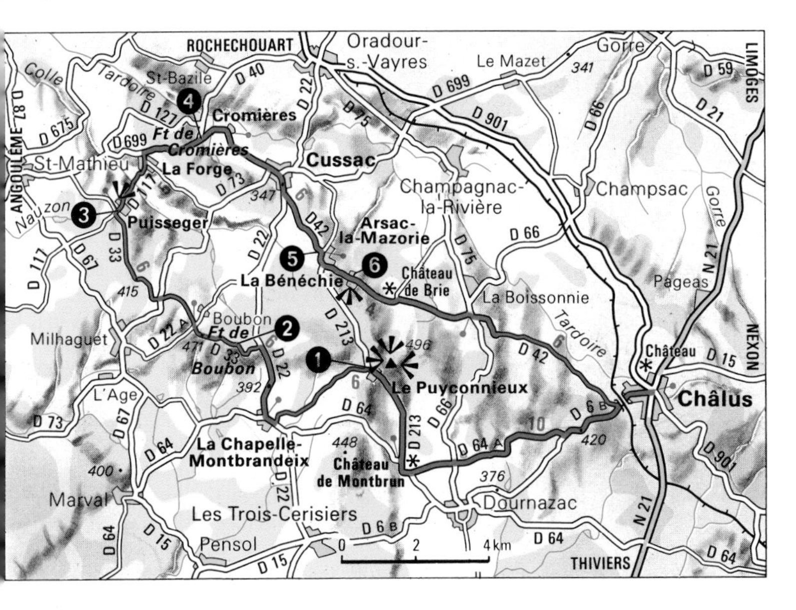

❶ **Le Puyconnieux.** 3 km environ avant d'atteindre ce village, on aperçoit le *château de Montbrun*, plusieurs fois détruit et toujours reconstruit avec une grande fidélité (voir photo). Le Puyconnieux présente une grande simplicité architecturale : les maisons-blocs ont des murs de gneiss altérés en une multitude de tons ocrés et rouille. A 250 m du hameau, on découvre un large panorama qui couvre l'ensemble du Limousin et porte au loin sur la Charente et le Périgord.

❷ **Forêt de Boubon.** La végétation naturelle est une chênaie où le chêne sessile côtoie, plus qu'ailleurs en Limousin, le chêne pédonculé. Cette association a été largement remplacée par le châtaignier (voir dessin). De nombreuses clairières étaient animées, dans un passé encore récent, par les cabanes des « feuillardiers », artisans forestiers qui taillent des piquets de vigne, des « palins » pour les clôtures et des lames de parquet, ou fabriquent des meubles en lames de châtaignier tressées (éclisses). De loin en loin, la forêt fait place à de petits champs cultivés ou à des landes naturelles dominées par la bruyère cendrée, la callune vulgaire ou l'ajonc nain. Le sous-bois sert de refuge aux chevreuils et aux sangliers.

❸ **Puisseger.** Au pied du versant N., la vue s'étend au loin sur les plateaux limousins. On notera le contraste entre ces plateaux à allure tabulaire, taillés dans des terrains métamorphiques (gneiss, micaschistes) et le fourmillement des croupes convexes des monts de Châlus, qui sont sculptées dans les granits.

❹ **Forêt de Cromière.** Traitée en taillis sous futaie, cette belle forêt, accessible par de nombreux chemins d'exploitation, est peuplée de chênes, de quelques hêtres et chênes rouges d'Amérique et de sapins de Douglas.

❺ **Arsac-la-Mazorie.** A partir de Cussac, la route parcourt le plateau métamorphique encore occupé par l'agriculture et voué à une polyculture complexe réalisée dans de petites exploitations ; sur les parcelles étroites alternent des cultures de céréales, des prairies et des vergers ; les bouleaux poussent sur les terres incultes ; les châtaigniers sont utilisés pour l'industrie du bois et de la pâte à papier.

❻ **La Bénéchie.** De La Bénéchie à Brie, la vue embrasse au S. toute la bordure des monts de Châlus. La route serpente dans un paysage morcelé, partagé entre les cultures et les taillis de châtaigniers.

Château de Montbrun. Le puissant donjon carré du XIIe s., consolidé par des contreforts plats, domine quatre tours rondes du XVe s. (vis. t.l.j.). Richard Cœur de Lion essaya, au XIIe s., sans succès, de prendre cette redoutable forteresse avant de livrer bataille devant le château de Châlus, aujourd'hui détruit, où il fut mortellement blessé.

Châtaignier. Autrefois cultivé en vergers pour ses fruits, le châtaignier n'est plus traité aujourd'hui qu'en taillis. Son bois était utilisé pour le tannage des peaux.

A travers le Limousin méridional

96 km

Cet itinéraire dans le Limousin méridional pourrait être voué à l'arbre et à l'eau : c'est en effet un pays de forêts et d'étangs aux sombres reflets. Mais nous retiendrons plutôt, parmi d'autres arrêts, Coussac-Bonneval, dont un des fils, Claude-Alexandre de Bonneval, fit carrière dans les armes, au XVIIIe s., à Constantinople, où il devint Achmet-Pacha, et Pompadour, qui doit à la marquise, favorite de Louis XV, sa renommée.

❶ **Saint-Yrieix-la-Perche.** Ce vieux bourg actif doit sa renommée à ses carrières de kaolin, exploitées depuis le XVIIIe s., qui permirent la fabrication de la porcelaine limousine (une usine est encore en activité). De l'ancienne ville, il reste quelques maisons médiévales, la tour du Plôt (XIIIe s.) aux fenêtres géminées et surtout la collégiale du Moutier (XIIe-XIIIe s.), dont l'architecture marque la transition entre le roman et le gothique. L'église conserve dans son trésor une copie du chef reliquaire de saint Yrieix, en bois recouvert de lames d'argent doré (original à New York). Voir aussi le musée de la Porcelaine.

❷ **Marcognac.** La carrière de Marcognac, ouverte en 1786, est l'une des premières en France où l'on ait trouvé du kaolin pur. Elle a cessé d'être exploitée au printemps 1981. Voir aussi les pages 298-299.

❸ **Coussac-Bonneval.** S'il ne reste rien de la vaste enceinte flanquée de tours qui, descendant de la colline, renfermait le bourg, le château de Bonneval est intact (voir photo). L'imposant bâtiment présente encore maints aspects de la forteresse qu'il fut au XIVe s. La façade S., sans ouvertures, est la mieux conservée. Divers remaniements, notamment au XVIIIe s., ont introduit l'agrément dans l'œuvre militaire, surtout sur la façade O., d'une ordonnance classique. La cour Renaissance surprend par sa délicatesse. L'intérieur est un véritable musée (vis. t.l. apr.-m., groupes tte la journée, 15 mars-30 nov. ; le reste de l'année, groupes uniquement, sur R.-V., tél. : 55-75-24-15).

Joueur de vielle. La vielle est un instrument à cordes frottées et à clavier, où une manivelle à roue tient lieu d'archet.

Voir aussi, dans l'ancien cimetière, une lanterne des morts du XIIe s.

❹ **Uzerche,** vieille cité étagée en gradins sur une colline encerclée par une boucle de la Vézère, a gardé de nombreuses maisons à tourelles et à échauguettes des XVe et XVIe s., coiffées de toits en schiste, ainsi que la porte Bécharie, la seule qui reste des cinq portes de l'enceinte des XIVe et XVe s. Au sommet de la colline, l'église St-Pierre (XIIe s.), fortifiée au XIVe s., est surmontée d'un clocher à étages (voir photo).

❺ **Vigeois,** bâti à flanc de coteau, possède une église abbatiale des XIe et XIIe s. qui conserve de nombreux chapiteaux historiés et une châsse en cuivre champlevé et émaillé. Le pont médiéval qui enjambe la Vézère ajoute au charme du village.

❻ **Arnac-Pompadour.** Le château de Pompadour a été reconstruit au XVe s. sur la motte féodale d'un premier château du XIe s. ; de cette imposante forteresse, il ne reste que l'aile sud et l'enceinte extérieure. Depuis 1761, le château abrite un haras (aujourd'hui haras national) qui compte parmi les plus importants de France. Installé dans un domaine de 333 ha, celui-ci élève quelques-uns des plus beaux anglo-arabes. Présentation d'étalons et d'attelages, courses et concours. On peut visiter les terrasses du château (t.l.j., 1er avr.-30 sept. ; l'apr.-m. le reste de l'année) ; le dépôt d'étalons (t.l.j. 1er juill.-30 sept. ; l'apr.-m., de mars à fin juin et d'oct. à fin févr.) ; enfin la jumenterie (t.l. apr.-m., 10 févr.-30 sept.). Horaires spéciaux lors des manifestations hippiques. Voir aussi, non loin, l'église romane.

❼ **Ségur-le-Château,** situé dans un méandre de l'Auvézère, est dominé par les ruines d'une forteresse du XIIe s. dont le chemin de ronde offre de belles vues sur les maisons anciennes.

Uzerche. Du faubourg Ste-Eulalie apparaît la plus belle vue de la vieille cité limousine dans son site pittoresque.

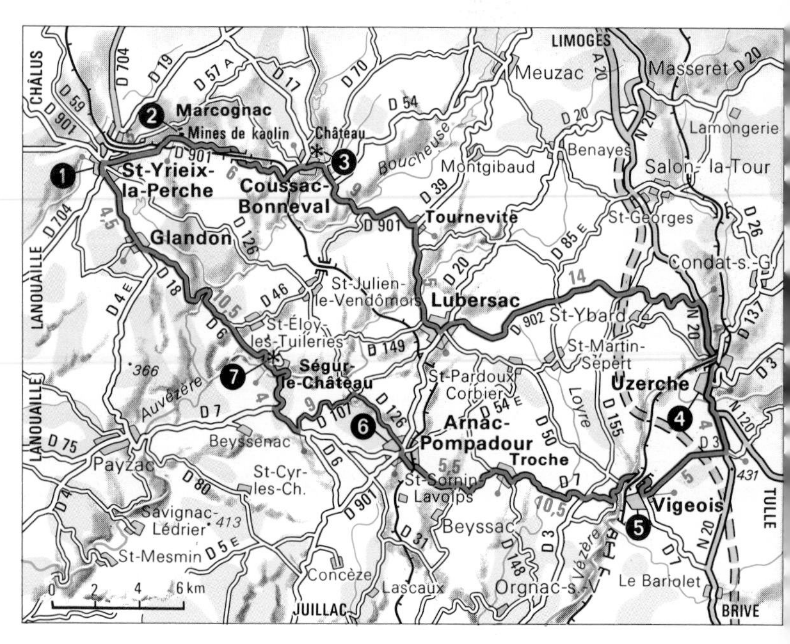

Coussac-Bonneval. Au milieu d'un parc dessiné, dit-on, par Le Nôtre, le château de Bonneval dresse ses tours rondes couronnées de mâchicoulis et de toits en poivrière.

LYONNAIS
VIVARAIS • VALLÉE DU RHÔNE

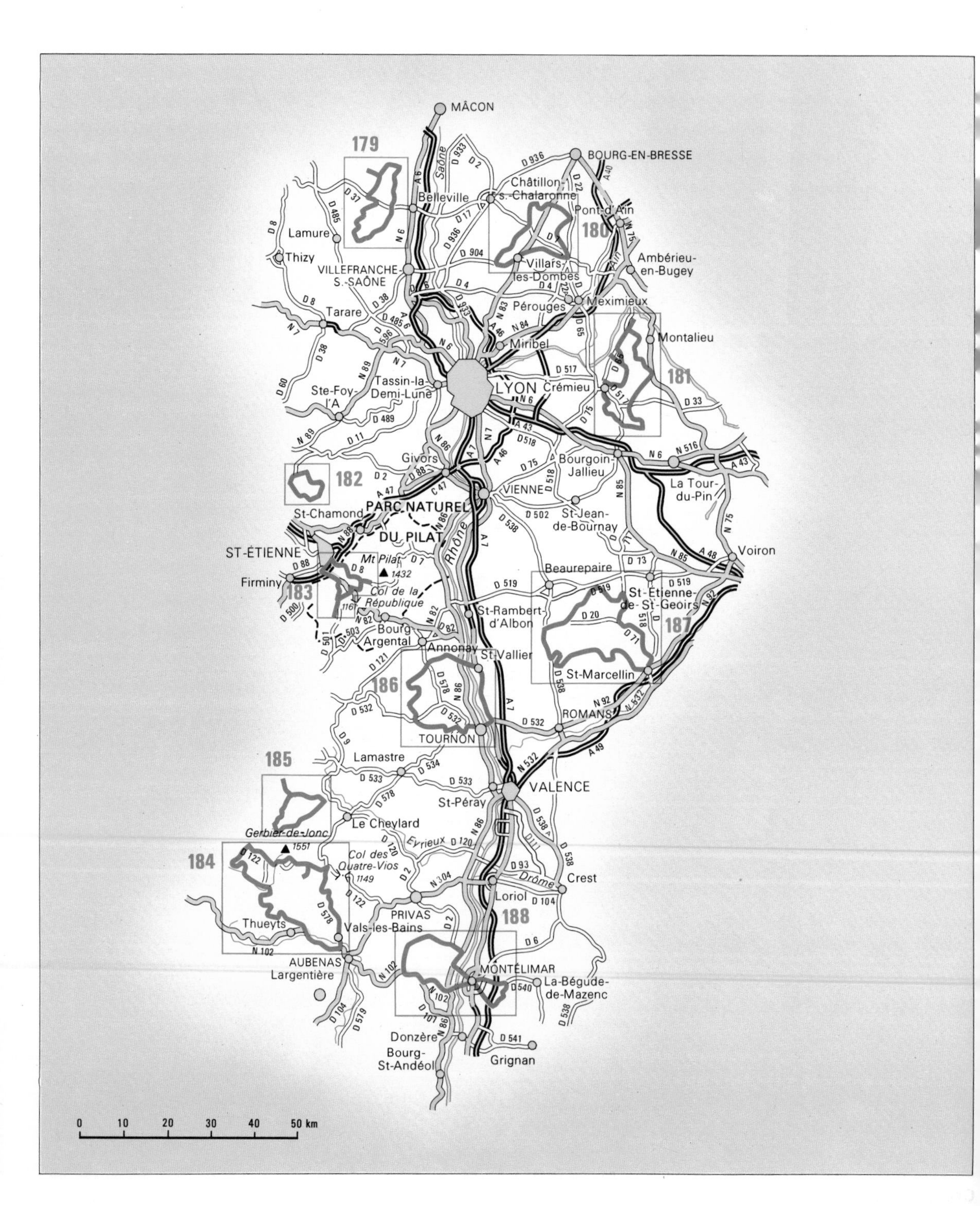

Contrastes au fil de la Saône et du Rhône
Étangs, landes, bocages, vignobles et vergers

Voilà une région tout en contrastes par son relief et en transitions dans son climat, son paysage végétal, ses us et coutumes. Et il s'avère bien difficile d'en dégager d'emblée les traits marquants. Qu'y a-t-il de commun, en effet, entre la côte beaujolaise aux douces collines peuplées de vignobles, parsemées de clairs villages de pierre, et la très plate plaine de la Dombes aux étangs endormis dans leur silence, aux menus villages de galets et de pisé ? Entre la rude retombée vivaraise où les eaux bruissantes irriguent les vergers de pêchers et les coteaux plus mous du bas Dauphiné bocager où landes et forêts tiennent leur place ? Entre le val de Saône ouvert vers le N., où la grande rivière fait la paresseuse, et le couloir rétréci que le Rhône, maintenant dompté, franchit souvent en gorge ? Pourtant, le visiteur saura retrouver de lui-même quelques-unes des constantes par lesquelles s'affirme une ambiance générale. Il sera sensible à l'abondance des eaux, à la présence des fleuves qu'il longera ou traversera et qui sont de tous les panoramas ; car le double alignement de hautes terres qui encadre la dépression centrale multiplie les belvédères aux vues lointaines. Il le sera aussi à l'intérêt de la flore, peu à peu pénétrée par les plantes méridionales ; et au charme des villes, petites et grandes, et bien nombreuses, qui gardent ponts et passages. Il revivra le passé antique qui a laissé tant de souvenirs : un aqueduc ruiné ici, un théâtre bien conservé là, et parfois, même, une cité romaine presque entière ; il revivra le Moyen Age roman : clocher-porche ou latéral, transept allégé et berceau brisé qui conduit tout naturellement au gothique. Il ne manquera pas de goûter une des plus célèbres cuisines de France, simple et raffinée, accompagnée de crus incomparables. Il saura reconnaître, par-delà la réserve des habitants, le sens de l'effort, l'imagination créatrice qui ont transformé une contrée aux aptitudes médiocres en une province active, où les réalisations modernes ne manquent pas ; il saura aussi faire la part du rêve, en ce pays de poètes et de la malice, qui transparaît dans le savoureux langage lyonnais.

Crêt de l'Œillon. C'est le dernier rebond du massif du mont Pilat, parmi fleurs et genêts, au-dessus de la vallée du Rhône.

Hauts lieux, trésors et paysages

Lyon. Dans un site harmonieux, au confluent de la Saône et du Rhône, s'appuyant aux deux collines de Fourvière et de la Croix-Rousse, Lyon, ancienne capitale des Gaules, foyer religieux, intellectuel, industriel et commercial tout au long de son histoire, cité des soyeux, des canuts et de Guignol, mérite une visite prolongée. Pour découvrir l'ensemble de la ville, monter à la colline de Fourvière, antique acropole devenue forum, qui porte encore le théâtre d'Auguste, agrandi par Hadrien (108 m de diamètre, 10 700 places), et l'odéon, jadis couvert, vestiges de la grande cité romaine de Lugdunum, fondée en 43 av. J.-C., prospère et cosmopolite aux Ier et IIe s. (ouv. t.l.j.). Au pied de la colline se dressent les quatre tours de la primatiale St-Jean-Baptiste, gothique, sauf l'abside (XIIe s.) ; en façade, une admirable rosace éclaire la haute nef. Parcourir ensuite les rues St-Jean, du Bœuf et Juiverie, et voir la place du Change : on y découvre les plus belles demeures des XVe et XVIe s. du vieux Lyon. Tout au N., l'église St-Paul (XIIe-XIIIe s.) a été modifiée à la Renaissance. Du pont qui enjambe la Saône, on a un beau point de vue sur l'« entre-deux-fleuves », cœur de la ville actuelle. L'église St-Bruno, sur une terrasse de la colline de la Croix-Rousse, abrite un baldaquin d'autel, exécuté en 1738 par Servandoni (1695-1766), en stuc blanc et or. Non loin se trouvent les fouilles de l'amphithéâtre des Trois Gaules, où sainte Blandine fut livrée

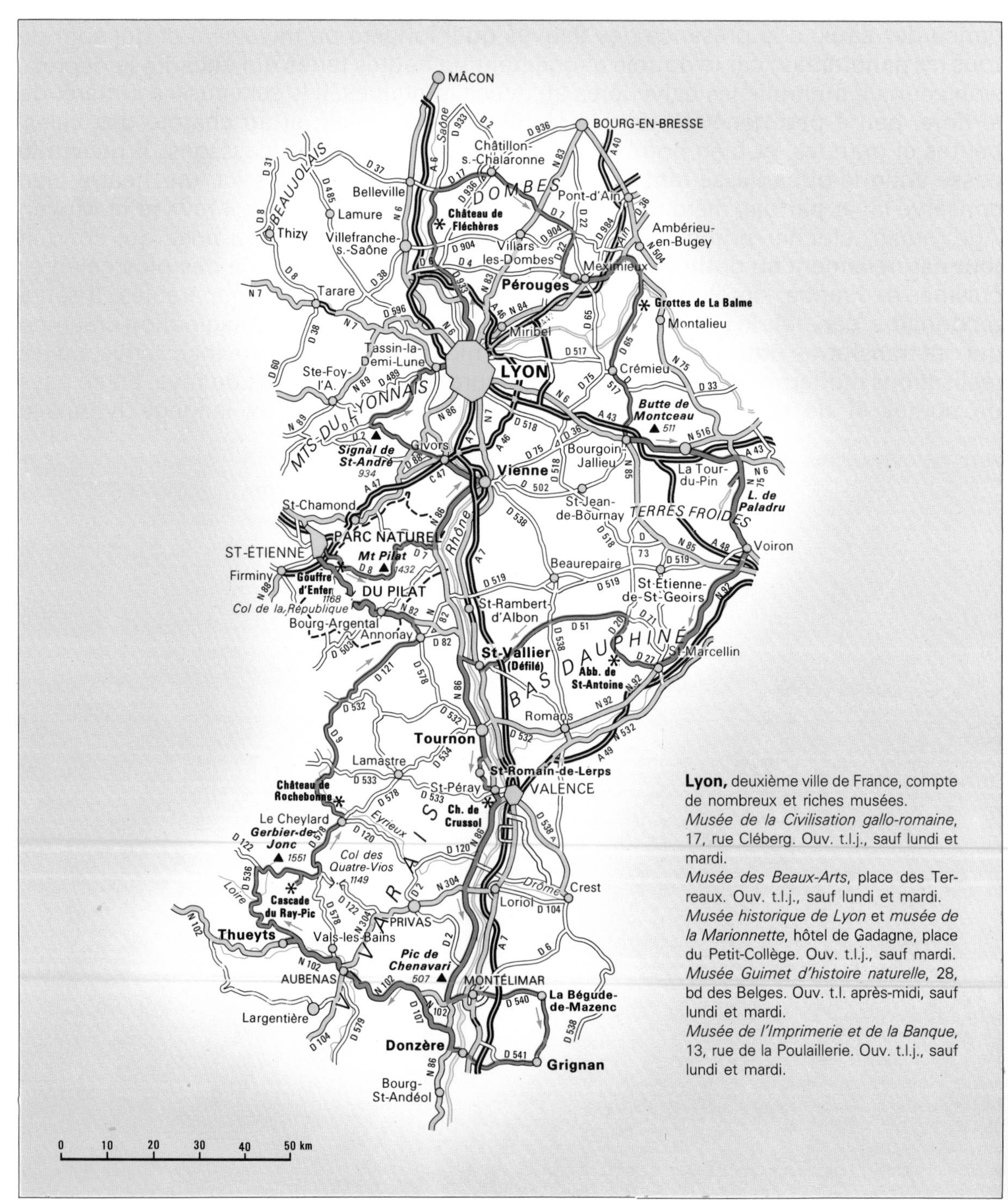

Lyon, deuxième ville de France, compte de nombreux et riches musées.
Musée de la Civilisation gallo-romaine, 17, rue Cléberg. Ouv. t.l.j., sauf lundi et mardi.
Musée des Beaux-Arts, place des Terreaux. Ouv. t.l.j., sauf lundi et mardi.
Musée historique de Lyon et *musée de la Marionnette*, hôtel de Gadagne, place du Petit-Collège. Ouv. t.l.j., sauf mardi.
Musée Guimet d'histoire naturelle, 28, bd des Belges. Ouv. t.l. après-midi, sauf lundi et mardi.
Musée de l'Imprimerie et de la Banque, 13, rue de la Poulaillerie. Ouv. t.l.j., sauf lundi et mardi.

aux lions. On se promènera par les traboules, passages et cours qui font communiquer, par les immeubles, les rues de la Croix-Rousse. La place des Terreaux est bordée, à l'E., par l'imposant hôtel de ville (XVIIe-XVIIIe s.) et, au S., par le palais St-Pierre, du XVIIe s., qui abrite le célèbre musée des Beaux-Arts (vis. t.l.j., sauf lundi et mardi). L'église St-Nizier, commencée en 1305, achevée au XVe s., a gardé une flèche d'époque, son portail Renaissance et sa façade gothique; c'est Coysevox (1640-1720) qui a sculpté la très belle N.-D. des Grâces dans la chapelle de la Vierge. Les chapelles de l'ancien collège de la Trinité, actuel lycée Ampère, forment un ensemble monumental homogène du XVIIe s. L'hôtel-Dieu a été agrandi par l'architecte Soufflot (1713-1780). La place Bellecour, détruite à la Révolution, a été réédifiée sous Napoléon sur les plans de 1711 (au centre, une statue équestre de Louis XIV). La basilique St-Martin d'Ainay est le plus ancien sanctuaire de Lyon, consacré en 1107; noter la très belle chapelle Ste-Blandine, voûtée en plein cintre. Voir aussi la Fondation de la photographie (ouv. t.l. apr.-m., sauf lundi), qui présente une collection sur les débuts de la photographie. Débats. Expositions.

Dans la proche banlieue, musée de l'automobile Henri-Malartre, château de Rochetaillée-sur-Saône (ouv. t.l.j. Fermé Noël et jour de l'An). Musée de la Poupée : coll. de plus de 1 000 poupées anciennes, domaine de Lacroix-Laval, commune de Marcy-l'Étoile (ouv. t.l.j., sauf lundi; 15 nov.-15 févr., sauf lundi et mardi).

Pérouges. Très active jusqu'au XVIIe s., la cité, qui faillit être démolie vers 1900, a été par la suite parfaitement restaurée dans son aspect du Moyen Age; les maisons anciennes à colombage voisinent avec les vastes demeures aux fenêtres à meneaux. Certaines rues sont encore pavées avec les galets de l'Ain et comportent une rigole centrale. Le chemin de ronde, abrité par des remparts, passe dans l'église. On pourra visiter en même temps la tour de Guet, la maison des princes de Savoie et le musée consacré à l'histoire locale (t.l.j., de 10 h à 12 h et de 14 h à 18 h, de Pâques à fin oct.; sam., dim., le reste de l'année). De la tour de Guet de la maison des princes, belle vue d'ensemble de la cité.

Grottes de la Balme. V. itinéraire 181.

Butte de Montceau (511 m). Elle est située à 7 km à l'E. de Bourgoin-Jallieu : vaste panorama sur la chaîne des Alpes et le Mont-Pilat.

Lac de Paladru. Du seuil de l'église de Paladru, excellente vue sur le lac, long de 6 km, avec, en toile de fond, le Vercors et la Chartreuse. La couleur de ses eaux l'a fait surnommer lac bleu. Cité lacustre engloutie. Le chantier de fouilles et le musée invitent à la découverte des vestiges trouvés au fond du lac; objets et maquettes reconstituent l'habitat néolithique et médiéval. Plusieurs plages sont aménagées, dont la plage de Paladru et la station nautique de Charavines sont les plus fréquentées.

Abbaye de Saint-Antoine. Voir itinéraire 187.

Défilé de Saint-Vallier. Voir itinéraire 186.

Tournon. Voir itinéraire 186.

Saint-Romain-de-Lerps, sur la corniche du Rhône est un extraordinaire belvédère (tables d'orientation près de la petite chapelle). On découvre : le mont Pilat, au N.; les serres vivaraises et le mont Mézenc, à l'O.; le mont Ventoux, au S.; le Vercors, les sommets enneigés des Alpes et le mont Blanc, à l'E.

Château de Crussol. On l'aperçoit déjà pendant la descente de Saint-Romain-de-Lerps vers Saint-Péray. Accès par la route du château de Beauregard, puis par un sentier pédestre (30 mn.). Les ruines de la forteresse construite au XIIe s., accrochées au roc, dominent de 200 m la plaine du Rhône (accès libre). Vue superbe sur le Rhône et son confluent avec l'Isère, la barrière du Vercors et les plateaux ardéchois.

Pic de Chenavari. V. itinéraire 188.

La Bégude-de-Mazenc. Le vieux village est perché au-dessus du bourg neuf. On y entre par une porte fortifiée jouxtant l'église romane. Les ruelles s'animent, et les façades sont restaurées à la faveur du renouveau des activités artisanales. Une pinède coiffe le piton. Dans le cimetière, voir la chapelle Notre-Dame (XIIe s.).

Grignan doit sa célébrité aux fréquents séjours qu'y fit la marquise de Sévigné. Le château (XVIe s.) est composé de trois corps de bâtiment ordonnés autour d'une cour d'honneur ouverte à l'O. On peut y voir du mobilier, des tapisseries d'Aubusson, des faïences (t.l.j., avr. à nov.; sauf mardi le reste de l'année. Groupes sur R.-V., tél. : 75-46-51-56). L'ancienne collégiale St-Sauveur (XVIe s.) est entièrement recouverte par une terrasse; à l'intérieur, on pourra remarquer les boiseries du buffet d'orgue de style Renaissance. La « porte de ville » est surmontée d'un beffroi du XVIIe s.

Donzère. Le Rhône emprunte le défilé de Donzère, long de 3 km et large de 1,5 km, entre des versants très raides et hauts de plusieurs centaines de mètres sur la rive droite, et d'une centaine de mètres sur la rive gauche. C'est à la sortie de ce défilé qu'une partie du Rhône a été dérivée par un canal de 28 km destiné à régulariser son cours et sa profondeur : à 17 km en aval est implantée une usine hydro-électrique. La dénivellation est rattrapée par une écluse de 26 m. On ne visite pas l'usine, mais on peut circuler sur la chaussée, au pied de l'ouvrage. Du point de vue climatique, c'est au S. du défilé que commence la Provence, bien que les influences méditerranéennes se fassent sentir jusqu'à Valence.

Thueyts, à 420 m d'altitude, est situé sur une plate-forme basaltique au pied du volcan de Montpezat. Le village a conservé plusieurs maisons anciennes; c'est surtout le point de départ d'agréables promenades : la cascade de la Gueule d'Enfer, à gauche à l'entrée du village, qui tombe de plus de 100 m — mais elle est pauvre en eau à la période chaude —, précède une chaussée basaltique exceptionnellement haute (65 m en moyenne). Au-delà, l'Échelle du Roi est un escalier pratiqué dans le basalte, après le pont du Diable, impressionnant dos-d'âne au-dessus du vide.

Mont Gerbier-de-Jonc. V. itin. 184.

Cascade du Ray-Pic. V. itin. 184.

Château de Rochebonne. Des ruines du château (vis. libre) s'offre un beau panorama sur le Mézenc et la trouée de l'Eyrieux.

Gouffre d'Enfer. Au village de Rochetaillée, 7 km après Saint-Étienne, un chemin sur la droite permet d'y accéder (3,5 km AR). On suit l'ancien cours du Furan jusqu'au pied du barrage; par des escaliers, on peut arriver sur la crête; le barrage, construit en 1866 pour alimenter en eau Saint-Étienne, retient l'eau entre des pentes couvertes de sapins.

Vienne a connu un brillant passé dont il reste de nombreux vestiges. Le temple d'Auguste et de Livie, aux chapiteaux de style corinthien, le portique romain, dont il subsiste une double arcade de pierre blanche, et le grand théâtre, plus vaste que celui d'Orange, conçu pour 13 000 spectateurs. Au musée des Beaux-Arts et d'Archéologie sont conservées plusieurs collections d'antiquités et des faïences du XVIIIe s., l'ancienne église St-Pierre, dont il reste des murs des Ve-VIe s., avec un beau clocher roman, abrite le Musée lapidaire (pour les deux musées : ouv. t.l.j., sauf mardi, du 1er avr. au 15 oct.; t.l.j., sauf lundi, mardi et le dim. matin, du 16 oct. au 31 mars). Dans le cloître St-André-le-Bas (XIIe s.), aux admirables chapiteaux, belles stèles funéraires. L'ancienne cathédrale St-Maurice abrite des éléments de sculpture romane et des tapisseries.

Signal de Saint-André (934 m). A 800 m après le village de Saint-André-la-Côte, un chemin sur la droite permet de gagner le sommet du Signal (45 mn de marche AR). Vue sur les Alpes, d'un côté, et, de l'autre, sur le village et les hameaux nichés dans les monts du Lyonnais.

Crêtes et vallées des monts du Beaujolais 76 km

Le bas versant oriental des monts du Beaujolais, bien protégé des influences océaniques par les sommets de l'ouest, bénéficie d'un climat d'abri propice à l'épanouissement du vignoble. Les paysages riants de la côte viticole contrastent avec les crêtes sombres d'une montagne austère, coupée de passages auxquels on accède par de fortes rampes au milieu des prairies et des landes piquetées de genêts.

En Beaujolais. Le célèbre vignoble de Fleurie donne un des neuf grands crus du terroir, un rouge fruité et vif.

❶ **Mont Brouilly** (483 m). Il détache sa silhouette pyramidale à quelque distance de la montagne. Seule la partie sommitale, colonisée par une maigre végétation arbustive, échappe à l'emprise de la culture de la vigne. En revanche, les schistes décomposés de la base assurent la production de vins au vif arôme.

❷ **Col de Croix-Montmain.** En s'élevant vers le col de Croix-Montmain (737 m), on jouit d'une très belle vue sur la vallée de la Vauxonne. On observera le paysage de lourdes croupes cristallines colonisées par la vigne qui atteint ici sa limite écologique, entre 350 et 400 m d'altitude, pour faire place aux landes à genêts.

❸ **Route des Crêtes.** Du col de Croix-Montmain, on devine vers l'O. la profonde coupure méridienne de la vallée de l'Azergues dominée par les hautes crêtes sombres du bois des Mollières et du bois de Pramenoux. De la route des Crêtes, on domine le vignoble : les rangs de vigne viennent buter, jusqu'à une altitude de près de 400 m, contre la forêt, autrefois fortement dégradée par l'homme. Les parcelles de magnifiques sapins de Douglas, des chênes, des hêtres et des frênes témoignent des efforts entrepris pour reboiser les sommets.

❹ **Vallée de Marchampt.** La profonde entaille de la petite vallée qui plonge sur Marchampt offre un remarquable contraste de paysages. La vigne couvre totalement le versant orienté au S.-E. que suit la route, alors que taillis, broussailles et prairies envahissent la majeure partie de l'autre versant.

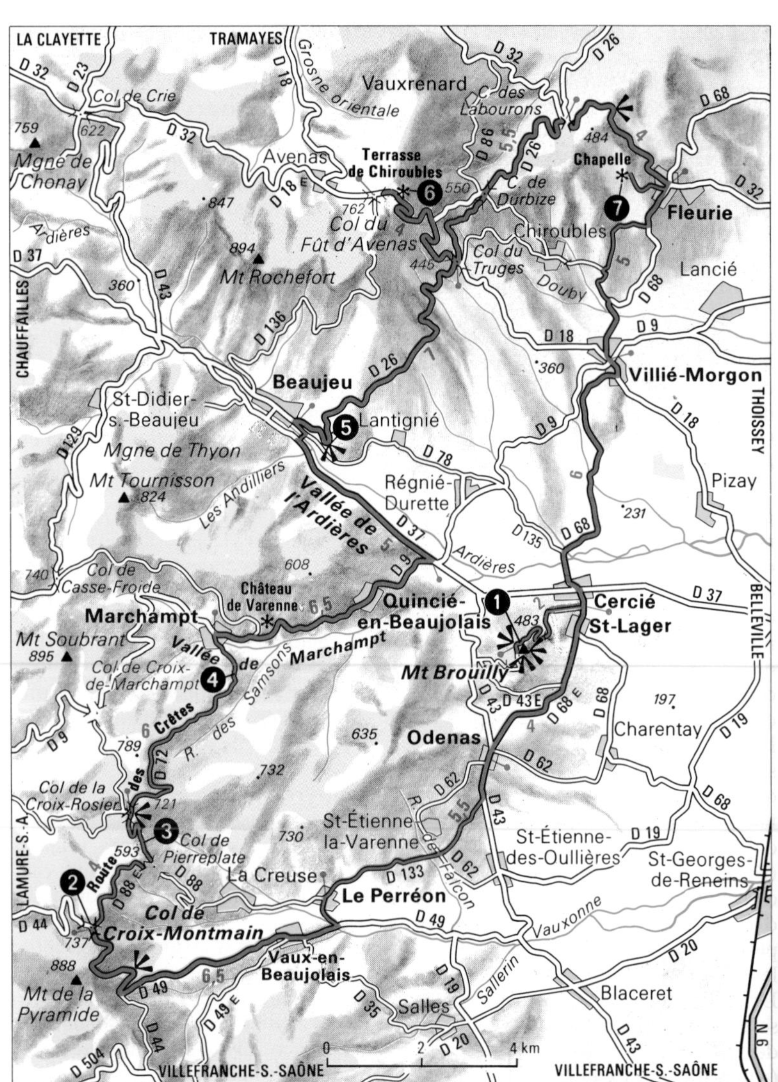

❺ **Vallée de l'Ardières.** Cette trouée ouvre la route du col des Écharmeaux par laquelle passaient autrefois les vins du Beaujolais pour atteindre la capitale par la vallée de la Loire.

❻ **Terrasse de Chiroubles.** De la terrasse, au voisinage du col du Fût d'Avenas, panorama avec la chaîne des Alpes en toile de fond. Les méandres de la Saône se distinguent au loin parmi les prairies verdoyantes auxquelles succède la masse plus sombre du bocage bressan.

❼ **La chapelle de Fleurie.** De ce beau point de vue, on découvre le paysage classique de la côte beaujolaise. La vigne envahit la totalité de l'espace à l'exception du mince liséré argileux des fonds de vallée. La vigueur de la pente accentue les risques d'érosion. Ici, le granit, facilement reconnaissable à ses gros cristaux d'orthose rose, se décompose en sol léger (le gore), vite entraîné lors des orages de saison chaude, mais particulièrement propice à une production viticole de très haute qualité.

A travers les étangs de la Dombes 71 km

La beauté des paysages de la Dombes centrale tient à la présence d'un millier d'étangs, véritable paradis pour les chasseurs et les ornithologues. Placés sur l'axe rhéno-rhodanien des migrations transcontinentales, à mi-chemin des pays nordiques et des rivages méditerranéens, ces étangs offrent une étape ou un site d'hivernage à plusieurs dizaines de milliers d'oiseaux lors des grands déplacements de l'automne et du printemps.

Carpe. C'est un poisson aimant les eaux tranquilles et difficile à pêcher en raison de son extrême méfiance.

Végétation aquatique. L'étang est entièrement tapissé de renoncules aquatiques. Au premier plan, quelques roseaux.

❶ **Parc des Oiseaux de Villars-les-Dombes.** Le parc des Oiseaux, associé à une réserve biologique (210 ha dont 110 ha d'étangs), couvre 20 ha et rassemble environ 2 000 oiseaux du monde entier appartenant à quelque 400 espèces différentes. Il permet aussi de se familiariser avec l'avifaune de la Dombes, essentiellement des oiseaux d'eau (ouv. t.l.j., toute l'année).

❷ **Les étangs de Glareins.** De Lapeyrouse, perché sur une butte correspondant à un fragment de moraine laissé par les glaciations quaternaires, on découvre la belle nappe d'eau des deux étangs de Glareins (179 ha). Création humaine, l'étang représente en Dombes une forme de maîtrise de l'eau de ruissellement sans laquelle le plateau eût été condamné à l'hydromorphisme et aux marécages. L'eau de pluie est d'ailleurs la seule source d'alimentation pour de nombreux étangs en raison de l'indigence du réseau hydrographique et de la rareté des sources. Un système de fossés complexe relie les nappes d'eau entre elles afin d'éviter le gaspillage lors de la vidange annuelle des étangs. Le système d'exploitation traditionnelle, qui s'est perpétué jusqu'à nos jours, fait succéder deux années de jachère d'eau réservées à la pisciculture (l'évolage) à une année de culture céréalière (l'assec). Le système de vidange en maçonnerie, ou « thou », permet de reconnaître aisément dans le paysage les étangs mis en culture. Lors de l'évolage, l'empoissonnement se fait avec des carpes, des brochets, des tanches et des poissons blancs (rotengles, gardons).

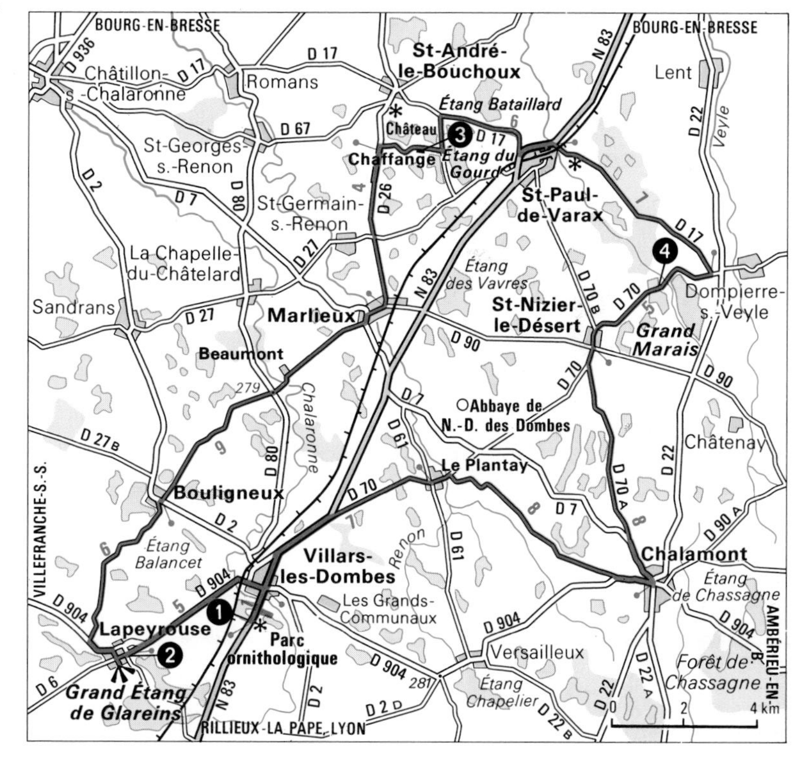

❸ **Chaffange.** Au voisinage d'un bois soigneusement entretenu où le bouleau l'emporte sur les autres espèces (hêtres, chênes, ormes), le château qui se mire dans les eaux claires de l'étang rappelle que la Dombes est dominée par la grande propriété de chasse. Les étangs présentent une végétation spécifique plus ou moins développée qui détermine leur valeur piscicole et cynégétique. Il existe des étangs « grenouillards » totalement envahis par les herbes, des étangs «blancs», dépourvus de végétation aquatique, et des étangs «brouilleux», les meilleurs sur le plan piscicole, partiellement recouverts par une plante flottante, la «brouille». Au printemps, les plantes flottantes (brouille, nénuphar, châtaigne d'eau) s'étalent à la surface de l'eau. Émergés, joncs et roseaux tissent sur les rives un dense couvert végétal (voir aussi photo).

❹ **Grand Marais de Dompierre-sur-Veyle.** Le N.-E. de la Dombes est sous l'emprise de la très grande chasse privée associant aux étangs d'importantes étendues boisées. Le Grand Marais de Dompierre, avec ses 50 ha, est un lieu d'observation privilégié des diverses espèces de canards, de grèbes et de hérons qui fréquentent les étangs. Si le colvert se rencontre en toute saison, c'est surtout en automne et en hiver que l'on trouve la plus grande diversité de canards (souchet, siffleur, chipeau, sarcelle, fuligules milouin et morillon, nette rousse, macreuse).

A LYON, LA MAISON DES CANUTS

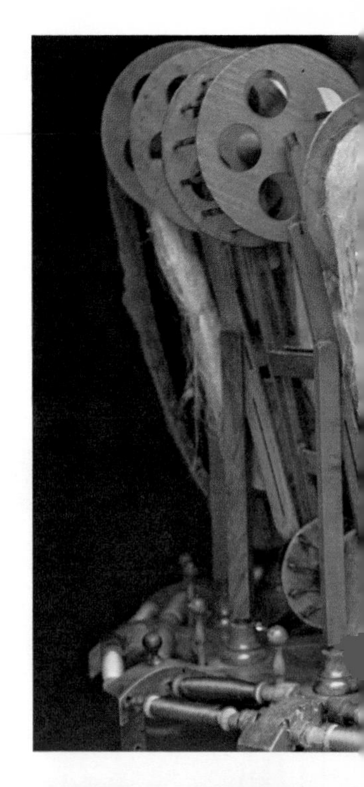

Il s'en est fallu de peu pour que, en passant par Lyon, on ne vous parle plus de la soie des canuts que comme d'un souvenir lointain. Cette tradition remonte à Louis XI, qui, en 1446, ordonna l'installation d'une soierie à Lyon. Initiés par les plus grands maîtres italiens, les soyeux lyonnais occupèrent bientôt une place prépondérante en Europe. Pour la décoration des palais et des riches demeures, ils produisirent des brocarts, des damas, des velours «au fer» ou «au sabre». En 1660, 3000 tisseurs conduisaient 10000 métiers. Sous Louis XVI, Philipe de La Salle crée un style original qu'aucun imitateur ne pourra jamais égaler. En 1805, l'invention du métier Jacquard simplifie la tâche du tisserand. En 1840, près de 60000 métiers tournent infatigablement dans Lyon et ses environs. Et puis, on entre dans l'ère industrielle. La clientèle change: il faut une production moins luxueuse, mais plus abondante. Vers 1872, le métier mécanique fait son apparition, mieux adapté à la *qualité* industrielle. Le vieux «bistanclaque», le métier à bras qui avait permis tant de chefs-d'œuvre, reçoit les premiers coups mortels. Un seul bastion résiste avec acharnement: la colline de la Croix-Rousse, où la tradition séculaire est enracinée. En 1880, il en reste encore, ici, 8600. Depuis, la mécanisation continue sa guerre d'usure. Aujourd'hui, à la Croix-Rousse, le chœur des canuts ne compte plus que quarante « bistanclaques ». Mais il ne semble pas qu'il doive arrêter sa musique d'un autre âge : une quinzaine d'ouvriers travaillent encore sur les métiers à bras.

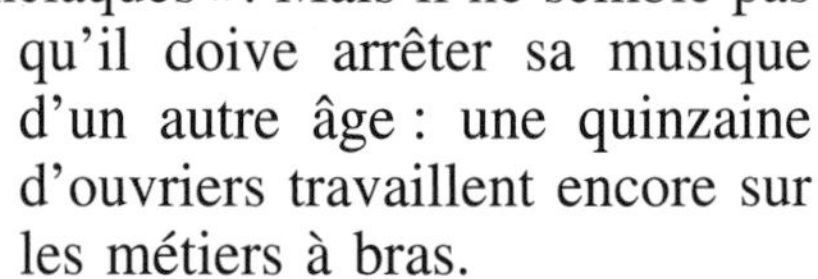

MAISON DES CANUTS, 10-12, rue d'Ivry, La Croix-Rousse, Lyon 4e. Vis. t.l.j., sauf dim. et j. f. Fermée le lundi en août.

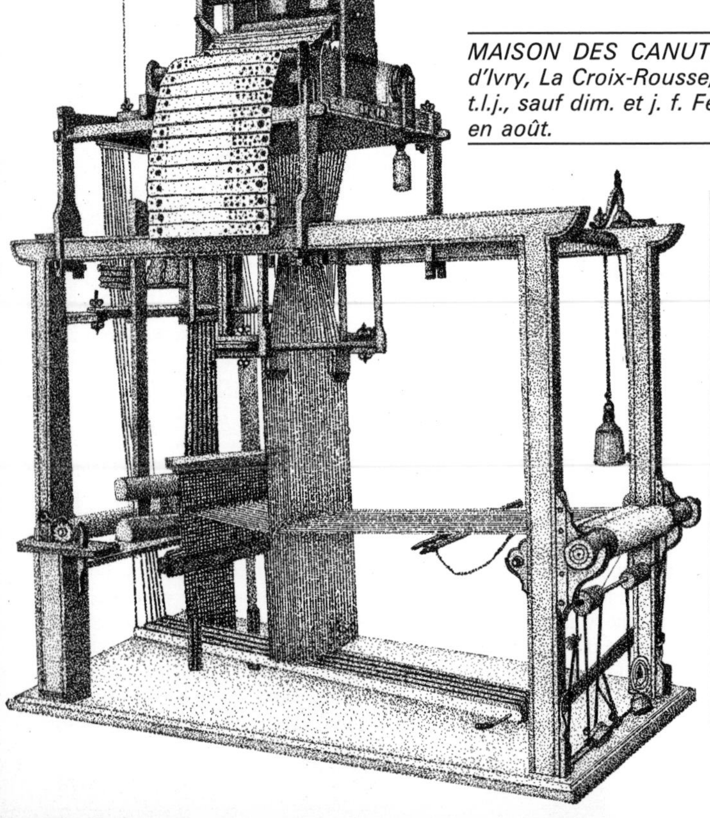

Le métier Jacquard

En 1805, le mécanicien lyonnais Joseph-Marie Jacquard apporte un progrès considérable à l'art du tissage en mettant au point la mécanique du métier qui porte son nom (voir dessin ci-contre). Ce système permet à un seul ouvrier d'exécuter des étoffes aux dessins les plus compliqués tout en assurant une grande qualité. Des feuilles perforées rendent possible une certaine automatisation des opérations (voir photo ci-dessus). Le métier à tisser mécanique, vers 1870, permit la production accélérée de tissus standard. Tous les perfectionnements ultérieurs ne visent plus que l'accélération des rendements. Aujourd'hui, différents types de métiers sans navette fonctionnent à des cadences très rapides: une seule ouvrière peut contrôler de treize à vingt-cinq métiers.

Dévidoir à pédale pour la soie (XVIIIe s.). Il sert à enrouler les flottes de soie sur des bobines.

Le « bistanclaque ». Aujourd'hui, il faut aller à la Maison des Canuts pour voir fonctionner le vieux métier à bras.

Au Musée historique des tissus, on pourra admirer cette composition de Raoul Dufy, parmi d'autres chefs-d'œuvre, européens et orientaux, dont certains datent du Moyen Age.

Aux environs de Lyon, l'« Ile Crémieu » 85 km

Gorges de l'Amby. L'Amby se fraye un passage à travers le plateau, puis la vallée s'élargit et la rivière s'assagit.

Le plateau de Crémieu mérite bien son surnom habituel d'« Ile Crémieu ». C'est en effet un petit plateau calcaire, guère éloigné de Lyon, séparé des plissements du Jura par le Rhône et cerné par celui-ci. C'est donc autant sa nature géographique, avec ses falaises et ses schistes, que le style de ses constructions — toits de lauzes, champs entourés de dalles levées — qui constituent son originalité : l'Ile Crémieu est un « pays » à part entière.

❶ **Crémieu.** On découvre la vieille ville, aux toits de lauzes, de la terrasse du château qui remonte au XIIe s. (on ne visite pas) ; visiter les halles du XVe s. (voir dessin), et l'église des Augustins (XIVe s.), dont le chevet s'appuie sur le rempart ; la flèche du clocher se dresse sur une tour octogonale fortifiée. Les anciens bâtiments du prieuré entourent un cloître très sobre du XVIIe s. (vis. guid. de la ville, groupes uniq., sur R.-V. au 74-90-45-13).

❷ **Étang de Moras.** Il est en forme de Y et long de 1 200 m ; sa largeur varie de 200 à 800 m; profond de 12 m, cet étang est situé au milieu d'une plaine basse, humide et marécageuse, qui témoigne de son extension passée.

❸ **Saint-Chef.** L'église abbatiale St-Theudère (XIIe s.) comporte une chapelle à deux étages; au second, des fresques romanes représentent, dans un bon état de conservation, la « Cour céleste », haute en couleur et riche de contrastes entre les ocres jaunes, jaune et rouge et les blancs. Dans l'absidiole contiguë à la chapelle, le visage de saint Georges se détache en relief sur les peintures murales (voir photo). Le portail flamboyant est finement ciselé, le sol pavé de mosaïque. A 1 km de Trept, le *château de Serrières* (XIV-XVe s.) présente la masse imposante de son donjon carré, à mâchicoulis (vis. sur demande).

❹ **Grottes de la Balme.** C'est l'un des plus beaux réseaux souterrains de France, l'une des « sept merveilles du Dauphiné ». Connues depuis François Ier, elles s'ouvrent par un porche de 40 m de haut, flanqué de deux chapelles superposées, dans les falaises calcaires de l'Ile Crémieu. Site d'habitat préhistorique, lieu de pèlerinage au Moyen Age, les grottes furent le théâtre du massacre de 300 hérétiques vaudois et servirent de refuge, dit-on, au célèbre Mandrin, au XVIIIe s. On

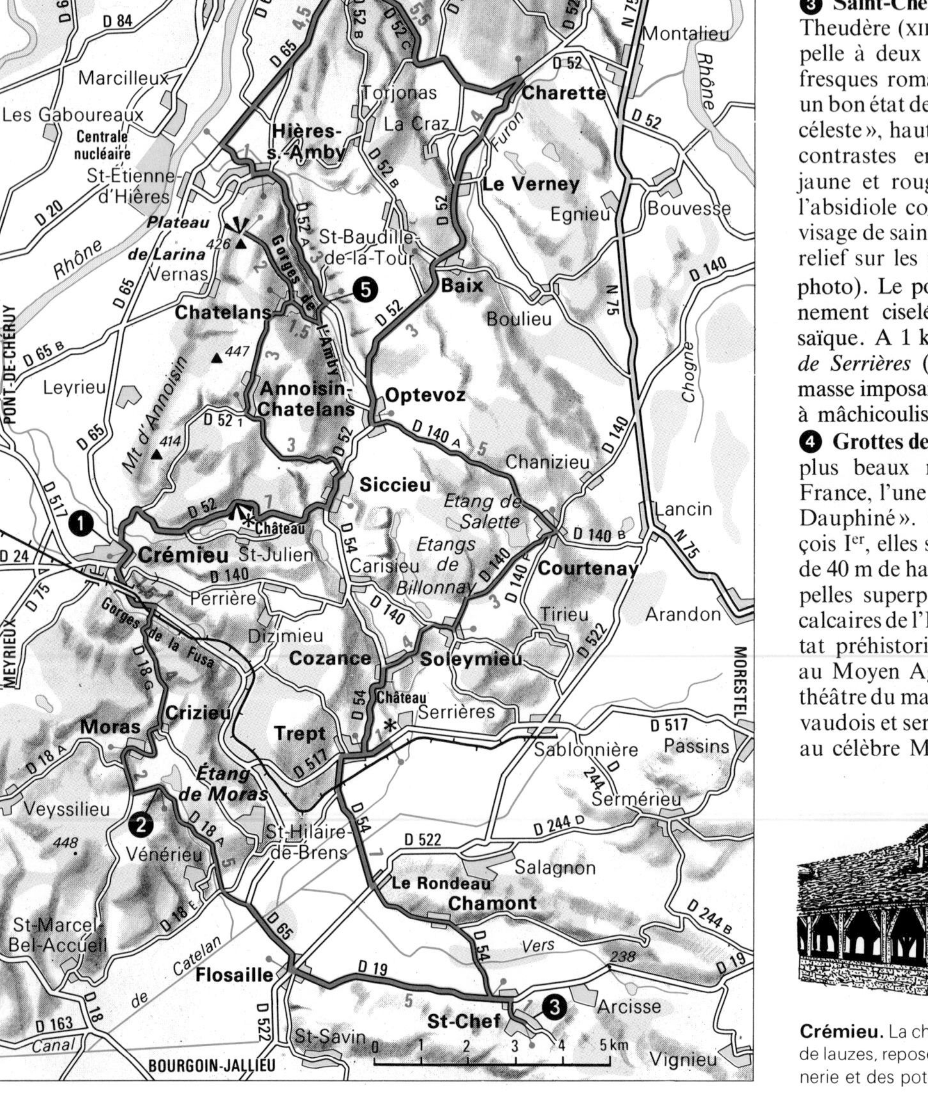

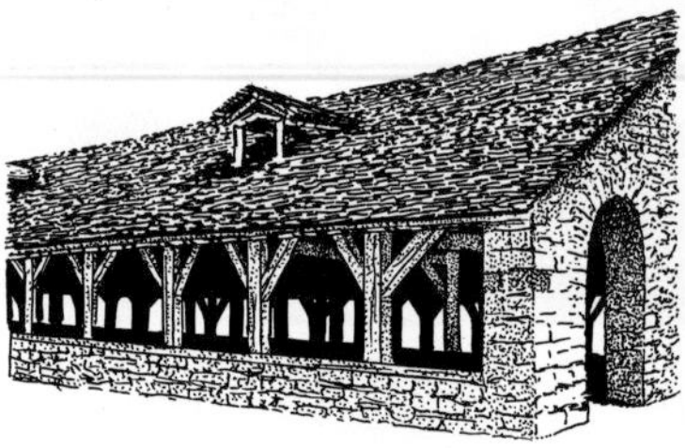

Crémieu. La charpente des halles, couverte de lauzes, repose sur des pignons en maçonnerie et des poteaux en bois.

Saint-Chef. Détail d'une fresque de l'abbatiale St-Theudère. Remarquer l'influence byzantine dans cette œuvre romane.

visite plusieurs salles ; le lac, long de 180 m, a 8 m de large (avr.-sept. : t.l.j. ; mars et oct. : sam., dim. et j. fér. ; févr., nov.-15 déc. : dim. et j. fér. Fermé 15 déc.-31 janv.).

❺ **Gorges de l'Amby.** Dès la sortie d'Hières, prendre la route qui suit les gorges de l'Amby (voir photo), puis franchir la rivière à droite vers Chatelans : un chemin carrier, à partir du bourg, mène au plateau de Larina (426 m d'altitude) où les Romains avaient installé un camp retranché. Près de la statue de la Vierge, belle vue sur le Rhône, la plaine de l'Ain, les monts du Lyonnais, du Beaujolais et le S. du Jura (Bugey) ; en contrebas, sur le village d'Hières, et, plein E., sur les Alpes. En redescendant, remarquer la carrière de lauzes, dont les dalles servent à couvrir les maisons de toute la région.

182

Saint-Galmier et les monts du Lyonnais 36 km

Voici un territoire, drainé par le réseau hydrographique de la Coise, qui s'individualise sur trois côtés comme un promontoire nettement enlevé au-dessus de la plaine du Forez, de la vallée de la Brévenne et de la dépression houillère stéphanoise. La bordure forme les balcons foréziens. Mais les reliefs ont une grande complexité géomorphologique, à laquelle s'ajoutent les particularités dues au peuplement et à l'économie.

❶ **Saint-Galmier** tire sa renommée d'une eau minérale dont la source ou « font fort », connue dès l'époque gallo-romaine (IIe-IIIe s. apr. J.-C.), a été localisée, vers 1850, sur la ligne de faille où le massif granitique primaire du Forez lyonnais est en contact avec les assises sédimentaires sableuses et argileuses rapportées au tertiaire, remplissant le fossé d'effondrement du Forez. Du coteau, on découvre toute la moitié méridionale de la plaine et des monts du Forez, occupée par l'urbanisation. En revanche, aux alentours, on peut faire d'agréables promenades dans de belles forêts de feuillus où subsistent quelques grands chênes.

❷ **Aveizieux.** A partir de Saint-Médard-en-Forez, les routes et les sentiers parcourent un pays au relief de collines très atténué. On trouve, aux abords d'Aveizieux, dans sa quasi-plénitude cette topographie en ronde bosse typique d'une géomorphologie de pénéplaine, produit de l'érosion. Le feutrage du modelé des pentes et la couleur brun rougeâtre des sols agricoles s'expliquent par la présence d'une épaisse couche de « gore », formation superficielle qui, entre la roche saine cristalline et la terre végétale, est due à la décomposition chimique du granit à biotite. Cette couche de gore peut atteindre plusieurs mètres d'épaisseur, altérant les conditions d'imperméabilité initiale du granit. La prairie est coupée par des boqueteaux de pins sylvestres.

❸ **Saint-Héand.** Du bourg partent de nombreux sentiers balisés. Le granit est progressivement relayé par des gneiss et des micaschistes, et l'érosion façonne un « pays coupé » surtout aux approches de la dépression de Saint-Étienne. Les landes à genêts atteignent localement une extension exceptionnelle. Çà et là, de petites plantations de pêchers et de cerisiers rappellent que nous sommes en adret.

❹ **Chambœuf.** Le contact entre les monts du Lyonnais et la plaine du Forez apparaît plus atténué. Il semble se résoudre par un glacis rocheux, puis alluvial, à peine incisé par le ru du Volvon, affluent de la Coise.

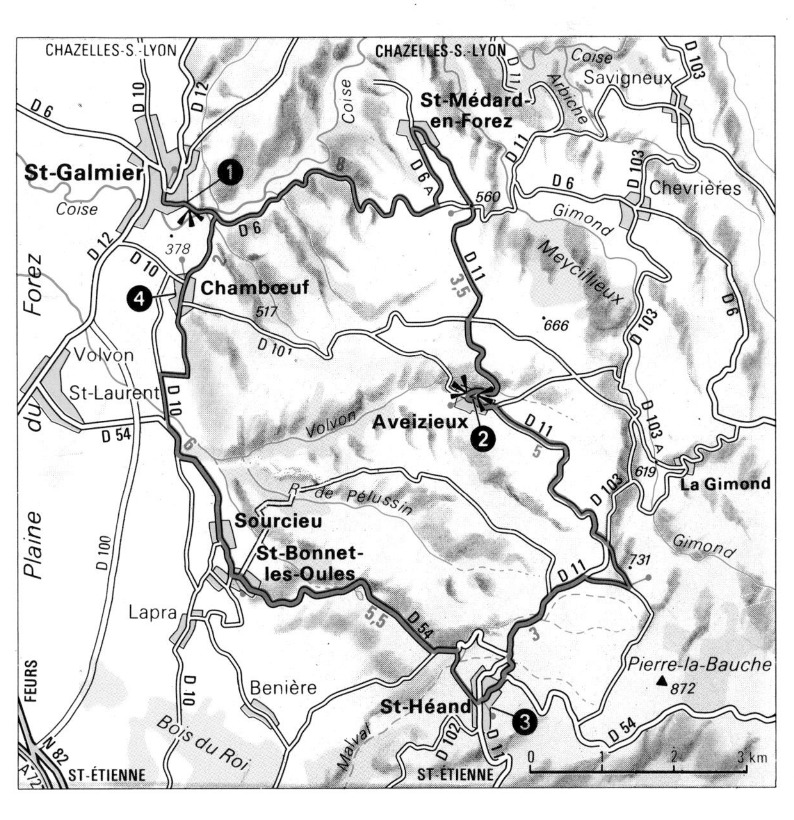

Promenade dans le massif du Pilat 75 km

Le sud-ouest du massif du Pilat — ce dernier aménagé en parc naturel régional — juxtapose de vigoureux contrastes. On y reconnaît une puissante escarpe découpée par de nombreuses vallées et gorges étroites, qui lui donnent une grandeur sauvage. Située au pied d'une masse de hauts plateaux d'allure beaucoup plus calme, cette escarpe domine l'étroite dépression houillère où se loge l'agglomération de Saint-Étienne. C'est dire l'opposition du relief, accompagnée d'autres modulations dans les microclimats, les associations végétales, l'occupation humaine.

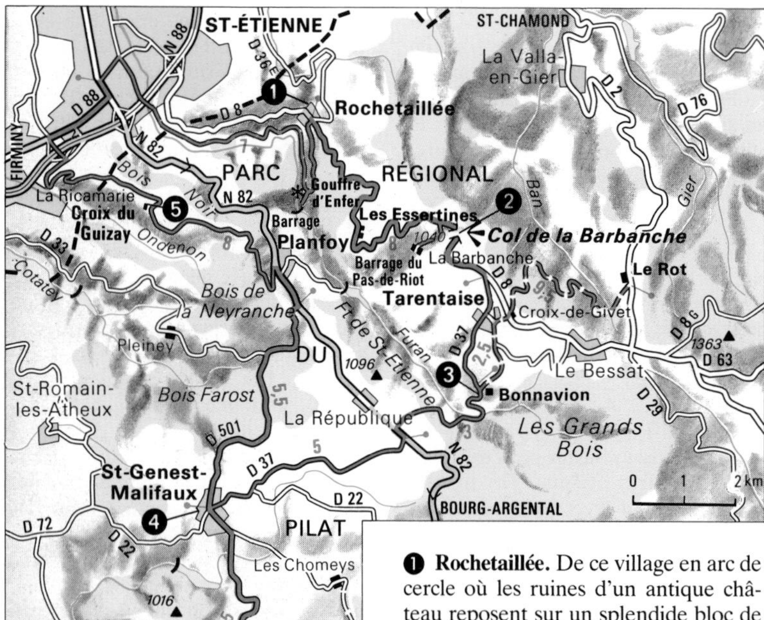

❶ **Rochetaillée.** De ce village en arc de cercle où les ruines d'un antique château reposent sur un splendide bloc de quartz et des filons de mylonite, la vue plonge sur la haute vallée du Furan. La rivière, tombant de 500 m en quelques kilomètres, scie une masse rocheuse où d'aval en amont se reconnaissent sur de larges parois de sol minéral les micaschistes, les gneiss, le granit hétérogène ; cet ensemble présente un intérêt minéralogique exceptionnel. Deux barrages, celui du Gouffre d'Enfer et du Pas-de-Riot, construits entre 1860 et 1880 pour des raisons de sécurité autant que pour assurer l'alimentation en eau de l'agglomération de Saint-Étienne, sont accompagnés de nombreux biefs réalisés pour animer les artifices, martinets et moulins, des taillandiers. Près du barrage du Gouffre d'Enfer, promontoire d'où l'on a une vue remarquable, au N., sur le village de Rochetaillée ; au S., sur le plan d'eau du Gouffre d'Enfer et la forêt communale de Saint-Étienne.

❷ **Col de La Barbanche.** Il marque un point de la ligne sinueuse du partage des eaux entre l'Atlantique et la Méditerranée. A 1 000 m d'altitude, c'est un endroit fréquenté par les ornithologues — pour le baguage des oiseaux — mais aussi par les chasseurs ; le col est en effet un lieu de passage privilégié des oiseaux migrateurs.

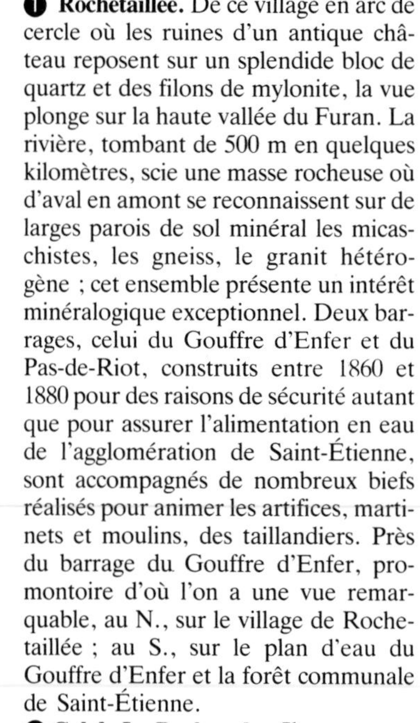

Orchis maculata. Cette orchidée doit son nom à ses fleurs tachetées de rouge et à ses feuilles vert foncé couvertes de points noirs.

❸ **Bonnavion.** Au-delà du village montagnard de Tarentaise, au lieu-dit Bonnavion, le site présente un grand intérêt en raison des captages des sources du Furan selon la technique des fontainiers du XIXe s. ; du point de vue botanique, le Géant de Tarentaise, haut sapin de 42 m, témoigne, par ses quelque cent quarante ans, des conditions écologiques optimales pour le sapin pectiné, et la forêt est une magnifique futaie jardinée avec un sous-bois continu d'airelliers qui abrite un grand nombre de chevreuils, produits de repeuplements. A partir de Pont-Douvignet, en empruntant un des sentiers de découverte nature du parc régional, on peut se rendre à proximité de la tourbière de Praveilles afin d'y observer la flore caractéristique de ce milieu, et notamment la drosera.

De nombreuses promenades sont possibles dans le parc naturel régional du Pilat (pour tout renseignement, s'adres. à la maison du Parc, tél. : 74-87-52-00).

❹ **Saint-Genest-Malifaux.** Sur les hauts plateaux, des vasques naturelles aménagées sous forme de petits étangs toujours alevinés se découvrent au hasard des sentiers pédestres balisés à partir et autour de ce gros bourg. Par l'un d'eux, celui du mont Chaussître (voir photo) qui culmine à 1 240 m, on accède à la Pierre Saint-Martin (1 220 m), ancienne pierre de sacrifice flanquée d'une croix en fer forgé. Hormis ce site naturel aux surprenantes associations végétales, les routes et les chemins sillonnent un paysage à la topographie de pénéplaine arasant un puissant batholite de granit à biotite que l'on peut reconnaître facilement à chaque pas. Des clairières cultivées alternent avec de larges lambeaux de sapinières.

❺ **Croix du Guizay.** Vers le N., au pied de la Croix du Guizay, tout dévale vers la dépression houillère, orientée S.-O.-N.-E. en relation avec la puissante faille du Pilat, génératrice de l'escarpe. On découvre, au S.-O., la vallée de l'Ondenon, au centre N., la cuvette de Furan, site de Saint-Étienne, et, au N.-E., la vallée du Gier. Partout ce ne sont que collines, pentes et creux, liés à l'érosion sélective dans les terrains rapportés au primaire supérieur. La brèche de base et le grès tiennent le rôle de roches dures, alors que les schistes intermédiaires sont tendres. C'est dans ces schistes que se trouvent les « terrains du Houiller ». Découvert à l'aube du XIVe s., le charbon est devenu vers 1820 l'un des moteurs de l'industrialisation dans cette dépression fortement urbanisée que jouxte le monde rural et agreste du massif du Pilat.

Mont Chaussître. A la base du mont se développe une genêtière (lande plantée de genêts) ; son sommet est recouvert de bruyères et de nards piquants et odorants.

Autour du mont Gerbier-de-Jonc

130 km

Beau circuit pour la belle saison où la quasi-absence de monuments remarquables est largement compensée par une pléiade de sites naturels. Les paysages, d'une extrême variété, sont avant tout l'œuvre de l'érosion, qui a façonné les massifs primaires et buriné de longue date les coulées de basalte. Ce sont donc l'eau et la lave qui ponctuent l'itinéraire : sources minérales à Vals et source de la Loire, torrents, cascades et lacs ; sucs et orgues, où s'accrochent d'aimables bourgades.

❶ **Vals-les-Bains,** surnommée « la ville aux cent sources », serrée au fond de l'étroite vallée de la Volane, s'est développée en longueur, de part et d'autre du torrent. La plupart des cent cinquante sources de cette station thermale sont froides et offrent un grand éventail de minéralisation. Les eaux les plus minéralisées sont bicarbonatées sodiques et sont indiquées pour le traitement du diabète et des maladies de la nutrition. Le plus souvent, les eaux de Vals sont utilisées comme boisson ayant une action stimulante sur le foie et sédative sur l'estomac.

Près du casino, dans un très beau parc planté de séquoias géants, jaillit toutes les six heures d'une vasque de basalte, à 8 m de haut, la Source intermittente.

Une promenade au *rocher des Combes* (4 km AR et 15 mn à pied) permet, à 478 m d'altitude, de repérer, grâce à une table d'orientation, la trouée de l'Ardèche, Aubenas et le plateau des Coirons, entre autres.

❷ **Antraigues.** Édifié sur un suc, ou dyke, plateau de basalte limité par de véritables murailles de lave, au confluent du Mas, de la Bise et de la Volane, le village, cerné par une abondante végétation, surplombe les ravins des trois torrents.

La Volane, à la *cascade de l'Espissart,* face au pont de l'Huile, tombe d'une hauteur de 7 m, à partir d'une étrange banquette de basalte.

❸ **Mézilhac.** Ce petit village, à 1 130 m d'altitude, occupe un col sur la ligne de partage des eaux entre les bassins de l'Ardèche au S. et de l'Eyrieux au N. Du haut d'un piton basaltique que surmonte une croix, on découvre un très large panorama sur les sommets des Alpes, les Boutières, les Cévennes du mont Mézenc et la trouée de la Volane.

❹ **Cascade du Ray-Pic.** Le site est visible dans son ensemble à partir d'un virage de la route. Poursuivre ensuite jusqu'à un parking (15 mn), d'où part un sentier; on n'aperçoit les cascades formées par la Bourges qu'au dernier moment, dans un site reculé et fermé de toutes parts, extrêmement sauvage. La rivière s'écrase sur des orgues basaltiques,

Rouet. Supplanté par les techniques industrielles, il connaît un certain regain à la faveur du renouveau de l'artisanat.

aux teintes sombres et à l'aspect sévère, en deux chutes : celle de gauche jaillit d'une brèche dominée par un piton, tandis que celle de droite, moins abondante, tombe d'un seul élan de 35 m (voir photo).

❺ **Mont Gerbier-de-Jonc** (1 551 m). Voir photo. C'est un suc phonolithique dont le nom signifie « montagne de rochers ». A sa base S.-O., parmi les genêts, de minces ruisseaux sont les sources de la Loire. On accède au sommet (45 mn AR) en grimpant à pied derrière le chalet, pour jouir d'un ample panorama sur le bassin de l'Eyrieux, les plateaux de la Loire et le vaste cortège des sucs volcaniques. Par temps clair, on peut apercevoir la chaîne des Alpes.

❻ **Lac d'Issarlès.** L'itinéraire, après le Béage, suit la vallée de la Veyradeyre. Le lac d'Issarlès, perché à 100 m au-dessus de cette rivière et de la Loire, occupe un cratère de volcan ovale. Profondément encaissé dans les granits et les gneiss, il est intégré au système d'alimentation de l'usine hydro-électrique souterraine de Montpezat, grâce à une canalisation d'amenée des eaux de 17 km.

❼ **Lac Ferrand.** Minuscule et profond, il domine la route d'une centaine de mètres entre le suc de Bauzon (1 471 m), à la coupe ondoyante largement égueulée, et le sévère suc du Pal (1 402 m), vaste cratère d'explosion de près de 2 km de diamètre. Le lac Ferrand est dû à la détente des gaz dans des terrains granitiques recouverts de

Mont Gerbier-de-Jonc. Produit par plusieurs éruptions successives de lave pâteuse, le mont se délite en plaques et en éboulis parfois instables.

projections basaltiques. Du lac, la route descend en corniche au-dessus de la profonde entaille de la Fontolière. Les coulées basaltiques émises par le grand volcan de Montpezat ont barré le cours de ce torrent, mais ses eaux ont affouillé les masses de basalte et dégagé des falaises et des colonnades prismatiques, jusqu'à

Cascade du Ray-Pic. La cascade de droite est parfois à sec en été. L'eau des chutes s'écoule ensuite par une gorge inaccessible.

retrouver le soubassement cristallin primitif, visible sous le pont.

8 Montpezat-sous-Bauzon. Étape sur la voie de Gergovie, la ville s'étale sur une coulée basaltique formant terrasse au-dessus du lit de la Pourseille, née au pied du suc du Pal. Du promontoire, occupé par les ruines du château de Pourcheyrolles (on ne visite pas), le torrent se précipite en cascade dans la Fontolière ; on accède à la cascade et à la chaussée des Géants par la route du château, après le pont sur la Fontolière, en quittant Montpezat. Dans la ville, l'étroite rue principale est bordée de vieilles maisons de granit, avec leurs porches bas dans des façades parfois bombées. L'église N.-D.-de-Provenchères (XIIe s.), joyau de l'art roman, a été fort bien restaurée ; tout y est simple et élégant : porche coiffé d'un clocher à peigne, voûte des nefs retombant sur des chapiteaux sculptés, chevet à absides et absidioles octogonales, couverture de lauzes patinées. De la route de Vals-les-Bains, on aperçoit avant Pont-de-Labeaume, à gauche, les ruines du château de Ventadour et, à Lalevade, un bel ensemble d'orgues basaltiques.

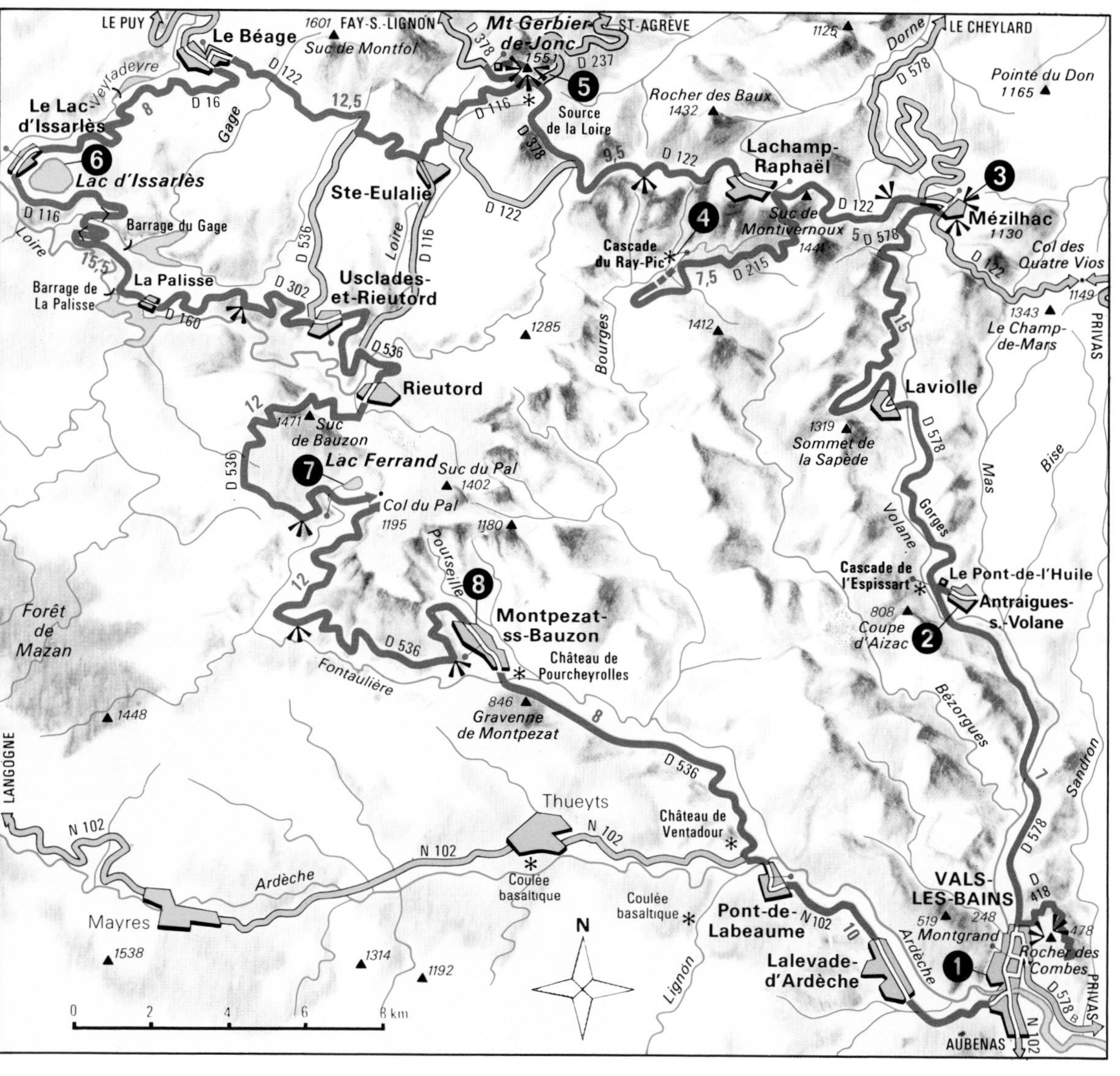

185

Reliefs volcaniques 57 km près du Mézenc

La route du pied du Mézenc mène au paysage classique du haut Vivarais. Puis l'itinéraire suit l'extrême bordure orientale du plateau, à 1200-1300 m ; les rivières s'encaissent en gorges profondes, parallèles, isolant des échines, les « serres ». Descendant du bastion des Boutières par la vallée de l'Azette, on découvre tous les étages de végétation entre la montagne encore atlantique et les dépressions déjà subméditerranéennes.

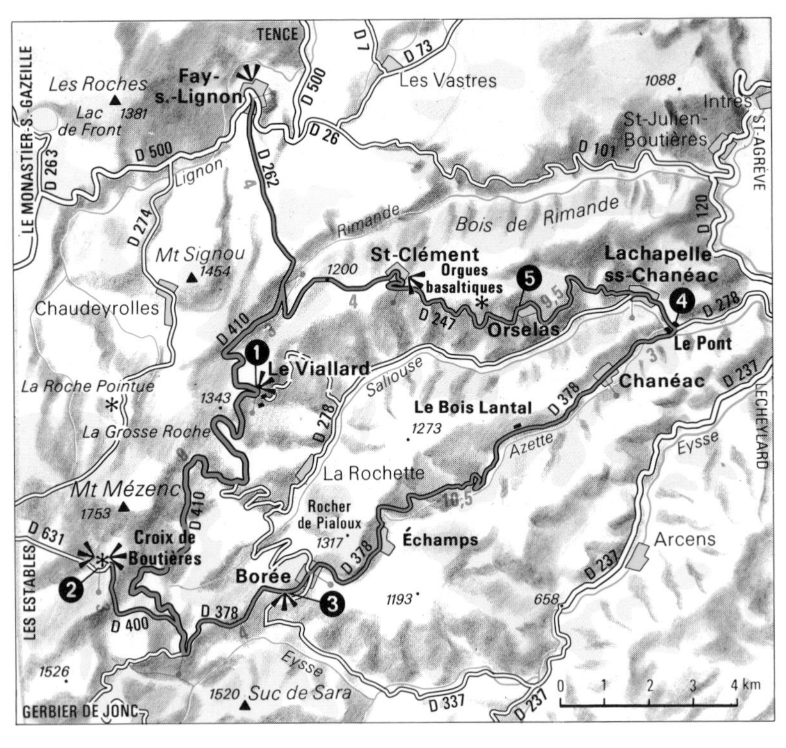

❶ **Le Viallard.** A partir de Fay-sur-Lignon, on traverse de hautes surfaces dénudées encore densément occupées, le plateau ardéchois. La route est bien entretenue : chaque été, on répare les dégâts du gel et les éventuels glissements de terrain. S'arrêter au rocher près du virage très brusque qui domine le hameau du Viallard. Les arbres, hêtres et sorbiers (voir dessin), réapparaissent à la faveur de l'échancrure. Les maisons longues et basses sont en pierre et ont leurs toits de lauzes recouverts de lichens roux. Les champs en terrasse sont à l'abandon et laissent la place aux landes et aux reboisements en pins et épicéas. Vers le S.-E., on aperçoit, derrière les sucs phonolithiques de la Roche Pointue et de la Grosse Roche, le sommet tabulaire du Mézenc (1 750 m), dont les flancs sont couverts à mi-pente par la forêt (du sommet, immense panorama jusqu'aux Alpes).

❷ **Croix de Boutières.** La route monte dans les landes et les pâtures. On y cueille les airelles, le romarin, l'arnica, les œillets de poète et les chardons. De la croix de Boutières, sur la ligne de partage des eaux entre la Loire et le Rhône, on a un vaste panorama sur le haut Vivarais à l'E. et le plateau volcanique à l'O.

❸ **Borée.** A la sortie du village, dans la forêt de sapins et de hêtres, la route recoupe les affleurements de basalte et de cendres et les coulées de pierres liées au climat périglaciaire. Le belvédère de la Madone domine les sucs volcaniques du S., parmi lesquels se distingue le mont Gerbier-de-Jonc.

❹ **Le Pont.** A partir d'Échamps, on descend, sur la rive gauche de l'Azette, en pente rapide. Le pays prend vite une teinte méridionale. Après la châtaigneraie, vers 800 m, l'étroite plaine du torrent, avec les prairies plantées de peupliers et de noyers, est une coulée de verdure entre les grands versants abandonnés à la lande et à quelques bouquets d'arbres. Bientôt, après les deux anciennes stations d'embouteillage d'eau minérale du Bois Lantal, apparaissent les premiers pêchers et les vignes hautes étagées entre les murettes de pierres.

❺ **Orselas.** En remontant la Saliouse, on trouve après Orselas un vaste champ de prismes basaltiques impressionnants (voir photo). Plus loin, à Saint-Clément, on retrouve les bourgs montagnards et les vastes horizons battus par le vent.

Sorbier des oiseleurs, ou *Sorbus aucuparia*, est un arbre aux baies rouge-orangé dont les oiseaux sont très friands. ▼

◀ **Orgues basaltiques,** près de Saint-Clément. Le basalte s'est épanché en coulées sur les flancs du Mézenc. Sous l'effet d'un brusque refroidissement, la lave s'est fixée sous la forme de prismes.

Tournon et les coteaux du Vivarais — 80 km

Curieux circuit qui fait découvrir, en une même région, deux paysages que rien ne semblait permettre d'associer : d'une part, la somptueuse et triomphante vallée du Rhône, d'autre part, le plateau vivarais, tout de discrétion. De rive droite en rive gauche, pourtant, un trait commun : le fleuve vers lequel convergent, à l'ouest, les pentes du Vivarais et, à l'est, les versants que couvrent les vignobles des côtes du Rhône.

❶ **Tournon.** On a une excellente vue l'ensemble de la ville, de la vallée du Rhône et, plus loin, du Vercors, à partir des terrasses du château (XVe et XVIe s.) qui abrite le Musée rhodanien, consacré à l'art et à l'histoire de Tournon (vis. t.l.j., de juin à août. Pour les groupes, vis. guid. du château en avr.-mai et sept.-oct. t.l. apr.-m. sauf mardi. Tél. : 75-08-10-30). On entre dans le lycée par un portail Renaissance ; la chapelle (voir photo) abrite un retable du XVIIIe s.

❷ **Cuves de Duzon.** On suit le Doux (voir photo) en laissant sur la droite le Grand Pont, dont l'arche unique a une portée de 50 m, pour remonter les gorges sauvages piquetées de chênes verts. A 2 km, le pont de Duzon surplombe le torrent de 50 m ; sur la gauche, un sentier de 2 km suit la rivière et mène aux Cuves de Duzon, marmites de géants (creux provoqués dans une roche dure par le mouvement tourbillonnaire des eaux), où la rivière se précipite.

❸ **Notre-Dame d'Ay.** Après Satillieu, l'itinéraire rejoint la vallée de l'Ay, dont le cours, après s'être tracé un sillon profond, s'assagit un peu. A Prapérier, une route à droite mène au sanctuaire médiéval de Notre-Dame d'Ay (vis. t.l.j.) et aux terrasses de l'ancien château d'où l'on peut admirer un beau point de vue sur le ravin de l'Ay.

❹ **Tour d'Oriol.** Perchée sur un éperon, c'est une ruine d'où l'on a de nouveau une vue intéressante sur les gorges de l'Ay (vis. libre).

❺ **Saint-Vallier.** Le château ne se visite pas, mais on peut observer les deux corps de logis ajoutés au XVIe s. à certaines parties du XIIIe s. ; les douves ont été comblées et remplacées par une orangerie et des jardins à la française. A partir de la route, ne pas manquer une belle échappée sur le défilé de Saint-Vallier, dont les versants sont cultivés en terrasse. Les méandres du Rhône sont ici semés d'îles et bordés de rideaux de peupliers.

❻ **Serves-sur-Rhône.** La route suit, parfois en corniche, le Rhône sur sa rive gauche, tandis que les coteaux de la rive droite serrent le fleuve de près. Vestiges de châteaux et de tours de guet ponctuent la rive jusqu'à Serves-sur-Rhône. En face, on aperçoit la tour d'Arras-sur-Rhône. Ce décor, qui rappelle le rôle stratégique du défilé et de la vallée au cours de l'histoire, est complété par les parcelles des vignobles, dont les plus célèbres crus sont ceux de Crozes-Hermitage et de l'Hermitage, rouges et blancs, qui produisent des vins des côtes du Rhône qui ont fait la renommée de Tain-l'Hermitage.

Vallée du Doux. La route qui conduit aux gorges et aux Cuves de Duzon côtoye, pendant quelque temps, à la fois les méandres de la rivière et le petit chemin de fer touristique du Vivarais.

Tournon. Dans l'enceinte du lycée (s'adresser au gardien), on peut visiter la chapelle, dont la façade est de style jésuite.

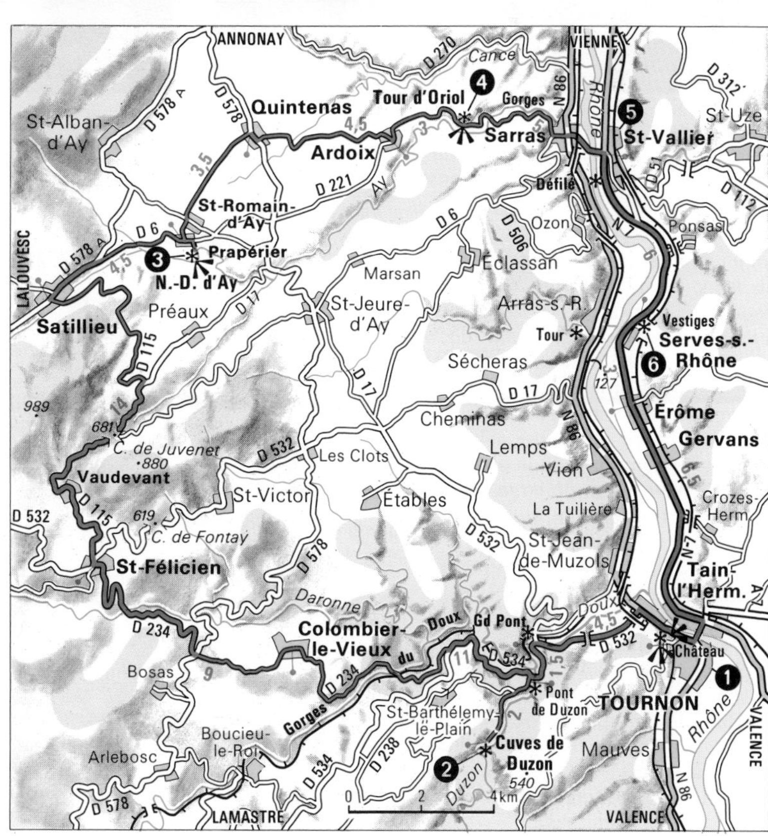

Au pied du Vercors, 108 km le plateau de Chambaran

Aux confins du bas Dauphiné et du Vercors, le plateau de Chambaran, au climat rigoureux, n'est guère engageant qu'au détour des vallons qui s'y creusent ici et là. Et ici, à Saint-Antoine, c'est une abbaye aux tons chauds comme l'est l'été en ce pays ; et là, à Hauterives, l'extravagant « palais idéal » du facteur Cheval. Le hasard seul a-t-il fait se rencontrer là le gothique flamboyant de l'abbaye et le baroque du « Palais » ?

❶ **Saint-Marcellin** doit sa réputation au saint-marcellin, fromage à base de lait de chèvre ou d'un mélange de laits de chèvre et de vache, à pâte molle et à croûte moisie. C'est aussi le pays des noix. Ruines de remparts et d'un château fort. C'est un agréable centre de villégiature et de loisirs.

❷ **Saint-Antoine.** L'abbaye gothique, en haut du bourg, conserve des reliques qui seraient celles de saint Antoine, rapportées de Constantinople au XIe s. L'ensemble des bâtiments, couvent et hôpital, a été édifié entre les XVe et XVIIe s. La façade de la porterie (voir photo), que domine une belle toiture, s'orne de trois portails : celui du centre a gardé ses vantaux de bois. L'intérieur de l'église abbatiale (XIIIe-XVe s.) mesure 62 m de long, 22 m de haut, 36 m de large ; la nef est à huit travées. On admirera les tapisseries d'Aubusson (XVIIe s.) et les stalles du chœur, les fresques du XVe s. dans une chapelle au N., et un Christ en ivoire (XVIe s.) dans la sacristie (t.l.j., sauf pendant les offices et par grand froid. Vis. guid. des sacristies et du trésor en été, l'apr.-m. sauf mardi. Groupes sur R.-V.).

Crépol est agrémenté d'un château d'époque Louis XIII, à l'exception toutefois de la toiture, qui a été restaurée (on ne visite pas).

❸ **Hauterives.** A la fin du siècle dernier, le facteur du lieu, Ferdinand Cheval, entreprit de construire dans son jardin une sorte de monument avec les pierres qu'il ramassait tout en effectuant ses tournées. En trente-trois ans, il édifia ainsi le « Palais idéal » (voir photo), mêlant exotisme oriental et genre moyenâgeux : çà et là, le facteur a gravé des sentences de son cru (vis. t.l.j., sauf Noël et 1er janvier). Cheval construisit ensuite son tombeau dans le cimetière du village.

❹ **Marnans.** L'église romane St-Pierre (XIIe s.), d'harmonieuses proportions, est blottie dans un vallon. La nef aux murs verdis est voûtée en berceau brisé et éclairée, au-dessus de l'abside, par une baie en croix.

Château de Bressieux (XIVe s.). Ce n'est plus qu'une ruine, encore imposante, envahie par la verdure. Il n'en subsiste que le donjon et deux tours encadrant une belle porte d'entrée. De la butte, belle vue sur le village de Bressieux, les Alpes et les Cévennes.

❺ **Forêt de Chambaran.** Elle occupe 32 km^2 du plateau ; très isolée, elle offre une grande variété d'espèces : chêne-rouvre, charme, hêtre, châtaignier, sapin, pin, épicéa. La convergence des eaux des étangs donne naissance, vers Roybon, à la Galaure. Du carrefour des Croisettes à celui de l'Étoile, une route sinueuse permet d'observer les différents aspects du massif forestier.

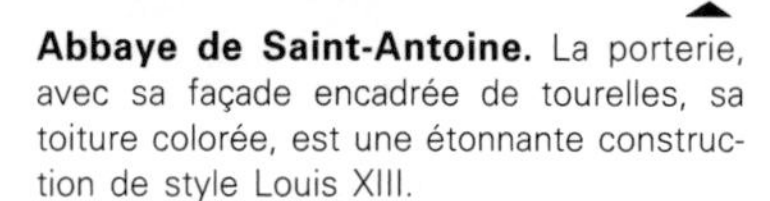

Abbaye de Saint-Antoine. La porterie, avec sa façade encadrée de tourelles, sa toiture colorée, est une étonnante construction de style Louis XIII.

Hauterives. Le Palais idéal est décoré d'une profusion de sculptures étranges : animaux, végétaux et figures féminines.

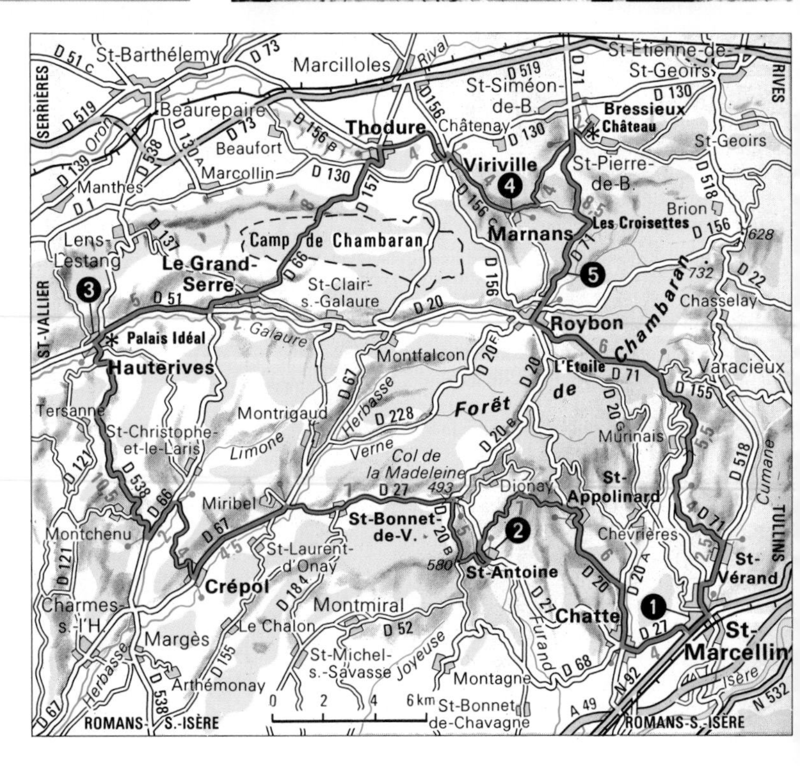

Montélimar et le Coiron 88 km

Sur la rive gauche du Rhône, annonçant déjà le Midi, Montélimar est une grande et belle ville que l'axe autoroutier Nord-Sud fait trop souvent, et injustement, négliger. Par contraste, de l'autre côté du fleuve dompté par l'homme, le plateau du Coiron, formé par une coulée volcanique, sépare le haut et le bas Vivarais : le basalte, dur et noir, a violemment marqué l'ambiance des paysages et l'aspect des constructions.

❶ **Montélimar** a conservé du château féodal (XIe-XVe s.) des Adhémar une enceinte contenant le logis seigneurial, la chapelle St-Pierre, dite Ste-Guitte, un donjon relié à la tour de Narbonne par un mur où s'élève une tour à pont-levis (vis. t.l.j., en juil. et en août). L'importance de l'industrie du nougat est due à la culture des amandiers et au miel produit dans la région.

❷ **Mélas.** L'église romane (XIIe s.) est séparée du baptistère, dont la voûte est supportée par quatre grands arcs; entre les colonnes ont été ménagées huit absides.

❸ **Grottes de Montbrun.** Par une petite route, on monte aux grottes, ou balmes, auxquelles on accède à pied. Les parois abruptes de lave poreuse ont été creusées et aménagées par l'homme et les cavités ont servi autrefois d'habitations troglodytiques. Les coulées de lave, dégagées par l'érosion, dominent le bas Vivarais. La route traverse ensuite la planèze (plateau incliné) où se dressent des dykes aux murailles abruptes et des necks, anciennes cheminées volcaniques, comme celui qui supporte le château de Rochemaure.

❹ **Rochemaure.** Le village féodal et les ruines du château composent un site fortement contrasté que souligne la couleur sombre des basaltes de cette extrême avancée du plateau du Coiron (voir photo) au-dessus de la vallée du Rhône. La forteresse (XIIIe-XVIe s.) a été abandonnée au XVIIIe s. De l'esplanade, large panorama sur la plaine de Montélimar et le défilé de Donzère.

Le *pic Chenavari* (507 m), à environ 3 km du château de Rochemaure, domine le village construit au pied des dykes volcaniques. L'érosion, dans ces basaltes très durs qu'on utilisait en particulier pour le pavage des rues, a mis en valeur des colonnes de prismes très réguliers, les pavés de Géants. En redescendant, après le hameau des Videaux, belle vue sur le château. S'arrêter à la chapelle St-Laurent, dont le clocher blond et les tuiles roses contrastent vivement avec la couleur du basalte.

Le Coiron, au N.-O de Rochemaure. Les coulées de lave descendues des volcans d'Auvergne ont été mises en valeur par l'érosion des roches sédimentaires environnantes.

Château de Puygiron. La porte de la tour, située dans la cour intérieure.

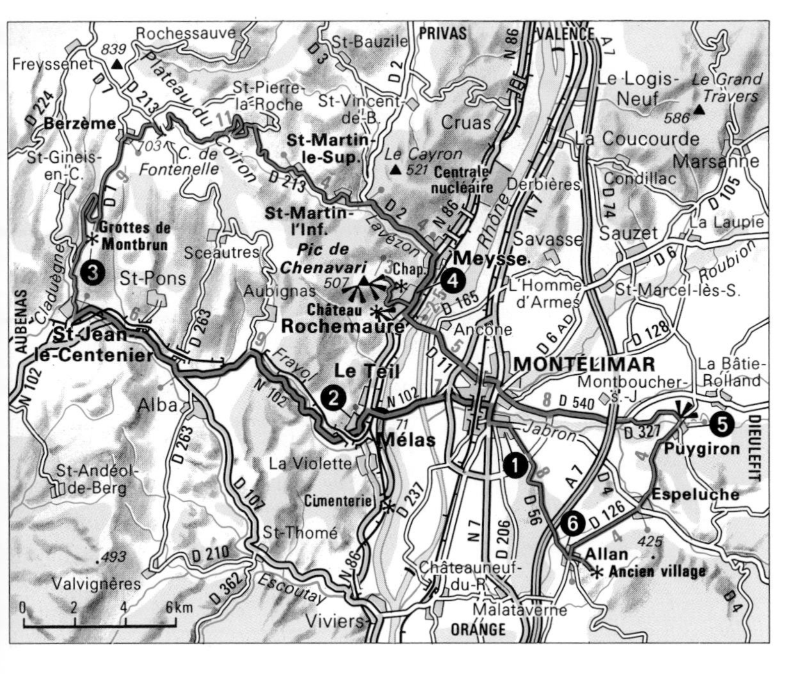

❺ **Puygiron.** Du village, vue étendue sur les sommets des Trois Becs au N.-E., la forêt de Marsanne au N. et le plateau du Coiron à l'O. Ancienne place forte (XIIe s.) transformée en demeure de plaisance, le château possède une ravissante cour intérieure, agrémentée d'une tour d'angle dont la porte s'ouvre sur un escalier à vis. A l'intérieur, salle du XIIe s. avec sa cheminée de pierre monumentale.

❻ **Allan.** Outre l'ancien village abandonné, on admirera la chapelle Barbara, avec sa coupole sur trompes (le carré est transformé en octogone); partiellement en ruine, c'était une dépendance de l'abbaye de l'Ile Barbe.

NORD

Bergues, ancienne place forte, témoigne de l'importance stratégique de la Flandre dans le passé.

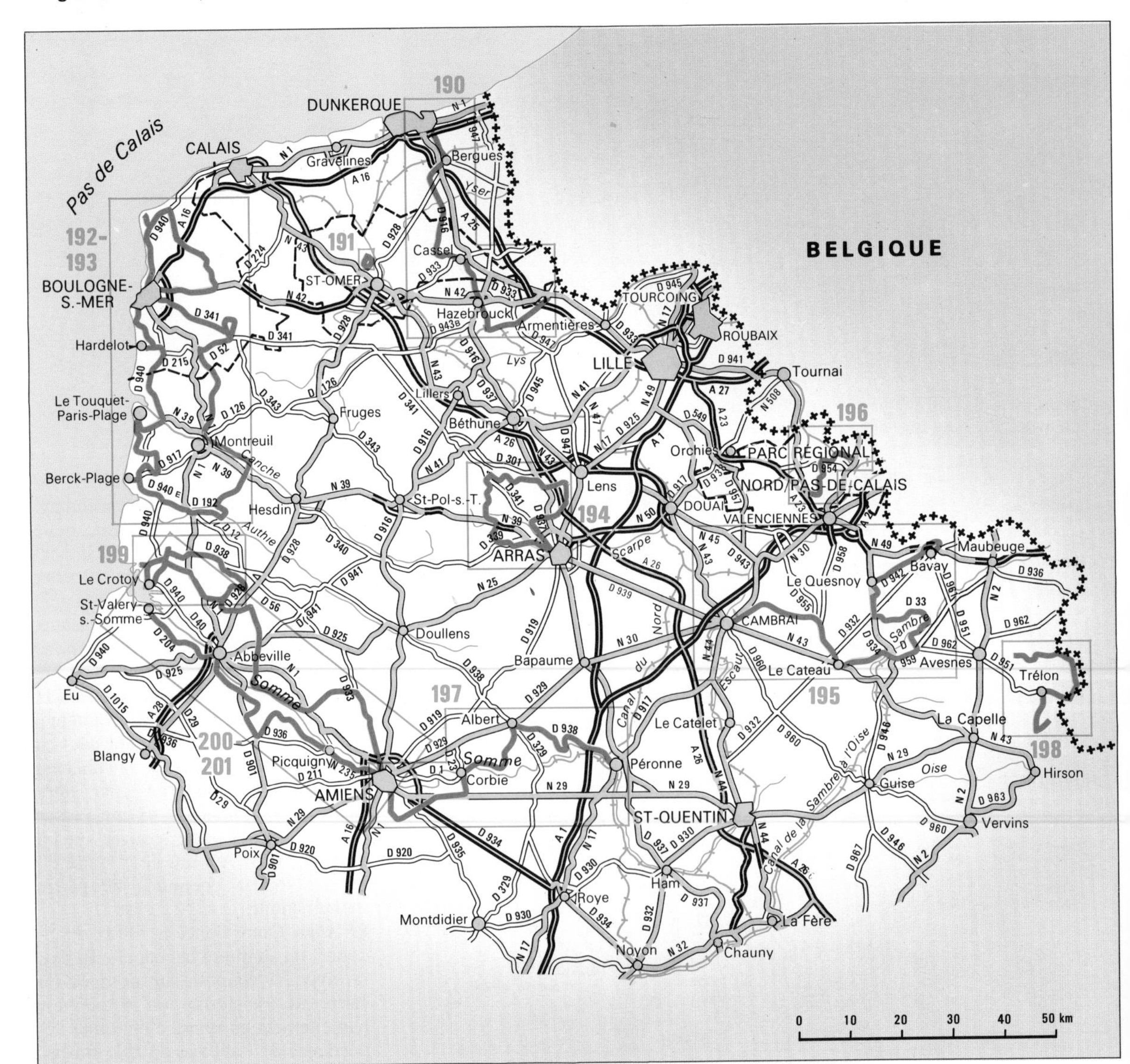

Air vivifiant des plages et bouleaux des dunes Péniches et moulins ; grand-places et carillons

Pourquoi dit-on et répète-t-on à l'envi que le Nord est un pays plat, noir et triste ? Rien n'est plus faux. Voyez les bocages de l'Avesnois : prés embués, haies bien taillées, villages généreusement coiffés d'ardoises, églises fortes ; ou du Boulonnais : arbres couchés par le vent, semis de hameaux aux gais colombages, aux orgueilleux pigeonniers. Suivez les vallées encaissées du Montreuillois, où, parmi les feuillages bruissants, l'eau actionne le moulin et fait prospérer la truite. Parcourez les hauteurs de l'Artois, griffées de vallées boisées, égayées par les fermes blanches. Longez le littoral — car l'on oublie trop que le Nord est maritime — et, auprès de la mer qui vire du bleu au vert et au gris, vous respirerez l'air vivifiant des grandes plages, vous écouterez le bruit soyeux du vent dans les dunes boisées de bouleaux et de pins ou le pépiement joyeux des oiseaux dans les estuaires, vous monterez sur les falaises blanches. Bien sûr, il y a du plat pays, mais est-il le même dans les deux Flandres, en Santerre, en Picardie ? Et les surprises ne manqueront pas : ici, la traversée d'une large vallée où l'eau lente porte tantôt la péniche du marinier, tantôt la plate de l'hortillon qui gagne son jardin insulaire ; ailleurs, c'est la vision d'une butte verdoyante fièrement dressée sur la plaine ; ou la rencontre d'une ferme proprette, rouge et verte, aux savants assemblages de briques, d'un moulin aux ailes battantes. Contemplez au-dessus de vous ce vaste ciel mobile où les nuages se font et se défont. Et ne manquez pas de visiter les villes, car, en ce pays populeux, elles sont nombreuses et témoignent d'un passé prestigieux. Vous ne saurez qu'admirer : des grandes églises gothiques ou baroques jusqu'à la démesure, ornées de boiseries et de retables, ou des hôtels de ville à beffroi ouvragé, ou des grand-places aux pignons à volutes, ou encore des monuments abbatiaux et des hôtels aristocratiques des siècles classiques. Et vous en aimerez l'ambiance, surtout à l'époque des kermesses, quand chantent les carillons, quand, derrière les géants, se déploient les défilés, quand l'odeur des frites se mêle à celle de la bière. Car l'on a ici le sens de la fête. Et, si vous n'êtes pas convaincus, les peintres flamands vous apprendront à voir, à sentir, à comprendre leur pays.

Dunes, plages de sable fin et grèves de galets se partagent les côtes de la Manche et de la mer du Nord.

189

Hauts lieux, trésors et paysages

Dunkerque. Visites en bateau des installations portuaires (t.l.j., juill.-sept. ; dim. et j. fér. en mai-juin ; en semaine, selon réserv. tél. : 28-63-47-14). Voir le très beau musée qui retrace l'histoire de l'activité portuaire du Moyen Age à nos jours. L'église St-Éloi (XVIe s.), de style flamboyant, est un édifice en pierre et brique à cinq nefs, pourvu d'un déambulatoire avec chapelles rayonnantes. Le clocher en brique, haut de 58 m, isolé depuis le XVIe s., est appelé à tort beffroi (le carillon joue toutes les heures la cantate à Jean Bart). La dalle funéraire de Jean Bart (1651-1702) est à l'intérieur de l'église. Au musée des Beaux-Arts (t.l.j., sauf mardi), peintures des écoles flamande, italienne et hollandaise du XVIIe s. Musée d'art consacré à la céramique contemporaine.

Bergues. Voir itinéraire 190.

Cassel. Voir itinéraire 190.

Saint-Omer a conservé son cachet ancien grâce à ses vieilles rues bordées de maisons des XVIIe et XVIIIe s. Le chœur de la basilique Notre-Dame date du début du XIIIe s., la nef est du XVe s., ainsi que la tour, surmontée de tourelles de guet, qui s'élève à 50 m. A l'intérieur, belles pièces de mobilier, dont le tombeau de saint Omer (XIIIe s.), le groupe sculpté du Grand Dieu de Thérouanne (XIIIe s.) et la Croix de Clairmarais, pièce d'orfèvrerie du XIIIe s. L'hôtel de Sandelin (1766) abrite un musée (ouv. t.l.j., sauf lundi et mardi) : remarquables collections de céramiques de Saint-Omer et de Delft, de peintures des écoles hollandaise et flamande du XVIIe s. : voir le pied de croix de saint Bertin, en bronze doré et émaux (XIIe s.). Au musée Henri-Dupuis (t.l.j., sauf lundi et mardi) : histoire naturelle et reconstitution d'une ancienne cuisine flamande.

Wismes. Le village possède une intéressante église, en partie romane, augmentée de chapelles et de collatéraux aux XIIIe et XIVe s. L'édifice est dominé par un clocher octogonal surmonté d'une flèche ajourée en pierre.

Merck-Saint-Liévin. L'église rurale St-Omer (XVIe-XVIIe s.) est surmontée d'une tour massive renforcée de contreforts à ressauts, et sommée d'une flèche ajourée. A l'intérieur, remarquer une châsse Louis XV contenant les reliques de saint Liévin ; fonts baptismaux du XVIe s.

Hazebrouck. Voir itinéraire 190.

Mont des Cats. Faisant partie des monts de Flandre, ses pentes présentent un damier de champs cultivés, de houblonnières et de prairies. Du sommet (158 m), couronné d'une abbaye de trappistes et auquel on accède par une route à forte pente (14 %), la vue s'étend sur les monts de Flandre et la plaine.

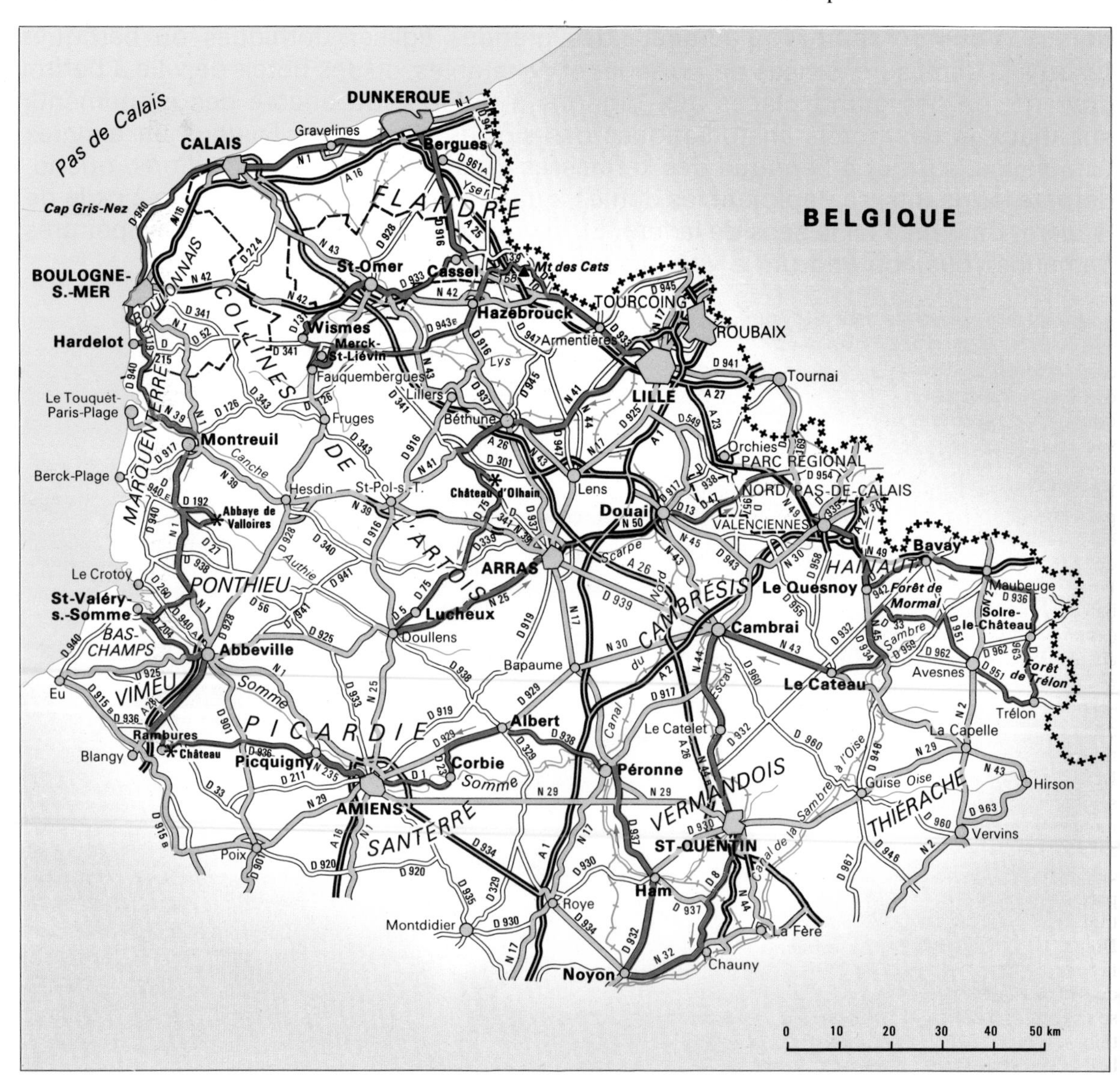

Lille. En dépit des destructions dues aux guerres, Lille est une ville d'art. De l'architecture militaire, il reste la citadelle, construite par Vauban de 1667 à 1670 (vis. guid. le dim. à 15 h et 16 h 30, voir l'O.T.), la porte de Paris (1685-1692), arc de triomphe élevé à la gloire de Louis XIV, la porte de Gand et la porte de Roubaix (XVIIe s.). En parcourant la ville ancienne, on découvre de belles maisons des XVIIe et XVIIIe s., la Vieille Bourse de style baroque flamand (XVIIe s.), l'hôtel Bidé-de-la-Grandville (1773), à colonnes et pilastres, l'hôtel d'Avelin (XVIIIe s.), qui s'ordonne autour d'une cour monumentale. Le bel Hospice Comtesse (XVe s.) abrite un musée : mobilier flamand et faïences des XVIIe et XVIIIe s., tapisseries, peintures, sculptures (t.l.j., sauf mardi) ; on peut y voir aussi une partie des très riches collections de peintures du musée des Beaux-Arts, actuellement en rénovation. Du beffroi (104 m), vaste panorama (ouv. avr.-30 sept. et sur R.-V.).
Château d'Olhain. Voir itinéraire 194.
Lucheux. Le village, situé au creux d'un vallon, est dominé au N. par les ruines d'une forteresse des XIIe-XVIe s. (vis. t.l.j.). L'église St-Léger (XIIe s.), dont la nef est couverte d'un lambris en bois, possède des chapiteaux romans historiés dans le chœur et le transept.
Arras porte, dans le tracé de ses rues, l'empreinte du Moyen Age et, dans l'ordonnancement de ses maisons et de ses monuments, le cachet des XVIIe-XVIIIe s. La Grand-Place et la place des Héros (voir photo p. 331), reliées par la pittoresque rue de la Taillerie, en sont l'illustration : tracées au XIe s., elles sont entourées d'édifices (XVIIe-XVIIIe s.) alliant la brique et la pierre. L'hôtel de ville et son beffroi (75 m) du XVIe s. en constituent le plus bel ornement. Par les rues de la ville, on verra aussi le palais de justice de 1724, aux beaux balcons de fer forgé, le théâtre (1784) de style Louis XVI, et l'Ostel des Poissonniers (1710) à l'étroite façade baroque. La cathédrale St-Vaast (XVIIIe s.) montre une façade à double étage de colonnes corinthiennes dominant un escalier monumental de 48 marches. L'ancienne abbaye bénédictine de St-Vaast, reconstruite au milieu du XVIIIe s., abrite le musée des Beaux-Arts : riche collection de sculptures médiévales, peinture flamande, hollandaise et française des XVIIe et XVIIIe s. ; la collection de porcelaines de Tournai et d'Arras est parmi les premières du monde (vis. t.l.j., sauf mardi).
Douai. Le long des quais de la Scarpe, la ville a conservé tout le pittoresque de ses vieilles demeures, alors qu'en son cœur, dominé par un beffroi gothique (voir p. 332-333), on voit les belles façades du mont-de-piété (1628), de l'hôtel de ville (XVe s.) et du Parlement de Flandre (XVIe s.) à la salle d'audience (XVIIIe s.) décorée de boiseries sculptées (vis. guid. en groupes, s'adresser à l'avance à l'O.T., tél. : 27-88-26-79). La collégiale St-Pierre est un ensemble en brique et pierre (1735-1750) avec une chapelle absidiale à coupole (12 m de diamètre). A l'intérieur, les arcades en plein cintre sont supportées par de minces colonnes ioniques. Le mobilier comprend un beau buffet d'orgue (1760) sculpté et un maître-autel rocaille en chêne doré. Le musée de la Chartreuse (ouv. t.l.j., sauf mardi), de style flamand (XVIe-XVIIIe s.), présente des collections gallo-romaines et des toiles des écoles hollandaise et flamande (XVe-XVIIe s.), italienne et française (XVIIIe-XIXe s.).
Parc naturel régional Nord-Pas-de-Calais. Voir itinéraire 196.
Le Quesnoy. Voir itinéraire 195.
Bavay. Voir itinéraire 195.
Solre-le-Château. L'église St-Pierre (XVIe s.) est dominée par un clocher carré, légèrement incliné, dont la flèche d'ardoises mauves (1612) se termine par un bulbe. L'intérieur est orné de verrières (1533) de la Renaissance flamande et d'un buffet d'orgue (XVIIIe s.) surmonté d'une sculpture du roi David jouant de la harpe. L'hôtel de ville, installé dans les anciennes halles, offre une élégante façade.
Forêt de Trélon. Voir itinéraire 198.
Forêt de Mormal. Voir itinéraire 195.
Le Cateau. Voir itinéraire 195.
Cambrai. Voir itinéraire 195.
Saint-Quentin. La collégiale St-Quentin (fin XIIe-fin XVe s.), de style gothique, possède un intéressant clocher-porche. A l'intérieur, remarquable buffet d'orgue de la fin du XVIIe s. Dans la nef, un beau « labyrinthe » (1495) précède le chœur, dont la clôture porte un bas-relief du XIVe s. relatant la légende de saint Quentin. Vitraux des XIIIe et XVIe s. L'hôtel de ville a conservé sa façade gothique flamboyant (1509). Au musée Lecuyer (ouv. t.l.j., sauf mardi et dim. mat.), voir la magnifique collection de quatre-vingt-neuf pastels de Quentin de La Tour (1704-1788). Biennale internationale du pastel (rens., tél. : 23-67-05-00).
Noyon. Dominant un ensemble de maisons de briques, l'ancienne cathédrale Notre-Dame (XIIe-XIIIe s.) témoigne du passé religieux de la ville. Les deux tours carrées (XIIIe-XIVe s.) de la façade sont précédées d'un porche en terrasse à trois travées ; restes d'un cloître. La Librairie du chapitre (1506) abrite de très nombreux manuscrits, incunables, ouvrages des XVIe, XVIIe et XVIIIe s. traitant de théologie, philosophie, histoire... ; près de 3 800 volumes pour la plupart reliés en parchemin ou en peau : expositions temporaires thématiques (groupes seul., sur R.-V., s'adres. à l'O.T.).
Ham, où fut captif le futur Napoléon III (1840-1846), a une ancienne abbatiale (XIIe-XIIIe s.) romano-gothique. Le portail en pierre blonde de l'église Notre-Dame est surmonté d'un triplet en plein cintre. L'intérieur, habillé d'une décoration en stuc (XVIIe s.), garde sa majesté initiale. Dans la crypte, à colonnes monolithes, se trouvent des gisants du XIIIe s.
Péronne. Voir itinéraire 197.
Albert. Voir itinéraire 197.
Corbie. Voir itinéraire 197.
Amiens. Voir itinéraire 201.
Picquigny. Voir itinéraire 200.
Château de Rambures. Construite au XVe s., la forteresse est entourée d'un profond fossé et conçue pour n'offrir aucune surface plane : ses quatre tours rondes sont reliées entre elles par des courtines arrondies (t.l.j., sauf mercr., mars-fin oct. ; dim. apr.-m. et sur R.-V. hors saison).
Abbeville. Voir itinéraire 200.
Saint-Valery-sur-Somme. Voir itinéraire 200.
Abbaye de Valloires. V. itinéraire 193.
Montreuil. Voir itinéraire 193.
Hardelot. Voir itinéraire 193.
Boulogne-sur-Mer. A l'intérieur des remparts (XIIIe s.), qui enserrent encore le vieux quartier de la Ville Haute, on peut voir l'hôtel de ville (1734), dont les briques roses et les pierres blanches contrastent avec la pierre grise utilisée pour la construction du beffroi gothique (XIe-XIIIe s.), haut de 47 m. Proche, la cathédrale Notre-Dame (1827-1866), érigée sur une crypte du XIe s., possède une vaste coupole s'élevant à 100 m à l'intérieur de l'édifice. Le château-Musée (XIIIe s.) abrite une très riche collection d'égyptologie, de vases grecs (la plus belle, dit-on, après celle du Louvre) ; statuaire, peintures et objets du Moyen Age et de la Renaissance ; belle collection de masques esquimaux, ainsi que des souvenirs de Napoléon Ier et du camp de Boulogne. Au nord de la ville se dresse la colonne de la Grande Armée (1804) ; de son sommet (53 m), beau panorama (vis. t.l.j., sauf mardi et mercr.).
Cap Gris-Nez. Voir itinéraire 192.
Calais. Outre un grand port de voyageurs, la cité est le centre d'une importante industrie dentellière. On peut y voir, placé devant l'hôtel de ville en brique et pierre, le monument célèbre des Six Bourgeois de Calais (1895), en bronze, exécuté par Rodin (1840-1917). Le musée des Beaux-Arts et de la Dentelle (t.l.j., sauf mardi et j. fér. Groupes sur R.-V.) abrite des peintures hollandaises, italiennes, et des primitifs flamands, dont *la Messe de saint Grégoire*, anonyme du XVIe s. ; sculpture française des XIXe et XXe s. (Rodin) ; art contemporain et collections de dentelles à la main et mécaniques du XVIe s. à nos jours.

De Bergues à Bailleul 73 km par le mont Cassel

Le plat pays du Nord n'offre d'autre obstacle au regard que les monts de Flandre d'où l'on domine, du mont Cassel, la plaine jusqu'à la mer du Nord. La variété des paysages s'affirme cependant entre la Flandre maritime (Bergues), pays de polders, et la Flandre intérieure (Hazebrouck), où se multiplient les petites exploitations gagnées autrefois sur la forêt et les marais. Dans cette région active, la richesse du fait humain apparaît dans les nombreux monuments qui portent le cachet de l'art flamand.

❶ **Bergues.** La ville possède encore ses fortifications de briques auxquelles Vauban ajouta la couronne de Hondschoote (XVIIe s.), puissants bastions entourés de fossés en eau (voir photo p. 322). De l'abbaye de St-Winoc, fondée en 1022, il ne reste que la porte monumentale (1711) en marbre blanc, la tour Bleue (XIIe-XIIIe s.) de section carrée, et la tour Pointue, sommée d'une fine flèche en ardoise. Le mont-de-piété (1629-1633), bâtiment de briques et de pierres blanches de style flamand, abrite le musée municipal (vis. t.l.j., sauf mardi. Fermé en janv.), où est notamment exposé *le Joueur de vielle au chien*, de Georges de La Tour.

❷ **Esquelbecq** est un village flamand typique avec des maisons à pignon, en briques peintes et aux toits couverts de tuiles brunes. Face au château (voir photo) se dresse l'église (XVIe s.) en briques de couleurs différentes, disposées en losanges, qui est surmontée d'une tour massive. A l'intérieur, confessionnaux sculptés du XVIIe s.

❸ **Arnèke.** Bâti sur la Peene Becque, le bourg possède une église du XVIe s. dédiée à saint Gowaert, évangélisateur de la région au Xe s.

❹ **Cassel.** Construite sur le mont Cassel (176 m), la ville domine la plaine de Flandre. Du jardin public, vaste panorama jusqu'au beffroi de Bruges et à la mer du Nord. Voir le Casteel Meulen, moulin du XVIIIe s. dont les ailes tournent (s'adresser à l'O.T.) Face à la collégiale Notre-Dame (XIIIe s.), gothique flamand avec ses murs en brique et pierre blanche, se dresse l'ancienne chapelle des Jésuites (XVIIe s.) : on ne visite pas. L'hôtel de la Noble-Cour, des XVIe et XVIIe s. (vis. t.l.j., 15 avr.-15 oct. ; groupes sur réserv. le reste de l'année, tél. : 28-40-52-55), abrite un riche musée (voir photo).

❺ **Hazebrouck.** L'église St-Éloi, édifiée au XVIe s., est un vaste bâtiment de briques flanqué d'une tour (1532), possédant trois nefs lambrissées et deux hautes chapelles (XVIIe s.) aux voûtes de briques supportées par un élégant réseau de nervures de pierre. De belles boiseries (XVIIIe s.), un saint sépulcre (XVIe s.) et des tableaux de l'école flamande en ornent l'intérieur.

L'ancien couvent des Augustins (1518) est un édifice sobre, à l'exclusion de l'aile droite (1616), de style Renaissance flamande. Il abrite un musée présentant des toiles flamandes, hollandaises et des paysagistes français du XIXe s. ; ethnologie flamande (ouv. mercr., jeudi, sam. et dim.).

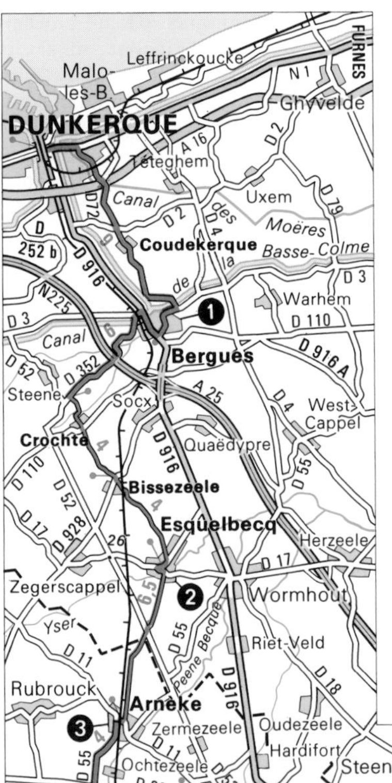

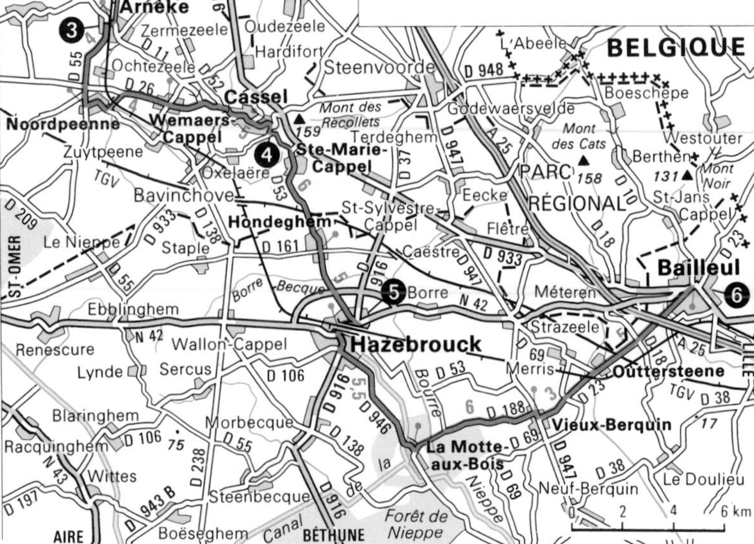

Château d'Esquelbecq (XVIIe s.). Propriété privée. Ne se visite pas actuellement en raison d'importants travaux.

Cassel. Dans le musée de l'hôtel de la Noble-Cour, on peut voir une reconstitution fidèle d'un intérieur flamand traditionnel.

❻ **Bailleul.** Détruite presque totalement en 1918, la ville a été reconstruite dans le style flamand, avec des maisons à pignon, en brique jaune. Du sommet du beffroi de l'hôtel de ville, pourvu d'un carillon, un vaste panorama englobe, au N., les monts de Flandre et, au S., le bassin houiller. Au musée Benoît-de-Puydt (ouv. t.l. apr.-m. Groupes t.l.j., sur R.-V. Rens. tél. : 28-49-18-17), importantes collections de porcelaines d'Extrême-Orient et de Tournai, faïences de Bailleul, Strasbourg, Delft, tapisseries des Flandres du XVIIIe s., peintures des écoles française et flamande, armes anciennes.

Reuze-papa. A Cassel a lieu (dim. précéd. Mardi gras et lundi de Pâques) un défilé carnavalesque dont le héros masculin s'appelle Reuze-papa (voir texte encadré p. 328).

Randonnée dans le marais de Saint-Omer 8,5 km

Le Marais audomarois (3 400 ha) est un des hauts lieux du parc naturel régional Nord-Pas-de-Calais. Ce sentier permet de découvrir un milieu semi-aquatique : c'est un ancien golfe de la mer flandrienne. Sillonné de chemins d'eau, les watergangs, ce pays insolite présente des prairies humides ombragées par des saules et de bonnes terres cultivées pour les légumes. Les nombreux étangs et canaux appelés aussi fossés ou rivières, fort poissonneux, sont très propices à l'observation des oiseaux.

❶ **Le Coudou** est un quartier de fermes, le plus souvent construites en brique, remplaçant le torchis traditionnel. On longe d'abord la Liette, un des nombreux fossés de drainage des eaux de la région. Sous l'impulsion des moines dès le XIIe s., cette plaine voisine du niveau de la mer, et jadis amphibie, fut aménagée en polders, à l'aide d'un réseau serré de canaux. Progressivement, le sentier s'éloigne du marais pour traverser une zone de pâtures vers le village de Serques, dont le clocher de l'église est construit en craie extraite dans les vallées de l'Artois.

❷ **Cressonnières de Tilques.** Elles se trouvent à l'amont de la rivière « le Lansberg ». Cette région se prête particulièrement à ce type de culture : des bassins longs, rectangulaires, ont été creusés et sont alimentés par des eaux pures, filtrées par les couches crayeuses et sableuses de l'Artois. Dans les bassins vidés, la terre, riche en limon, est ensemencée puis inondée petit à petit, et la récolte se fait au bout de quelques semaines. Le sentier contourne cette zone humide et traverse le quartier de la Bourse Trouée, hameau de petites maisons d'ouvriers agricoles.

❸ **Chaumière de Tilques.** Le sentier rejoint le marais au lieu-dit Pont de la Guillotine, qui est devenu un quartier de résidences secondaires. Le paysage très plat que l'on découvre en longeant le Lansberg est pittoresque : on peut voir les multiples fossés et leurs fossés annexes, desservant et délimitant à la fois les parcelles consacrées au maraîchage. La terre enrichie par les limons est très favorable à la culture des choux-fleurs (expédiés dans toute la France), des choux, des poireaux. Ce mode de culture est appelé hortillonnage. Les légumes sont mis en cageots sur-le-champ et acheminés par voie d'eau sur les lieux de chargement. De l'autre côté du fossé, une maison en torchis, couverte de chaume, représente le type le plus ancien de l'architecture locale du marais (voir dessin). Çà et là émergent des saules immenses.

Le chemin tout au long du fossé du Grand Large, établi selon une servitude de halage, est très agréable à

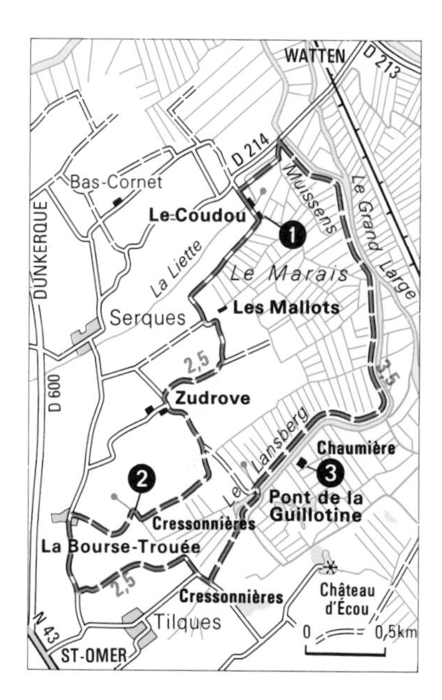

parcourir. Les habitations sont éparpillées dans le marais, mais leur orientation préférentielle est invariable : l'axe du bâtiment est O.-E., afin que la façade soit au S. De nombreux itinéraires balisés sillonnent l'Audomarois, mais les promenades en barque sont aussi conseillées pour apprécier la diversité de la faune (hérons, grèbes...) et de la flore du Marais.

Chaumière. Ce genre de maison, très sobre, était bâti contre un fossé assurant l'accès à l'habitation du maraîcher.

Du cap Gris-Nez 65 km
à la baie d'Authie 180 km

Voici deux itinéraires tout en simplicité, partagés l'un et l'autre entre la mer, que bordent de longues plages et le pays côtier, plaine agréable, coupée de modestes vallées et agrémentée de forêts où l'on peut, à son gré, se promener par des sentiers balisés, chevaucher au long de pistes cavalières, ou pique-niquer dans des sites bien aménagés. Des stations balnéaires réputées ponctuent la côte, fenêtre de la Picardie ouverte, le plus souvent en hautes falaises, sur la houle de la Manche.

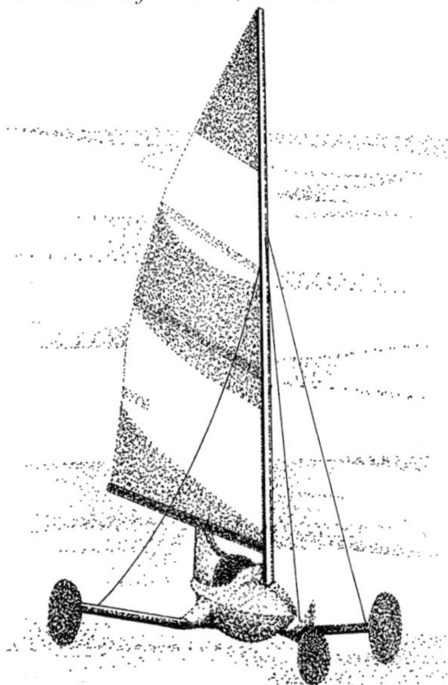

Char à voile. Les plages de sable fin et dur de la Manche et de la mer du Nord forment des pistes idéales pour les chars à voile. Ces engins peuvent atteindre 60 km/h.

ITINÉRAIRE N° 1

❶ **Cran-aux-Œufs.** C'est un vallon suspendu au-dessus de la mer par suite du recul de la falaise. Au S., le littoral est occupé par un banc de silex amenés par les flots, dont la forme évoque des œufs; au N. s'amorce la falaise qui conduit au cap Gris-Nez.

Le *cap Gris-Nez* marque la jonction entre la mer du Nord et la Manche. Vue sur les côtes anglaises et le Pas de Calais. Les abords des corniches sont très dangereux.

❷ **Wissant** est une agréable station balnéaire de l'estuaire du ruisseau d'Herlen. Elle bénéficie d'une immense plage dont la courbe s'étire, entre les caps Blanc-Nez et Gris-Nez.

❸ **Marquise.** Des carrières de marbre y sont exploitées. La plus célèbre, la carrière Napoléon, est visible à 2,5 km au N.-E. de la ville (on ne visite pas).

Le village voisin de *Rinxent*, au-dessus de la vallée de la Slack, possède une église (XVIe s.) dont on remarquera les voûtes à clefs pendantes et les nervures torsadées du chœur.

❹ **Le Wast.** On pénètre dans l'église romane St-Michel (XIIe s.) par un portail orné de festons à la mode orientale et surmonté d'un gâble triangulaire. A l'intérieur, voir les chapiteaux. L'itinéraire traverse ensuite la forêt de Boulogne, bien aménagée, plantée de charmes et d'aulnes.

ITINÉRAIRE N° 2

❶ **Desvres** est connu pour ses faïences, dont on peut voir la collection dans la maison de la Faïence (ouv. t.l.j. Rens. tél. 21-91-67-61). L'église, reconstruite au XIXe s., est sommée d'une tour carrée et a conservé un chœur de 1604. Toute proche, la forêt de Desvres, bien équipée pour les loisirs, est peuplée de hêtres, de chênes, et de frênes.

❷ **Samer.** Donnant sur la Grand-Place, bordée de maisons du XVIIIe s., l'église St-Martin (XVe s.), surmontée d'un clocher octogonal à la croisée, renferme une cuve baptismale romane (XIe s.), décorée de personnages.

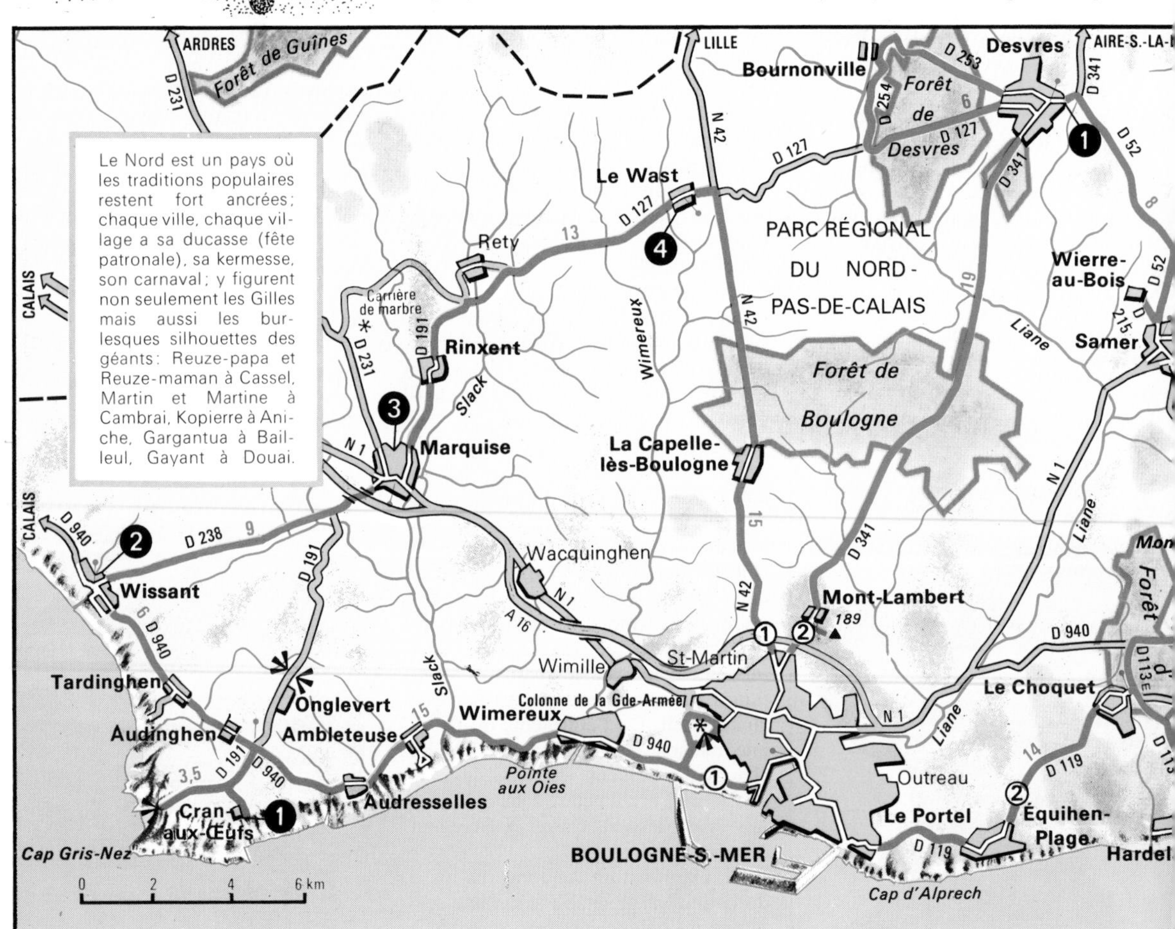

Étaples-sur-Mer. On pavoise toujours les bateaux de pêche lors de manifestations telles que la bénédiction de la mer et les processions.

❸ **Montreuil** est ceinte de remparts (XVIe-XVIIe s.) en brique rose et pierre blanche qui enserrent aussi la citadelle (XIe-XVIIe s.). Celle-ci comprend les vestiges de l'ancien château royal à tours rondes (vis. : rens., tél. : 21-06-10-83). Du front N., la vue s'étend jusqu'au Touquet et sur la vallée de la Canche. L'église St-Saulve (XIIe-XVIe s.), au beau portail de style flamboyant, possède un trésor qui compte la crosse en bois lamée d'argent (VIIe s.) de sainte Austreberthe et des reliquaires du XIVe au XVIIe s. (on ne visite plus). Voir le curieux autel (XVIIe s.), orné de cuivres dorés et de glaces, de la chapelle de l'hôtel-Dieu, bâtie au XVe s.. (privé, rens. à l'O.T).

❹ **Abbaye de Valloires.** Fondée en 1158, détruite, puis reconstruite, elle forme aujourd'hui un bel ensemble du XVIIIe s. dans un parc botanique (rens., tél. : 22-23-53-55). Dans la chapelle (vis. t.l.j., du 1er avr. au 11 nov.), voir les très belles boiseries sculptées, buffet d'orgue et stalles du XVIIIe s., les grilles du chœur et deux gisants de la famille comtale de Ponthieu (XIIIe s.).

❺ **Berck-Plage,** dont le climat est propice au traitement des maladies osseuses, est une station balnéaire jouissant d'une immense plage de sable fin. A Berck-Ville, une grosse tour carrée jouxtant une vieille église rustique (XIIIe-XVIe s.) domine la cité.

Le parc d'attractions de *Bagatelle* offre sur 26 ha des divertissements pour petits et grands (t.l.j., 17 avr.-8 sept. ; mercr., sam., dim., 10-17 avr., 10-19 mai, 9-26 sept. Rens. à l'O.T., tél. : 21-09-50-00).

❻ **Le Touquet-Paris-Plage** est adossé à un massif forestier de 800 ha composé de pins maritimes, de bouleaux et d'acacias ; c'est un lieu de villégiature donnant sur une plage de sable en pente douce.

❼ **Nesles.** Du village, des sentiers pédestres faciles permettent de gravir le Mont-Violette (181 m), retranchement supposé de l'époque médiévale.

A 2,5 km, sur la gauche, en direction de Boulogne, une route boisée mène à *Hardelot-Plage*. Cette station balnéaire qui s'étend le long d'une plage de sable fin est entourée par la forêt d'Hardelot (625 ha) : sentiers pédestres balisés.

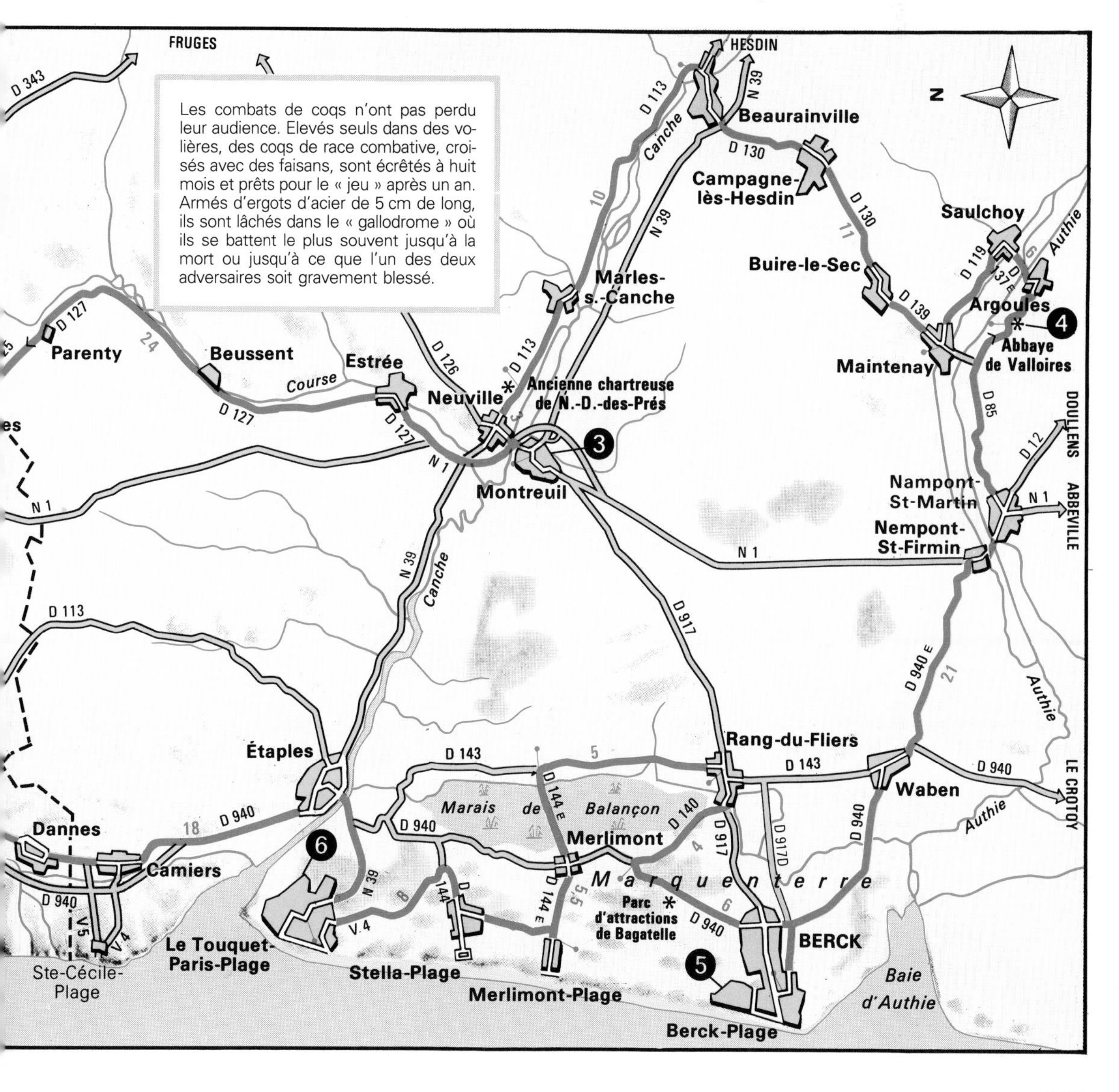

Arras et les crêtes de l'Artois 72 km

Au nord d'Arras, sur le bord du plateau crayeux de l'Artois, de petites buttes forment des îlots souvent couverts de bois, de bruyères ou d'ajoncs, qui tranchent sur les terres à blé de la Gohelle. Bien qu'elles ne dépassent jamais deux cents mètres d'altitude, ces hauteurs représentent, après l'Ardenne, le premier obstacle naturel sur la frontière franco-belge ; elles furent de ce fait l'objet de durs combats pendant la Première Guerre mondiale, comme en témoignent de nombreux monuments.

Plaine d'Arras. Dans cette région de culture intensive, derrière les champs, on voit se profiler à l'horizon les terrils du bassin houiller de Lens.

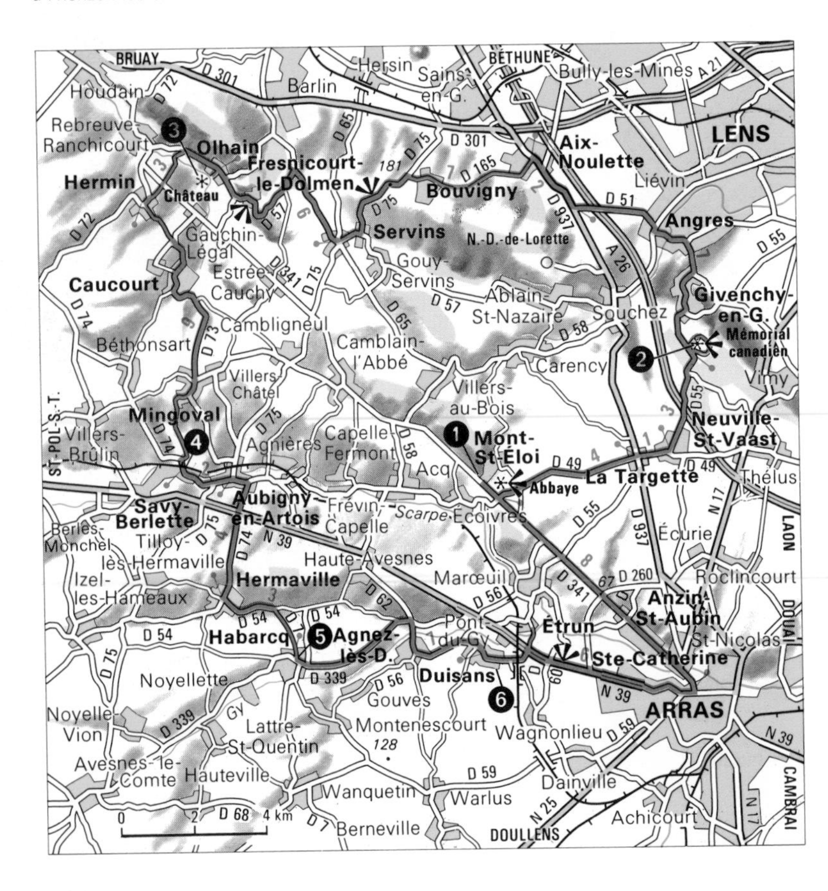

Mémorial canadien de Vimy. Le monument dresse vers le ciel deux bras parallèles, sobres et imposants.

❶ **Mont-Saint-Éloi.** Dans ce village situé sur une colline (135 m) subsistent le portail monumental et deux tours en pierre blanche d'une abbaye fondée par saint Éloi au XIIe s. Vue sur la plaine d'Arras. (Voir aussi photo.)

❷ **Mémorial canadien.** Orienté face à la plaine de Lens et reposant sur un socle dépouillé, il se dresse sur la crête de Vimy, dessinée par les collines de l'Artois. Ce monument, qui porte gravés les noms de 11 825 combattants, commémore le sacrifice des 75 000 Canadiens morts en France pendant la Première Guerre mondiale (voir dessin).

❸ **Château d'Olhain.** Bâti en grès aux XIIIe et XVe s., il baigne dans un étang formé par la Lawe (vis. dim. et j. fér. l'apr.-m., avr.-nov. Groupes toute l'année sur R.-V.). De la cour basse de forme semi-circulaire, où l'on peut voir des communs (XVIe s.) aux décorations géométriques de briques noires, on accède au château par un pont-levis flanqué de deux tours rondes à mâchicoulis. Dans la cour intérieure, une tourelle d'escalier à vis s'appuie sur un corps de logis en brique. A l'intérieur, la salle des Gardes, de style gothique, est une des plus belles pièces du château.

❹ **Savy-Berlette.** L'église St-Martin (XIVe-XVe s.), bien que très restaurée, s'ouvre sur un beau porche (1571). L'édifice est flanqué d'un clocher (XIVe s.) couronné d'une balustrade à créneaux et à échauguettes.

❺ **Habarcq.** Dans l'église St-Martin (XVIe s.) de style gothique, dont le clocher est surmonté d'une flèche de 1708, on remarquera les armes de la famille d'Egmont sur les voûtes du chœur (1698). L'autel, dédié à N.-D.-de-la-Salette, s'orne de colonnes de marbre (1593) originaires de l'ancienne cathédrale d'Arras.

❻ **Duisans.** Dans l'église St-Léger (XVIIe s.), de style classique, voir les fonts baptismaux du XIIIe s., un bénitier en grès de 1573, ainsi qu'une statue en pierre de sainte Catherine, exécutée vers 1500, dont la main droite repose sur une épée tandis que la gauche tient un livre.

Au bourg voisin d'*Étrun*, il est possible d'aller observer les vestiges d'une forteresse gauloise.

Arras. La place des Héros, ou Petite-Place, et la Grand'Place. Elles sont bordées de maisons de style flamand, des XVIIe et XVIIIe s. aux frontons courbes et ornementés (voir itinéraire 189).

A DOUAI, LE BEFFROI D'UNE CITÉ FLAMANDE ET FRANÇAISE

Fondée à l'époque mérovingienne, Douai se développe dès le XIe s. autour du château du comte de Flandre et de la collégiale Saint-Amé, puis aux XIIe et XIIIe s., autour de la Grand-Place (marché au blé) et de la collégiale Saint-Pierre. Son essor considérable au XIIIe s. est dû à son industrie du drap, célèbre dans toute l'Europe. La reconstruction des halles échevinales et marchandes, situées à l'emplacement actuel de l'hôtel de ville, débute par l'édification du beffroi de 1380 à 1410. En 1463, on bâtit sur rue le cellier (halle aux draps) et la salle gothique, puis, de 1471 à 1475, la chapelle, cependant que se dresse le couronnement flamboyant du beffroi. Après le déclin de l'industrie drapière, le commerce des grains devient l'activité principale de la ville, au centre d'une région céréalière desservie par la Scarpe. Douai passe successivement sous l'autorité des ducs de Bourgogne, de Charles Quint, de Philippe II et des rois d'Espagne. L'université, créée en 1560, fait de Douai la capitale intellectuelle de la Flandre française. Prise par Louis XIV en 1667, la ville est réunie à la France en 1668 et devient ville militaire (arsenal, fonderie de canons, casernes), puis en 1714 siège du parlement de Flandre. Chef-lieu du département du Nord de 1790 à 1804, elle est cour d'appel du Nord-Pas-de-Calais depuis 1810. La partie XVIIIe s. de l'hôtel de ville (côté cour) est reconstruite en style gothique, pendant que s'affirme la vocation industrielle de Douai (houillères et constructions métallurgiques, chimie). Aujourd'hui Douai, ville à la fois industrielle et culturelle, attire et charme ses visiteurs par l'hôtel de ville et le beffroi, le musée de la Chartreuse et ses maisons du XVIIIe s.

Hôtel de ville. Vis. guid. t.l.j., ttes les heures, de 10 h à 12 h et de 14 h à 18 h en juill.-août ; dim. et j. fér. à 10 h, 11 h, 15 h, 16 h et 17 h le reste de l'année. Rens. à l'O.T.

L'hôtel de ville, dominé par le beffroi, en partie du XVe s., en partie reconstruit et agrandi en style gothique au XIXe s., enserre une vaste cour pavée.

La chapelle échevinale, actuel vestibule d'honneur, est de style gothique avec un pilier central sculpté dans un seul monolithe (6,35 m de haut).

La salle gothique (1463), avec une belle cheminée Renaissance, sert pour le conseil municipal et les cérémonies officielles. Peinture de Gorguet (1900).

Les Gayants. Gayant, au premier plan (8 m de haut), et sa femme, Marie Cagenon, parents de Jacquot, Fillon et Binbin, les cinq géants, qui parcourent la ville chaque année, le dimanche qui suit le 5 juillet. Géants d'osier, créés en 1530 et 1531 par la corporation des manneliers (fabricants de paniers), ils symbolisent l'âme de la cité.

Soixante-deux cloches au carillon de Douai

Le beffroi renferme le plus important carillon d'Europe (62 cloches), sur lequel chaque samedi matin et les jours de fête sont donnés des concerts. Dès 1391, la ville a son carillonneur. Aujourd'hui, J. Lannoy, que l'on voit ici à son clavier, est le trente-quatrième. Le son très pur de ces cloches charme le visiteur, qui évoque Victor Hugo : « Le carillon, c'est l'heure inattendue et folle. Que l'œil croit voir vêtue en danseuse espagnole... »

De Cambrai à la forêt de Mormal 100 km

A la ceinture sud des plaines argileuses de Flandre, c'est le haut plateau crayeux du Cambrésis et les régions forestières et herbagères du Hainaut que l'on parcourt. Le Cambrésis, où l'on peut voir, près de Solesmes et de Cambrai, les champs plats où alternent le blé et la betterave, est la plus grande région sucrière de France. Dans le Hainaut septentrional, la forêt de Mormal annonce déjà l'Ardenne boisée et verdoyante. L'intérêt se porte sur Cambrai, certes, mais aussi sur des sites moins connus : ainsi du Quesnoy et ses fortifications, et de Bavay, ancienne cité gauloise.

❶ **Cambrai** est bâtie sur la rive droite de l'Escaut, au cœur d'une région céréalière. Non loin de la porte de Paris (1390-1405) s'élève la cathédrale Notre-Dame, en calcaire blanc (XVIIe-XVIIIe s.), construite sur les ruines d'une abbaye du XIe s.; on admirera les huit grisailles en trompe-l'œil dues à Martin Geeraerts et le tombeau de Fénelon, en marbre blanc, par David d'Angers; dans la sacristie, remarquables boiseries Louis XV (vis., tél. : 27-81-34-96). Face au portail à trois arcades de l'ancien archevêché (1620), l'église St-Géry (1698-1745) est dominée par une tour de 76 m. Dans le transept coiffé d'une coupole aplatie soutenue par quatre colonnes en pierre bleue, on peut voir une Mise au tombeau de Rubens (1577-1640); le jubé baroque (1635) est de marbre rouge et noir. Le Musée municipal est consacré aux beaux-arts, à l'archéologie et à l'histoire régionale (t.l.j., sauf lundi, mardi et j. fér.). L'ancienne église des Jésuites présente une intéressante façade baroque (voir photo).

Cambrai a conservé plusieurs maisons anciennes parmi lesquelles, à droite, la maison espagnole (XVIe s.), et, à gauche, l'ancienne église des Jésuites (XVIIe s.).

❷ **Solesmes,** sur la rive droite de la Selle, possède une église (1780) que surmonte une haute flèche (65 m) en charpente.

❸ **Le Cateau-Cambrésis.** Étagée sur la rive droite de la Selle, la ville est dominée par le beffroi (1705) de l'hôtel de ville Renaissance. Au palais Fénelon, voir le musée Henri-Matisse : dons du peintre à sa ville natale, œuvres de Gromaire, Herbain, Claisse (t.l.j., sauf mardi, 1er nov., 25 déc. et jour de l'An). L'église St-Martin (XVIIe s.), ancienne abbatiale bénédictine, flanquée d'un clocher de forme campanulée, possède une façade baroque à l'exubérante décoration.

❹ **Maroilles,** sur la rive droite de l'Helpe Mineure, est célèbre pour ses fromages fabriqués autrefois à l'abbaye bénédictine, dont il ne reste que quelques bâtiments en brique. Ce fromage, assez fort, lavé à la bière, entre dans la composition de la flamicque au maroilles (tarte).

❺ **Forêt de Mormal.** Avec une superficie d'environ 10 000 ha, elle est la plus vaste de la région. Située sur un contrefort à 175 m d'altitude, elle

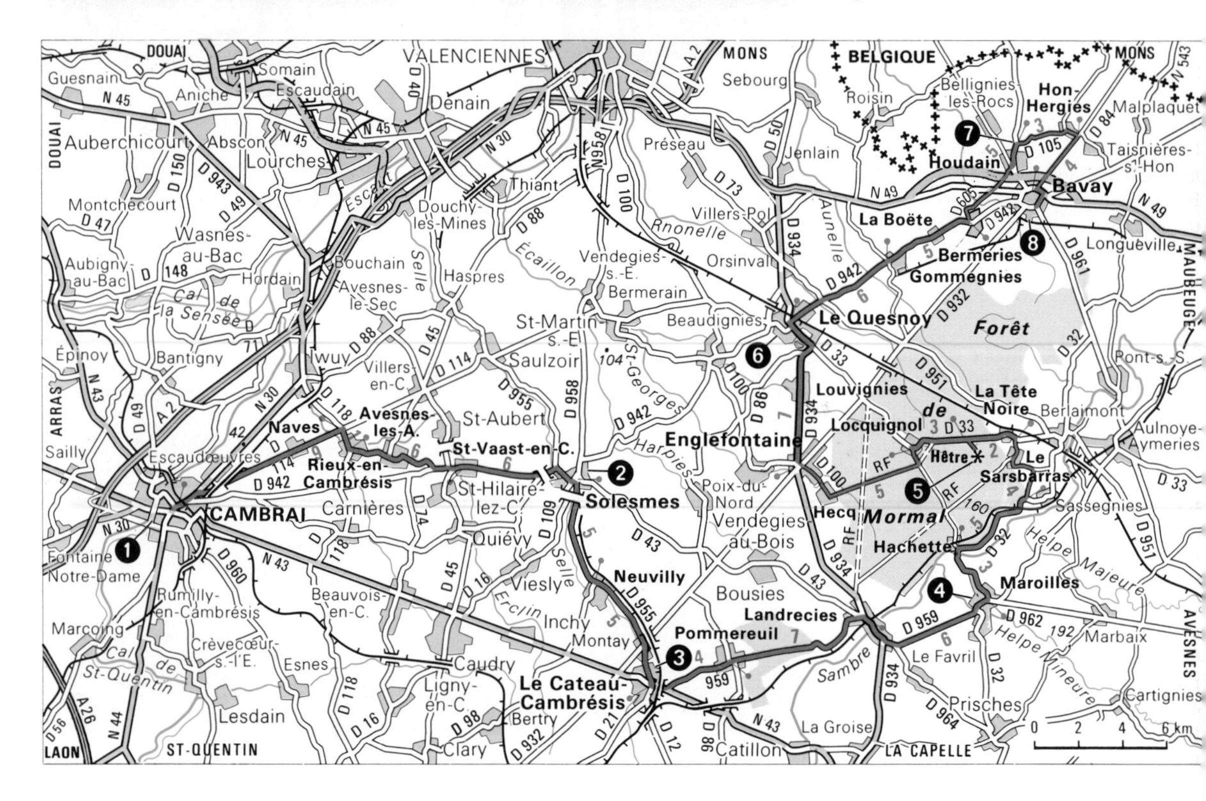

Cambrai. Statue de saint Martin en bois polychrome. Cette œuvre du XVIe s., momentanément entreposée dans des réserves à l'archevêché, n'est pas visible actuellement.

repose sur des limons argilo-sableux recouvrant la craie, sur les marches du Cambrésis et de la Thiérache. Cette très belle forêt, composée de hautes futaies de chênes, de hêtres et de charmes, est riche en cervidés. On peut y rencontrer biches ou chevreuils lors de promenades. Des routes forestières goudronnées, des allées cavalières et des sentiers pédestres permettent d'accéder à des sites pittoresques.

❻ **Le Quesnoy.** L'actuel beffroi de l'hôtel de ville, au fronton sculpté, a été reconstruit en 1700. C'est la seule ville du N. de la France dont les fortifications à la Vauban soient restées intactes. Un sentier fléché permet de faire le tour complet des remparts de briques à parements en pierre qui plongent dans les eaux de deux étangs à l'E. et à l'O. Sur l'étang du Pont Rouge, plus au S., bien aménagé, plage de sable, baignade et canotage.

❼ **Houdain.** A l'entrée de l'église (XIIe et XVIe s.) perchée sur une éminence, remarquer un bas-relief de la Résurrection et, à l'intérieur, le cordon de têtes curieusement sculptées, qui court autour de la nef coiffée d'une voûte en bois décorée de peintures anciennes. Voir aussi une pierre tombale du XVIe s.

❽ **Bavay.** Cette ancienne capitale d'un peuple gaulois, les Nerviens, était une cité florissante de la Gaule Belgique (57 av. J.-C.). De nombreux vestiges ont été mis au jour ; la cité s'étendait autour d'un forum enfermé dans une enceinte (IIIe s.) visible de la rue des Clouteries et de la rue de Gommerie. Les galeries entourant le forum abritaient des boutiques. Sur le site même, un Musée archéologique (ouv. t.l.j., sauf mardi, Groupes sur R.-V.) expose les objets préhistoriques, gallo-romains, francs et médiévaux trouvés lors des fouilles : marbres, verreries et objets usuels.

Découverte de la forêt de Saint-Amand 30 km

Vaste ensemble forestier situé non loin des cités industrielles du Nord, la forêt domaniale de Saint-Amand-Raismes-Wallers est incluse dans le parc naturel régional Nord-Pas de Calais (plaine de la Scarpe et de l'Escaut). A la chênaie détruite par les guerres s'est substituée une forêt en pleine évolution, peuplée d'animaux, trouée d'étangs, bordée au sud de terrils couverts de végétation, très fréquentée par les oiseaux migrateurs. Les routes forestières, allées cavalières et sentiers pédestres balisés offrent de nombreuses promenades.

❶ **Étang Amaury.** Un centre d'animation et d'étude des milieux est aménagé au bord de l'étang ; il offre des possibilités d'hébergement. On peut pratiquer la pêche et la voile.

❷ **Établissement thermal.** Il est situé à l'extrémité de la Drève du Prince, allée de hêtres dont les troncs, lisses jusqu'à 10-15 m, se terminent en branches charnues. Les eaux, radioactives, jaillissent à 26 °C et sont utilisées pour le traitement des rhumatismes (période de soins : mars à mi-nov. Visite sur demande).

❸ **Source des Chômeurs.** Une allée de hêtres élancés conduit à la source des Chômeurs, émergence de la nappe des sables tertiaires sur lesquels la forêt est implantée.

❹ **Drève à Faux.** L'allée des Hêtres compte de très beaux spécimens ayant échappé aux destructions de la guerre de 1914-1918. Peuplements variés de hêtres, charmes, chênes, bouleaux. La forêt abrite de nombreux animaux tels que chevreuils, cerfs et sangliers (stages d'initiation à l'écologie forestière réalisés par l'O.N.F. De mai à oct., promenades à thème. Rens., tél. : 27-30-35-70).

❺ **Site de Sabatier.** En face de la base de loisirs de Raismes se situe la Maison de la Forêt, réalisée par le parc naturel régional (expositions, films, diaporamas). C'est le point de départ pour se rendre au site de Sabatier, terril en cours de recolonisation végétale, aménagé afin d'en faciliter l'ascension. Du sommet (100 m), panorama remarquable sur le Hainaut (1 h 30 à pied). D'autres sentiers permettent de découvrir des étangs d'affaissements miniers où les multiples aspects de la forêt.

❻ **Mare à Goriaux.** Due aux affaissements miniers, elle est devenue une réserve ornithologique de tout premier plan. Lieu d'étape pour les oiseaux migrateurs, elle est habitée en permanence par de nombreux oiseaux d'eau, comme les tadornes de Belon (voir dessin), canards, grèbes huppés. Plus de 200 espèces y ont été recensées sur ses 120 ha de plan d'eau.

Tadorne de Belon. Cet oiseau doit son nom à Belon, ornithologue du XVIe s.

De Sains-en-Amiénois à Péronne 81 km

De part et d'autre des méandres de la Somme s'étale une campagne aux terres fécondes. Le paysage est parsemé de villages compacts et de grosses fermes en brique. Dans le Santerre et le Vermandois, les traditions restent vives : n'y pratique-t-on point encore la « choule », jeu médiéval qui consiste à envoyer, au cours d'une mêlée, une balle de son enrobée de cuir dans le camp adverse ?

Belvédère de Vaux. Un arrêt ménagé au bord de la route permet d'apprécier la belle vue s'offrant sur le méandre de Curlu.

Péronne : la porte de Bretagne (1602) est ornée du blason de la cité, avec sa devise « Urbs nescia vinci » : ville jamais vaincue.

❶ **Sains-en-Amiénois.** Dans l'église se trouve un très beau monument funéraire des XIIe et XIIIe s. : le tombeau de saint Fuscien et de ses compagnons, Victoric et Gentien ; c'est une dalle de pierre rectangulaire soutenue par six paires de colonnes, sur laquelle reposent les trois gisants aux yeux clos des martyrs.

❷ **Boves.** Situé au pied d'un coteau, le bourg est dominé par les ruines d'un donjon (XIIe s.), d'où la vue englobe, au S., les étangs de Fouencamps et, au N., Amiens et ses environs (accès par un sentier pédestre).

❸ **Mémorial australien.** Il commémore le souvenir des 11 000 soldats australiens morts lors de l'offensive allemande de Picardie au printemps 1918 (vis. : s'adr. à M. J.-P. Thierry, tél. : 22-48-18-49).

❹ **Corbie.** Du sommet de l'éperon crayeux qui, au N., sépare de la vallée de l'Ancre la ville installée sur la rive droite de la Somme, on jouit d'une très belle vue sur les marais de la Somme et la cité. De l'abbaye bénédictine, il subsiste l'église St-Pierre (XVIe-XVIIIe s.) : sa nef est précédée de deux tours de 55 m, encadrant une façade à trois portails en arc brisé. On peut y voir une tête de saint Pierre (XIIe s.). L'ancienne collégiale St-Étienne (XIe-XIIe s.) présente sur sa façade romane le Couronnement de la Vierge (XIIIe s.).

❺ **Albert.** Non loin de l'hôtel de ville, que domine un beffroi de style flamand haut de 64 m, se trouve la basilique N.-D.-de-Brebières (XIXe s.), appelée aussi la Lourdes du Nord. La première quinzaine de septembre, pèlerinage à la Vierge brebière, statue en pierre polychrome du XIVe s.

❻ **Belvédère de Vaux.** Voir photo.

❼ **Péronne.** La cité a gardé une porte en brique à chaînage de pierre (voir photo) et une partie de ses remparts (XVIe-XVIIe s.). De la forteresse, il reste quatre grosses tours du XIIIe s. derrière lesquelles un musée ultramoderne, l'Historial de la Grande Guerre, a été construit (vis t.l.j. Fermé mi-déc. et mi-janv.). L'hôtel de ville, de style Renaissance, abrite le musée Danicourt (vis. sur dem., tél. : 22-84-01-16) : monnaies anciennes, orfèvrerie, bijoux mérovingiens.

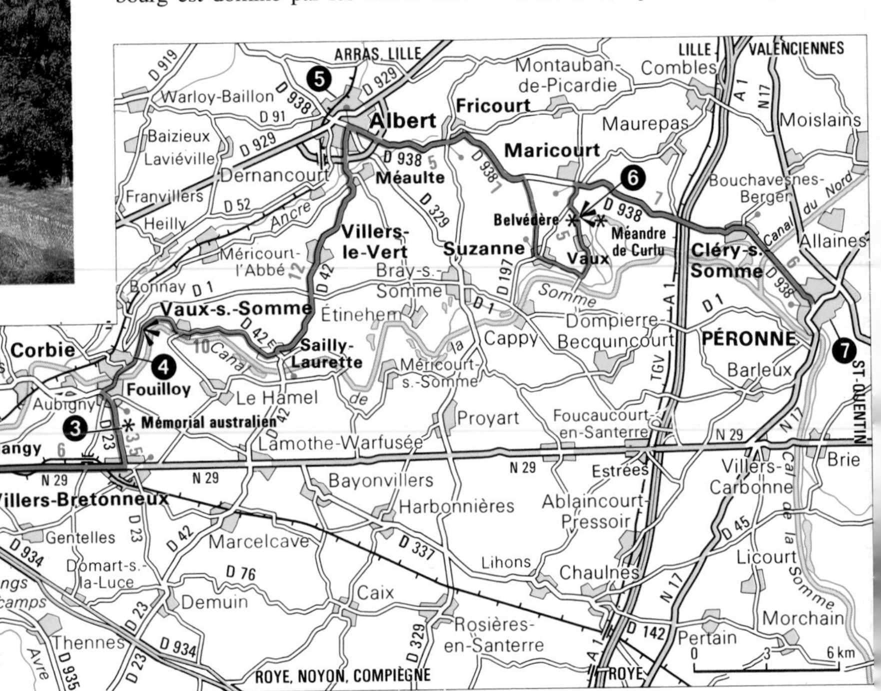

Promenade 43 km en forêt de Trélon

La forêt de Trélon domine le plateau ardennais de ses vastes hêtraies. Incisé de nombreuses rivières comme l'Helpe Majeure ou l'Eau d'Anor, ce plateau humide s'égoutte lentement vers la Sambre et vers l'Oise. La forêt : des taillis en cours de reboisement. L'eau : des barrages ont créé, çà et là, de vastes étangs où se reflètent les pentes boisées, comme la Petite Suisse, autour de l'étang du Val Joly.

❶ **Vallée de l'Helpe Majeure.** La rivière, d'Avesnes à Liessies, serpente lentement dans une large vallée couverte de grasses prairies qu'ombragent des saules et des peupliers ; frênes, chênes et même ormes subsistent dans les haies des bas de pente. Près du château de la Motte, (XVIIIe s.) à Liessies, les étangs artificiels qui ont noyé les bas-fonds humides sont un rendez-vous de pêcheurs ; la forêt ferme l'horizon. Le château qui servit jadis de maison de retraite aux moines de l'abbaye bénédictine de Lessies est actuellement un hôtel-restaurant. A l'entrée du bois l'Abbé, on observera (5 mn à pied en sous-bois) que les roches calcaires et schisteuses dans lesquelles s'entaille la vallée de l'Helpe présentent une très forte inclinaison. Très accessible (aires de pique-nique), ce taillis de belle venue sous futaie de chênes et de hêtres est l'un des plus attachants de la contrée.

❷ **Lac du Val Joly.** Au confluent de plusieurs vallées encaissées dans le plateau ardennais, un barrage-poids retient un vaste étang très poissonneux, divisé en lots dont certains sont mis en réserve ; on y a créé un centre d'élevage de brochets. Le lac du Val Joly mire dans ses eaux les forêts touffues de la Petite Suisse, aux vallonnements parfois inattendus. Sur le lac, école de voile. Pour la pêche, on peut acheter un permis dans les cafés environnants. La route vers Eppe-Sauvage permet quelques points de vue sur le lac, parmi les frondaisons des bouleaux, des charmes et des hêtres.

❸ **Moustier-en-Fagne.** La vallée de l'Helpe Majeure encaissée dans les schistes et calcaires s'élargit au passage de bancs plus franchement schisteux : la douceur des pentes, les formes molles et feutrées couvertes de grasses prairies témoignent de la solifluxion (glissement lent de terrains humides) ; les bas de pente sont encombrés de dépôts fins où serpentent les rivières et où subsistent, malgré le drainage, quelques bas-fonds marécageux, les « fagnes » : roseaux et carex persistent près des fagnes et la petite oseille dans les prés. Avant le village, un chemin offre (20 mn AR) un beau point de vue sur Moustier-en-Fagne.

❹ **Baives.** La route qui gravit une petite butte de calcaires et de schistes noirâtres permet d'apercevoir au loin la forêt de Trélon, au-dessus d'un bassin de confluence que traverse l'Helpe. Au sommet, le château d'eau est établi sur une lande reboisée en pins noirs d'Autriche et en pins sylvestres. Près d'une chapelle ombragée de tilleuls (pique-nique possible) se trouve une lande où l'on pourra découvrir, parmi les troènes (voir dessin) et aubépines, les inflorescences bleues des gobulaires qui croissent sur un sol pierreux et parfois limoneux. Parcelles reboisées, pelouse et champs cultivés se partagent l'espace qui était autrefois occupé par la lande.

❺ **Étang de la Galoperie.** C'est un étang de barrage, utilisé jadis par la forge voisine. Un sentier balisé (45 mn à pied) vers la Belgique serpente près de la berge N. de l'étang, sous une futaie de hêtres de belle venue où l'on apercevra peut-être, si l'on sait être discret, quelque chevreuil ou sanglier, ou encore, l'éclair roux d'un écureuil surpris prenant soudain la fuite (propriété privée). A la queue de l'étang, roselière et aulnaie envahissent une vase molle. Un blockhaus moussu matérialise la frontière franco-belge. On reviendra par la piste balisée.

Troène. Arbuste à feuilles caduques ou persistantes selon les espèces. Ses fleurs blanches, à odeur forte, sont groupées à l'extrémité des branches.

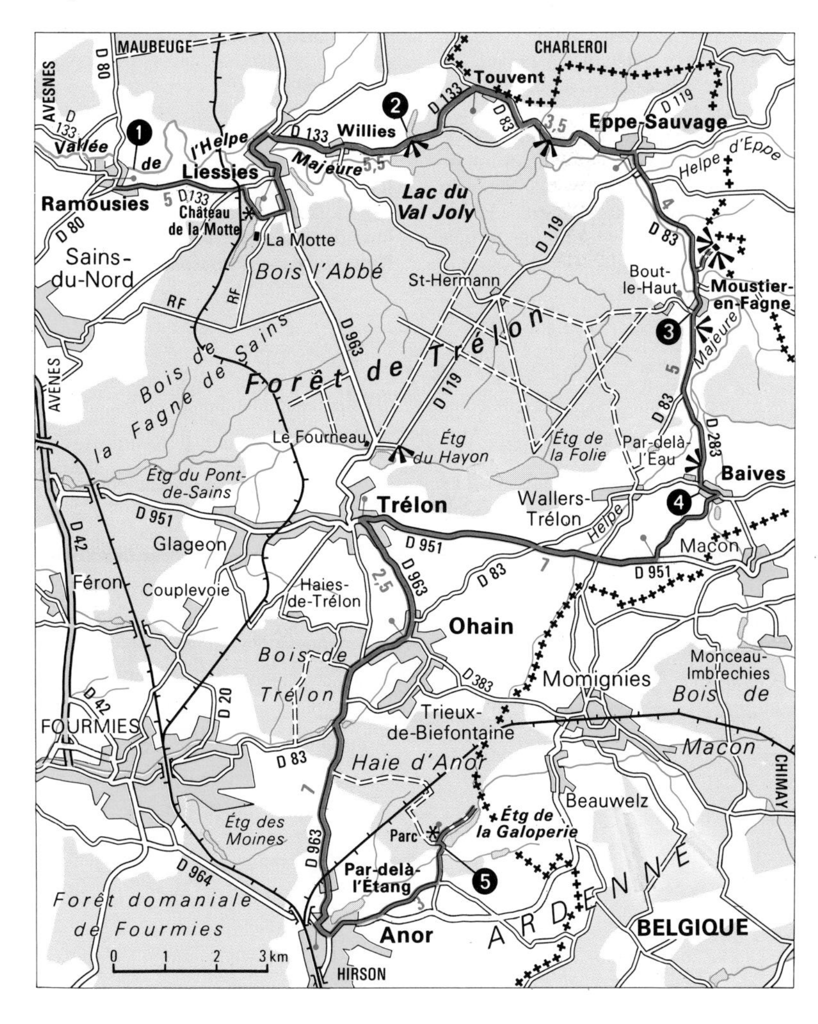

Marquenterre et forêt de Crécy 52 km

De la baie de Somme, estuaire envasé, jusqu'à la forêt de Crécy, qui s'étend sur le plateau du Ponthieu, l'itinéraire traverse d'abord les paysages variés de la plaine maritime picarde ; puis, par la vallée de la Maye, il atteint ce beau massif boisé couvrant plus de 4 000 ha. Dans les dunes en partie gagnées sur la mer a été créé, en 1973, le remarquable parc ornithologique du Marquenterre, aujourd'hui site du Conservatoire du littoral et jumelé avec le Zwin, en Belgique.

Parc ornithologique du Marquenterre : des postes d'observation, il est fréquent de voir, au printemps, des groupes importants de tadornes de Belon.

❶ **Le Crotoy** est bâti sur un ancien cordon littoral orienté N.-S. et formé de sables et de galets. Dans la baie, les sables et les vases sont progressivement colonisés par les plantes de pré salé ; l'envasement se poursuit près de la route et face au pont. Du cordon de galets, on aperçoit les dunes qui vont s'épanouir jusqu'au Touquet. On admirera les lointains infinis de la baie au coucher du soleil.

❷ **Parc ornithologique du Marquenterre.** Jouxtant une réserve naturelle, il est implanté dans un cadre de dunes et de mollières (terres grasses et humides), transformées par l'homme. Refuge de nombreuses espèces d'oiseaux aquatiques nicheurs et migrateurs. Un parcours d'initiation propose au visiteur de se familiariser avec diverses espèces locales en semi-liberté. Le parcours d'observation de 4 km permet une vision plus naturelle à partir de postes de guet (vis. t.l.j., fin mars-11 nov. ; vis. guid. toute l'année le week-end ; en semaine, groupes sur R.-V.).

❸ **Marais de Larronville.** On longe l'ancien cordon littoral où est bâti Rue (voir l'admirable chapelle du St-Esprit, du plus beau gothique flamboyant). Ce cordon, ou « foraine », entaillé de ballastières, retient les eaux près de la falaise morte. Les joncs, les carex et les roseaux couvrent de vastes surfaces où se réfugient vanneaux et bécasses.

❹ **Forêt de Crécy.** Les routes goudronnées du circuit fléché des Vieux Chênes et les routes forestières permettent de parcourir la plus belle partie de la forêt. Après la clairière du Muguet, le Solitaire est un hêtre dont le tronc massif s'orne, dès 10-12 m, de branches noueuses et tourmentées. L'allée des Grands Hêtres est, à 200 m au S., un lieu agréable pour une promenade pédestre.

❺ **Hutte des Vieux-Chênes** (zone de silence). De cet ancien rendez-vous de chasse, deux promenades pédestres sont possibles. Au S., un sentier sous futaie de hêtres mène à la Mare sèche, au milieu d'une clairière. A l'O., la promenade des Vieux Chênes : après avoir suivi un chemin qui court parmi les chênes, on parvient à une allée forestière, magnifique tunnel de verdure sous les frondaisons de hêtres et de chênes ; aux barrières blanches faire demi-tour (1 h environ). De très nombreux autres circuits sont balisés (carte de l'O.N.F. à Crécy).

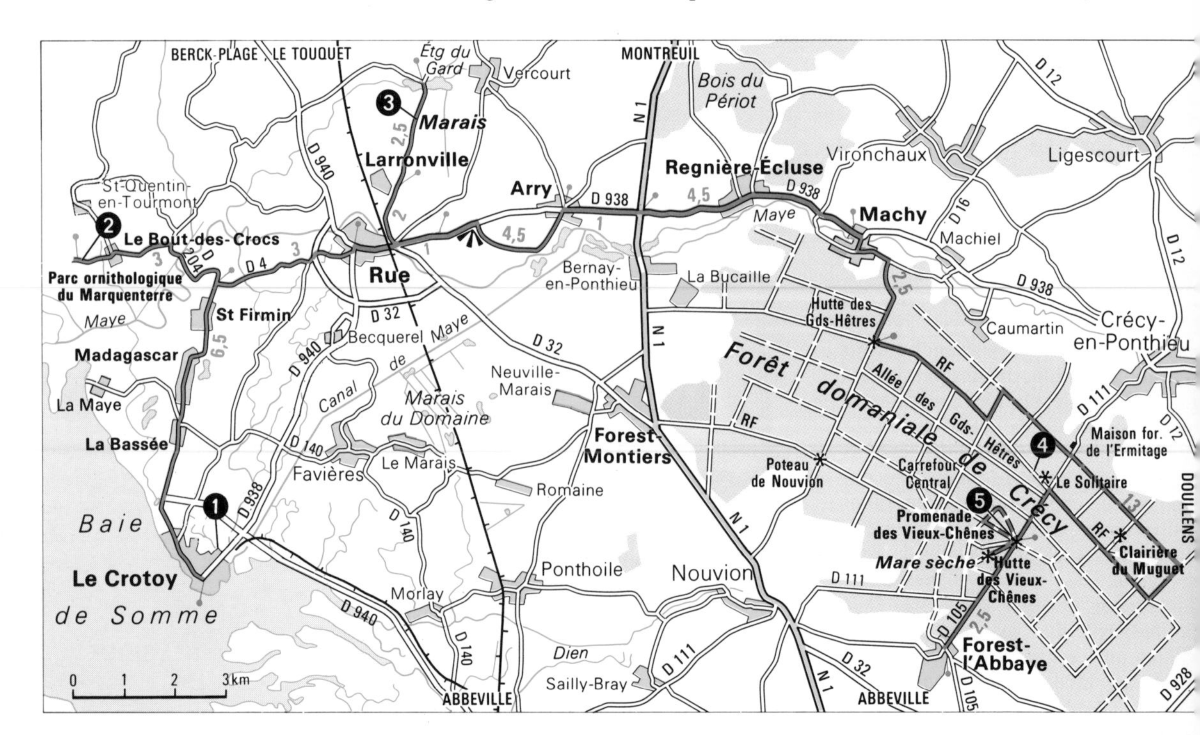

e Marquenterre. Les terres gagnées sur la mer forment une plaine couverte de prairies et de
hamps parsemés de marais et d'étangs, et sillonnée de fossés gorgés d'eau.

D'Amiens à la baie de Somme 78 km 94 km

La verdoyante vallée de la Somme se déroule entre les plateaux crayeux, à la physionomie bocagère, du Vimeu et du Ponthieu. Tantôt elle est parsemée de marais et d'étangs où abondent poissons et gibier d'eau; tantôt elle est canalisée, et découpe un puzzle de jardins, les hortillonnages. L'homme y a façonné de nobles sites, comme Amiens et Abbeville.

Amiens. La cathédrale, sur sa façade oc cidentale encadrée de deux tours, est orné d'une rose de 11 m de diamètre.

ITINÉRAIRE N° 1

❶ **Picquigny.** Le village, étagé sur la rive gauche de la Somme, est dominé par les ruines du château des vidames d'Amiens (ouv. sam., dim., Pâques-15 sept. Rens. à l'O.T.). La porte du Gard permet de franchir l'enceinte (XIVe s.) en pierre pour voir le pavillon Sévigné (XVIIe s.) – ainsi baptisé en souvenir d'un séjour de la marquise –, les restes du donjon avec ses prisons, la salle de justice et une vaste cuisine ornée d'une cheminée monumentale (1583). Voir aussi la collégiale St-Martin (XIIe-XVe s.). Panorama sur la vallée de la Somme.

❷ **Airaines.** Proche de la porte de la Châtellenie (1622), l'église romane Notre-Dame (XIIe s.), à la sobre façade percée d'une baie en plein cintre, renferme une cuve baptismale (XIe s.) ornée de curieuses figures accroupies.

❸ **Abbeville.** Avant d'arriver, sur la route de Neufchâtel-en-Bray, un virage serré à droite permet d'accéder au sommet des monts de Caubert (82 m). De là, vue sur les marais de la Somme et la ville. A Abbeville, on remarquera, parmi plusieurs édifices du XVIIIe s., l'ancienne Manufacture royale des Rames (voir dessin) et le château de Bagatelle, en brique rose et pierre blanche. A l'intérieur, inchangé depuis cette époque, boiseries peintes, ferronneries, mobilier XVIIIe s. (t.l.j., juill.-sept.; sur R.-V. tte l'année). Voir aussi le musée d'histoire « France 40 » (t.l.j., Pâques-Toussaint). La collégiale St-Vulfran (XVe-XVIIe s.) présente une belle façade flamboyante, avec deux tours (58 m) encadrant un pignon ajouré. Les vantaux centraux (1550) sont historiés de scènes de la vie de la Vierge. Au musée Boucher-de-Perthes (t.l. apr.-m., sauf mardi, mai-sept. et vac. scol. l'apr.-m. des mercr., sam. et dim.) préhistoire, peinture, histoire natu relle; expositions temporaires.

❹ **Saint-Valery-sur-Somme.** La port de Nevers (XIVe-XVIe s.) donne sur l ville haute, dont les remparts enfer ment l'église St-Martin (XIVe s.) l'édifice dresse ses murs à damiers d silex et de grès à l'ombre d'un cloche trapu. De la chapelle des Marins, a sein d'un bouquet de vieux ormeaux belle vue sur la baie de Somme.

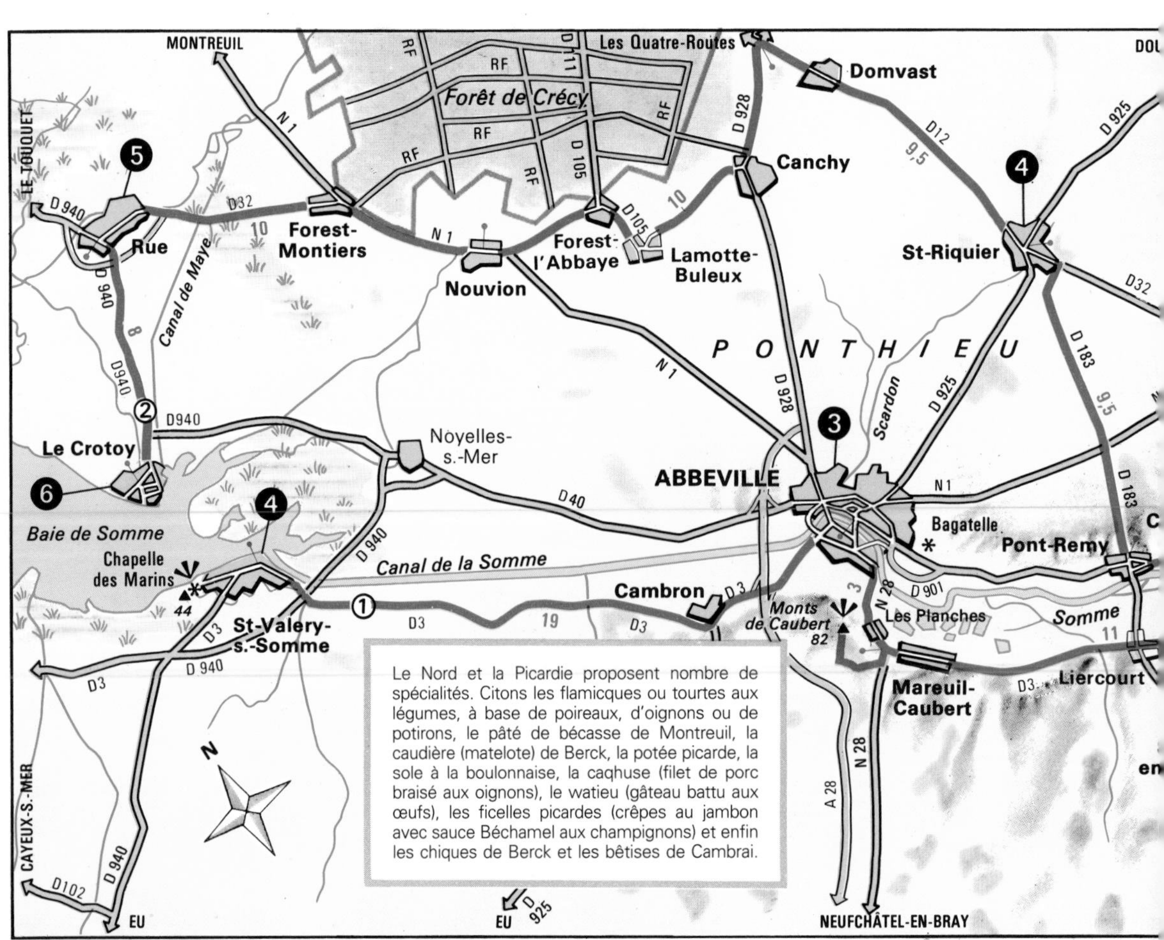

Le Nord et la Picardie proposent nombre de spécialités. Citons les flamicques ou tourtes aux légumes, à base de poireaux, d'oignons ou de potirons, le pâté de bécasse de Montreuil, la caudière (matelote) de Berck, la potée picarde, la sole à la boulonnaise, la caqhuse (filet de porc braisé aux oignons), le watieu (gâteau battu aux œufs), les ficelles picardes (crêpes au jambon avec sauce Béchamel aux champignons) et enfin les chiques de Berck et les bêtises de Cambrai.

ITINÉRAIRE N° 2

❶ **Amiens.** Le trésor de la ville est la :athédrale Notre-Dame, gothique, :onstruite de 1220 à 1270 (voir pho- o). La plus vaste des églises fran- :aises, elle s'orne en son portail prin- :ipal d'un Beau Dieu, majestueuse tatue monolithe. A l'intérieur, on re- narquera la clôture du chœur et les 10 stalles en chêne, sculptées de 4 000 figures. Plus modeste, l'église ;t-Germain (XVIe s.) possède de beaux 'antaux Renaissance. Une promenade :gréable mène à la maison du Sagit- aire (1593) avec sa façade Renais- ance, à l'ancien Baillage de style lamboyant (1541), au logis du Roi XVe s.) avec sa tourelle de brique et à 'ancien théâtre (1780); tous sont dominés par les 104 m de la tour Perret (on ne visite pas). Le musée de Picardie (vis. t.l.j., sauf lundi et les 1er mai, 1er nov., 25 déc. et 1er janv.) possède de riches collections archéologiques (préhistoire et Antiquité) et de peintures : primitifs picards, écoles espagnole et française des XVIIe et surtout XVIIIe s.

❷ **Berteaucourt-les-Dames.** L'église St-Nicolas (XIIe s.), dont la façade s'orne d'un grand Christ en croix inscrit dans un cercle d'acanthes, abrite le mausolée Renaissance (1605) d'une abbesse, orné d'un haut relief.

❸ **Long.** Bâti à flanc de coteau, au bord de la Somme, le bourg possède une église reconstruite au XIXe s. mais encore parée d'un clocher du XVIe.

❹ **Saint-Riquier** doit sa réputation à son église, gothique flamboyant (XVe-XVIe s.), seul reste d'une abbaye bénédictine. La façade et le portail sont ornés d'une riche statuaire, en partie mutilée; à l'intérieur, 68 stalles sculptées, grilles en fer forgé et beau retable en albâtre anglais (1500). La salle du Trésor (XIIIe s.) est ornée de peintures murales du XVIe s. (vis. guid. sur R.-V.).

❺ **Rue** est dominée par un beffroi du XVe s. Dans la remarquable chapelle du St-Esprit (XVe-XVIe s.), l'art flamboyant a transformé la ciselure de la pierre en une véritable dentelle.

❻ **Le Crotoy.** Autour d'un port actif, la ville est une agréable station balnéaire (voir aussi itinéraire 199).

Amiens. Les hortillonnages, ensemble de petits jardins entourés de canaux (rieux), sont accessibles en barque (plate).

Abbeville. Sculpture des attributs du commerce ornant la porte de la Manufacture royale des Rames (ne se visite pas).

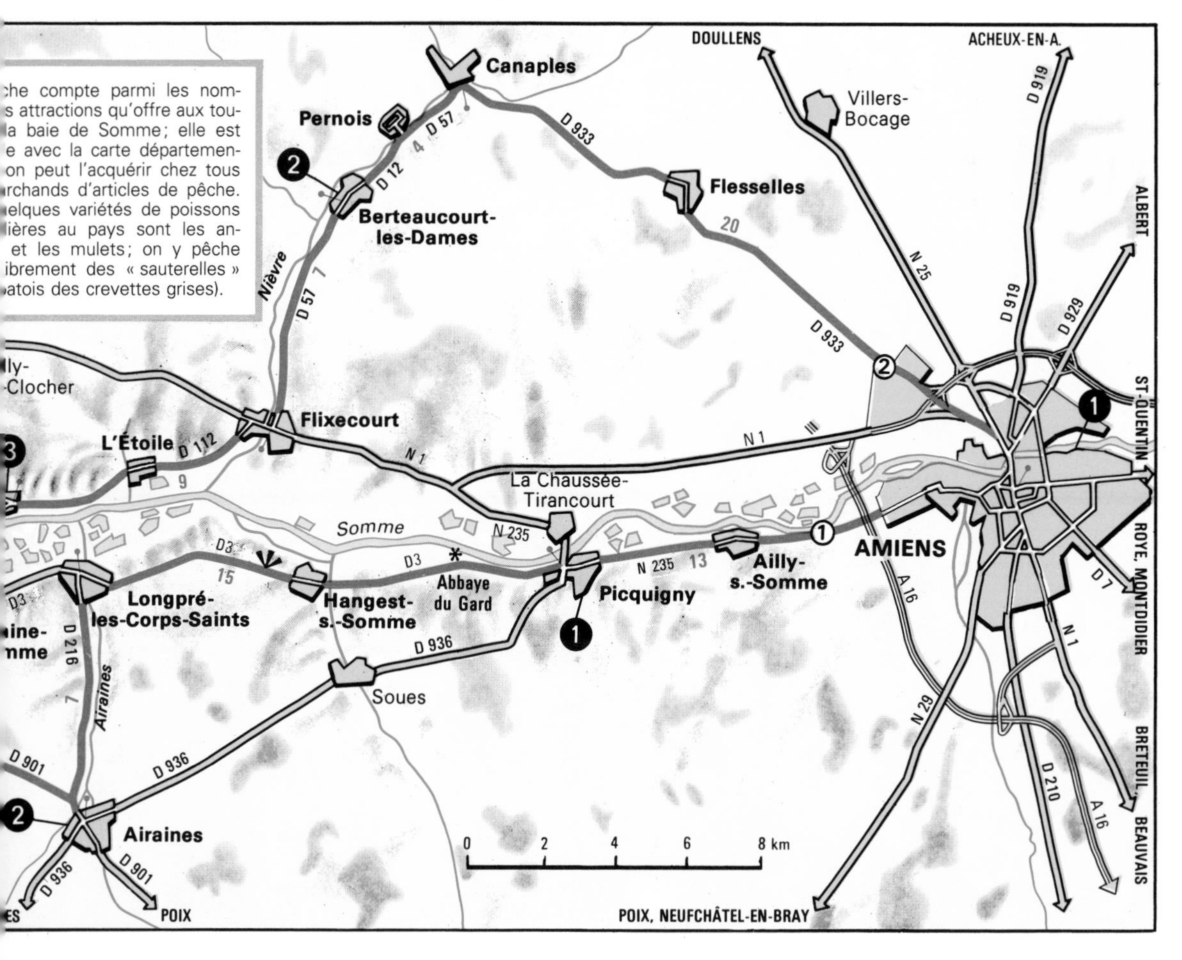

NORMANDIE

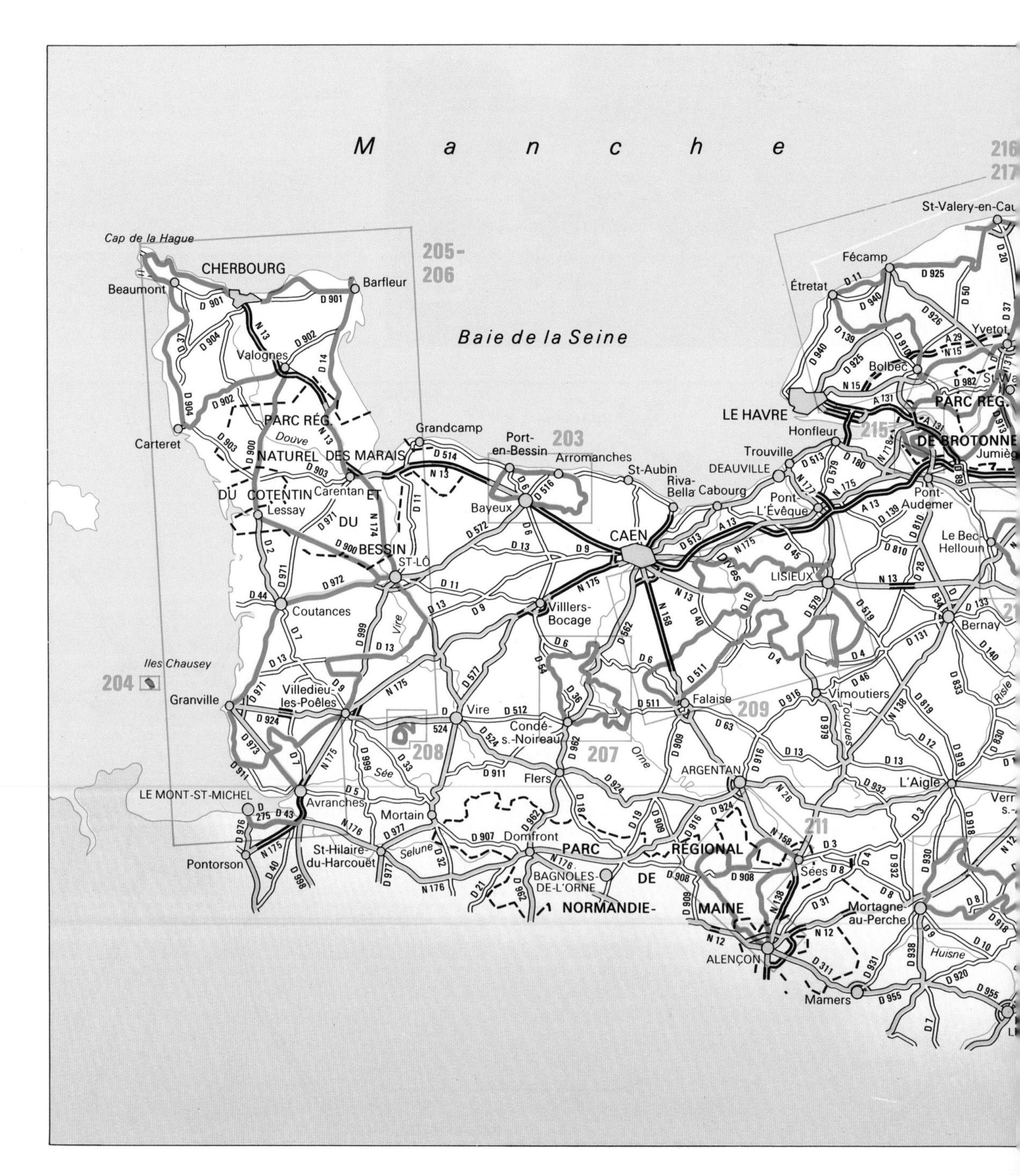

Manche
Baie de la Seine
Cap de la Hague
CHERBOURG
Beaumont
Barfleur
Valognes
Carteret
PARC RÉG. NATUREL DES MARAIS DU COTENTIN ET DU BESSIN
Douve
Carentan
Lessay
ST-LÔ
Coutances
Iles Chausey
Granville
Villedieu-les-Poêles
LE MONT-ST-MICHEL
Avranches
Pontorson
St-Hilaire-du-Harcouët
Mortain
Grandcamp
Port-en-Bessin
Arromanches
Bayeux
St-Aubin
Riva-Bella
Cabourg
CAEN
Villlers-Bocage
Vire
Condé-s.-Noireau
Flers
Domfront
BAGNOLES-DE-L'ORNE
PARC RÉGIONAL DE NORMANDIE-MAINE
Falaise
ARGENTAN
Sées
ALENÇON
Mamers
Mortagne-au-Perche
L'Aigle
Vimoutiers
LISIEUX
Bernay
Le Bec-Hellouin
Pont-Audemer
Pont-L'Évêque
DEAUVILLE
Trouville
Honfleur
LE HAVRE
Étretat
Fécamp
Bolbec
Yvetot
St-Valery-en-Cau
PARC RÉG. DE BROTONNE
Dives
Orne
Vire
Sée
Sélune
Touques
Risle
Huisne
203
204
205-206
207
208
209
211
215
216
217

Hautes falaises et larges méandres
Pierres blanches des édifices

Son opulence, la Normandie la tient de la Nature qui l'a comblée de dons et de ses fils, aventureux mais aussi prudents, qui l'ont parée de richesses souvent inégalées. Mais comme elle est changeante, comme elle sait être hautaine au long des falaises blanches, charmeuse en ses fraîches vallées, sauvage dans les forêts du Bocage, majestueuse parmi les grands méandres de la Seine! Ici l'emporte la plaine découverte, mais les fermes de briques ou de bois s'isolent à l'abri des grands hêtres; là triomphe le bocage, où fleurissent maisons à colombage et logis de pierre blanche finement sculptée; avivée par l'averse et la touffe d'hortensia, la maison de pierre sombre annonce la Bretagne. Partout, les fécondes accordailles d'une mer active et d'une terre grasse confèrent à l'ensemble une même tonalité: un ciel qui diffuse une douce lumière, des arbres qui voisinent « en familiarité avec l'herbe », une vocation marquée pour les formes les plus évoluées d'élevage et pour les relations lointaines, une extraordinaire profusion de monuments dont la luxuriance décorative n'a d'égale que la hardiesse architecturale. Une tonalité s'impose au siècle dernier: il y avait un roman normand, épris de clarté; un gothique normand, au décor très fouillé; un type de forteresse, aux fiers donjons, ou de manoir, aux «agencements indisciplinés»; il y a alors une Normandie qui s'affirme dans la production du cidre, du fromage, dans l'œuvre de Flaubert ou de Maupassant, dans la peinture impressionniste. Proche de la capitale tentaculaire, dont elle est la «porte océane», la Normandie reste «notre petite Angleterre de France».

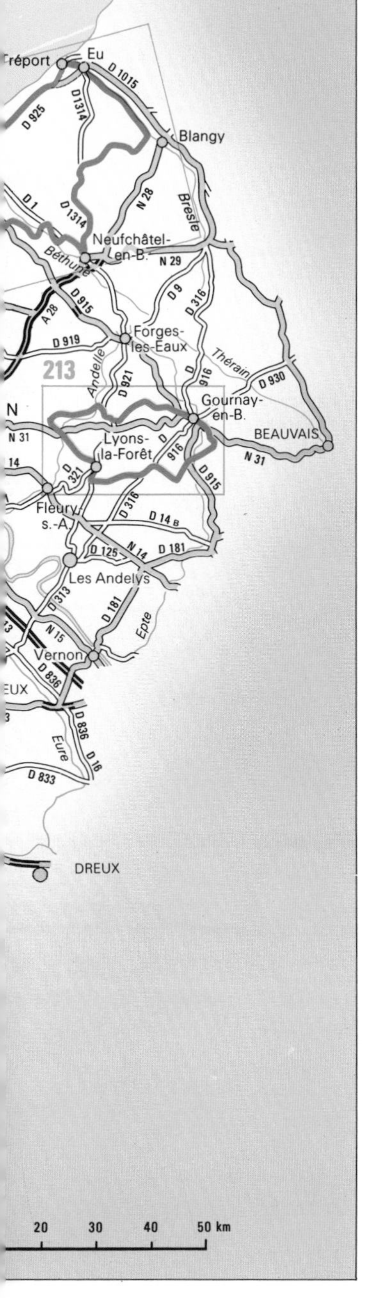

La «Touraine» du pays d'Auge: demi-sang au repos dans l'herbage.

Hauts lieux, trésors et paysages

Rouen, capitale de la Normandie, est une cité d'art exceptionnelle. De la place du Vieux-Marché, où Jeanne d'Arc fut brûlée vive, on se dirige vers l'hôtel de Bourgtheroulde (XIIIe-XVIIIe s.), qui abrite des bas-reliefs figurant l'entrevue du Camp du Drap d'or, pour gagner le Gros-Horloge, pavillon Renaissance qui enjambe la rue: le couvre-feu sonne à 9 h, tous les soirs. De la plate-forme on a une très belle vue d'ensemble sur la ville. La cathédrale offre un panorama de l'art gothique. A l'intérieur, voir les tombeaux Renaissance de la chapelle de la Vierge et les vitraux (XIIIe-XVe s.). L'église St-Maclou (XVe-XVIe s.), avec son porche à cinq baies et ses portails à vantaux Renaissance, est un chef-d'œuvre du gothique flamboyant. L'aître St-Maclou est l'ancien cimetière paroissial (XVIe-XVIIe s.). L'église St-Ouen, joyau du gothique rayonnant, est dominée par une tour de 82 m; à l'intérieur, vitraux des XIVe et XVe s. L'hôtel de ville est l'ancienne abbaye de St-Ouen (XVIIIe s.). Le palais de justice est un exemple parfait de gothique tardif: voir surtout la façade sur la cour intérieure. On peut admirer de très nombreuses maisons à pans de bois (XIVe-XVIIIe s.) et de riches hôtels particuliers (XVIIe-XVIIIe s.). Quelques autres édifices intéressants: les églises St-Godard et St-Patrice; St-Gervais (crypte du IVe s.). Pour les musées, voir texte encadré.

Jumièges. Voir itinéraire 214.

Saint-Wandrille. Voir itinéraire 214.

Dieppe. Voir itinéraire 217.

Fécamp. Voir itinéraire 216.

Étretat. Voir itinéraire 216.

Le Havre a été reconstruit après 1944 sur les plans de l'architecte Auguste Perret. L'église St-Joseph, tout en béton, est dominée par un clocher de 106 m. Au musée de l'Ancien-Havre, dans une demeure du XVIIe s. restau-

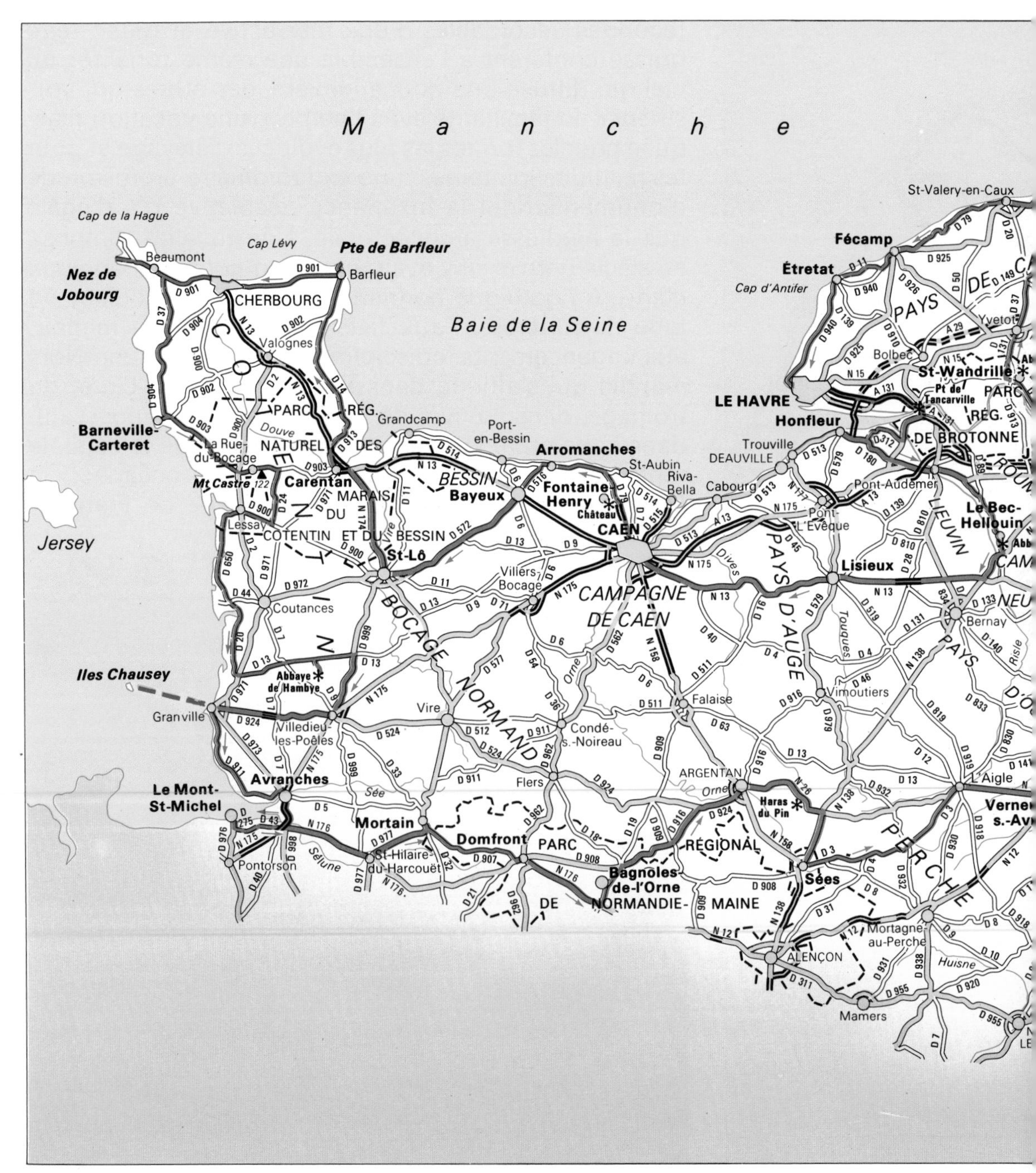

rée, sont exposés des documents historiques (ouv. t.l.j., sauf lundi, mardi). Dans un édifice ultra-moderne, face au port, est installé le musée André-Malraux : collection de peintures, notamment d'Eugène Boudin et de Raoul Dufy (ouv. t.l.j., sauf mardi). Le port du Havre est le cinquième d'Europe. Sa visite est d'un grand intérêt (pour les promenades en vedette, voir *La Salamandre*, à l'embarcadère, tél. : 35-42-01-31).

Tancarville. Voir itinéraire 214.

Honfleur. Les maisons anciennes (XVIe-XVIIe s.), les églises et le vieux bassin forment un ensemble plein de charme. Voir l'église Ste-Catherine, en bois (XVe s.), et son clocher séparé de l'édifice (annexe du musée Boudin), et l'église St-Léonard (XVIIIe s.). Voir le musée de la Marine et le musée d'Ethnographie et d'Art populaire normand (ouv. t.l.j., 15 juin au 30 sept. Hors saison, l'apr.-m. en semaine; sam., dim. toute la journée). Au musée Eugène-Boudin, extraordinaire collection d'œuvres de l'école de Honfleur, ainsi que de peintres contemporains (ouv. t.l.j., sauf mardi, 15 mars-30 sept. ; t.l. apr.-m., sauf mardi, sam. et dim. toute la journée, 1er oct.-15 mars. Fermé du 3 janv. au 20 févr.).

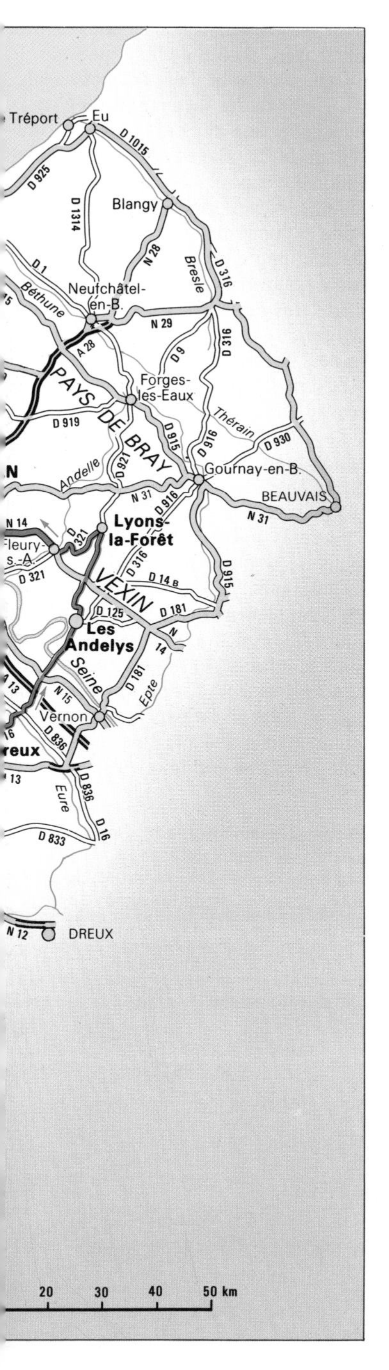

Le Bec-Hellouin. Voir itinéraire 210.

Lisieux, qui a beaucoup souffert des bombardements en juin 1944, est surtout, aujourd'hui, un lieu de pèlerinage voué à sainte Thérèse de l'Enfant Jésus : sa maison, la basilique, la chapelle du Carmel. La cathédrale St-Pierre (XIIe-XIVe s.) est le seul vestige de l'ancienne cité. Visiter le jardin de l'évêché, beau jardin à la française, situé derrière l'ancien palais épiscopal, aujourd'hui palais de justice. Le musée du Vieux-Lisieux, dans une maison des XVe-XVIIIe s., évoque l'histoire de la ville (t.l. apr.-m., sauf mardi).

Caen. Le château féodal (XIe s. restauré) possède la plus vaste enceinte fortifiée de France. Il abrite le musée des Beaux-Arts : peintures et estampes, ainsi que le musée de Normandie : ethnographie et histoire de la basse Normandie (ouverts t.l.j., sauf mardi). L'abbaye aux Hommes : l'église St-Étienne, dominée par deux tours à trois étages, a une façade romane; l'abside date des XIIIe et XIVe s.; à l'intérieur, le chœur (XIIIe s.) est orné de motifs typiquement normands. Les bâtiments conventuels (reconstruits au XVIIIe s.) sont occupés par l'hôtel de ville; à l'intérieur, remarquables boiseries (vis. guid. t.l.j., sauf Noël et jour de l'An). L'abbaye aux Dames : voir surtout les chapiteaux de la crypte (XIe s.) de l'église de la Trinité.

Château de Fontaine-Henry. C'est une des splendeurs de la Renaissance en Normandie (XVe-XVIe s.). (Vis. de l'intérieur du château, de la chapelle et des salles basses. De Pâques à la Toussaint, vis. guid. l'apr.-m., sam., dim. et j. fér. ; t.l. apr.-m., sauf mardi, du 15 juin au 15 sept. Groupes sur R.-V., tél. : 31-80-00-42).

Arromanches. Voir itinéraire 203.

Bayeux. Voir itinéraire 203.

Saint-Lô. Voir itinéraire 205.

Carentan. Voir itinéraire 206.

Pointe de Barfleur. V. itinéraire 206.

Nez de Jobourg. Voir itinéraire 206.

Barneville-Carteret. V. itinéraire 206.

Mont-Castre. Ruines de la vieille église et traces d'un camp antique. Pour l'atteindre, tourner à droite après le hameau de la Rue-du-Bocage. Point de vue sur le Cotentin.

Abbaye de Hambye. V. itinéraire 205.

Iles Chausey. Voir itinéraire 204.

Avranches. Voir itinéraire 205.

Le Mont-Saint-Michel. V. itin. 205.

Mortain. L'église St-Évroult est une collégiale romane reconstruite au XIIIe s. Voir les beaux vestiges romans de l'ancienne abbaye Blanche, dont le cloître est le plus ancien de Normandie (vis. t.l.j., sauf mardi).

Domfront. Il ne reste que deux pans du donjon carré du XIe s. De la terrasse, vaste panorama.

Bagnoles-de-l'Orne, située dans la vallée étroite de la Vée. On y soigne les maladies circulatoires. Le parc de l'établissement thermal (40 ha) offre de magnifiques points de vue.

Haras du Pin. Voir p. 352-353.

Sées. Voir itinéraire 211.

Verneuil-sur-Avre, ancienne cité fortifiée, est dominée par la tour Grise et la tour de l'église de la Madeleine. Dans l'église même, belles statues et vitraux du XVe s. L'église Notre-Dame abrite de remarquables sculptures dues à des artisans locaux (XIIIe-XVIe s.).

Évreux. Le portail N. de la cathédrale est un bel exemple du gothique flamboyant. A l'intérieur, voir les clôtures de bois (Renaissance) et les vitraux, notamment ceux de l'abside (XIVe s.). L'église St-Taurin (XIVe-XVe s.) est aussi éclairée par de magnifiques vitraux du XVe s.; elle abrite la châsse de saint Taurin (XIIIe s.). Dans l'ancien évêché est installé un musée : antiquités préhistoriques et gallo-romaines, peinture et mobilier du XVIe au XIXe s., faïences (ouv. t.l.j., sauf lundi, et dim. matin).

Les Andelys. La ville est dominée par la forteresse de Château-Gaillard, édifiée en 1197 par Richard Cœur de Lion (t.l.j., sauf mardi et mercr. mat.; possib. de visites guidées du 15 mars au 15 nov.). Église St-Sauveur (XIIe-XIIIe s.), porche en bois du XVe s. Au Grand-Andely, l'église Notre-Dame a un côté gothique flamboyant et un côté Renaissance; vitraux du XVIe s.

Lyons-la-Forêt. Voir itinéraire 213.

Les musées de Rouen

Musée des Beaux-Arts, square Verdrel (ouv. t.l.j., sauf mardi) : coll. de peinture, sculpture et objets d'art. Musée de Céramique, hôtel d'Hocqueville (ouv. t.l.j., sauf mardi) : coll. de faïences de Rouen et de céramiques. Musée Le Secq-des-Tournelles, église St-Laurent (ouv. t.l.j., sauf mardi) : coll. de ferronnerie. Musée des Antiquités (ouv. t.l.j., sauf mardi) : archéologie et histoire, surtout régionale. Musée Pierre-Corneille, maison de l'écrivain (ouv. t.l.j., sauf mardi et mercr. mat.). Muséum d'histoire naturelle, ethnographie et préhistoire (ouv. t.l.j., sauf lundi). Musée Flaubert, hôtel-Dieu (ouv. t.l.j., sauf dim. et lundi). Musée Jeanne-d'Arc (ouv. t.l.j., sauf lundi en hiver). Beffroi du Gros-Horloge (ouv. t.l.j., sauf mardi, des Rameaux au 1er oct.). Tour Jeanne-d'Arc (ouv. t.l.j., sauf mardi). Renseignements à l'O.T., tél. : 32-08-32-40.

De Bayeux à Port-en-Bessin 61 km

Le Bessin est un plateau peu élevé, domaine d'un bocage aux grandes prairies. La région, réputée pour son très riche élevage, est bordée au nord par les falaises et les plages de la Manche. Bayeux et le petit port d'Arromanches sont les fleurons de l'itinéraire : leur renommée est liée, l'une à la conquête de l'Angleterre par les Normands, l'autre à la libération de la France par les Alliés pendant la dernière guerre mondiale.

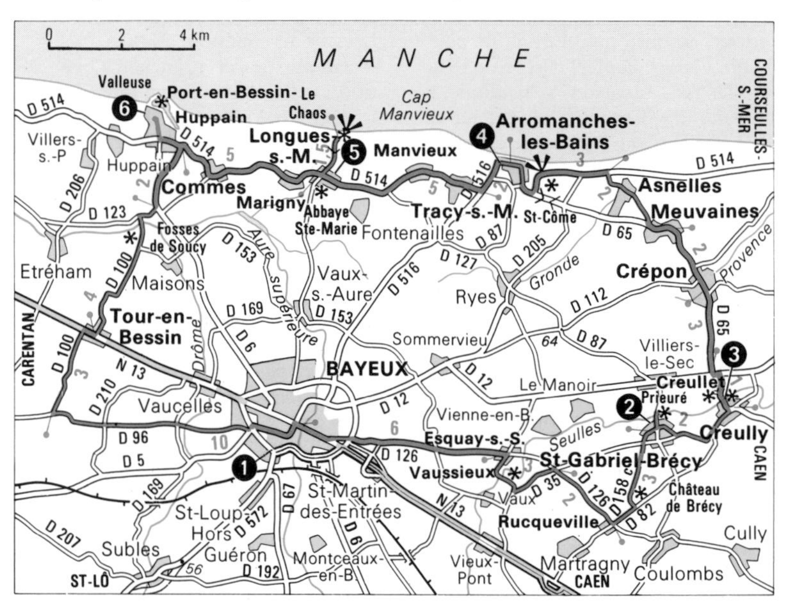

Port-en-Bessin-Huppain. L'avant-port est délimité par deux jetées en demi-cercle. La pêche à la raie et au rouget se déroule sur les côtes O. de la Grande-Bretagne.

❶ **Bayeux.** La cathédrale Notre-Dame est à l'origine un édifice roman (XIe s.), dont il ne subsiste que les deux tours et les arcades de la nef, sur lequel a été édifié, jusqu'au XVe s., un ensemble gothique : d'où les contrastes entre la largeur de la façade et l'élan des tours, entre le robuste rez-de-chaussée de la nef et la légère paroi de l'étage ajouré par de vastes verrières. L'art roman a perdu de son austérité ; les grandes arcades sont décorées de longues bandes de vannerie et de petits reliefs encadrés, où l'influence orientale est évidente : c'est un exemple typique de sculpture romane de Normandie. La tour centrale, haute de 80 m (XVe s.), a été malencontreusement recouronnée au XIXe s. Le tympan du portail S. porte l'histoire sculptée de saint Thomas Becket. La crypte date du XIe s. (vis. t.l.j., s'adresser à la sacristie). Hôtel du Doyen, à côté de la cathédrale, le musée diocésain d'art religieux (ouv. t.l.j.) abrite des ornements d'église et une collection d'incunables. Au musée de la Tapisserie de la reine Mathilde est exposée la fameuse *Telle du Conquest* (voir photo), broderie à la laine de couleur sur toile, longue de 70 m et haute de 0,5 m (vis. t.l.j.). Le musée Baron-Gérard (ouv. t.l.j.) présente des tapisseries du XVIIe s., des céramiques de Rouen, des porcelaines de Bayeux et des dentelles. Ateliers d'artisanat et de dentellières travaillant à l'ancienne, au fuseau. La ville est riche en bâtiments anciens, notamment l'évêché et le manoir de Saint-Manvieu (XVe s.), l'hôtel d'Argouges (XVe-XVIe s.), et, rue des Cuisiniers, la plus remarquable maison à pans de bois de Normandie, une ancienne auberge du XIVe s.

❷ **Saint-Gabriel-Brécy.** Du prieuré de Saint-Gabriel, fondé au XIe s., il subsiste quelques bâtiments claustraux des XIIIe et XIVe s. dont un petit donjon où siégeait la justice seigneuriale, et une partie de l'ancienne église priorale, romano-gothique (vis. t.l.j.)

Le *château de Brécy* (XVIIe s.). Beaux jardins en terrasse sur cinq niveaux, que précède un portail en chêne du XVIIe s. (vis. mardi, jeudi, dim. apr.-m., 15 avr.-30 sept.).

❸ **Creully.** Le château se dresse sur une hauteur dominant la Seulles. Cette ancienne forteresse (XIIe-XVIe s.) a conservé son vaste donjon, devenu mairie, dont la salle basse est voûtée d'ogives ; la façade rectangulaire est ornée d'une tourelle ajoutée à la Renaissance ; une haute tour à mâchicoulis (XVe s.), à la pierre ocre, est couronnée par un toit à quatre pans en ardoises bleutées (vis. t.l.j., juill.-août).

Au hameau de *Creullet*, à 500 m de Creully, un autre château (XIVe-XVIe s.) servit de quartier général au maréchal Montgomery lors du débarquement allié en juin 1944.

❹ **Arromanches-les-Bains.** Ce petit port de pêche devint, en juin 1944, le théâtre du plus grand débarquement naval de l'histoire. L'opération « Overlord » transforma la rade en un immense port artificiel, préfabriqué en Angleterre : sur un front de 12 km pouvaient être débarquées jusqu'à 9 000 tonnes de matériel par jour. On voit encore le port Winston, dont il subsiste de nombreux éléments, à partir de la digue qui domine la plage. Le musée du Débarquement (t.l.j. Fermé en janvier. Groupes, tél. : 31-22-34-31) retrace, avec des documents d'archives : photographies, films, maquettes, modèles réduits, diorama (phases du débarquement vu de la mer), le déroulement des opérations.

❺ **Longues-sur-Mer.** De l'abbaye bénédictine de Ste-Marie (propriété privée) subsistent le logis abbatial (XIIIe-XIVe s.), le réfectoire et la salle capitulaire (XVe et XVIe s.) ; à l'intérieur, les trois dalles tumulaires sont en carreaux vernissés (XIIIe s.). La plage de Longues est parsemée de blocs formant le Chaos : des pans entiers de la falaise ont en effet basculé puis, attaqués par l'érosion, ont été isolés.

❻ **Port-en-Bessin-Huppain** (V. photo). C'est en amont de Port qu'une dépression à peu près circulaire (3 km de diamètre) interrompt la continuité du plateau calcaire ; elle s'ouvre, au N., par la valleuse de Port, raccordée au niveau marin : cette dépression et cette vallée correspondent à un ancien cours de l'Aure, aujourd'hui engloutie dans les fosses de Soucy ; une partie de ces eaux souterraines resurgit au pied des falaises de Port-en-Bessin, le reste formant la source de l'Aure inférieure, qui va se jeter dans la Vire à la hauteur d'Isigny.

Bayeux. Tapisserie de la reine Mathilde. L'histoire de la conquête de l'Angleterre est racontée en 58 scènes ; les scènes 4 et 6 retracent l'embarquement et la traversée de Harold, rival de Guillaume le Conquérant.

204

Escale aux îles Chausey

L'archipel granitique des îles Chausey compte plus de 350 îlots et récifs dispersés sur un platier rocheux et sableux de 10 km sur 4. Seule la Grande-Ile, formée de plusieurs îlots reliés par des tombolos ou des cordons de galets, est habitée. Longue de 1 700 m et large de 300 à 700 m, on en fait le tour en cheminant à travers la lande ou en suivant le sentier du littoral.

Accès à la Grande-Ile. Départs de Granville, située à 16 km (toute l'année ; traversée 50 mn), de Saint-Malo et de Dinard (traversée 90 mn).

Quatre haltes sont recommandées :

❶ **Pointe de la Tour,** taillée en petites falaises : belles vues, vers l'E., sur les Épiettes, la Longue-Ile.

❷ **Pointe de Bretagne.** Séparée de la pointe du Fort par la plage de Port-Marie, elle est bordée de rochers.

❸ **Grande Grève et pointe aux Choux.** On y découvre de pittoresques blocs de granit : l'Éléphant, les Moines, accessibles à marée basse.

❹ **Gros Mont.** Point culminant de l'île : vue d'ensemble sur l'archipel.

Le charme de cette promenade tient en grande part à la diversité des paysages locaux : petit bocage verdoyant près de la Fontaine, landes et marécages vers le Gros Mont, grèves de sable fin ou de galets encadrées de rochers déchiquetés. La flore terrestre est intéressante : ajonc, silène, tragoporon, arméria ; rose épineuse, jusquiame, datura, jacinthe, phragmites, obione et salicorne, chèvrefeuille et poirier sauvage. Vasières et chenaux sont bien pourvus : plusieurs variétés de fucus ou varech, zostères, spongodium, corallines, étoles, ulves, etc. Les crustacés sont réputés, les poissons abondants. Mais ce sont surtout les oiseaux marins, nicheurs et migrateurs, qui retiennent l'attention : fous de Bassan, grands cormorans, sternes, petits pingouins, macreuses, bernaches. Les îles Chausey constituent aujourd'hui une remarquable réserve naturelle.

La Grande-Ile. La plus importante des îles de l'archipel Chausey, c'est aussi la seule que l'on puisse visiter.

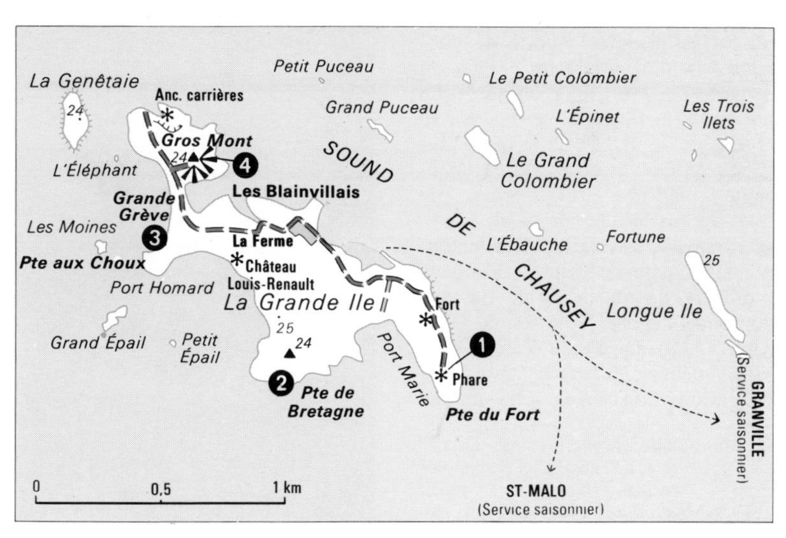

Cotentin et Mont-Saint-Michel

311 km
234 km

Cette presqu'île du Cotentin, trop souvent oubliée, quel ensemble pourtant, avec son bocage dense, à l'herbe grasse, aux troupeaux paisibles; avec ses landes austères et ses agréables plages de sable fin; avec ses caps et ses falaises; avec ses gros bourgs tranquilles et ses villes reconstruites en granit; avec ce site incomparable qu'est le Mont-Saint-Michel, haut lieu tout à la fois de l'art, de l'architecture et de la culture.

ITINÉRAIRE N° 1

❶ **Saint-Lô.** L'église Notre-Dame (XVe-XVIe s.) a été mutilée en 1944. Voir la chaire extérieure de style flamboyant et les vitraux. Le musée municipal des Beaux-Arts présente des tapisseries des XVIe, XVIIIe et XXe s. et des peintures de Corot, Boudin, Millet (t.l.j. sauf mardi). Ne pas manquer, sur la route de Bayeux, un important haras abritant environ 120 étalons. Reprises d'attelages et présentation d'étalons (vis. t.l. apr.-m. sauf lundi, groupes le matin, mai-sept., tél. : 33-57-14-13).

❷ **Abbaye de Hambye.** Dans la vallée de la Sienne, voir ce magnifique ensemble bénédictin (fin XIIe-XIIIe s.) : porterie, ruines de l'église, salle capitulaire, chef-d'œuvre du gothique normand, parloir, chauffoir, cuisine, bâtiment des convers (conservatoire liturgique) et bâtiments agricoles (t.l.j. sauf mardi, 1er fév.-20 déc.).

❸ **Avranches** est devenue une sorte de reliquaire du Mont-Saint-Michel : important trésor à l'église St-Gervais (t.l.j., sauf mardi, juill.-août) et très bel ensemble de manuscrits enluminés (Xe-XIIe s.) à la bibliothèque municipale (t.l.j., sauf mardi, juin-sept.). Au Musée municipal, diaporama des manuscrits, évocation des enlumineurs. De la terrasse du jardin des Plantes, dominant l'estuaire de la Sée, panorama sur la baie et le Mont.

❹ **Le Mont-Saint-Michel.** (V. photo.) L'unique rue est bordée de maisons des XVe et XVIe s. et monte au flanc du rocher jusqu'à la porte de l'abbaye (vis. t.l.j., sauf j. fer.) érigée du Xe au XVIe s. (voir texte encadré). La pointe de la flèche s'élève à 152 m au-dessus du niveau de la mer. Voir le musée Grévin et le Musée historique maritime (t.l.j., vac. de févr.-15 nov. et vac. de Noël).

❺ **Granville.** La vieille ville, entourée de remparts du XVIIIe s., occupe la moitié E. du roc de Granville, que couronne l'église Notre-Dame (XVe-XVIIIe s.). Au musée du Vieux-Granville : meubles, faïences, étains, etc., collections consacrées à la marine (t.l.j., sauf lundi, mardi, avr.-juin; sauf mardi, juill.-oct.; mercr. apr.-m., sam. et dim. le reste de l'année). Voir l'Aquarium et les musées du Roc. Importantes collections de coquillages, minéraux, papillons (ouv. t.l.j., du 15 févr. au 11 nov.).

❻ **Coutances.** La cathédrale, gothique, a conservé quelques parties romanes; magnifique tour-lanterne. L'église St-Pierre reprend, dans le style Renaissance, certains traits de la cathédrale. De la terrasse du jardin public, vue sur le vallon de Bulsard.

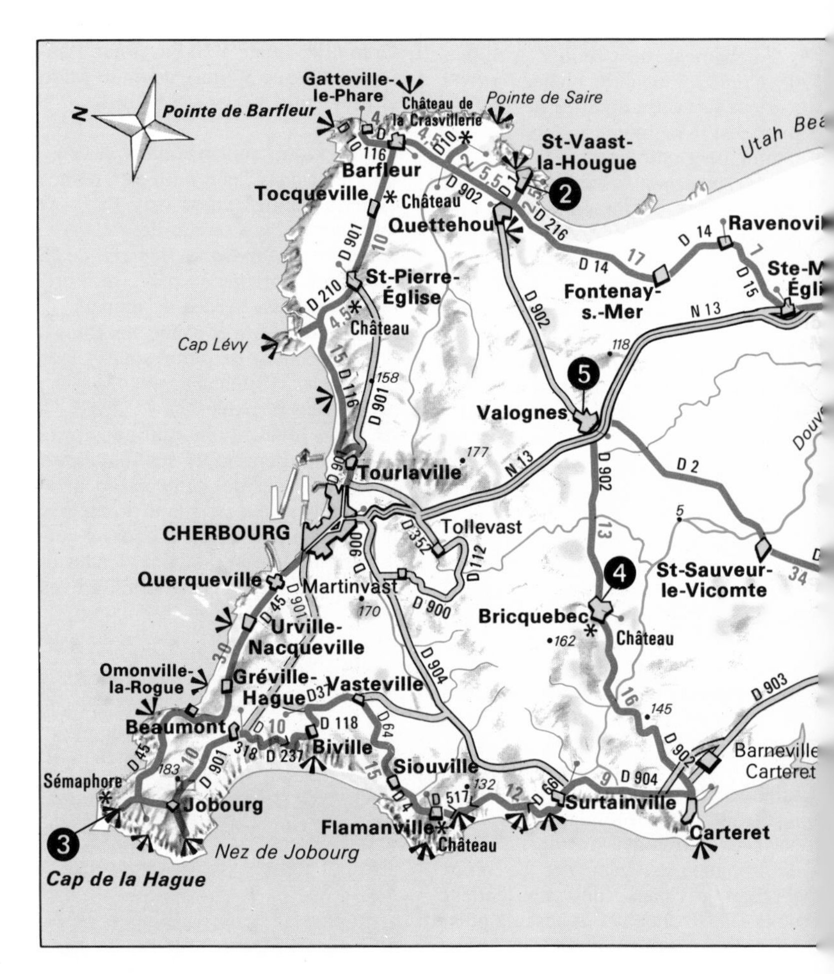

Le Mont-Saint-Michel. Près de 300 km² sont couverts et découverts au rythme des marées. Raccordé au continent depuis 1811, le Mont est désormais une presqu'île.

ITINÉRAIRE N° 2

❶ **Carentan.** L'église Notre-Dame (fin du Moyen Age), sommée d'un clocher reposant sur une tour à balustrade, est ornée de très beaux vitraux des XVe et XVIe s. L'un des côtés de la place voisine de l'église est bordé de maisons à arcades du XVe s.

❷ **Saint-Vaast-la-Hougue** est situé sur une presqu'île basse (de 3 à 7 m d'altitude). C'est un port de pêche actif, doté d'une grande plage.

La *pointe de Barfleur*, prolongée par une jetée de 130 m, donne accès à un phare, haut de 71 m; du sommet, vaste panorama sur le pays de Saire, la côte E. du Cotentin, les îles Saint-Marcouf et la baie des Veys (s'adresser au gardien).

❸ **Cap de la Hague.** C'est une péninsule sauvage et venteuse, couverte de landes ou de maigres pâturages. On peut longer la côte en voiture, à partir d'Omonville-la-Rogue; des sentiers mènent à différents points de vue, notamment au sémaphore des hautes falaises et au *Nez de Jobourg*.

❹ **Bricquebec.** Le bourg et son château forment un bel ensemble médiéval. Parcourir les ruelles aux demeures anciennes et voir les ruines de l'église romane et ses chapiteaux. Dans la tour de l'Horloge, qui jouxte le château, musée d'histoire locale (t.l.j., sauf mardi, juill.-août. Hors saison, groupes seul.) : monnaies romaines, dentelles, costumes, meubles; voir aussi le Donjon.

❺ **Valognes** a conservé des hôtels des XVIIe et XVIIIe s., notamment l'hôtel de Beaumont (t.l. apr.-m., mercr. tte la journée, juill.-15 sept. et week-end de Pâques). Musée du Cidre (t.l.j., sauf mercr. et dim. mat., 15 juin-30 sept. Groupes sur R.-V.).

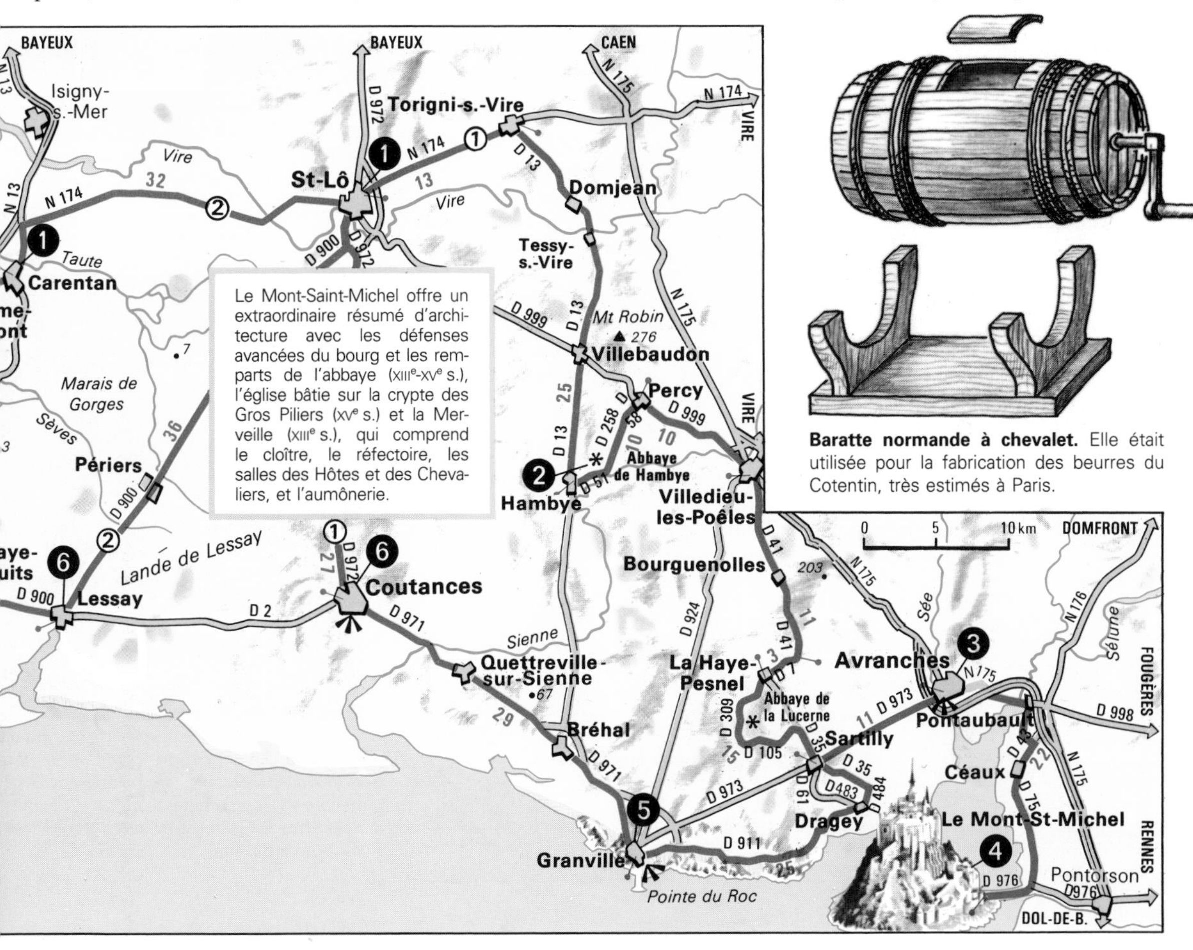

Le Mont-Saint-Michel offre un extraordinaire résumé d'architecture avec les défenses avancées du bourg et les remparts de l'abbaye (XIIIe-XVe s.), l'église bâtie sur la crypte des Gros Piliers (XVe s.) et la Merveille (XIIIe s.), qui comprend le cloître, le réfectoire, les salles des Hôtes et des Chevaliers, et l'aumônerie.

Baratte normande à chevalet. Elle était utilisée pour la fabrication des beurres du Cotentin, très estimés à Paris.

Saint-Sauveur-le-Vicomte est la ville natale de Barbey d'Aurevilly (1808-1889); dans sa maison de famille, un musée rassemble des souvenirs du romancier (t.l.j., sauf mardi, mai-15 sept.; hors saison, sam. et dim., l'apr.-m.).

❻ **Lessay.** L'abbatiale de la Trinité (XIe s.), très bien restaurée, est un bel exemple de l'art roman en Normandie. Le sanctuaire sommé d'un clocher central carré (XIIe s.) est orné d'un mobilier sobre, dont un maître-autel constitué d'une large dalle de pierre et une cuve baptismale taillée dans un monolithe de pierre blanche et reposant sur un sol de galets.

Barneville-Carteret. Pour atteindre cette plage déserte, au-delà du phare, le promeneur peut emprunter l'étroit sentier des Douaniers ou l'avenue des Deux-Plages.

Buttes et vallées de la Suisse Normande 92 km

Suisse Normande : nom prometteur qui pourrait paraître un peu prétentieux, l'altitude des « sommets » ne dépassant pas 360 m... et pourtant le paysage mérite cette appellation inattendue ; presque montagneux, il est modelé en vallées profondes, en méandres encaissés, en falaises abruptes, et les routes grimpent en lacets. Bois et broussailles occupent les versants, prairies et vergers se partagent les fonds, labours et herbages couvrent les hauteurs : un itinéraire surtout voué à la nature.

❶ **Thury-Harcourt** a presque entièrement été détruite en 1944. Il ne subsiste du château d'Harcourt (XVIIe s.) que la façade, les deux pavillons d'entrée et la chapelle restaurée ; le parc est ouvert au public. L'église, reconstruite, n'a conservé du XIIIe s. que sa façade.

L'itinéraire longe ensuite la *boucle du Hom*, méandre presque parfait que forme l'Orne, sur 6 km.

❷ **Mont Pinçon.** Avant d'arriver au village du Plessis-Grimoult, prendre sur la gauche le chemin carrossable puis le sentier qui mène au mont Pinçon, butte de 365 m d'altitude ; du sommet, panorama sur le Bocage.

De l'ancienne abbatiale St-Étienne du *Plessis-Grimoult*, il ne reste que la souche d'une tour et quelques arcs des travées (XIIIe s.) ; autour des ruines, certains bâtiments ont pu être restaurés : la porterie et la salle capitulaire aux très beaux carreaux vernissés (ne se visite plus).

❸ **Château de Pontécoulant.** Il est formé de deux éléments accolés : un grand pavillon à deux étages, construit au XVIe s., et un long bâtiment, flanqué de deux tours rondes aux extrémités. L'ensemble, de ligne assez basse, mais rendu élégant par la dimension des baies, est construit en schiste violacé du pays et entouré d'un très beau parc aux arbres séculaires. Le château abrite un musée : mobilier Renaissance, Louis XV, Empire, une chambre indochinoise et une coll. d'armes anciennes (t.l.j., sauf mardi, 16 avr.-30 sept. ; t.l. apr.-m., sauf lundi et mardi, 15 nov.-15 avr. Fermé en octobre).

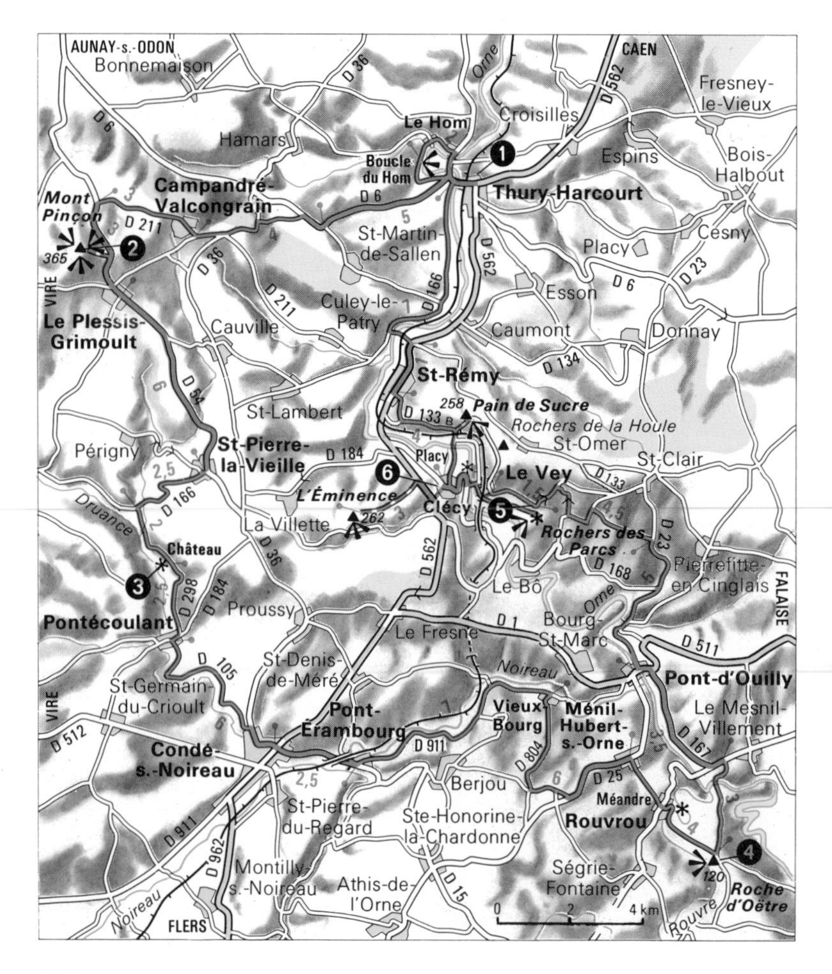

En « Suisse normande ». L'image paisible d'une petite région originale créée par un mini-fleuve, l'Orne. Au creux de sa vallée boisée, les traditionnelles vaches laitières apprécient ses herbages.

Le cidre est la boisson traditionnelle des Normands. La récolte s'échelonne de septembre — les pommes sont alors tendres et douces — à la fin de novembre — les fruits sont devenus durs et acides.

Ferme du Bocage. L'aspect du bâtiment s'apparente davantage à celui des constructions bretonnes qu'à celui des autres pays normands. Au faîte du toit, le chaume est maintenu par des mottes d'herbe.

❹ **Roche d'Oëtre.** A l'E. du hameau de Rouvrou (20 mn AR), la Rouvre, affluent de rive gauche de l'Orne, décrit une boucle presque fermée : la Roche d'Oëtre, tel un butoir, a provoqué un détournement du cours de la rivière vers l'O., et un mince pédoncule, de 120 m de large, rattache le lobe du méandre au versant de la vallée. On peut observer le site, ainsi que les méandres que l'Orne décrit au débouché des gorges de Saint-Aubert, du haut de la Roche d'Oëtre (160 m), d'où l'on a par ailleurs une vue magnifique sur la Suisse Normande (table d'orientation). Les versants de cette butte, aux pentes raides, sont couverts de bois et de broussailles et dominés par des rochers abrupts.

Le circuit rejoint la vallée de l'Orne, dont il longe la rive droite jusqu'à *Pont-d'Ouilly* : de hautes collines de schistes, aux pentes raides et boisées, encadrent le confluent du Noireau et de l'Orne, au cœur de la Suisse Normande ; excursions variées dans les vallées de l'Orne et du Noireau. Des hauteurs, beaux points de vue sur la chapelle St-Roch, à l'O., et sur les Landes, à l'E.

❺ **Rochers des Parcs.** A la sortie du village nommé Le Vey, juste après la voie ferrée, prendre à gauche le chemin du Dessus-des-Rochers. Une falaise abrupte (de 30 à 40 m de hauteur), entaillée par des couloirs d'éboulis, surplombe la vallée de l'Orne. Des rochers, vue sur la vallée et les falaises. Important centre d'escalade. Possibilité de nombreuses activités sportives : randonnées pédestres, V.T.T., canoë-kayak, piste de deltaplane et de parapente.

❻ **Clécy.** Cette petite ville pittoresque est le meilleur centre d'excursions de la Suisse Normande.

A l'O. (2 h AR), on atteint, à travers champs et broussailles, la *butte de l'Éminence* : vaste panorama sur le méandre de l'Orne que dominent les rochers des Parcs, Clécy et son site, ainsi que le Pain de Sucre, sur la rive droite. L'horizon se ferme au loin sur le Bocage et la campagne, depuis Falaise jusqu'à Caen.

On gagne le *Pain de Sucre*, au-dessus de la vallée de l'Orne, en sortant de Clécy vers le N., en traversant l'Orne et en prenant à droite le chemin de la Serverie, puis un sentier. Du sommet, belle vue sur la vallée, les rochers de la Houle et du mont Houel, au S.-E., et la butte de l'Éminence, au S.-O. On peut redescendre par le versant opposé en suivant le sentier de grande randonnée balisé en rouge et blanc : on passe par les rochers de la Houle pour revenir à Clécy par Le Vey.

La route descend ensuite le cours verdoyant de la vallée de l'Orne, traversant Saint-Rémy, connu pour ses mines de fer exploitées jusqu'en 1967.

Randonnée en forêt de Saint-Sever 25 km

La forêt domaniale de Saint-Sever, au sud de la localité du même nom, s'étend sur 1 552 ha. Elle chevauche une partie du massif granitique de Vire-Carolles et, vers le nord pour un quart de sa surface, les schistes précambriens métamorphisés qui bordent ce massif. Son relief est accidenté. Le climat local, humide et frais, explique l'abondance des ruisseaux et des points d'eau. Les feuillus — chênes et hêtres principalement — couvrent plus de 60 % de la superficie.

❶ **Les Hauts Vents.** A environ 1 km de St-Sever-Calvados, prendre à gauche afin d'aller à l'arboretum. On peut y voir représentées près de 150 espèces d'arbres et de plantes.

❷ **Les Enclos.** C'est un reboisement de sapins accompagné, le long de la route, d'un petit nombre de Douglas et d'épicéas de Sitka.

❸ **Brundou.** Les parcelles sont en futaie et taillis de feuillus ; hêtres et chênes. Sorbier, houx, noisetier forment le sous-bois.

❹ **La Sienne.** Ses abords sont marécageux ; taillis de bouleaux, saules et noisetiers accompagnent l'aulne glutineux. Aux environs du Gast et dans la partie méridionale de la forêt, carrières de granit.

❺ **L'Ermitage** (voir photo). Une belle hêtraie entoure le couvent.

❻ **Le Viodot.** C'est un bel ensemble de résineux. Sapins pectinés et *Abies grandis* se mêlent au Douglas, au mélèze et à quelques épicéas de Sitka.

❼ **Le Mesnil** présente un paysage varié : des parcelles de taillis-sous-futaie de chênes et de hêtres ; de l'autre côté de la route, les parcelles en reboisement de Champ-du-Boult (Douglas, épicéa commun) et un vaste perchis de sapins pectinés. On trouve un bel exemple de lande humide sous une voûte de saules et de bouleaux, à 100 m de la route, en bordure d'un ruisseau.

❽ **La Faverie.** Le peuplement est très composite : secteurs de sapins pectinés ; petite futaie de mélèzes du Japon ; taillis de châtaigniers mêlés à des hêtres et des bouleaux ; futaie de feuillus. Aire d'accueil à l'étang du vieux château : parking, pique-nique.

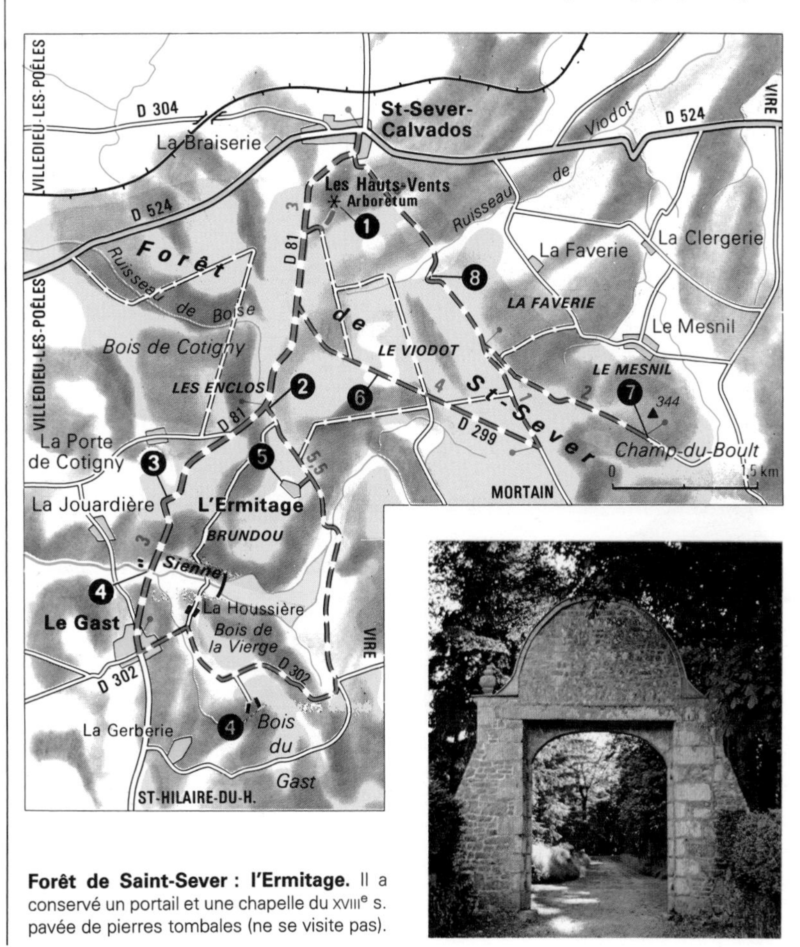

Forêt de Saint-Sever : l'Ermitage. Il a conservé un portail et une chapelle du XVIIIe s. pavée de pierres tombales (ne se visite pas).

Attelage à cinq percherons. Il participe au défilé qui a lieu une fois par an entre le haras et l'hippodrome du Pin à l'occasion des célèbres courses.

EN NORMANDIE LE HARAS DU PIN

Au pays du Merlerault, les chevaux grandissent plus beaux, plus fiers, plus sains et plus vigoureux qu'ailleurs. Le nom de ce terroir semble sorti d'une légende du Moyen Age, mais la science moderne a percé les secrets de ses sortilèges. Les eaux sont riches à la fois en chaux, qui construit les os, et en fer, qui tonifie les muscles. Creusées dans un calcaire argileux, une douzaine de vallées herbagères sont protégées par des coteaux élevés, souvent couverts de bocages. Au cœur de la Normandie, dans le département de l'Orne, entre Argentan et L'Aigle, Le Merlerault occupe un ovale dont le grand diamètre aurait 28 km, et le petit 18. La température y est douce et égale; les arbres, majestueux. Certaines affections que connaissent d'autres pays d'élevage, comme le cornage, la fluxion périodique, les engorgements des jambes, sont inconnues ici.

Il semble que les hommes aient remarqué depuis bien longtemps les effets bénéfiques de ces terres sur la race chevaline. Lorsque Philippe VI de Valois fonda le premier haras de la couronne de France, en 1338, il l'installa dans la châtellenie de Domfront, en plein Merlerault. Cinq siècles plus tard, le haras du Pin

Le dépôt d'étalons

Le trotteur français est le produit d'une savante sélection génétique; c'est un cheval de type demi-sang anglo-normand, solidement charpenté.

L'une des missions du haras du Pin est la production et la sélection des races chevalines. Parmi les étalons sont représentés : le percheron, le cob normand, le selle français, le trotteur français, le trotteur américain, le pur-sang arabe et l'anglo-arabe, ainsi que les poneys français de selle et les poneys du Connemara. Le pur-sang anglais descend de trois étalons arabes importés par les Anglais sous Guillaume III : Bierkley Turk, Darley Arabian et Godolphin, qui furent croisés avec des juments anglaises. Ils donnèrent naissance aux trois chefs de famille : Herold, Matchem et Eclipse, dont les descendants ne furent importés en France qu'à la fin du XVIIIe s.

Le cob normand est une race excellente pour le trait des voitures. On appelle cet étalon puissant et lourd le carrossier normand du XIXe s.

Vue générale. Le haras du Pin est organisé autour d'un corps de bâtiment en... fer à cheval. L'architecture manifeste à la fois la rigueur et l'élégance.

naissait à quelques kilomètres de là. Le plan général des bâtiments est de Lemousseux, élève de Mansart, celui des jardins, d'un élève de Le Nôtre. Dans l'esprit de Colbert, qui en fut l'instigateur, les haras devaient remplir une double fonction : en fournissant en abondance et en qualité des chevaux aux armées, éviter que le royaume ne s'appauvrisse par des achats à l'étranger. Commencée en 1715, la construction du haras du Pin fut achevée en 1730. Aujourd'hui, le plus ancien et le plus prestigieux des haras nationaux abrite environ 70 étalons. Dès les premiers jours du printemps et jusqu'au milieu de l'été (fin février-mi-juillet), les étalons, accompagnés de leur étalonnier, se rendent dans les stations de monte (lieux de reproduction) sur le territoire administré par le haras, soit les départements de l'Orne, de la Manche, du Calvados, de l'Eure et de la Seine-Maritime.

Actuellement, le prix d'une saillie s'échelonne de 150 F, pour un cob-percheron, jusqu'à 60 000 F, pour Workaholic, étalon trotteur américain. Inférieurs aux tarifs privés, ces prix constituent un encouragement à la qualité. Les étalons, achetés avec soin en fonction de leur race, de leurs origines et de leurs performances, sont des pensionnaires choyés : officiers, brigadiers et gardes veillent sur eux. L'École nationale professionnelle des haras, de renom international, assure la formation des personnels des haras et privés : maréchal-ferrand, sellier-harnacheur...

En saison, défilés d'étalons et d'attelages dans la cour d'honneur, concours spécial percheron, courses à l'hippodrome du Pin. Rens., tél. : 33-12-16-00.

Des pensionnaires choyés

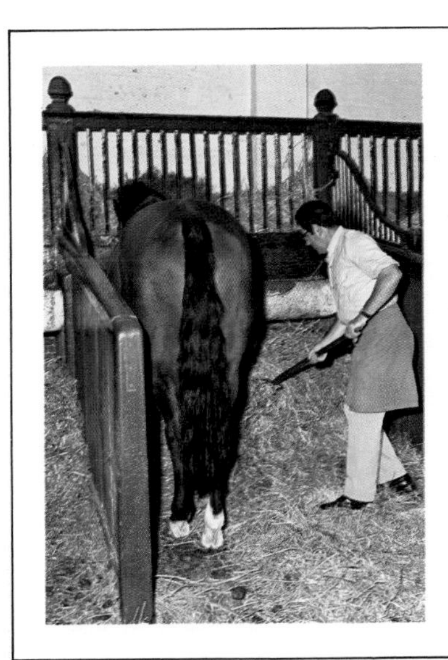

Certains pur-sang se couvrent de gloire dans les grandes courses internationales. Ces étalons peuvent ensuite devenir reproducteurs dans les haras nationaux.

Les savoir-faire traditionnels comme la maréchalerie côtoient les techniques les plus modernes de reproduction au sein du haras.

Il faut visiter la sellerie, qui est un véritable musée, afin d'y admirer des harnais, des mors, des colliers et des bricoles, témoins d'un autre savoir-faire des haras nationaux.

Châteaux et manoirs du pays d'Auge 246 km

Ce périple dans le pays d'Auge et la plaine de Caen est l'occasion d'une surprise chaque fois recommencée. Ce sont, en effet, moins les édifices religieux qui retiendront l'attention qu'une gamme impressionnante de châteaux et de manoirs, tous empreints d'une originalité bien normande, s'accordant parfaitement avec les paysages.

Victot-Pontfol. Le château, entouré d'eau, est un ensemble de pavillons et de tours aux murs et aux toitures bigarrés en pierre, brique et ardoise (on ne visite pas).

❶ **Saint-Germain-de-Livet.** Une façade à damiers verts, une tour à damiers roses, une façade à colombage et une toiture multicolore de tuiles vernissées font l'originalité de ce château édifié aux XVe et XVIe s. A l'intérieur, fresques, pavages vernissés et beaux meubles (vis. t.l.j., sauf mardi. Fermé 1er-15 oct., 15 déc.-31 janv.).

❷ **Livarot** est renommée pour ses fromages et pour ses beurres. Voir l'église gothique, le manoir de la Pipardière, en bois (XVe s.), et les maisons anciennes. A environ 14 km, l'église du village de *Vieux-Pont*, de style préroman, remonterait au Xe s.

A Coupesarte, on admirera un délicieux manoir du XVIe s., à pans de bois, et à *Grandchamp-le-Château*, sur la Vie, un château à colombage, dont la toiture est dominée par deux tours carrées au curieux profil.

❸ **Saint-Pierre-sur-Dives.** L'ancienne abbatiale St-Pierre (XIIe-XVe s.) abrite de belles stalles Renaissance. Dans la salle capitulaire (en cours de restauration), le pavage de terre cuite émaillée du XIIIe s. a été déposé et n'est pas visible actuellement (vis. t.l.j., 15 juin-15 sept. Hors saison, clés à l'O.T.). Voir le musée des Techniques fromagères (t.l.j., avr.-oct.; sauf dim. et j. fér. hors saison). Les halles, du XIIIe s., ainsi que les maisons anciennes, ont été restaurées.

L'itinéraire se poursuit par *Vendeuvre*. Le château, du XVIIIe s., abrite le musée international du Mobilier miniature (t.l.j., mai-sept.; sam., dim. et fêtes l'apr.-m., mars-avr. et oct. Fermé le reste de l'année).

❹ **Perrières.** De l'ancien prieuré de St-Victor (XIe s.) subsistent des vestiges importants : l'église abbatiale, mi-romane, mi-gothique, et la grange dîmière (XIIe s.).

❺ **Falaise.** Dans un site original, val formé par la gorge étroite de l'Ante, encaissée dans les grès, la ville est dominée par le mont Myrrha et le château féodal (XIIe s.). Du mont Myrrha, belle vue d'ensemble sur le château, avec ses trois donjons accolés et la tour Talbot, à plus de 30 m au-dessus des escarpements du val d'Ante. De la fontaine d'Arlette – prénom de la mère de Guillaume le Conquérant, qui rencontra là Robert le Magnifique –, on a un autre point de vue sur le château. Visiter l'église de la Trinité (XIIIe-XVIe s.) et l'église St-Gervais (XIe-XVIe s.).

❻ **Potigny** possède une église de la fin du XIIe s. Par le chemin du tombeau de Marie Joly, une pancarte indique la route qui conduit au fond de la gorge que le Laizon a creusée, à la Brèche au Diable.

A *Ouilly-le-Tesson :* manoir de pierre (XVe-XVIe s.), bâti en équerre, avec une tourelle polygonale. A *Assy :* château (fin du XVIIIe s.), aux lignes harmonieuses. A *Rouvres :* église à deux transepts (XIIIe-XIVe s.) et le manoir de la Grande-Ferme (XVIIe s.), avec des lucarnes à frontons arrondis et triangulaires.

❼ **Canon.** Le château (XVIIIe s.) est formé d'un pavillon rectangulaire à deux étages, orné d'un fronton central, avec un toit à l'italienne. Le magnifique parc, dont les allées mènent à des fabriques, des kiosques, des chartreuses, merveilleux jardins de fleurs clos de murs, fourmille de sources et de fontaines (vis. t.l.j., sauf mardi, 1er juill.-30 sept.).

❽ **Mézidon-Canon.** Dans l'église (XIIe-XIIIe s.), Vierge en pierre du XVIe s. Voir surtout le manoir de Cintroy. On regardera au passage les manoirs (XVIe s.) d'*Ecajeul* et de *Saint-Loup-de-Fribois*.

❾ **Troarn.** Les marais de la Dives, qui couvrent plus de 7 000 ha, sont drainés par un réseau complexe de canaux : c'est un riche pays d'élevage, fertilisé par les crues, de novembre à mars. A Troarn, vestiges d'une abbaye bénédictine des XIVe-XVIe s.

A *Victot-Pontfol*, charmant château du XVIe s. (voir photo).

❿ **Ouilly-le-Vicomte.** L'église (Xe s.), aux murs en petit appareil, est l'une des plus anciennes de Normandie; à l'intérieur, lutrin en bois sculpté du XVIe s. et calvaire du XVIIe.

On admirera enfin le *château de Boutemont* (XVIe-XVIIIe s.).

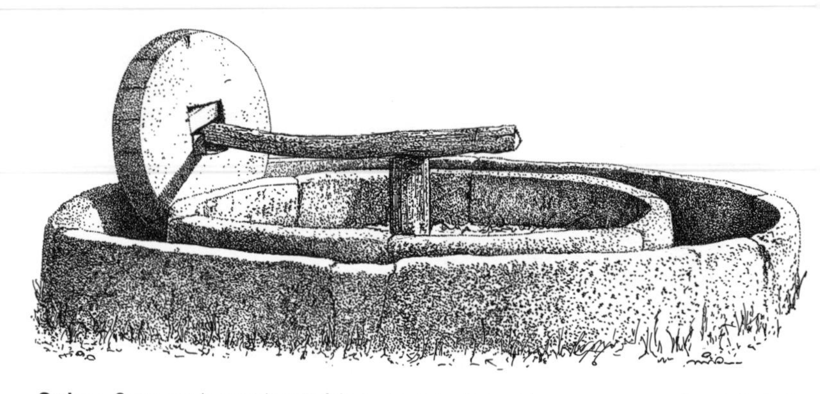

Gadage. Cette meule servait autrefois à « gruger » (broyer) les pommes, premier stade de la préparation du cidre. Cette opération se fait aujourd'hui avec des broyeurs mécaniques.

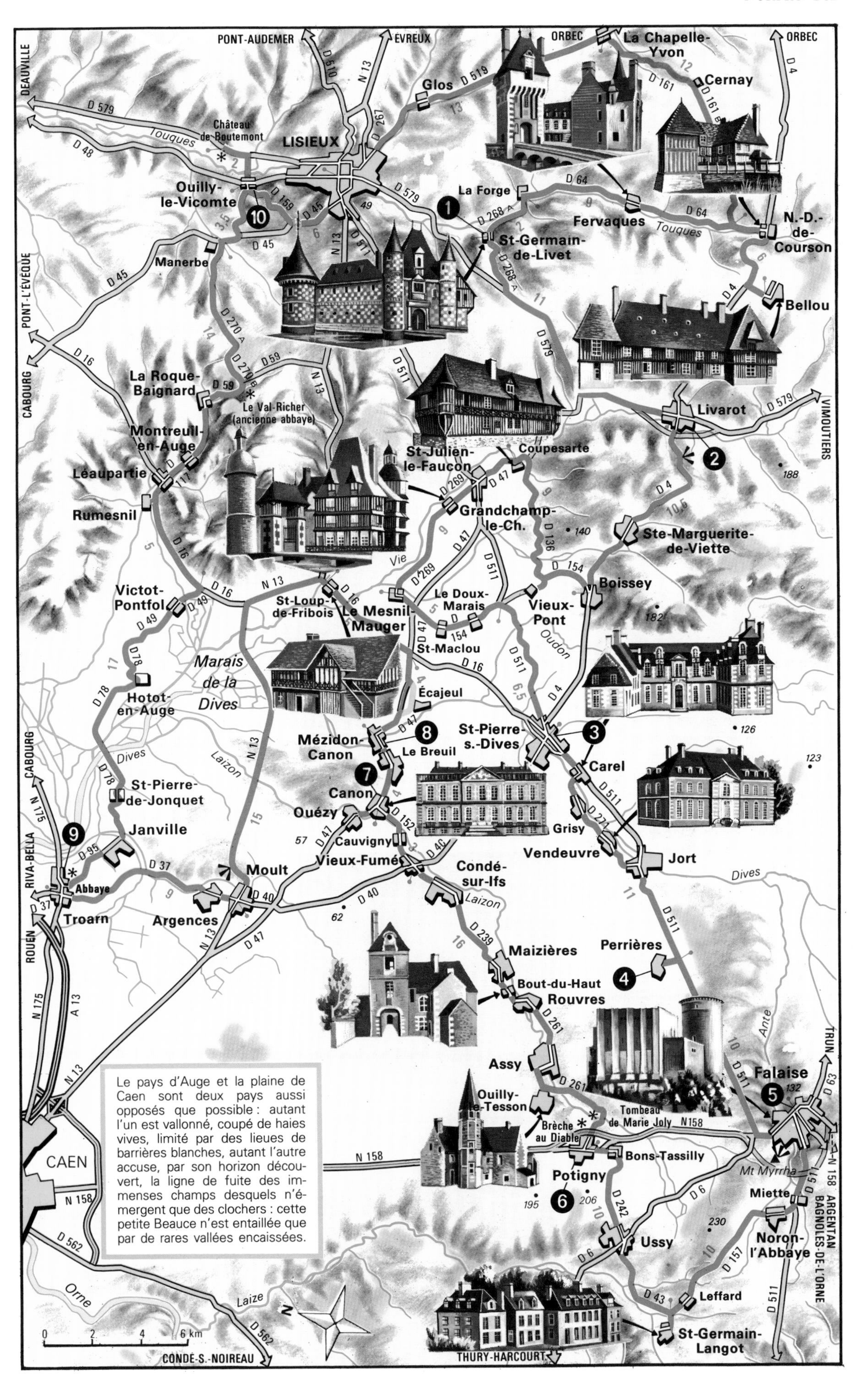

Le pays d'Auge et la plaine de Caen sont deux pays aussi opposés que possible : autant l'un est vallonné, coupé de haies vives, limité par des lieues de barrières blanches, autant l'autre accuse, par son horizon découvert, la ligne de fuite des immenses champs desquels n'émergent que des clochers : cette petite Beauce n'est entaillée que par de rares vallées encaissées.

En parcourant le plateau du Neubourg 71 km

Le plateau du Neubourg, entre les vallées de la Riste et de l'Iton, est une plaine recouverte d'une épaisse couche de limon présentant le paysage classique de la « campagne », vastes étendues découvertes et cultivées que coupent de minces boisements : arbres au long des routes, parcs touffus des châteaux, bosquets des cimetières et vergers entourant les villages. Cet itinéraire est donc celui d'un tourisme calme, détendu, où se distinguent, de loin en loin, un château, une abbaye ou quelque église rurale.

Château du Champ-de-Bataille. Le portail d'entrée, au centre d'une grille superbe, est d'une grande originalité ; c'est un arc de triomphe surmonté de statues, dont les piliers sont évidés en conques.

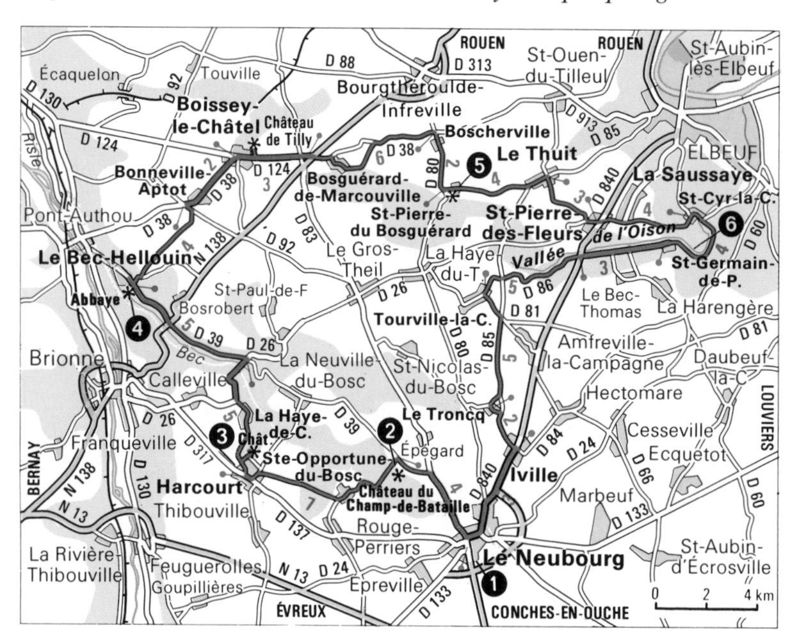

❶ **Le Neubourg.** C'est le centre le plus actif du plateau ; un marché important s'y tient tous les mercredis. Sur la grande place s'élève un château dont seuls subsistent un grand corps de logis à pans de bois et une salle d'armes, dite salle des Préaulx, du XIIIe s. (on ne visite pas). L'église St-Pierre-St-Paul (XVe-XVIe s.), typiquement normande, est un vaste édifice aux hautes voûtes. Dans le cimetière, chapelle du XIVe s.

❷ **Château du Champ-de-Bataille.** C'est l'une des plus majestueuses demeures de Normandie, construite à la fin du XVIIe s., en brique et pierre, sur un plan carré : deux grands logis avec un dôme central et des pavillons d'angle s'ordonnent autour d'une vaste cour (voir dessin) ; à l'intérieur, joli mobilier français, exposition sur la vie d'un gentilhomme campagnard (t.l.j., Pâques-30 sept. et week-end en mars, avr. et oct. ; en juill. et août, expositions ; vis. et concerts aux chandelles le samedi. Fermé le reste de l'année). A l'extérieur, golf dont le parcours se situe partiellement aux abords du château.

❸ **Harcourt.** Le château est une forteresse caractéristique de l'architecture militaire normande (XIIIe-XIVe s.). Les murs d'enceinte datent du XIIIe s., de même que les huit tours, dont deux flanquent la porte d'entrée. L'édifice est entouré de douves profondes (vis. t. l. apr.-m., sauf mardi, du 1er mars au 15 nov. ; t.l.j., 15 juin-15 sept. Groupes sur R.-V., tél. : 32-46-29-70). Dans le très beau parc de 95 ha (circuits pédestres balisés) est aménagé un arboretum riche en arbres exotiques. Dans le bourg même, il faut voir les vieilles halles, les logis du Moyen Age et l'église (XIIIe s.), avec un chœur gothique à neuf travées.

❹ **Le Bec-Hellouin.** Le vallon du Bec mène à l'abbaye du Bec-Hellouin (voir photo). Fondée au XIe s. par le bienheureux Herluin, dont les restes reposent dans le chœur de l'abbatiale, elle fut un important foyer culturel et spirituel pendant tout le Moyen Age. Le cloître a été rebâti au milieu du XVIIe s. ; le dortoir, la salle capitulaire, le réfectoire voûté en plein cintre datent du XVIIIe s. (pour visiter, tél. : 32-44-86-09). Voir aussi le musée de la Musique mécanique (vis. t.l.j. Rens., tél. : 32-46-16-19).

A *Boissey-le-Châtel*, château de Tilly, en brique et pierre (XVIe s.), à l'enceinte flanquée de tourelles (on ne visite pas).

❺ **Saint-Pierre-du-Bosguérard.** Près de l'église (voir photo), dans le cimetière, se trouve un très beau calvaire : la croix de pierre est placée sur un piédestal formé de trois colonnes séparées par des contreforts et ornées de socles feuillagés, le tout surmonté de dais gothiques.

❻ **Vallée de l'Oison.** L'itinéraire suit ensuite le cours de la rivière, dans un cadre de verdure au long duquel on aura l'occasion d'admirer plusieurs maisons traditionnelles – certaines ont été restaurées. Une halte est conseillée à *Saint-Germain-de-Pasquier*, célèbre pour sa mairie, la plus petite de France (3 m sur 2,70 m) ; l'église, d'une simplicité touchante, possède une belle voûte en forme de carène renversée.

Saint-Pierre-du-Bosguérard. L'église, d'origine romane, a une belle charpente de bois. A l'intérieur, statues de sainte Madeleine et de saint Jean-Baptiste (XVe s.).

Le Bec-Hellouin. Des bâtiments médiévaux de l'abbaye Notre-Dame ne subsistent plus que des ruines, excepté la porte d'entrée et la tour St-Nicolas (fin du XVe s.).

211

Aux environs d'Alençon 107 km

Voici un parcours dont le charme réside dans son éclectisme : deux cités, au passé prestigieux, l'une, Alençon, pour sa dentelle, l'autre, Sées, pour sa cathédrale ; la forêt d'Écouves, avec ses rochers aux formes surprenantes, que l'on peut découvrir par d'agréables promenades ou de longues randonnées ; des étangs, pour les plaisirs de l'eau, et des « campagnes », pour chevaucher — nautisme et équitation sont à la base des loisirs du parc naturel régional de Normandie-Maine ; deux châteaux pleins d'originalité ; de vastes panoramas sur la sereine Normandie du Sud.

❶ **Alençon.** De l'ancien château (XIVe-XVe s.) ne subsistent que les deux tours qui encadraient l'entrée de la tour centrale, à deux étages, dite « couronnée ». L'église Notre-Dame (XIVe-XVe s.) s'ouvre par un porche flamboyant (XVIe s.) richement orné ; dans la nef, les nervures des voûtes sont décorées de petits reliefs sculptés. Mais le trésor de cet édifice, ce sont ses vitraux du XVIe s., bien restaurés, représentant des scènes de l'Ancien et du Nouveau Testament. La ville compte de nombreux édifices anciens : la maison d'Ozé, belle demeure normande du XVe s., l'hôtel de la Préfecture (1630), l'hôtel de ville (1783), surmonté d'un campanile, bel exemple d'architecture Louis XVI, l'hôtel Libert, avec une façade du XVIIe s. et, rue du Bercail, un hôtel du XVe s. orné d'une tourelle octogonale. Voir aussi la maison à l'Étal, du XVe s. L'ancien collège des Jésuites abrite le musée des Beaux-Arts et de la Dentelle (vis. t.l.j., sauf lundi) : riche collection de peintures et gravures des XVIIe et XIXe s. ; collection d'objets khmers ; importante section retraçant la fabrication (voir dessin) et l'histoire de la dentelle en France et en Europe et présentant des chefs-d'œuvre de cette célèbre industrie locale (démonstration par une dentellière, lors de visites guidées, le mardi et le vendredi après-midi). Rue du Pont-Neuf, musée de la Dentelle au point d'Alençon (vis. du lundi au samedi, dimanche réservé aux groupes), exposition et vente.

❷ **Forêt d'Écouves.** C'est l'une des plus célèbres forêts de Normandie, notamment en raison de son relief, puisqu'elle domine le bas pays de 200 m environ. Le massif est fort riche en eaux ; celles-ci forment parfois des bourbiers, mais donnent aussi une série de charmants étangs aux lisières O. et E. Il couvre 15 000 ha, dont la moitié est constituée en forêt domaniale. Avec 70 % de feuillus, elle est surtout riche en chênes rouvres, sur un sous-bois de graminées et de fougères ; les résineux sont, pour la plupart, d'importation récente. La forêt d'Écouves fait partie du parc naturel régional de Normandie-Maine, avec les forêts des Andaines, de Perseigne et de Sillé.

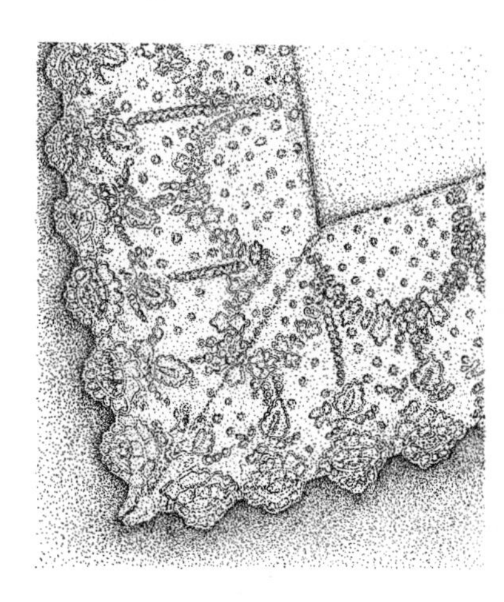

Dentelle d'Alençon. A l'origine (XVIIe s.), le point d'Alençon formait de petits motifs groupés symétriquement ; de nos jours, c'est un dessin géométrique piqueté de fleurs.

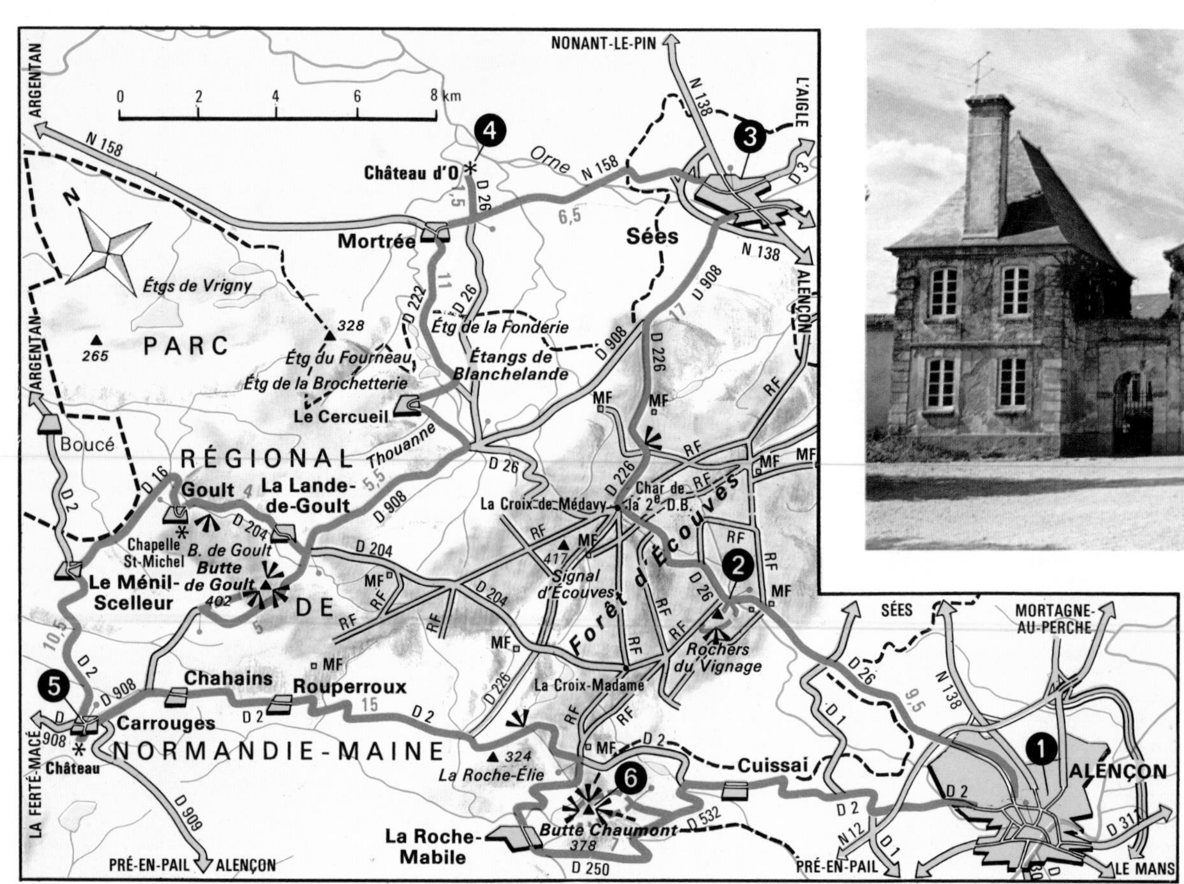

Château d'O. L'entrée et la façade appartiennent au gothique flamboyant : fenêtres surmontées de gâbles élégants, dentelle de pierre des hautes lucarnes.

Sées. L'ancienne abbaye bénédictine St-Martin est un imposant édifice du XVIIIe s. qui s'ouvre par un portail classique à entablement (l'intérieur ne se visite pas).

A l'orée S. de la forêt, suivre l'itinéraire fléché en jaune des *Rochers du Vignage* (2 h AR) : de ce chaos rocheux, belles échappées sur la forêt alentour, la campagne d'Alençon et la butte Chaumont ; certains chênes ont plus de 200 ans.

Nombreuses promenades aussi à partir du *carrefour de la Croix-Madame*, sous une haute futaie de sapins de Normandie, ainsi que du *carrefour de la Croix de Médavy*, où l'on peut voir la carcasse d'un char de la 2e D.B., touché par un blindé allemand en 1944, témoignage du passage de la division Leclerc. Enfin, du côté gauche de la route de Sées, beaux points de vue sur la forêt.

❸ **Sées,** cité épiscopale, est une petite ville tranquille sur les bords de l'Orne. La cathédrale Notre-Dame, bien que sa façade ait été alourdie par des travaux de consolidation, est un beau témoignage de l'art gothique normand (XIIIe-XIVe s.). L'intérieur est d'une réelle élégance : les murs du chœur et des transepts sont réduits à de fins réseaux de pierre ; les arcades sont éclairées par des vitraux (XIVe-XVe s.) et des roses (XIIIe s.). L'église N.-D.-de-la-Place contient des bas-reliefs Renaissance en bois peint et doré figurant des scènes du Nouveau Testament. De N.-D.-du-Vivier il ne reste plus que quelques arcades gothiques. (Voir aussi photo.)

❹ **Château d'O.** C'est un chef-d'œuvre normand de la fin du gothique et de la première Renaissance (voir photo). Le bâtiment d'entrée date du début du XVIe s. Une galerie Renaissance, sur des arcades surbaissées, le relie au logis principal (XVIIIe s.). La pierre blonde est rehaussée par des effets de damier en brique rose. L'ensemble « flotte » sur l'eau de larges douves (vis. t.l.j., sauf mardi).

L'itinéraire, avant d'arriver au lieudit « Le Cercueil », longe le chapelet des *étangs de Blanchelande,* d'origine artificielle : les creux humides de la vallée de la Thouanne ont été jadis aménagés en retenues d'eau pour les besoins des forges locales, mais il se peut aussi que ces creux soient en partie d'anciens trous d'extraction du minerai de fer. Le site est agréable : des bois entourent les petits étangs de la Fonderie, du Fourneau, de Blanchelande et de la Brochetterie.

En contournant presque l'extrémité occidentale de la forêt d'Écouves, puis traversant les bois de Goult, on atteint la *butte de Goult* (402 m), que couronnent une chapelle et les vestiges d'un camp romain. Du sommet, vaste panorama.

❺ **Château de Carrouges.** L'entrée du château, vaste quadrilatère irrégulier, est gardée par un superbe châtelet Renaissance à haut toit, encadré de quatre tourelles couvertes en poivrière ; il a été restauré après l'incendie de 1944. Le château est construit en brique avec un encadrement de granit. Dans les appartements du premier étage, cheminées monumentales, solivage décoré (XVIIe s.) tableaux et mobilier de différentes époques. Le château est entouré de fossés bordés de balustrades de pierre (XVIIe s.) Dans le parc, deux allées qui menaient aux parterres sont closes de grilles, remarquables chefs-d'œuvre de ferronnerie (vis. t.l.j., sauf 1er janv., 1er mai, 1er et 11 nov., 25 déc.).

❻ **Butte Chaumont.** C'est un pointement de grès armoricain, couvert de bois et de broussailles, d'où l'on découvre un ample panorama : le massif d'Écouves au N., la plaine d'Alençon au S.-E., les Alpes mancelles au S., le mont des Avaloirs à l'O. La butte étant propriété privée, on ne peut accéder à l'allée de ceinture qu'à pied, par les allées forestières ; de là, à travers bois et fougères, on gagne le sommet, sorte de plateau long de 200 m, terminé à l'O. par le précipice du saut de la Dame.

Massifs forestiers dans le Perche 89 km

Tricholome de la Saint-Georges, ou mousseron. Il pousse au printemps dans les prés, près des haies ou à l'orée des bois.

A défaut de visiter toutes les forêts du Perche, un circuit comprenant les forêts de Réno-Valdieu, de Longny, du Perche et de La Trappe illustre à suffisance la richesse forestière de cette région. Ces trois massifs occupent des plateaux de craie tapissée d'argile à silex ou des pentes aux sols sableux. Le climat local est de nuance continentale et humide, condition favorable au développement de la futaie de feuillus.

❶ **Forêt domaniale de Réno-Valdieu.** Elle couvre 3 200 ha, sur un plateau étiré du N. au S. entre les vallées de la Villette et de la Commeauche. C'est une belle futaie où dominent le chêne sessile et le chêne pédonculé (66 %), ainsi que le hêtre (26 %). Les résineux, représentés principalement par le pin sylvestre, sont peu nombreux (8 %). Le plus souvent le sous-bois est clair, seul le houx y tient une place importante, et parfois la bourdaine et le coudrier. Le canton de *La Gautrie* est célèbre par ses chênes; certains ont environ 350 ans et atteignent plus de 40 m de haut (arbres classés lors du dixième congrès forestier mondial). Des sentiers pédestres permettent de visiter les *parcelles de la Montagne* et de remarquer, un peu plus loin, occupant une clairière, les ruines de l'ancienne abbaye de Valdieu, détruite à la Révolution.

En suivant les routes forestières de Châteauroux et de Montceaux, on atteint la partie méridionale de la forêt. Des parcelles de futaie régulière alternent avec des parcelles en régénération : principalement des pins sylvestres. L'exploitation de la forêt donne un bois de tranchage très réputé pour son grain. La production annuelle est fixée à 10 300 m^3 pour les feuillus et 700 m^3 pour les résineux dans le cadre du plan d'aménagement 1995-2014.

❷ **Forêt privée de Longny.** Elle s'étend sur 3 000 ha environ, avec son annexe, le bois de la Villedieu. Sa surface est accidentée. Les parties déprimées et argileuses sont occupées par des étangs (voir photo). Les résineux représentent presque 25 % du peuplement, le chêne pédonculé et le hêtre laissent souvent la place au pin sylvestre, au pin Laricio, au sapin de Laigle (variété indigène d'*Abies pectina*). Les essences de feuillus sont mêlées : le bouleau, le noisetier, le châtaignier fournissent un important taillis. Les forêts percheronnes sont riches en champignons : pézizes et morilles, tricholomes de la Saint-Georges (voir dessin), cèpes, coprins et russules, coulemelles...

❸ **Forêts domaniales du Perche et de La Trappe.** Elles forment un seul massif de 3 200 ha environ, traversé par la vallée de l'Avre, jalonnée de beaux étangs. Pour l'ensemble, le peuplement comprend notamment 50 % de chênes, 15 % de hêtres et 15 % de pins sylvestres. La futaie de feuillus est prédominante dans la forêt du Perche, et ses plus beaux quartiers s'étendent autour du carrefour de l'Étoile, où l'on peut voir beaucoup de très vieux arbres. La proportion de pins sylvestres est plus importante dans la forêt de La Trappe, où les résineux atteignent 50 % du peuplement. Aux abords des étangs et des creux humides, bouleaux, trembles et coudriers sont plus nombreux.

Certaines routes forestières sont fermées (dim. et j. fér.) dans la forêt du Perche et elles sont toutes interdites à la circulation dans celle de La Trappe, mais on peut faire de belles promenades pédestres, surtout à l'automne; au printemps, les jacinthes peuplent le sous-bois, formant de somptueux parterres.

Étang des Personnes. Avec ceux du Chevreuil, du Bouillon et des Boutières, c'est le plus important des plans d'eau qui parsèment la forêt de Longny.

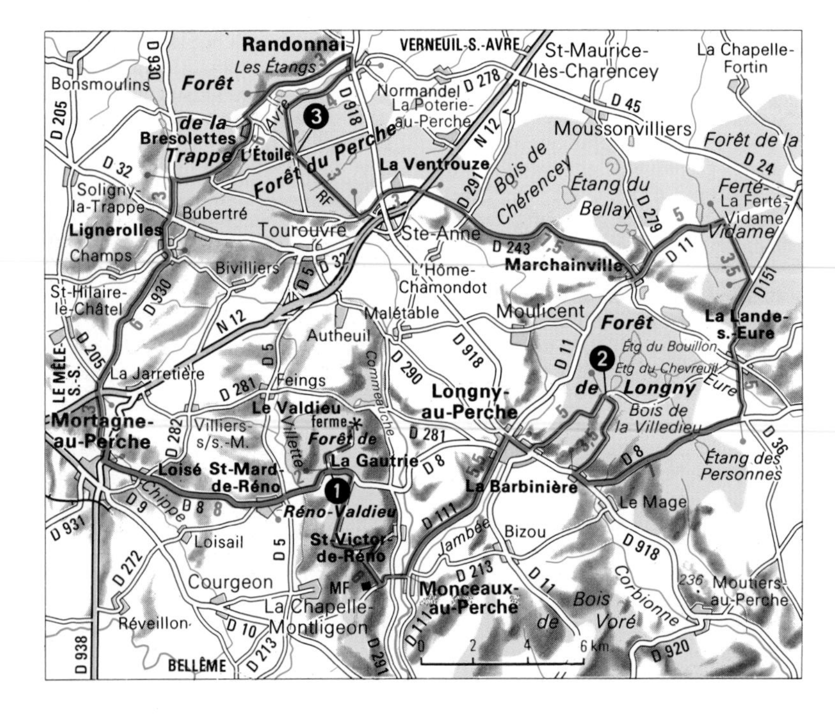

Du pays de Bray à la forêt de Lyons 92 km

Du rebord sud-ouest de la boutonnière du pays de Bray, par la magnifique forêt de Lyons, ce circuit mène, de village en village, à la découverte d'un îlot de verdure, encore bien protégé, à proximité du grand axe industriel et commercial de la basse vallée de la Seine. Dans ce vieux pays normand, tout de douceur et de calme, quelques églises, quelques châteaux et, surtout, de jolis sites, qui sont autant d'invites à la promenade.

❶ **Gournay-en-Bray** est un centre d'industrie laitière actif. L'ancienne collégiale St-Hildevert (XIIe s.) a résisté aux bombardements qui détruisirent le centre de la ville durant la Seconde Guerre mondiale. A l'intérieur, remarquer les chapiteaux, ornés de figures animales et végétales, des statues de bois polychrome du XVe s. et un buffet d'orgue Renaissance.

❷ **Saint-Germer-de-Fly** possède une vaste église du XIIe s., bel exemple d'architecture gothique primitive. Derrière l'abside, la sainte chapelle (XIIIe s.) a été construite sur le modèle de celle de Paris.

❸ **Mainneville.** Dans l'église St-Pierre, voir deux très belle statues du début du XIVe s., en pierre polychrome : une Vierge à l'Enfant et Saint Louis. L'itinéraire suit ensuite la vallée de la Levrière.

❹ **Abbaye de Mortemer.** Les ruines de cette ancienne abbaye cistercienne (XIIe-XIIIe s.) sont imposantes. Évocation des légendes de la région par un son et lumière (ouv. t.l. apr.-m. de Pâques à la Toussaint ; dim. apr.-m. en hiver). Grands étangs avec réserve d'animaux : daims, nombreux oiseaux. Promenade en petit train autour des étangs (parc ouv. toute l'année). Rens. tél. : 32-49-54-34.

Lyons-la-Forêt. Maisons bourgeoises normandes du XVIIe s. : le soubassement de l'édifice est constitué de pierres blanches ou de briques ; la façade à colombage est percée de hautes fenêtres.

❺ **Lyons-la-Forêt**, au centre de la plus belle hêtraie de France (10 610 ha), a conservé ses maisons traditionnelles (voir photo) et ses halles (XVIIIe s.), dont la charpente repose sur des piliers de bois. L'église (XIIe s.) abrite des statues de bois polychrome des XVIe et XVIIe s. A partir du bourg, de nombreuses allées permettent de parcourir la forêt ; on pourra admirer quelques arbres célèbres pour leur âge et leur taille.

❻ **Vascœuil** occupe un site tranquille aux abords du confluent du Crevon et de l'Andelle. Le château de la Forestière (XIVe-XVIe s.) est entouré d'un parc et de jardins à la française. Il abrite un musée réunissant souvenirs et documents de Michelet et de sa famille. Nombreuses manifestations et deux grandes expositions par an d'artistes contemporains de renommée internationale (t.l.j., de Pâques à la Toussaint. Rens., tél. : 35-23-62-35). Dans l'église du village, on peut admirer le tombeau de Hugues de Saint-Jovinien (XIe s).

❼ **Ry.** L'itinéraire remonte la douce vallée du Crevon. A Ry, l'église est surtout Renaissance, avec des parties du XIIe s. On remarquera le porche en bois sculpté (voir dessin). C'est à Ry que l'histoire littéraire situe Yonville-l'Abbaye, où résidaient les Bovary, héros du roman de Flaubert.

Le Héron, au confluent du Héron et de l'Andelle, est un site charmant qu'agrémentent une église du XVIIe s. et un château du XVIIIe s. dressé au milieu d'un parc (on ne visite pas).

Puis la route suit la vallée de l'Andelle avant d'atteindre *La Feuillie*, où l'on verra l'église (XVIe s.), de style gothique flamboyant, dominée par une flèche de 54 m et précédée d'un calvaire du XVIe s.

❽ **Beauvoir-en-Lyons.** De l'abside de l'église, vue d'ensemble sur la boutonnière exemplaire que constitue le pays de Bray : dans le plateau calcaire, la partie supérieure de l'anticlinal de faible courbure a été décapée par l'érosion ; celle-ci a provoqué la formation d'une dépression, bien évasée au centre et plus resserrée aux extrémités. Par beau temps, on aperçoit la cathédrale de Beauvais.

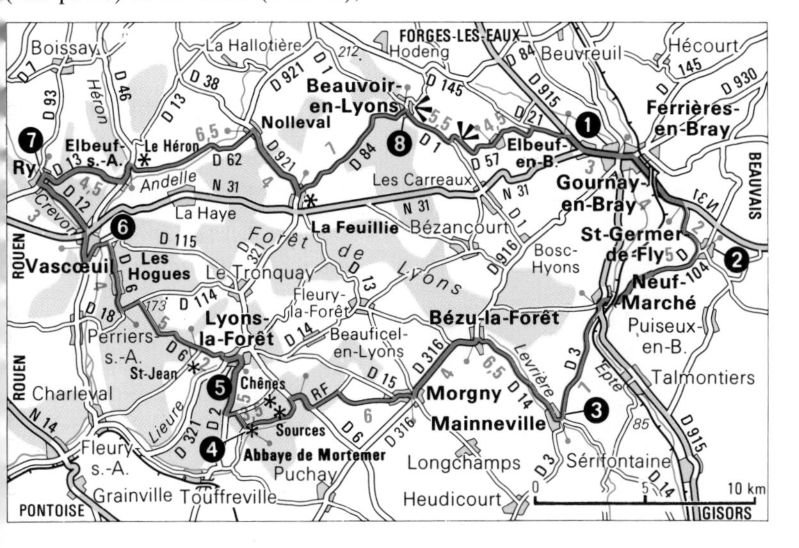

Ry. Le porche de l'église est élevé sur un muret de pierre et comporte trois travées divisées chacune en deux balustres.

214

En descendant la Seine après Rouen — 198 km

Après Rouen, la Seine descend vers la mer en cinq longs méandres que ce circuit, tout naturellement, va suivre, par la rive droite à l'aller, par la rive gauche au retour. D'amont en aval, cette large et paisible vallée, délicatement découpée dans les plateaux crayeux, est l'axe de la Normandie ; c'est aussi un cordon naturel reliant Paris et son agglomération à la mer et à l'Atlantique. Le parcours change constamment de direction, au gré du fleuve, offrant panoramas majestueux, paisibles forêts, nobles ruines, ouvrages audacieux : un résumé de la Normandie.

❶ **Canteleu** offre une belle vue sur la vallée de la Seine (table d'orientation au sommet de la colline). Le chœur de l'église (XVe s.) date du XIIIe s. Le château, Louis XIII, ne se visite pas.

Passé Sahurs, vous traversez la *forêt de Roumare*, sur un petit plateau qui remonte vers le N. : nombreuses allées forestières.

❷ **Saint-Martin-de-Boscherville.** Son ancienne abbatiale St-Georges, en calcaire blanc, constitue l'un des meilleurs exemples de l'art roman en Normandie (XIe-XIIIe s). La salle capitulaire donne accès à un bâtiment monastique du XVIIe s. (vis t.l.j., toute l'année. Groupes sur rendez-vous, tél. : 35-32-10-82).

❸ **Duclair**, au confluent de l'Austreberthe et de la Seine, possède une église, restaurée en 1860, qui garde son clocher du XIIe s. et sa flèche du XVIe s. ; elle est ornée de statues, en bois ou en pierre, du XIVe s. et de quelques vitraux du XVIe, restaurés.

❹ **Jumièges.** De l'abbaye, fondée au VIIe s., il subsiste des ruines d'un grand intérêt (vis. t.l.j., sauf 1er mai, 1er et 11 nov., 25 déc., 1er janv.) : la façade et la nef de l'abbatiale Notre-Dame (voir dessin), une église carolingienne (Xe s.), la salle capitulaire et des celliers (XIIe s.). La presqu'île de Jumièges, entourée de forêts, fait partie du splendide parc de Brotonne.

❺ **Saint-Wandrille.** En montant au N. du village, vue magnifique sur la vallée de la Seine et la forêt de Brotonne. L'abbaye (vis. guid. 15 h et 16 h en sem. ; 11 h 30, 15 h et 16 h dim. et j. fér.) est un joyau de l'art gothique : on remarquera en particulier la porte (XVIe s.) qui se trouve entre le cloître et le réfectoire. Une grange dîmière, rapportée pierre par pierre d'une ferme de l'Eure en 1970, sert aujourd'hui d'église abbatiale. Dans le parc, sur la colline, voir la chapelle St-Saturnin (Xe s.).

❻ **Caudebec-en-Caux.** De la terrasse de l'hôtel de ville, beau point de vue sur le fleuve. L'église Notre-Dame (XVe-XVIe s.), remarquable par son clocher très ajouré, a des vitraux du XVIe s. et un riche mobilier. Dans les jardins de la mairie, en bordure de Seine, le musée de la Marine de Seine est consacré à l'histoire du fleuve (t.l. apr.-m., juill.-sept. ; sauf mardi hors saison. Groupes sur R.-V., tél. 35-96-27-30).

Léopoldine au livre d'heures, par Châtillon. Fille de Victor Hugo, elle se noya, avec son mari, devant leur maison de Villequier (voir texte encadré).

Jumièges. L'église abbatiale Notre-Dame, dont la construction fut commencée au XIe s. Le chœur s'étant effondré fut réédifié à la fin du XIIIe s.

❼ **Lillebonne.** Les restes du théâtre romain (vis. t.l.j., sauf jeudi, s'adresser au musée ou à la mairie) témoignent de l'importance de la cité à l'époque gallo-romaine. De l'ancienne place forte de Guillaume le Conquérant, il subsiste un donjon aux murs épais (ne se visite plus). L'église Notre-Dame, gothique, est dominée par un clocher de 55 m. Dans le jardin Jean-Rostand, musée d'histoire locale, art et traditions populaires (t.l.j. sauf jeudi).

❽ **Tancarville.** Le Nez de Tancarville sur la rive droite de la Seine, correspond à un creusement de la falaise par d'anciens méandres : le pont routier y est ancré. L'ouvrage, suspendu en trois travées à 51 m au-dessus du fleuve, est un point d'observation sur la Seine, en aval jusqu'à l'estuaire entre Le Havre et Honfleur, et à l'E. sur le méandre qui enserre la forêt de Brotonne. Sur le rebord O. du Nez, le château (Xe-XIIIe s.) a été reconstruit au début du XVIIIe s. (on ne visite pas). L'itinéraire traverse ensuite le marais Vernier.

❾ **Forêt de Brotonne.** Forêt domaniale réputée pour la beauté de ses hêtres, elle couvre environ 10 000 ha. Incluse dans le parc naturel régional, elle est sillonnée de routes et de sentiers aménagés ; de nombreuses sorties-découvertes sont organisées (rens., tél. : 32-56-94-87).

A *La Mailleraye-sur-Seine*, visitez l'église (XVIe s.) et une chapelle (XVIe s.), vestige, avec une terrasse à balustres, de l'ancien château.

❿ **Yville-sur-Seine.** L'église conserve son clocher du XIIe s. ; au cimetière voir une croix du XIIIe s. Le château, commencé au XVIIIe s., peut-être sur des plans de Mansart, allie l'équilibre et l'élégance : la façade est classique et l'entrée, ornée d'un péristyle ionique, est flanquée de deux pavillons (on ne visite pas). Le vieux manoir en bois qui se trouve près du château date du XIe s.

⓫ **La Bouille.** Au N., un méandre de la Seine détermine un bel escarpement de 120 à 130 m. L'église (XVe-XVIe s., restaurée au XIXe) comporte une triple nef avec un vitrail en grisaille du XVIIe s. A 5 km de La Bouille, à *Moulineaux*, le château de Robert-le-Diable, construit au XIe s. par les premiers ducs de Normandie a été aménagé en musée des Vikings ; du donjon, panorama sur la vallée, de Rouen à Duclair, et sur les forêts de Roumare, du Rouvray et de Londe (t.l.j., sauf lundi de sept. au 15 nov. Fermé du 15 nov. au 15 févr.).

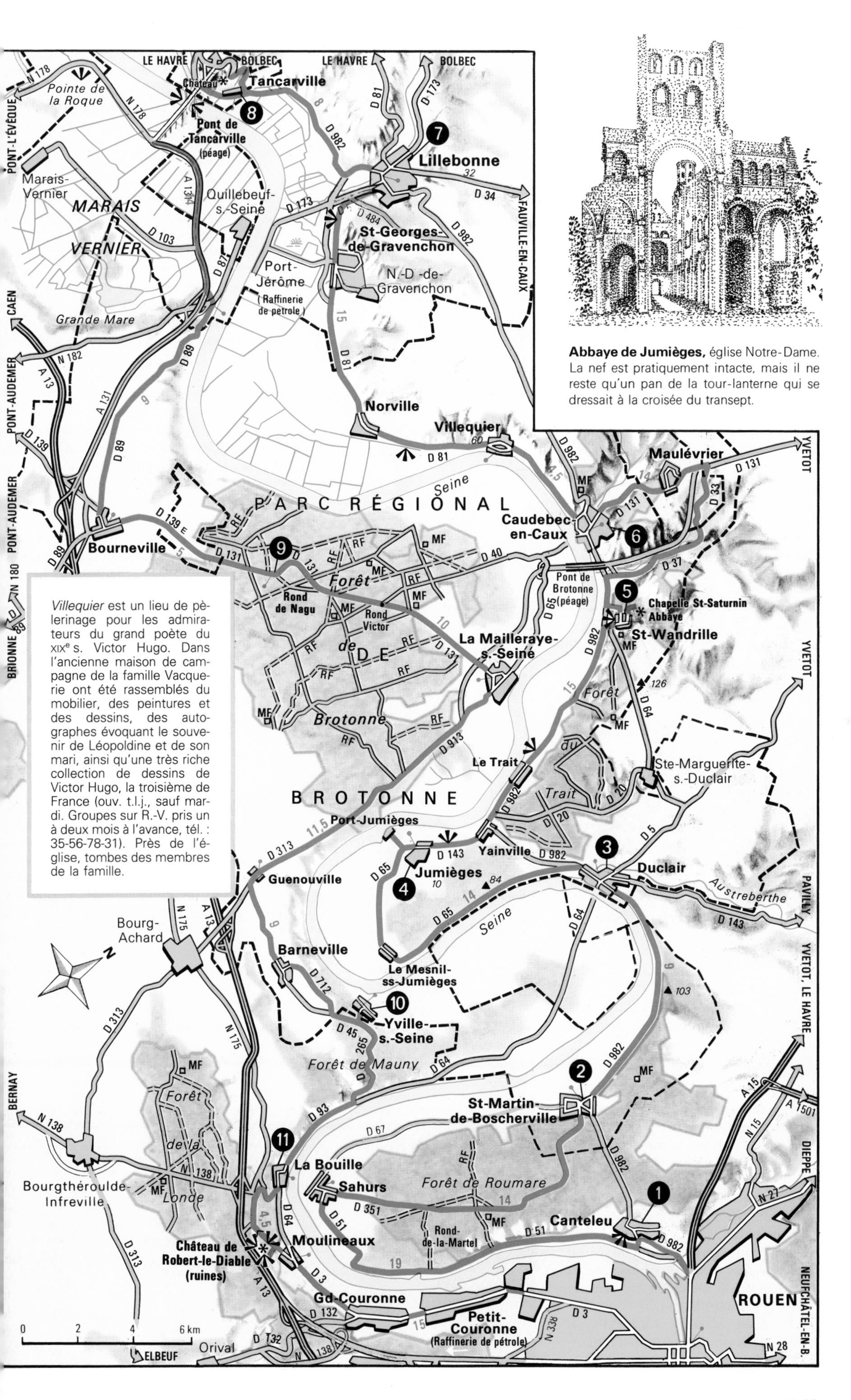

Abbaye de Jumièges, église Notre-Dame. La nef est pratiquement intacte, mais il ne reste qu'un pan de la tour-lanterne qui se dressait à la croisée du transept.

Villequier est un lieu de pèlerinage pour les admirateurs du grand poète du XIXe s. Victor Hugo. Dans l'ancienne maison de campagne de la famille Vacquerie ont été rassemblés du mobilier, des peintures et des dessins, des autographes évoquant le souvenir de Léopoldine et de son mari, ainsi qu'une très riche collection de dessins de Victor Hugo, la troisième de France (ouv. t.l.j., sauf mardi. Groupes sur R.-V. pris un à deux mois à l'avance, tél. : 35-56-78-31). Près de l'église, tombes des membres de la famille.

A la découverte du marais Vernier 37 km

Le marais Vernier est une cuvette alluvionnaire de 4 500 ha établie à l'emplacement d'un ancien méandre de la Seine. Il est entouré par un amphithéâtre de coteaux boisés entre les pointes de la Roque et de Quillebeuf. Une digue, reposant sur un cordon sableux, divise le marais : au nord, la plaine des Alluvions ; au sud, la tourbière avec la Grand-Mare dans sa partie basse ; et, au fond, un secteur de maraîchages et de vergers.

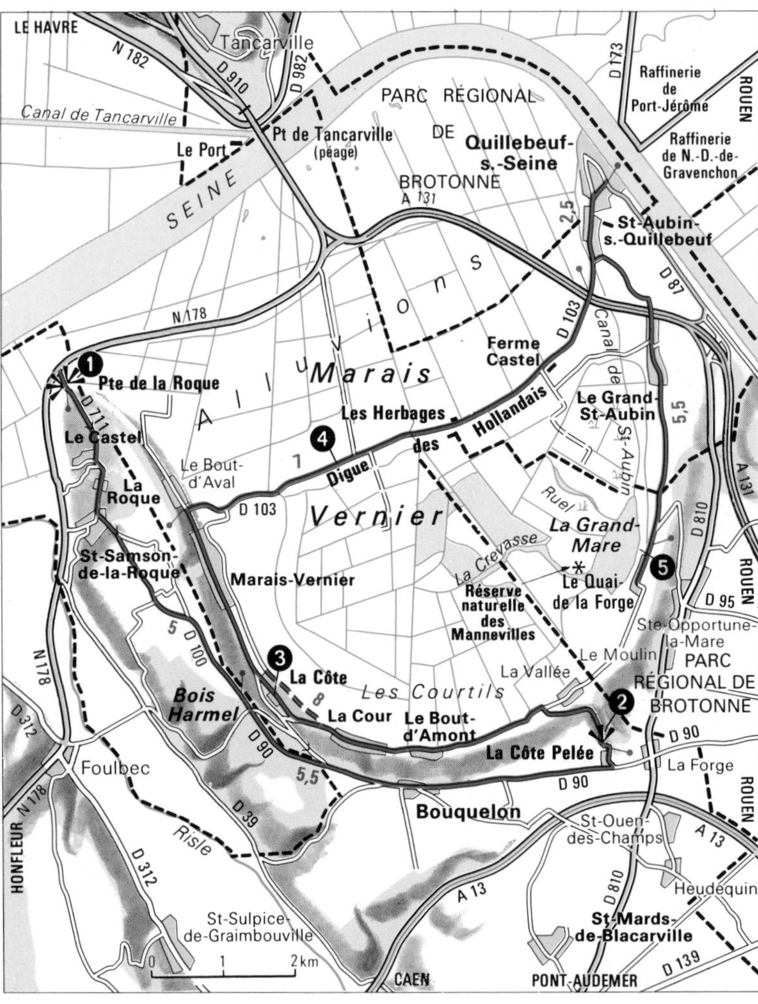

❶ **Pointe de la Roque.** Elle domine de plus de 50 m la vallée de la Seine, dont les eaux battaient encore le pied de la falaise il y a un siècle et demi. La vue s'étend sur les vallées de la Seine et de la Risle et sur la partie N. du marais. Un sentier de découverte de l'estuaire de la Seine a été aménagé par le parc naturel régional de Brotonne.

Entre Saint-Samson-de-la-Roque et Bouquelon, la route suit le faîte de l'amphithéâtre. On découvre en contrebas les Courtils, beaux jardins maraîchers, découpés en longues lanières par d'étroits canaux.

❷ **Point de vue de la Côte Pelée.** Il offre une sorte de coupe biogéographique du marais : au premier plan, sur le bas versant, l'habitat étiré et accolé au bord de l'amphithéâtre ; puis les Courtils sur des sols tourbeux gris et noirs ; les herbages avec quelques boqueteaux autour de la Grand-Mare ; au N. de celle-ci, des marais mal drainés et des roselières.

❸ **La Côte.** Il faut s'écarter de la route, prendre le sentier qui sépare l'habitat des Courtils, et flâner le long des canaux et des rigoles. Le botaniste fera des trouvailles : joncs, rubannier, massette ou quenouille d'eau, orchis divers et lysimaque selon la saison. Les haies, peu nombreuses, témoignent aussi de la richesse végétale de ce pays doté d'un micro-climat particulier : peupliers disposés en longues files, saules taillés en têtards, noisetiers, aulnes et sureaux. Au-dessus de la route, vergers et noyers se mêlent aux têtards.

❹ **Digue des Hollandais.** Elle limite au N. le marais ancien ; elle fut construite au XVIIe s. par des ouvriers hollandais appelés par Henri IV. Des travaux récents ont permis la réfection et le redressement de nombreux canaux.

❺ **La Grand-Mare.** Elle a fait l'objet de travaux d'assèchement partiel depuis le XIVe s. Très poissonneuse, elle attire de nombreux oiseaux d'eau, notamment des migrateurs. C'est aujourd'hui une réserve cynégétique de 146 ha, dont 45 de plan d'eau (observatoire). A l'O., sur 100 ha, s'étend la réserve naturelle des Mannevilles, où la richesse biologique du marais, milieu profondément original, est peu à peu restaurée grâce au pâturage extensif de troupeaux de taureaux d'Écosse et de chevaux de Camargue, races très rustiques (vis. en juill.-août, sur R.V. les mercr. et dim. : s'adresser au CEDENA, à Ste-Opportune-la-Mare tél. : 32-56-94-87). Ces sites, comme la majeure partie du marais Vernier font partie du parc naturel régional de Brotonne.

Les Alluvions. Cette partie, gagnée sur le marais depuis 1947, donne un paysage découvert, tranché en parcelles d'herbages et de cultures céréalières.

Marais Vernier. Dans les riches pâturages de ces terres alluvionnaires, mai couvre les pommiers de fleurs blanches, autant de promesses pour la récolte prochaine.

Falaises et valleuses du pays de Caux 241 km 142 km

Ces deux itinéraires dans le pays de Caux présentent un double avantage, ils se partagent entre les côtes de la Manche, d'où l'on domine la mer dans des sites parfois uniques au monde, avant de descendre dans chaque valleuse – ancienne vallée débouchant au-dessus du niveau de la mer par suite du recul de la falaise – à la découverte d'un village, d'un port, d'une station balnéaire, et l'arrière-pays, campagne riche en cultures et en élevage, où se succèdent une pléiade d'églises et de châteaux.

ITINÉRAIRE N° 1

❶ **Longueville-sur-Scie.** A 1 km du bourg se trouvent les restes du monastère bénédictin des Deux-Jumeaux : l'église est du XIe s. et les bâtiments conventuels du XVIIe.

❷ **Yvetot,** au centre du bloc de craie recouvert d'argile qui constitue le pays de Caux, possède une église moderne (1951-1956) dont les éblouissantes verrières, œuvre du maître verrier Max Ingrand, expriment notamment, autour d'un Christ en croix éclatant, l'histoire des saints du diocèse de Rouen.

❸ **Bolbec.** L'église du XVIIIe s., conçue par l'architecte Patte, abrite des retables des XVIIe et XIXe s. Dans le jardin public, un groupe en marbre, *les Arts relevés par le temps*, et une statue de Diane proviennent du parc de Marly. Rue de la République, admirer les maisons du XVIIIe s.

Étretat. Les falaises atteignent de 80 à 90 m de hauteur. Le creusement de puits par l'érosion a isolé des éperons et des arches, l'effondrement d'une voûte a donné naissance à l'Aiguille, creuse, haute de 70 m.

❹ **Château de Bailleul.** Construit au XVIe s., ce joli château aux toitures élancées est un bel exemple de l'architecture Renaissance en Normandie. Il renferme des œuvres d'art remarquables (on ne visite pas). Dans le parc planté d'arbres séculaires, jardin d'herbes aromatiques et médicinales, labyrinthe de charmille, jardins thématiques (vis. rens., tél. : 35-27-77-87).

❺ **Étretat** est dominé par les célèbres hautes falaises (voir photo); celle d'Aval donne sur l'Aiguille, et celle d'Amont est surmontée d'un audacieux monument dédié à Nungesser et Coli, qui tentèrent les premiers de traverser l'Atlantique en avion (1927). Un musée est consacré aux deux aviateurs et à l'aviation (sam. et dim. de printemps; t.l.j., de juin au 15 sept.).

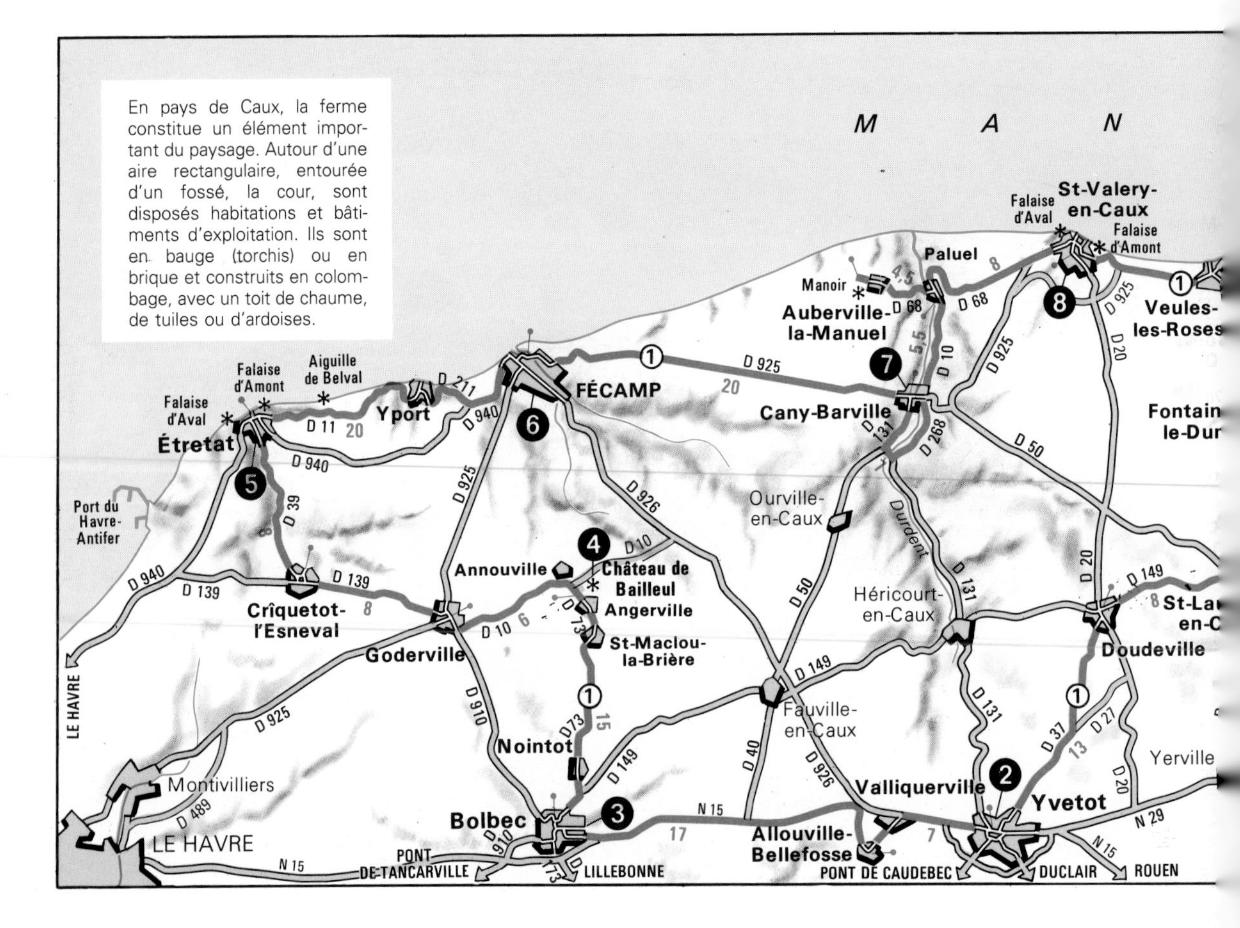

En pays de Caux, la ferme constitue un élément important du paysage. Autour d'une aire rectangulaire, entourée d'un fossé, la cour, sont disposés habitations et bâtiments d'exploitation. Ils sont en bauge (torchis) ou en brique et construits en colombage, avec un toit de chaume, de tuiles ou d'ardoises.

L'église Notre-Dame, romane, date des XIe et XIIe s.; elle possède une tour-lanterne bien caractéristique.

❻ **Fécamp** (voir texte encadré), capitale des terres-neuvas (pêche à la morue), reste un port très actif. Le musée municipal est consacré aux traditions et à la vie en pays de Caux (ouv. t.l.j., sauf mardi). L'église abbatiale de la Trinité, avec sa tour-lanterne de 64 m, à l'aspect extérieur sévère, renferme un riche mobilier; c'est un chef-d'œuvre de l'art gothique normand.

❼ **Cany-Barville.** Le château de Cany, d'époque Louis XIII, est construit, à l'inverse de l'usage, avec des murs en pierre et des chaînages en brique (t.l.j., sauf vendr. en juill.-août. Fermé 4e dim. de juill.). L'église de Barville est enserrée entre deux bras de la Durdent.

❽ **Saint-Valery-en-Caux.** Construite dans une brèche de la falaise – le port s'enfonce sur 800 m dans les terres –, la ville garde sur le quai rive gauche quelques maisons anciennes. A l'O., sur la falaise d'Aval (70 m), la vue s'étend jusqu'au Tréport.

❾ **Sainte-Marguerite :** le côté droit de l'église est du XIIe s., et celui de gauche, ainsi que le chœur, du XVIe; le maître-autel en pierre date du XIIe s. Sur la falaise (77 m) se dresse le phare d'Ailly; on peut y monter : panorama sur la côte et les falaises (vis. t.l.j.; en hiver, s'adress. direct. au phare).

Varengeville-sur-Mer est un village charmant situé au milieu des vergers; l'église, isolée face au large, est ornée du dernier vitrail de Braque, enterré dans le cimetière. On visite non loin (t.l.j., sauf mardi) le très beau parc floral des Moustiers.

ITINÉRAIRE N° 2

❶ **Dieppe** est une charmante station balnéaire : voir les églises St-Jacques (XIIIe s.), avec une magnifique décoration gothique flamboyant, et St-Remy, d'architecture flamboyante avec une façade classique du XVIe s., et le château, du XVe s., appareillé en silex et en grès. A l'intérieur, un musée présente des maquettes de bateaux anciens, une section d'archéologie locale, des peintures françaises du XIXe s. et une très belle collection d'ivoires (t.l.j., 1er juin-30 sept.; sauf mardi hors saison).

❷ **Eu,** dans la vallée de la Bresle, possède l'une des plus belles églises de style gothique normand (XIIIe s.), la collégiale St-Laurent. Dans la crypte (XIIe s.), voir les gisants des comtes d'Eu (XIVe-XVe s.). Le château, construit en 1578, restauré et décoré par Viollet-le-Duc de 1874 à 1879, a une façade en brique et pierre rehaussée de rose. Il abrite le musée Louis-Philippe, qui évoque le souvenir de la famille d'Orléans et recueille les témoignages de l'activité verrière qui règne dans la vallée de la Bresle (t.l.j., sauf mardi, de la veille des Rameaux au dim. suiv. la Toussaint).

❸ **Neufchâtel-en-Bray.** L'église Notre-Dame a un chœur du XIIIe s.; nef, façade et clocher sont du XIVe s. Au musée Mathon, art régional (t.l. apr.-m., sauf lundi, juill.-août; sam., dim. apr.-m., hors saison).

❹ **Mesnières-en-Bray.** Renaissance par sa façade et forteresse féodale par ses tours trapues, le château a une décoration intérieure du XVIIe s. et s'orne d'un escalier du XVIIIe s. (vis. sam., dim. et j. fér. l'apr.-m., de Pâques à la Toussaint; t.l. apr.-m., 14 Juill.-31 août).

❺ **Arques-la-Bataille** garde les ruines d'un château fort du XIIe s. (vis. libre). L'église Notre-Dame (XVIe s.), de style flamboyant, a un clocher du XVIIe et une façade du XVIIIe.

Varengeville-sur-Mer. Le colombier circulaire (XVIe s.) du manoir d'Ango – le célèbre armateur dieppois – est construit en briques rouges et noires.

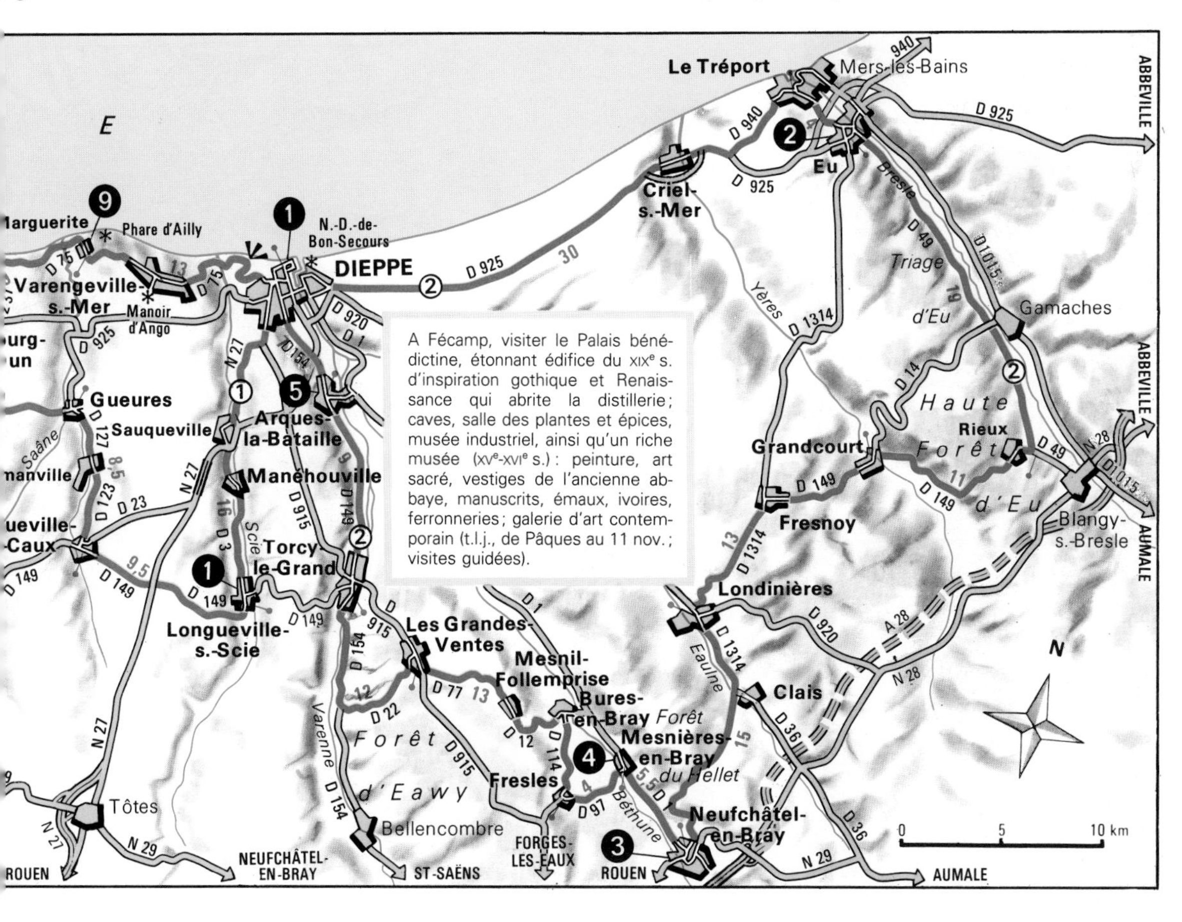

A Fécamp, visiter le Palais bénédictine, étonnant édifice du XIXe s. d'inspiration gothique et Renaissance qui abrite la distillerie; caves, salle des plantes et épices, musée industriel, ainsi qu'un riche musée (XVe-XVIe s.) : peinture, art sacré, vestiges de l'ancienne abbaye, manuscrits, émaux, ivoires, ferronneries; galerie d'art contemporain (t.l.j., de Pâques au 11 nov.; visites guidées).

AUTOUR DE PARIS

Chartres. Détail du portail Royal.

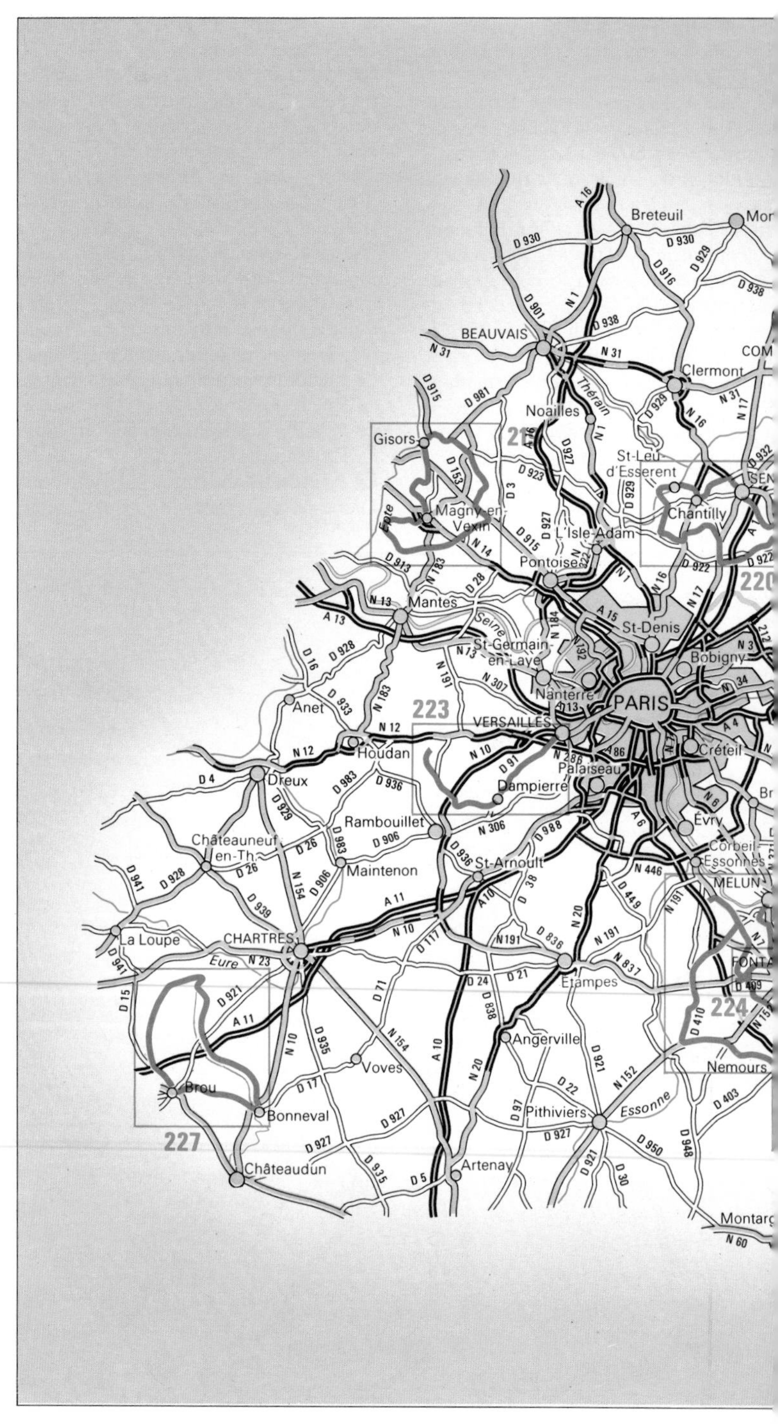

Hautes futaies et frais vallons
Élan gothique et palais princiers

Parisis, Valois, Vexin, que de vieux pays aux noms délicieux ceinturent la capitale. L'amateur de paysages ordonnés et harmonieux, très humanisés, saura apprécier le pittoresque des méandres encaissés, dont les versants crayeux et boisés accompagnent le flot calme des grandes rivières, la fraîcheur agreste des vallons à cressonnières, l'élan des buttes frangées de vergers et plus encore l'ombrage accueillant des grands massifs forestiers. Longtemps destinés aux chasses des souverains qui y « couraient le loup », ils nimbent Paris d'une couronne vraiment royale dont les joyaux se nomment Fontainebleau et Chantilly, Compiègne et Rambouillet. Ils sont ouverts aux promeneurs en quête de muguet, de champignons ou d'émotions simples : les élégantes futaies de chênes ou de hêtres, les mares miroitantes, les chaos rocheux ont à ce point tenté les peintres qu'ils composent naturellement des tableaux. L'amateur d'art ne saura que choisir parmi les innombrables richesses monumentales que la proximité de la grande ville a prodiguées tout au long de l'histoire : cathédrales et abbatiales, ces merveilles de l'art gothique dont les tours prolongent vers le ciel le mouvement ascendant des nefs et des absides aux vitraux chatoyants ; résidences champêtres et palais aristocratiques où se reconnaissent tant de styles, avec une préférence pour les classiques, et que prolongent les parcs, géométriques à la française ou romantiques à l'anglaise. Mais il devra aussi faire leur part aux ruines des puissants donjons ronds, aux grosses fermes-châteaux à colombiers, aux modestes villages autour des clochers en bâtière, aux petites villes dont les rues sinueuses bordent les hôtels et les jardins clos de murs, mais dont les halles s'animent un peu les jours de foire. Voilà une région dont l'histoire est aussi celle du pays tout entier : Vaux, c'est Fouquet ; Chantilly, c'est Condé ; les vallées de la Marne et des Morins, c'est 1914. C'est « la France de la France ».

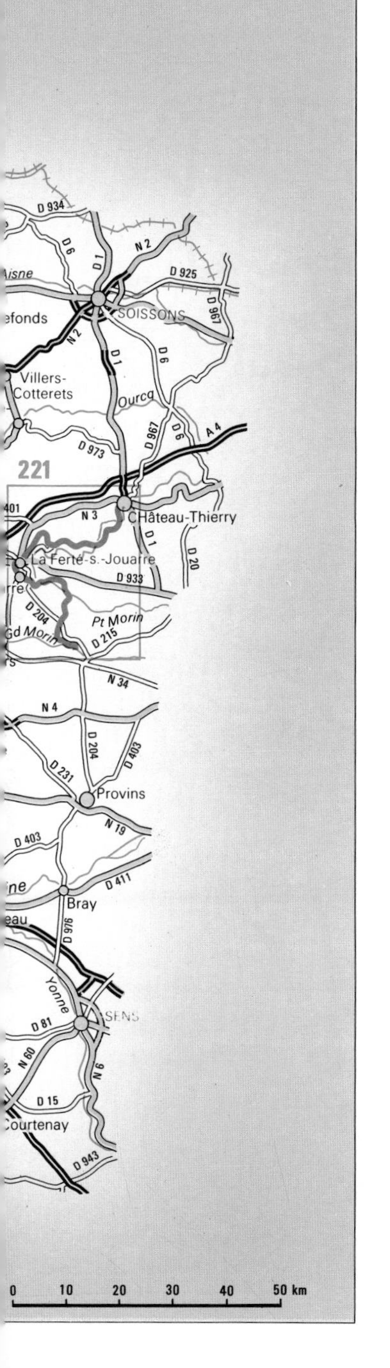

Château de Fontainebleau. L'aile François Ier dans la cour des Adieux.

Hauts lieux, trésors et paysages

Saint-Germain-en-Laye. Au château (XVIe s., restauré au XIXe) est installé le musée des Antiquités nationales : les collections forment un vaste panorama de la France, de la préhistoire à l'époque mérovingienne (vis. t.l.j., sauf mardi). A la façade S. du château est accolée la sainte chapelle, édifiée par Saint Louis (XIIIe s.), chef-d'œuvre de l'art gothique (vis. libre). Le parterre, dessiné par Le Nôtre, précède la Terrasse de Saint-Germain : immense panorama jusqu'à Paris (table d'orientation au rond-point du Rosarium). En ville, le musée départemental du Prieuré est consacré à l'œuvre de Maurice Denis, théoricien du mouvement nabi (t.l.j., sauf lundi, mardi et j. fér.).

Versailles. La ville, le château, le parc, le Grand Trianon et le Petit Trianon forment le plus bel ensemble monumental des XVIIe et XVIIIe s. On entre au château par la cour Royale ; cette partie de l'édifice en pierre et en brique, d'abord pavillon de chasse de Louis XIII, a été remaniée et embellie par Le Vau (XVIIe s.), agrandie par Gabriel (XVIIIe s.) et complétée en 1829 : elle garde pourtant une étonnante unité architecturale. Côté jardins, les façades sont un modèle inégalé du style classique, de Le Vau et de Hardouin-Mansart. Il n'est guère raisonnable d'espérer tout voir de Versailles en une seule journée : de la chapelle Royale aux grands appartements, en passant par la galerie des Glaces, chef-d'œuvre de Le Brun ; de l'opéra Louis XV, tout entier dû à J.-A. Gabriel, aux petits appartements, disposés autour de la cour de Marbre ; des jardins et pièces d'eau, création de Le Nôtre, où Hardouin-Mansart et Coysevox ont donné libre cours à leur talent, au Grand Trianon (fin du XVIe s.), avec ses façades de marbre et son mobilier Empire, et au Petit Trianon (1770), jusqu'au Hameau de Marie-Antoinette ; du musée de l'Histoire de France (au château) à la ville elle-même, témoignage unique de l'urbanisme classique (visites : voir le texte encadré).

Bièvres. Voir p. 378-379.

Château de Dampierre. Rebâti au XVIIe s. par Hardouin-Mansart, il est entouré d'un parc dessiné par Le Nôtre. Sa porte monumentale à tourelles est le seul témoin de l'édifice original du XVe s. (vis. t.l. apr.-m., avr.-15 oct. Groupes toute la journée).

Port-Royal-des-Champs. Dans un vallon boisé : vestiges de l'abbaye janséniste (vis. t.l. apr.-m., sauf mardi, et dim. matin). Aux Granges de Port-Royal, un musée est consacré à l'histoire du monastère et du jansénisme (t.l.j., sauf mardi. Groupes sur R.-V.).

Château de Rambouillet. Du XIVe s., reconstruit au XVIIIe, château royal puis impérial, il est aujourd'hui présidentiel (t.l.j., sauf mardi). Voir aussi la laiterie de la Reine et la chaumière des Coquillages. On peut visiter la Bergerie nationale (t.l. apr.-m., sauf lundi et mardi ; vis. guid. dim. et j. fér. Groupes t.l.j. sur R.-V.).

Thoiry. Célèbre réserve africaine que l'on parcourt en voiture et zoo dans le parc du château (XVIIe s.). Au château, beau mobilier et bibliothèque aux volumes somptueusement reliés (vis. t.l. apr.-m.).

Anet. On remarquera surtout le portail d'entrée. Renaissance ; à l'intérieur de la seule aile qui subsiste du château, mobilier Renaissance. Voir aussi la chapelle, œuvre de Philibert Delorme (vis. t.l. apr.-m., sauf mardi, tte la journée dim. et j. fér., du 1er avr. au 31 oct. ; t.l.j. en août ; dim. et j. fér. hors saison). Le parc, de Le Nôtre, a été transformé en jardins à l'anglaise.

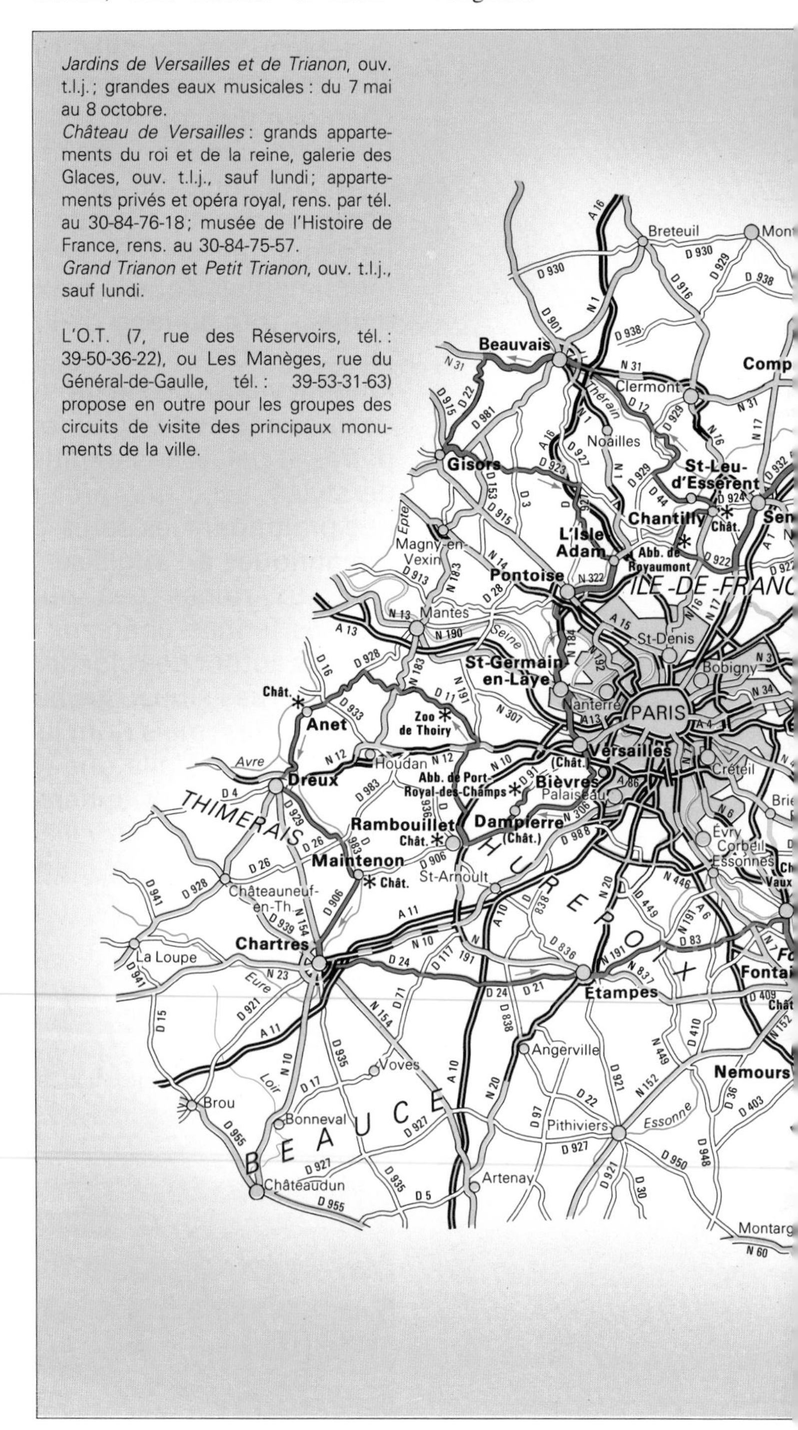

Jardins de Versailles et de Trianon, ouv. t.l.j. ; grandes eaux musicales : du 7 mai au 8 octobre.
Château de Versailles : grands appartements du roi et de la reine, galerie des Glaces, ouv. t.l.j., sauf lundi ; appartements privés et opéra royal, rens. par tél. au 30-84-76-18 ; musée de l'Histoire de France, rens. au 30-84-75-57.
Grand Trianon et *Petit Trianon*, ouv. t.l.j., sauf lundi.

L'O.T. (7, rue des Réservoirs, tél. : 39-50-36-22), ou Les Manèges, rue du Général-de-Gaulle, tél. : 39-53-31-63) propose en outre pour les groupes des circuits de visite des principaux monuments de la ville.

Dreux. La ville est dominée par un beffroi, dont les deux premiers étages sont gothiques flamboyants ; le troisième est Renaissance, et le campanile classique (vis. s'adres. à l'O.T., tél. : 37-46-01-73). A l'intérieur de l'église, mi-flamboyante, mi-Renaissance, buffet d'orgue du XVIIe s. et vitraux des XVIe-XVIIe s. La chapelle royale St-Louis date du XIXe s. (t.l.j. Fermée janv., sauf week-end). Une chapelle désaffectée abrite le musée d'Art et d'Histoire (t.l. apr.-m., sauf mardi ; sam. et dim., matin et apr.-m.).

Maintenon. Le château, composite, date en majeure partie de la Renaissance. De la forteresse primitive (XIIe s.) subsiste le donjon. A l'intérieur, décoration et souvenirs de la famille de Noailles (t.l. apr.-m., sauf mardi, sam. et dim., matin et apr.-m, de Pâques à oct. ; sam. et dim. apr.-m., de nov. à mars. Fermé janv.).

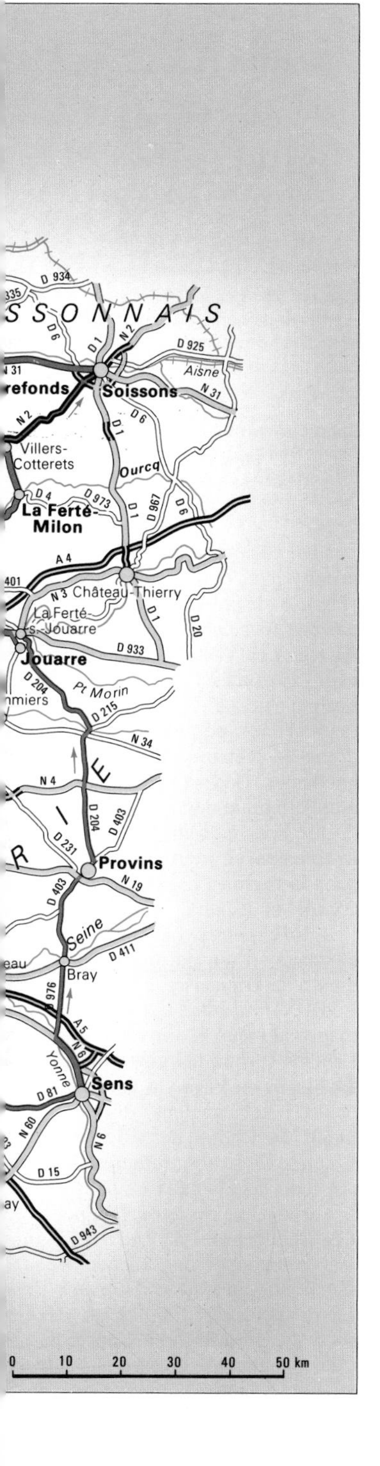

Chartres. Il est impossible de faire l'inventaire des trésors qu'abrite la cathédrale, peut-être le plus parfait chef-d'œuvre de l'art gothique. Les vitraux (XIIe-XIIIe s.), où flamboie le « bleu de Chartres », forment un ensemble unique au monde. Les portails atteignent également les sommets de l'art, en particulier le portail Royal, à l'O., qui est d'une grande richesse sculpturale, notamment dans les célèbres statues-colonnes (voir photo p. 368). A l'intérieur, on ne manquera pas d'admirer la clôture du chœur, qui, commencée en 1514, fut achevée deux siècles plus tard. Mais il faut aussi flâner dans le vieux Chartres pour découvrir les nombreuses maisons anciennes (XVe-XVIe s.) et les autres églises : St-Aignan (XVIe s.), St-Pierre (XIe-XIIIe s.) et St-André. Un musée des Beaux-Arts (t.l.j., sauf mardi et dim. mat. en hiver) a été installé dans l'ancien palais épiscopal.

Étampes fut dotée de remparts (vestiges) et d'un château fort, dont la tour Guinette, de plan quadrilobé, est le seul témoin. La ville possède quatre églises du XIIe s. Les hôtels de Diane de Poitiers et d'Anne de Pisseleu sont restés intacts. L'hôtel de ville Renaissance abrite le Musée municipal (vis. t.l.j., sauf lundi).

Vaux-le-Vicomte. Voir itinéraire 226.

Fontainebleau. Château : voir itinéraire 226 ; forêt : itinéraires 224 et 225.

Moret-sur-Loing. Voir itinéraire 226.

Nemours. Voir itinéraire 225.

Sens. La cathédrale, commencée au XIIe s., s'ouvre par un magnifique portail sculpté ; elle est flanquée de deux tours, dont l'une est inachevée ; à l'intérieur, chapiteaux sculptés et vitraux remarquables (XIIe-XIIIe s.). Le trésor est l'un des plus riches de France. Au palais synodal (XIIIe s.), Musée lapidaire et, au Musée archéologique, collection de sculptures gallo-romaines et de manuscrits (t.l.j., juin-30 sept. ; sauf mardi hors saison).

Provins. La ville haute a gardé son cachet féodal et une partie de ses remparts (XIIe-XIIIe s.). La Maison romane (XIIe s.) abrite le musée du Provinois (t.l. apr.-m., juill.-août ; des Rameaux au 1er nov., sam., dim. et fêtes, l'apr.-m.).

Jouarre. Voir itinéraire 221.

Meaux. L'ensemble épiscopal, adossé aux remparts, comprend la cathédrale St-Étienne, le Vieux-Chapitre, élégant bâtiment du XIIe s., et l'ancien évêché, occupé par le musée Bossuet (vis. t.l.j., sauf mardi et j. fér.).

La Ferté-Milon et **la vallée de l'Ourcq** se découvrent des ruines du château. L'église Notre-Dame, de style Renaissance, possède des verrières du XVIe s., ainsi que l'église St-Nicolas.

Soissons est dominée par les deux flèches de l'ancienne abbaye St-Jean-des-Vignes (XIIIe-XVIe s.), dont il reste la façade de l'église, les cloîtres, le logis abbatial, le cellier et, surtout, le réfectoire (t.l.j., sauf le 1er mai). La cathédrale (XIIe-XIIIe s.) a été restaurée ; voir les vitraux (XIIIe s.) du chœur et une tapisserie de Rubens. L'abbaye St-Léger (XIIe-XIIIe s., façade XVIIe s.) abrite le musée (t.l.j., sauf mardi et j. fér.).

Pierrefonds. Cette forteresse, construite au XVe s., puis ruinée, a été restaurée par Viollet-le-Duc (t.l.j., sauf j. fér.).

Compiègne est située à l'orée d'une des plus belles forêts d'Ile-de-France (voir itinéraire 222). Le château (fin du XVIIIe s.) a été redécoré en grande partie sous Napoléon Ier. Il abrite le musée du Second Empire et le musée de la Voiture et du Tourisme (ouv. t.l.j., sauf mardi). Voir, dans l'ancien hôtel de la Cloche, le musée de la Figurine historique (où sont présentés, notamment, plus de 80 000 soldats de plomb) et, dans l'hôtel de Songeons, le musée Vivenel, qui possède une prestigieuse et célèbre collection de vases grecs (ouv. t.l.j., sauf mardi).

Senlis. Voir itinéraire 220.

Abbaye de Royaumont. Voir itinéraire 220

Chantilly. Voir itinéraire 220.

Saint-Leu-d'Esserent. Voir itinéraire 220.

Beauvais. La cathédrale St-Pierre (XIIe s.) ne fut jamais achevée : la voûte s'effondra en 1284, la flèche en 1537, les architectes successifs ayant poussé trop loin leur ambition de faire de cette cathédrale la plus haute de France... L'ensemble, terminé au XIVe s., forme cependant un magnifique ouvrage. Les façades du transept ont été terminées au XVIe s... A l'intérieur, on remarquera surtout une horloge astronomique, comportant cinquante-deux cadrans. La cathédrale primitive N.-D.-de-Basse-Œuvre (fin du Xe s.) occupe la place prévue pour la nef de la cathédrale St-Pierre. Autres églises à visiter : St-Étienne (XIIe s.), N.-D.-du-Thil (Xe-XIIIe s.), N.-D.-de-Marissel (XIe-XVIe s.), avec un porche flamboyant. L'ancien palais épiscopal (XIIe-XIVe et XVIe s.) abrite le beau musée départemental de l'Oise (t.l.j., sauf mardi) ; voir aussi la riche galerie nationale de la Tapisserie (t.l.j.).

Gisors. Voir itinéraire 219.

L'Isle-Adam est surtout le point de départ de promenades en forêt. L'église St-Martin, gothique, a un portail Renaissance.

Pontoise. L'église St-Maclou est à la fois gothique et Renaissance : beau mobilier, verrières, statues et chapiteaux Renaissance. Voir les musées Tavet-Delacour (t.l.j., sauf mardi et j. fér.) et Pissarro (t.l.j., sauf lundi, mardi et j. fér.).

219

De Gisors à Magny-en-Vexin 88 km

A l'ouest de l'Epte, c'est la Normandie ; à l'est, la France ou, plus simplement, le Vexin français. Aux troubles de la guerre de Cent Ans, on doit la floraison tardive des églises, presque toutes de style gothique flamboyant. Le paysage du Vexin français est d'une agréable diversité : riche plaine cultivée sur le plateau, bois et forêts sur les hauteurs, damier de prairies et de cultures maraîchères dans les vallons.

❶ **Gisors.** Sa forteresse du XIe s. a subsisté en quasi-totalité. On accède librement à l'intérieur de l'enceinte flanquée de huit tours, au centre de laquelle, perché sur une butte, s'élève le donjon : de la plate-forme, vue sur l'agglomération et les vallées de l'Epte et de la Troësne. Voir aussi la tour du Gouverneur et celle du Prisonnier, dont l'étage inférieur est décoré de graffiti (t.l.j., 1er mai-31 oct. ; sam., dim. et j. fér., janv.-30 avr. Fermé 1er nov.-31 déc. Groupes sur R.V.). La collégiale St-Gervais-et-St-Protais porte la marque des étapes de sa construction, du gothique flamboyant au style Renaissance (voir dessin).

❷ **Trie-Château,** au seuil du Vexin français, n'offre plus que quelques vestiges de ses fortifications du XIIe s. Le château, où Rousseau termina les *Confessions*, date du XVIe (ne se visite pas). Le portail roman de l'église a été malencontreusement restauré par Viollet-le-Duc ; à l'intérieur, voir les poutres de la charpente, sculptées de figures grotesques.

❸ **Chaumont-en-Vexin.** On accède à l'église, de style gothique flamboyant, par un escalier de pierre menant au portail N., dont le tympan est Renaissance. A la sortie du village, prendre la direction de Liancourt ; dans une carrière se trouve un gisement de fossiles marins du lutécien.

Gisors. La décoration de la collégiale comporte de nombreux chefs-d'œuvre d'architecture, de peinture ou de sculpture, telle cette pietà en bois polychrome du XVIe s.

Saint-Cyr-sur-Chars, à 3 km au N. de Chars. Derrière une grille où s'ouvre un portail ouvragé se dessine la façade du château du XVIIe s. (on ne visite pas).

Chars. L'église (XIIe-XIIIe et XVIe s.), à nef haute, étroite, terminée par un chœur à déambulatoire, est dominée par une tour carrée Renaissance.

❹ **Guiry-en-Vexin.** La façade du château (XVIIe s.) est ornée d'un fronton sculpté (ne se visite pas). L'église (XVe-XVIe s.) possède un clocher à dôme de pierre et abrite des statues anciennes (XIVe-XVIe s.). Au musée archéologique départemental du Val-d'Oise sont présentés des objets gallo-romains et mérovingiens trouvés dans la région (vis. t.l.j., sauf mardi, 25 déc. et 1er janv.).

A Villarceaux, on apercevra deux châteaux : l'un, parmi de beaux jardins à la française, est typiquement Louis XV, l'autre est un charmant manoir du XVIe s., où vécut Ninon de Lenclos (on ne les visite pas).

❺ **Magny-en-Vexin** a conservé de beaux hôtels anciens, dont les bâtiments de l'hôtel de ville (XVIIIe s.). L'église est surtout remarquable pour ses fonts baptismaux (XVIe s.).

Sur la route du retour, on peut voir l'église de *Saint-Gervais*, avec une tour romane et une façade Renaissance, le château d'*Alincourt* (vis. sur demande) et l'église de *Parnes*, avec un portail Renaissance et des fonts baptismaux du XVIIe s. ; à *Montjavoult*, panorama sur le Vexin.

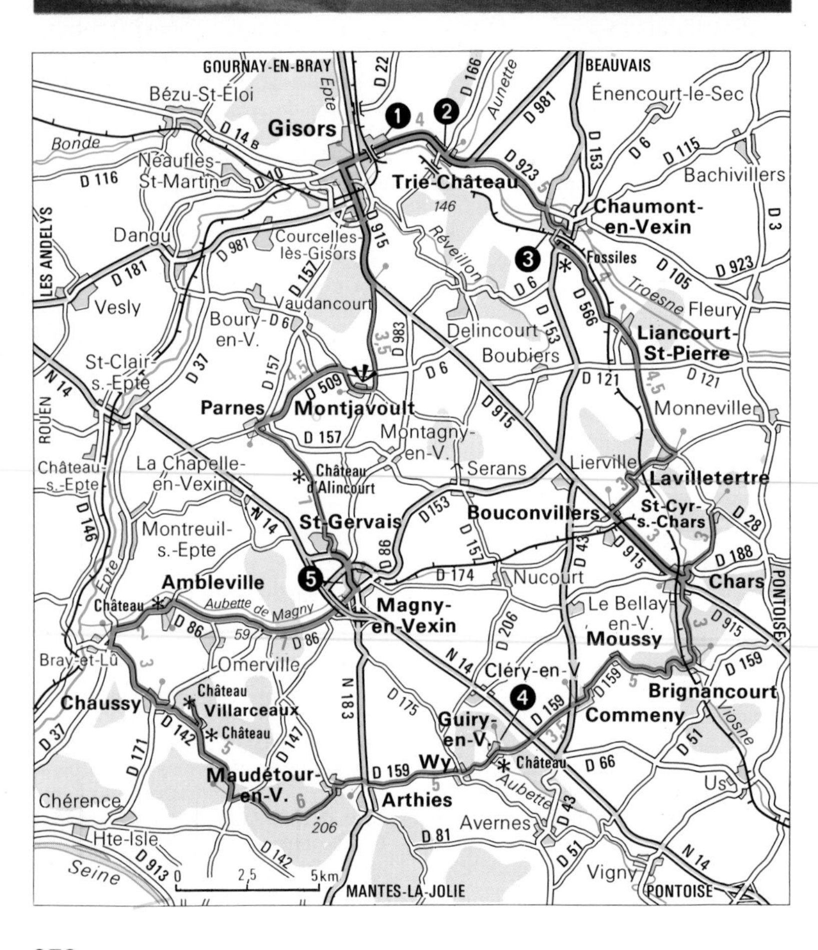

Champ de colza. Cultivé pour l'huile extraite de ses graines ou comme fourrage, le colza se partage la plaine du Vexin avec le blé, le maïs et la bettterave.

De Senlis à Chantilly 92 km par Ermenonville

Au-delà des dernières zones urbanisées de la banlieue nord de Paris et avant les vastes cultures du Valois, la forêt de Chantilly prend l'allure d'un grand parc aménagé pour d'agréables promenades. Tout autour de la forêt s'égrène un chapelet d'abbayes ponctué par deux villes chargées d'histoire, Senlis et Chantilly.

❶ **Senlis.** La place Notre-Dame est le cœur de la ville. La cathédrale, gothique pour l'essentiel, forme avec les bâtiments voisins un ensemble plein de charme. Superbe portail O. sculpté, du XIIe s., statues-colonnes, linteau et tympan consacré à la Vierge. Beau portail S. du XVIe s. Flèche de pierre haute de 78 m (XIIIe s.). L'église St-Pierre est utilisée comme salle d'expositions temporaires. Remarquez la façade flamboyante, la nef à charpente du XVe s. L'église St-Frambourg possède un très beau chevet avec son abside à sept pans (vis. sam. et dim. ; ferm. de fin oct. à début mars). Tout le centre de la ville est parcouru de vieilles rues pavées. De beaux hôtels s'élèvent rue de la Treille, qui conduit au château : on franchit d'abord une enceinte gallo-romaine, dont il subsiste huit tours et d'importants vestiges, avant de découvrir l'édifice (XIIe-XVIIIe s.). Jardin du château royal, musée de la Vénerie ; voir aussi, près de la cathédrale, le musée du Vermandois et le musée d'Art et d'Archéologie (les trois musées sont ouverts t.l.j., sauf mardi et mercr. mat.). Les boulevards ombragés ceinturant la ville occupent l'emplacement des remparts du Moyen Age. L'abbaye St-Vincent, composée d'une église (avec un clocher du XIIe s.) et de bâtiments du XVIIe s., abrite un collège. Les arènes gallo-romaines, construites au Ier s., comprennent un amphithéâtre elliptique et une loge impériale.

L'*abbaye de la Victoire* est ainsi nommée pour célébrer le succès de Bouvines (1214) : il en reste le logis abbatial, construit sous Louis XV et aménagé en château au début du XIXe s. (on ne visite pas), et trois travées ogivales du chœur de l'église, envahies par la végétation.

Voir la *forêt d'Ermenonville.*

❷ **Abbaye de Chaâlis.** Au cœur de la forêt, dans un parc magnifique (ouv. t.l.j., sauf mardi) orné de statues (voir dessin), le bâtiment abbatial (XVIIIe s.) abrite le musée Jacquemart-André : objets du Moyen Age et de la Renaissance, peintures et dessins, sculptures, importante collection de manuscrits de J.-J. Rousseau et souvenirs de l'écrivain (vis. t.l. apr.-m. ; les week-ends et j. fér., matin et apr.-m., du 1er mars au 1er nov. ; dim. et j. fér. l'apr.-m. le reste de l'année). L'église est le principal témoin de l'histoire de l'abbaye. Il en subsiste des restes importants du XIIIe s. et quelques arcades du cloître.

En face de l'abbaye s'étend la *Mer de Sable* : le sol a été mis à nu par suite d'une surexploitation à la fin du XVIIIe s. Parc d'attractions à thèmes (mercr., sam., dim. et j. fér., 8 avr.-8 oct. ; t.l.j., juin-août).

❸ **Butte de Montmélian.** Au-dessus de Saint-Witz s'élève une colline boisée (200 m) : panorama, ruines d'un château fort (XIIe s.). Le pèlerinage de N.-D. de Montmélian y a lieu chaque année (début sept.).

❹ **Étangs de Commelles.** Ils ont été aménagés au Moyen Age, comme viviers, par les moines de Chaâlis. Remarquer une cheminée de 12 m de haut, du XIIIe s., qui appartenait à une fabrique de tuiles. Longer les étangs (voir photo) pour gagner le château de la Reine-Blanche, ancien rendez-vous de chasse : beau point de vue.

La *forêt de Chantilly*, avec les massifs voisins, constitue un ensemble forestier couvrant 15 000 ha, partagé entre les chênes et les bouleaux, les tilleuls et les hêtres.

❺ **Abbaye de Royaumont.** Fondée par Saint Louis en 1228 et achevée en 1235, cette abbaye cistercienne, et royale, est l'un des chefs-d'œuvre de l'art gothique d'Ile-de-France (voir photo). L'église a été démolie à la Révolution. Le cloître, aux galeries voûtées d'ogives, encadre un jardin à la française. Le remarquable réfectoire à deux nefs a conservé sa chaire du lecteur. Dans les anciennes cuisines, Vierge en pierre du XIVe s. Expos. temp., concerts, librairie. Beau parc (vis. t.l.j.). Depuis 1964, les bâtiments monastiques appartiennent à la Fondation Royaumont « pour le progrès des Sciences de l'Homme », important centre culturel international de rencontres, qui y organise des stages, séminaires et colloques dans les domaines de la formation professionnelle, de la recherche et de la création, aujourd'hui axés sur la musique vocale et la poésie.

❻ **Saint-Leu-d'Esserent** doit sa célébrité à son admirable église (milieu du XIIe s.). Ses dimensions considérables s'expliquent par l'importance du bourg au Moyen Age, à la fois siège d'un prieuré et centre d'extraction d'une pierre blanche qui servit entre autres à la construction du château de Versailles. Cette église, sur un escarpement au-dessus de l'Oise, très endommagée par les bombardements, a été remarquablement restaurée. Long vaisseau sans transept, son abside est flanquée de deux tours carrées. A droite du porche, une tour romane élève à 50 m sa flèche de pierre. La rose flamboyante a été percée au XVIe s. Près de la collégiale s'élevaient les bâtiments du prieuré, dont il ne reste qu'un mur d'enceinte avec une porte fortifiée du XIVe s. On verra le cloître du XIIIe s. ainsi que des salles d'où partaient des souterrains de plusieurs kilomètres de longueur (vis. sur demande). Des terrasses, vue sur un château du XVIIIe s. et son jardin à la française.

Abbaye de Royaumont. De l'église (XIIIe s.), longue de 105 m et large de 12, ne subsistent que des vestiges des murs et des piliers et une tourelle, haute de 40 m.

Abbaye de Chaalis. Cette statue fut placée pour orner le parc au XIXe s.

Étangs de Commelles. Dans un cadre de vallons boisés, la Thève forme une nappe d'eau divisée en quatre étangs dont elle s'échappe en petites cascades.

❼ **Chantilly.** On pénètre dans le château par la porte St-Denis. Cinq édifices se sont succédé sur l'emplacement de l'actuel grand château (seconde moitié du XIXe s.). Le petit château a échappé aux destructions et constitue le seul vestige du château Renaissance. Plus que l'architecture discutable de l'édifice, c'est le musée qu'il abrite qui en fait un véritable trésor. Il offre l'une des plus riches collections d'œuvres d'art d'Europe, et c'est par centaines que se comptent les tableaux, dessins, miniatures, manuscrits, sculptures et livres. Citons, entre autres, les Clouet, Fouquet, Titien, Giotto, Léonard de Vinci, Watteau, Delacroix, Raphaël, Ingres; on peut aussi y admirer *les Très Riches Heures du duc de Berry* (reproduction exposée) et un diamant rose dit « le Grand Condé ». La visite du parc, l'un des plus variés d'Ile-de-France, est balisée : on se rendra à la Maison de Sylvie, meublée et décorée, et au Hameau, préfiguration de celui de Versailles. On retourne au château par les parterres que partage la Manche, pièce d'eau séparée du Grand Canal. Les restes du jardin de Le Nôtre sont englobés dans le jardin anglais. Dans les Grandes Écuries, modèle d'architecture civile du XVIIIe s. : musée vivant du Cheval (château, musées, parc : t.l.j., mai-fin août; sauf mardi hors saison).

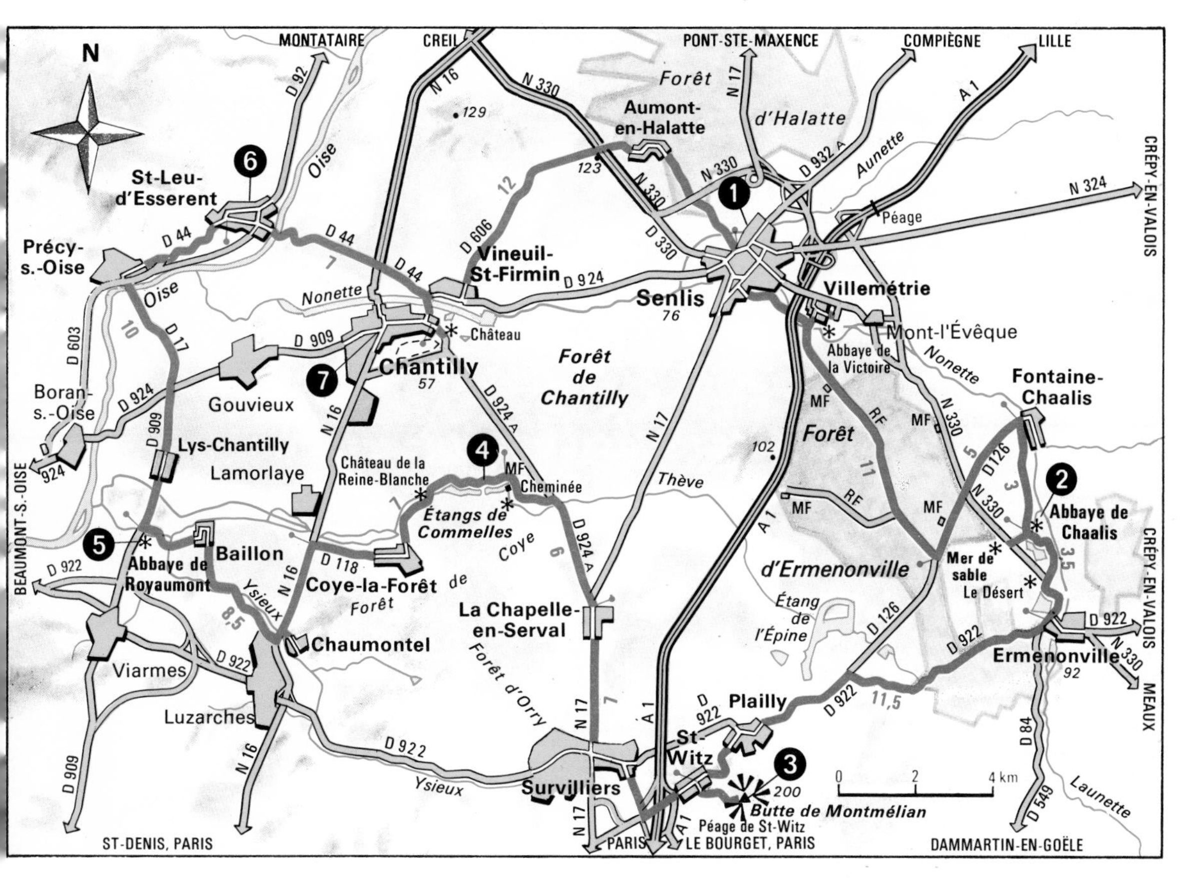

Vallées de la Marne et des Morins

70 km

Partant de Château-Thierry, ce parcours est une promenade tout en rivières : la Marne, dont on peut, de rive droite en rive gauche, apprécier les paysages verdoyants et les coteaux boisés, où parfois s'étagent quelques parcelles de vigne ; le Petit Morin, aux rives bordées de bouquets d'arbres ; le Grand Morin, qui se faufile à travers de grands rideaux de peupliers ; Jouarre et son abbaye constituent le nœud de l'itinéraire.

Jouy-sur-Morin, point de départ pour d'agréables excursions, est un charmant petit village qui s'étend sur les bords du Grand Morin.

Jouarre, dans la «crypte», la chapelle St-Paul : tombeaux de sainte Telchide, à droite, et de l'évêque Agilbert, au fond à gauche.

❶ **Château-Thierry.** De ses anciennes fortifications, la ville natale de La Fontaine (voir dessin) n'a conservé que deux portes, flanquées de deux grosses tours du XIVe s. L'enceinte du château, hauts murs ponctués de tours, suit les contours d'une butte dominant la Marne. Du jardin aménagé, panorama sur la ville et la vallée. Deux autres tours se dressent au-dessus des toits : la tour Balhan (sur demande au S.I., sauf dimanche), octogonale, ancien beffroi (XVe-XVIe s.), et la haute tour carrée de l'église St-Crépin, vaste édifice gothique flamboyant (XVe-XVIe s.), très restaurée ; à l'intérieur de l'église, remarquer la tribune d'orgue Renaissance, d'étonnants bas-reliefs (fin du XVIe s.) et la décoration en marbre du chœur (XVIIIe s.). A l'hôtel-Dieu (XIVe s.), fondé par la reine Jeanne de Navarre, reconstruit au XIXe s., la chapelle (XVIIe s.) abrite des peintures surtout du XVIIe s., du mobilier et un trésor composé de chapes et de chasubles (on ne visite pas).

❷ **Essômes-sur-Marne**, modeste village, possède une ancienne abbatiale du XIIIe s., restaurée après la Première Guerre mondiale. A l'intérieur, beaux chapiteaux ornés et stalles Renaissance sculptées ; la chapelle du Sépulcre est ceinturée d'une balustrade de pierre Renaissance.

❸ **Chamigny.** L'église St-Étienne (XIIe-XIIIe s.) est bâtie sur une crypte (XIIIe s.) de plan carré dont les trois nefs s'appuient sur seize colonnes ornées de chapiteaux à feuillages. On remarquera une belle statue de la Vierge, dite N.-D.-de-la-Cave, qui date du XIVe s. (s'adres. chez la gardienne, 13, rue de la Sonnette).

A 1 km avant Jouarre se dresse le *château de Venteuil* (on ne visite pas), d'où l'on a une belle vue sur les vallées de la Marne et du Petit Morin, qui confluent à La Ferté-sous-Jouarre. Par la droite, on pourra gagner la barre de Napoléon : c'est là que l'Empereur, pendant la campagne de France (1814), observa les armées du général Blücher.

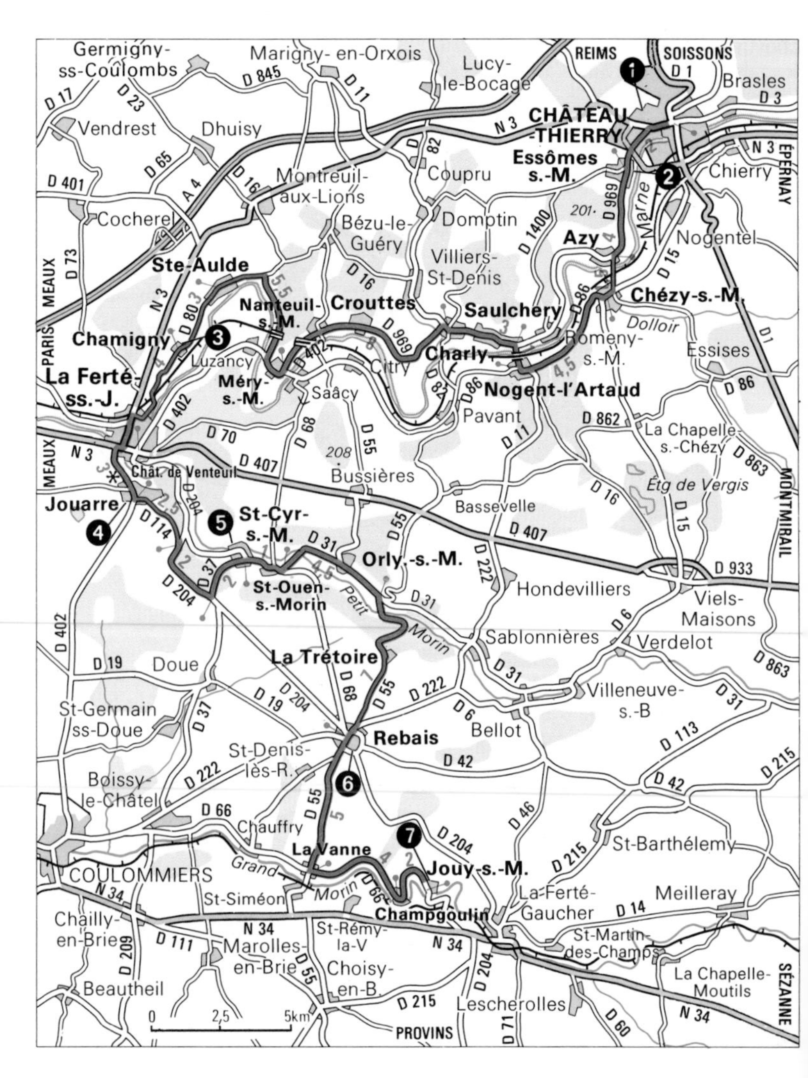

❹ **Jouarre** doit sa célébrité à sa « crypte » — en réalité, un ensemble de deux chapelles à demi enterrées (VIIe s.) au milieu d'un ancien cimetière où se dresse encore une croix du XIIIe s. Les deux chapelles sont les vestiges d'abbayes, dont seule celle des Bénédictines a subsisté, avec une tour romane du XIIe s. dans laquelle sont exposés des objets d'art religieux et des souvenirs de l'abbaye (vis. t.l.j., sauf mardi). La crypte (vis. t.l.j., sauf mardi) abrite les sépultures des fondateurs de l'abbaye. Dans la chapelle St-

Jean de la Fontaine. A Château-Thierry, la maison natale du célèbre fabuliste abrite un musée (t.l.j., sauf mardi, 1er avril-30 sept. ; sauf mardi et dim. mat. le reste de l'année. Groupes sur R.-V.).

Paul, aux colonnes de marbre coloré, se trouvent plusieurs sarcophages, décorés de bas-reliefs, de frises et d'ornements sculptés (voir photo). La deuxième chapelle a gardé de belles colonnes de porphyre vert à chapiteaux de marbre, d'époque mérovingienne. Les chapelles sont surmontées d'un petit édifice où est installé le musée Briard (vis. : pour tout renseignement, téléphoner au 60-22-06-04). Dans l'église paroissiale, devant la crypte, sont conservées les reliques des saints recueillies dans neuf belles châsses, dont deux sont en vermeil orné d'émaux (XIIIe s.) ; à remarquer aussi une Crucifixion d'albâtre du XVe s. et plusieurs statues et vitraux de même époque.

❺ **Saint-Cyr-sur-Morin** occupe le bord verdoyant du Petit Morin. Son site rustique en a fait un lieu de séjour privilégié des artistes. Par la route sinueuse qui y descend, on aura de jolies vues sur les versants boisés de la rivière coupant le plateau de Brie.

❻ **Rebais,** sur le plateau dominant la vallée du Grand Morin, possède une église romane du XIIe s. ; à l'intérieur, le gisant de saint Aile (XIIIe s.) ainsi que des tableaux et des châsses dont les panneaux de bois peint (XVIe s.) représentent des personnages.

❼ **Jouy-sur-Morin.** Voir photo.

A travers la forêt de Compiègne

34 km

La variété de la forêt de Compiègne est très dépendante des terrains sur lesquels elle s'implante : le couvert végétal se partage entre la chênaie, la charmaie, la hêtraie, la frênaie. Ce circuit peut s'effectuer en entier à bicyclette (ou en auto), avec une promenade à pied autour du mont Saint-Marc (env. 2 h). Il permet de voir deux des plus beaux sites de cette ancienne forêt royale, aujourd'hui domaniale, de 14 500 ha.

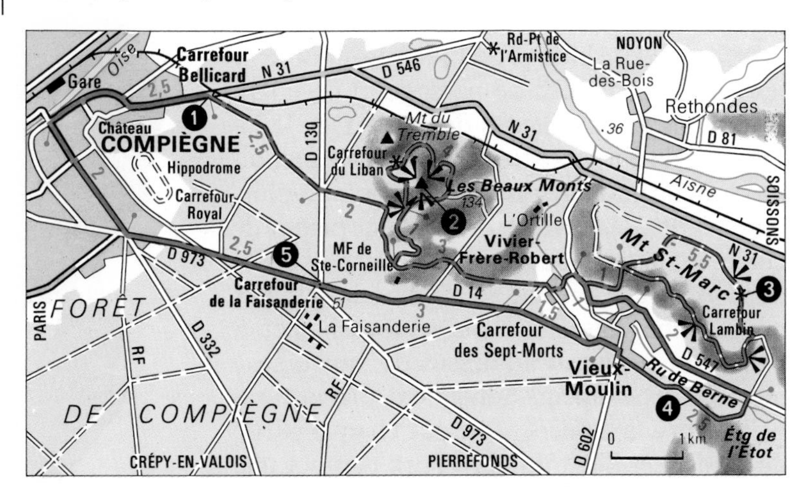

❶ **Carrefour Bellicard.** A 100 m à droite après le carrefour, on trouve, reposant sur la craie, un bon exemple de forêt calcicole relativement sèche. Les hêtres dominent, même si au niveau des grands arbres on note un mélange de hêtres et de chênes. La germination de petits hêtres est importante, de même que celle de petits érables. Le sol est recouvert, par vastes plaques, d'un tapis de lierre. Certains arbres morts sont laissés en spectacle par les forestiers.

❷ **Les Beaux Monts.** En cheminant en direction des Beaux Monts, on remarquera de nombreuses bosselures où apparaissent des plantes silicicoles comme la fougère aigle et le genêt à balais. La montée vers la butte des Beaux Monts s'effectue au sein d'une remarquable chênaie-hêtraie acidiphile à houx, certains arbres atteignant une quarantaine de mètres de haut, comme le chêne de l'Entente. Du sommet de la butte, vue magnifique en direction de la vallée de l'Oise, la ville de Compiègne et sur la forêt basse de Compiègne. A l'opposé se succèdent plusieurs buttes et vallons boisés, dont celui du ru de Berne. Localement, la hêtraie calcicole, qui occupe normalement le sommet de la butte, a été remplacée par des espèces importées ici par l'homme : ainsi, au carrefour du Liban, où un cèdre a été implanté, on notera la présence de pins noirs d'Autriche (un peu avant le carrefour) et de mélèzes.

❸ **Mont Saint-Marc.** Au N. du mont, la route tournante offre un ensemble de perspectives sur la vallée de l'Aisne. Le long de la route, le calcaire qui forme l'armature du sommet de la butte apparaît, çà et là, sous la forme de gros blocs. Au carrefour Lambin, la hêtraie calcicole domine une pelouse typique formée de grandes plaques de carex digitata. La régénération naturelle du hêtre est remarquable, mais on note également la présence d'autres arbres, comme le frêne. Au sommet, aire de pique-nique avec prise d'eau potable.

❹ **Ru de Berne.** Dans l'étroite vallée, les fonds, très humides, sont liés à la présence des niveaux imperméables d'argiles. Plusieurs étangs ont été aménagés pour la pêche, en particulier l'*étang de l'Étot.* Alentour, on observera les ceintures classiques de végétation hydromorphe. Au S.-O. de l'étang de l'Étot, des plantations de résineux ont été effectuées : pins noirs, pins rouges, épicéas, sapins. Au S.-E. se trouvent les étangs de Saint-Pierre, un des sites les plus pittoresques de la forêt. A la maison forestière, centre d'information de l'O.N.F.

A *Vieux-Moulin*, restaurants et cafés permettront une halte agréable avant de reprendre la route.

❺ **Carrefour de la Faisanderie.** Après avoir traversé une chênaie sur argiles, puis une chênaie sur sables, on retrouve, un peu avant le carrefour de la Faisanderie, une hêtraie calcicole. On remarquera plus particulièrement le long de la route les stades pionniers de cette formation végétale : clématites, troènes, érables champêtres.

A BIÈVRES, LE MUSÉE FRANÇAIS DE LA PHOTOGRAPHIE

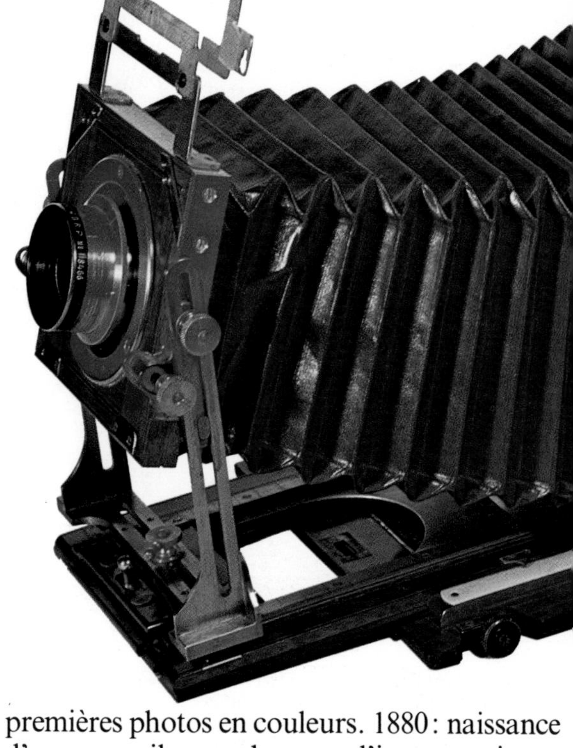

La photographie est née en France en 1822. Cette année-là, Nicéphore Niepce parvenait à faire apparaître et à fixer définitivement la première image «héliographique», c'est-à-dire due à la lumière du soleil, sur une plaque de métal recouverte d'un vernis à base d'essence de lavande et de bitume de Judée. Pour obtenir les premières photos de paysage, il ne fallait pas moins de huit heures de pose! Dès 1834, l'associé de Niepce, Jacques Daguerre, mettait au point un nouveau procédé de photographie, basé sur une découverte fortuite: une plaque de cuivre enduite d'iodure pouvait être exposée pendant *seulement* une quinzaine de minutes pour donner une image qui se révélait peu à peu si on la plaçait au-dessus de vapeurs de mercure. Ces vapeurs adhéraient proportionnellement à la lumière reçue par chaque partie de la plaque. Bientôt, New York compta une soixantaine de studios de daguerréotypie, et Londres accrochait dans ses expositions du Crystal Palace ses premiers daguerréotypes.

Dès le milieu du siècle dernier, les applications et les perfectionnements de cette invention se multiplièrent à une vitesse surprenante. En 1850: premières «stéréophotos» offrant une image en relief. 1858: le petit village de Bièvres, où se trouve aujourd'hui le Musée français de la photographie, est le théâtre des premiers essais de photo aérienne, le célèbre Nadar ayant pour cela gagné le ciel en ballon captif! 1866: à l'arsenal de Woolwich, en Angleterre, on réussit la photo d'un boulet de canon en plein vol. 1869: Louis Ducos du Hauron réalise les premières photos en couleurs. 1880: naissance d'un appareil pour chasseur d'images qui permet de prendre jusqu'à 18 photos à la suite, sans avoir à changer de plaque. Celle-ci, après chaque prise de vue, basculait automatiquement vers l'avant. 1888: George Eastman invente le film photographique sur papier huilé, puis sur celluloïd, qui marque le début de la photo d'amateur.

Musée français de la Photographie, 78, rue de Paris, 91570 Bièvres. Tél. : 69-41-10-60. Ouv. t.l.j., de 10 h à 12 h et de 14 h à 18 h. Expositions temporaires.

◀ **Nicéphore Niepce,** brillant physicien né à Chalon-sur-Saône en 1765, s'intéressa à la reproduction automatique de l'image. En 1816, il réalisa sa première «photographie» grâce à un chlorure d'argent, mais, en quelques minutes, l'image éphémère disparut. Ce n'est qu'en 1822 qu'il trouvera le secret du fixage.

Jacques Daguerre. Ce portrait est ▶ un daguerréotype, brillante application de la découverte de Niepce. Né en 1787 à Cormeilles-en-Parisis, Daguerre était un peintre renommé. En 1822, il imagina le diorama. Il se passionna pour les recherches de Niepce et, à partir de 1829, devint son précieux collaborateur.

Quelques appareils exposés au musée de Bièvres

Les premières chambres noires (**1**) datent du XVIIIe s.; elles permettaient aux peintres et aux amateurs de voir apparaître sur un verre dépoli l'image d'un paysage ou d'un sujet dans ses proportions et sa perspective exactes. Comment retenir cette image fascinante, comment la fixer sur un support matériel? Telle fut l'obsession de plusieurs générations de chercheurs à qui l'on doit la photographie. Cet appareil daguerrien (**2**) fut l'un des tout premiers; le bouchon de l'objectif servait d'obturateur. Et puis, le progrès technologique alla grand train; cet appareil photographique stéréoscopique (**3**) date de la fin du XIXe s. A Rochester, aux États-Unis, Kodak produit en série cet appareil (**4**) qui permet de prendre 100 photos d'affilée. Mais l'appareil devait être chargé et déchargé... à l'usine. A côté: la boîte cubique (**5**) est un magasin contenant les surfaces sensibles adaptées à cet appareil. La photo ronde (**6**) a été prise avec un appareil de ce genre. Le Musée français de la photographie, à Bièvres, présente quelque 12000 appareils anciens, ainsi que 250000 documents photographiques.

Caricature par Daumier. Le client est figé dans une position «avantageuse»: la pose pouvant être longue, des fers immobilisent sa tête.

L'invention de la couleur

L'image ci-contre illustre le procédé appelé «trichrome», inventé par le physicien français Louis Ducos du Hauron en 1869. Il était fondé sur l'étude de trois couleurs fondamentales (bleu, jaune, rouge), qui, en se mélangeant à des degrés divers, pouvaient restituer l'infinie variété des couleurs et de leurs nuances. Pour le comprendre, on peut réaliser l'expérience suivante; à travers un filtre teinté en rouge, regardez un objet vert: il paraît presque noir. De même un filtre bleu arrête le jaune, et un filtre jaune, le bleu. Imaginez qu'avec chacun des filtres ci-dessous l'on photographie en noir et blanc le même manteau d'Arlequin à motifs bleus, jaunes, rouges. Chaque cliché restitue en valeur de gris les différentes couleurs du manteau. En colorant dans sa couleur complémentaire chacun de ces trois clichés, pris sur pellicule transparente, et en les superposant, on obtiendrait un juste rendu du manteau d'Arlequin. C'est ce principe qui, en 1906, permettra aux frères Lumière de commercialiser la photo en couleurs.

223

Promenade en forêt de Rambouillet

38 km

Voici le Hurepoix, que couvrait autrefois une forêt continue dont l'actuelle forêt de Rambouillet est le plus beau vestige, malgré les dégradations dues à une urbanisation intense. La dissection du plateau des Yvelines, pays des « eaux vives », par de petites rivières affluentes de la Seine et la présence d'un substrat imperméable offrent des paysages verdoyants, où la forêt occupe encore une bonne place.

❶ **Vallée du Rhodon.** Cet arrêt permet un repérage aisé des trois grands types de paysages que présente le Hurepoix : fond de vallée marécageux, piqueté de saules ou de peupliers ; versants en pente plus ou moins marquée, et couverts de forêts aux essences variées, où les grands résineux introduits sont largement représentés ; plateaux occupés par la grande culture de type beauceron et, localement, par des lotissements.

❷ **Garnes.** De Dampierre à Garnes apparaît une disposition fréquente dans les vallées du Hurepoix : la dissymétrie des versants. A un versant raide occupé par la forêt s'oppose un versant en pente douce largement défriché par l'homme et portant d'importantes superficies cultivées. On attribue, en général, ce contraste de pente à une évolution particulière des versants au cours des périodes froides du quaternaire.

❸ **Carrière du bois des Maréchaux.** La montée pédestre (20 mn AR) à la carrière est facilitée par l'existence d'un sous-bois très dégagé. Elle permet d'apprécier sur des sols acides les contrastes entre de grands chênes et un taillis formé non seulement de chênes, mais également de châtaigniers et de bouleaux. Les parties élevées de l'ancienne carrière montrent des coupes dans la meulière caverneuse qui forme l'armature des plateaux : blocs et dalles sont enrobés dans une matrice d'argiles grises et rouges ; sous la meulière, les bancs de grès affleurent largement : ils surmontent les sables blancs de Fontainebleau à partir desquels ils se sont formés.

❹ **Les Vaux de Cernay.** Au moment de s'engager sur la route d'Auffargis, on remarquera à l'arrière-plan, sur la gauche, une très importante carrière où les colluvions d'argile à meulière et la meulière, de couleur ocre-brun, surmontent les sables blancs de Fontainebleau : on pourra ainsi apprécier l'épaisseur importante de cette couche géologique dans laquelle les vallées sont entaillées (danger d'éboulement). Vers la tête d'une vallée qui conserve un aspect encore relativement « sauvage », des aires de pique-nique ont été aménagées dans des clairières recolonisées par les bouleaux.

❺ **Étangs de Pourras et de Saint-Hubert.** De la digue séparant les deux étangs, on sera bien placé pour admirer ces plans d'eau, d'aspect sauvage, bordés par une végétation basse très touffue, où dominent les saules, et précédée, en milieu aquatique, par de belles roselières. Les deux étangs sont très poissonneux : perches, carpes, brochets.

Forêt de Rambouillet. C'est un véritable poumon pour les Parisiens, car l'air poussé par les vents dominants s'y régénère avant d'atteindre la capitale.

❻ **Carrefour des Voleurs.** Les environs immédiats – chênaie traitée en taillis sous futaie, assez dense et relativement basse, très souvent humide – sont en cours de conversion en futaie (voir photo). Le sous-

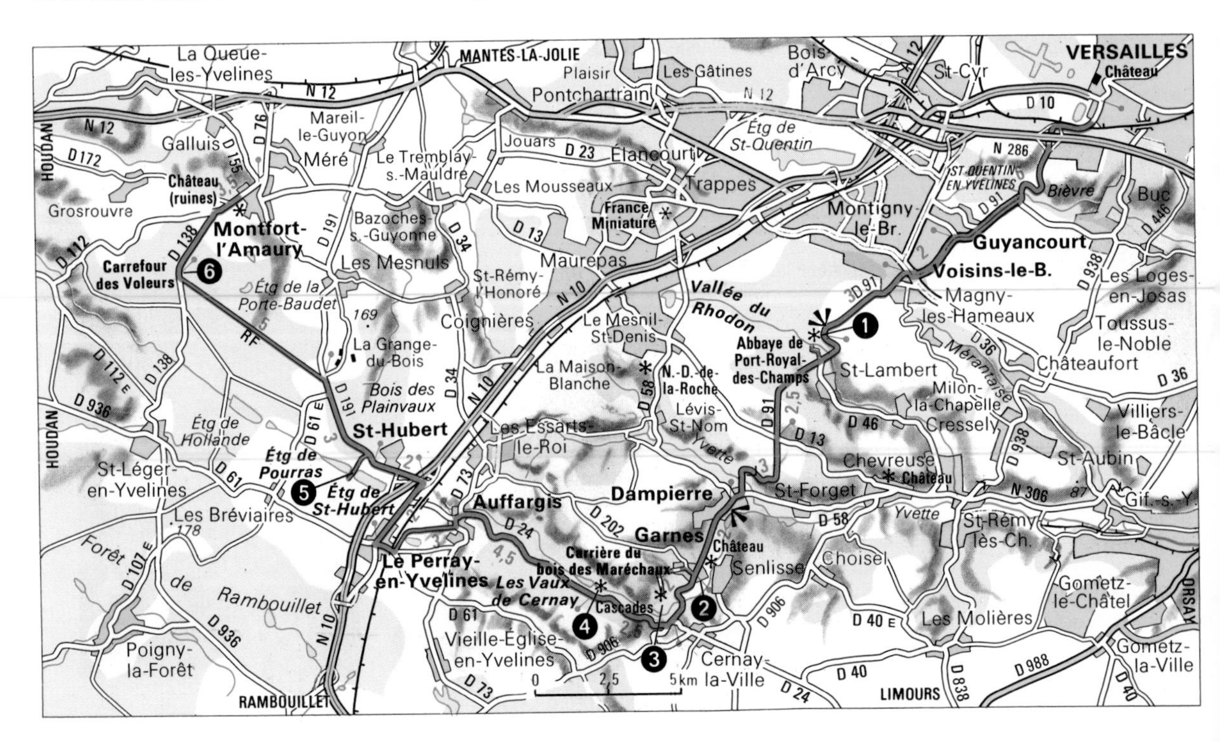

Randonnée en forêt de Fontainebleau

15 km

Cette randonnée d'une demi-journée peut être « auto-pédestre » (itin. goudronné). Elle permet de découvrir une végétation contrastée, des landes piquetées de bouleaux jusqu'aux magnifiques forêts naturelles des réserves biologiques. La variété des paysages tient aussi au relief : des plateaux calcaires alternent avec des platières dominant des chaos de grès, enchâssés ou non dans les sables blancs de Fontainebleau.

❶ **Mont Ussy.** Alors que la partie E. de la forêt reste acide comme les versants – chênes, pins sylvestres, châtaigniers, avec en sous-bois la fougère aigle et la callune –, la partie O., où le calcaire d'Étampes vient surmonter les grès, porte une hêtraie.
❷ **Carrefour du Gros Hêtre.** C'est une grande table de grès, recouverte là d'une pellicule de sables soufflés (remontés par le vent au cours du quaternaire récent à partir des versants).

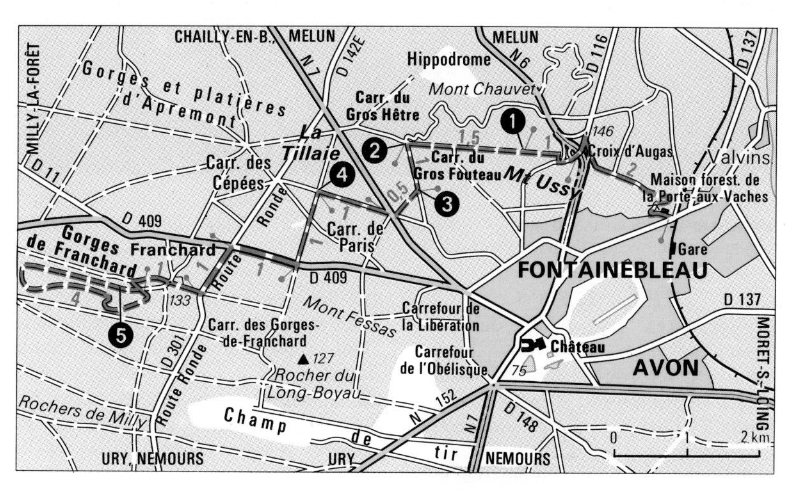

Cette platière (banc de grès) se termine en direction du N. par d'imposants chaos de blocs ; le secteur porte une végétation forestière maigre.
❸ **Carrefour du Gros Fouteau.** L'opposition est nette entre le secteur aux arbres de même taille et aux sous-bois dégagés, produit de la sylviculture, et une parcelle tenue à l'écart des interventions humaines depuis plusieurs siècles. Ce rarissime spectacle d'une réserve biologique intégrale et ancienne de 36 ha montre une chênaie acidiphile à houx et à fougère aigle avec des chênes de plus de 400 ans, qui finissent par s'abattre d'eux-mêmes, et une hêtraie présentant des arbres de différents âges (jusqu'à 300 ans), parfois brisés par les tempêtes.
❹ **Réserve biologique de la Tillaie.** Elle concerne surtout des hêtres. Derrière les fourrés de jeunes hêtres, on peut apercevoir les grands plumeaux de hêtres mourants, tandis que d'autres sont cassés haut. L'accès de ces réserves est interdit.

❺ **Gorges de Franchard.** Parmi ses platières, ses chaos et sa végétation forestière claire et irrégulière, on trouve rassemblés en ordre lâche de gros arbres, surtout des chênes, ainsi que des pins et des bouleaux (voir photo). Le sous-bois, trop piétiné en raison de la surfréquentation, fait alterner fourrés et taches de sol nu ; malgré tout, par endroits, des mousses et des lichens s'associent en plaques.

Gorges de Franchard. Ce site renommé à l'ouest de la forêt de Fontainebleau, peuplé de bouleaux et de pins, offre de très pittoresques chaos de grès.

bois, où dominent les bas ronciers, traduit à la fois la présence de sols frais et un manque relatif de lumière. Lorsque se manifeste de très légères élévations de terrain, le sous-bois devient plus favorable à la promenade : sur des sols plus secs, mais encore acides, se développent des tapis de petites graminées basses (en particulier des *Champsia flexuosa*) piquetés de fougères, de violettes, de chèvrefeuille rampant, de germandrées (voir dessin).

Germandrée *(Teucrium).* Cette plante se trouve généralement sur des terrains plus secs que ceux de la forêt de Rambouillet ; elle a des vertus aromatiques et tonifiantes.

Fontainebleau 150 km
et ses environs 78 km

Ces deux itinéraires tournent autour de la forêt de Fontainebleau. De François Ier à Louis-Philippe, tous les rois de France aimèrent « leur château » de Fontainebleau et, siècle après siècle, l'embellirent. Mais ce n'est pas le seul joyau de ces deux circuits : Courances et Vaux-le-Vicomte, qui valut à Fouquet sa disgrâce, ont leur titre de gloire, comme ces villes calmes et accueillantes que sont, entre autres, Nemours et Moret.

Moret-sur-Loing, ancienne cité royale, a conservé son cachet médiéval. En été, un spectacle son et lumière évoque l'histoire de la ville du Moyen Age à nos jours (t.l. sam., juill.-août).

ITINÉRAIRE N° 1

❶ **Courances.** Des allées du parc dessiné par Le Nôtre (ouv. sam., dim. et j. fér., du 1er avr. à la Toussaint), on admirera l'élégant château Louis XIII en pierre et brique, coiffé de hauts toits d'ardoise.

Milly-la-Forêt est célèbre par ses imposantes halles du XVe s. Deux tours crénelées, vestiges du château (du XIIe au XVe s.), dominent les fossés (on ne visite pas). Jean Cocteau est inhumé dans la chapelle St-Blaise-des-Simples, qu'il décora lui-même (ouv. t.l.j., sauf mardi, 15 avr.-15 oct.; sam., dim. et j. fér., hors saison). Voir aussi le Conservatoire national des plantes médicinales et aromatiques (t.l.j., 15 avr.-15 oct. Rens., tél. : 64-98-83-77).

❷ **Malesherbes.** Le château (XVe s., reconstruit au XVIIIe) a conservé trois tours anciennes; à l'intérieur, mobilier et objets d'art; dans la chapelle se trouvent de curieux gisants; un vaste pigeonnier complète l'ensemble (vis. t.l.j., sauf mardi). L'église St-Martin (XIIe-XIIIe s.) abrite de beaux fonts baptismaux en pierre.

Aux alentours, sur les coteaux de l'Essonne, les bois sont parsemés de blocs de grès éboulés.

❸ **Larchant.** L'église de pèlerinage St-Mathurin (fin XIIe s.) a été incendiée durant les guerres de Religion. Portail du Jugement dernier, clocher-porche, tour en ruine. Au N., on atteint un chaos de rochers énormes, dont le plus volumineux est la Dame Jouanne.

❹ **Nemours** s'étire sur les bords du Loing. Du grand pont, vue sur la rivière, le chevet de l'église et le château (voir dessin). A l'orée de la forêt de Nanteau, le musée de Préhistoire de l'Ile-de-France abrite d'intéressantes collections sur le paléolithique et le néolithique de la région (t.l.j., sauf mercr. et j. fér.).

❺ **Château-Landon.** Les vestiges des remparts témoignent de l'importance passée de la capitale du bas Gâtinais, de même que ceux de l'ancienne abbaye St-Séverin (XIe-XIIIe s.), dont les massifs contreforts contrastent avec la haute tour ajourée (XIIIe s.) de l'église Notre-Dame (XIe-XIVe s.). L'abbaye, où l'on voit des fresques du XIIe s., abrite une maison de retraite (vis., tél. au S.I. : 64-29-38-08).

❻ **Rochers de Beauregard.** De part et d'autre du Loing, parmi les pins et les hêtres, surgissent des rochers de grès. Le chaos de Beauregard est accessible par une route en lacet (table d'orientation en bordure du plateau).

❼ **Forêt de Fontainebleau.** Par Montigny-sur-Loing, on atteint la Route Ronde, où se succèdent de multiples carrefours invitant à la découverte d'une des plus belles forêts de France (voir itinéraire 224).

ITINÉRAIRE N° 2

❶ **Melun.** L'église St-Aspais (XVe-XVIe s.) a la grâce du gothique flamboyant. A l'intérieur, deux autels et de beaux vitraux témoignent de la richesse de la Renaissance. L'église Notre-Dame (début du XIe s.) s'élève dans l'île formée par les deux bras du fleuve; elle possède une des rares nefs romanes d'Ile-de-France. Voir, dans la maison de la Vicomté (XVIe s.), le Musée municipal : archéologie, peinture, faïences de Rubelles (t.l.j., sauf mardi et dim.).

A la sortie de Melun, avant d'arriver à Dammarie-les-Lys, se dressent les ruines de l'*abbaye cistercienne du Lys*, fondée au XIIIe s. par Blanche de Castille (en restauration. Visite libre).

❷ **Château de Fontainebleau.** C'est surtout à François Ier que l'on doit l'extraordinaire richesse de cette demeure royale, où chaque siècle a laissé sa marque. L'escalier en fer à cheval fut commandé par Louis XIII, les jardins de Le Nôtre sont dus à Louis XIV, Napoléon Ier fit aménager des appartements et rendit célèbre la cour du Cheval-Blanc, où il fit ses adieux à la Garde en 1814 (voir photo p. 369). Bien restauré, le château recèle des trésors, en particulier les œuvres du Primatice et de son école. La visite extérieure permet de comprendre l'agencement complexe des constructions, tandis que l'intérieur constitue une véritable rétrospective de l'art décoratif français (vis. t.l.j., sauf mardi). En ville, on peut aussi visiter le musée napoléonien d'Art et d'Histoire militaires (t.l.j., sauf dim. et lundi).

❸ **Moret-sur-Loing.** (Voir photo.) L'église Notre-Dame (XIIe-XVe s.) est entourée d'un bel ensemble de vieilles maisons : outre son haut clocher à gargouilles, voir, à l'intérieur, le magnifique buffet d'orgue à panneaux sculptés du XVe s. Dans la cour de l'hôtel de ville a été reconstruite la façade de la maison de François Ier, joyau de l'art de la Renaissance. De la forteresse du XIIe s. ne subsiste qu'un donjon (s'adres. au S.I., tél. : 60-70-41-66), tandis que deux portes rappellent les fortifications du XIVe s. : la porte de Paris, flanquée de deux tourelles, et la porte de Bourgogne.

❹ **Héricy** occupe les bords de la Seine. On verra l'église (XIIIe-XVIe s.). Des terrasses du château (XVIIe s.), vue agréable sur les îles boisées; parc attribué à Le Nôtre.

❺ **Vaux-le-Vicomte** forme un magnifique ensemble architectural, décoratif et paysager. Le Vau en fut l'architecte; Le Brun, le décorateur; Le Nôtre en dessina les jardins. Ce premier chef-d'œuvre de style Louis XIV, qui annonce Versailles, fut réalisé (de 1656 à 1661) pour le surintendant Fouquet (t.l.j. Fermé du 13 nov. à fin mars. Vis. aux chandelles le samedi de 20 h 30 à 23 h).

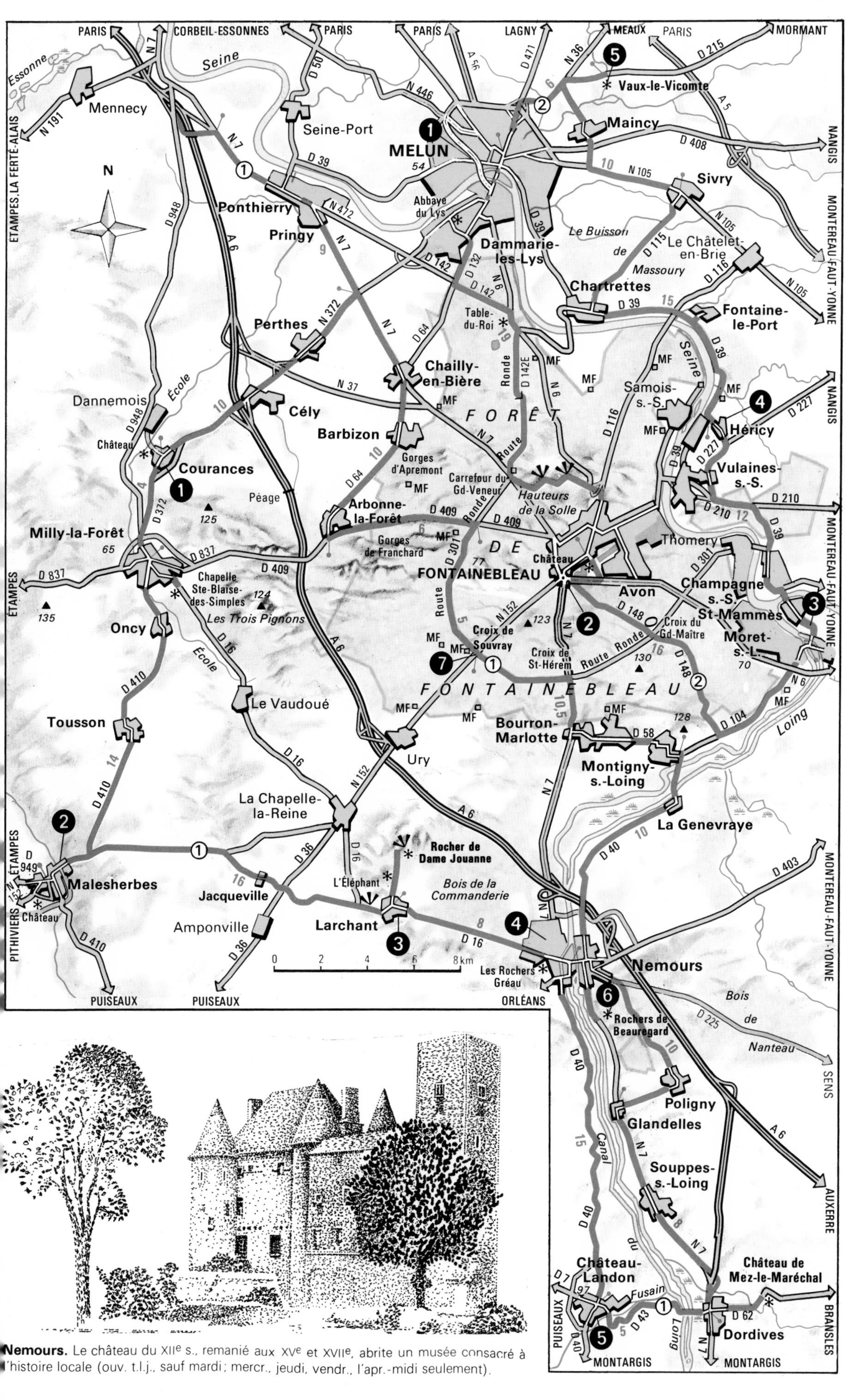

Nemours. Le château du XIIe s., remanié aux XVe et XVIIe, abrite un musée consacré à l'histoire locale (ouv. t.l.j., sauf mardi ; mercr., jeudi, vendr., l'apr.-midi seulement).

Eglises et châteaux de la vallée du Loir 84 km

Entre la Beauce et le Perche naît le Loir, dont le cours enserre, un peu plus loin, de petites cités pleines de charme. Dans les villages alentour, il faut pousser la porte des églises : petites ou grandes, modestes ou riches, elles recèlent toutes quelque trésor, souvent de magnifiques boiseries. A Illiers, le souvenir de Proust s'impose : les lieux qui marquèrent si vivement le célèbre écrivain sont restés pratiquement inchangés.

❶ **Brou.** La place des Halles est encore le centre de Brou, important marché avicole. Plusieurs maisons du XVIe s. sont visibles dans les vieilles rues avoisinantes.

A 1,5 km sur la route de Châteaudun, *Yèvres* possède une élégante église (XVe-XVIe s.). Elle doit son originalité à son mobilier et à ses boiseries des XVIIe et XVIIIe s., parfaitement conservés grâce à des soins constants ; on remarquera l'immense retable à six colonnes torses ainsi que la chaire sculptée (1683) ; le banc d'œuvre, les stalles et l'aigle-lutrin complètent cet ensemble.

❷ **Dangeau** a préservé son église romane de style très pur du début du XIIe s. L'intérieur est sobre et dépouillé. La vaste nef est couverte d'un berceau en bois, des piliers archaïques soutenant ses arcades. Plusieurs statues donnent un aperçu de l'art populaire religieux entre le XVe s. et le XVIIe s. Dans la chapelle des fonts baptismaux, beau triptyque en marbre sculpté, daté de 1536.

❸ **Bonneval** est une ancienne place fortifiée que baignent des fossés encore en eau. De l'enceinte subsistent deux tours et deux portes : celle de Boisville (XIIIe s.) et celle de St-Roch (XVe s.). L'ancienne abbaye de St-Florentin n'est visible que de l'extérieur : trois tours rondes ponctuent la façade ; deux d'entre elles encadrent la porte, du XIIIe s. On remarquera les mâchicoulis et l'appareil décoratif en damier de pierre, brique et silex. L'église Notre-Dame est un ample édifice ogival du XIIIe s., éclairé par de hautes fenêtres et une rose à neuf branches.

❹ **Alluyes** recèle des richesses anciennes : le château en pierre blanche, dont les ruines, dominées par un donjon de 30 m de haut (XIIIe s.) s'élèvent parmi les arbres (vis., tél. : 37-47-20-32) ; la chapelle, qui conserve les restes d'une fresque du XVIe s., et l'église (XVe-XVIe s.), qui possède encore son chevet roman et renferme, outre des peintures murales gothiques, une Vierge ouvrante (XVe s.) en bois.

❺ **Illiers-Combray** est tout empreint du souvenir de Marcel Proust. Le bourg fut une inépuisable source d'inspiration pour l'auteur d'*A la recherche du temps perdu :* on visite la maison de tante Léonie, où sont rassemblés de nombreux souvenirs (t.l. apr.-m., sauf lundi ; t.l.j., 15 juin-15 sept. Fermé 15 déc.-15 janv. et Ier et 11 nov.). Illiers possède une église où, passée la modeste porte romane, tout est somptueux. L'immense nef (XVe s.) est couverte d'un berceau de bois peint, un monumental retable du XVIIe s., à six colonnes corinthiennes, et les boiseries contribuent à créer une atmosphère chaude et solennelle. Le clocher carré est du XVIe s. (Voir aussi photo).

Frazé. On entre dans le château par un pavillon flanqué de tours à mâchicoulis (vis. sam. mat., dim., j. fér., Pâques-15 oct.).

❻ **Source du Loir.** L'itinéraire remonte la haute vallée du Loir jusqu'à sa source, jadis située sur la commune de Fruncé, non loin du château de Villebon, au lieu-dit la Crapotière. Un abaissement du niveau de la nappe et l'enfouissement des eaux dans le plateau crayeux ont ramené celle-ci à 8 km en aval, sur la commune de Saint-Éman, où la rivière naît par résurgence au hameau de Guignonville.

❼ **Frazé.** Son château, achevé en 1505, est un joyau de la fin du Moyen Age (voir dessin) ; il contient une curieuse collection de plaques de cheminée. La tour isolée faisait autrefois partie de l'enceinte. Les communs forment avec les bâtiments ajoutés au XVIIe s. un ensemble harmonieux. Les différentes parties sont reliées par de beaux jardins à la française.

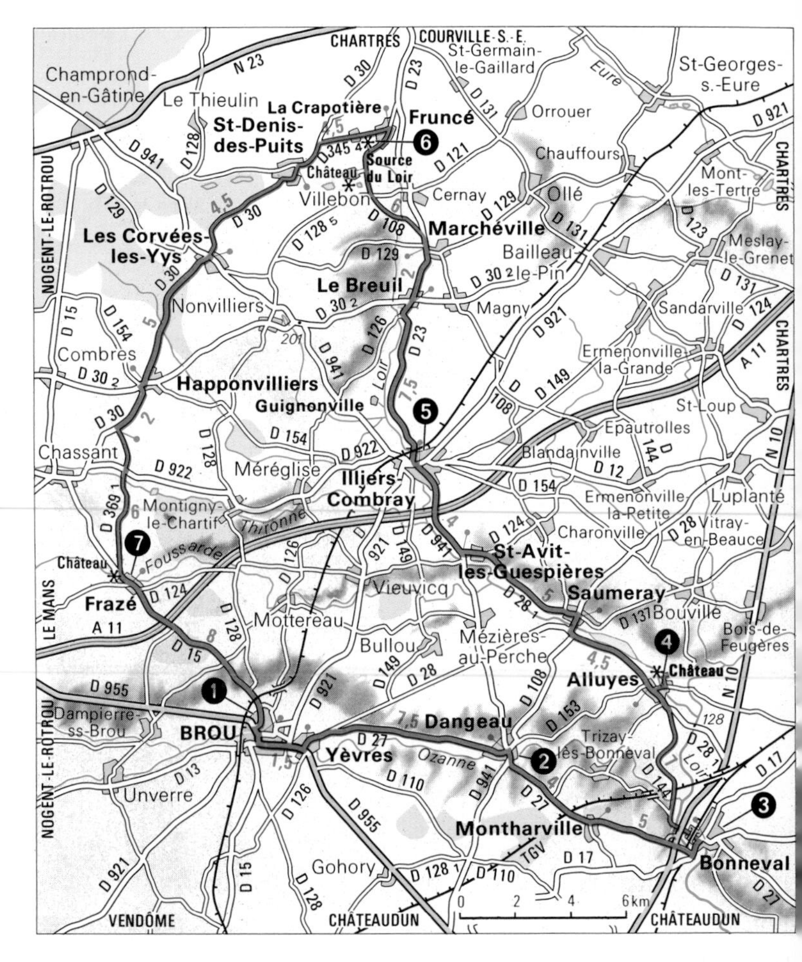

Le Pré Catelan, à Illiers. Ce parc, que possédait l'oncle de M. Santeuil, est classé site littéraire. Chanté par Proust, c'est un jardin ombragé par de grands arbres sur les bords du Loir.

PÉRIGORD • QUERCY ROUERGUE

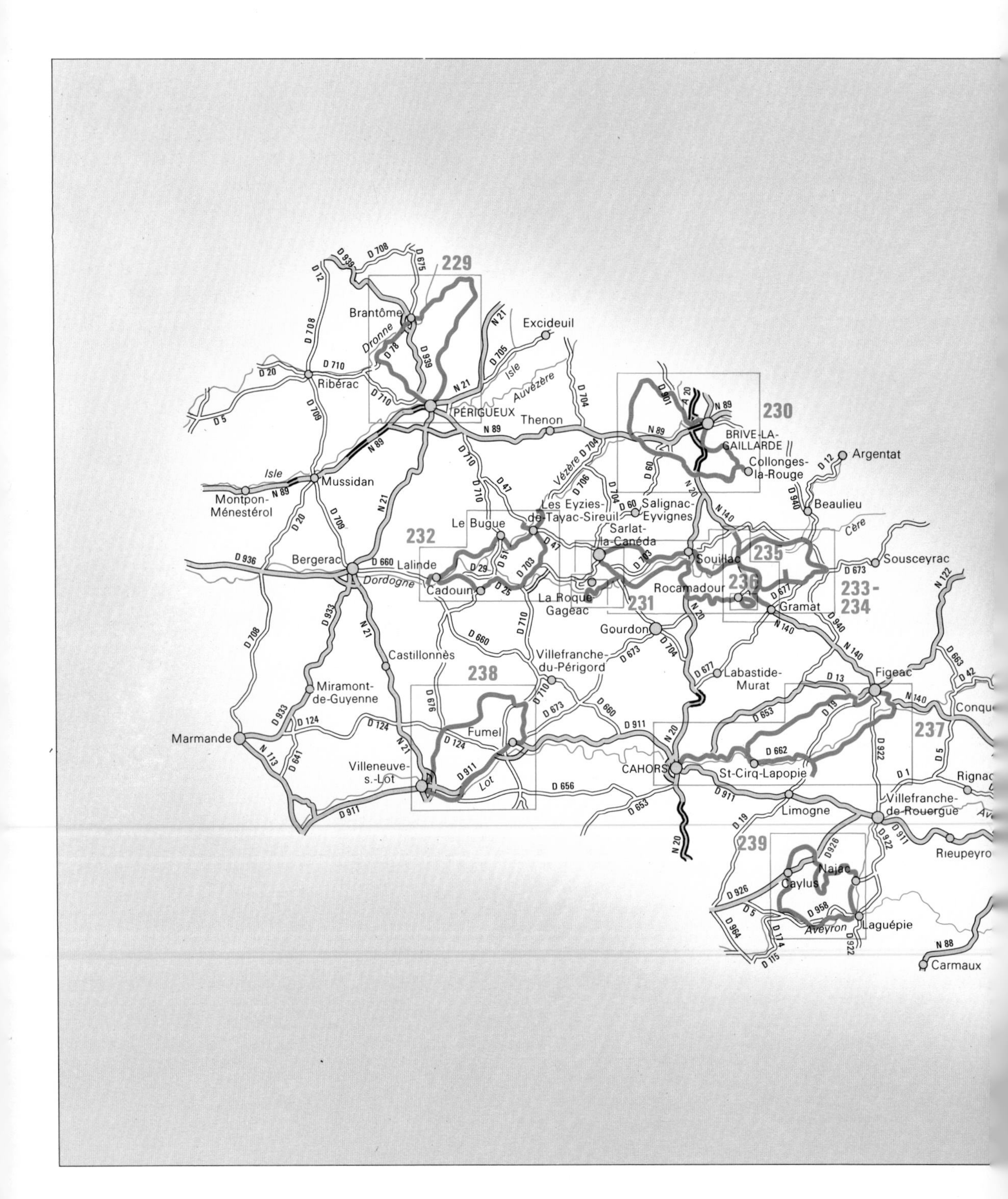

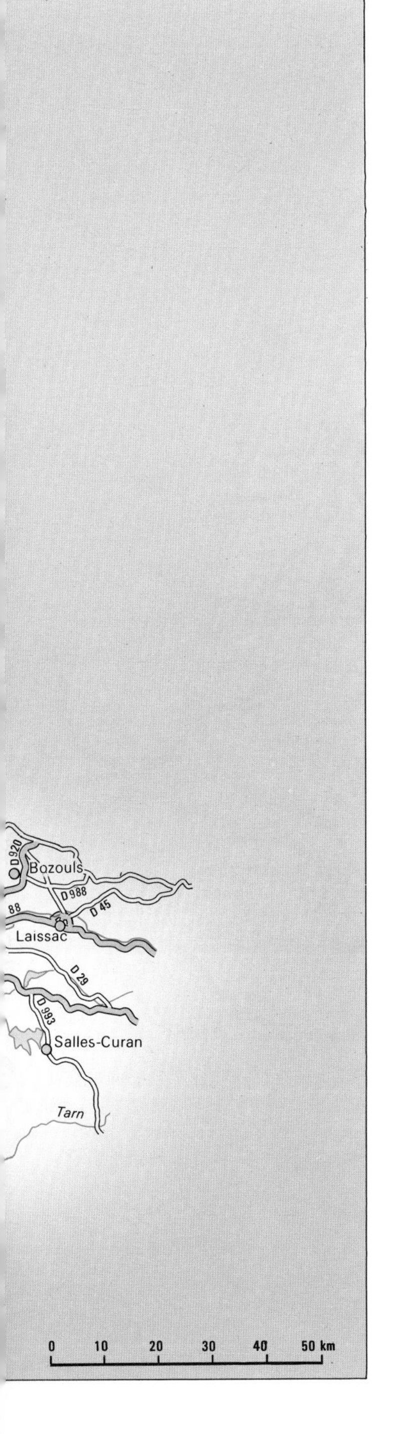

Entre causses et forêts, fermes et châteaux, un subtil art de vivre

Périgord, Quercy ! Prononcer ces noms savoureux, c'est faire lever une moisson profuse de richesses artistiques et historiques ; c'est faire surgir un passé combien lointain, enraciné dans les profondeurs de la préhistoire, combien tourmenté en ces heures décisives du Moyen Age où se jouait une dure partie ; c'est évoquer un paysage aimable sans mièvrerie ou sévère sans âpreté ; c'est aussi combler par avance les gourmets, sensibles aux délices d'une cuisine incomparable. Que préférer ? Les horizons des causses quercynois, boisés de petits chênes, leurs modestes villages, de noble architecture, serrés autour de l'église forte ? Les frondaisons des forêts périgourdines, profondes ou aérées, coupées de clairières bocagères où s'égaillent les manoirs à pigeonniers ? Les merveilles enfouies au creux de la terre par une nature aussi experte en sculpture que nos ancêtres pouvaient l'être en gravure et en peinture ? Les coulées fraîches, les chauds coloris des vallées à méandres ces « rivières » encaissées, que dominent les tours altières des châteaux médiévaux, qu'accompagnent les villes aux dimensions mesurées ? Peut-être, avant tout, un bel art de vivre en la calme douceur aquitaine.

Saint-Cirq-Lapopie. L'église, ancrée sur le roc, veille sur la vallée du Lot.

Hauts lieux, trésors et paysages

Sarlat-la-Canéda. Voir itinéraire 233.

Gourdon. Capitale de la Bouriane, la cité étage ses maisons anciennes, des XIVe, XVe et XVIe s., sur une colline surplombant le vallon du Bléou. Par la porte de Majou (XIVe s.) et la rue du même nom, on accède à la place centrale, où se dressent l'hôtel de ville du XVIIIe s. (bureaux municipaux, on ne visite pas), avec ses arcades au rez-de-chaussée, et l'église St-Pierre. Cette dernière (XIVe-XVe s.) montre, sur sa façade, des traces de fortification (mâchicoulis et créneaux joignant les deux hautes tours oblongues). A l'intérieur, la nef unique à quatre travées, de style languedocien, voûtée d'ogives, s'achève sur un chœur abritant des panneaux de bois peint et doré du XVIIe s. De la terrasse, que l'on atteint par un escalier sur le flanc gauche de l'église, s'offre un vaste panorama jusqu'aux vallées de la Dordogne et du Céou.

Rocamadour. Voir itinéraire 234.

Souillac. Voir itinéraire 233.

Salignac-Eyvignes. Le village, accroché au flanc d'une colline, est dominé par le château de Salignac-Fénelon. L'édifice, dont les anciens remparts soutiennent des terrasses, est le résultat de constructions successives du XIIe au XVIIe s. Un donjon carré (XIIIe s.), au toit de lauzes, somme un corps de logis à deux étages de baies à meneaux, flanqué de deux tours rondes du XVe s. (vis. sur demande, de Pâques à la Toussaint; t.l.j. en juill. et août).

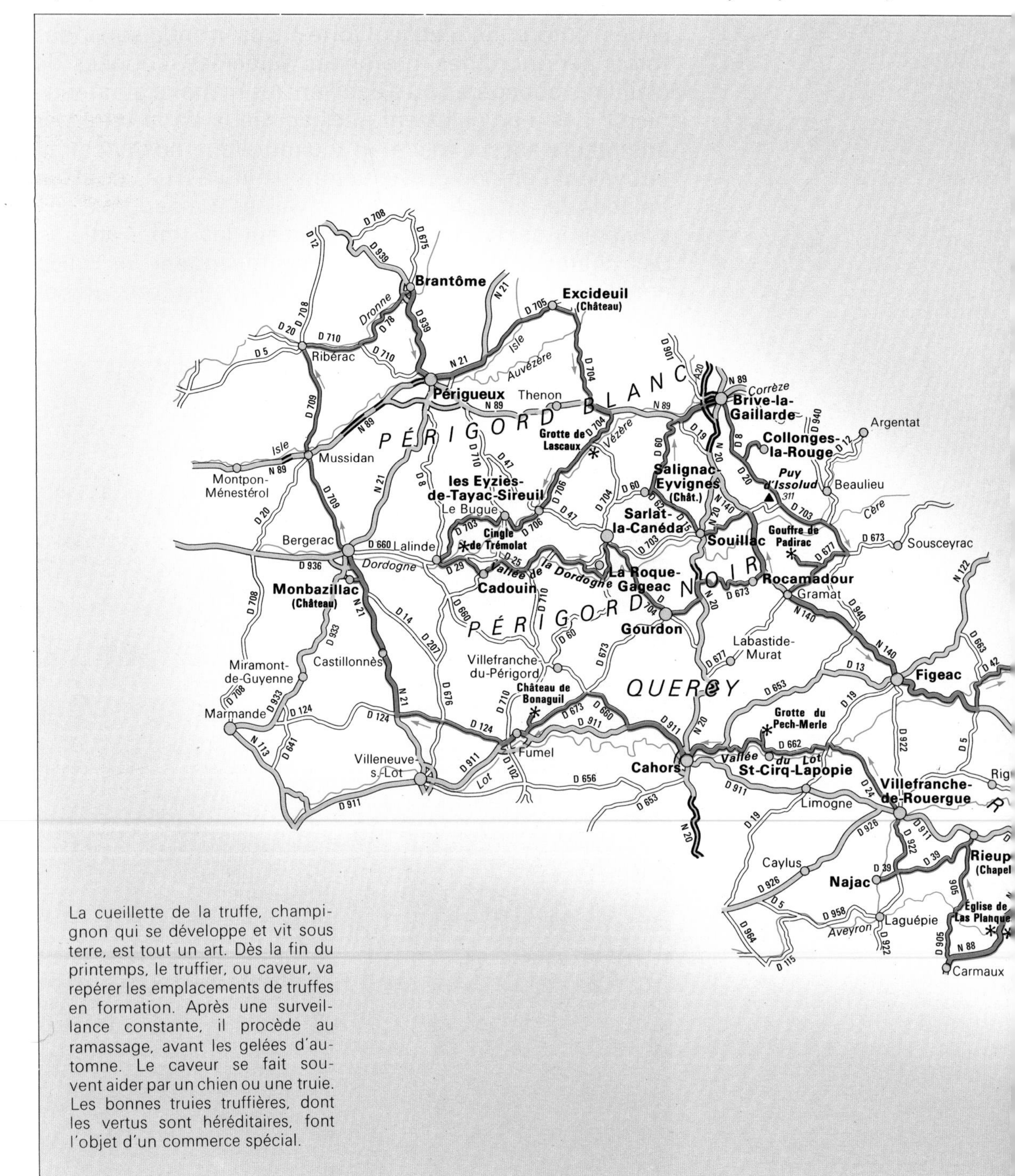

La cueillette de la truffe, champignon qui se développe et vit sous terre, est tout un art. Dès la fin du printemps, le truffier, ou caveur, va repérer les emplacements de truffes en formation. Après une surveillance constante, il procède au ramassage, avant les gelées d'automne. Le caveur se fait souvent aider par un chien ou une truie. Les bonnes truies truffières, dont les vertus sont héréditaires, font l'objet d'un commerce spécial.

Brive-la-Gaillarde. V. itinéraire 230.
Collonges-la-Rouge. V. itinéraire 230.
Puy d'Issolud. Cette butte témoin, bordée de falaises de roches rouges abruptes, s'élève à 311 m sur un plateau de 81 ha. C'est à cet endroit que se trouve le site présumé d'Uxellodunum, dernier bastion gaulois à avoir résisté à César après la bataille d'Alésia. du bord S. de la falaise, la vue plonge sur la vallée de la Dordogne.
Gouffre de Padirac. V. itinéraire 234.
Fiugeac. Voir itinéraire 237.
Conques. voir texte encadré.
Bozouls. Creusé dans le grès rouge par le Dourdou, un canyon (Trou de Bozouls) enserre dans un de ses méandres le piton sur lequel est bâti le vieux village. L'église paroissiale, construite à l'extrémité du promontoire qui surplombe la rivière de 60 m, est un édifice dont la nef unique, voûtée en berceau, est couverte d'une charpente de bois. De la terrasse jouxtant l'église, belle vue sur les deux cascades du Trou de Bozouls.

Conques est un bourg médiéval juché sur les pentes de la vallée de l'Ouche, dont les vieilles maisons dessinent des ruelles tortueuses. Étape importante sur le chemin de Saint-Jacques-de-Compostelle, il doit sa célébrité à son église Ste-Foy. Cette ancienne abbatiale entièrement romane présente une façade à tours symétriques et un clocher octogonal à la croisée du transept. Au portail O., la sculpture du tympan figure le Jugement dernier. A l'intérieur, sous une voûte très élevée, on peut voir de beaux chapiteaux historiés et les grilles en fer forgé (XIIe s.) qui séparent le chœur du déambulatoire. Près de l'église, le très riche trésor de Ste-Foy compte de belles pièces d'orfèvrerie ; on remarquera la statue reliquaire de sainte Foy (Xe s.), en bois, recouverte de lames d'or et ornée de pierres précieuses, le reliquaire de Pépin d'Aquitaine (IXe s.) en or repoussé et filigrané, un autel portatif (XIIe s.) en porphyre rouge avec niellage d'argent et le A de Charlemagne, ensemble d'or et de pierreries du XIIe s. (ouv. t.l.j., de 9 h à 12 h et de 14 h à 18 h ; dim., de 9 h à 11 h et de 14 h à 18 h ; juill.-août, t.l.j. de 9 h à 19 h. Fermé 1er janv.).

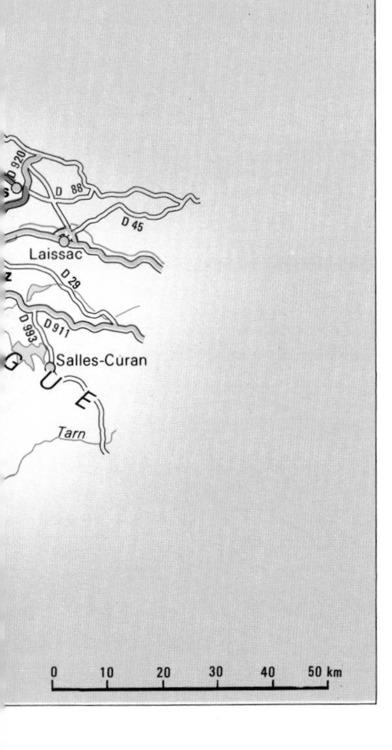

Rodez. Dominant l'Aveyron de 120 m, la vieille ville est groupée autour de la cathédrale Notre-Dame (XIIIe-XVIe s.). Bâtie en grès rouge, elle présente une façade dénudée jusqu'à mi-hauteur, avec deux tours asymétriques qui faisaient jadis partie des fortifications de la ville. Le clocher, plus tardif, est délicatement ouvragé dans sa partie supérieure : superposés à la base carrée, les derniers étages, de style gothique flamboyant, ont des pans coupés meublés de tourelles ajourées. A l'intérieur, l'édifice aux vastes dimensions est orné de nombreuses œuvres d'art : dans une chapelle latérale, un retable (XVe s.) représente le Christ au jardin des Oliviers, un jubé de 1468 orne le bras droit du transept et un buffet d'orgue du XVIIe s. décore le bras gauche. La Vierge à l'Enfant que surmonte le maître-autel est du XIVe s. En se rendant à l'église St-Amans, restaurée au XVIIIe s., qui présente de beaux chapiteaux romans dans le vaisseau et des tapisseries du XVIe s. dans le déambulatoire, on verra les maisons anciennes de la cité. Remarquer, place de l'Olmet, la maison d'Armagnac (XVIe s.) et les médaillons de sa façade Renaissance, rue Pénavayre, le portail en arc brisé de la maison Molinier (XVe s.), et, sur la place du Bourg, le beau haut-relief de la maison de l'Annonciade (XVIe s.) ; il faut entrer dans la cour de la maison des Chanoines pour voir le puits orné des coquilles de pèlerins. Le musée Fenaille, dans un bel hôtel à façade Renaissance, expose des collections d'archéologie (statues-menhirs), de sculptures, de peintures et des céramiques de la Graufesenque (musée actuellement fermé pour rénovation). Le musée des Beaux-Arts renferme des œuvres signées de Denys Puech, artiste aveyronnais (vis. t.l.j., sauf mardi et dim. mat.).
Église de Las Planques. Sur la gauche, avant Tanus, apparaît l'impressionnant *viaduc du Viaur* (1897-1902), dont l'armature métallique mesure 460 m de long, sur une arche centrale de 200 m de haut. Après Tanus, à droite sur la route de Pampelonne, s'embranche un chemin carrossable, qui aboutit à un sentier permettant d'accéder à l'église de Las Planques (45 mn à pied AR). Dans un site sauvage, en surplomb des gorges du Viaur, se dresse la silhouette fruste de ce sanctuaire du XIe s. Le clocher aux ouvertures crénelées est couvert de lauzes ; à l'intérieur, des peintures du XIVe s. ornent l'abside.
Chapelle de Rieupeyroux. A 2 km au N.-O. du village, à partir de ce modeste édifice, on jouit d'un vaste panorama circulaire englobant les monts d'Aubrac et du Cantal, les Cévennes et la Montagne Noire.
Najac. Voir itinéraire 239.
Villefranche-de-Rouergue. Cette ancienne bastide (XIIIe s.), située au confluent de l'Aveyron et de l'Alzou, parmi de vertes collines, a conservé, au milieu de vieilles demeures, un intéressant ensemble d'édifices religieux. L'ancienne collégiale Notre-Dame (XIVe-XVe s.) dresse sont formidable clocher-porche, haut de 54 m, sur la place à arcades, dont les « couverts » évoquent la vie des bastides au Moyen Age. Dans le chœur de l'église, belles stalles du XVe s. La chapelle des Pénitents Noirs, construite sur un plan de croix grecque au XVIIe s., est décorée d'un plafond peint. Excentrée, l'ancienne chartreuse St-Sauveur est bâtie dans un pur style gothique (XVe s.). Les bâtiments, d'une remarquable unité de style, comprennent : le Grand Cloître, un des plus vastes de France, aux fines ogives ; le Petit Cloître, aux clefs de voûte ouvragées ; la salle de réfectoire, une salle capitulaire et la chapelle (vis. guid. t.l.j., juill.-15 sept.).
Saint-Cirq-Lapopie. V. itinéraire 237.
Grotte du Pech-Merle et **vallée du Lot.** Voir itinéraire 237.
Cahors. Voir itinéraire 237.
Château de Bonaguil. V. itinéraire 238.
Château de Monbazillac. Dominant la vallée de la Dordogne, au milieu d'un vignoble réputé, cette élégante demeure Renaissance est couronnée d'un chemin de ronde crénelé et de mâchicoulis, et flanquée de tours d'angles rondes. Des douves sèches l'entourent. A l'intérieur, beau mobilier du XVIe s. Dans la Salle protestante, intéressants documents historiques. Petit musée du Vin (t.l.j., avr.-31 oct. ; sauf lundi hors saison. Fermé 15 janv.-15 févr.).
Brantôme. Voir itinéraire 229.
Périgueux. Voir itinéraire 229.
Excideuil. Installé dans la vallée de la Loue, le village a conservé un ancien château. Les ruines de deux donjons carrés, reliés par une courtine (XIe-XIIe s.), voisinent avec des bâtiments Renaissance ornés de tourelles et de fenêtres à meneaux.
Lascaux. Voir p. 396-397.
Les Eyzies-de-Tayac-Sireuil. Voir itinéraire 232.
Cingle de Trémolat. V. itinéraire 232.
Vallée de la Dordogne. Voir itinéraires 231, 232, 233.
Cadouin. Voir itinéraire 232.
La Roque-Gageac. Dans ce village, accroché à la falaise grise en surplomb de la Dordogne, au hasard d'une promenade dans les ruelles pittoresques, apparaissent de vieilles maisons, l'église fortifiée et le château de la Malatrie, érigé au XIXe s.

229

Périgueux, Brantôme, vallée de la Côle 102 km

De Périgueux – la Vésone des Gallo-Romains –, cœur du Périgord, à la fois métropole antique et capitale moderne, on gagne, au nord-ouest, la vallée de la Dronne. Là, en Périgord Blanc, riche en sites préhistoriques et demeures seigneuriales, on ne manquera pas de faire honneur aux produits de la gastronomie périgourdine : foie gras, confits, truffes, etc.

Château de Puyguilhem (XVIe s.) C'est le plus bel édifice de la Renaissance en Périgord (ouv. t.l.j. en juill.-août; sauf lundi hors saison. Fermé en janv.).

❶ **Périgueux.** Située non loin de l'ancienne cathédrale St-Étienne de la Cité (XIIe s.), la tour de Vésone, cella d'un temple circulaire gallo-romain, est un des seuls témoins de l'importance de la ville au IIe s. C'est au N. de la cathédrale St-Front, couverte de coupoles romanes (voir photo), que l'on peut visiter la ville médiévale. Le long des rues apparaissent des maisons des XVe, XVIe et XVIIe s. Le musée du Périgord (vis. t.l.j., sauf mardi et j. fér.) présente une des plus belles collections de préhistoire de France, des mosaïques et des poteries gallo-romaines, et une section sur le Moyen Age périgourdin; peinture et objets d'art.

❷ **Bourdeilles.** Sur un piton rocheux surplombant la Dronne, une même enceinte englobe la forteresse médiévale (XIIIe-XIVe s.), surmontée d'un gros donjon, et le logis Renaissance, où le Salon doré a conservé son magnifique décor des XVIe-XVIIe s. (1er avr.-15 oct., t.l.j., sauf mardi; t.l.j., du 1er juill. au 6 sept.; l'apr.-m. seul., sauf mardi le reste de l'année. Fermé 1er janv.-9 févr.). Des terrasses, on aperçoit, sur la rivière, un pont gothique à avant-becs et un vieux moulin fortifié (voir dessin).

Le rocher de *la Forge du Diable*, à 30 m au-dessus de la Dronne, est un site important de l'art solutréen.

❸ **Brantôme.** Construite sur une île baignée par la Dronne, la ville doit sa célébrité à son abbaye bénédictine, dont les bâtiments furent modifiés au XVIIe s. (t.l.j., sauf mardi, avr.-15 oct.; l'apr.-m., sauf mardi hors saison. Fermé trois sem. en janv. Rens., tél. : 53-05-80-63). Le clocher carré (XIe s.), à quatre étages, est bâti sur un abrupt de 12 m, dominant l'église dont il est séparé. Musée Fernand-Desmoulin (en rénovation) : préhistoire et peintures de Desmoulin.

❹ **Château de Puyguilhem.** Voir photo.

❺ **Grottes de Villars.** Salles ornées de concrétions blanches et ocre jaune; par endroits, peintures préhistoriques (vis. t.l.j., 15 juin-15 sept.; l'apr.-m. seul., 15 sept.-30 oct. Groupes sur R.-V., tél. : 53-54-82-36).

❻ **Saint-Jean-de-Côle.** Un pont gothique, de vieilles maisons aux pierres ocre, une église romane, un cloître Renaissance (on ne visite pas) et le château de la Marthonie (XVe s.), ouvert en été pour des expositions; c'est un village typique du Périgord.

❼ **Agonac,** dans les collines du Périgord Blanc, pays de chênes truffiers et de noyers, possède une église, St-Martin, à deux coupoles et au gros clocher carré (XIe-XIIe s.).

Bourdeilles. Le vieux moulin, fortifié au XVe s., en forme de bateau et coiffé de tuiles rondes, plonge ses fondations dans les eaux vertes de la Dronne (on ne visite pas).

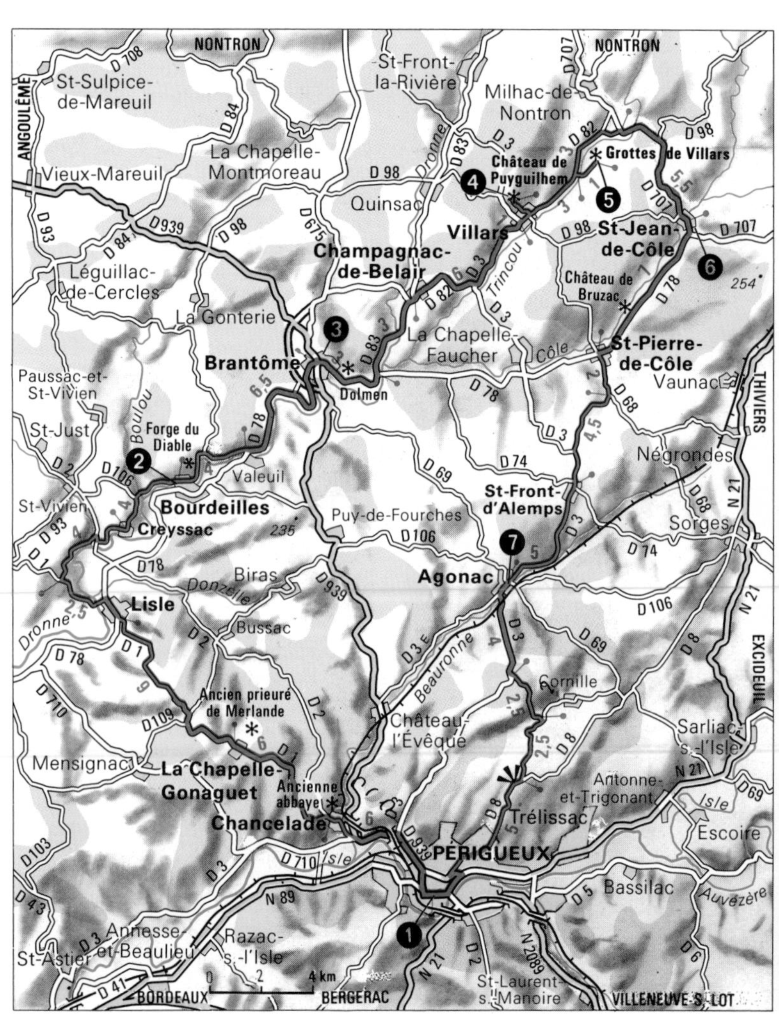

Périgueux. Les cinq coupoles de la cathédrale St-Front (XIIe s.) ont été rehaussées, au XIXe s. de clochetons donnant à l'édifice l'aspect d'une église byzantine.

Aux alentours de Brive-la-Gaillarde 120 km

Au sud du Limousin, autour du bassin de Brive, baigné par la Corrèze et la Vézère, l'itinéraire progresse à travers bois, prairies et bruyères, dans un paysage qui, auprès de Terrasson, annonce déjà l'Aquitaine par ses vignes, ses cultures maraîchères et ses arbres fruitiers. Que ce soit à Collonges-la-Rouge, dans le site prestigieux de Turenne, ou au sommet de l'Yssandon, le Périgord présente tout le charme d'une grande diversité.

❶ **Brive-la-Gaillarde.** Le centre de cette petite capitale économique est l'église St-Martin. Cet édifice, bâti sur un plan cruciforme, possède des chapiteaux romans historiés et des fonts baptismaux du XIIe s. et renferme dans son trésor un chef reliquaire de sainte Essence, en cuivre repoussé et doré, datant du XIVe s. (vis. t.l.j.). Autour de l'église, on remarquera plusieurs maisons anciennes, dont la tour des Échevins (XVIe s.), avec sa tourelle en encorbellement, et l'hôtel de Labenche (XVIe s.), qui abrite un musée où sont réunies d'importantes collections de préhistoire, d'archéologie, de sculptures, de peintures ainsi que des tapisseries (vis. t.l.j., sauf le mardi).

❷ **Grottes de Saint-Antoine.** Aujourd'hui occupées par le séminaire des Missions franciscaines, elles ont été creusées dans le grès et aménagées en chapelles (visite libre). Des terrasses supérieures, la vue plonge sur Brive et la vallée de la Corrèze.

❸ **Noailles,** dans un site verdoyant, s'enorgueillit du château Renaissance de la célèbre famille de Noailles (on ne visite pas), dressé à côté de l'église St-Pierre (XIVe s.), sommée d'un clocher-porche ouvert sur trois côtés. A l'intérieur, les voûtes à liernes et tiercerons sont caractéristiques du style gothique flamboyant.

Brive-la-Gaillarde. Dans la cour d'honneur de l'hôtel de Labenche (XVIe s.), la façade Renaissance s'orne de bustes de personnages sculptés.

❹ **Collonges-la-Rouge.** D'anciennes demeures de grès rouge, la maison de la Sirène (XIIe s.), au toit de lauzes, l'hôtel de Maussac (XVe-XVIe s.), ouvert sur une belle cour d'honneur, ainsi que le castel de Vassinhac, flanqué de deux tourelles d'angle, les hôtels de Friac, de Marpret ont conservé à la cité son charme d'antan. La façade de l'église romane St-Sauveur, fortifiée au XVIe s., s'orne d'un tympan ouvragé (voir aussi photo).

❺ **Turenne.** Surplombant l'église du XVIIe s. (beau maître-autel baroque) et de vieilles maisons des XVe-XVIe s., en calcaire blanc, le château dresse ses ruines au sommet de la colline. On y visite (t.l.j. de Pâques à la Toussaint ; dim. le reste de l'année) la tour dite de César (XIIe-XIIIe s.) et la tour de l'Horloge (XIIIe-XIVe s.), qui renferme une salle des gardes au riche mobilier.

Sur le territoire de la commune de Saint-Cernin-de-Larche, on a compté vingt-cinq résurgences, ou doux, de la Couze ; la plus importante est celle du hameau de *la Roche.*

❻ **Terrasson-la-Villedieu** étage ses maisons anciennes aux toits d'ardoise sur une colline surplombant la rive gauche de la Vézère. De la terrasse de l'église (XVe s.), la vue s'étend sur la rivière traversée par un vieux pont à avant-becs (XIIe s.) et sur la campagne périgourdine.

❼ **Saint-Robert.** Son église (XIIe s.), ancienne priorale, est coiffée d'un clocher octogonal à la croisée du transept. A l'intérieur, remarquer les élégants chapiteaux du déambulatoire.

❽ **Puy d'Yssandon** (355 m). Butte témoin, il se dresse dans une plaine verdoyante (prendre à droite, 1 km avant le hameau de la Prodélie) ; un vaste panorama englobe les monts du Limousin et la plaine du Périgord.

Collonges-la-Rouge. Le clocher roman à deux étages carrés, surmontés de deux étages octogonaux, se dresse au-dessus de l'église (XIe-XIIe s.) coiffée d'ardoises.

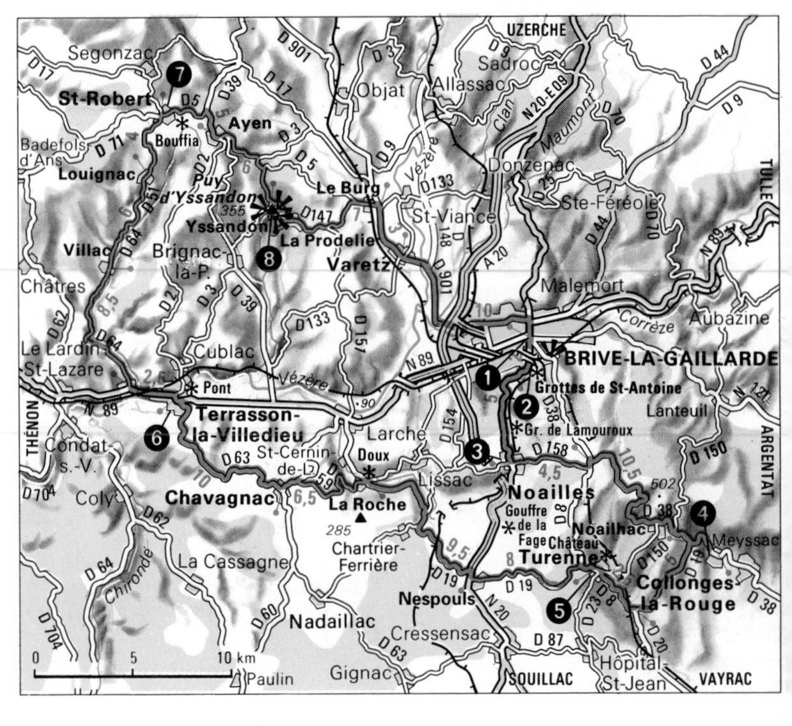

Belvédère sur la vallée de la Dordogne 33 km

L'itinéraire ne s'écarte guère de la vallée de la Dordogne, et, des bastions rocheux qui la surplombent, on découvre quelques-uns de ses visages. La rude ossature des falaises calcaires et la grâce du paisible ruban d'eau qui serpente dans un terroir fertile s'y marient harmonieusement. Au-delà de cette coulée lumineuse, les plateaux voisins sont couverts de forêts où se mêlent pins, chênes verts et châtaigniers.

❶ **Domme,** bâtie sur un promontoire, offre le double attrait de ses grottes et de son panorama. Sur la place centrale s'ouvrent près de 500 m de galeries et de salles présentant de belles concrétions et quelques vestiges préhistoriques. Aménagé en bordure de la barre rocheuse qui plonge à pic sur 150 m, le belvédère révèle un des plus beaux paysages de la région. Partout, des plateaux boisés cernent l'horizon : ils s'inclinent doucement vers la vallée ou se dressent en falaises aux colorations variées. A leur pied se déroule la plaine où la Dordogne coule paresseusement : céréales, prairies, vergers, noyers (voir dessin), vignes et tabac.

❷ **Vallée du Céou.** Le paysage est caractéristique des plateaux périgourdins. Le Céou, petite rivière qui draine les confins du Quercy et du Sarladais, coule dans un large couloir à fond plat avec ses fermes, ses champs, ses bosquets ; mais les premières pentes sont le domaine de la lande de genévriers ou de la forêt de chênes. A droite de la route, de vastes carrières montrent l'importance des dépôts de « grèze », fins débris de calcaires enrobés dans une gangue d'argile rougeâtre, résultat de l'altération de la roche lors des périodes froides du quaternaire. C'est cette grèze qui comble les vallons, empâte la base des versants, adoucit les lignes de relief.

❸ **Castelnaud.** Laisser la voiture au parking du château, où l'on peut visiter un intéressant musée de la guerre au Moyen Age (t.l.j.), puis gagner la terrasse qui domine la Dordogne près de son confluent avec le Céou. La vallée se révèle sous un nouvel aspect : à l'aval surgit l'éperon qui porte le château et le village de Beynac-et-Cazenac ; à l'amont se dressent les rochers de Vézac et de La Roque-Gageac ; au premier plan s'étend la plaine modelée par la rivière, qui sinue d'un escarpement à l'autre. Tranchant sur la mosaïque des cultures, des rangées de peupliers ou des taillis jalonnent d'anciens lits abandonnés ; l'un d'eux subsiste encore sous forme d'un étang allongé.

❹ **La Roque-Gageac.** C'est un peu avant le village, de la route qui longe la Dordogne, que l'on a le meilleur point de vue sur l'ensemble du site. De hautes murailles blanches, couronnées par des bois, tombent à pic sur le bourg qui s'étire entre le « cingle » de la rivière et le roc.

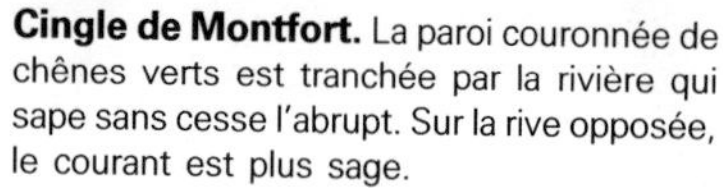

Cingle de Montfort. La paroi couronnée de chênes verts est tranchée par la rivière qui sape sans cesse l'abrupt. Sur la rive opposée, le courant est plus sage.

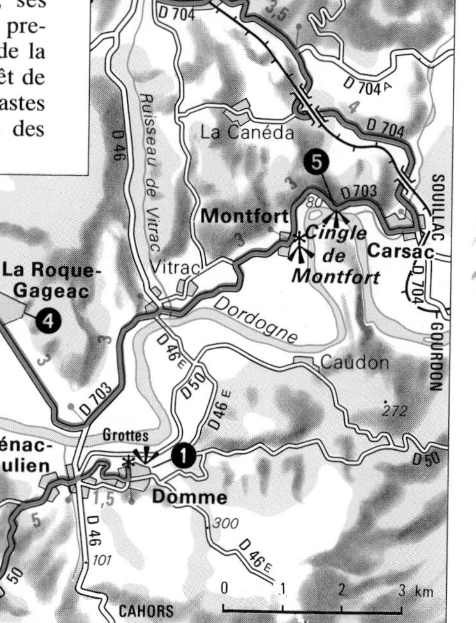

Noyer. Cet arbre ne commence à produire que vers l'âge de 20 ans, mais il donne des fruits jusqu'à 70 ans. La Dordogne est le premier département producteur de noix.

❺ **Cingle de Montfort.** La courbe que dessine la Dordogne au pied du château de Montfort en fait un des plus beaux méandres de la vallée (voir photo). Laisser la voiture sur le parking adossé au rocher et parcourir à pied le sommet de la boucle. Au-delà, le lobe du méandre s'élève en pente douce. Rejoindre *Sarlat-la-Canéda* (voir itinéraire 233).

232

A la découverte des grottes préhistoriques 120 km

L'infiltration des eaux sur les plateaux calcaires a formé des gouffres, des grottes et des abris-sous-roche, particulièrement nombreux le long de la vallée de la Vézère. Les entrées de ces grottes ont longtemps servi d'abris naturels bien avant que les humains ne s'aventurent sous terre. Cet itinéraire invite à une prodigieuse remontée à travers le temps, car la présence de l'homme en Périgord est attestée depuis quelque 200 000 ans. On peut surtout y suivre l'évolution de l'Homo sapiens jusqu'à la fin des civilisations paléolithiques, il y a environ 12 000 ans. Les Eyzies, berceau de l'homme de Cro-Magnon, est le haut lieu de la préhistoire.

Pigeonnier. Sur piliers coupés par un surplomb destiné à arrêter les rongeurs, il est surmonté d'un clocheton à toiture conique.

Les Eyzies-de-Tayac. Le Musée national de Préhistoire expose ces moulages des célèbres bisons magdaléniens du Tuc d'Audoubert (Ariège), modelés en argile.

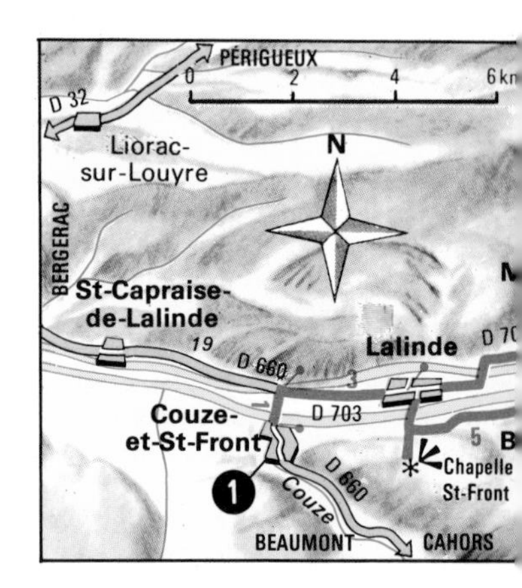

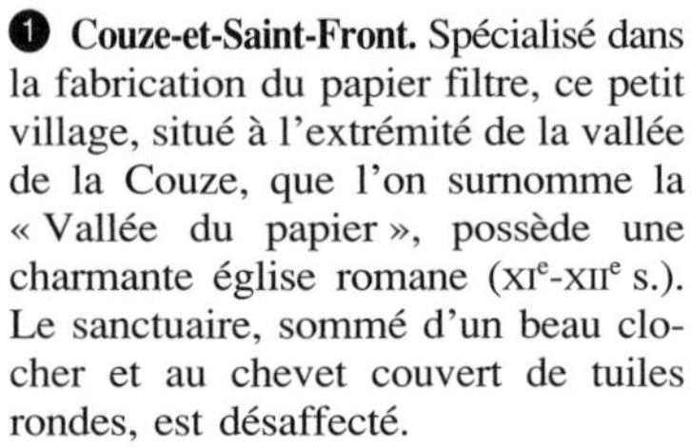

❶ **Couze-et-Saint-Front.** Spécialisé dans la fabrication du papier filtre, ce petit village, situé à l'extrémité de la vallée de la Couze, que l'on surnomme la « Vallée du papier », possède une charmante église romane (XIe-XIIe s.). Le sanctuaire, sommé d'un beau clocher et au chevet couvert de tuiles rondes, est désaffecté.

A 3 km, *Lalinde*, bâtie sur le canal du même nom, doublant la rive droite de la Dordogne, est une ancienne bastide du XIIIe s., dont subsiste la porte de Bergerac en pierre et brique. Dans la ville, voir les restes de la maison du Gouverneur (XIVe s.) et, à 1,5 km, la chapelle St-Front.

❷ **Cingle de Trémolat.** La route s'élève au-dessus de la rive droite de la Dordogne jusqu'au belvédère. De ce point, situé sur des falaises blanches en forme d'hémicycle, on a une vue remarquable sur le « cingle », ou méandre, de la rivière formant une boucle circulaire, les champs et les bois alentour.

Trémolat, le village voisin, est dominé par une église romane fortifiée en pierre ocre. Le clocher-donjon, de plan barlong, érigé à l'aplomb de la façade, renforce l'aspect austère de l'édifice qu'atténuent à peine les quatre coupoles de l'intérieur.

❸ **Le Bugue.** A partir de cette petite localité, sise sur un méandre de la Vézère, deux visites s'imposent : l'une, à la *grotte de Bara-Bahau*, et l'autre au *gouffre de Proumeyssac*. La grotte (t.l.j., des Rameaux au 11 nov. Groupes sur R.-V.), explorée en 1951, possède, dans une salle de 116 m de long, des gravures représentant des bisons, des chevaux, un grand aurochs, un ours, un cerf, un bouquetin : de style « archaïque », elles ne datent que du magdalénien moyen (13 000 ans). Le gouffre de Proumeyssac (vis. guid. t.l.j. Fermé en janv. Groupes sur R.-V. tél. : 53-07-27-47), à 4 km au S. du Bugue, a été aménagé en 1957. On y voit dans une cloche naturelle des concrétions translucides de couleur ocre ou blanche, ainsi que la « Méduse », splendide stalactite de calcite, suspendue à 20 m du sol.

❹ **Les Eyzies-de-Tayac-Sireuil.** La capitale de la préhistoire est bâtie au confluent de la Vézère et de la Beune, dans un site de falaises calcaires percées de multiples cavernes. Le village est dominé par le château de Beynac, ancienne forteresse du XIe s., remaniée au XVIe, qui abrite le musée national de la Préhistoire, entièrement réorganisé et agrandi de nouveaux bâtiments à la muséographie moderne (ouv. t.l.j., sauf mardi). Il présente de très importantes collections provenant des gisements de Dordogne, outils et œuvres d'art qui comptent parmi les toutes premières de l'humanité.

Dans un rayon de 4 à 5 km autour de la cité, une quinzaine de grottes et de cavernes présentent des richesses naturelles et humaines inestimables. La grotte du Grand-Roc (vis. t.l.j. Fermé en janv.) offre une floraison de concrétions naturelles; aux gisements de Laugerie-Basse (vis. t.l.j. Fermé en janv.), avec ses deux abris et son musée, et de Laugerie-Haute (sur réserv. à la grotte de Font-de-Gaume. Fermé le mardi), des coupes stratigraphiques montrent une succession d'occupations tout au long du paléolithique supérieur. Dans la grotte de Carpe-Diem (t.l.j., sauf lundi, 8 avr.-30 sept.; t.l.j., juin-sept.) superbes stalactites et stalagmites. L'abri de Cro-Magnon (visite libre), où furent trouvés trois squelettes humains, la grotte de Font-de-Gaume (t.l.j., sauf mardi, sur réserv. à la grotte, tél. : 53-06-90-80; 250 personnes au maximum par jour), aux peintures polychromes, la grotte des Combarelles (vis. t.l.j., sauf mercr. et j. fér., sur réserv. à la grotte de Font-de-Gaume), avec ses gravures zoomorphes, le gisement de la Madeleine (ne se visite plus) et les ruines du village troglodytique de la Madeleine (t.l.j., sauf mardi, 1er mars-30 nov.), sont autant d'étapes sur le chemin de la préhistoire.

❺ **Château de Fages.** En empruntant un chemin privé, on accède à la partie médiévale du château. Les éléments défensifs, remparts, douves et mâchicoulis (fin XIVe-début XVe s.) contrastent avec un second corps de logis de la fin de la Renaissance, paré de frontons et de fenêtres à meneaux (en restauration. Vis. sur demande, tél. : 53-29-20-13). Vue splendide sur la vallée de la Dordogne.

Saint-Cyprien, dans un site boisé, est groupé autour de son église romane (XIIe s.). L'édifice, autrefois rattaché à une abbaye d'Augustins, a un clocher-donjon et un vaisseau aux vastes dimensions.

❻ **Cadouin.** De l'ancienne abbaye fondée en 1115, on ne visite que l'église et le cloître (t.l.j., sauf mardi, 10 févr.-15 déc. Rens. tél. : 53-63-36-28). L'abbatiale N.-D.-de-la-Nativité est une austère construction cistercienne du XIIe s., à la façade massive percée de trois grandes fenêtres en plein cintre. Le principal élément décoratif est constitué par un groupe de chapiteaux de l'abside, sur lesquels on distingue feuillages et animaux. Le cloître du XVe s. (voir photo) présente sur ses consoles des sculptures d'une remarquable facture, illustrant des scènes variées pleines de réalisme, comme la confession du pêcheur ou la parabole de Lazare. Dans la galerie N., voir la fresque de l'Annonciation.

Sur le plateau de Cadouin, la *forêt de la Bessède* forme une masse discontinue d'arbres, en majeure partie des chênes.

❼ **Badefols-sur-Dordogne** est un village agréablement situé, sur les bords de la rivière, et dominé par les ruines d'une ancienne forteresse démantelée en 1793. Du sommet, vue sur la Dordogne, les falaises du cingle de Trémolat et la campagne environnante.

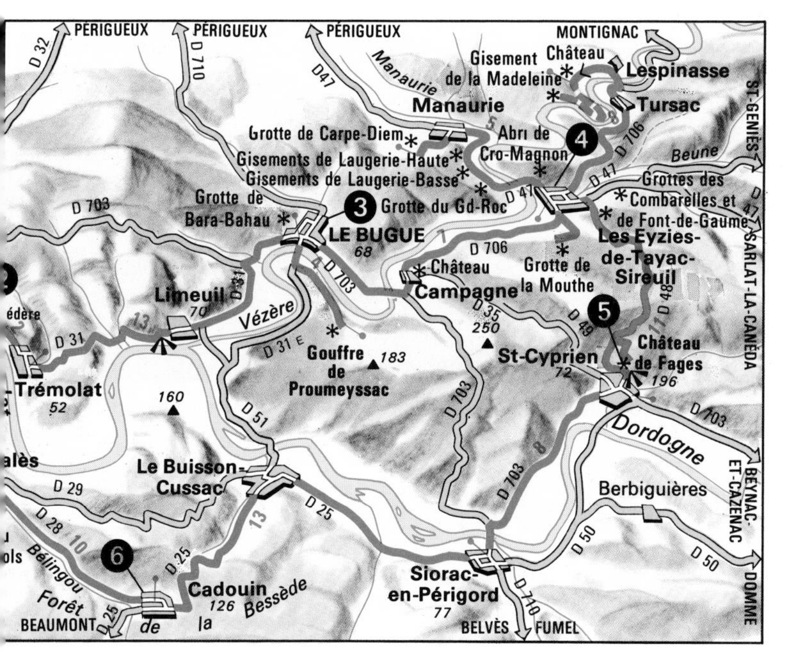

Cadouin. Le cloître de style gothique flamboyant contraste avec le dépouillement et la sévérité de l'abbatiale.

La Vézère, près du gisement de la Madeleine, coule au bas de la falaise de Lespinasse, dans le cadre boisé du Périgord noir.

Grande Salle des taureaux (paroi gauche). A l'extrême gauche, l'énigmatique « licorne » : animal fabuleux ou homme travesti ?

LASCAUX, SANCTUAIRE MYSTÉRIEUX

Site majeur de la vallée de la Vézère, la grotte de Lascaux a été découverte fortuitement en 1940 par quatre adolescents qui cherchaient un trésor. Exécutées vers 15000 av. J.-C., au début du magdalénien, ses extraordinaires peintures marquent l'apogée de l'art pariétal paléolithique et lui ont valu le nom de « chapelle Sixtine de la préhistoire ». Malheureusement, menacées de dégradation rapide par l'excès de gaz carbonique et par la prolifération d'algues et de calcite dus aux trop nombreux visiteurs, elles ne doivent aujourd'hui leur sauvegarde qu'à la fermeture de la grotte au public en 1963. A 200 m du site se trouve aujourd'hui son fac-similé, Lascaux II, ouvert en 1983. Les deux salles les plus remarquables, la Rotonde, ou salle des Taureaux, et le diverticule axial, y ont été reproduites par stéréophotogrammétrie et à l'aide de colorants minéraux naturels.

Ce sanctuaire orné souterrain offre une exceptionnelle unité de style. Il renferme environ 1 500 figures animales, peintes ou gravées (chevaux, aurochs, cerfs, bisons, bouquetins, félins...), associées à de nombreux signes symboliques abstraits. Ces représentations d'animaux au corps volumineux et aux courtes pattes ne relèvent pas d'un strict naturalisme mais traduisent une conception esthétique originale. Une perspective artificielle, dite « semi-tordue » ou « tordue », les régit : tête et corps vus de profil, cornes et sabots de trois quarts ou de face. Mais la sûreté de trait et la maîtrise technique des artistes magdaléniens sont manifestes ; ceux-ci ont même tiré parti des défauts du support rocheux sur lequel ils dessinaient, gravaient ou peignaient à la détrempe. En outre, comme l'a mis en évidence le professeur A. Leroi-Gourhan, la répartition des figures obéit à un ordonnancement précis du sanctuaire.

L'étude des vestiges recueillis sur place a permis de connaître les techniques et les outils employés. Les colorants étaient des oxydes de fer (ocres) et des manganèses naturels, collectés sur place ou dans les environs, puis broyés en poudre, mélangés et cuits : 25 teintes différentes ont été ainsi obtenues. Les outils : crayons colorants, palettes, silex (pour les gravures), mais aussi pinceaux et brosses de poils animaux ou de fibres végétales, touffes de crins, tampons de fourrure... L'éclairage se faisait au moyen de torches résineuses et surtout de lampes à graisse en pierre. Des échafaudages étaient utilisés le long des parois.

L'existence de ces grandes compositions picturales pose au préhistorien nombre de problèmes d'interprétation. Si leur caractère religieux semble avéré, leur signification exacte échappe aux investigations et reste du domaine de l'hypothèse. Ce bestiaire pariétal créé par des chasseurs décorait un lieu sacré où devaient se dérouler des cérémonies et des rites initiatiques s'inscrivant dans la mythologie paléolithique.

Taureau noir du diverticule. Sous le mufle, un signe « barbelé » masculin.

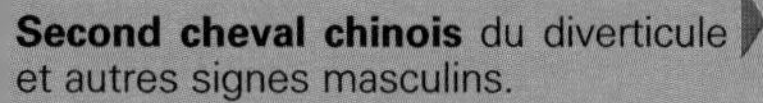

Second cheval chinois du diverticule et autres signes masculins.

Vaches. Figures caractéristiques du style de Lascaux : les corps sont très allongés et les pattes plus courtes.

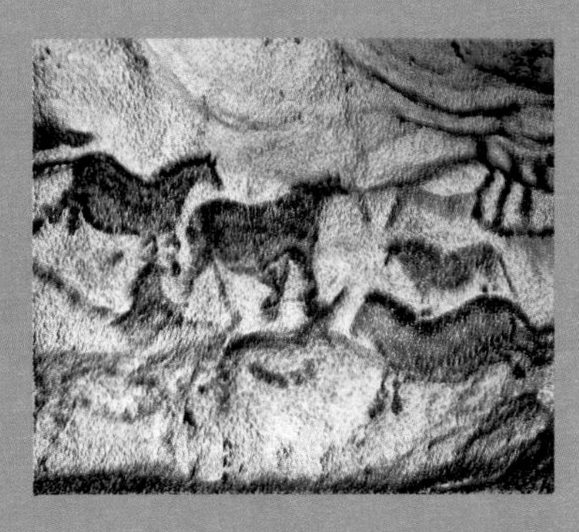

Frise des petits chevaux. Elle est particulièrement remarquable par le rythme de la composition.

Scène du puits. C'est l'unique représentation d'un homme à Lascaux : il est étendu, mort, devant un bison éventré.

Frise des têtes de cerf, à droite de la nef. Les défauts de la paroi figurent le bouillonnement des flots traversés.

Grottes ornées

L'aire de diffusion de l'art paléolithique franco-cantabrique, délimitée en gros par l'Èbre et la Dordogne, et qui a suivi les cours d'eau, possède la particularité de présenter la gamme complète des premières manifestations artistiques de l'Homo sapiens depuis 30 000 ans. Les noms en italique sont ceux des grottes qui se visitent.

Lascaux II : t.l.j. juill.-août ; t.l.j., sauf lundi, le reste de l'année ; fermé en janv. Pour horaires rens. tél. : 53-51-95-03.

	FRANCE		
1	*Bara-Bahau*	24-Le Bugue	1951
2	*Cap Blanc*	24-Marquay	1909
3	*Combarelles*	24-Les Eyzies	1901
4	*Font de Gaume*	24-Les Eyzies	1901
5	*Gargas*	65-Valcabrère	1906
6	La Grèze	24-Marquay	1904
7	*Isturitz*	24-Isturitz	1913
8	Lascaux	24-Montignac	1940
9	Laussel	24-Marquay	1908
10	La Magdeleine	81-Penne	1952
11	Montespan	31-Montespan	1923
12	*La Mouthe*	24-Les Eyzies	1895
13	*Niaux*	07-Niaux	1906
14	*Pair Non Pair*	33-Marcamps	1881
15	*Pech-Merle*	46-Cabrerets	1922
16	Le Portel	09-Varilhes	1908
17	*Roc de Sers*	16-Sers	1927
18	*Rouffignac*	24-Rouffignac	1956
19	Sergeac	24-St-Léon	1909
20	Teyjat	24-Teyjat	1903
21	Les Trois Frères	09-Montesquieu-Avantès	1914
22	Tuc d'Audoubert	09-Montesquieu-Avantès	1912
	ESPAGNE		
23	*Altamira*	Santillana	1879
24	*El Castillo*	Puente Viesgo	1903
25	*Covalanas*	Ramales	1903
26	La Haza	Ramales	1903
27	*La Pasiega*	Puente Viesgo	1911
28	Venta de la Perra	Biscaye	1904

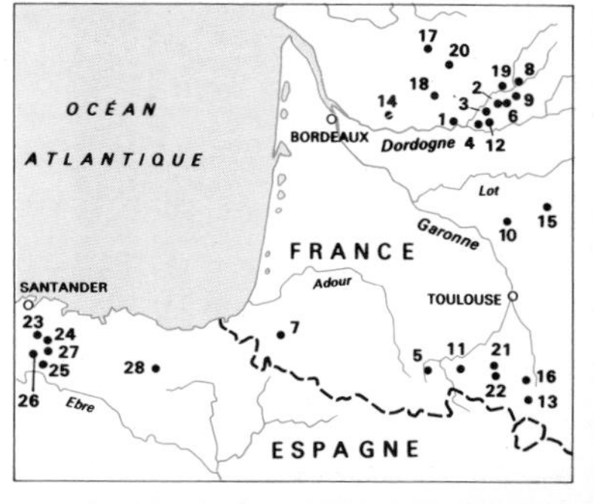

233 234

Souillac, Sarlat 69 km et Rocamadour 133 km

Suivant le cours de la Dordogne, un premier périple mène au cœur du Périgord Noir, parmi les forêts de chênes verts ; on y récolte les précieuses truffes, dont Sarlat et Souillac sont les principaux centres de production. Le second itinéraire nous conduit en Quercy, où la Dordogne et l'Alzou ont découpé des sillons de verdure dans les causses de Martel et de Gramat, créant des sites extraordinaires comme ceux de Rocamadour, de Montvalent, et les merveilles naturelles de Padirac et de Presque.

Rocamadour. La Vierge noire miraculeuse en bois (XIIe s.), est le but de pèlerinages depuis le Moyen Age. Elle est exposée dans une chapelle.

ITINÉRAIRE N° 1

❶ **Souillac** s'enorgueillit de son ancienne église abbatiale Ste-Marie (XIIe s.). Ce sanctuaire roman à nef unique, surmonté de trois coupoles sommées de lanternons, s'orne, au portail, de belles sculptures (voir dessin). Non loin, le beffroi (XVIe s.) est un vestige du clocher de l'ancienne église St-Martin.

❷ **Château de Fénelon.** Commandant une belle vue sur la vallée, cette demeure des XIVe et XVe s. présente dans une double enceinte des tours crénelées épaulant les corps de logis (t.l.j., mars à fin oct.; sauf mardi hors saison). Voir l'exposition d'automobiles de prestige (depuis 1895).

❸ **Carsac.** Ce petit village est groupé autour du clocher massif de son église romane (XIIe s.). L'intérieur, voûté d'ogives au XVIe s., s'enrichit de chapiteaux archaïques et d'un chemin de croix moderne dû à Léon Zack.

❹ **Sarlat-la-Canéda.** On aura plaisir à se promener dans les rues bordées de maisons anciennes (voir photo). Dans la rue des Consuls s'élève l'hôtel Plamon (XIVe-XVe s.) avec ses trois fenêtres en tiers-point; rue d'Albuse, on verra l'ancien présidial orné de lanternons et un ancien relais de poste (XIIIe s.); la rue de la Liberté, où se trouve l'hôtel de Maleville pourvu d'une façade à pans exigus, aboutit à l'hôtel de ville du XVIIe s., paré

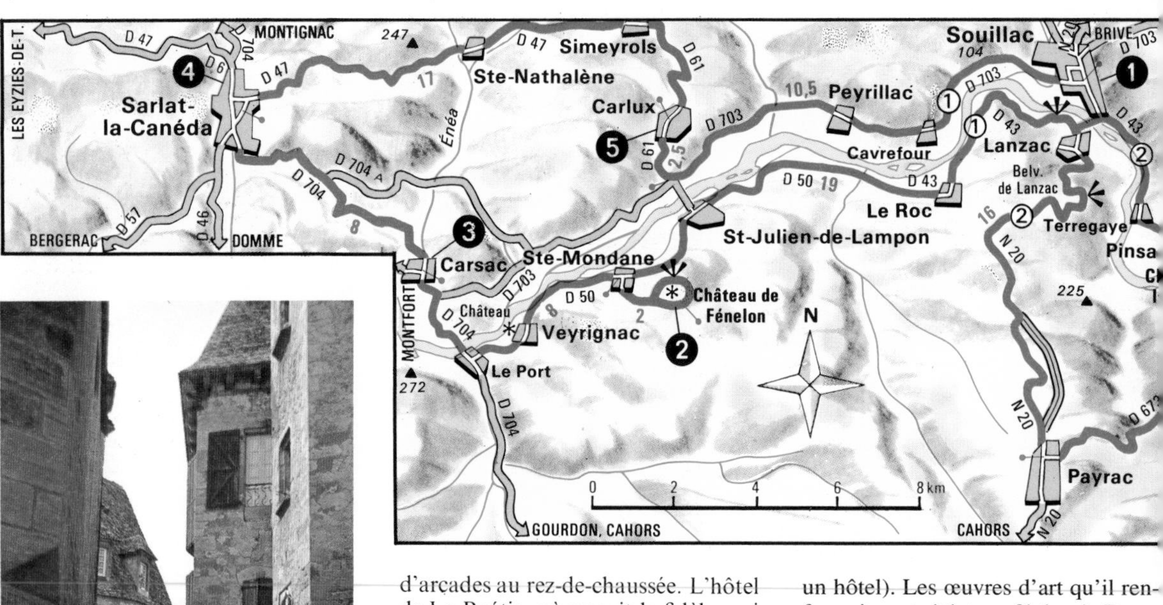

d'arcades au rez-de-chaussée. L'hôtel de La Boétie, où naquit le fidèle ami de Montaigne, est bâti en face de la cathédrale St-Sacerdos (XIVe-XVe s.). Celle-ci a un aspect austère, avec ses puissants arcs-boutants et son clocher roman. Au chevet, un petit jardin en terrasse mène à la Lanterne des morts (XIIe s.), tour circulaire, coiffée par une toiture en forme de pomme de pin. La chapelle des Pénitents blancs, au portail baroque, et la chapelle des Pénitents bleus, au vaisseau rectangulaire, complètent l'architecture religieuse de la ville.

❺ **Carlux.** De vieilles maisons, les ruines d'un château médiéval et une église renfermant une pietà en bois peint du XVIIe s. constituent la richesse de ce modeste village.

ITINÉRAIRE N° 2

❶ **Château de la Treyne.** Reconstruit au XVIIe s., il possède encore une tour carrée du XIVe s. (c'est aujourd'hui un hôtel). Les œuvres d'art qu'il renfermait ont été transférées à Bourdeilles (voir itinéraire 229).

Les *grottes de Lacave* (t.l.j., du 15 mars aux vac. de la Toussaint) forment un bel ensemble de salles peuplées de stalactites, de stalagmites et de colonnes de calcite.

❷ **Cirque de Montvalent.** Formé par les méandres de la Dordogne, il montre une juxtaposition colorée de roches diverses. Le *belvédère de Copeyre* offre le meilleur point de vue sur le cirque (voir itinéraire 235).

❸ **Carennac.** Quelques vestiges de remparts et de vieilles maisons aux toits de tuiles brunes se pressent

Sarlat-la-Canéda. La porte gothique de l'hôtel de Grézel ouvre sur la rue de la Salamandre, jalonnée de maisons anciennes construites dans du calcaire ocre.

autour d'un bel ensemble d'édifices religieux. Un ancien prieuré (XVe-XVIIe s.) jouxte l'église romane St-Pierre (XIIe s.) dans laquelle on verra des chapiteaux archaïques et une Mise au tombeau du XVIe s. Dans le cloître attenant, trois belles galeries flamboyantes encadrent une galerie romane adossée à l'église.

❹ **Castelnau**. Forteresse dressée sur une croupe boisée au confluent de la Dordogne et de la Cère. La masse rouge des bâtiments est hérissée de tours rondes et dominée par un donjon carré de 62 m de haut. A l'intérieur, musée lapidaire (t.l.j., avr.-sept. ; sauf mardi, hors saison). Dans l'ancienne collégiale du château, voir le trésor (t.l.j.).

❺ **Château de Montal** (vis. guid. t.l.j., sauf sam., des Rameaux au 31 oct. ; t.l.j. en juill.-août, tél. : 65-38-13-72). Des tours rondes masquent un beau corps de logis (XVIe s.). A l'intérieur, escalier Renaissance en pierre blonde et riche mobilier.

Non loin, dans la *grotte de Presque* (vis. guid. t.l.j., de Pâques au 7 oct.), concrétions multicolores de calcite, aux formes parfois étranges, peuplant d'immenses salles (la salle du Grand Dôme mesure 94 m de hauteur).

❼ **Rocamadour.** La ville occupe un site extraordinaire, au-dessus de l'Alzou : les vieilles maisons, les sanctuaires et les fortifications sont accrochés au roc. Le Grand Escalier donne accès au parvis St-Amadour, où s'élèvent les édifices religieux de la cité (t.l.j., sauf dim. mat., 1er juin-30 sept. Groupes tte l'année sur R.-V.). La basilique St-Sauveur (XIe-XIIIe s.), érigée sur la crypte de St-Amadour (1160), côtoie la chapelle miraculeuse (voir photo). La chapelle St-Michel, au mur extérieur décoré de deux fresques (fin du XIIe s.) voisine avec les chapelles mineures de St-Jean-Baptiste et de Ste-Anne. Dans l'ancien palais épiscopal, un musée d'art sacré (vis. t.l.j.) expose de très belles pièces, dont une bible incunable du XVe s. Des remparts du château (XIVe s.), vaste panorama sur le causse.

Souillac. Le prophète Isaïe, qui orne le revers du portail, fait pendant au prophète Osée. Au-dessus, bas-relief racontant la légende de Théophile.

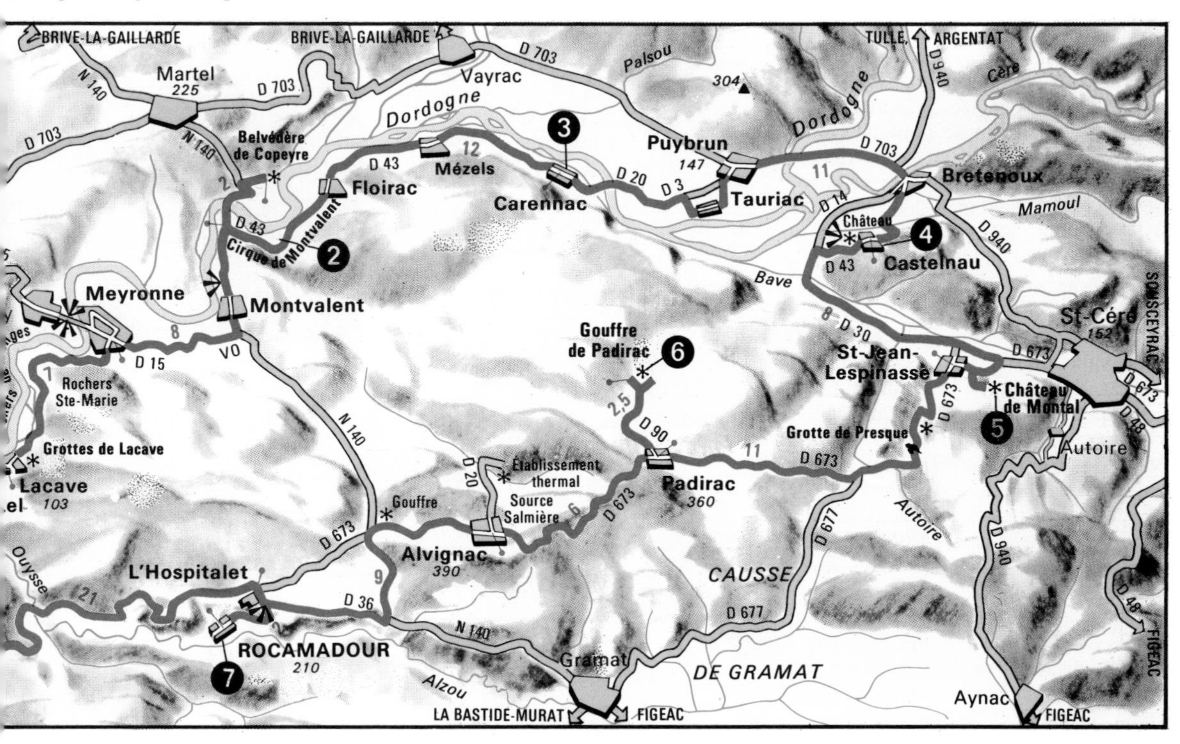

remarquer, parmi de fines concrétions de calcite, une colonne sonore qui, sous les heurts, rend un son cristallin.

❻ **Gouffre de Padirac** (vis. t.l.j., du 1er avr. au 2e dim. d'oct. Groupes : même période de visite, de préférence sur R.-V., tél. : 65-33-64-56 ; ascenseurs, puis parcours à pied et en barque). Très bien aménagé pour la galerie de la Source, de la Rivière Plane, du pas du Crocodile, du Grand Dôme, du lac Supérieur, il révèle des

Belcastel. Dans ce village périgourdin, près de Lacave, il existe des élevages où sont engraissées les oies qui donneront le foie gras tant apprécié.

De Gramat à Martel par le causse 33 km

Au sud, le causse de Gramat, sec et rude, avec ses vastes étendues désolées, est le domaine du genévrier et du chêne pubescent ; au nord, le causse de Martel, plus bas, plus frais, avec ses belles futaies de châtaigniers, plus fertile, avec ses dépressions colmatées d'argile, est aussi plus humanisé. Dans cette masse calcaire, la circulation des eaux, en grande partie souterraines, a multiplié les sites pittoresques.

❶ **Gouffre du Saut-de-la-Pucelle.** Il se trouve à 5 km environ au N.-O. de Gramat, à l'endroit où la voie ferrée longe la route qui le surplombe (il est peu visible à cause de la végétation). C'est l'une des nombreuses pertes karstiques qui jalonnent la faille de Gramat, au contact des argiles du lias et des calcaires jurassiques. Pour y accéder, ne pas chercher à y descendre directement (escarpement trop raide; argile glissante), mais remonter l'ample vallon verdoyant jusqu'au niveau où la pente s'adoucit; on rejoint ainsi le sentier longeant le ruisseau de Rignac, qui mène au pied de la muraille et y pénètre par un large porche; le ruisseau se poursuit par une galerie, généralement à sec en été, que l'on peut suivre facilement sur une longueur d'environ 200 m. Au-delà, la voûte s'abaisse brusquement, et le conduit est obstrué par la boue et les branches entraînées lors des grandes pluies.

❷ **Vallon de la source Salmière.** La petite vallée du ruisseau de Cazelle est très caractéristique de la région du Limargue, bande argileuse de quelques kilomètres de large qui s'allonge, du N.-O. au S.-O., parallèlement à la faille de Gramat. Avec le causse voisin, le contraste est saisissant: aux lignes nettes du calcaire succèdent des formes adoucies modelées dans les marnes; les prairies gorgées d'eau, les bas-fonds marécageux remplacent les landes rocailleuses; les murs de pierre sèche s'effacent devant les haies vives qui enserrent champs et prairies. Dans ce cadre de verdure, l'imperméabilité du sol a permis, en barrant le ruisseau, de créer un vaste plan d'eau; entouré de versants boisés, il forme en été un site plein de fraîcheur. A proximité immédiate se trouve l'établissement thermal qui exploite les eaux de la source Salmière, eaux sulfatées sodiques employées dans les affections du tube digestif, du foie et des voies urinaires (ferm. prov.).

❸ **Grotte des Fieux.** Elle se trouve à environ 3 km au N.-O. de Miers, dans le causse de Gramat. Elle s'ouvre dans un paysage typique du haut Quercy, où alternent chênaies et vastes étendues arides. Elle a été découverte en 1964 par des spéléologues et, malgré ses dimensions réduites, se classe aujourd'hui parmi les plus belles grottes ornées quercynoises, aux côtés de Pech-Merle ou de Cougnac. On y voit un intéressant ensemble d'art pariétal paléolithique, peint et gravé (entre 20 000 et 15 000 av. J.-C.). Parmi les figurations les plus importantes, il faut remarquer une douzaine de mains « négatives », plus d'une centaine de ponctuations digitales et de traces diverses, ainsi que de fines gravures de mammouths, chevaux et bouquetins.

❹ **Fontaine de Saint-Georges.** Au pied des grandes falaises blanches par lesquelles le causse de Gramat se termine sur la vallée de la Dordogne sourdent de nombreuses résurgences. Elles ramènent au jour, après un parcours souterrain plus ou moins long,

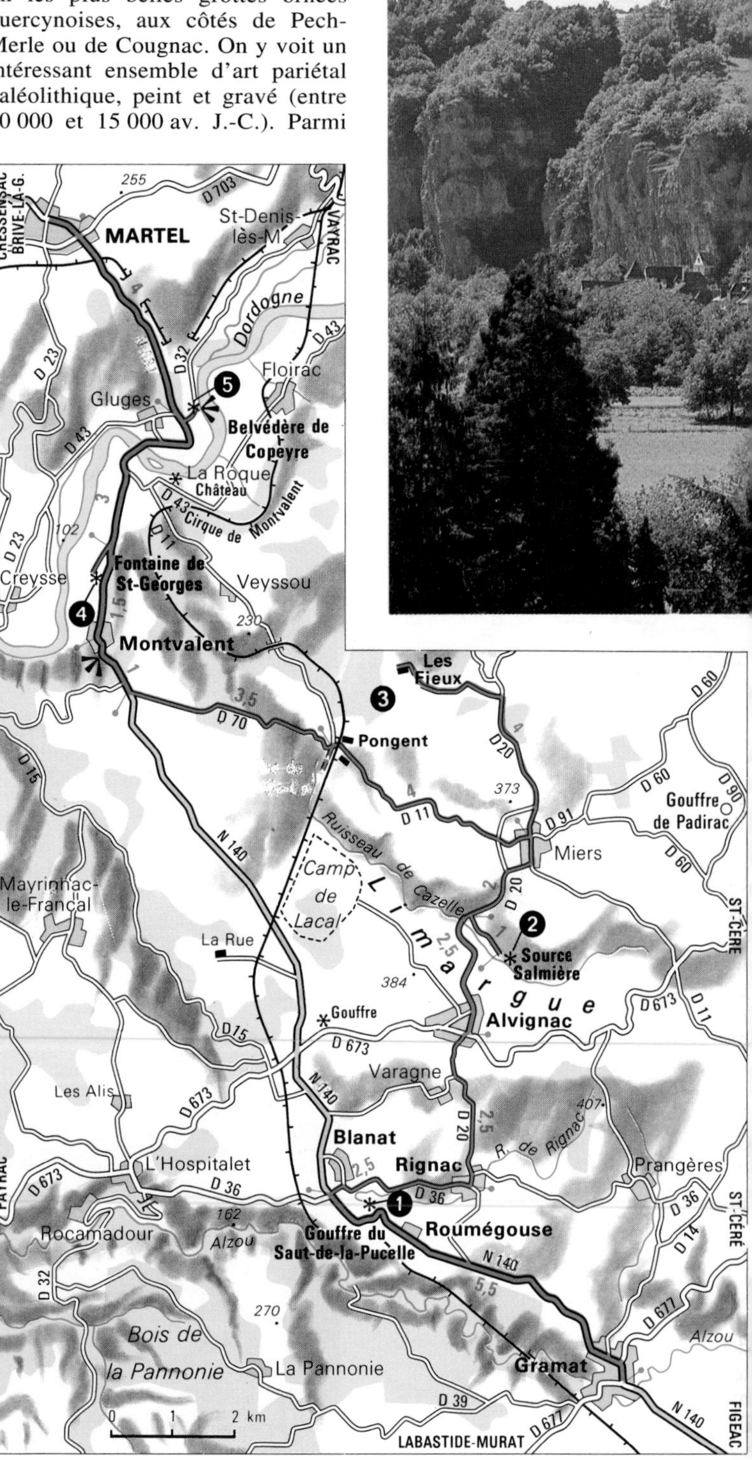

les ruisseaux absorbés à leur entrée sur le causse ou les pluies tombées à la surface du plateau. L'une des plus remarquables est la fontaine de St-Georges, vasque d'eau d'un beau vert glauque, large d'une dizaine de mètres et profonde d'autant, surmontée d'une petite grotte. De la nappe dormante s'échappe un ruisseau qui va se jeter dans la Dordogne toute proche. On a longtemps cru que la fontaine de St-Georges était l'exutoire du ruisseau de Cazelle, englouti à Roque-de-Cor. En fait, les dislocations du calcaire imposent aux galeries des tracés capricieux ; des expériences de coloration à la fluorescéine ont montré qu'il s'agit d'une résurgence de la rivière souterraine de Padirac.

Cirque de Montvalent. C'est un hémicycle rocheux correspondant à un ancien méandre formé par le cours de la Dordogne à l'ère quaternaire.

❺ Belvédère de Copeyre. Édifié sur une étroite arête rocheuse dominant la Dordogne, le belvédère permet d'embrasser un vaste panorama. De part et d'autre de la vallée, deux grands escarpements couronnés de bois se font face : le causse de Martel au N., le causse de Gramat au S. ; de l'un à l'autre, entre deux rideaux d'arbres, la rivière sinue parmi le damier des champs et des prairies pour former, ensuite, une large vallée alluviale couverte de plages de galets et d'îles peuplées de broussailles ou de peupliers. Les grandes falaises qui surplombent la plaine de plus de 150 m ne suivent guère le tracé des sinuosités actuelles, mais elles témoignent de l'existence d'anciens méandres, beaucoup plus amples. On découvre ainsi le cirque de Montvalent (voir photo).

236

Randonnée vers les gorges de l'Alzou

16 km

Réservée à de bons marcheurs, cette excursion d'une journée combine les âpres paysages du causse de Gramat et la verdure des bords de l'Alzou. Elle emprunte des sentiers suivis par les troupeaux (refermer les claies mobiles), mais ne comporte pas de difficultés notables, hormis l'escalade de quelques rochers (certains passages sont équipés d'une main courante). La halte du déjeuner peut se placer vers le moulin du Saut.

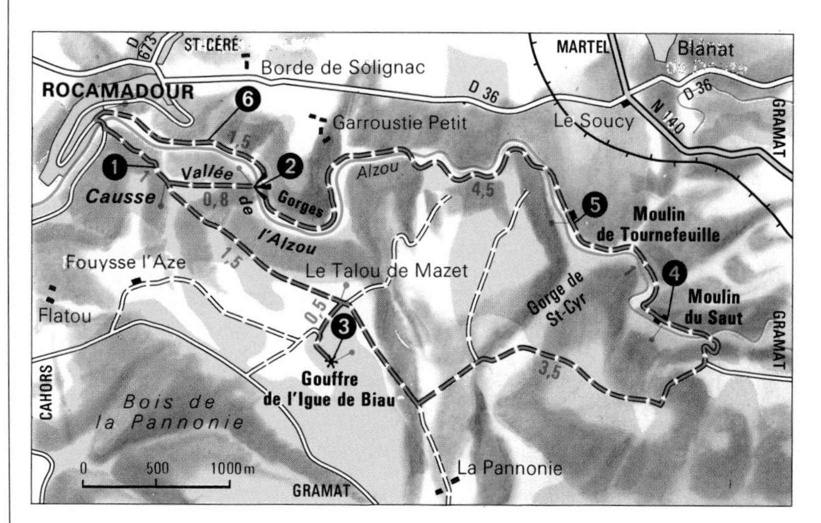

❶ Causse. Du pont de Rocamadour, un sentier assez raide, tracé à flanc de versant, gagne le sommet du plateau : le paysage est typiquement caussenard. Partout, le calcaire imprime sa marque : le sol brun-rouge est jonché de pierraille ; un tapis végétal appauvri mêle l'herbe rase, la lande de genévriers et la « garrissade », taillis de chênes rabougris.

❷ Panorama sur la vallée de l'Alzou. Du bord du plateau, la vue plonge vers la coulée de verdure qui tranche sur la grisaille environnante. Petite rivière née sur les collines argileuses du Limargue voisin, l'Alzou pénètre dans la masse calcaire par un canyon étroit et sinueux dont le fond plat, ourlé d'un liséré forestier ou d'un ruban de prairies, est dominé par de grands escarpements rocheux.

❸ Gouffre de l'Igue de Biau. A proximité du Talou de Mazet se creuse une petite dépression boisée où s'ouvrent deux orifices qui se rejoignent pour former une « igue », ou gouffre, puits vertical qui s'enfonce à peu près de 50 m sous terre et aboutit à une vaste salle circulaire. L'exploration en est réservée aux spéléologues.

❹ Moulin du Saut. De nombreux moulins utilisaient autrefois le courant rapide de l'Alzou. Celui du Saut, aujourd'hui en ruine (s'y aventurer avec prudence), est construit sur une barre rocheuse, dans un étranglement du lit ; la rivière se précipite par une belle cascade dans le Gour Noir, bassin où l'eau s'assagit un instant avant de reprendre sa course tumultueuse.

❺ Moulin de Tournefeuille. Le fond de la gorge disparaît sous une dense végétation de saules, d'érables, de noisetiers... Le sol gorgé d'humidité, les rochers couverts de mousse, le murmure des eaux, tout concourt à donner une impression de fraîcheur, encore accrue par la demi-obscurité qui règne dans le sous-bois.

❻ Sortie des gorges. Peu avant Rocamadour, la vallée s'élargit ; le paysage retrouve son faciès sec et pierreux. Le rebord du causse n'est plus qu'un grand versant nu, zébré de coulées d'éboulis, piqueté de quelques buissons ; la forêt-galerie de l'Alzou se réduit à une double ligne de haies ; enfin, peu à peu absorbée par les fissures de son lit, la rivière cesse définitivement de couler.

Garriotte. Construites selon un art ancestral avec les pierres sèches du causse, les garriottes sont des cabanes de berger.

Cahors 192 km et la vallée du Lot

En Quercy, le long des vallées du Lot et du Célé, s'étend une région active et accueillante qui contraste avec la solitude et la sécheresse des causses environnants. C'est un pays riche en souvenirs, où tout — grottes préhistoriques, châteaux, sanctuaires — témoigne d'une activité ininterrompue durant des siècles. N'oublions pas non plus que Cahors vit naître un pape, Jean XXII, et un poète célèbre, Clément Marot, et que Figeac est la ville natale de J.-F. Champollion, qui découvrit le secret des hiéroglyphes.

❶ **Cahors** occupe un site agréable, dans un méandre du Lot environné de hauteurs. De son passé médiéval, la ville a conservé le magnifique pont Valentré (voir photo), des remparts et des tours : la tour des Pendus, la Barbacane et la tour Jean XXII, de 34 m de haut, percée de fenêtres, qui faisait partie d'un ancien palais du XIVᵉ s. Parmi des maisons anciennes, la plus remarquable est l'hôtel de Roaldès, du XVᵉ s. (vis. pour les groupes seul. sur demande), à pans de bois et balcon, couronné par une grosse tour ronde. La cathédrale St-Étienne doit son allure de forteresse aux trois tours juxtaposées (XIVᵉ s.) de sa façade. La sacristie, accolée au vaisseau à nef unique, renferme des objets de culte ainsi que quatre-vingt-treize portraits d'évêques de la ville (on ne visite pas). Sur la partie la plus élevée de la cité a été érigée l'église St-Barthélemy (XIVᵉ s.), sommée d'un clocher-porche. Au Musée municipal, dans l'ancien évêché (en rénovation, rens. à la mairie, tél. : 65-22-36-36. Expos. temporaires), collections d'archéologie, céramiques, peintures, et souvenirs de Léon Gambetta, né à Cahors en 1838.

❷ **Saint-Cirq-Lapopie** (voir photo) est accroché à un énorme escarpement rocheux surplombant la rive gauche du Lot. L'église gothique (XVᵉ s.) et les vieilles maisons, à galeries de bois, fenêtres Renaissance et toits de tuiles rondes, voisinent avec les ruines du château (vis. libre. Groupes : vis. guid. sur R.-V.). De l'emplacement où s'élevait le donjon, vue sur le village et la vallée du Lot.

❸ **Cajarc.** De la ville, située dans un cirque de falaises rougeâtres où se dresse un château médiéval (on ne visite pas), on parvient, au-delà de Salvagnac-Cajarc, au *gouffre de*

▲ **Saint-Cirq-Lapopie.** La porte de Rocamadour ouvre sur les rues étroites et pentues de ce village pittoresque. Au-dessus des toits s'élève le clocher fortifié de l'église.

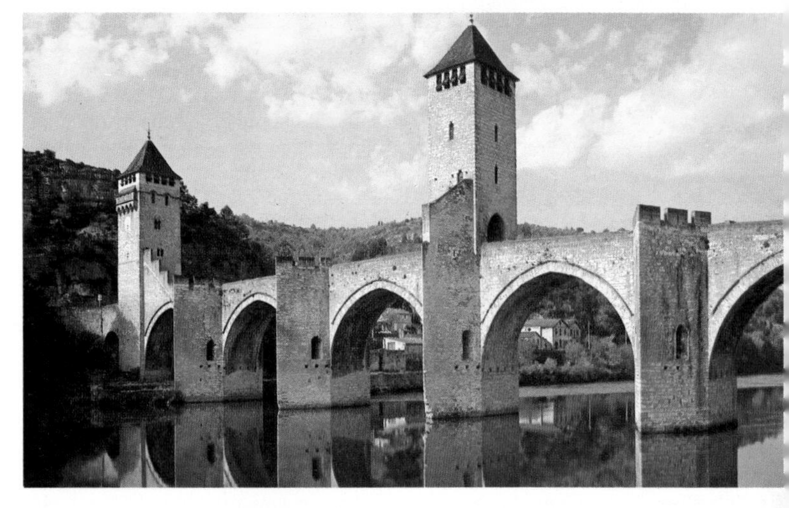

Cahors. Le pont Valentré est un remarquable ouvrage militaire du XIVᵉ s. Sur ses arches reposent trois tours coiffées de tuiles rouges (vis. de la tour centrale, juill.-août).

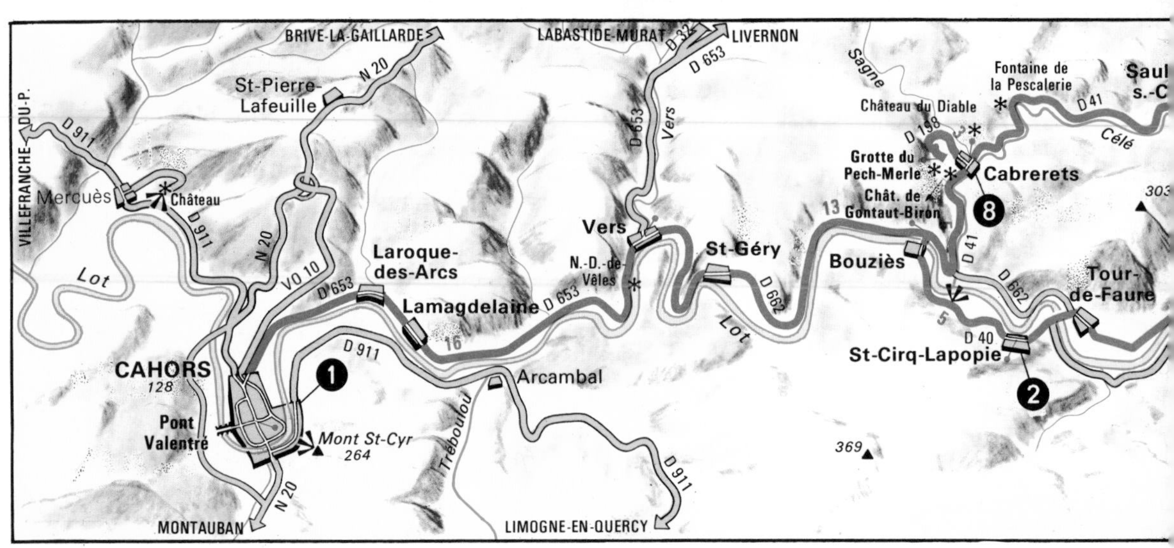

Lantouy, au pied d'une chapelle en ruine. Cette source vauclusienne, au plan d'eau bleue de 15 m sur 10, a un aspect étrange dû aux troncs d'arbres en décomposition et aux algues verdâtres qui y surnagent.

4 Capdenac. Perché sur un promontoire isolé par un cingle du Lot, ce village, aux vieilles habitations à pans de bois dessinant des rues étroites, a gardé son charme d'antan. On peut voir deux portes gothiques et les restes des remparts (XIIIe-XIVe s.) qui défendaient l'agglomération.

5 Figeac présente un ensemble de demeures médiévales, à pans de bois, loggias et encorbellements, implantées dans les rues sinueuses du vieux quartier que l'on peut aborder par l'hôtel de la Monnaie. Au-dessus des hautes arcades gothiques du rez-de-chaussée de cet édifice (XIIIe s.) s'élève un premier étage, aux fenêtres en tiers-point, surmonté d'un grenier ouvert, ou « soleilho ». A l'intérieur, le musée du Vieux-Figeac (t.1.j., avr.-oct.; sauf dim. et j. fér. hors saison) expose notamment une belle collection de monnaies. Le musée Champollion, dans la maison natale du savant, rassemble des souvenirs et présente une collection égyptienne (t.1.j., sauf lundi, mars-oct.; l'apr.-m., sauf lundi hors saison). Dans l'église St-Sauveur (XIe s.), restaurée au XVIIe s., deux chapiteaux, retournés et décorés de palmettes et d'entrelacs, servent de bénitier. L'église N.-D.-du-Puy, de style roman (XIIe s.), dont la façade a été refaite au XIVe s., possède un beau retable du XVIIe s.

6 Espagnac-Sainte-Eulalie. Dans la première agglomération, Sainte-Eulalie, une grotte au bord de la route a conservé des gravures préhistoriques de l'époque magdalénienne (on ne visite pas).

A 3 km, Espagnac groupe ses maisons autour du prieuré de N.-D.-de-Val-Paradis (XIIIe s.). L'église (XIVe s.), de style flamboyant, est flanquée d'un clocher carré, terminé par une loge à colombage de bois et de brique, coiffée d'une flèche octogonale. A l'intérieur, trois beaux gisants de pierre des XIIIe et XIVe s. et un retable du XVIIe s.

7 Marcilhac-sur-Célé. Le village et les ruines d'une abbaye (voir dessin) s'étalent au creux de la vallée du Célé, dans un cirque de falaises. De l'ancienne abbatiale subsistent les ruines du narthex, les premières travées de la nef et une tour; la partie gothique, où l'on remarquera des panneaux de bois du XVIIe s., sert d'église paroissiale; un peu plus loin s'élève l'ancienne salle capitulaire (XIIe s.).

A 1,2 km, dans la *grotte de Bellevue* (t. 1.j., juin-août; sur réserv. pour les groupes hors saison), les concrétions forment un beau paysage souterrain, dont la curiosité est un disque de calcite de 7 m de hauteur.

8 Cabrerets. Depuis le pont sur le Célé, on aperçoit le vieux village dans son site attrayant au confluent de la Sagne et du Célé, dominé d'un côté par les ruines du château du Diable et de l'autre par le château de Gontaut-Biron, flanqué d'une tour ronde à mâchicoulis (on ne les visite pas).

A 3 km s'ouvre la *grotte du Pech-Merle*. D'un grand intérêt préhistorique et spéléologique, elle abrite des peintures rupestres et de curieuses concrétions discoïdales (groupes sur R.-V. Fermé 15 déc.-15 janv.).

Marcilhac-sur-Célé. Le village, né au XIe s., groupe ses maisons autour des vestiges d'une abbaye, enserrée dans des murs du XIIIe s. et dominée par une haute tour.

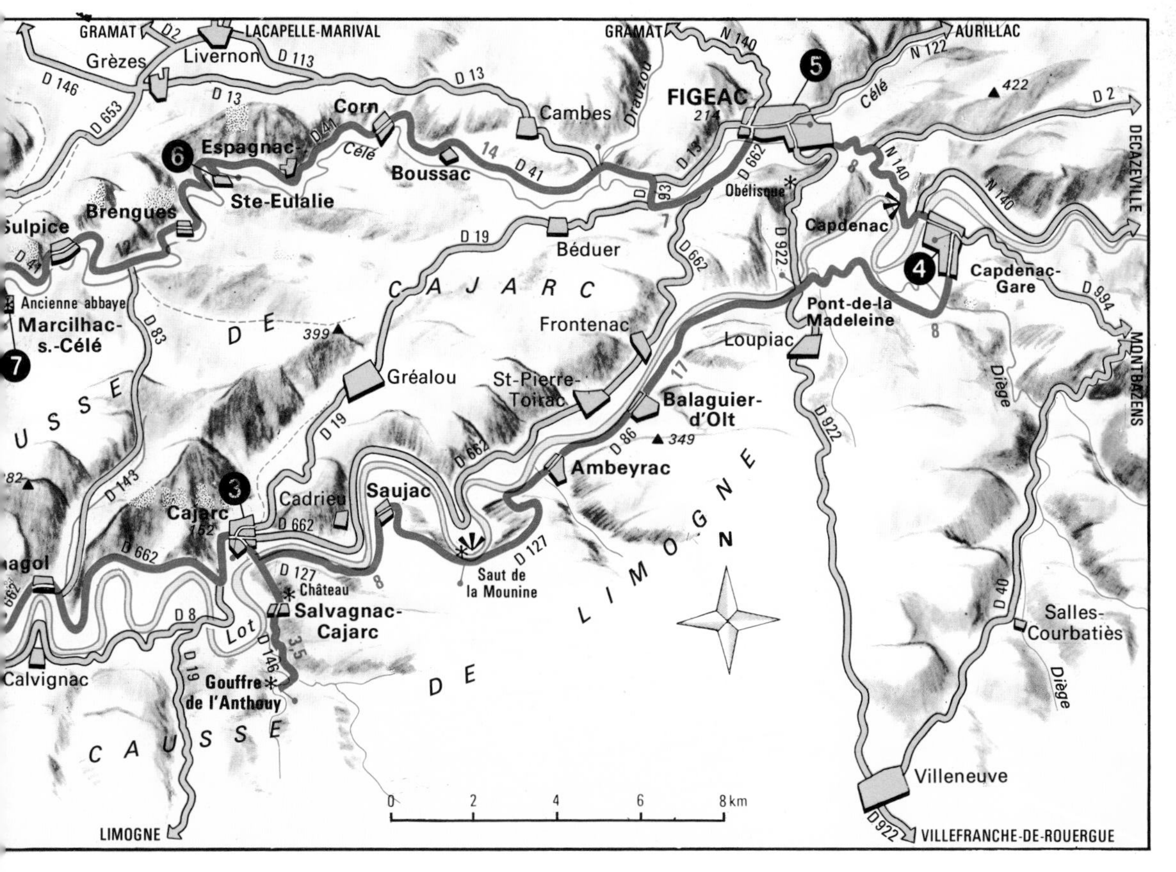

Bastides autour de Villeneuve-sur-Lot 94 km

Dans une région de transition entre le Quercy et l'Agenais, l'itinéraire louvoie entre des vallées fertiles gardées par de puissantes places fortes. Ainsi Bonaguil semble-t-il protéger les vallées de la Lémance et du Lot, où se sont développées de nombreuses bastides. Villeneuve-sur-Lot, centre important de production de la prune d'ente, dont on fait les célèbres pruneaux d'Agen, fait figure de petite capitale régionale.

❶ **Villeneuve-sur-Lot,** autrefois bastide puissante (XIIIe s.), est aujourd'hui une ville active qui s'étend sur les deux rives du Lot enjambé par un vieux pont (XIIIe s.), dit pont de Cieutat. De son passé militaire, elle a conservé les portes de Pujols et de Paris, bâties en pierre et brique et surmontées de mâchicoulis. L'église Ste-Catherine, de construction récente, possède d'intéressants vitraux des XVe et XVIe s., tandis que l'église St-Étienne (voir dessin), sise sur la rive gauche du Lot, renferme des toiles de l'école française du XVIIe s. et de curieux bâtons de pénitents.

❷ **Penne-d'Agenais.** C'est un ancien bourg fortifié, construit au confluent du Lot et du Boudouyssou, sur une butte témoin. Après avoir franchi d'anciennes portes à mâchicoulis et créneaux, on parvient au sommet de la colline où se dresse N.-D.-de-Peyragude (XIXe-XXe s.). De cette basilique s'offre un vaste panorama sur la vallée du Lot et ses cultures en terrasses, et au N.-E. sur les causses du Quercy.

A *Monsempron-Libos,* village accroché à une colline au-dessus du Lot, voir, dans l'église romane du XIIe s. au clocher carré, les chapiteaux historiés du transept, auquel succède un chœur gothique.

❸ **Château de Bonaguil.** Cette forteresse (XVe-XVIe s.), érigée sur un éperon rocheux, est l'œuvre de Béranger de Roquefeuil, seigneur vindicatif et violent. La configuration actuelle du château est le résultat de quarante années de travaux, réalisés sur des fondations du XIIIe s. L'architecture, toute médiévale, tient compte cependant de la possibilité d'utiliser un nouveau matériel de guerre: l'artillerie. L'entrée est défendue par une puissante barbacane et cent deux embrasures pour armes à feu, dont la disposition est étudiée pour éliminer les angles morts. Une seconde ligne de défense est composée de cinq tours dominées par une sixième, dite la Grosse Tour (voir photo). Au centre des fortifications se trouve un donjon à pans coupés ayant la forme d'un vaisseau qui servait de poste de gue (vis. t.l.j., mars-sept.; févr., oct. e nov., j. fér. et vac. scol. Fermé déc et janv. Groupes sur dem. à Fumel)

❹ **Sauveterre-la-Lémance.** Cette bour gade est le siège d'une ancienn forteresse (XIIIe-XVe s.) ayant appar tenu aux rois d'Angleterre (on n visite pas). Dans l'église, au chœu roman, voir une très belle croix en fe forgé du XVIe s.

A 3,5 km, en suivant la vallée de l Lémance, affluent du Lot, on parvien à *Saint-Front-sur-Lémance.* Ce peti village s'enorgueillit d'une église e partie fortifiée à tour centrale, qui ren ferme un autel et un retable en pierr sculptée (1521).

❺ **Gavaudun.** On parvient au bourg situé dans la pittoresque vallée de l Lède, en traversant un défilé étroit e sinueux (les gorges de Gavaudun) au parois tapissées de roches rouges Autrefois fief de la famille de Bel sunce, le village est surplombé par le ruines d'un château, dont la construc tion s'étale du XIIIe au XIVe s. Le princi pal élément en demeure un imposan donjon crénelé, demi-cylindrique six étages, sur un escarpement ro cheux (vis. guid., fin juin-août).

❻ **Monflanquin** est une ancienne bas tide, construite en 1269 par Alphons de Poitiers sur une colline qu contourne la Lède. Des rues étroites, forte pente, bordées de maisons au toits de tuiles rondes, conduisent une belle place à cornières et à l'églis des XIVe et XVe s. Celle-ci, de styl gothique méridional, présente un façade fortifiée (XVe s.) et un portai sculpté du XVIe s.

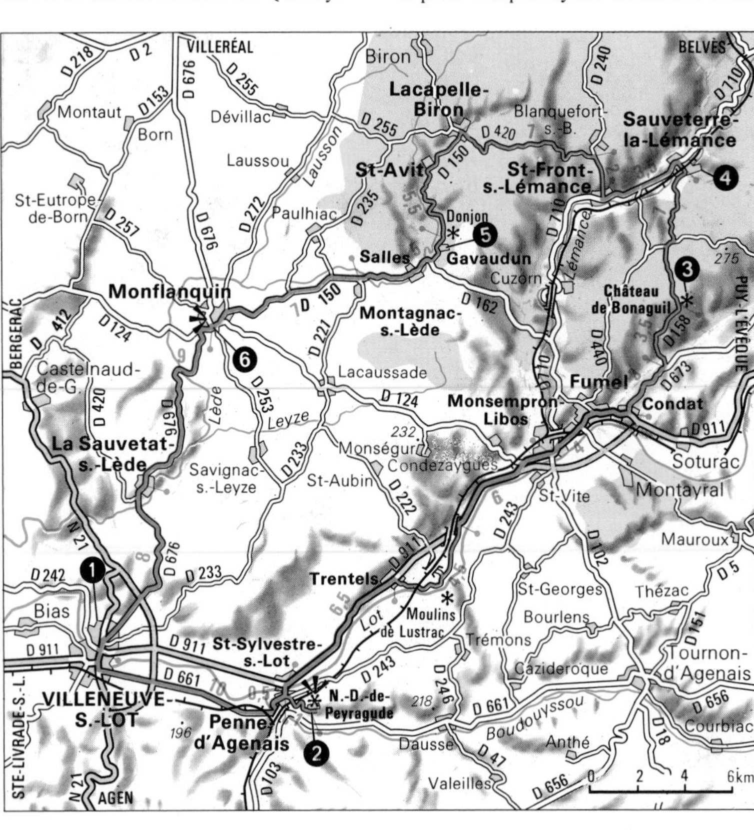

Villeneuve-sur-Lot. L'église St-Étienne bâtie au XVIIe s., est sommée d'un curieu clocher plat percé de quatre ouvertures o s'encadrent les cloches.

Château de Bonaguil. Avec ses 35 m de hauteur, la Grosse Tour, sur la deuxième ligne de défense, abritait des pièces d'artillerie à l'étage inférieur et des logements à l'étage supérieur.

En parcourant le Rouergue 90 km

A la limite occidentale du Rouergue s'offre un pays de tradition. Villes et bourgades paisibles ont conservé leurs rues étroites, leurs vieilles maisons. Ainsi se succèdent Najac, Lacapelle-Livron, Caylus. Mais les vestiges des anciennes forteresses qui les dominent, les ruines des abbayes, les églises fortifiées évoquent irrésistiblement le passé tourmenté d'une région qui fut autrefois âprement disputée.

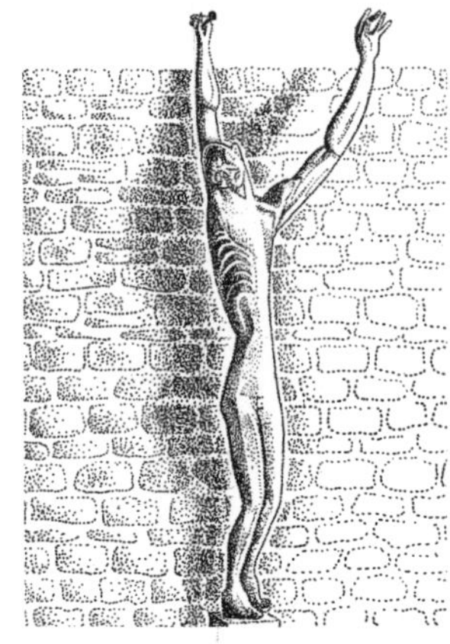

Caylus. Ce Christ dans l'église St-Jean-Baptiste est une œuvre de Zadkine, exécutée en 1954.

Lacapelle-Livron. Cette ferme est typique de l'habitat rouergat avec son pigeonnier coiffé d'un élégant toit de tuiles rouges.

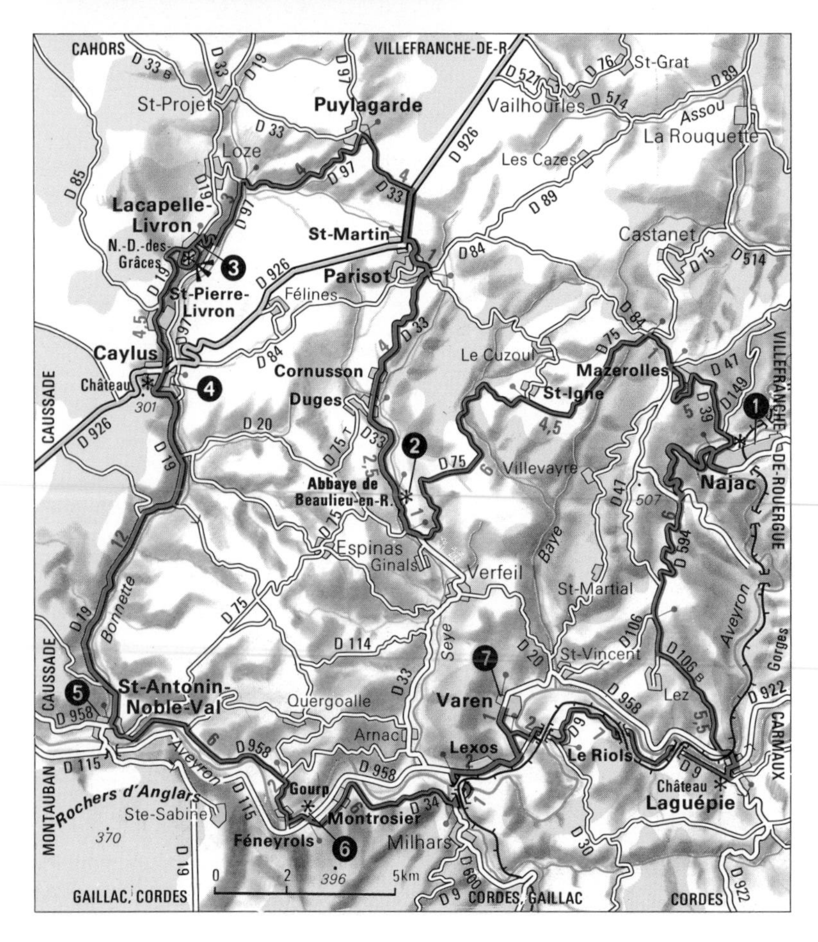

❶ **Najac.** Bâti au-dessus d'une boucle de l'Aveyron, ce bourg médiéval aligne ses maisons anciennes en une longue rue étroite et tortueuse. Voir dans l'église (XIIIe s.), à nef unique, une cage en fer forgé du XIVe s., destinée à renfermer le cierge pascal, et un grand Christ en bois du XVe s. De la forteresse du XIIIe s. (t.l.j., avr.-30 sept. ; le dim. en oct.), surplombant la cité et commandant toute la vallée, subsistent les vestiges des puissantes murailles de ses trois enceintes, des tours rondes et des salles ornées de peintures murales.

❷ **Abbaye de Beaulieu-en-Rouergue.** Dans la vallée de la Seye s'élèvent les bâtiments de cette ancienne abbaye cistercienne fondée en 1144 (vis. t.l.j., sauf mardi, des Rameaux au 30 sept.). L'église gothique (XIIIe s.) est surmontée d'une tour-lanterne octogonale. Des édifices conventuels demeurent le cellier, la salle capitulaire et le dortoir transformé en Centre d'art contemporain : expositions, concerts (mi-juin-mi-sept.).

❸ **Lacapelle-Livron** fut le siège d'une commanderie de l'ordre des Templiers. Au milieu des vieilles maisons (voir photo), on peut voir un manoir fortifié et l'église St-Sauveur, ornée d'une coupole reposant sur des colonnes aux chapiteaux rustiques.

De la *chapelle N.-D.-des-Grâces* (XVe s.), édifiée sur un promontoire, belle vue sur la vallée.

❹ **Caylus** est un gros bourg bâti au pied des ruines d'un château du XIVe s. (on ne visite pas). L'église fortifiée (XIVe s.) abrite quelques beaux vitraux anciens et un grand Christ en bois (voir dessin). Parmi les demeures gothiques de la vieille ville, on remarquera la maison des Loups (XIVe s.) et la maison natale du père Huc.

❺ **Saint-Antonin-Noble-Val** groupe ses maisons anciennes aux toits de tuiles rondes face aux rochers d'Anglars : beaucoup sont romanes, comme l'ancien hôtel de ville (XIIe s.), avec son beffroi à mâchicoulis, où est installé un petit musée de préhistoire locale, arts et traditions populaires, paléontologie (t.l. apr.-m. sauf mardi, juin-août. Vis. sur R.-V. tte l'année, tél. : 63-68-23-52). Face aux halles (XIIIe s.) s'élève une croix du XIVe s.

❻ **Gourp de Féneyrols.** Cette importante fontaine vauclusienne, aux eaux vert sombre, occupe un gour de 6 m de diamètre et de 4 m de profondeur.

❼ **Varen.** C'est par l'ancienne porte fortifiée El-Faoure (1621) que l'on pénètre dans la vieille ville groupée autour du château prioral (XIVe-XVe s.), dont le donjon à mâchicoulis (on ne visite pas) est hérissé de corbeaux. A côté, l'église romane St-Pierre (XVe s.) dresse son clocher carré au-dessus de trois nefs terminées par un chœur aux chapiteaux merveilleusement ornés.

Vallée du Cruou et causse du Comtal 40 km

A partir de Marcillac-Vallon, ce circuit permet de découvrir l'extrémité occidentale des Grands Causses rouergats. Il juxtapose, sur de courtes distances, des aspects très contrastés : falaises abruptes et versants adoucis aménagés en terrasses ; plateaux pierreux et dépressions verdoyantes ; gouffres, grottes et résurgences. L'originalité des paysages rencontrés est due avant tout à la nature de la roche.

❶ **Vallée du Cruou.** Jusqu'à la corniche calcaire qui les couronne, les versants de cette vallée sont découpés de multiples gradins limités par de petits murs qui retiennent la terre. Ces terrasses, autrefois consacrées à la culture de la vigne, sont aujourd'hui envahies peu à peu par la broussaille. Orientée d'E. en O., la vallée offre une nette dissymétrie: exposé au midi, le « Souleillal », ancien versant viticole, demeure partiellement cultivé; tourné vers le N., l'« Hiversenq », plus ombreux, est couvert par la forêt (voir aussi photo).

❷ **Reculée de Muret-le-Château.** Suivre à pied le chemin qui remonte la reculée. C'est un « bout-du-monde » ceinturé de hautes murailles criblées d'excavations; il s'ouvre seulement sur le village de Muret, que l'on aperçoit en contrebas; à l'amont, il se clôt par un amphithéâtre rocheux dont les sources alimentent un ruisseau de fort débit. Sur le bord même du chemin se succèdent deux petites grottes où l'on peut s'avancer parmi les blocs effondrés de la voûte.

❸ **Tindoul de la Vayssière.** Le Tindoul (équivalent rouergat de « gouffre ») s'ouvre au milieu d'un bois de chênes, dans la partie la plus sauvage du causse du Comtal. C'est un magnifique effondrement de 70 m de profondeur dont l'orifice mesure près de 100 m de tour (accès interdit). On peut cependant observer, en s'approchant, les parois et la base où se trouve un énorme tas d'éboulis.

❹ **Dépressions karstiques.** Peu avant la gare de Salles-la-Source, la surface dénudée du causse apparaît criblée de dolines (appelées ici « sotchs »). Ce sont des cuvettes peu profondes, circulaires ou elliptiques, dues à la dissolution du calcaire autour des points d'absorption des eaux. Tapissées d'argile rouge, elles forment de petits terroirs fertiles, parfois inondés après les pluies. La vie agricole s'y trouve concentrée.

❺ **Salles-la-Source.** Formé de trois villages étagés à mi-côte des escarpements du causse de Coucourès, Salles-la-Source est construit sur trois gradins de calcaire plaqués de tufs. Dominant la vallée du Gréneau, il est dominé à son tour par les falaises du causse du Comtal. De nombreuses grottes, qui s'ouvrent à différents niveaux, donnent accès à un dédale de galeries, véritable delta souterrain. Certaines ne coulent qu'après les pluies d'orage; d'autres sont permanentes, telle la source du Gréneau, dont les deux branches se brisent en cascades, l'une en grande partie cachée par les moulins et les usines, l'autre formant une très belle chute. A son pied se creuse une petite cavité où l'on peut se glisser pour admirer les jeux de lumière à travers le rideau liquide qui tombe de la voûte.

Vallée du Cruou. Elle est encadrée de hautes collines, modelées dans des marnes et des grès tendres, dont la teinte lie-de-vin a valu à la région son nom de « rougier ».

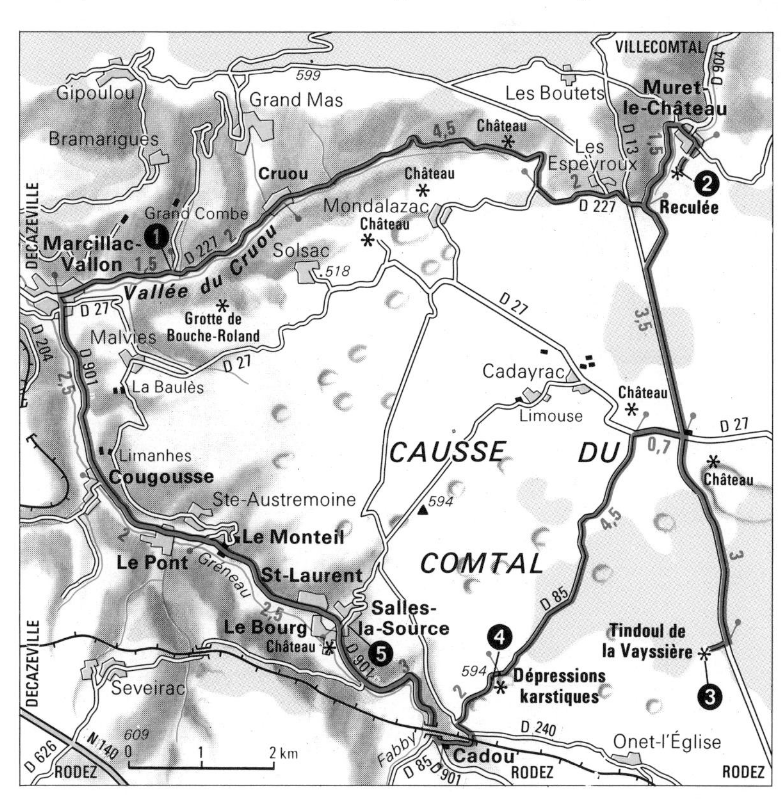

POITOU • VENDÉE
PAYS CHARENTAIS

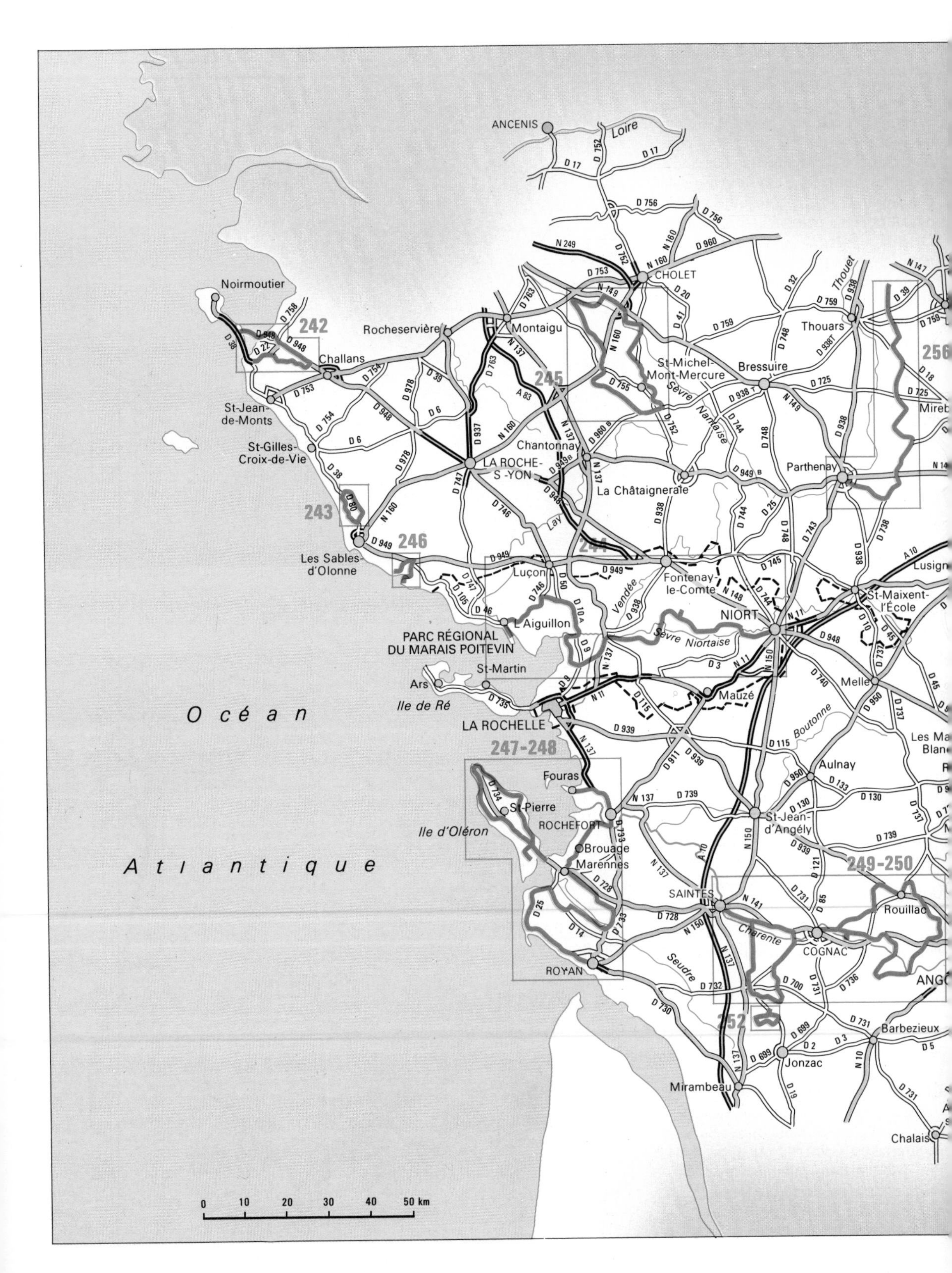

Grâce et noblesse romanes
Sable fin, dunes et pinèdes

Le Poitou, l'Aunis, la Saintonge, l'Angoumois aussi, sont riches des nuances, des contrastes, des heurts qui sont le lot des « pays d'entre deux ». La Vendée, qui enferme dans le tricot serré du bocage ses grasses prairies, ses manoirs aux toits bleutés, ses hommes de parole et de foi, appartient à l'Ouest. Le Poitou « plainaud » — un léger semis de gros villages, un réseau verdoyant de vallées où s'abritent les villes — regarde vers la Touraine. Les pays charentais, par la grâce alanguie de leurs reliefs, le charme de leurs vallées opulentes, l'orientation de leurs vignobles vers la production du « cougna », penchent vers l'Aquitaine. Somme toute, un décor placide, parce que les chocs du passé ne sont plus que des noms : Poitiers, La Rochelle, la Vendée, des donjons ruinés, ou des tombes isolées au pied de quelques cyprès ; un placide décor qui sert d'écrin à des églises romanes, d'un art peut-être inégalé, par l'équilibre des volumes, la noblesse plus ou moins ornée des façades, la pureté des nefs, l'éloquence des chapiteaux, l'harmonie des chevets, et l'élan mesuré des tours. Un décor placide qui s'ouvre, et largement, sur l'Océan, sur sa lumière changeante et souvent vive, son ensoleillement comparable à celui de la côte méditerranéenne, son vent salubre. Et quelle côte ! La plus variée, la plus séduisante des côtes plates de France, avec ses falaises basses et sauvageonnes, ses marais secs à moulins et à bourrines, ses marais mouillés où voisinent polders, salines, bassins ostréicoles, et ses longues grèves de sable fin, ourlées de dunes et pinèdes, où l'on éprouve un sentiment d'infini. Tous ces paysages se retrouvent, magnifiés par l'insularité, à Oléron, la Lumineuse, Ré, la Blanche, Noirmoutier, la Douce, Yeu, la Lointaine.

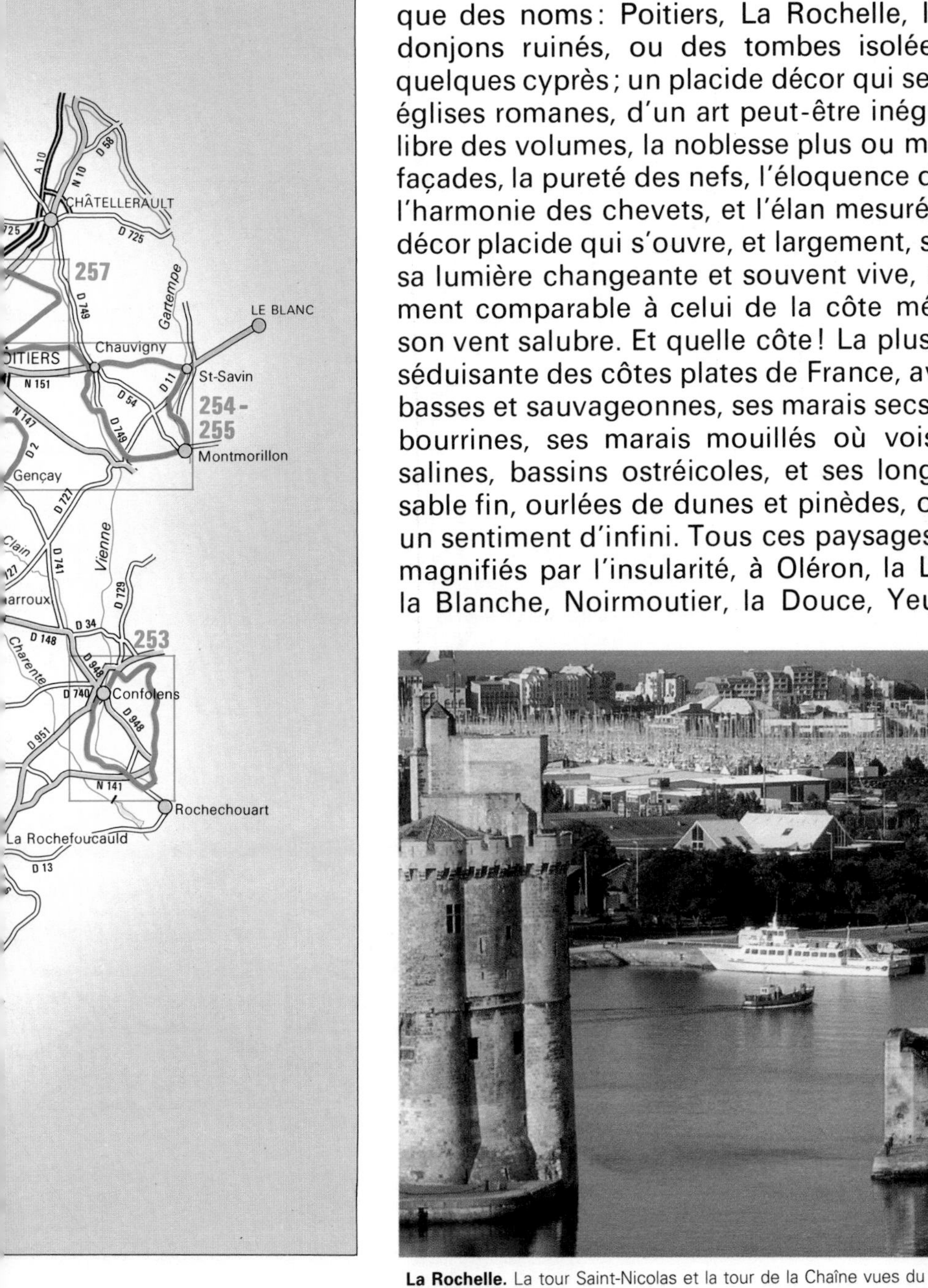

La Rochelle. La tour Saint-Nicolas et la tour de la Chaîne vues du vieux port.

Hauts lieux, trésors et paysages

Poitiers. Commencer la découverte de cette ville d'art en admirant la façade de l'église N.-D.-la-Grande. Se rendre ensuite à la cathédrale, éclairée de verrières anciennes, qui renferme des stalles du XIIIe. Toute proche, l'église Ste-Radegonde (XIe s.) abrite dans la crypte (visite libre) le tombeau de la sainte. Le baptistère St-Jean est l'un des plus anciens édifices chrétiens de France (t.l.j., sauf mardi, 1er avr.-1er nov. inclus; l'apr.-m., sauf mardi, 2 nov.-31 mars). Au musée Ste-Croix, voir la section consacrée à l'histoire du Poitou, qui présente un grand intérêt, notamment sur l'époque gallo-romaine. Passer devant l'ancien collège des Jésuites (XVIIe s.), dont on peut visiter la chapelle (ouv. en été), et l'hôtel Jean-Beaucé, aux sculptures de style Renaissance. Au palais de jus-

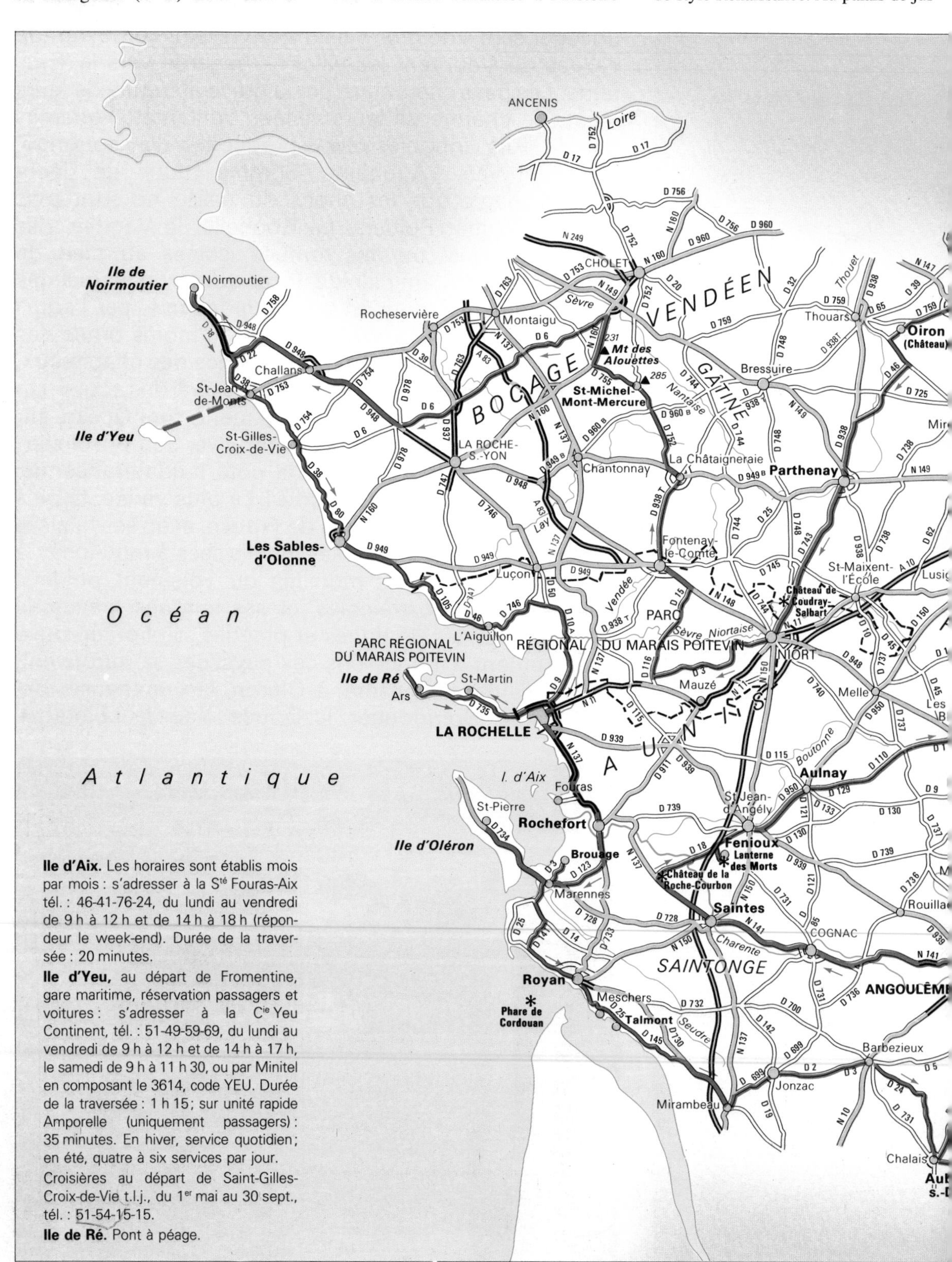

Ile d'Aix. Les horaires sont établis mois par mois : s'adresser à la S^té^ Fouras-Aix tél. : 46-41-76-24, du lundi au vendredi de 9 h à 12 h et de 14 h à 18 h (répondeur le week-end). Durée de la traversée : 20 minutes.

Ile d'Yeu, au départ de Fromentine, gare maritime, réservation passagers et voitures : s'adresser à la Cie Yeu Continent, tél. : 51-49-59-69, du lundi au vendredi de 9 h à 12 h et de 14 h à 17 h, le samedi de 9 h à 11 h 30, ou par Minitel en composant le 3614, code YEU. Durée de la traversée : 1 h 15; sur unité rapide Amporelle (uniquement passagers) : 35 minutes. En hiver, service quotidien; en été, quatre à six services par jour.

Croisières au départ de Saint-Gilles-Croix-de-Vie t.l.j., du 1er mai au 30 sept., tél. : 51-54-15-15.

Ile de Ré. Pont à péage.

tice (vis. t.l.j., sauf sam. apr.-m. et dim.), on visitera la salle des pas perdus et, exceptionnellement, la tour Maubergeon. Voir l'église St-Porchaire, du XIe s. Au 8 de la rue Descartes se trouve l'hôtel Fumé, édifié au début du XVIe s., et au 24 de la rue de la Chaîne, l'hôtel Berthelot (1529); non loin du jardin botanique, l'église St-Jean-de-Montierneuf (fin du XIe s., restaurée au XVIIe s.). Visites guidées de la ville (s'adres. à l'O.T.).

Aulnay. S'élevant au milieu d'un cimetière qui a conservé sa croix hosannière (XVe s.), l'église St-Pierre est un des plus purs joyaux de l'art roman, tant à l'intérieur, par la sculpture des chapiteaux en particulier (célèbre *frise des éléphants*), qu'à l'extérieur, où la façade S. et la façace O. montrent des voussures finement sculptées dans une pierre au ton chaud.

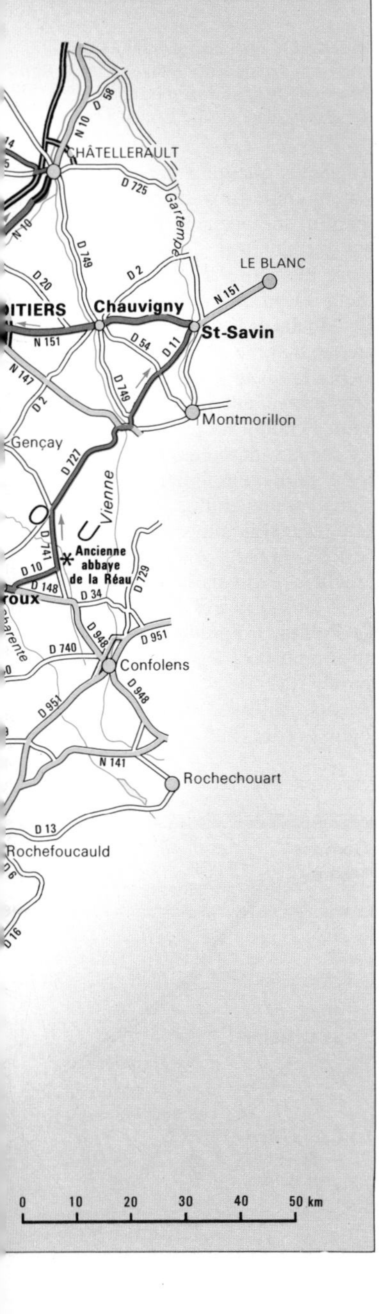

Loudun. La ville, riche en maisons anciennes, a gardé de ses fortifications la porte St-Pierre du Martray et la tour carrée du XIe s. (t.l.j., 15 juin-15 sept.; l'apr.-m., sam., dim. et j. fér. hors saison). Au musée Charbonneau-Lassay : collection d'armes, arts et traditions populaires, histoire locale, peinture (vis. comme la tour carrée). L'église Ste-Croix, désaffectée, possède encore son très beau chœur roman; peintures murales des XIIIe-XIVe s. Un musée est installé dans la maison natale (XVIe s.) de Théophraste Renaudot (t.l.j., 15 juin-15 sept.; t.l. apr.-m. hors saison).
Oiron (voir aussi itinéraire 256) possède un éblouissant château (XVIe-XVIIe s.), bâti par la famille Gouffier, dont l'un des membres, extrêmement riche, fut le modèle du marquis de Carabas de la légende. Terrasses et jardins entourent cet édifice en forme d'U, dont l'intérieur est somptueusement décoré (vis. t.l.j. Groupes sur demande écrite). Collégiale (XVIe s.) renferme les tombeaux des Gouffier.
Parthenay. La porte St-Jacques, du XIIIe s., ouvre sur la rue de Vaux-St-Jacques, bordée de vieilles maisons, qui conduit à la porte de l'Horloge et à la citadelle. On y verra l'église Ste-Croix (XIIe s.), la façade de l'église N.-D.-de-la-Couldre; de l'esplanade, panorama sur le Thouet et le quartier médiéval.
Château de Coudray-Salbart. C'est une solide forteresse du XIIIe s., remarquable par ses éléments de maçonnerie : les murs des tours ont de 3 à 6 m d'épaisseur (vis. t.l.j., sauf mardi).
Marais poitevin. Voir itinéraire 244.
Saint-Michel-Mont-Mercure. Voir itinéraire 245.
Mont des Alouettes. V. itinéraire 245.
Île de Noirmoutier (voir aussi itinéraires 123 et 242). Noirmoutier-en-l'île possède une église ainsi qu'un château (XIIe s.) intéressants. Ce dernier renferme un musée consacré à l'histoire naturelle, l'archéologie et l'histoire locale; faïences de Jersey (t.l.j., sauf mardi, mai-sept.). Il faut se promener dans le bois de la Chaise lors de la floraison des mimosas. A La Guérinière, musée des Arts et Traditions populaires (t.l.j., juill.-août; sur réserv. pour les groupes).
Île d'Yeu (voir aussi texte encadré). Elle mérite qu'on s'y attarde pour la beauté de sa côte sauvage, appréciable en particulier du sommet du donjon du vieux château des XIe-XVe s. (vis. t.l.j.). Sur la côte sauvage, se promener au port naturel de la Meule.
Les Sables-d'Olonne. Célèbre pour sa plage de 3 km, c'est aussi un port actif. Flâner dans le quartier de La Chaume, sur le remblai et la Corniche.
La Rochelle. La tour St-Nicolas (vis. t.l.j., avr.-15 sept.; sauf lundi hors saison) fait face à celle de la Chaîne (vis t.l.j., 15 févr.-11 nov.; l'apr.-m. nov.-déc.), toutes deux des XIVe et XVe s., non loin de la tour de la Lanterne, du XVe s. (t.l.j., avr.-15 sept.; sauf lundi hors saison). Par la porte de la Grosse Horloge, refaite en 1594, on pénètre dans la vieille ville; on remarquera l'hôtel de la Bourse (XVIIIe s.), le palais de justice (ne se visite pas), la maison Henri II (t.l.j., sauf sam., dim., juill.-août) et l'hôtel de ville (vis. guid., juin-sept.; sam., dim. et vac. scol. le reste de l'année). La cathédrale, de style classique, a été édifiée au XVIIIe s. par Gabriel.
Île de Ré (voir aussi texte encadré). On verra de bout en bout : le fort de la Prée (on ne visite pas); les vestiges de l'abbaye cistercienne des Châteliers; le port, les fortifications, l'église et l'hôtel de Clerjotte (t.l.j., juill.-sept.; sauf lundi et mardi hors saison) à Saint-Martin; puis les ruelles d'Ars-en-Ré, avant d'aboutir au phare des Baleines (s'adres. au gardien).
Rochefort. Voir itinéraire 247.
Brouage. Voir itinéraire 247.
Île d'Oléron. Voir itinéraire 248.
Royan. Voir itinéraire 247.
Cordouan. Voir p. 420-421.
Talmont. A l'extrémité d'un charmant village fleuri, l'église Ste-Radegonde, du XIIe s., est de type roman saintongeais; isolée sur l'à-pic des falaises, elle domine un site extraordinaire.
Aubeterre-sur-Dronne. St-Jean est une église monolithe abritant un reliquaire également creusé dans le roc, et une nécropole : une centaine de sarcophages (non datés) sont visibles au sud de la nef (t.l.j., sauf mardi).
Angoulême, édifiée sur un éperon, offre, de la promenade des remparts, de belles vues sur tous les environs. La cathédrale St-Pierre (XIIe s.), très restaurée, présente une splendide façade ornée de soixante-quinze personnages et un très beau clocher.
Saintes. Voir itinéraire 249.
Château de la Roche-Courbon. Construit au XVe s., transformé au XVIIe s., il fut sauvé de la ruine grâce à Pierre Loti (t.l.j., 16 juin-14 sept.; sauf jeudi, 15 sept.-15 juin. Fermé 15 févr.-15 mars). La décoration et l'ameublement sont de style Louis XIII et Louis XIV, magnifiques jardins (vis. tte l'année).
Fenioux. L'église, dont une partie remonte au IXe s., est intéressante, mais on remarquera surtout, à l'O., une élégante lanterne des morts.
Aulnay. Voir texte encadré.
Charroux. L'ancienne abbaye St-Sauveur a été un ensemble monastique de première grandeur. Il en reste la tour-lanterne (XIe s.), centre de l'ancienne église, et des bâtiments conventuels, avec des vestiges du tympan et un trésor (t.l.j., sauf j. fér.).
Ancienne abbaye de la Réau (XIIe-XVe-XVIIIe s.). Les ruines de l'abbatiale et la salle capitulaire du XIIe s. ne se visitent que sur rendez-vous.
Saint-Savin. Voir itinéraire 255.
Chauvigny. Voir itinéraire 255.

De la presqu'île de Beauvoir à Noirmoutier 47 km

Partant de l'ancienne île de Monts, l'itinéraire traverse le Marais breton, immergé au début de notre histoire, jusqu'à l'« île » de Sallertaine, puis fait retour à l'Océan le long de la « presqu'île » de Beauvoir. Après une incursion sur les polders récents, la traversée de la baie de Bourgneuf à gué mène à Noirmoutier (passage à mer basse). Le trajet en voiture n'exclut pas de petites excursions à pied à partir de tous les points d'arrêt.

Chaussée du Gois. Elle fut, jusqu'en 1971, la seule voie carrossable menant à Noirmoutier. On peut l'emprunter de 90 mn avant à 90 mn après la marée basse.

❶ **Plage de La Barre-de-Monts.** A l'entrée du parking, on emprunte à gauche un chemin qui traverse la dune grise puis serpente entre les oyats. Au pied du cordon, les amateurs d'entomologie pourront explorer les épaves de bois, qui abritent des insectes très particuliers. La forêt domaniale fut plantée au siècle dernier pour arrêter la progression des dunes mobiles.

❷ **Saline du Grand Pont.** Cette saline en activité est toujours ornée de son noir grenier à sel. Les curieuses soudes et salicornes, adaptées à la vie en milieu vaseux salé, poussent sur les levées qui séparent les « œillets », bassins servant à la cristallisation du sel.

❸ **Bourrine de la Gravelle.** On peut y aller en voiture, mais il est beaucoup plus agréable de marcher (45 mn AR). Le chemin rouge est bordé de canaux sinueux où grouille toute une faune d'eau douce. A l'approche du promeneur, les grenouilles sautent dans l'eau, et le vanneau huppé prend son vol. Seuls quelques canards colverts restent imperturbables. Au bout du chemin, le spectacle de la bourrine typique, au toit de chaume et aux murs blanchis, récompense le marcheur. (Voir aussi photo.)

❹ **Moulin de Rairé.** Chaque été, on le met en marche. Le meunier, qui commente la visite, oriente les ailes pour tirer le meilleur parti du vent dominant. Pendant les guerres de Vendée, les mêmes manœuvres servaient de code pour renseigner les chouans. Après avoir goûté, en sortant, les galettes maraîchines arrosées de cidre bouché, on peut voir, dans les canaux proches, évoluer la punaise d'eau entre les sagittaires.

❺ **Polders d'Époids.** Laisser la voiture au port ostréicole d'Époids, pour marcher, vers le N., jusqu'aux polders récents, cultivés, protégés par une digue bordée d'un promenoir (15 mn

Bourrine. C'était jusqu'au début du siècle la maison typique du Marais breton. Son nom vient de «bourre», mélange d'argile et de roseaux hachés dont on fait les murs.

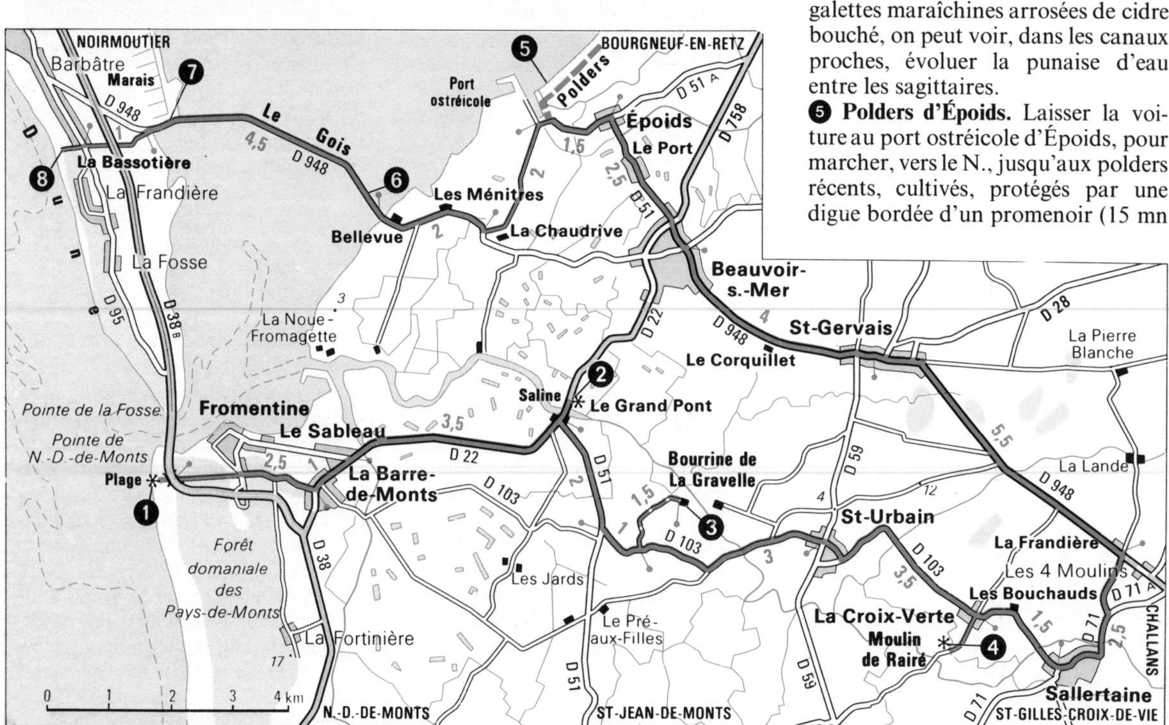

AR). De l'autre côté du chenal, on peut longer le rivage près d'un polder maintenant asséché, et observer les oiseaux qui se rapprochent à mer haute. Des bancs sableux hébergent des troupes d'huîtriers pies, que l'on reconnaît bien à la jumelle. Ces oiseaux, friands de coques et de moules, cassent les coquilles en utilisant leur bec comme un marteau.

Liseron soldanelle. Cette plante vivace aux fleurs roses se rencontre sur les sables maritimes des côtes françaises et corses.

❻ **Le Gois.** (Voir photo.) Au niveau du Gois, la baie est plus vaseuse. La vase est littéralement couverte de petits gastropodes, les hydrobias, qui font les délices de nombre d'échassiers, tels les bécasseaux maubêches.

❼ **Marais noirmoutrin.** Flâner, vers le N., sur les berges sableuses. On y découvre maints signes d'une vie cachée : doubles orifices qui laissent pointer les siphons dentelés des coques ; entonnoirs et tortillons d'un ver sédentaire, l'arénicole. Dans les endroits plus caillouteux, on récoltera quelques savoureuses palourdes. Au S. de la chaussée, le sable s'enrichit de vase et le pied s'enfonce. On restera prudemment sur le bord. (Voir aussi itinéraire 241.)

❽ **Dune de la côte ouest.** Laisser la voiture à l'entrée du bois pour aller à pied jusqu'à l'Océan. Sur la dune grise abonde l'odorante armoise entre les touffes d'immortelles. Au-delà, la dune jaune fixée par les oyats est égayée des fleurs mauves de la giroflée des dunes et du liseron soldanelle (voir dessin).

243 

Les oiseaux du marais d'Olonne 25 km

Lieu de grande activité salicole au cours des derniers siècles, le marais d'Olonne, longtemps méconnu, est une zone humide d'importance internationale. Ses anciens marais salants, espace naturel protégé, sont un lieu de reproduction ou une halte sur le chemin des migrations pour de nombreuses espèces d'oiseaux. La promenade s'effectue en voiture, avec un parcours pédestre qui fera découvrir la bordure maritime du marais.

❶ **Ileau.** Un observatoire, situé en bordure de la réserve de Chanteloup, permet de découvrir les oiseaux (t.l.j., juill.-août ; groupes toute l'année sur R.-V.). De nombreux échassiers et canards de surface font étape dans cette zone, attirés par les marais riches en nourriture.

❷ **La Salaire.** Au-delà du pont qui enjambe la Vertonne, un chemin invite à la promenade le long des bassins privés, riches en mulets et bars (pêche interdite).

Courlis cendré, ou **grand courlis.** Cet oiseau qui affectionne les prairies humides et les rivages est visible surtout en grandes troupes au moment des migrations.

❸ **Havre de la Gachère.** Laisser la voiture avant l'écluse, que l'on traverse. La dune bordière est frangée de graminées caractéristiques : chiendent, oyat..., et abrite une intéressante faune d'insectes. Le revers de la dune, tapissé d'immortelles des sables, donne sur un ancien bras de mer où l'on retrouve la végétation des vases salées. Au S. de l'écluse, de l'autre côté, on longe la plage aux galets calcaires. Après vingt minutes de marche, on franchit le cordon dunaire pour rejoindre la *forêt d'Olonne* plantée pour fixer les dunes au siècle dernier. La dune grise s'éclaire au début de l'été des fleurs du rosier pimprenelle. Les buissons de chênes verts aux formes modelées par le vent font bientôt place aux pins maritimes.

❹ **Pont de Champclou.** Il offre une vue intéressante, vers le N.-O., sur le plan d'eau des Loirs, qui héberge des avocettes en troupes importantes. Une réserve d'oiseaux a été créée dans les anciens marais salants où viennent nicher ou se reposer le temps d'une halte diverses espèces : nombreux hérons cendrés, mouettes, goélands, cormorans, cygnes, canards... En direction de

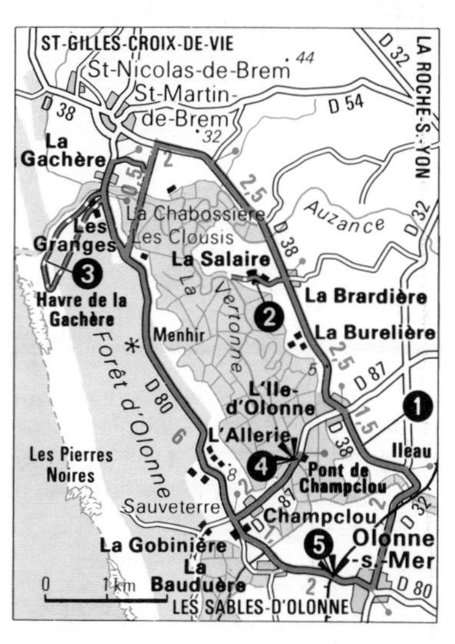

l'Ile d'Olonne, on peut voir la dernière saline en activité, facilement accessible.

❺ **La Bauduère.** A 1 km après le village, du pont qui enjambe la voie ferrée, vue d'ensemble du marais, limitée au N.-O. par les hauteurs de Brem.

Villages et abbayes du Marais poitevin 132 km

Le Marais poitevin occupe l'emplacement d'un vaste golfe marin, et, il y a deux à trois mille ans, Saint-Michel-en-l'Herm, Maillezais, Marans étaient des îles. Les horizons rectilignes du marais desséché contrastent avec les petites parcelles et la luxuriance végétale du marais mouillé, que l'on ne découvrira vraiment qu'en « plate » au printemps ou à l'automne.

❶ **Pointe d'Arçay.** Elle s'allonge de 20 m environ chaque année, vers le S., par crochets successifs de bancs de sable : ces crochets, à l'exception des plus récents, ont été plantés de pins maritimes, et l'ensemble est classé réserve nationale depuis 1951, compte tenu de l'originalité du sol, de la flore et surtout de la faune particulièrement riche en oiseaux.

❷ **Saint-Michel-en-l'Herm.** Fondée au VIIe s., l'abbaye bénédictine (vis. guid. mardi, jeudi, vendr., juill.-août) a gardé du Moyen Age une belle salle capitulaire; du chauffoir (XIIIe-XIVe s.), seules subsistent les nervures de la voûte. Le reste des bâtiments date du XVIIe s.

❸ **Anse de l'Aiguillon.** Elle représente ce qu'il reste de l'ancien golfe du Poitou, asséché, digue par digue. Les travaux commencés dès le Moyen Age, interrompus par les guerres, ont été repris au XVIIe s. : la digue la plus récente remonte à 1965. A *Port-du-Pavé*, au centre de l'anse, vue sur les digues, les polders et, à marée basse, sur les chenaux et les parcs à huîtres.

❹ **Esnandes** abrite une belle église fortifiée (XIIe-XIVe s.) aux murs épais, bretèches et chemin de ronde. A la maison de la Mytiliculture, histoire de la culture des moules depuis le XIIIe s. Pointe St-Clément, vue sur toute l'anse de l'Aiguillon.

❺ **Marans.** Cet important marché du grain est aussi un port sur la Sèvre niortaise : 23 km de canal le relient à La Rochelle, ouvrant ainsi le Marais à l'Océan. Marans fut, aux XVIIe et XVIIIe s., un port extrêmement actif et un centre de faïencerie renommé.

❻ **Maillezais.** L'église St-Nicolas est intéressante (voir dessin), mais on visitera surtout, un peu à l'écart du bourg, l'ancienne abbaye bénédictine, ruine grandiose entourée d'une enceinte fortifiée (XIe-XVIe s.); il reste le narthex et le mur N. de l'abbatiale, et des bâtiments conventuels (t.l.j., mars-15 nov.; sauf jeudi hors saison).

❼ **Marais mouillé.** (Voir photo.) Il faut s'y promener en « plate » à partir de Maillezais, Damvix, Arçais ou Coulon. *La Garette*, avec ses maisons basses blanchies à la chaux, est le type même du village de « maraîchins ».

❽ **Niort.** Du sommet du donjon (XIIe s.), vue d'ensemble sur la ville. Le musée ethnographique du Donjon : arts et traditions populaires, armes, abrite les collections archéologiques du musée du Pilori (t.l.j., sauf mardi). L'église Notre-Dame, gothique flamboyant, remaniée au XVIIIe s., renferme un beau vitrail du XVe s. En allant vers l'ancien hôtel de ville (XIVe-XVIe s.), flâner dans la rue St-Jean et les rues environnantes, où se concentrent les maisons anciennes.

Maillezais. Personnages sculptés sur les modillons de la façade de l'église paroissiale (XIIe s.) dédiée à saint Nicolas.

Anse de l'Aiguillon. L'élevage des huîtres et des moules et la pêche côtière y sont les activités principales.

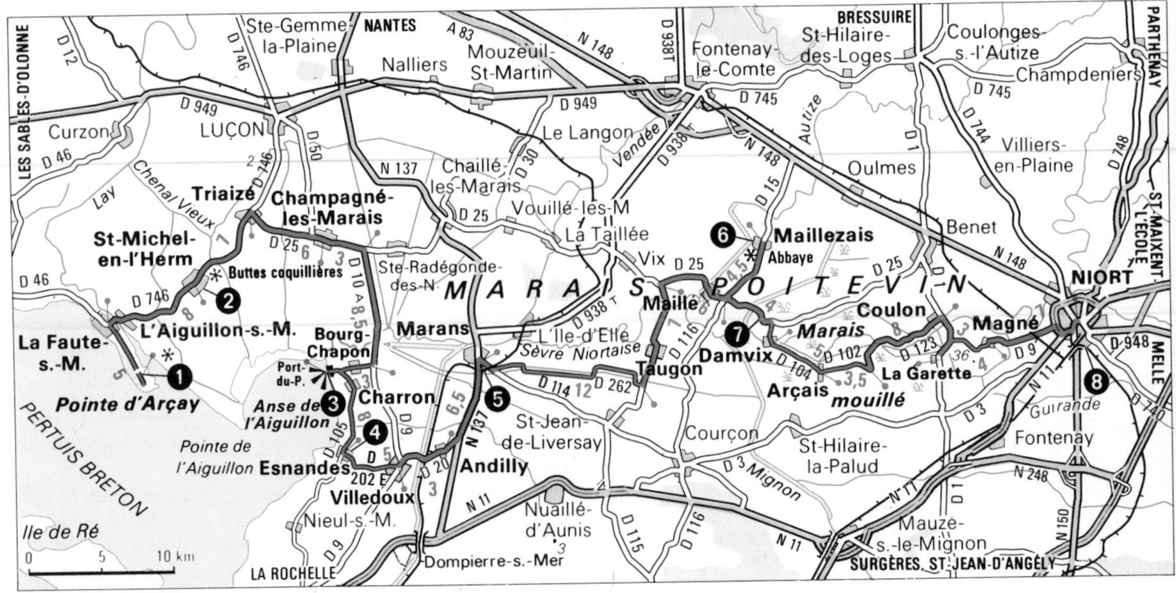

Le marais mouillé. Surnommé la Venise verte, il est sillonné d'une multitude de canaux bordés d'arbres entourant d'abondants herbages et des parcelles mises en culture.

245

A travers le Bocage vendéen

111 km

C'est la Vendée traditionnelle que l'on retrouve en parcourant le Bocage vendéen, où la vie religieuse intense et combattante a laissé maints témoignages. Le bas pays, vert et mystérieux, aux champs entourés de haies vives, coupé de vallées encaissées dans le granit sombre, est dominé par une ligne de collines orientées nord-ouest-sud-est : le haut bocage, domaine de la lande à genêts. Hauteurs et chemins creux ont énormément servi la cause des chouans contre les bleus durant la Révolution.

❶ **Tiffauges.** Trois hectares de ruines surplombant le confluent de la Crume et de la Sèvre : celles du château de Gilles de Rais. Né en 1404, ce fut un des plus vaillants compagnons de Jeanne d'Arc, mais très vite, il se mit à pratiquer la magie noire. Il tortura de nombreux enfants. Il reconnut ses crimes en 1440, et fut jugé et condamné à être pendu et brûlé. Il fut supplicié à Nantes. Du vaste ensemble (vis. t.l.j., sauf mercr., sam., dim. mat., de mars à mi-sept. ; sauf mercr. en juin ; t.l.j., juill.-août) demeurent un donjon roman, entouré d'un fossé, et les ruines de la chapelle St-Nicolas, du XIIIe s., surmontant une crypte du XIIe s. La tour du Vidame, du XVe s., mieux conservée, domine la rivière. Dans le noyau de l'escalier à vis, un conduit acoustique servait à transmettre les ordres.

Mont des Alouettes. Restaurés, ces deux moulins à vent encadrent un calvaire érigé à la même époque que la chapelle, en souvenir des guerres de Vendée.

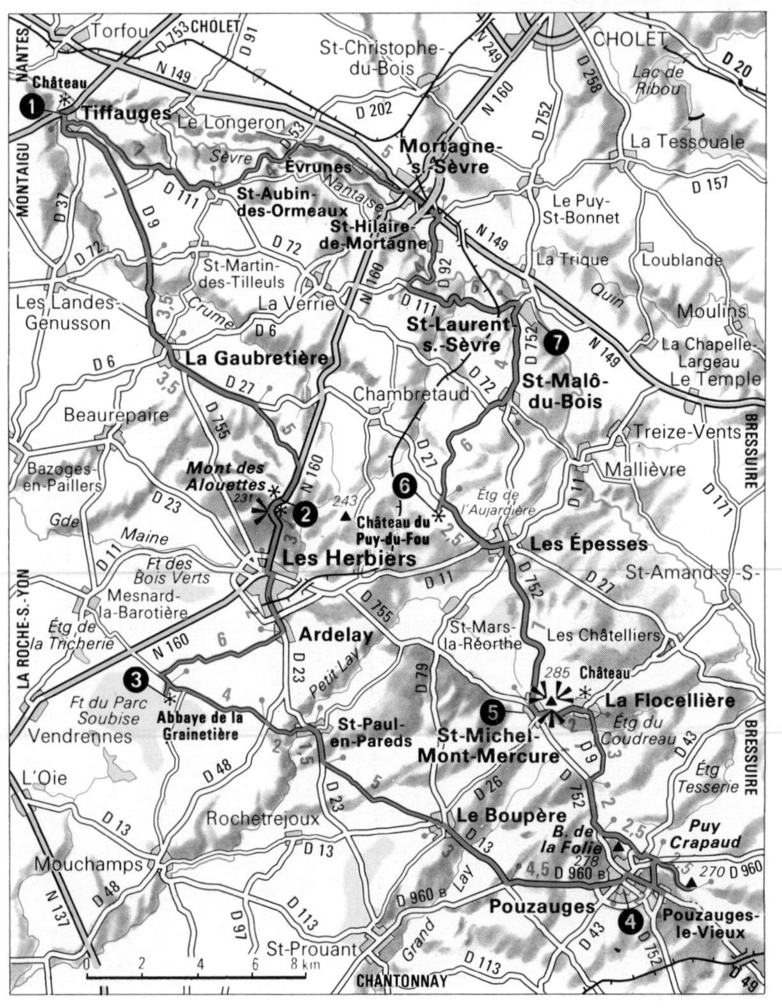

vue sur Les Herbiers et la forêt des Bois Verts. (Voir aussi photo.)

❷ **Mont des Alouettes.** Cette première étape sur les « hauteurs » vendéennes offre une vue très étendue, de Nantes jusqu'à Luçon (table d'orientation sur la terrasse d'un restaurant près du parking). Une chapelle gothique, en granit, y a été édifiée en l'honneur de l'armée catholique et royale en 1823 ; elle ne fut achevée qu'en 1968. En descendant les pentes du mont, couvertes de landes, jolie vue sur Les Herbiers et la forêt des Bois Verts. (Voir aussi photo.)

❸ **Abbaye de la Grainetière.** A l'orée de la forêt du Parc Soubise, l'ancienne abbaye bénédictine conserve un très beau cloître à colonnettes jumelées, surmonté d'un étage, une élégante salle capitulaire du XIIIe s. et, dans l'église voûtée en cul-de-four, des vestiges du transept et de l'abside (vis. t.l. apr.-midi en juill.-août et en périodes de vacances scolaires; sam. et dim. apr.-midi le reste de l'année).

Au *Boupère,* avant Pouzauges, l'église St-Pierre (XIIIe s.) possède une curieuse façade fortifiée : aux angles, des tourelles coiffées de poivrières surmontent les épais contreforts carrés. Un chemin de ronde à mâchicoulis entoure l'édifice.

❹ **Pouzauges** est situé en contrebas des plus hauts « sommets » du Bocage vendéen : le bois de la Folie — chaos de blocs granitiques qu'abrite un couvert de chênes et de sapins — et le puy Crapaud, d'où l'on découvre toute la Vendée jusqu'à l'Océan et l'alignement des hauteurs vendéennes (table d'orientation au sommet d'un ancien moulin : on ne peut y accéder que par le restaurant). Gilles de Rais fut seigneur de Pouzauges : le château qui domine la ville lui appartenait ; il en reste le donjon (XIIe s.)

dressant ses 27 m au milieu d'une enceinte de dix tours, dont il ne subsiste que les bases (on ne visite pas). L'église St-Jacques, édifice trapu en granit, date aussi du XIIe s.

A *Pouzauges-le-Vieux*, un sanctuaire roman, également en granit, s'élève au milieu d'un charmant cimetière; les dalles funéraires forment le

«Cabinet», ou «homme debout», armoire originaire de la Vendée et de la Saintonge. Les lignes Louis XV ont influencé sa décoration : sculptures et incrustations ont remplacé gâteaux et disques traditionnels.

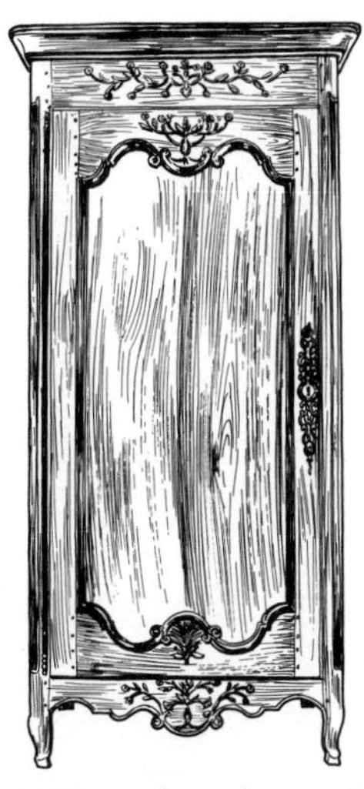

pavage de la nef, sur le mur N. sont peintes des fresques (XIIe s.) illustrant la vie de la Vierge.

❺ **Saint-Michel-Mont-Mercure.** Il est assez exceptionnel qu'un bourg ait gardé présent dans sa dénomination deux cultes qui s'y sont succédé, l'un païen, celui de Mercure, et l'autre chrétien, celui de saint Michel. Du sommet de la tour de l'église (ouv. t.l.j.), surmontée par une statue de cuivre de saint Michel, la vue sur le Bocage est saisissante. Le mont Mercure lui-même culmine à 285 m dans la chaîne qui s'étend du mont des Alouettes au bois de la Folie.

❻ **Château du Puy-du-Fou.** Construit au XVIe s., cet édifice en brique et granit se mire dans les eaux d'un étang. Un grand pavillon Renaissance renferme un escalier couvert d'un plafond à caissons et un curieux cellier (t.l.j., sauf lundi. Fermé janv. Spect. hist.). Écomusée de la Vendée.

❼ **Saint-Laurent-sur-Sèvre.** Ses nombreux clochers ont valu à la ville le titre de « ville sainte de la Vendée » ; saint Grignon de Montfort y est mort en 1716 au cours d'une de ses innombrables missions. Dans la basilique se trouve son tombeau.

Mortagne-sur-Sèvre, au bas du plateau qui domine la rive droite de la Sèvre Nantaise, possède d'agréables jardins agencés en terrasses : le château (on ne visite pas) a conservé deux longues courtines jalonnées de tours, s'étirant de part et d'autre de la grosse tour du Trésor.

Randonnées autour de Talmont 11 km 10 km

Autour du marais de Talmont, témoin d'un ancien rivage, enserré vers l'Océan par les forêts du Veillon et de la pointe du Payré, deux randonnées proposées aux bons marcheurs occuperont une journée complète. Leur ordre dépendra des horaires des marées, car le passage du gué, au village du Port, ne peut s'effectuer en toute sécurité qu'à mer basse, de préférence par beau temps. Le gué, franchi deux heures avant la mer basse, sera de nouveau traversé au plus tard deux heures après.

ITINÉRAIRE N° 1

❶ **Plage du Veillon.** Le sentier de crête mène jusqu'à Bourgenay (30 mn). Peu après les premières maisons, la falaise calcaire fait place à un bas-estran de gneiss; en revenant vers Le Veillon par le rivage, on passera donc, d'une seule enjambée, du Massif armoricain, cristallin, au Bassin aquitain, sédimentaire. Au-delà, vers le S., on marchera sur des dalles calcaires, où des dinosaures bipèdes ont laissé leurs empreintes à l'ère secondaire. A cette époque, ces roches étaient encore molles.

❷ **Zone ostréicole du Veillon** (voir photo). De retour sur la plage, on franchit la dune vive, jaune pâle, qui s'étend vers le S. avec sa végétation d'agropyres et, plus en arrière, d'oyats. On arrive à l'estuaire du Payré, en zone ostréicole. La marche vers l'amont se fait sans difficulté sur la berge ou par la dune. On emprunte ensuite le chemin qui mène jusqu'à la coopérative ostréicole (1 h AR de marche). Le retour peut s'effectuer de la même manière ou en empruntant la route du château.

ITINÉRAIRE N° 2

❶ **Salines de la Guittière.** A l'entrée du village, une route, à droite, mène vers le marais. Le premier chemin à gauche permet une belle promenade pédestre à travers les salines à végétation halophile (30 mn).

❷ **Gué du Port.** La route du Port conduit à la zone ostréicole (points de vente et restaurant). A l'aplomb de son débouché se trouve le gué. En cas de doute, le faire situer par les ostréiculteurs, toujours très aimables.

❸ **Pointe du Payré.** Après le gué, on suit la côte bordée de pins et de chênes verts. Un chemin de crête à travers la dune grise, bien fleurie au début de l'été, amène à la pointe (1 h). Tout au long, vue admirable sur l'estuaire et le bois du Veillon. Le retour se fera en suivant la plate-forme dénudée du haut de falaise. Le contraste entre le vert profond de la forêt et les couleurs chaudes des rochers donne l'impression d'un paysage méditerranéen. On longe ensuite la côte dans un splendide sous-bois de chênes verts jusqu'au chemin de la ferme Saint-Nicolas, puis on retourne au Port.

Estuaire du Veillon. On reconnaît les trois aspects caractéristiques du paysage : la dune vive, jaune pâle, les parcs à huîtres et, au fond, un bois de pins.

De La Rochelle à Royan, l'île d'Oléron

121 km · 89 km

Cet itinéraire est deux fois maritime puisque, d'une part, il longe la côte océanique, de La Rochelle à Royan, et que, d'autre part, il fait entièrement le tour de l'île d'Oléron, plus grande que l'île de Ré et l'île d'Aix réunies. C'est donc une excursion balnéaire qui propose de nombreuses étapes le long des grandes plages de sable, dans tous les grands et petits ports de cette côte adonnée à l'élevage des huîtres.

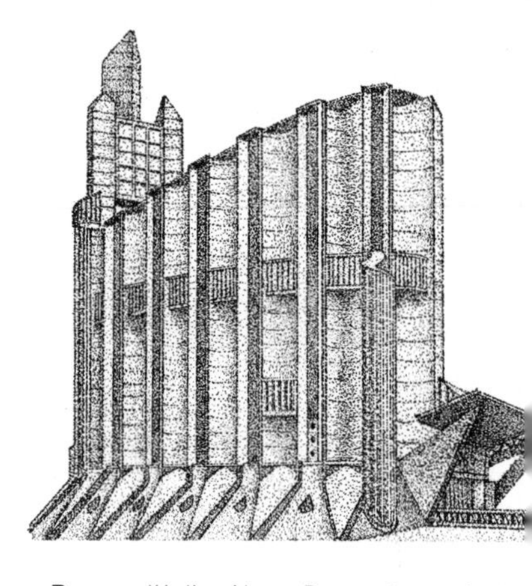

Royan, l'église Notre-Dame. Construit de 1955 à 1958, cet édifice fut conçu par Gillet, architecte du palais de la Défense à Paris. Le clocher s'élève jusqu'à 65 m du sol.

ITINÉRAIRE N° 1

❶ **Fouras** s'enorgueillit de quatre plages diversement orientées. De la forteresse, enceinte au XVIIe s. par Vauban, il reste un grand donjon (XVe s.) de 40 m de haut avec un petit musée local (ouv. t.l. apr.-m., du 15 juin au 15 sept. ; l'apr.-m. des dim. et j. fér., le reste de l'année). A la pointe de la Fumée, on peut embarquer pour l'île d'Aix (voir texte encadré p. 410).

❷ **Rochefort,** port militaire créé par Louis XIV et Colbert en deux ans, et entouré de remparts par Vauban, est

Quichenotte. Cette coiffure enveloppante protège du soleil les femmes des îles et du marais. Son nom vient, selon la légende, de l'anglais *kissnot* (« n'embrassez pas »).

Marennes. Un des nombreux chenaux du bassin de Marennes utilisés par les ostréiculteurs. Au loin, le clocher de l'église St-Pierre-de-Sales.

admirable par l'unité de son architecture. Voir la Corderie royale, la porte du Soleil, entrée de l'arsenal, et l'ensemble XVIIIe s., avec l'hôpital maritime et le magasin aux vivres. Le musée de la Marine (t.l.j., sauf mardi. Fermé 15 oct.-15 nov. et j. fér.) expose de précieux modèles réduits, des figures de proue, etc. Voir la maison de Pierre Loti (vis. guid. t.l.j., sauf mardi, dim. mat. et j. fér. ; juill.-sept., vis. à thème le mercr. à 18 h). Au musée d'Art et d'Histoire : peinture, ethnographie, histoire naturelle (t.l. apr.-m. juill.-août, sauf j. fér. ; sauf dim., lundi et j. fér. hors saison).

❸ **Brouage.** Naguère un des plus beaux ports de France, avant le fatal enlisement du havre, Brouage est gardé par un carré de remparts construits de 1630 à 1640. On prendra plaisir à les visiter (vis. guid. t.l.j., juill.-août. Groupes toute l'année). L'église, construite au début du XVIIe s., a été restaurée au siècle suivant par les Canadiens du Québec, en souvenir de Champlain.

❹ **Marennes.** L'érosion a découpé de nombreux passages entre les marais, donnant à la presqu'île l'aspect d'un chapelet d'îles. Marennes engraisse dans ses parcs des huîtres qui passent pour être les meilleures d'Europe (vis. t.l.j., 1er juin-30 sept. Groupes sur réserv., 1er avr.-30 juin et sept.). Le clocher de l'église St-Pierre, de style gothique flamboyant, se visite (t.l.j., du 15 juin au 15 sept. et sur demande le reste de l'année).

❺ **Mornac-sur-Seudre.** Le charme de ce village, qui groupe ses petites maisons blanches autour de l'église fortifiée, a séduit de nombreux artisans, qui sont venus s'y installer (visite d'ateliers, animation en été). Comme tous les villages autour de l'estuaire de la Seudre, Mornac est spécialisé dans l'élevage des huîtres.

❻ **Pointe de la Coubre.** Elle se prolonge sans cesse, et la flèche ensablée de 3 km qui délimite la Bonne Anse n'existait pas en 1850. La grande forêt de la Coubre (très endommagée par le feu en 1976) est une plantation de pins maritimes réalisée au XIXe s. sur les dunes qui bordent la plage de sable fin. Le phare (vis. toute l'année, rens. tél. : 46-22-40-19) découvre un ample panorama sur la Côte Sauvage et l'embouchure de la Gironde.

❼ **Royan.** De belles plages de sable fin, au fond des « conches », en font une station balnéaire de premier ordre. La ville a été terriblement bombardée en 1945, au point que le seul monument ancien qui reste est l'église St-Pierre, construite au XIIe s. par les templiers. L'église Notre-Dame (voir dessin), dont la nef culmine à 36 m, renferme de grandes orgues réputées. Le palais des Congrès a une structure de salle mobile, avec une façade entièrement vitrée ; le marché est couvert d'une dalle de béton ; le temple protestant mérite aussi une visite.

ITINÉRAIRE N° 2

❶ **Le Château-d'Oléron.** Le plus long pont de France (2 862 m), installé sur 45 piles, conduit à *Ors*, à 3 km du Château. La citadelle (XVIIe s.), aux murailles baignées par la mer, fut abîmée en 1945 (entrée libre. En saison, voir le musée : expos. temp.) ; sur la place centrale du bourg, d'où rayonnent toutes les rues, se trouve une fontaine Renaissance.

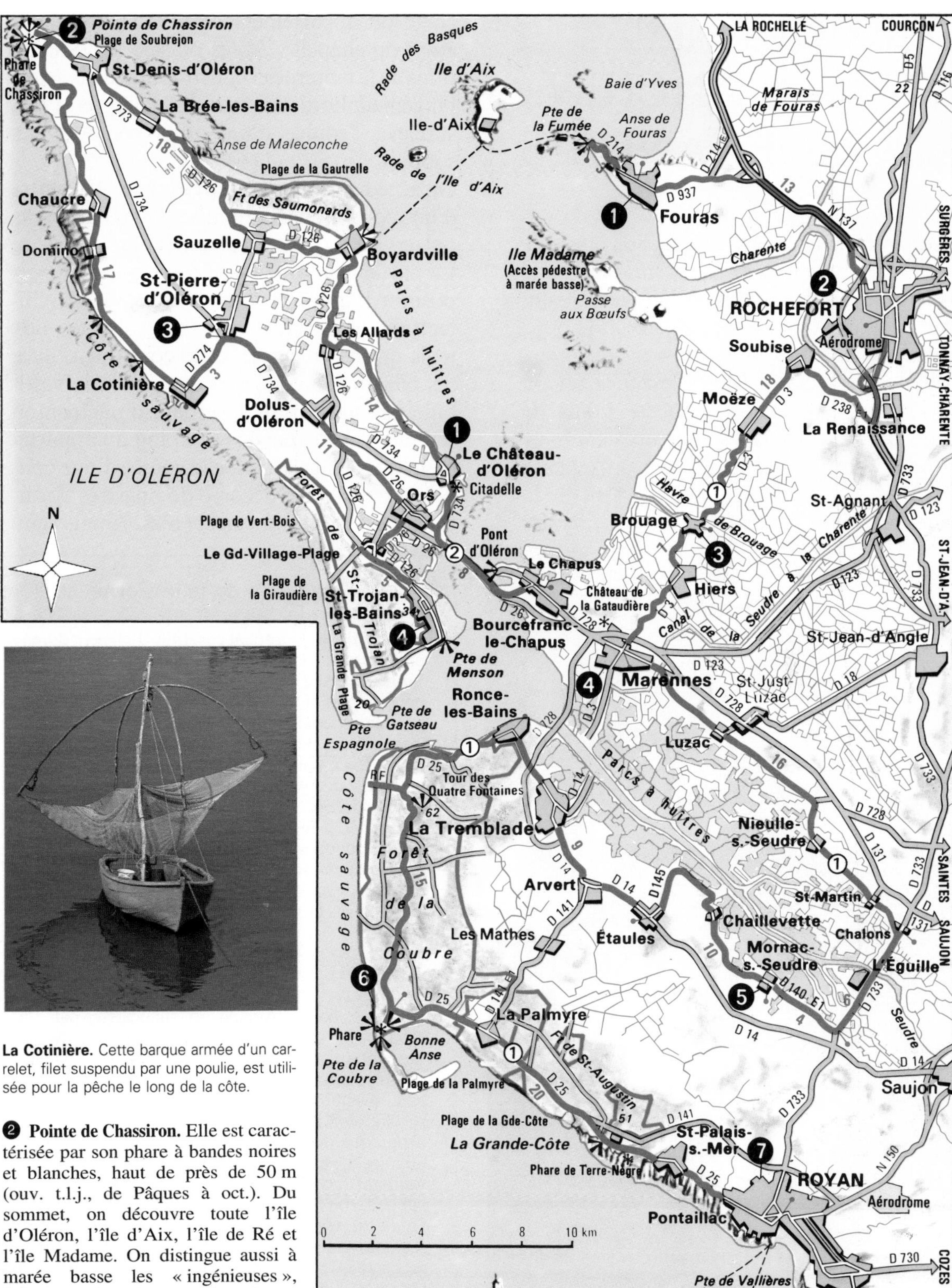

La Cotinière. Cette barque armée d'un carrelet, filet suspendu par une poulie, est utilisée pour la pêche le long de la côte.

❷ **Pointe de Chassiron.** Elle est caractérisée par son phare à bandes noires et blanches, haut de près de 50 m (ouv. t.l.j., de Pâques à oct.). Du sommet, on découvre toute l'île d'Oléron, l'île d'Aix, l'île de Ré et l'île Madame. On distingue aussi à marée basse les « ingénieuses », écluses qui retiennent le poisson quand la mer s'est retirée. En face de Saint-Pierre-d'Oléron, le charmant petit port de *La Cotinière* est très animé (voir aussi photo).

❸ **Saint-Pierre-d'Oléron.** Le clocher octogonal de l'église, construit en 1776, a été peint en blanc pour servir d'amer. Lanterne des morts dans l'ancien cimetière ; haute de 20 m, elle date des XIIe et XIIIe s. On passera devant la *Maison des Aïeules*, où Pierre Loti adolescent venait en vacances, et dans le jardin de laquelle il est enterré. Une salle lui est consacrée au musée Aliénor-d'Aquitaine (ouv. t.l.j., sauf dim. et j. fér., du 15 juin au 15 sept. et à Pâques). Voir aussi le Fort Royer, centre ostréicole (vis. guid., t.l.j., juill.-août ; lundi, mercr., sam. à 15 h, 15-30 juin et 1er-15 sept. Groupes sur R.-V.).

❹ **Saint-Trojan-les-Bains,** face à la mer, s'adosse à la très belle forêt domaniale qui porte son nom : 1 867 ha, dont 92 % semés en pins maritimes, accompagnés de chênes verts : nombreux sentiers pédestres (sorties organisées par l'O.N.F.). De la *pointe de Menson*, vue sur le port de Saint-Trojan, le continent et la Seudre.

CORDOUAN, LE PLUS ANCIEN PHARE FRANÇAIS

Gardien de l'entrée de la Gironde, le phare de Cordouan a été construit sur un banc rocheux, à 12 km en mer du port de Royan. Dès le Moyen Age, une tour s'élevait là pour guider les bateaux à travers les dangereux courants des passes. Mais c'est à la fin du XVIe s. que l'ingénieur-architecte Louis de Foix, qui venait de déplacer l'embouchure de l'Adour, remplaça cette tour par un superbe belvédère Renaissance, dont il reste encore la plate-forme, le rez-de-chaussée, le premier étage ou appartement du Roi et le second étage ou chapelle. Après plusieurs modifications de la lanterne et construction de la jetée, l'ingénieur bordelais Joseph Teulère, en 1788, suréleva l'édifice d'une tour conique très sobre.

On accède au phare à marée basse. Au centre d'une cour circulaire bordée par les bâtiments de service se dresse la tour haute de 66 m. La partie primitive est décorée par la superposition harmonieuse de deux ordres d'architecture : le dorique, avec ses colonnes aux trois quarts engagées, et le corinthien, avec ses pilastres jumelés. On entre dans le vestibule par un portail surmonté d'un fronton sculpté. Un escalier à vis conduit à l'appartement du Roi et à la chapelle voûtée d'une coupole à caissons et décorée de pilastres corinthiens. En réalité, aucun roi n'est jamais venu

Évolution de la lanterne

1. En 1611, le phare était constitué d'un petit dôme à huit baies fermées de vitraux. Dans un bassin placé sur un piédestal en bronze, on brûlait un mélange de bois, de poix et de goudron. La fumée était évacuée par une pyramide creuse de 6,50 m de hauteur. Le feu était à 37 m au-dessus des plus hautes mers.
2. En 1645, une violente tempête détruisit la pyramide et le dôme ; ce dernier fut rétabli en 1664, et le combustible fut remplacé par du blanc de baleine.
3. En 1717, on démolit la lanterne, car les piliers étaient attaqués par l'huile enflammée ; en 1727, on installa une lanterne en fer qui contenait un réchaud à charbon de terre.
4. Le premier feu à réverbères paraboliques vit le jour en 1782. Puis, en 1790, l'ingénieur Teulère, après avoir rehaussé le phare à 60 m au-dessus des plus hautes mers, mit au point le premier feu tournant à réverbères paraboliques ; il était constitué de lampes à huile, ou becs d'Argand, et manœuvré par une machine construite par Mulotin, horloger à Dieppe. Le combustible était un mélange de blanc de baleine, d'huile d'olive et d'huile de colza.
5. L'invention des lentilles à échelon par Fresnel révolutionna complètement l'éclairage des phares, et, depuis, il n'y eut que des améliorations de détails. Le premier appareil lenticulaire de Fresnel à système tournant fut expérimenté à Cordouan en 1823. La lampe à trois mèches concentriques, approvisionnée à l'huile de colza au moyen d'une pompe aspirante et foulante, était placée au « plan focal » de l'appareil.
6. En 1854, la lanterne fut agrandie pour y loger un nouveau système à anneaux catadioptriques. De l'huile minérale alimentait le feu tournant à éclipses. En 1859, le feu fut coloré en deux secteurs (blanc et rouge) ; un secteur vert y fut ajouté en 1927. En 1896, le feu fut rendu fixe, au moyen de huit lentilles d'horizon de 0,92 m de distance focale. En 1907, le gaz de pétrole a succédé à l'huile minérale.
6 bis. En 1948, l'électrification fut réalisée au moyen de deux groupes électrogènes autonomes (trois en 1976), reliés à une lampe de 6000 W. Le feu fixe, transformé en feu à occultations avec trois secteurs colorés, est situé à 60,30 m au-dessus des hautes mers.

séjourner au phare de Cordouan et « l'appartement du Roi » ne fut aménagé qu'en 1664 par Colbert. Néanmoins, le phare a été conçu à la gloire de la monarchie ; partout l'accent est mis sur le caractère sacré du roi. La chapelle est couverte d'emblèmes : on remarquera les écussons aux armes et aux chiffres d'Henri III et d'Henri IV, et, au-dessus de la porte d'entrée, une inscription latine à la gloire de Louis XIV et de Louis XV. A l'intérieur du cône de Teulère se trouvent la chambre de quart et la lanterne. Avant l'électrification, en 1948, on y montait les combustibles au moyen d'une poulie.

Le phare est accessible de Royan et de la pointe de Grave (Port Bloc). Liaisons en vedettes : d'avril à octobre (rens. tél. : 56-09-62-93) ; promenade jusqu'au phare tous les matins en juillet, août et début septembre, visites (rens. tél. : 46-05-29-91).

Portique d'entrée de la tour avec, au centre, le passage menant au vestibule. Il est composé de quatre colonnes doriques surmontées d'un fronton et de deux demi-frontons. Le tympan du fronton central ainsi que l'attique sont décorés de rinceaux, de canons et d'étendards.

La vallée de la Charente 82 km 107 km

Croisant les chemins de Saint-Jacques-de-Compostelle, cette promenade nous entraîne au long de la vallée de la Charente, bordée de vertes prairies et dont le charme l'avait fait baptiser « le plus beau fossé du royaume » par Henri IV. A travers la Saintonge et le pays de Cognac, où le vignoble produit des eaux-de-vie célèbres dans le monde entier, villes et villages se succèdent, révélant les trésors de l'art roman que sont les églises de pierre blonde aux façades et chevets abondamment sculptés.

ITINÉRAIRE Nº 1

❶ **Saintes.** L'arc de Germanicus, l'amphithéâtre, les thermes de saint Saloine et le Musée archéologique (vis. libre, groupes sur R.-V.) permettront d'évoquer la ville gallo-romaine. Le Moyen Age nous a laissé l'église St-Eutrope, remarquable pour sa crypte (voir photo), l'abbatiale de l'abbaye aux Dames (XIe s.), qui porte de superbes sculptures sur les voussures de son portail (voir aussi photo). La vieille ville s'étend dans la boucle de la Charente, autour de la cathédrale. Un hôtel du XVIIIe s. abrite le musée d'art régional Dupuy-Mestreau (t.l.j., sauf mardi. Hors saison sur R.-V.) : arts et traditions populaires, reconstitution d'un intérieur saintongeais, faïences des XVIIIe et XIXe s., instruments de musique; le musée des Beaux-Arts (t.l.j., sauf mardi) est installé dans le présidial (XVIIe s.).

En côtoyant la rivière, sous une falaise crayeuse au niveau de Port-Hublé, on parvient à *Chaniers*, qui possède une église romane originale.

❷ **Pons.** Du haut des 30 m du donjon (XIIe s.), panorama sur la ville et la campagne environnante. Les autres bâtiments de l'ancien château datent du XVe au XVIIIe s. (vis. t.l.j., du 15 juin au 15 sept.). L'église St-Vivien montre une intéressante façade romane. Réduit aujourd'hui à l'état de porche sous lequel la route de Bordeaux mène hors de la ville, le passage de l'Hôpital, seul vestige de l'« hôpital neuf », abritait au Moyen Age les pèlerins et les malades attendant leur admission; belle porte sous la voûte.

Reconstruit pierre par pierre à son emplacement actuel, le *château d'Usson*, Renaissance, est doté d'une jolie cour intérieure.

Alambic. Il est composé d'une chaudière, où sont chauffés les vins, d'un col-de-cygne, où passent les vapeurs, et d'un serpentin réfrigéré, où elles sont refroidies.

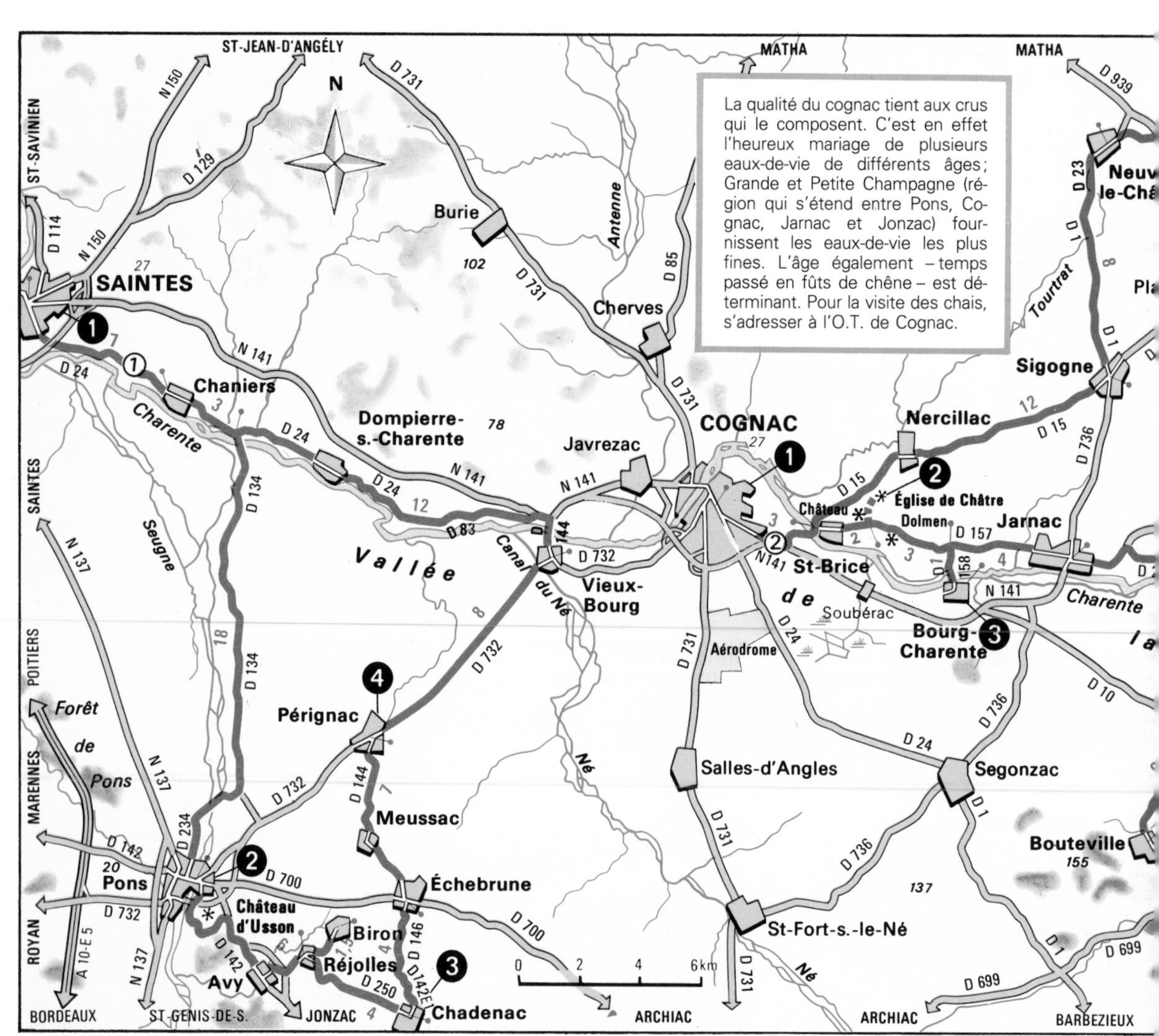

Saintes. La crypte de St-Eutrope, ample et trapue, est éclairée par des fenêtres au ras du sol extérieur ; elle abrite le sarcophage-reliquaire (IVe s.) de saint Eutrope.

Saintes. Le clocher de l'église Ste-Marie de l'abbaye aux Dames s'élève à la croisée du transept ; il est surmonté d'une flèche conique à écailles « en pomme de pin ».

❸ **Chadenac.** Sculpture et imagination religieuse triomphent, dans la représentation du thème du Bien et du Mal, sur les sept voussures du portail, les chapiteaux et les arcatures latérales de la façade de l'église St-Martin, construite au XIIe s.

A *Échebrune*, l'élégante façade O. de l'église St-Martial est ornée de sculptures effectuées à partir de motifs presque exclusivement floraux.

❹ **Pérignac.** La façade O. de l'église St-Pierre (XIIe-XIIIe s.) comporte une remarquable série de sculptures romanes : les Apôtres et la Vierge, les Vertus et les Vices, etc.

ITINÉRAIRE N° 2

❶ **Cognac.** Cette ville est célèbre dans le monde entier comme centre de production des eaux-de-vie qui portent son nom (voir texte encadré). La porte St-Jacques ouvre sur la vieille ville et l'ancien château des Valois, où naquit François Ier ; depuis 1795, les chais de la maison Otard y sont installés (vis. t.l.j., du 1er avr. au 30 sept. ; sauf sam., dim., et j. fér. le reste de l'année). Au long des rues, on découvrira d'agréables logis – telle la maison de la Lieutenance, à pans de bois – ou de nobles demeures des XVIe et XVIIe s. rues Magdeleine, de l'Isle-d'Or, Saulnier, de Lusignan, etc. Tout près des frondaisons du parc François Ier, dans l'hôtel Dupuy-d'Angeac, le Musée municipal expose des collections sur les arts et traditions populaires, le cognac, la peinture (t.l.j., sauf mardi, juin à fin sept. ; t.l. apr.-m., sauf mardi, le reste de l'année).

❷ **Église de Châtre.** L'église abandonnée est un des plus spectaculaires exemples d'art roman en Saintonge (voir photo). Le château de Garde-Épée (XVIIe s.), tout à côté, ne se visite pas. A 500 m, près du bord de la route, se dresse le *dolmen de Garde-Épée*.

❸ **Bourg-Charente.** L'église du village (XIIe s.) présente un style roman sans apport extérieur, sinon une belle peinture gothique (fin du XIIIe s.) sur un mur de la nef. A la sortie du bourg en direction de Soubérac, un chemin longe sur 1 km la plus haute corniche de la Charente : vue au S. sur la champagne de Cognac.

A la sortie de *Triac*, une pyramide se dresse à l'endroit où Montesquiou tua le prince de Condé, en 1569, lors de la bataille de Jarnac entre catholiques et protestants.

❹ **Bassac.** L'abbatiale St-Étienne appartient à un monastère fondé au XIe s. La partie haute de son chevet comporte un système défensif. Le clocher roman, carré, à quatre étages légèrement en retrait les uns des autres, est terminé par un cône de pierre ; à l'intérieur, mobilier du XVIIIe s. Les bâtiments conventuels ont été reconstruits (XVIIe-XVIIIe s.).

Au milieu des vignes, *Bouteville* est dominé par les ruines imposantes d'un château du XVIIe s., au pied duquel on voit encore les restes d'un prieuré des XIe et XIIIe s.

❺ **Châteauneuf-sur-Charente.** Bien située sur les coteaux de la rive gauche de la rivière — la vue en est plaisante à

Église de Châtre. Sa façade, encadrée de hautes colonnes formant contreforts, est composée de deux étages à arcatures aveugles surmontant un portail sans tympan.

partir du pont —, la ville garde une belle église romane aux chapiteaux finement sculptés, comme le sont aussi le portail et la corniche.

❺ **Saint-Cybardeaux** jouit d'un site agréable sur les bords de la Nouère. Ce vieux village possède une église en partie romane, nantie de sculptures symboliques. Mais il faut voir surtout, au hameau des *Bouchauds* (route balisée), un théâtre gallo-romain de 105 m de diamètre, conçu pour 5 000 à 6 000 spectateurs (vis. libre).

A *Neuvicq-le-Château*, la mairie occupe, sur un rocher, le château, bâti au XVe s. et remanié au XVIIe.

251

Promenade vers la forêt de la Braconne 44 km

Près d'Angoulême, l'itinéraire parcourt un plateau calcaire très accidenté, entrecoupé au nord par une vallée étroite et sinueuse, la Grande Combe. On pourra observer les principaux phénomènes karstiques tels que résurgences, grottes aux curieuses concrétions, gouffres et fosses ; les sols les plus pauvres portent de belles futaies de chênes — chêne pubescent ou chêne noir, le mieux adapté à la sécheresse relative du sol.

❶ **Sources de la Touvre.** (Voir photo.) Situées au pied d'un escarpement calcaire, les sources de la Touvre constituent l'une des résurgences les plus importantes de France. Parmi les trois sources principales, le Bouillant est le tourbillon le plus spectaculaire. Cette résurgence s'explique par l'abondance des écoulements souterrains qui, par des circuits mal connus, concentrent les eaux des plateaux orientaux (pertes du Bandiat). L'emplacement exact des sources coïncide avec un grand accident (faille) qui affecte les roches calcaires et favorise la montée de l'eau.

❷ **Grottes du Quéroy.** A 3 km du village du même nom, les grottes du Quéroy, qui ont longtemps servi d'abri aux hommes, présentent des concrétions calcaires aux formes originales. Stalactites et stalagmites constituent les principales curiosités de la galerie supérieure (dim. apr.-m., avr.-oct. ; t.l.j., 15 juin-début sept. Groupes sur R.-V., tél. : 45-70-38-14. Fermé nov. à avr.).

❸ **Fosse de l'Ermitage.** Toujours près du Quéroy, mais au N., un ensemble de trois profondes dépressions, « les trois fosses », perce la surface pierreuse des plateaux calcaires. La plus excavée, celle de l'Ermitage, est particulièrement spectaculaire. Un sentier balisé permet de descendre sans aucun risque au fond de ce « gouffre », à 40 m au-dessous de la surface des plateaux. C'est vraisemblablement l'effondrement du toit d'une vaste salle souterraine qui est à l'origine de cette profonde dépression.

Hêtre. Cet arbre de haute taille peut vivre jusqu'à 140 ans. Son bois est utilisé pour faire des traverses de chemin de fer.

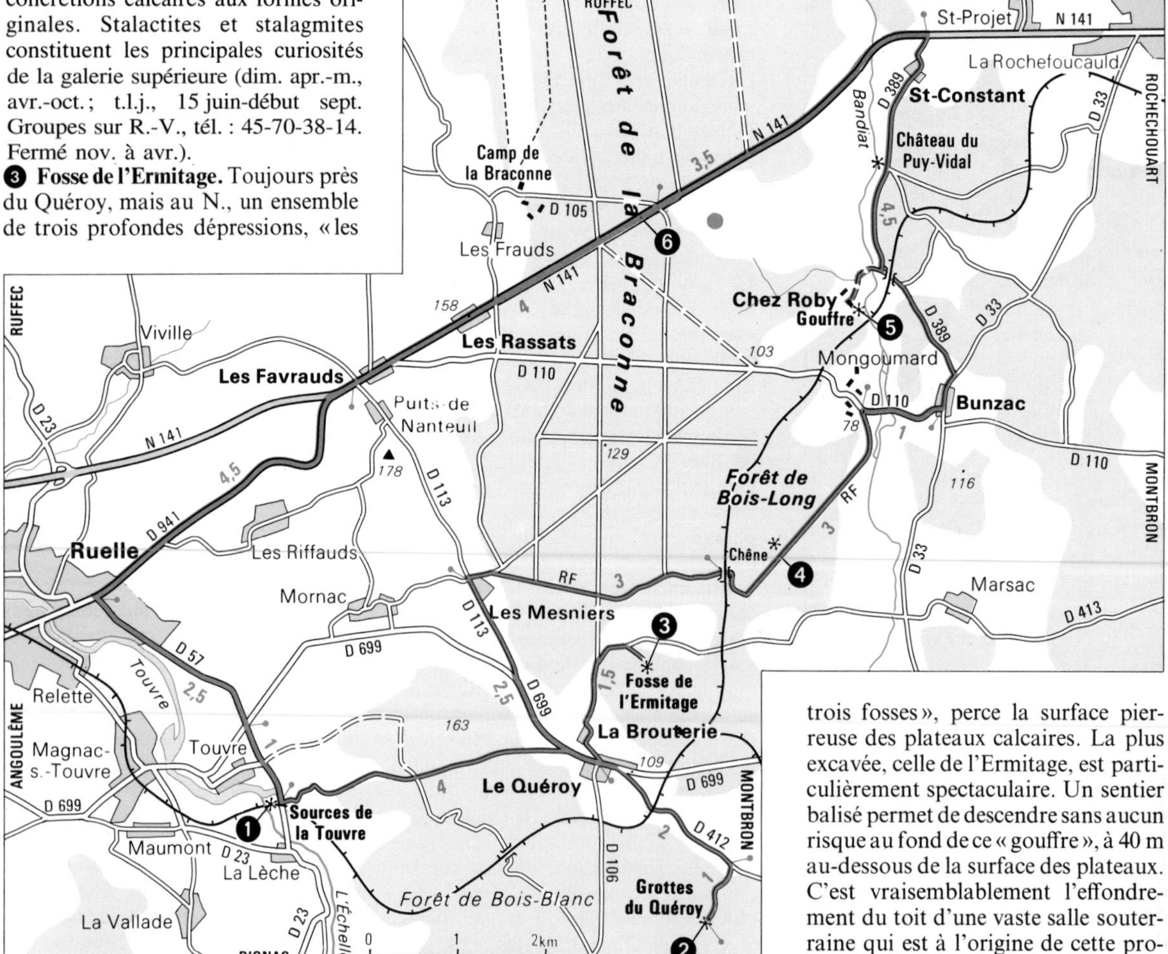

Sources de la Touvre. D'un niveau relativement constant, elles alimentent une véritable rivière, alors qu'à l'amont la vallée de l'Échelle n'est drainée que par un ruisseau.

❹ **Forêt de Bois-Long.** Annexe de la forêt de la Braconne, elle a été aménagée, et plusieurs aires de détente peuvent être utilisées, pour le pique-nique en particulier. Elle est exploitée en futaie, où subsistent des arbres plus que centenaires, tel le chêne Allaire, vieux de plus de 200 ans (à gauche de la route forestière).

❺ **Gouffre de Chez Roby.** A la sortie de Bunzac, on redescend dans la vallée du Bandiat en empruntant un vallon sec (sans drainage superficiel apparent). Il faut alors franchir le Bandiat et, immédiatement après le pont, prendre à pied un chemin de terre, sur la gauche de la route, qui permet d'atteindre le gouffre de Chez Roby. Il s'agit d'une des dernières pertes du Bandiat, qui, après qu'il a quitté le Limousin, s'appauvrit progressivement. Ce gouffre ne fonctionne pas lors des périodes de sécheresse, car les eaux de la rivière ont disparu plus à l'amont pour alimenter la résurgence de la Touvre.

❻ **Forêt de la Braconne** (4000 ha). Elle constitue le plus vaste et le plus beau massif forestier de la Charente. C'est le type même de la forêt de l'O. de la France, peuplée de chênes, mêlés de quelques charmes et de hêtres (voir dessin); érables et pins sylvestres sont introduits en plantation.

A pied dans la vallée du Trèfle

14 km

Le Trèfle, affluent de la Seugne, est une petite rivière dont le cours, en Champagne charentaise, suit approximativement l'orientation de celui de la Charente. Une promenade à pied, d'une durée de trois heures environ, permettra d'apprécier, surtout en été, le calme et la fraîcheur de la basse vallée de ce gros ruisseau, établie un peu à l'écart des pays du cognac, à une dizaine de kilomètres au nord de Jonzac.

❶ **Pont de Garlat.** En partant de Saint-Georges-de-Cubillac, où l'on peut laisser la voiture, on franchit le Trèfle à Garlat. Les prairies, « la Prés » dans la région, occupent le fond humide de la vallée. La verdure et les boisements contrastent avec les champs découverts traversés avant.

❷ **Rochers de Saint-Grégoire-d'Ardennes.** La rive droite du Trèfle présente un versant escarpé qui entaille des bancs de calcaire massif. Mais de telles falaises sont en grande partie l'œuvre d'un ancêtre du Trèfle qui, en creusant sa vallée, a modelé de véritables surplombs. Le ruisseau actuel aurait été incapable de fournir un tel travail. Il faut donc imaginer une rivière plus puissante et bien alimentée, ce qui ne correspond pas aux conditions climatiques d'aujourd'hui.

❸ **Ancienne carrière.** En remontant un vallon boisé en direction de Marignac, on rencontre une carrière de sables jaunes. Ce dépôt, d'origine marine, a un âge voisin de celui des calcaires de la vallée du Trèfle.

❹ **Point de vue d'Usseau.** On peut s'arrêter juste avant le village, sur l'un des rares promontoires de la région. En direction de l'E. et du S., on découvre les pays de « champagne » (champs ouverts), où les cultures céréalières occupent plus d'espace que les vignes. Quelques coteaux limitent le paysage vers le S.-E., et une longue dépression non drainée s'étire vers le S. Elle correspond vraisemblablement à un ancien cours de la Seugne.

❺ **Les Terriers de Cordis.** Dès la sortie d'Antignac, mais surtout aux Terriers de Cordis, les boisements sont constitués essentiellement de chênes verts. Il s'agit d'une formation naturelle qui se maintient ici en raison du milieu climatique original, assez proche sans doute de celui qui a permis au chêne vert de migrer vers le N., en dehors des régions méditerranéennes actuelles. Cette extension de la flore méridionale s'est peut-être réalisée il y a 5000 ans environ, lors de l'optimum climatique « atlantique ». La douceur relative des hivers, la luminosité et la sécheresse de l'été, des sols peu épais et caillouteux sur certains versants se conjuguent pour créer une ambiance favorable au maintien du chêne vert au N. du Bassin aquitain.

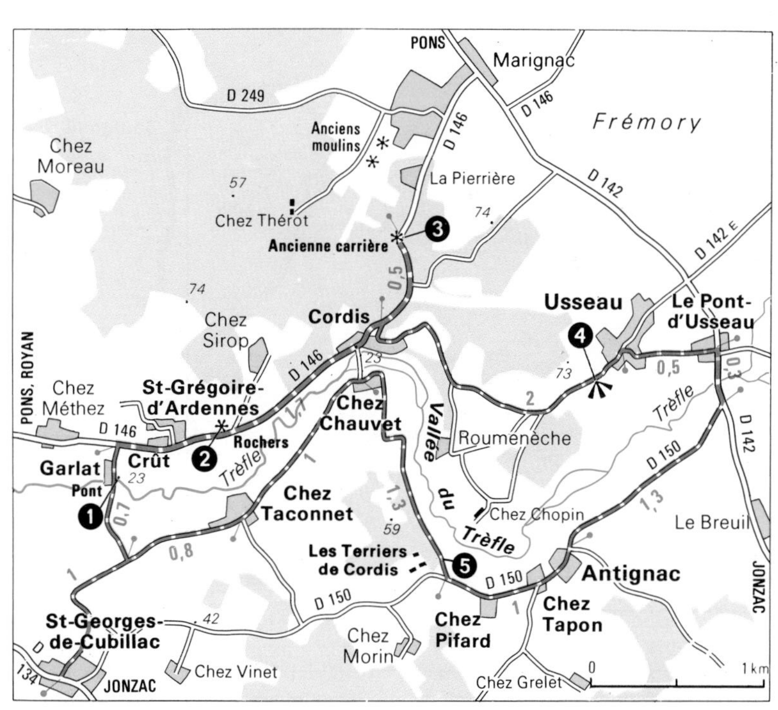

A la découverte du Confolentais 76 km

Au long de la vallée encaissée de l'Issoire et du cours de la Vienne, qui s'inscrit dans une gorge attirante et pittoresque, l'itinéraire nous invite à découvrir le Confolentais, pays situé au carrefour du Poitou, du Limousin et de l'Angoumois. Aux plateaux boisés — bois du Chambon —, sur la marche occidentale des monts de Blond en Limousin, succède un bocage frais et riant, tourné vers l'élevage, et qui annonce déjà les larges vallées au sol fertile du seuil du Poitou. L'occupation ancienne du pays a laissé maintes traces architecturales qui font la richesse du Confolentais.

Lesterps. Le narthex de l'abbatiale St-Pierre, situé sous le clocher-porche de plan carré, est décoré de frustes chapiteaux en pierre grise.

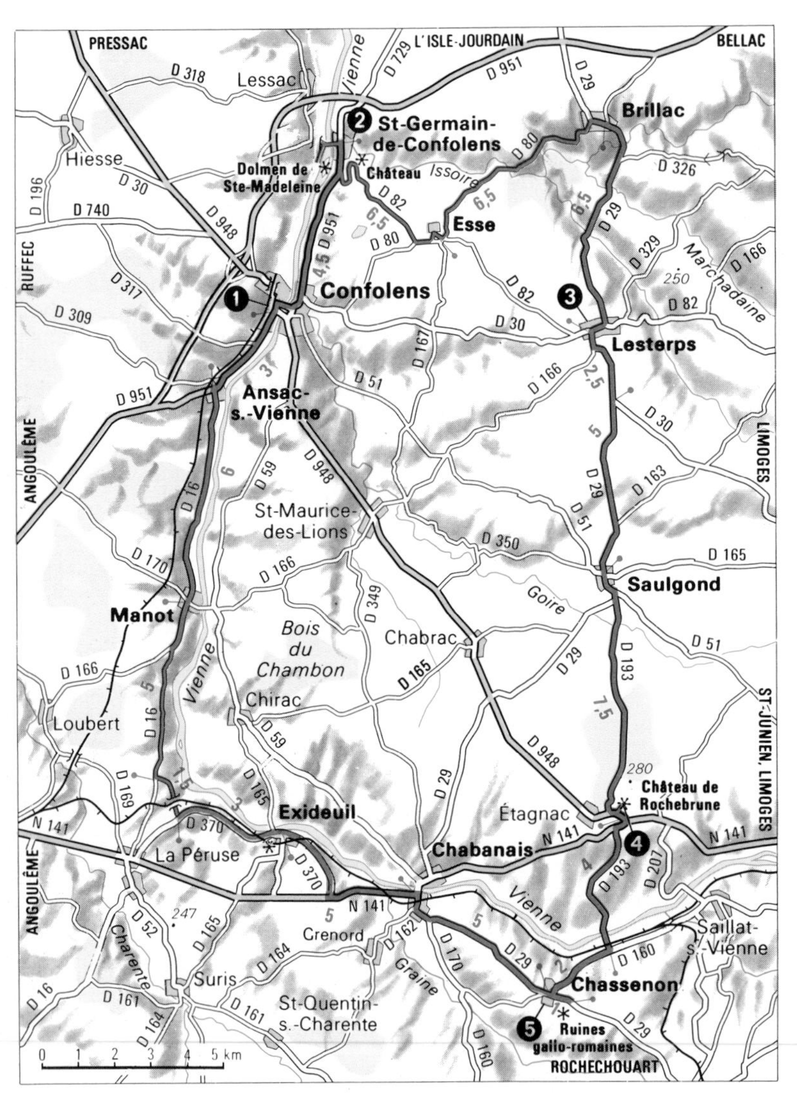

❶ **Confolens** doit son nom à sa situation au confluent de la Vienne et du Goire. Le Pont Neuf, sur la Vienne, offre une belle vue sur le Pont Vieux (XIe s.) et les maisons de la vieille ville (voir photo), dominées par les ruines du château. Les rues sont bordées de maisons anciennes à colombage, en particulier la rue du Soleil, au bout de laquelle, sur le Goire, on aperçoit le manoir des comtes de Confolens (XVe s.). Sur la place de l'Hôtel-de-Ville, où a lieu chaque année un très important festival international de folklore (du 12 au 20 août), un hôtel du XVIIe s. abrite la mairie (entrer pour admirer l'escalier et sa rampe en fer forgé du XVIIIe s.). On passe devant l'église St-Maxime avant de franchir le Pont Vieux. De l'autre côté, la place de la Fontorse s'orne de demeures anciennes ; de là, monter vers l'église romane St-Barthélemy (XIIe s.).

❷ **Saint-Germain-de-Confolens,** au confluent de la Vienne et de l'Issoire, voit se dresser sur un promontoire deux énormes tours rondes, ruines du château de St-Germain, au pied duquel se tient une petite église romane ; s'y rendre à pied : beau panorama sur la vallée de la Vienne. Une chapelle est insérée dans le dolmen de Ste-Madeleine, sur une île de la Vienne (accès par une passerelle située sur la rive gauche). On suivra, ensuite, la vallée de l'Issoire jusqu'à Brillac.

❸ **Lesterps.** L'ancienne abbatiale St-Pierre (voir dessin) possède un clocher roman à quatre étages (43 m de haut) érigé, comme dans les constructions carolingiennes, devant la façade occidentale; son rez-de-chaussée, qui date du XIe s., sert de narthex.

❹ **Château de Rochebrune.** Il s'élève sur un terre-plein entouré de larges douves en eau. Les quatre tours rondes datent des XIe et XIIIe s., les trois corps de logis sont du XVIe s. L'intérieur conserve un riche mobilier et des souvenirs napoléoniens ayant appartenu au comte Dupont, général d'Empire (vis. t.l.j., juill.-15 sept. ; t.l. apr.-m. Rameaux-30 juin, 15 sept.-11 nov.).

❺ **Chassenon.** Des vestiges gallo-romains distinguent cette ville, nommée jadis Cassinomagus, étape entre Lyon et Saintes. On peut y voir des salles souterraines voûtées, appelées « caves de Longeat », un temple octogonal, des fragments d'aqueduc, un amphithéâtre et les thermes d'un sanctuaire gallo-romain du IIe s. apr. J.-C., à caractère unique en France (t.l.j., juin-15 sept. ; l'apr.-m., avr.-mai, sept.-15 nov.). L'église St-Jean-Baptiste, construite au XIe s., en forme de croix latine, conserve au-dessus du porche une Crucifixion de la fin du XIe s.

A 5 km, en remontant la Vienne, la route traverse *Chabanais*, qui garde, malgré un grave incendie en 1944, de vieilles maisons pittoresques, puis *Exideuil*, dont la chapelle romane charme par sa simplicité rehaussée par la couleur des pierres.

Confolens. Le Pont Vieux, construit au XIe s., relie la vieille ville au faubourg St-Barthélemy. Des toits émerge le clocher moderne, mais élégant, de l'ancienne priorale St-Maxime.

Fresques romanes de la Vienne

102 km
131 km

En deux boucles autour de Poitiers, cet itinéraire révèle certaines des richesses artistiques les plus originales de France et, en particulier, plusieurs chefs-d'œuvre de l'époque romane ; pourtant ce n'est pas seulement l'architecture religieuse qui trouve ici des réalisations parfaites, mais aussi l'art de la fresque, beaucoup plus rare et encore plus rarement bien conservé ; d'immenses compositions gardent dans plusieurs églises leur vigueur, celle du trait et celle de la couleur, avec une imagination du mouvement que l'on ne soupçonne pas à cette époque.

Saint-Savin. Détail d'une des fresques, sur la voûte de la nef, dans l'église abbatiale : l'arche de Noé vogue sur des eaux qui charrient des cadavres.

ITINÉRAIRE N° 1

❶ **Nouaillé-Maupertuis** est célèbre par son ancienne abbaye fondée au VIIe s. Elle est entourée d'une enceinte fortifiée et de douves ; le châtelet d'entrée ouvre sur le logis abbatial (XVe s.) et l'église qui abrite le sarcophage de saint Junien (IXe s.).

❷ **Saint-Maurice-la-Clouère** et **Gençay.** Remarquer les sculptures du portail N. de l'église de Saint-Maurice, ainsi qu'à l'intérieur les peintures murales, découvertes en 1946, et dont l'une figure un Christ en majesté (XIVe s.). A *Gençay*, sur un éperon rocheux surplombant la Clouère, se dressent les ruines d'un château féodal.

A 1 km au S., au *château de la Roche*, musée de l'Ordre de Malte (apr.-midi : sam., dim. ; t.l. apr.-m., 15 mai-15 sept. ; t.l.j., juill.-août).

❸ **Château-Larcher.** Des vestiges de l'ancien château fort des XIIIe et XIVe siècles, une poterne ouverte entre deux tours et un donjon, dominent le village, dans un méandre de la vallée de la Clouère. L'ancienne priorale Notre-Dame-et-St-Cyprien, avec son très beau portail roman, faisait partie intégrante de la fortification. Au cimetière, ne pas manquer d'admirer une très belle lanterne des morts (XIIIe s.) de 5 m.

❹ **Vivonne** est située sur un promontoire, au confluent de trois rivières, la Vonne, le Palais et le Clain (plage, baignade, pêche). Voir les ruines du château (XIIe-XVIe s.) et l'église (XIIe-XIIIe s.) à nef gothique où Ravaillac, victime d'une vision, forma son projet d'assassiner Henri IV.

La route suit la vallée du Clain et passe devant le *château d'Aigne* (ne se visite pas) de style Renaissance, dans un joli site.

❺ **Ligugé** est le siège d'une abbaye fondée par saint Martin. Les bâtiments actuels sont du XIXe s. ; on peut visiter le musée et une galerie, où sont exposés des émaux faits par les moines (ouv. t.l.j., sauf pendant les offices). Dans l'église paroissiale (XIVe-XVIe s.), des substructures gallo-romaines du IVe s. ont été récemment mises au jour, ainsi qu'un martyrium du Ve s., qui a servi de noyau à une basilique dont il reste une crypte du VIIe s.

ITINÉRAIRE N° 2

❶ **Château de Touffou.** Un double donjon du XIIe s., crénelé et aménagé au XVe, quatre tours d'angle, une grande aile Renaissance composent un ensemble imposant sans sévérité (vis. t.l.j., sauf lundi, en juill. et août).

❷ **Civaux.** L'église St-Gervais-et-St-Protais présente dans sa nef des Xe et XIe s. des chapiteaux d'une étonnante

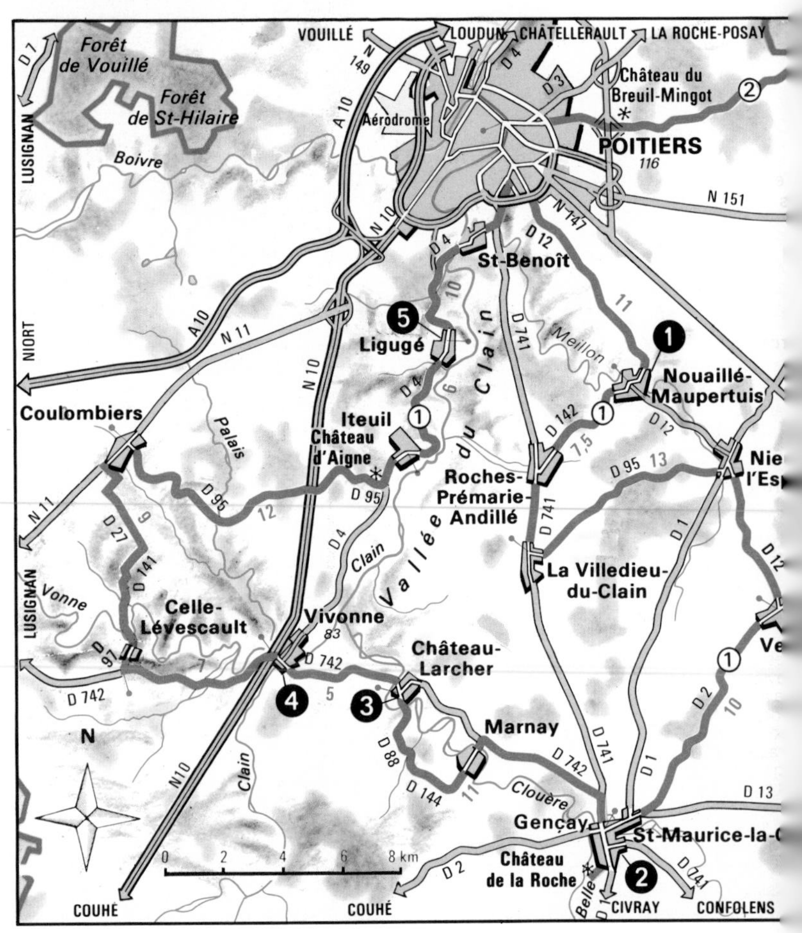

diversité. Sous la place voisine, des fouilles ont révélé la présence d'un sanctuaire païen et d'un baptistère paléo-chrétien. Le cimetière mérovingien est célèbre (voir photo).

❸ **Montmorillon** s'étend de part et d'autre de la Gartempe, dont la rive gauche est dominée par la collégiale Notre-Dame. Sous le chœur de celle-ci, la crypte Ste-Catherine recèle des peintures murales du XIIIe s. A l'ancienne Maison-Dieu, remarquer la frise du portail (XIIIe s.) de la chapelle, l'ancienne porte fortifiée et le célèbre « octogone » (voir dessin).

A *Jouhet*, il faut voir les fresques de la chapelle du cimetière, exécutées au XVe s. Noter que les mêmes sujets sont traités à la chapelle du *château de Bois-Morand* (on ne visite pas), qui appartenait à Jean de Mussy, lequel a commandé les fresques de Jouhet, et celles de la chapelle seigneuriale adjointe au chœur de l'église Notre-Dame à *Antigny*.

❹ **Saint-Savin.** L'église abbatiale, romane, offre un ensemble (fin XIe s.) unique en France (voir texte encadré). Les tonalités dominantes sont l'ocre rouge et l'ocre jaune, la matité du ton provenant de l'emploi des terres et de la pratique de la détrempe. Les fresques couvrent le berceau central de la nef et illustrent la Genèse et l'Exode : Création, histoires de Moïse, de Noé (voir photo), construction de la Tour de Babel et histoire de Joseph. Le porche est décoré par des scènes de l'Apocalypse (vis. guid.). Une des deux cryptes (fermée à la vis.) s'orne de fresques évoquant la vie de saint Savin et de saint Cyprien.

❺ **Chauvigny.** A l'entrée de la ville (prendre la route du camping municipal) s'ouvre le vallon de Talbat, où les eaux d'infiltration ressortent en une fontaine permanente sous les eaux bleues et claires d'un petit lac. En allant à la ville haute, voir l'église Notre-Dame (fresques du XVe s. : *Portement de croix*) ; le château baronnial avec un donjon carré (on ne visite pas) ; le château d'Harcourt (vis. guid. t.l. apr.-m., juill.-août), l'ancienne collégiale St-Pierre, dont les colonnes du déambulatoire portent des chapiteaux aux monstres étranges, et le musée (t.l.j., juill.-août ; dim. apr.-m. hors saison).

A 2 km au S., la petite église préromane de *Saint-Pierre-les-Églises* se dresse au milieu d'un cimetière mérovingien ; elle abrite de belles fresques carolingiennes (IXe s.).

Civaux, le cimetière. Une bonne partie des sépultures remontent à l'époque mérovingienne. Les sarcophages sont de forme trapézoïdale, plus larges à la tête qu'au pied. La disposition des rangées est faite de telle façon que la tête soit dirigée vers l'Orient.

Montmorillon, octogone dans la cour de la Maison-Dieu. Cet édifice de forme insolite est un ossuaire surmonté d'une chapelle ; au-dessus de la porte, on voit de curieuses figures sculptées.

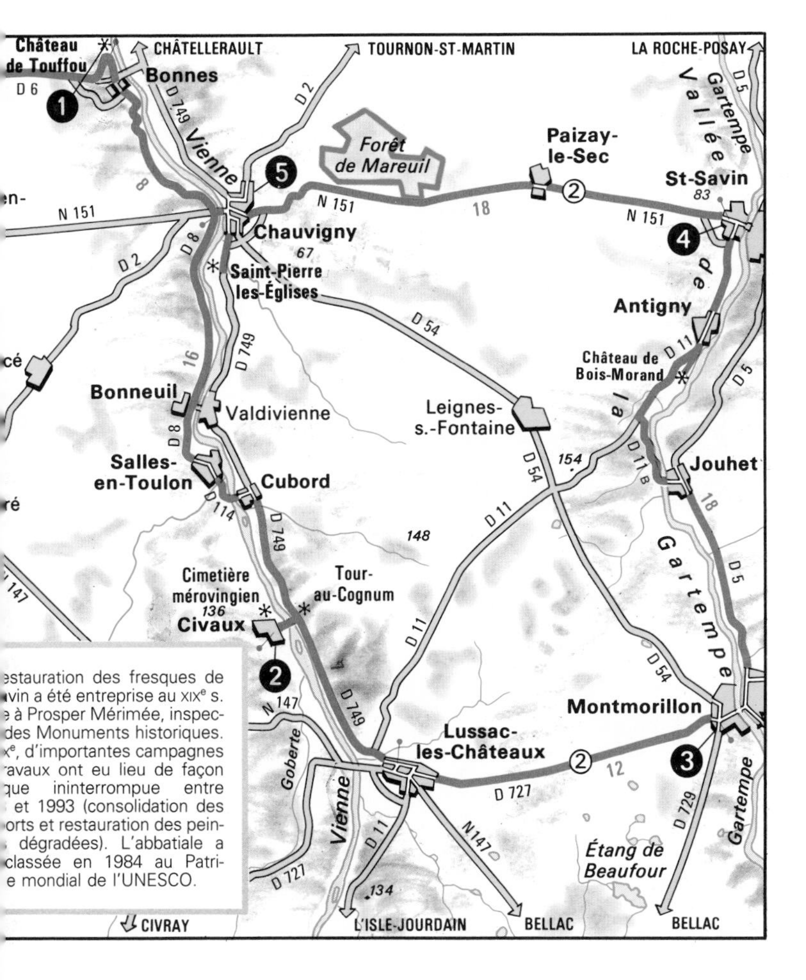

…estauration des fresques de …vin a été entreprise au XIXe s. …à Prosper Mérimée, inspec… des Monuments historiques. …X^e^, d'importantes campagnes …avaux ont eu lieu de façon …que ininterrompue entre … et 1993 (consolidation des …orts et restauration des peintures dégradées). L'abbatiale a … classée en 1984 au Patri…e mondial de l'UNESCO.

Parthenay 81 km et le haut Poitou

Ce sont, excepté la région des Marais, les paysages caractéristiques des Deux-Sèvres que nous découvrirons au cours de ce trajet au départ de Parthenay. On verra d'abord le secteur bocager, la Gâtine, puis l'Entre-Plaine-et-Gâtine, région de transition en violent contraste avec les plaines du haut Poitou septentrional, et, tout au nord, modelées dans les grès et le tuffeau, les collines qui annoncent la Touraine et l'Anjou.

❶ **Terrier de Saint-Martin.** Il est signalé de loin par une série d'antennes. Au niveau de la plus grande d'entre elles, prendre à droite une petite route sans issue (vers le Petit Fouilloux, la Pougère). La promenade, que l'on peut étendre à volonté, constitue une excellente introduction au « bocage » : reliefs en creux, série de douces collines, incisions vigoureuses des vallons, réseau dense des haies ponctuées de chênes, fermes typiques de la construction poitevine traditionnelle.

❷ **Bois du Porteau.** Le crochet proposé depuis Thénezay a pour objet de ménager une coupe rapide entre Gâtine et Plaine. Le bois s'étend en bordure du parc du Porteau-Pressigny (on ne visite pas) signalé par des conifères argentés, exceptionnels en Poitou. On fera d'agréables promenades à l'ombre du couvert forestier. Le contraste est brutal avec l'extraordinaire nudité de la plaine calcaire (horizon immense, arbres très rares) que l'on traverse ensuite.

La Plaine à Noizé. Sur ces vastes étendues, où les arbres sont rares, rien n'arrête le regard si ce n'est le clocher des églises.

❸ **Saint-Jouin-de-Marnes.** Le paysage change localement, parce que des placages des formations géologiques répandues plus au N. recouvrent la plaine de-ci de-là, formant des buttes comme celle de Saint-Jouin. Réapparition du bocage et de la forêt. Vues sur la plaine.

❹ **Oiron** correspond à un nouveau placage de sables et de grès, aussi la forêt réapparaît-elle. Belle vue sur l'ensemble que forment la collégiale et le château (voir itinéraire 241).

❺ **Butte de Saint-Léger-de-Montbrun.** Laisser la voiture contre le mur du cimetière. On peut faire une promenade en contournant la butte par l'O. et en revenant par le S. (Daymé). Panorama sur l'extrémité septentrionale des plaines. Au N., la butte de Tourtenay, vers l'E., le ruban de verdure de la vallée de la Dive, à l'O., le Thouarsais et le massif ancien.

❻ **Tourtenay.** Le changement de paysage est ici complet. Les terrains calcaires jurassiques du Poitou ont disparu sous la couverture crétacée, qui est caractérisée par une succession verticale de sables, grès, marnes blanches et enfin de craie tuffeau, souvent couverte elle-même de grès et de poudingues tertiaires. Laisser la voiture dans le centre du village et le parcourir à loisir. Maisons troglodytiques. Sur les pentes, vignes, céréales, prairies artificielles. On retrouve les matériaux géologiques dans les constructions rurales, très différentes de celles de la Gâtine et des plaines.

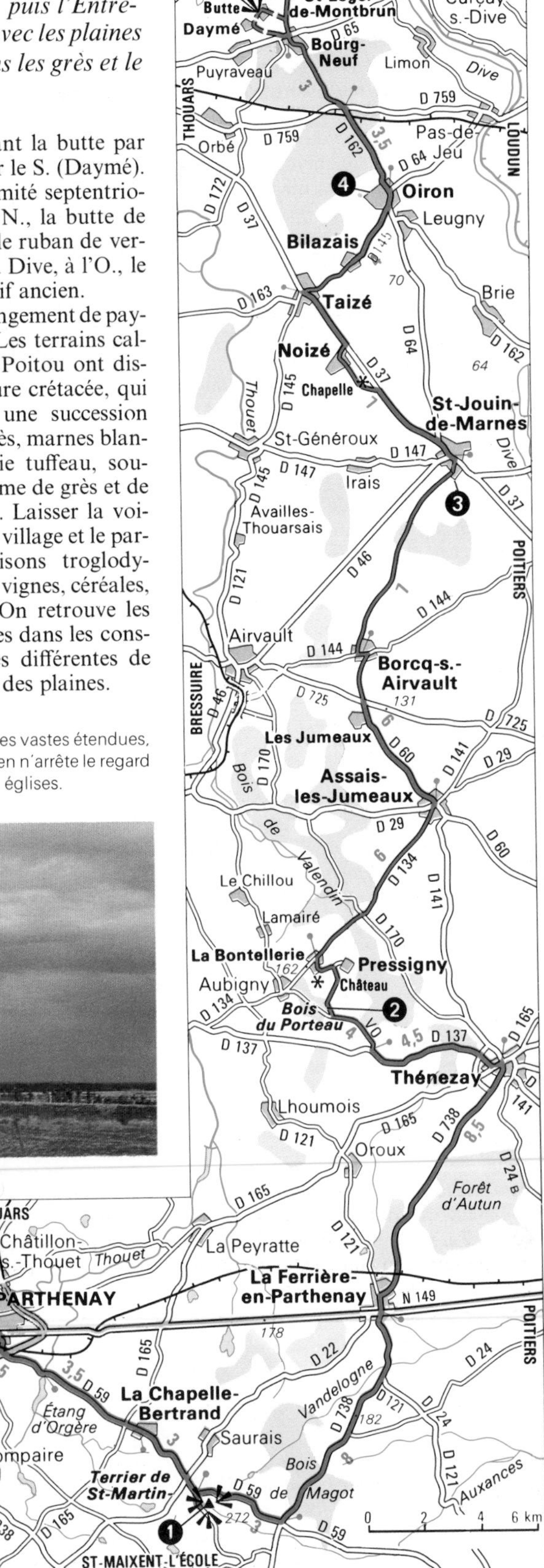

Forêt de Moulière et plaines du Poitou 81 km

Au nord de Poitiers, c'est toute la variété des paysages du Poitou continental qui se révèle à travers les étendues forestières domaniales de Moulière et de Vouillé, les terres de brande du Pinail — conservées grâce à un litige qui dure depuis deux siècles —, les collines de craie tuffeau de Beaumont et de Vendeuvre, et les terres découvertes des plaines poitevines où les cours d'eau étirent des rubans de fraîcheur végétale et aquatique.

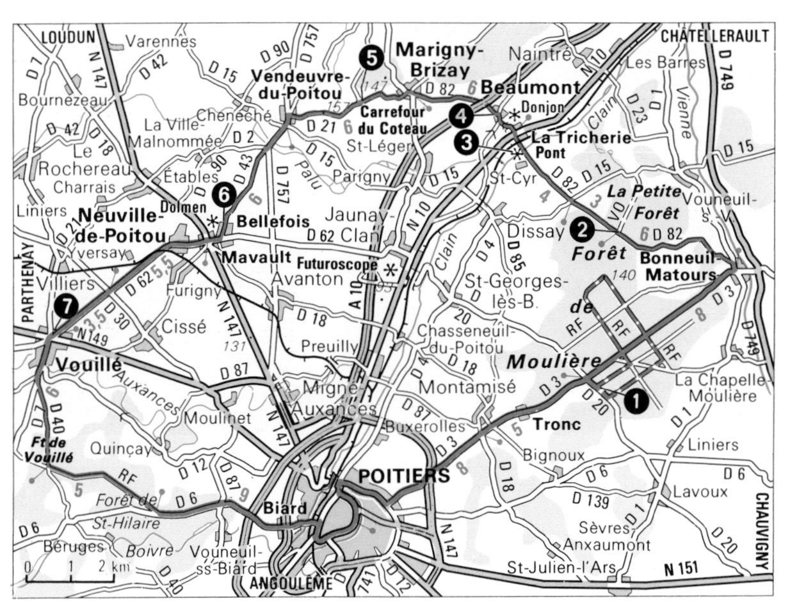

Le Clain. Venant du seuil du Poitou, cet affluent de la rive gauche de la Vienne, long de 125 km, coule dans un paysage verdoyant de prairies et de coteaux.

❶ **Forêt de Moulière.** De nombreuses allées carrossables sillonnent cette forêt domaniale, qui couvre environ 3 500 ha. Carrefours et sentiers ont été aménagés. Partant de la Maison de la Forêt (parking, expos.), à l'entrée méridionale de la forêt, en suivant vers le S. la route forestière de Bignoux, on aura un aperçu du peuplement forestier : futaies et taillis-sous-futaies de chênes : au lieu dit les Tombeaux, vestiges médiévaux. En remontant vers le N.-E. et le N., le circuit proposé permet de saisir tous les stades de la culture de l'arbre dans l'espace forestier : plantations sur labours, taillis de tous âges (pins, chênes), taillis-sous-futaies, futaies séculaires. Dans l'angle N.-O., de petits phénomènes karstiques (cavités, gouffres) sont observables.

❷ **La Petite Forêt (le Pinail).** Un chemin de terre (en état médiocre, mais carrossable) part sur le côté N. de la route, à 300 m environ des lignes électriques à haute tension. En le parcourant, on a une remarquable vision de la lande appelée ici brande (ajonc nain, grande bruyère, molinie). Ce paysage est en quelque sorte d'origine sociologique : l'espace auquel il correspond a été concédé aux habitants des communes voisines au temps de Colbert, sous réserve qu'ils renoncent à leur droit d'usage dans la grande forêt de Moulière : le Pinail est resté inculte, constituant pour les riverains une réserve de chasse appréciée, tandis que la forêt était soigneusement cultivée ; le Pinail est, depuis le XIXe s., l'objet d'une cascade de procès entre les communes riveraines et les services des eaux et forêts.

❸ **Pont sur le Clain.** Ce cours d'eau est un bon exemple de rivière poitevine à l'aval immédiat d'un barrage. Sur la rive gauche, en amont et en aval, des sentiers, dont l'état est fonction du niveau des eaux, permettent d'agréables promenades à l'ombre des peupliers (voir photo). La rivière regorge d'écrevisses.

❹ **Beaumont.** Peu avant d'arriver au village, au hameau des Roches, une petite route à travers les vignes, bordée de noyers et de cerisiers, révèle de multiples aspects du tuffeau creusé de caves et d'anciennes habitations. Beaumont se trouve au sommet d'une butte témoin de terrain crétacé (craie tuffeau), qui domine la vallée verdoyante du Clain. Promenade au N.-E. jusqu'à la tour de Beaumont, ruine médiévale des Xe et XIIe s.

❺ **Carrefour du Coteau.** Arrêter la voiture à proximité du calvaire. En allant vers le N., laisser à droite la route du Coteau, puis la suivante à droite. La troisième, sur la droite, longe le sommet de la butte de tuffeau. La route en balcon passe devant des habitations troglodytiques et une énorme champignonnière (on ne visite pas). Elle ménage également de jolis aperçus sur la vallée de l'Envigne.

En allant sur Vendeuvre, vues sur la plaine de Neuville.

❻ **Bellefois.** Juste à la sortie du village, à 50 m des dernières maisons (panneau indicateur), se trouve un dolmen brisé, formé de masses gréseuses. Aller jusqu'à la butte (chemin à quelques mètres du dolmen, au coin d'une vigne). Vue remarquable sur la plaine de Neuville, grande zone céréalière et viticole, parsemée de buttes qui correspondent à des plaques de sable et de grès, et sur la cuesta crétacée (craie tuffeau) qui ferme l'horizon au N.

❼ **Vouillé.** C'est un village agréablement situé au-dessus de la rive gauche de l'Auxances, le long de laquelle on pourra flâner.

On traverse ensuite la forêt de Vouillé (carrefours aménagés), qui compte de magnifiques boisements (chênes en particulier). En bordure de la route, peu après Vouillé, élevage de sangliers.

PROVENCE
PAYS NIÇOIS • CORSE

Camargue. La manade de chevaux libres dans la boueuse sansouire: une Provence primitive.

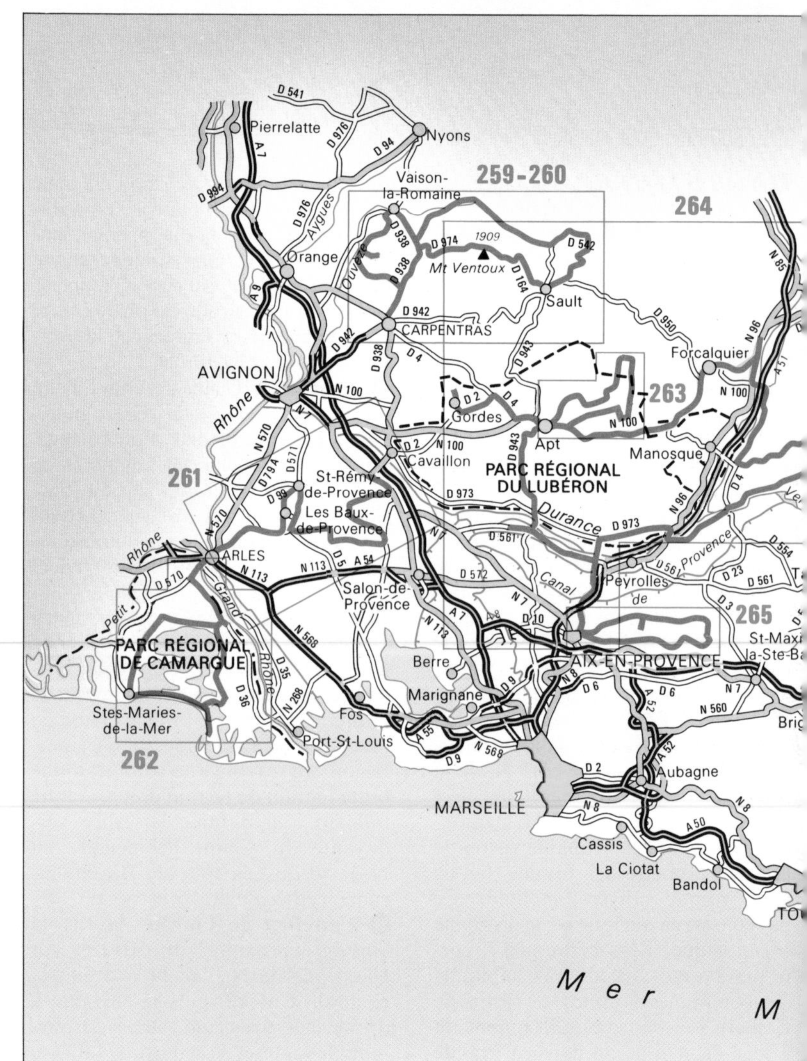

Fontaines, platanes et jardins luxuriants au cœur d'une nature sauvage, domptée par l'homme

Qui veut évoquer la Provence véritable ne doit pas se laisser prendre au piège des banalités. Bien que largement domptée, elle reste une « terre sauvage »: sauvagerie des gorges vertigineuses, des falaises marines, où s'accrochent, avec les pins aux racines noueuses, les arbustes de la garrigue aux fortes senteurs; sauvagerie des crêts redressés, des grands plans, des longues barres où l'aridité des sols et la violence des eaux n'ont pu totalement triompher des oliviers tourmentés, des moissons dorées ou des lavanderaies violines; sauvagerie des plaines rhodaniennes, étourdies de mistral, où le caillou fait sa part menue au mouton, où la lutte endiablée entre le fleuve et la mer condamne aux espaces mi-terrestres, mi-maritimes taureaux noirs et chevaux blancs. Pierre à pierre, l'homme a fait la Provence, Provence des murettes et des bories, des forteresses ligures et des places fortes médiévales, des cités romaines et des villes d'aujourd'hui à platanes et à fontaines, Provence secrète des villages perchés — pyramides harmonieuses de toits culminant vers l'abside aux fines arcatures et vers le gracieux campanile de fer forgé —, Provence profonde des solitudes forestières, où s'enferme la pureté cistercienne des abbayes. C'est ce labeur qui a produit la luxuriance du jardin maraîcher, la belle tenue du vignoble, la beauté de la Côte d'Azur, le sourire de la Provence. Mais la Corse, la Corse montagneuse aux somptueux boisements, la Corse des terrasses du Cap, la Corse des villages de la Châtaigneraie aux églises pisanes ou baroques, la Corse des grands golfes ouverts, mais cernés par le maquis, conserve toute sa hautaine gravité.

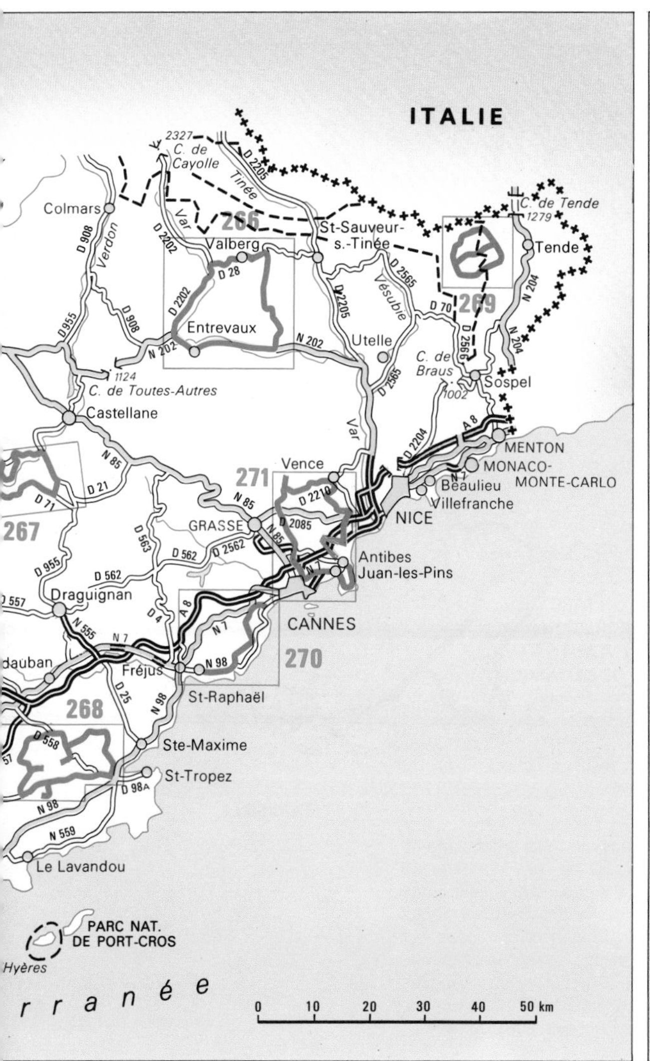

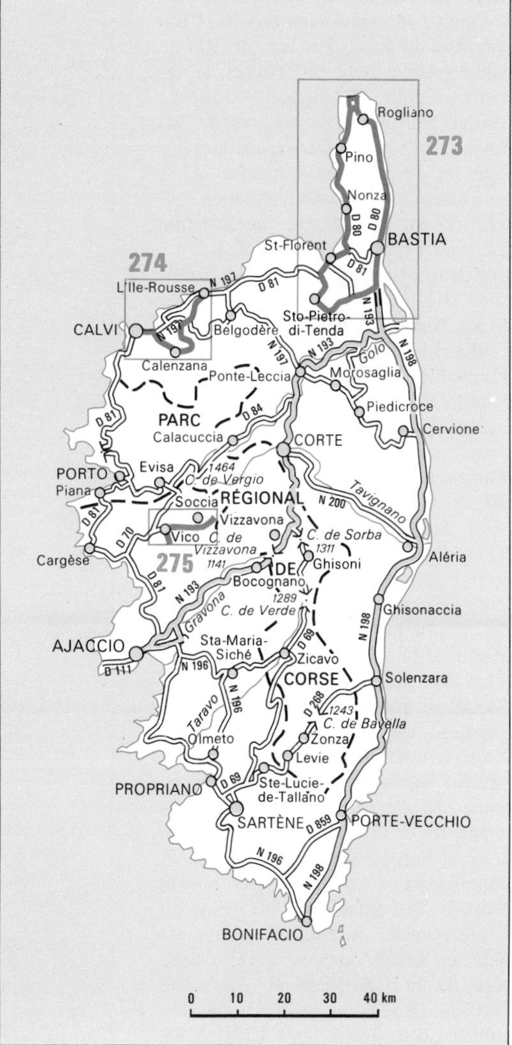

Hauts lieux, trésors et paysages

Avignon est enserrée dans des remparts du XIVe s., témoins de l'époque où les papes en firent leur capitale. Le palais des Papes (vis. t.l.j.), vaste forteresse gothique, comporte deux bâtiments principaux : le Palais Vieux, avec la salle des Festins et les chapelles St-Jean et St-Martial ; le Palais Neuf, avec l'immense double nef de la salle de la Grande Audience que surmonte la chapelle pontificale. Le palais domine un des plus prestigieux ensembles architecturaux du Midi : église gothique St-Didier (retable de N.-D.-du-Spasme du XVe s.) ; musée lapidaire (ouv. t.l.j., sauf mardi) installé dans une chapelle du XVIIe s., musée du Petit Palais (XIVe-XVIe s.), qui abrite la collection Campana : ensemble unique de peintures et de sculptures italiennes du Quattrocento (ouv. t.l.j., sauf mardi) ; église St-Pierre, de la première Renaissance provençale ; hôtels du quartier de la Petite-Fusterie ; cathédrale N.-D.-des-Doms, au soubassement roman. Du jardin du rocher des Doms, magnifique panorama sur Villeneuve-lès-Avignon, le mont Ventoux et Châteauneuf-du-Pape. En bas, le Rhône passe sous le pont St-Bénezet, le fameux « pont d'Avignon » (XIIIe s.) rompu par une crue au XVIIe s. Au musée Calvet, collections d'archéologie et de peinture française (t.l.j., sauf mardi). Au muséum Réquien, exposition sur la géologie vauclusienne (t.l.j., sauf dim., lundi et j. fér.).

Les Baux-de-Provence. Voir itinéraire 261.

Arles. Voir itinéraire 261.

Camargue. Voir itinéraire 262.

Marseille, située au fond d'une baie encadrée de montagnes calcaires, encore çà et là désertiques malgré l'accroissement constant des faubourgs, est un grand port international et la capitale commerciale du Midi. La destruction du quartier du Vieux-Port (1943) sur l'emplacement de la cité romaine, héritière de la colonie grecque des Phocéens (VIe s. av. J.-C.), n'a pas altéré la structure du centre de la ville. L'axe de La Canebière descend vers le Vieux-Port près duquel se trouve le musée des Docks romains, qui abrite les objets de fouilles, notamment sous-marines. A l'E. du Vieux-Port, après l'église romane St-Laurent, s'étend le bassin de la Joliette et sa gare maritime, la plus vaste d'Europe (26 km de quais). A l'ancienne cathédrale la Major, voir la chapelle St-Lazare de 1481. Plus au N., le quartier du cours Belsunce est riche en hôtels du XVIIe s. De l'autre côté de la Canebière se dresse la basilique N.-D.-de-la-Garde, sur une colline isolée (panorama). L'église St-Victor garde de très anciennes cryptes et des superstructures fortifiées du XIIIe s. Le parc du Pharo domine le port. Marseille possède d'intéressants musées : celui des Beaux-Arts, d'une grande richesse, comporte deux salles entières dédiées à Pierre Puget, enfant du pays ; le musée Cantini : art moderne, peintures, sculptures, photographies ; le musée des Arts décoratifs est installé dans le château Borély du XVIIIe s. ; le musée du Vieux-Marseille (les musées de Marseille sont ouverts tous les jours, sauf lundi). Non loin se dresse la Cité radieuse, créée par Le Corbusier en 1952.

Aix-en Provence. Les abords du cours Mirabeau, centre de la ville, sont ornés de nombreux hôtels du XVIIe s. aux façades souvent dessinées par Pierre Puget, comme l'hôtel de Boyer d'Éguilles, qui abrite le muséum d'Histoire naturelle (ouv. t.l.j.). Près de l'église St-Jean-de-Malte (XIIIe-XIVe s.) se trouve le musée Granet : sculptures celto-ligures, peintures flamande, italienne et française du XVIe au XIXe s. (ouv. t.l.j., sauf mardi). L'hôtel de ville fut construit dans un style baroque italianisant vers 1650. La cathédrale St-Sauveur superpose des éléments du gothique flamboyant aux restes d'une église romane, eux-mêmes annexés à une nef ogivale (vers 1300). A l'intérieur, voir le baptistère paléochrétien et le triptyque du *Buisson ardent*, chef-d'œuvre de Nicolas Forment (vers 1475). L'ancien atelier de Cézanne a été aménagé en musée : nombreux souvenirs de l'artiste (t.l.j. en juillet et août). Le pavillon de Vendôme (XVIIe s.) renferme un ensemble rare de mobilier provençal (vis. t.l.j., sauf mardi). On peut voir aussi la fondation Vasarely et le musée des Tapisseries (t.l.j., sauf mardi).

Saint-Maximin-la-Sainte-Baume. Le bourg s'est construit autour d'une basilique, construction gothique (achevée en 1532) d'un style sévère qui contraste avec ses ornements inté-

Les calanques sont des enfoncements caractéristiques de la Méditerranée dans la côte provençale, à l'extrémité submergée de vallons calcaires étroits et profonds. Elles sont occupées par des plages et des havres de pêcheurs. On visite, à l'O. de Cassis, les calanques de Port-Miou, de Port-Pin et d'En-Vau, par un sentier qui suit la falaise (4 h).

rieurs en marbre marqueté. On traverse ensuite le massif de la Sainte-Baume, dont les paysages ont inspiré bien des peintres, dont Cézanne.

Toulon, jadis premier port de guerre français, a conservé son vieux quartier : maisons anciennes, halle aux poissons, cathédrale (XIe-XIIe s.). Le musée du Vieux-Toulon est consacré à l'histoire locale (ouv. t.l. apr.-m., sauf dim. et j. fér.). Le Musée naval abrite une importante collection de maquettes et de figures de proue (ouv. t.l.j., sauf mardi et j. fér. ; ouv. mardi l'été). Vues sur Toulon et la rade : de la tour Beaumont (accès par le téléphérique), et de la tour Royale, qui est du début du XVIe s. (ouv. t.l. apr.-midi, sauf lundi ; ferm. nov.-22 déc. et janv.-févr.). Au musée d'Art et d'Histoire : peintures du XIIIe s. à nos jours et antiquités locales (ouv. t.l.j., sauf j. fér.).

Iles d'Hyères. Voir texte encadré.

Abbaye du Thoronet. C'est l'une des plus belles abbayes cisterciennes. Église, cloître, salle capitulaire forment un ensemble remarquable du XIIe s. (vis. t.l.j., sauf j. fér.).

Massif des Maures. V. itinéraire 268.

Saint-Tropez. Cette petite cité typique, découverte par les peintres au début du siècle, est devenue une station estivale très fréquentée. Port de plaisance, elle conserve son port de pêche. La chapelle de l'Annonciade a été transformée en musée d'Art moderne ((vis. t.l.j., sauf mardi et en nov.).

Corniche de l'Esterel. V. itin. 270.

Cannes. Les allées du port principal, bordées de jardins, sont prolongées par le boulevard de la Croisette jusqu'au nouveau port. A l'autre extrémité se dresse le Suquet, colline du vieux Cannes, aux ruelles tortueuses, que dominent la chapelle N.-D.-de-l'Espérance (XVIe-XVIIe s.), la tour du Suquet, du XIe s., et le musée de la Castre (ouv. t.l.j., sauf mardi et j. fér.), où sont exposés des objets archéologiques.

Grasse est la capitale de la parfumerie française. L'hôtel de ville, ancien évêché, garde quelques vestiges médiévaux. L'ancienne cathédrale, de style lombard très primitif (vers 1200, abside du XVIIe s.), conserve l'unique toile religieuse due à Fragonard, né à Grasse. Voir le musée d'art et d'histoire de Provence (t.l.j., sauf j. fér., juin-sept. ; sauf lundi, mardi et j. fér. hors saison). La place aux Aires, avec ses arcades et sa fontaine, et le « cours » datent du XVIIIe s.

Nice est l'une des plus luxueuses stations de la Côte. La place Masséna, aux façades peintes de couleurs vives, et le Vieux Nice, avec son marché aux fleurs, sa cathédrale Ste-Réparate, le palais Lascaris, du XVIIe s. (t.l.j., sauf lundi), et ses ruelles étroites traduisent une empreinte italienne. Le mont Boron (au N.-E.) est séparé par le port de la colline du Château (92 m), couverte par un beau parc. En redescendant, on suit le quai des États-Unis et la promenade des Anglais. Voir le musée Masséna : souvenirs napoléoniens et peintres primitifs niçois (ouv. t.l.j., sauf lundi et j. fér.). Boulevard de Cimiez, voir le musée national Marc-Chagall (ouv. t.l.j., sauf mardi) et, près des arènes, le musée Matisse (t.l.j., sauf mardi et j. fér.), qui présente des œuvres du peintre provenant de son atelier de Cimiez.

Monaco-Monte-Carlo. Monaco proprement dit, siège de la Principauté souveraine, est un promontoire escarpé, occupé presque totalement par le palais (en partie des XVIe-XVIIe s.), la cathédrale moderne et le Musée océanographique (vis. t.l.j.). La vieille ville, qui les entoure, doit se visiter à pied. Un boulevard conduit à Monte-Carlo, station luxueuse qui conserve une partie de son architecture modern style et « arts déco ». Le Jardin exotique présente des plantes tropicales et les concrétions minérales de la grotte de l'Observatoire. On y a transféré le musée d'Anthropologie préhistorique (ouv. t.l.j.).

Madone d'Utelle. C'est le principal site dominant les gorges de la Vésubie, à 15 km d'Utelle, dont l'église romane a été décorée en « néo-classique » au XVIIIe s. Vaste vue sur les Alpes maritimes (table d'orientation).

Vence. Voir itinéraire 271.

Grand canyon du Verdon. V. itin. 267.

Mont Ventoux. Voir itinéraire 260.

Vaison-la-Romaine. V. itinéraire 259.

Orange est avant tout l'une des principales cités romaines du Midi ; l'arc de triomphe a été élevé vers 20 av. J.-C. et ensuite dédié à Tibère. Le théâtre (37 m de haut, 103 de large sur la façade) est appuyé à la colline Saint-Eutrope (vis. t.l.j.).

Gordes. Voir itinéraire 264.

Abbaye de Sénanque. V. itinéraire 264.

Fontaine-de-Vaucluse. Ce petit village possède un musée spéléologique, consacré à Norbert Casteret (vis. guid. t.l.j., mai-août ; sauf lundi, mardi et j. fér. hors saison. Fermé déc., janv.) ; un autre musée est dédié à Pétrarque (t.l.j., sauf mardi ; sam., dim. du 16 oct. au 31 déc. Fermé Noël et 1er mai). La fontaine, qui rassemble une partie des eaux de source de la Sorgue, forme un vaste bassin. Intéressant moulin à papier (t.l.j., sauf Noël et jour de l'An).

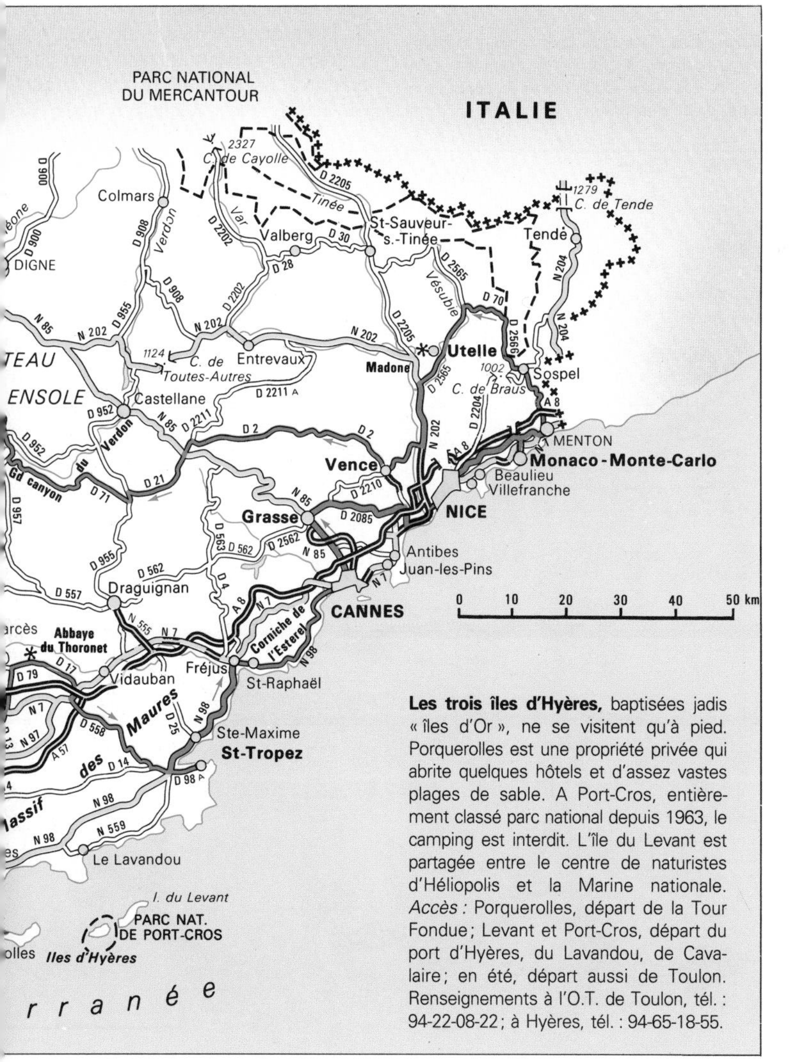

Les trois îles d'Hyères, baptisées jadis « îles d'Or », ne se visitent qu'à pied. Porquerolles est une propriété privée qui abrite quelques hôtels et d'assez vastes plages de sable. A Port-Cros, entièrement classé parc national depuis 1963, le camping est interdit. L'île du Levant est partagée entre le centre de naturistes d'Héliopolis et la Marine nationale. *Accès :* Porquerolles, départ de la Tour Fondue ; Levant et Port-Cros, départ du port d'Hyères, du Lavandou, de Cavalaire ; en été, départ aussi de Toulon. Renseignements à l'O.T. de Toulon, tél. : 94-22-08-22 ; à Hyères, tél. : 94-65-18-55.

259 260

Sur les routes du mont Ventoux 70 km 124 km

Deux itinéraires bien différents : autant le premier est varié, faisant découvrir, à partir de Carpentras, des paysages changeants, des ruines féodales et un haut lieu gallo-romain, autant le second n'est que prétexte à la montée au Ventoux, sommet austère, d'où s'offre le plus vaste panorama de toute la Provence. Le Ventoux porte bien son nom : un vent furieux y souffle souvent, le climat y est rude ; on préférera en entreprendre la montée à la belle saison, par beau temps.

Carpentras. Détail de l'arc romain. Il s'agit d'une porte de ville ornée de trophées et de captifs. L'érosion de la pierre a accentué la grossièreté des traits.

ITINÉRAIRE N° 1

❶ **Carpentras** a conservé un arc romain (voir dessin), et, seul vestige de son enceinte médiévale, la porte d'Orange (XIVe s.). L'ancienne cathédrale St-Siffrein (XVe s.) est un bel exemple de style gothique méridional ; on peut y pénétrer par la « porte juive », de style flamboyant. Le palais de justice, ancien palais épiscopal, a gardé sa décoration du XVIIe s. (vis. 15 juin-15 sept., hors pér. d'assises. Rens. à l'O.T.). La synagogue, la plus ancienne de France, a été reconstruite au XVIIIe s. (vis. t.l.j., sauf sam., dim. et fêtes juives). Voir aussi l'hôtel-Dieu (XVIIIe s.) à la façade majestueuse (vis. matin des lundi, mercr. et jeudi). Le musée comtadin Duplessis et la bibliothèque occupent un hôtel du XVIIIe s. ; le Musée lapidaire abrite les restes du cloître roman de St-Siffrein (musées ouv. t.l.j., sauf mardi. On n'accède pas à la bibliothèque).

❷ **Beaumes-de-Venise** est appuyée contre une falaise creusée de grottes (les « beaumes ») et dominée au N. par les ruines d'un château, tandis qu'à l'O. se dresse la chapelle N.-D.-d'Aubune, au clocher crénelé, de style roman.

❸ **Montmirail.** Au-dessus de la grotte d'où surgissent les eaux qui firent le renom de Montmirail, on voit les vestiges d'une tour, dite des Sarrasins (XIIe s.). Les *Dentelles de Montmirail* attirent les grimpeurs (voir photo); pour y parvenir : face S., route forestière par le col d'Alsau et, face N., par le col de Cayron.

❹ **Séguret.** En parcourant à pied les ruelles pentues, on découvre une fontaine, le beffroi et l'église, d'où l'on a un large panorama sur les Dentelles de Montmirail et la plaine du comtat Venaissin. Tout près, les ruines d'un château féodal.

❺ **Vaison-la-Romaine.** Les maisons de la haute ville médiévale, bien restaurées, se serrent au pied d'un château (XIIe s., modifié au XVe), auquel on accède par un chemin pédestre.

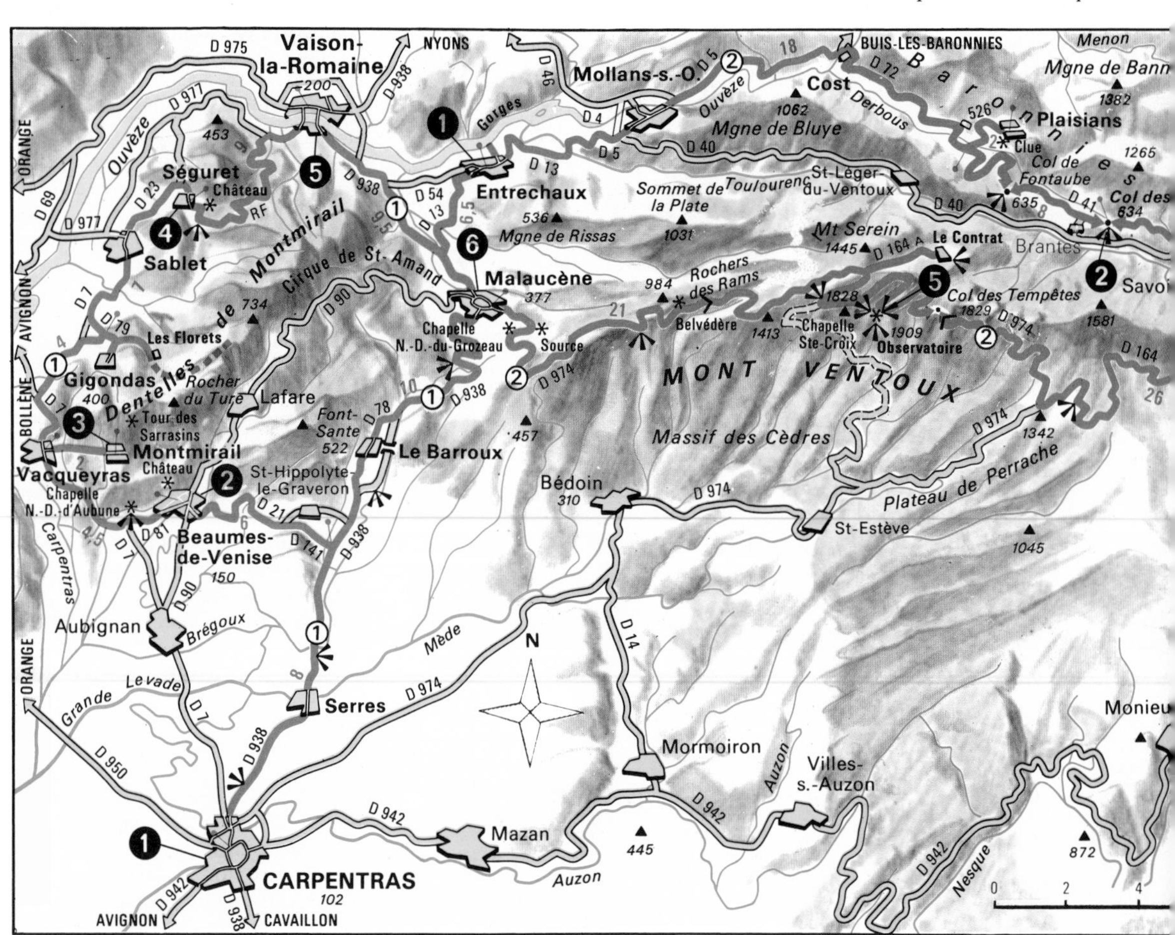

A l'ancienne cathédrale, construction de style roman provençal, est accolé un cloître (XIe-XIIe s.) où sont exposées quelques collections lapidaires (vis. t.l.j.). La chapelle St-Quenin est un très curieux édifice dont l'origine est controversée (sans doute du XIIe s.). Le pont romain, qui relie les deux parties de la ville, date du Ier s. (restauré après les inondations de 1992). Mais Vaison-la-Romaine est surtout célèbre pour ses fouilles. Deux quartiers ont été dégagés. Dans celui de Puymin, on verra la maison des Messii, riche villa romaine, le portique de Pompéi, qui servait de promenade publique, et surtout le théâtre (Ier-IIIe s.), construit à flanc de colline et en partie creusé dans le rocher : c'est le seul théâtre de Provence dont le dernier étage a gardé des restes de colonnades. Au quartier de la Villasse, vestiges de maisons bien dégagées avec des restes de dallages, de mosaïques et de fresques. Au Musée archéologique, on peut voir des statues et des objets découverts lors des fouilles (vis. t.l.j.).

❻ **Malaucène.** L'église (XIVe s.) a une façade à mâchicoulis, une nef romane à berceau brisé et des chapelles voûtées d'ogives. A l'intérieur, voir le buffet d'orgue (XVIIe s.) et la chaire en chêne sculpté. Du calvaire, panorama sur les montagnes de la Drôme et le Ventoux. Au centre de la ville se dressent un beffroi carré et, sur une butte, les ruines d'un château fort. La route décrit de grands lacets et s'élève. En redescendant sur Carpentras, le parcours offre des vues splendides sur les cultures de la plaine du Comtat et le Ventoux, à l'E., et sur les Dentelles de Montmirail, à l'O.

ITINÉRAIRE N° 2

❶ **Entrechaux** est couronné par un château en ruine. Tourner à gauche à la sortie du village pour gagner l'aval des gorges de l'Ouvèze, dont on peut remonter à pied la rive gauche (danger de crues en automne): nombreuses marmites de géants.

Traverser la rivière à *Mollans-sur-Ouvèze,* où un beffroi carré surmonte curieusement une tour ronde plus ancienne. La petite chapelle est du XVIIe s. Après Cost, la route sinueuse s'élève peu à peu et traverse une gorge très étroite et très brève par la clue de Plaisians.

❷ **Col des Ayres.** Passé ce col, on plonge dans la vallée du Toulourenc en faisant face au versant N. profondément raviné du Ventoux, où s'étagent les types habituels de végétation de montagne. En revanche, vers l'E., le paysage est typique des Alpes du Sud, avec ses amandiers, ses lavandes et ses landes.

❸ **Montbrun-les-Bains.** Les ruelles en forte pente du vieux village et, en particulier, la tour fortifiée de l'Horloge (XIVe s.) sont dominées par les ruines imposantes d'un château Renaissance (ne se visite pas). L'itinéraire traverse ensuite un magnifique paysage (voir photo ci-contre).

❹ **Sault** occupe le rebord N. du plateau de Vaucluse. Voir la petite église romane (XIIe-XIIIe s.), à la nef voûtée en berceau. On visite un petit musée archéologique (se renseigner à la mairie). De la promenade qui surplombe la Nesque, on jouit de belles perspectives sur la vallée et sur le Ventoux.

❺ **Mont Ventoux.** La route, montant régulièrement, constitue l'abord le plus aisé. Le sommet (1909 m), battu par des vents incessants, offre un panorama exceptionnel; les Alpes, Marseille et la mer, les Cévennes et, par temps très clair, le Canigou sont visibles du belvédère aménagé au S. de l'Observatoire (table d'orientation). Ensuite, après quelques lacets, on prendra, vers l'E., une bifurcation se terminant au *Contrat,* d'où l'on surveille la vallée du Toulourenc. Revenir sur la route qui dévale l'arête vers l'O.; on peut aussi s'engager, sur la droite, dans un chemin non revêtu menant au *col du Comte* (1004 m).

Dentelles de Montmirail. Elles dominent de leurs aiguilles déchiquetées les garrigues et les terrasses caillouteuses occupées par le vignoble de Gigondas.

Lavanderaie, près de Sault. A l'E. du Ventoux règne la culture intensive de la lavande. Les rangées des odorantes touffes bleues de lavandin fleurissent pendant tout l'été.

Le *gigondas* tient une place honorable parmi les vins des côtes du Rhône méridionales. Le sol, fait d'éboulis et aménagé en terrasses, bénéficie d'une forte insolation et retient bien la chaleur. Le vignoble produit un vin rouge fruité; on le boit jeune sur gibiers, volailles, terrines et fromages.

Santon ancien. Habillé de vêtements en tissu, il pousse fort loin le souci du détail. Ici, les branches du fagot sont en bois.

La crèche de Noël. Ce sont généralement les enfants qui distribuent les personnages autour de Jésus. Et puis, dix jours plus tard, à l'Épiphanie, ils ne manquent pas d'ajouter les Rois mages, qui arrivèrent à la crèche guidés par une étoile.

LES SANTONS DE PROVENCE

Avant la Révolution, on représentait dans les églises de simples nativités : dans un abri, l'Enfant Jésus était entouré de la Vierge et de saint Joseph, et, au premier plan, on disposait en demi-cercle des bergers en adoration. La Provence donnait déjà aux crèches un caractère plus réaliste; des spécialistes fabriquaient pour les églises des personnages souvent richement habillés. Ce n'est qu'au XIXe s. que l'habitude de confectionner soi-même sa crèche se généralisa. C'est alors qu'apparut, en miniature, un univers charmant : celui de la Provence éternelle. Malgré leurs airs humbles ou naïfs, le berger, le chevrier, ou même lou ravi (le simplet), sont les vedettes de ce petit monde. La poissonnière, le maire, le curé, le gitan, saisis dans une attitude familière, sortent directement de la réalité quotidienne. En revanche, certains santons ne sont plus que les témoins d'un passé révolu, tels la lieuse de fagots, le joueur de vielle. Les musées d'art populaire et quelques collectionneurs possèdent des sujets dont les vêtements ne sont pas peints, mais en véritable tissu. Mais c'est dans la crèche que les santons atteignent la pleine mesure de leur poésie : chacun la dresse à sa façon la veille de Noël. Des bûches ou des livres recouverts de papier évoquent les montagnes; l'étang est un miroir, la cascade est en papier d'argent, et du coton simule la neige. Les santons se dirigent vers la crèche en un désordre savamment étudié.

Musée du Vieil-Aix, 17, rue Gaston-de-Saporta, 13100 Aix-en-Provence. Ouv. t.l.j., sauf lundi. Fermé en oct. Pour les groupes, rens., tél. : 42-21-43-55.

Poissonnière Pêcheur Cueilleuse de lavande Berger Provençale

La fabrication des santons

Les santons ont sans doute vu le jour à Marseille ou à Aubagne. Il est probable que le premier « santonnier », qui portait alors le nom de « figuriste », fut Jean-Louis Laquel, né à Marseille en 1764. Aujourd'hui, dans la région d'Aix-en-Provence, on peut visiter des fabriques qui produisent des milliers de ces petits personnages, ou encore admirer l'habileté d'un « santonnier » local, découvert au fond d'une ancienne bergerie. La fabrication artisanale du santon est demeurée très simple : il est fait d'argile coulée dans des moules en plâtre rudimentaire, constitués de deux parties qu'il suffit d'accoler. A l'ouverture du moule, on fait sortir le santon à l'aide d'un ébauchoir. Après le séchage, le santon est peint à la main. Une foire aux santons a lieu chaque année à Aix, du 23 novembre à l'Épiphanie, et à Marseille, du 4 décembre au 5 janvier.

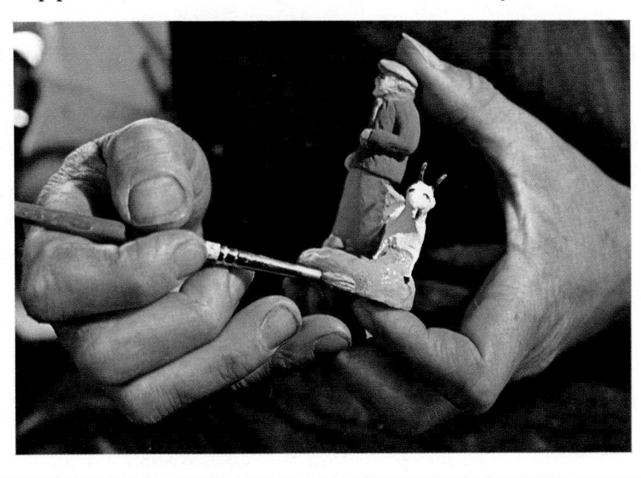

Gitan Garde champêtre

Joueur de tambourin Berger

Berger Chasseur

Arles et les Alpilles 92 km

A partir d'Arles, empreinte de son prestigieux passé, c'est au cœur de la Provence antique que mène cet itinéraire, puisque le champ de fouilles de Glanum en constitue le point central. Si l'histoire, avec son cortège de guerres et de destructions, a effacé nombre des témoins de l'implantation gauloise, grecque et romaine dans cette région, les cités médiévales n'ont point non plus été épargnées : ainsi des Baux-de-Provence. Le village, même ruiné, n'en garde pas moins un indéniable intérêt.

❶ **Arles.** (Voir photo). Ses monuments romains en font l'une des plus intéressantes villes d'art de France. L'amphithéâtre elliptique (fin du Iᵉʳ s. apr. J.-C.) pouvait accueillir jusqu'à 20 000 spectateurs. Long de 136 m et large de 107 m, il est constitué de deux niveaux à arcades en pleins cintres (vis. t.l.j.). Les trois tours qui le flanquent ont été ajoutées au XIIᵉ s. A proximité, il ne reste plus du théâtre antique (fin du Iᵉʳ s. av. J.-C.) que les parties basses de la cavea. Place de la République, au centre de laquelle se dresse l'obélisque du cirque, en granit, se trouvent l'hôtel de ville (XVIIᵉ s.) et la tour de l'Horloge (XVIᵉ s.) L'église St-Trophime est un édifice composite : façade du VIIIᵉ et du XIIᵉ s., autres parties du XIᵉ au XVᵉ s. ; le portail à l'antique est un chef-d'œuvre de l'art roman provençal ; le cloître, avec ses deux galeries romanes et ses deux galeries gothiques à la très riche décoration sculptée (piliers et chapiteaux historiés), est un second joyau (voir photo). Inauguré en 1995, le remarquable musée de l'Arles antique présente toutes les collections archéologiques de la cité, depuis le VIᵉ s. av. J.-C. ; les œuvres antiques qui ont été découvertes sur son sol y sont exposées dans une muséographie admirable : statues, mosaïques,

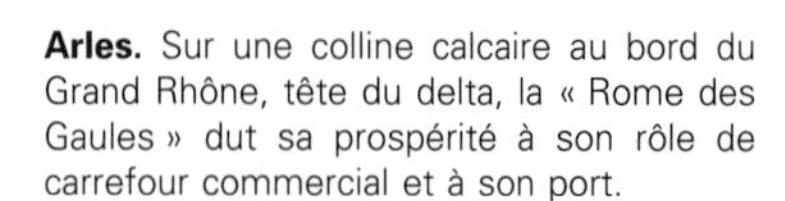

Arles. Sur une colline calcaire au bord du Grand Rhône, tête du delta, la « Rome des Gaules » dut sa prospérité à son rôle de carrefour commercial et à son port.

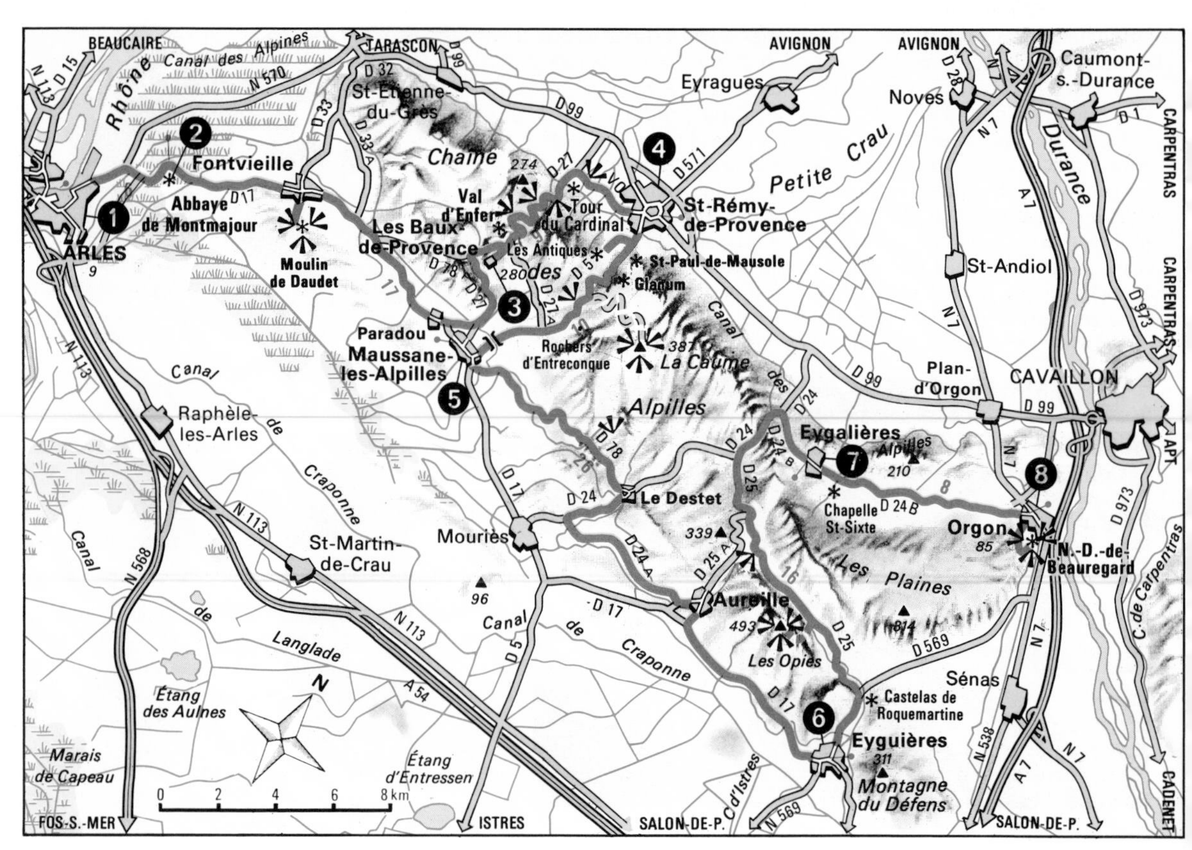

sarcophages paléo-chrétiens — la plus riche collection après celle du Latran, à Rome (ouv. t.l.j., sauf mardi, d'oct. à mars). Les cryptoportiques de la fin du Ier s. av. J.-C. (entrée rue Balze) forment trois galeries souterraines en forme de U ; longs de 89 m, larges de 59 m, ils servaient d'assises à l'antique forum. Les thermes de Constantin, dont il subsiste d'importants vestiges, datent du IVe s. et ont été les plus spacieux de Provence. Au-delà du boulevard des Lices, rendez-vous des Arlésiens, on parvient aux Alyscamps, dont l'unique allée

occupé, un petit musée, consacré à son souvenir, y est installé (vis. t.l.j.).

❸ **Les Baux-de-Provence.** Sur un promontoire, détaché des Alpilles, se confondent les ruines et la roche. On parcourt la cité médiévale à pied : portes fortifiées, maisons anciennes (XVe-XVIe s.), fours, granges, celliers se succèdent jusqu'aux ruines du château, du donjon (XIIIe s.), et jusqu'au monument dédié au poète occitan Charloun Rieu. A l'hôtel de la Tour du Brau (t.l.j.), Musée d'histoire ; à l'hôtel des Porcelets, musée Yves Brayer (t.l.j. Fermé janv.-mi févr.).

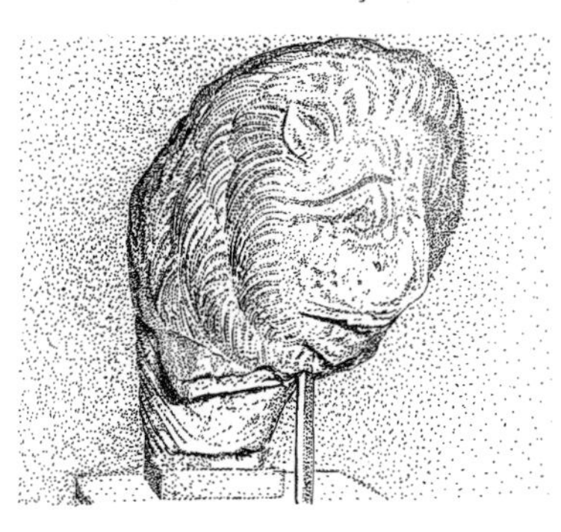

Les Baux-de-Provence. Sculpture (IIe-Ier s. av. J.-C.) au musée lapidaire.

Arles. Les piliers du cloître St-Trophime sont ornés de sculptures représentant des scènes de l'Ancien et du Nouveau Testament et les apôtres ; ici, saint André.

bordée de sarcophages est le seul témoin de l'une des plus grandes nécropoles d'Occident, du IVe au XIIIe s. Arles compte deux autres musées majeurs : le Museon Arlaten, dans un hôtel du XVIe s., fondé par Frédéric Mistral et consacré à la vie traditionnelle provençale (ouv. t.l.j., juill.-sept. ; sauf lundi, hors saison), et le musée Réattu, dans un ancien prieuré des chevaliers de Malte (XVIe s.), où sont présentés des œuvres d'artistes contemporains et des documents sur l'ordre de Malte (ouv. t.l.j.).

❷ **Abbaye de Montmajour.** Sur une colline se profilent les ruines de l'abbaye, fondée aux Xe s. ; église du XIIe s., avec crypte et cloître de style roman, donjon fortifié et restes de bâtiments du XVIIIe s. ; la chapelle St-Pierre (Xe s.) est en partie creusée dans le roc ; un peu à l'écart, voir l'ancienne chapelle du cimetière, du XIIe s. (vis. t.l.j., sauf mardi).

De Fontvieille, on parvient à un gros moulin, le « *moulin de Daudet* ». Bien que l'écrivain ne l'ait jamais

❹ **Saint-Rémy-de-Provence,** au pied des Alpilles, est dominé par le clocher gothique de l'église. A l'hôtel de Sade, le Musée archéologique rassemble les découvertes faites lors des fouilles de Glanum. On verra aussi le musée des Alpilles, installé dans une belle demeure du XVIe s. (2 musées : t.l.j., mars-déc. Fermé 25 déc.-Rameaux).

A 1,5 km au S. de Saint-Rémy, *Glanum*, au débouché nord d'un vallon des Alpilles, constitue un site archéologique de tout premier ordre. Dans les ruines préromaines et romaines (t.l.j., sauf j. fér.), on découvrira les demeures, fontaines, thermes, forum et temples de la cité, détruite au IIIe s. Non loin s'élèvent les Antiques : le mausolée des Julii (30-20 av. J.-C.), au décor sculpté, est formé d'un socle carré, d'un étage d'arcades et d'une colonnade surmontée d'un cône ; l'arc de triomphe est aussi orné de sculptures où l'influence hellénistique est sensible. Voir aussi l'ancien monastère roman St-Paul-de-Mausole, transformé en maison de santé, où Van Gogh séjourna (vis. t.l.j.).

Sur les traces de Van Gogh : émouvant circuit parcourant les lieux, inchangés, peints par l'artiste (voir O.T., tél. 90-92-05-22).

Eygalières. Du donjon, qui domine le village, on jouit d'un splendide panorama sur la chaîne des Alpilles, au S., et sur l'opulent jardin du comtat Venaissin, au N.

❺ **Maussane-les-Alpilles.** Contournant les Alpilles, on parcourt vallons et plateaux couverts de garrigue. Vers le S., le calcaire blanc est veiné de bauxite. Après les crêtes ciselées des rochers d'Entreconque (anciennes carrières), la route longe, à travers des bois, le versant méridional.

❻ **Eyguières,** joli village agrémenté de fontaines, donne accès au cœur des Alpilles, dont on atteindra le point culminant aux Opies (en provençal Aupilho). Par un sentier, on gagnera la petite plate-forme à 393 m d'altitude (1 h 30 AR) ; panorama sur Les Baux, la Crau et l'étang de Berre.

❼ **Eygalières** s'étage sur une colline, au pied d'un vieux donjon (voir photo). Le village, voué au tourisme hippique, sert de point de départ à des excursions en Provence.

❽ **Orgon,** que surplombent, sur une colline, les ruines de son château médiéval, occupe la rive gauche de la Durance. Son église date du XIVe s. De la chapelle moderne N.-D.-de-Beauregard, vaste panorama.

Étangs et mas au cœur de la Camargue

131 km

Enserrée entre les deux bras du delta du Rhône maintenus dans leur cours par de hautes digues couvertes de saules, de peupliers et d'aulnes, la Camargue est une basse plaine où se mêlent l'eau et la terre. Bordée d'une longue plage très fréquentée en été, ses routes ne sont vraiment tranquilles que le reste de l'année. Choisir un jour de léger mistral pour la lumière du ciel et la viabilité des chemins, et se prémunir contre les moustiques pour goûter en toute tranquillité les jeux de la lumière du soir sur les étangs.

❶ **Paysages de haute Camargue.** Garer la voiture et grimper sur la digue, près de l'une des stations de pompage destinées à refouler l'eau des « roubines » de drainage dans le Rhône. On domine le fleuve et les paysages ruraux de haute Camargue. Dans ces alluvions récentes, limons sableux apportés par le Rhône et déposés par ses cours changeants avant que les hommes l'endiguent, ou remaniés par les courants marins, les moindres différences de niveau ont des conséquences fondamentales. C'est aux routes et aux cultures que l'on reconnaît les imperceptibles bourrelets de terre que sont, dans le sens N.-S., les levées alluviales qui bordent les cours actuels et jalonnent les anciens cours du Rhône et, dans le sens E.-O., les anciens cordons littoraux avec leurs dunes fixées qui sont les traces d'anciennes lignes de rivage. Ici, près du fleuve, on est dans la Camargue agricole, avec ses « mas », centres de grandes exploitations cultivant vignes, pommiers et légumes dans les terres les plus hautes et les mieux égouttées, plantes fourragères et riz dans les terres irrigables.

❷ **Grand Mas de Romieu.** C'est un exemple type de ces grands mas camarguais proches du Vaccarès, récemment convertis au tourisme (location de chevaux).

❸ **Cabanes de Vaccarès.** La route traverse les paysages de basse Camargue, avec ses étangs peuplés d'oiseaux, ses marais et ses terres salées colonisées par les « sansouires », prairies de plantes grasses adaptées au sel, interrompues par des plaques de « salant »

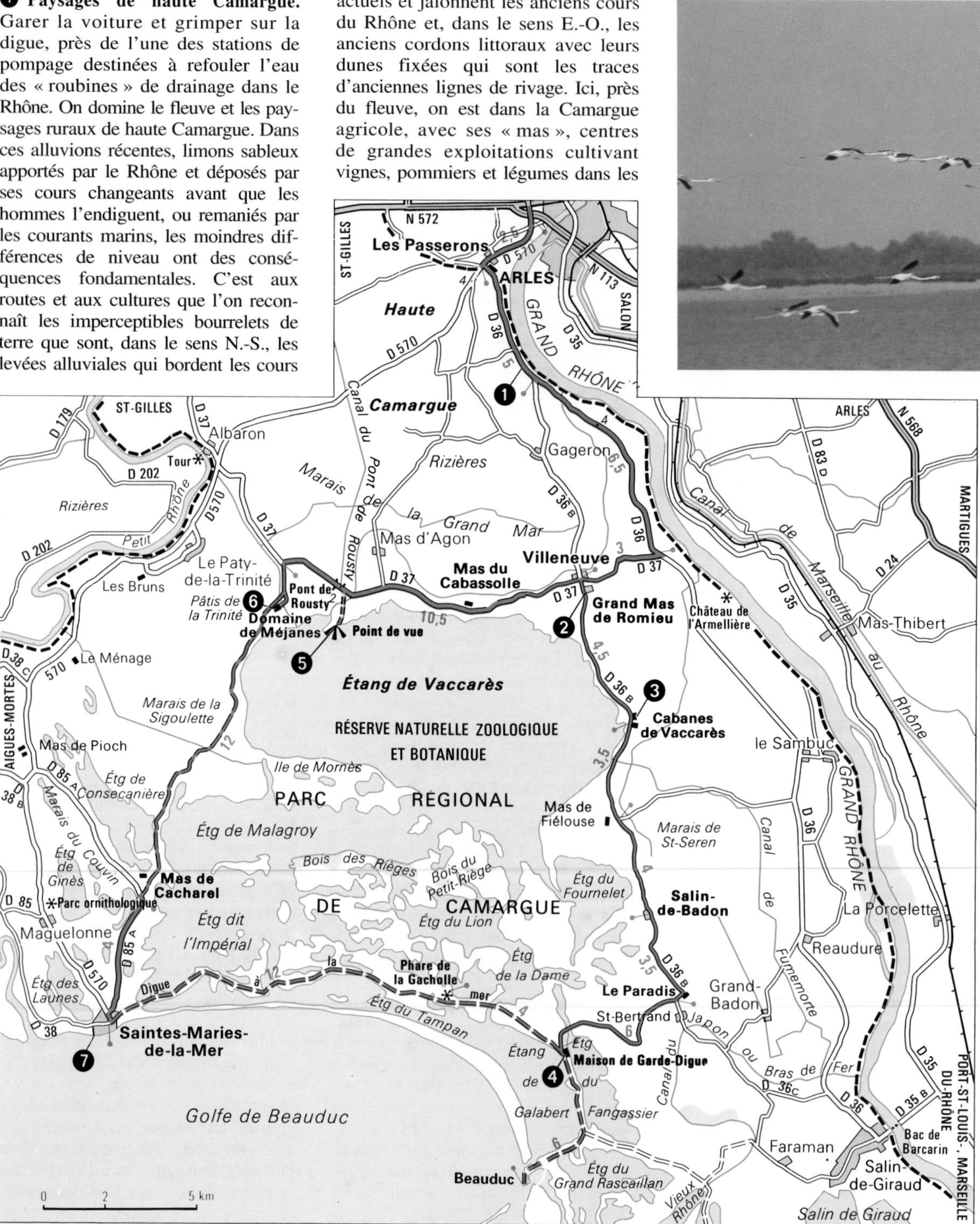

(efflorescences de sel dues à l'évaporation d'eau salée). Dans ces prairies paissent les « manades » de petits bovins noirs et de chevaux blancs (voir photo p. 432). Centre d'information de la réserve de la Capellière.

❹ **Maison de Garde-Digue.** Au S. des étangs, le littoral est protégé par la Digue à la Mer, qui relie quelques cordons dunaires en arrière de la plage et n'est tenue, en certains endroits, que par des pieux de bois. La route qui y passe, lorsque l'accès en est possible, est en très mauvais état. Laisser plutôt la voiture près de la

Flamants roses. Ces grands échassiers craintifs sont partiellement migrateurs et nichent irrégulièrement en Camargue.

maison du garde et partir à pied, soit vers l'O. en direction du *phare de la Gacholle*, soit vers le S. entre les étangs et les dunes des *Cabanes du Sablon*. C'est dans cette partie encore sauvage qu'on a le plus de chance de pouvoir approcher les oiseaux (voir photo).

Reprendre la voiture et rejoindre Villeneuve.

❺ **Point de vue sur le Vaccarès.** Il est signalé par l'Administration du parc naturel régional de Camargue. Pour y accéder, suivre à pied la digue qui longe le canal du Pont de Rousty.

❻ **Domaine de Méjanes** (départ de promenades à cheval). A partir de l'embranchement indiquant Méjanes, emprunter une route par endroits pleine de trous et d'ornières dues aux machines à récolter le riz. Elle permet d'atteindre la Camargue typique, sans arbres, avec des tamaris rabougris.

❼ **Saintes-Maries-de-la-Mer.** Ce bourg est situé sur un cap à peine marqué où, à un bourrelet alluvial d'un cours historique du Petit Rhône, s'accroche un mince cordon littoral; cette partie de Camargue n'est pas assez ravitaillée en alluvions par le Petit Rhône, et le littoral reculerait si les hommes ne le protégeaient pas, comme aux Saintes mêmes, au moyen d'une solide digue de pierre; on peut la parcourir à pied et rejoindre le phare de la Gacholle.

263

« Colorado » et gorges d'Oppedette — 59 km

Largement ouvert en haute Provence, le bassin d'Apt est à la fois plus verdoyant et plus austère que le reste de cette province. Plus humide, il est le domaine de la forêt de chênes « blancs » (pubescents), dont le sous-bois, formé de buis, de thym et de sarriette, a rapidement gagné les champs abandonnés. Deux chaînes montagneuses barrent son horizon : le sombre versant nord du Lubéron, au sud, et, au nord, la crête du Ventoux et la montagne de Lure, enneigées en hiver.

« Colorado » de Provence. Les ocres sont des argiles sableuses colorées par les oxydes de fer. Les carrières ne sont plus exploitées.

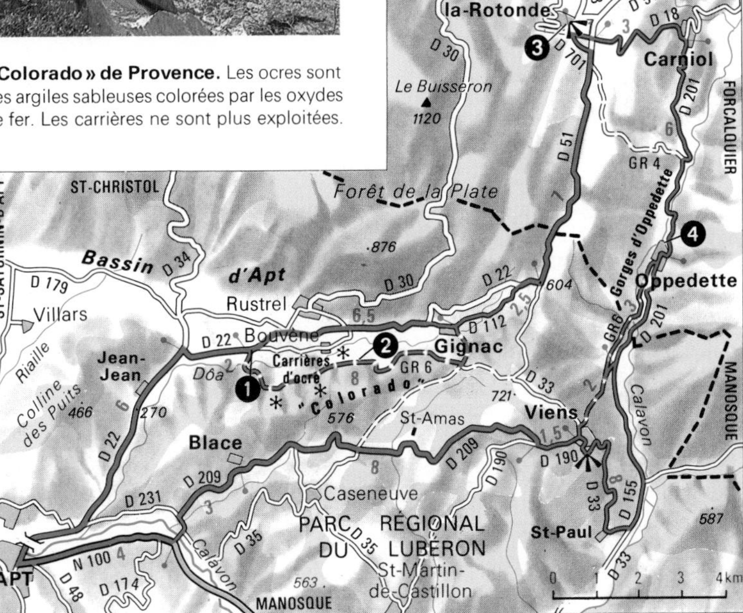

❶ **Paysages du bassin d'Apt.** Le contraste est net entre deux types de paysages : d'une part, les collines et petits plateaux modelés dans les roches tendres du centre du bassin, avec leurs pentes relativement douces donnant des terroirs à blé et à amandiers, et, d'autre part, les grands plateaux calcaires du N. du bassin qui les dominent par des escarpements raides.

❷ **« Colorado » de Provence.** (Voir photo.) On y entre en prenant le GR 6, le long duquel se voient plusieurs carrières d'ocre. L'érosion par ravines dans les roches très tendres au pied de la cuesta de Viens déchire le manteau forestier et tranche à vif des couches colorées : de bas en haut, marnes gris-bleu, ocres jaunes et rouges, sables blancs et verts, puis une dalle ferrugineuse violet sombre. Sur ces couches siliceuses, le sous-bois est formé de grandes bruyères et de cistes.

❸ **Simiane-la-Rotonde.** Après ce village perché, on traverse un paysage varié selon que l'érosion des ruisseaux venant du N. a plus ou moins déblayé les marnes tendres et atteint le calcaire dur sous-jacent.

❹ **Oppedette.** Le ruisseau que suit la route depuis Carniol s'enfonce, à Oppedette, en gorges dans les calcaires sous-jacents (garer la voiture 2 ou 3 km avant Oppedette). A l'entrée d'Oppedette, prendre l'itinéraire commun au GR 6 (fléché en blanc et rouge) et au tracé bleu, qui mène d'abord à un belvédère, puis descend jusqu'au lit, à sec en été. Le tracé bleu continue au fond du canyon : on ne s'y aventurera que par beau temps sûr, car les eaux peuvent monter extrêmement brutalement en cas d'orage. On peut, par contre, en toute sécurité, suivre le tracé du GR 6 vers Viens.

Abbayes et villages de haute Provence 327 km

Ce voyage en haute Provence dévoile, à travers un paysage partagé entre le rude Lubéron, le fertile bassin d'Apt et les champs de lavande du plateau de Valensole, les trois visages de cette région : celui de la présence romaine, dont ne témoignent plus que quelques vestiges ; celui, surtout, de l'épanouissement de la chrétienté médiévale, avec les abbayes de Silvacane et de Sénanque ; et celui d'une terre mise en valeur par l'homme, où les centres urbains sont autant de gros bourgs, tantôt accrochés aux montagnes, tantôt épanouis parmi les cultures.

❶ **Abbaye de Silvacane.** Fondée dans la première moitié du XIIe s., transformée en ferme, puis restaurée, elle constitue aujourd'hui un exemple des constructions cisterciennes, tant par son intégration au site que par la pureté de son architecture. Église, salle capitulaire, salle de travail des moines et réfectoire s'ordonnent autour du cloître du XIIIe s. (vis. t.l.j., mai-sept. ; sauf mardi, oct.-avr.).

❷ **Lourmarin,** au pied d'une combe rocheuse et boisée, est le seul passage N.-S. à travers la barre montagneuse du Lubéron. Sur une butte, à côté du bourg, se dresse le château, ancienne forteresse du XVe s., à laquelle a été adjointe une partie Renaissance (XVIe s.), restaurée et garnie d'un mobilier ancien provençal et espagnol ; remarquer le grand escalier à double vis (t.l.j. ; sauf mardi de nov. à Pâques).

❸ **Gordes.** Après avoir franchi le massif du Lubéron, on débouche sur le vaste bassin d'Apt, que l'on traverse jusqu'au pittoresque village de Gordes, accroché au rebord du plateau de Vaucluse (voir photo). Voir dans le château le musée Vasarely (ouv. t.l.j., sauf mardi).

❹ **Abbaye de Sénanque.** Une route sinueuse, d'où l'on a une vue d'ensemble de l'étroit vallon de la Sénancole, mène à l'abbaye, fondée en 1148. Avec Silvacane et Le Thoronet, elle est l'une des « trois sœurs provençales ». Le site obligea, lors de sa construction, à modifier les plans de l'église, dont le chevet est orienté au nord. Cette église, édifiée entre 1160 et 1180, représente un des plus beaux spécimens des églises cisterciennes de France. Dans les bâtiments conventuels, voir le cloître, dont les colonnes ont des chapiteaux sculptés à simple décor végétal, la salle du chapitre, le chauffoir, le dortoir des moines. D'importants travaux de restauration ont été faits. Des moines y vivent à nouveau depuis 1988. La

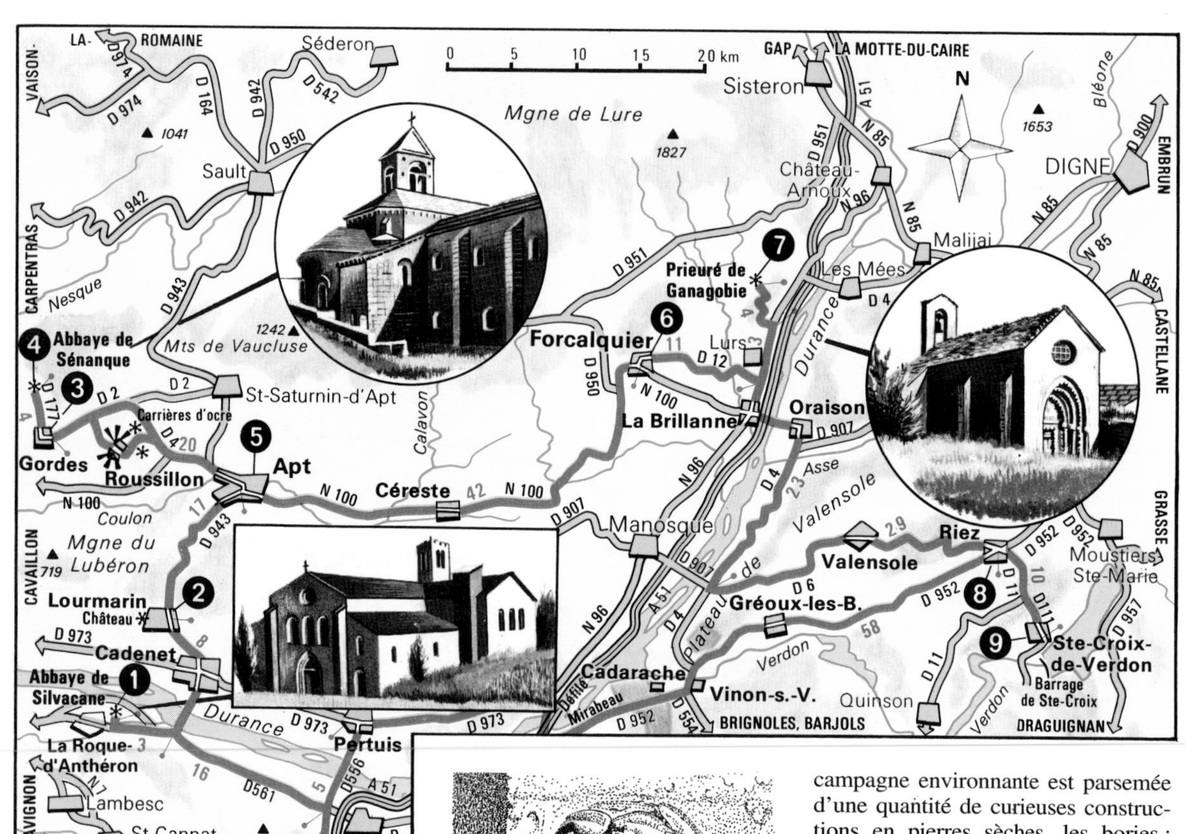

campagne environnante est parsemée d'une quantité de curieuses constructions en pierres sèches, les bories : refuges de bergers ou granges, pour la plupart très anciennes.

Pour retourner vers Apt, l'itinéraire emprunte une route sinueuse qui grimpe jusqu'à *Roussillon*, dont les maisons prennent tous les tons de brun ; en effet, ce village était le premier centre français d'exploitation de l'ocre. On aura la meilleure vue sur les carrières ravinées à partir du chemin du cimetière. Du haut du bourg, immense panorama sur la plaine, le Ventoux et le Lubéron.

Apt, comme beaucoup de villes provençales, possède de nombreuses fontaines qui apportent de la fraîcheur. Ce mascaron grimaçant orne celle de la place Saint-Pierre.

Abbaye de Sénanque. L'église de l'abbaye présente toutes les caractéristiques du roman cistercien : emboîtement parfait des volumes, équilibre des formes, harmonie des proportions, beauté des matériaux.

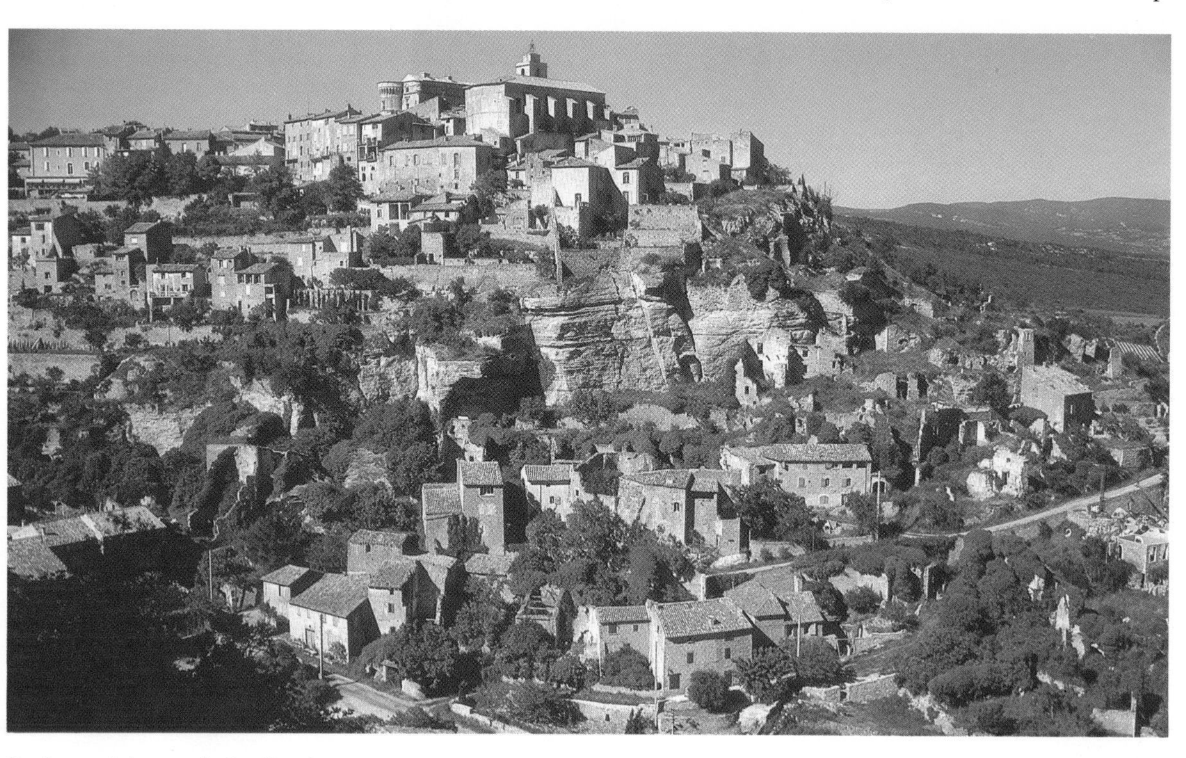

Gordes, vu de la route de Cavaillon. Sous la salle de garde du château Renaissance (musée Vasarely, ouv. t.l.j., sauf mardi), les maisons semblent jaillir de la falaise d'où l'on domine tout le bassin d'Apt.

❺ **Apt**, renommée comme capitale du fruit confit, est entourée de vergers, en particulier de cerisiers. La ville recèle de belles demeures aux porches sculptés et l'ancien palais épiscopal (XVIIIe s.) qui s'orne d'un escalier flanqué de fontaines (voir aussi dessin). L'ancienne cathédrale est un édifice composite où s'imbriquent des parties romane, gothique et classique. Dans la chapelle royale, un buste-reliquaire de sainte Anne surmonte l'autel. Sous la cathédrale se trouve une crypte à double étage. Dans la sacristie, manuscrits des XIe-XIIe s. (ne se visite pas). Le trésor renferme le « voile de sainte Anne », vêtement copte du XIe s.(vis., tél. : 90-74-36-60). Musée archéologique : antiquités gallo-romaines, Moyen Age, belles faïences d'Apt (t.l.j., sauf mardi, juin-sept. ; t.l. apr.-m., sauf mardi, sam. tte la journée, d'oct. à mai). Maison du Parc du Lubéron : musée de paléontologie (vis. t.l.j., sauf dim., mai-sept. ; sauf sam. apr.-m. et dim. hors saison).

❻ **Forcalquier.** L'ancienne cathédrale Notre-Dame, en majeure partie de style roman provençal, a été modifiée à l'époque gothique et au XVIIe s. Le couvent des Cordeliers (XIIe-XIIIe s.) a été restauré : on visite le cloître ainsi qu'une partie des bâtiments conventuels (vis. guid. t.l.j., juill.-15 sept. ; dim. apr.-m. et j. fér., mai-juin et 15 sept.-31 oct. Groupes sur R.-V. Dans la vieille ville, on peut voir quelques maisons anciennes (du XIIIe au XVIIIe s.) et une fontaine du XVe s. Le Musée municipal, installé à la mairie, possède des collections d'archéologie et d'histoire locale (t.l.j., 1er juill.-30 sept. ; mercr. apr.-m. hors saison, rens. à l'O.T.). Sur l'emplacement de l'ancien château, dont il reste quelques vestiges, se dresse une chapelle moderne : belle vue sur les environs et les Préalpes de Digne (table d'orientation). Le cimetière de Forcalquier est remarquable à deux titres : pour ses haies d'ifs sculptés où s'ouvrent des niches, et pour plusieurs petits édifices de pierres semblables aux bories.

❼ **Prieuré de Ganagobie.** En remontant le cours de la Durance, on parvient sur le plateau de Ganagobie, qui domine la vallée. Parmi les richesses préhistoriques et médiévales de ce site, et prieuré de Ganagobie se distingue par son église au portail roman provençal décoré d'archivoltes à festons de pierre. De ce couvent bénédictin subsistent le cloître et une partie du réfectoire (t.l.j. 15 h-17 h, sauf lundi, et aux offices). En redescendant vers le fleuve, on peut admirer le seul pont romain des Alpes demeuré pratiquement intact. De l'autre côté de la Durance, le plateau de Valensole domine toute la haute Provence. Les terres ocrées, les champs de lavande, les alignements de ruches lui confèrent un aspect très original. Le village de *Valensole* est situé sur une butte en haut de laquelle se trouve une église, dont le chœur et la façade datent du XIIIe s.

❽ **Riez.** Deux portes des XIIIe et XIVe s. permettent de pénétrer dans la vieille ville, où l'on remarquera plusieurs maisons du XVIIe s., des restes de remparts et des fontaines. Le baptistère aurait été construit entre le IVe et le VIIe s. ; carré à l'extérieur, octogonal à l'intérieur, il est flanqué de quatre absidioles ; la rotonde, portée par des colonnes, est fermée par une coupole (XIIe s.) Musée lapidaire (t.l.j., juin-30 sept.) En direction de Digne, chemin des Cordeliers, s'élèvent dans un pré quatre colonnes corinthiennes hautes de près de 7 m, en marbre blanc, vestiges d'un temple romain du 1er s.

❾ **Sainte-Croix-de-Verdon** domine le lac de retenue de son barrage. Au-delà s'amorce le grand canyon du Verdon (voir itinéraire 267).

Le tour de la montagne Sainte-Victoire 83 km

La montagne Sainte-Victoire, dont la longue crête est-ouest se tient toujours autour de 1000 m d'altitude, domine le paysage aixois par son profil dissymétrique : au sud, un grand escarpement de calcaires gris clair se dresse, quasi vertical mais dans le détail tout sculpté par l'érosion, au-dessus des terres rouges du bassin d'Aix ; au versant nord, les calcaires redressés, et parfois renversés par le plissement sont tranchés en biseau par une pente plus douce et naguère très boisée.

Montagne Sainte-Victoire. La face S. de ce massif, sert de toile de fond à l'agglomération aixoise. Les falaises accidentées sont cependant accessibles aux amateurs d'escalade.

❶ **Barrage de Bimont.** Formant une des deux retenues créées dans les gorges de l'Infernet pour l'alimentation du bassin d'Aix, il emmagasine l'eau du Verdon et reflète le plus beau profil de la montagne qui se dresse au-dessus du plateau de Bimont (400 à 500 m). Sous ce plateau, on voit le prolongement occidental des plis de la Sainte-Victoire (couches jurassiques verticales au-dessus de l'Infernet), qui sont arasés sous une mince couche horizontale de calcaires tertiaires jaunâtres,ce qui illustre la complexité de l'histoire de cette montagne. A partir du barrage, un réseau de chemins pédestres sillonne la forêt d'yeuses et pins d'Alep et les garrigues ; au loin, la vue s'étend vers le S. jusqu'aux crêtes de la chaîne de l'Étoile.

❷ **La Croix de Provence.** Quelque 500 m après la maison de repos « la Médiatrice », un élargissement de la route permet de garer cinq ou six voitures. Un chemin part tout près de là entre les villas et conduit au sommet. La vue embrasse toute la Provence centrale, avec, au premier plan, le contraste entre le riant bassin d'Aix, planté de vignes et d'oliviers, et, au N., l'austère combe de Vauvenargues, encaissée entre des plateaux calcaires, où les caractères méditerranéens de la végétation s'effacent peu à peu.

❸ **Le Puits-de-Rians,** grosse ferme dans un vallon cultivé encore selon les formes traditionnelles, a un petit terroir cerné par des forêts et des garrigues. A l'O. se profile l'extrémité de la Sainte-Victoire. Tout près, dans un champ, les déblais de roche rouge attestent une ancienne exploitation de bauxite.

❹ **Montagne du Cengle.** Le contact entre la Sainte-Victoire et le bassin d'Aix est très coloré, avec sa végétation à feuilles persistantes de chênes verts et de pins, et ses garrigues à romarin qui laissent percer des roches de couleurs éclatantes. La structure du bassin fait affleurer ici des calcaires très blancs alternant avec des marnes rutilantes, le tout plus ou moins rebroussé au pied du grand escarpement presque vertical. En hiver, on y est abrité du mistral. Le point de vue du rebord du Cengle montre les gros blocs de calcaires blancs de la corniche sommitale de ce plateau qui ont glissé sur le versant taillé dans les marnes rouges. Du sommet, la vue embrasse tout le bassin d'Aix avec l'opposition entre un paysage rural en voie d'abandon (vigne et oliviers) et le paysage industriel de Gardanne.

❺ **Saint-Antonin-sur-Bayon.** Près du village, on peut grimper sur l'oppidum et voir de près les couches qui se redressent à la verticale au pied de la Croix de Provence.

❻ **Roques-Hautes.** Une courte promenade vers la ferme de Roques-Hautes permet de voir les sables marneux rosâtres, lieu du célèbre gisement d'œufs de dinosaures (les plus beaux spécimens sont au muséum d'Aix : voir itinéraire 258).

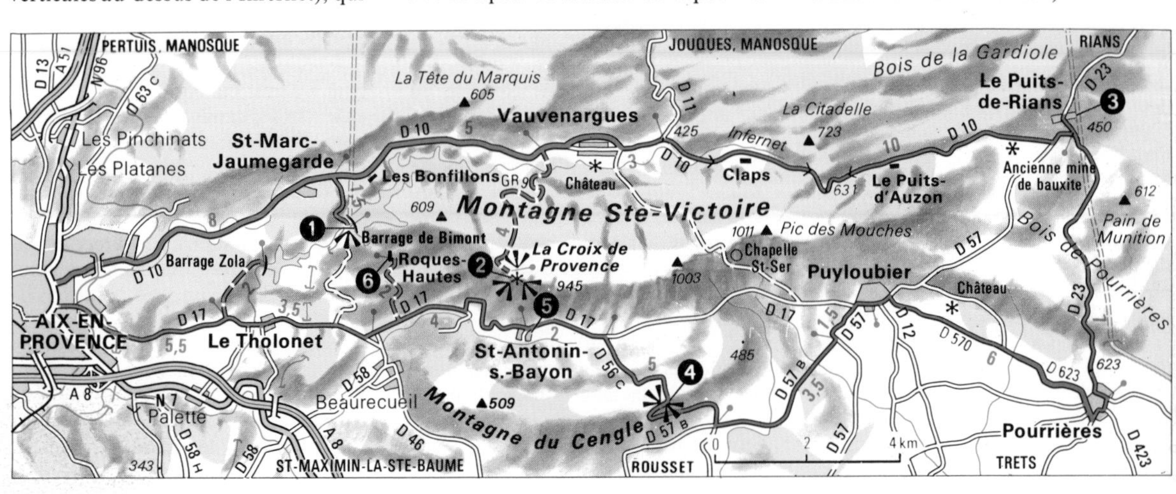

En longeant les gorges du Var et du Cians 93 km

A quelque soixante-dix kilomètres seulement de la côte méditerranéenne, Puget-Théniers est un bon point de départ pour un itinéraire de montagne voué principalement à deux torrents : le Var et son affluent, le Cians. Si la partie inférieure du Var forme une riante vallée, sa partie supérieure forme de belles gorges ; quant au Cians, ce n'est qu'une succession d'étroits et de défilés. Quelques villages bien alpins ponctuent le circuit, tels Valberg et Beuil, stations de ski favorites des Niçois.

❶ **Puget-Théniers** est un bourg pittoresque dont l'église romane a été remaniée et décorée au XVIIe s. ; à l'intérieur, voir un retable de l'école niçoise (1525) et de beaux groupes de bois sculptés (XVIIIe s.). A l'entrée du village, on remarque un monument érigé à la mémoire du révolutionnaire Auguste Blanqui, né à Puget : le bronze, symbolisant l'Action enchaînée, est dû à Maillol.

❷ **Entrevaux.** Cette place forte, bâtie par Vauban en 1692, est restée intacte (voir photo). Des ruelles entourent l'église (XVIe s.), dont le clocher fortifié est une tour des anciens remparts. A l'intérieur, stalles, tableaux et retables du XVIIe s. Le rocher qui domine la ville est couronné par les ruines d'un château médiéval : belle vue sur la vallée du Var. L'itinéraire longe ensuite celui-ci sur sa rive droite.

❸ **Grotte du Chat.** Elle est située près de Daluis, dans l'ancien lit d'une rivière souterraine ; on accède facilement à ses nombreuses galeries.

Puis la route s'engage dans les *gorges de Daluis,* que le Var a creusées à travers les schistes rouges. La colline surplombe le torrent de 150 m : le rouge des roches tailladées, le vert des mousses et des buissons, l'étroitesse des défilés et leur profondeur composent un paysage grandiose.

❹ **Guillaumes,** petite station d'été, est groupée autour de son clocher de type alpin et dominée par les ruines d'un château. En direction de Valberg, on peut observer, de la route, le contraste entre l'ubac, versant N. frais et boisé, et l'adret, versant S. ensoleillé, où s'étagent les cultures.

❺ **Valberg** est une station de ski dans un site bien exposé. L'église N.-D.-des-Neiges (1939-1945) a été édifiée dans le style très simple des églises de montagne. Au S. de la station, la Croix de Valberg est accessible par un sentier (45 mn AR) : vaste panorama sur les Alpes maritimes.

A *Beuil,* au-dessus des pâtures, voir l'église (XVIIe s.) et la chapelle des Pénitents-Blancs, de style Renaissance, construite avec les pierres de l'ancien château des comtes de Beuil.

❻ **Gorges supérieures du Cians.** Après Beuil, la vallée du Cians se resserre, et la rivière s'enfonce dans des gorges qui échancrent profondément les schistes rouges. La route, taillée dans le versant, surplombe le lit encombré de blocs rocheux où bondit le torrent ; les passages les plus étroits mais aussi les plus spectaculaires sont la Grande et la Petite Clue.

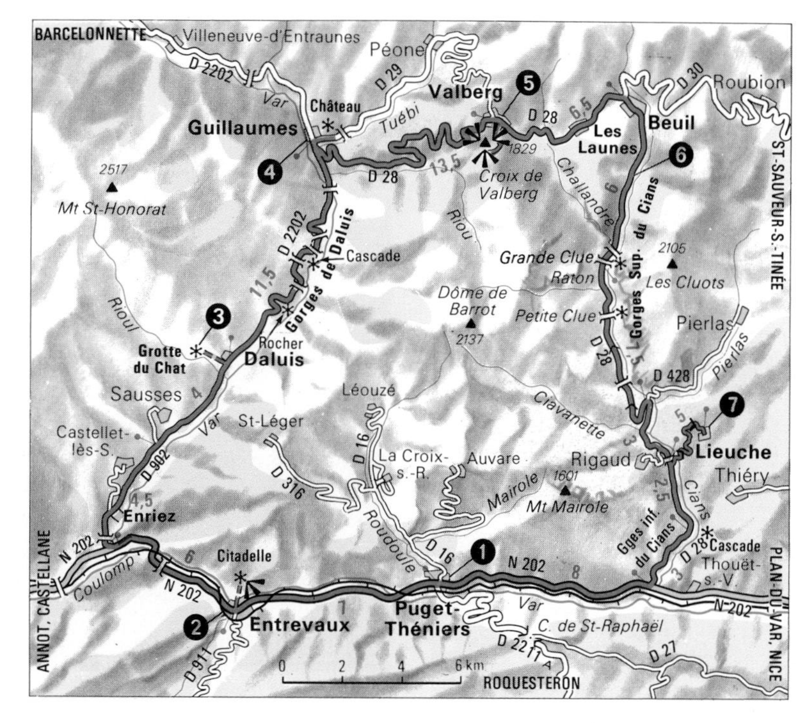

❼ **Lieuche.** L'église de ce village perdu abrite un retable de l'école niçoise (1499). Le circuit rejoint enfin le Var par les gorges inférieures du Cians : la route, à travers les calcaires déchiquetés, suit au plus près le tracé tourmenté du torrent.

Entrevaux a gardé son allure de place forte. Les hautes maisons se pressent sous les bastions accrochés aux rochers.

Panetière provençale. Elle était toujours accrochée au mur, au-dessus du pétrin.

267

Le grand canyon du Verdon 113 km

Le grand canyon du Verdon est l'une des curiosités naturelles les plus impressionnantes d'Europe. Cette gorge, parfois encaissée jusqu'à 700 m de profondeur entre des falaises sauvages, se déroule sur une vingtaine de kilomètres. On peut suivre intégralement en voiture les deux versants, qui offrent des aspects différents, toujours spectaculaires. Tout au long du circuit sont aménagés des belvédères. La conduite automobile y étant toujours délicate et les conditions atmosphériques très rudes en hiver, cette excursion n'est recommandée que de mars à octobre. Les personnes qui sont entraînées à la marche en terrain difficile pourront effectuer la remontée des gorges à pied (voir texte encadré).

❶ **Moustiers-Sainte-Marie** occupe le débouché d'une gorge creusée dans le calcaire par le Rioul, petit torrent jaillissant en cascades. Dans le bourg, aux ruelles coupées d'escaliers, les hautes maisons médiévales sont dominées par le clocher ajouré de baies à colonnes de l'église, dont la nef est romane et le chœur gothique. On peut monter (30 mn AR) à la chapelle Notre-Dame-de-Beauvoir (entrée libre) : son porche roman abrite une porte aux vantaux sculptés Renaissance (voir photo). De la terrasse, vue sur Moustiers et le verdoyant bassin de la Maïre, affluent du Verdon. La ville est surtout célèbre pour ses faïences (voir photo), dont on pourra admirer

Le Verdon, vu de la falaise des Cavaliers. C'est l'un des points les plus impressionnants du canyon. De la falaise, le regard plonge de 300 m de haut sur le torrent. Les falaises à pic, dont le pied est creusé de grottes, la végétation touffue, masquant le fond de la gorge et contrastant avec les hautes parois de roche nue, composent un tableau grandiose et sauvage.

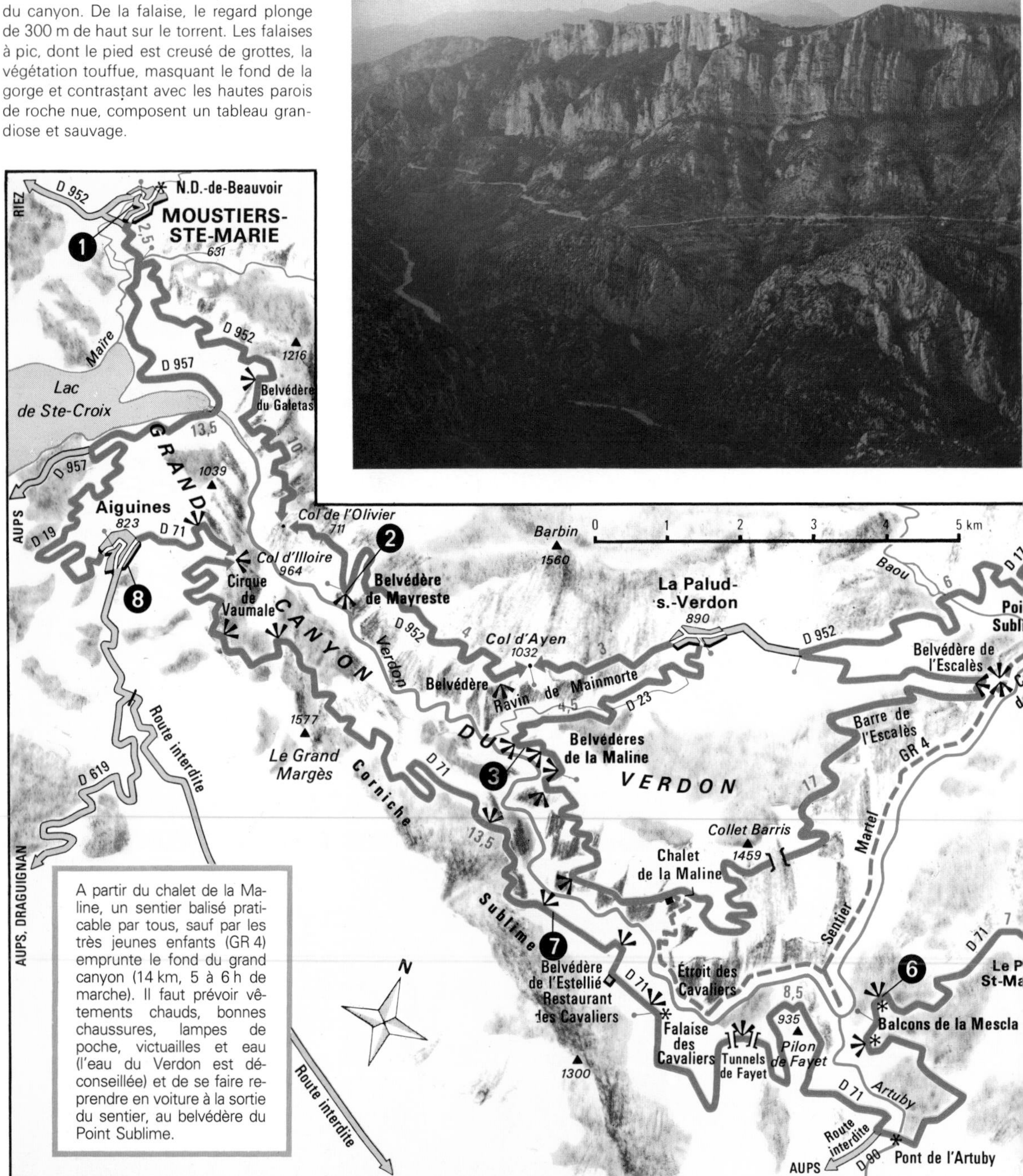

A partir du chalet de la Maline, un sentier balisé praticable par tous, sauf par les très jeunes enfants (GR 4) emprunte le fond du grand canyon (14 km, 5 à 6 h de marche). Il faut prévoir vêtements chauds, bonnes chaussures, lampes de poche, victuailles et eau (l'eau du Verdon est déconseillée) et de se faire reprendre en voiture à la sortie du sentier, au belvédère du Point Sublime.

des pièces au musée de la Faïence (vis. t.l.j., sauf mardi), plus particulièrement des XVIIe et XVIIIe s., mais aussi du XIXe s. ainsi que des œuvres contemporaines.

Moustiers est le point de départ pour l'excursion au grand canyon du Verdon, que cet itinéraire aborde ainsi par la rive N.

❷ **Belvédère de Mayreste.** A peu de distance de la route (20 mn AR), il offre une première impression générale des gorges.

Au *col d'Ayen*, un autre belvédère, facilement accessible par un sentier balisé (20 mn AR), donne un point de vue en amont sur toute la partie médiane du canyon au tracé en ligne brisée. Puis la route se dirige vers La Palud-sur-Verdon à travers un plateau cultivé, en s'éloignant des gorges, qu'on rejoint ensuite après avoir longé le ravin de Mainmorte.

❸ **Belvédères de la Maline.** Sur la corniche surplombant le canyon sont aménagées des aires de stationnement qui forment autant de belvédères d'où l'on a des vues extraordinaires sur l'amont des gorges. Ce sont successivement les belvédères de Baou-Béni, d'où l'on peut observer les hautes murailles de l'étroit du Baou-Béni ; de Gaston-Armanet, qui surplombe le méandre encaissé de l'Imbut; de l'Imbut, d'où l'on aperçoit le défilé dans lequel le Verdon se perd, sur près de 400 m, dans un chaos de blocs rocheux ; de Maugué, où la vue s'élargit vers l'amont. On atteint le *chalet de la Maline* (voir texte encadré), dans le vallon du même nom, d'où une route carrossable conduit jusqu'à la barre de l'Escalès, dont elle parcourt l'arête en lacet et où sont aménagés de nouveaux belvédères à partir desquels on peut découvrir peu à peu l'entrée des gorges (route fermée du 1er novembre au printemps en raison des risques d'éboulements ; certains passages comportent des pentes de 12 à 14 %).

❹ **Point Sublime.** De la route, on remarque *Rougon*, village perché que surplombent les ruines d'un château ; du bourg même, vue splendide sur l'entrée du grand canyon. Partant de la route, un sentier permet de gagner (20 mn AR) le Point Sublime, belvédère commandant le début des gorges.

Reprendre la voiture en direction de Pont de Soleils : du tunnel du Tusset, sur la droite, une petite route mène au *Couloir de Samson*, étroit impressionnant, à proximité du confluent du Verdon et du Baou. On revient sur la route nationale, qui franchit la clue de Carejuan, aux falaises calcaires colorées, puis longe le Verdon, qu'elle enjambe, très haut, à Pont de Soleils.

Moustiers-Sainte-Marie, encastré dans la montagne, bénéficie d'un site étonnant : entre les rebords supérieurs des deux falaises, une chaîne en fer forgé de 227 m de long portant une étoile dorée a été suspendue au temps des croisades, exécution du vœu d'un chevalier revenu après une longue captivité. Sur un replat, où se profilent des cyprès, on voit la chapelle Notre-Dame-de-Beauvoir, au petit clocher roman.

Faïence de Moustiers. Florissante aux XVIIe et XVIIIe s., périclitant à la fin du XIXe, l'industrie de la faïence a connu un renouveau spectaculaire au milieu du XXe s. grâce à l'emploi de nouvelles techniques et, surtout, à l'introduction de nouveaux motifs décoratifs d'inspiration provençale : ici, plat au décor monochrome traditionnel.

❺ **Trigance,** sur la rive gauche, est un village étagé à flanc de colline ; il est dominé par un vaste château flanqué de quatre tours d'angle. A travers un haut plateau, on rejoint à la Cournuelle la route venant de Comps-sur-Artuby. Puis c'est la montée vers le Petit-Saint-Maymes, d'où l'on redescend vers la vallée de l'Artuby.

❻ **Balcons de la Mescla.** A l'entrée de la Corniche Sublime, ces deux belvédères dominent d'environ 300 m le confluent (*mescla* signifie mêlé) du Verdon et de l'Artuby. C'est l'un des sites les plus impressionnants de la rive gauche du Verdon, à l'endroit où celui-ci change d'orientation. Le pont de l'Artuby franchit de son unique arche de béton (110 m de portée) le canyon de l'Artuby, encaissé entre des falaises verticales (arrêt possible à la sortie du pont). Puis la route monte de nouveau en contournant le Pilon de Fayet avant de s'engager sous deux tunnels entre lesquels on pourra s'arrêter pour admirer la vue sur le canyon du haut d'un à-pic de 450 m. Le second tunnel est percé de baies qui offrent de saisissantes échappées. La route s'écarte un instant du N. du canyon avant de le rejoindre à la falaise des Cavaliers.

❼ **Corniche Sublime.** Frôlant le précipice, deux belvédères sont aménagés sur les terrasses du restaurant des Cavaliers (voir photo). A partir de là, et sur près de 3 km, la Corniche Sublime, ouverte en 1947, offre la possibilité de suivre au plus près les gorges qu'elle surplombe d'une hauteur variant entre 250 et 400 m. Du belvédère de l'Estellié, on aperçoit, sur la rive opposée, le chalet de la Maline dans l'un des secteurs les plus resserrés du canyon. A la hauteur du ravin de Mainmorte, l'horizon se dégage puis la route suit le cirque boisé de Vaumale : belles vues vers l'aval, où l'entaille s'élargit en dégageant un magnifique panorama sur le versant opposé. Après quelques lacets, on découvre le lit caillouteux du Verdon quittant définitivement le carcan des gorges, dont on aura une dernière vision au col d'Illoire.

❽ **Aiguines** possède un château flanqué de tourelles aux toits de tuiles vernissées (on ne visite pas). L'ancien hôtel des Consuls date du XVIIIe s. Au-delà, la route longe l'extrémité du lac de retenue du barrage de Sainte-Croix, en aval, sur le Verdon, avant de remonter, parmi les champs de lavande, le vallon de la Maïre en direction de Moustiers.

A travers le massif des Maures 116 km

Le massif des Maures, malgré des altitudes modestes, à peine 780 m près de N.-D.-des-Anges, présente des aspects quasi montagnards avec ses vallées étroites aux versants raides, ses sommets, lourdes croupes sculptées dans des roches dures, ses routes en lacet accrochées à mi-pente, sa faible densité humaine, ses grands espaces de forêts – chênes-lièges et pins – et de maquis – bruyères et arbousiers.

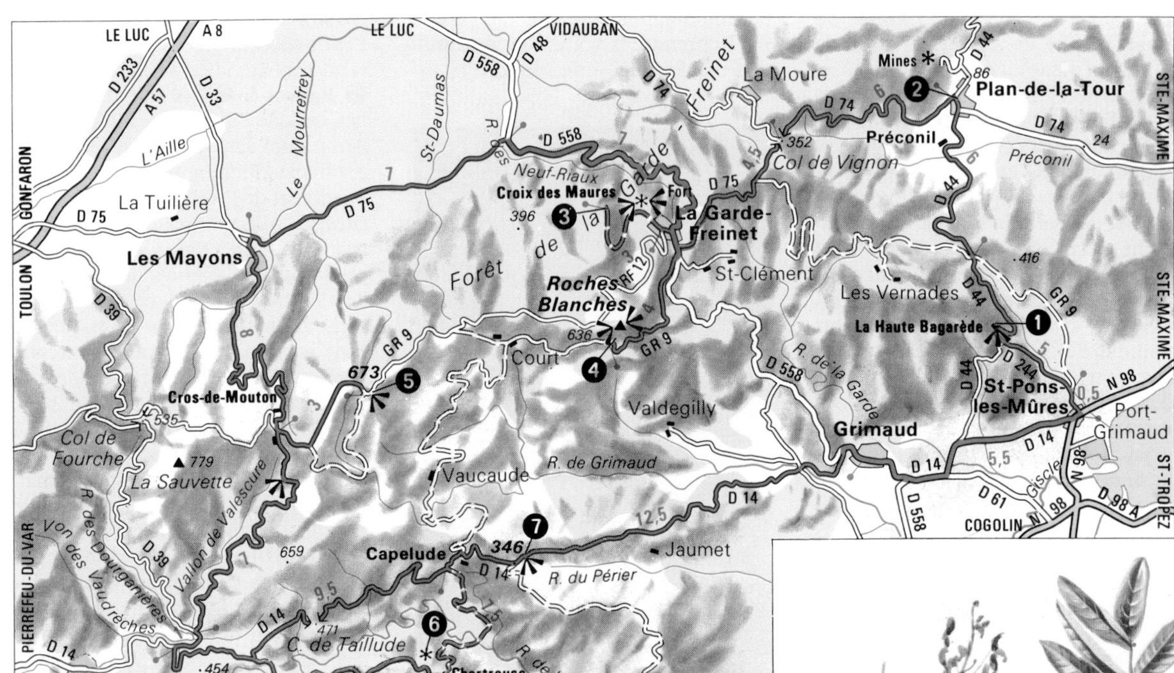

❶ **La Haute Bagarède.** La vue s'étend sur le bassin de Cogolin, aux pentes douces, où les mimosas, les eucalyptus et les pins se mêlent à la forêt parsemée de villas aux jardins toujours fleuris. Quelques vignes subsistent, mais l'arrière-pays de Saint-Tropez – avec Port-Grimaud et les Marines de Cogolin – est peu à peu submergé par la fonction touristique. Le contraste est brutal entre ce paysage urbanisé et le maquis boisé qui couvre les pentes raides séparant le golfe de Saint-Tropez (voir photo) du bassin du Plan-de-la-Tour.

❷ **Plan-de-la-Tour.** Après avoir traversé le village, il faut prendre le chemin... de la décharge municipale, hélas !, qui grimpe sur l'une des crêtes de gneiss dur dominant le bassin du Plan-de-la-Tour et coupe les granits clairs très altérables, ce qui explique que ces derniers aient été creusés par l'érosion. Dans cette cuvette vallonnée, les vignes poussent sur l'arène rose, et les collines couronnées de pins jalonnent les granits demi-altérés. La viticulture de qualité a longtemps défendu ce terroir contre l'extension des résidences secondaires.

❸ **La Croix des Maures.** Troisième petit bassin des Maures, la dépression de La Garde-Freinet, limitée à l'O. par un escarpement formé par les gneiss dominant les micaschistes, est feutrée d'une épaisse terre rousse, résultant de l'altération des micaschistes, où prospère la châtaigneraie. La Croix des Maures offre un vaste point de vue, des Alpes à la Méditerranée. Pour l'atteindre, plutôt que d'emprunter la route forestière, difficilement praticable en voiture à travers les ruelles du vieux bourg, monter à pied le chemin partant du village et indiqué par l'inscription : « Les Roches Blanches, le Fort ».

❹ **Les Roches Blanches.** Le GR 9 suivant une route forestière, on peut l'emprunter en voiture ; c'est un itinéraire peu fréquenté qui serpente entre les châtaigniers, à flanc de coteau, au S. des crêtes, et qui constitue un balcon donnant sur tout le S.-E. du massif et le golfe de Saint-Tropez.

❺ **Cote 673.** Sur la route forestière des crêtes, puis sur la route des Mayons au vallon de Valescure, très sinueuse, apparaît l'aspect massif de la crête, avec ses cols à peine marqués et ses sommets soulignés de rochers schisteux dissymétriques, quoique l'un d'eux, tout blanc, soit dû à un filon de quartz. Sur les pentes, les bandes plus claires des châtaigniers tranchent sur le vert sombre de la forêt de chênes-lièges ; la dépression au N. des Mayons contraste, par l'activité qui s'y déploie, avec les solitudes des Maures.

❻ **Chartreuse de la Verne.** On remarquera l'opposition entre les hauts murs de l'édifice, en gros appareil de schiste brun et roux, et les encadrements des portes et des fenêtres en serpentine (XVIIe-XVIIIe s.). Beau portail monumental en serpentine (vis. t.l.j., sauf mardi et nov.). C'est le point de départ d'un chemin pédestre d'où la vue s'étend sur la partie la plus déserte du massif : bel effet de perspective des lignes de crête.

❼ **Cote 346.** Après le hameau forestier de Capelude, on retrouve le contraste entre l'O. austère du massif des Maures et la vue sur le bassin de Cogolin avec ses vignes, ses villas, ses mimosas et ses pins parasols.

Pistachier. On le trouve fréquemment dans la région ; ses fruits rouges renferment une graine que l'on consomme : la pistache.

Golfe de Saint-Tropez. Des montagnes dont les flancs plongent dans la Méditerranée, des eaux profondes et bleutées pour les plaisirs de la mer : le golfe n'a pas usurpé sa réputation.

La vallée des Merveilles

(1) 22 km; (2) 11 km; (3) 24 km-31 km

Au-dessus de 2 000 m, dans des vallons et des cirques glaciaires où abondent les lacs, des milliers de gravures sont visibles sur les roches. Elles datent de l'âge du bronze (entre 1800 et 1000 av. J.-C.). Ce sont soit des représentations symboliques, soit des figures stylisées : animaux cornus, enclos, attelages, armes; les représentations humaines sont rares. Ces gravures avaient probablement une signification magique ou religieuse. Leur découverte ne peut faire l'objet d'un itinéraire comme les autres : plusieurs circuits sont possibles, nous vous en proposons trois.

Gravures rupestres près du lac Long. En raison de l'altitude (plus de 2 000 m), l'accès à la vallée n'est possible que du mois de juin à fin octobre.

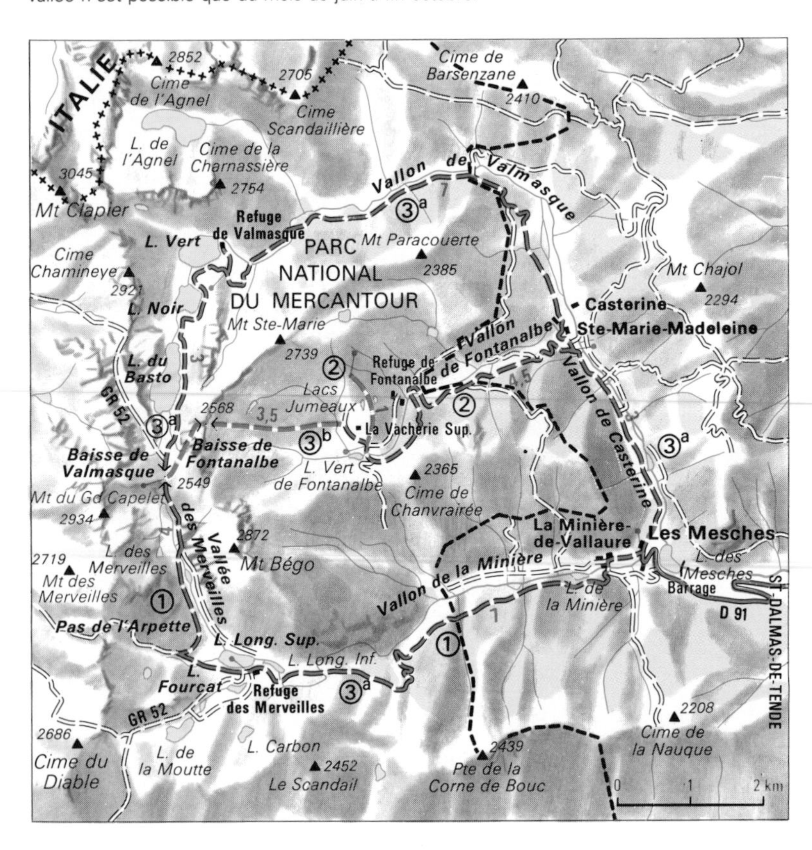

Accès à la vallée des Merveilles. (Voir photo.) La zone des gravures s'étend au S.-E. du massif de l'Argentera-Mercantour, dans le bassin supérieur de la Roya. Il faut gagner par Saint-Dalmas-de-Tende le hameau des Mesches, où on laisse la voiture. On peut aussi aller jusqu'à Casterine (hébergement).

Équipement. La randonnée se fait, bien entendu, à pied, du début juin à la fin octobre (rens. pour l'enneig. à l'O.T. de la Haute Roya, tél. : 93-04-73-71). Elle nécessite une certaine prudence et surtout un équipement minimal adéquat : chaussures de montagne, pull-over, vêtement de pluie, chapeau et crème solaire en été. Emporter à boire et de la nourriture. Aux refuges des Merveilles (ouv. 1er juin-30 sept.) et de Valmasque (ouv. 1er juin-4 oct.), on peut se restaurer et dormir (réserver à l'avance). Il est possible aussi de se loger à Casterine.

Les gravures. Elles sont incisées sur des roches schisteuses de teinte rouge, orange ou verte, polies et striées par la glace, puis patinées. On les trouve dans trois secteurs :

— *Dans la vallée des Merveilles*, en aval du lac coté à 2 294 m, sur les deux rives du torrent, à plusieurs niveaux. Tous les thèmes figuratifs et la plupart des représentations humaines y sont visibles, notamment le Christ, sur la rive gauche, et, sur la rive droite, le « chef de tribu » et le « sorcier ». (Circuits 1 et 3 a.)

— *A Fontanalbe*, les gravures sont localisées surtout au N. du petit lac Vert, à l'O. de la Vacherie Supérieure et dans un ravin au N.-E. des lacs Jumeaux, où l'on peut admirer, entre autres, le magnifique « attelage ». (Circuits 2 et 3 b.)

— Enfin, *au S. du lac Long*, entre le lac Fourcat et le pas de l'Arpette.

Circuit 1 (durée : 1 journée). Partir des Mesches tôt dans la matinée et remonter le vallon de la Minière jusqu'au lac Long Supérieur (2 h 30); visiter la vallée des Merveilles (de 2 à 3 h) et redescendre aux Mesches par le même chemin qu'à l'aller.

Circuit 2 (durée : 1 journée). On peut sans difficulté visiter le site de Fontanalbe à partir de Casterine.

Circuit 3 a (durée : 1 journée et demie, en passant la nuit au refuge des Merveilles ou à celui de Valmasque). Partir des Mesches, aller au lac Long (2 h 30), visiter la vallée des Merveilles (de 2 à 3 h); le retour s'effectue par la Baisse de Valmasque, les lacs du Basto, Noir et Vert, les vallons de Valmasque et de Casterine (3 h).

Circuit 3 b (durée 2 journées, en passant la nuit au refuge des Merveilles ou à celui de Valmasque). C'est le même que le circuit 3 a, avec, en plus, une incursion (3 h) dans le cirque de Fontanalbe, en passant par la Baisse de Fontanalbe (voir circuit 2).

Falaises et maquis de l'Esterel 44 km

L'Esterel dresse brutalement au-dessus de la mer ses hauts rochers roses. L'érosion a dégagé les rhyolites les plus résistantes, donnant des sommets déchiquetés qui fournissent d'énormes éboulis, les « glairés ». Le couvert végétal a été presque entièrement façonné, directement ou indirectement, par l'homme au cours des derniers millénaires. Seuls les escarpements rocheux peuvent encore avoir des points communs avec ce qui devait exister autrefois comme forêt originelle primitive, chênes-lièges, chênes verts, chênes pubescents. Le pin maritime n'est presque plus représenté.

❸ **Plateau d'Anthéor.** De l'aire de pique-nique, vue sur les rochers les plus abrupts de l'Esterel, les versants du cap Roux et du Saint-Pilon. Pour accéder au rocher de Saint-Barthélemy, bloc de lave rose attaqué à la base par les taffoni, emprunter à pied, sur 1 km environ, la route forestière interdite à la circulation.

❹ **La Sainte Baume.** Sur la route menant au pic de l'Ours, un panneau indique La Sainte Baume (en provençal, *La Baoumo* désigne l'abri sous roche, la grotte). Le chemin, tout d'abord ombragé, monte au sommet d'où, le matin, par temps très clair, on aperçoit la Corse (2 h 30 AR).

Pointe du Dramont. Elle avance dans la mer ses dures rhyolites rouges où l'érosion des vagues a exploité failles et fractures. Au loin, l'île d'Or surmontée d'une tour.

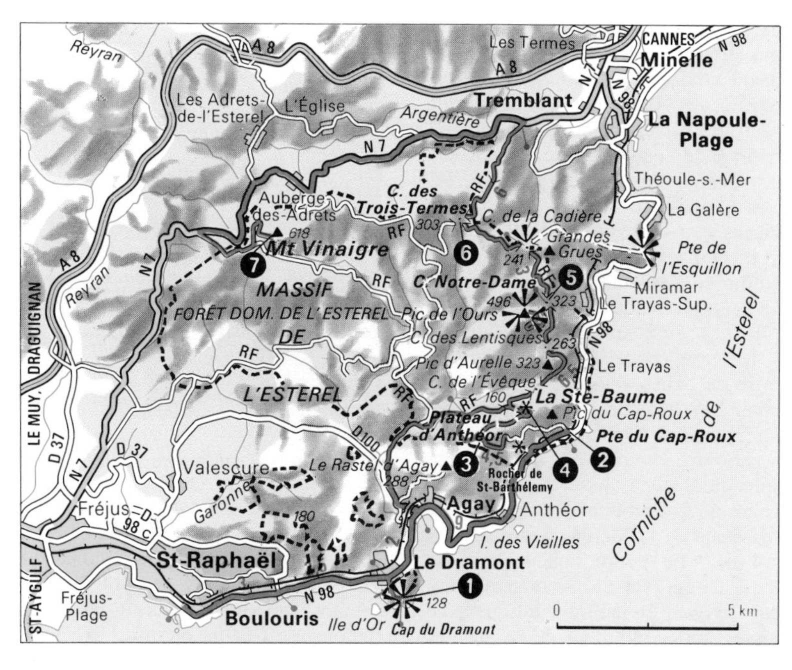

❶ **Pointe du Dramont.** Pour en faire le tour, suivre la rue le long du camping du Dramont (garer la voiture là ou au bout de la rue sur le rivage). A partir du milieu de cette rue, aller d'abord en direction du sémaphore, puis prendre à droite le chemin balisé. D'en haut, vue sur toute la Côte d'Azur, des Maures au-delà du cap d'Antibes. Observer le contraste entre les versants boisés et doux des « petites Maures » et la côte escarpée de l'Esterel, tandis que la rade d'Agay et les pentes plus douces du Rastel, toutes semées de villas entre les chênes-lièges et les pins, correspondent à des roches grises plus tendres.

❷ **Pointe du Cap-Roux.** Le parking occupe un ancien niveau de plage en contre-haut des falaises rouges battues par les vagues. L'érosion marine et les ravins qui dégringolent vers la côte se sont unis pour dégager les plus hauts escarpements dans les rhyolites amarante. Les bois des îles de Lérins se profilent devant le golfe Juan. Il faut revenir un peu en arrière pour entrer dans la forêt domaniale de l'Esterel où, au départ, existent de nombreux sentiers de randonnées pédestres.

❺ **Col Notre-Dame.** L'opposition est saisissante entre, d'une part, le maquis désert et la côte de l'Esterel, où seul un étroit liséré le long de la route en corniche au-dessus des falaises est habité, et, d'autre part, la densité des immeubles et des villas de Cannes à Antibes. Du col partent de nombreux sentiers vers le pic de l'Ours et vers les crêtes des Grandes Grues.

❻ **Col des Trois-Termes.** De la crête septentrionale, on découvre vers le N. les douces collines de Grasse, puis l'aride plan de Caussols et, à l'horizon, les hautes crêtes du Mercantour, souvent enneigées. De nombreux sentiers rayonnent autour du col.

❼ **Mont Vinaigre.** C'est le point culminant du massif (614 m). Par temps clair, on peut voir de l'Italie aux Maures.

Des visites guidées du massif de l'Esterel sont organisées par l'O.N.F. (rens., tél. : 94-17-19-19 [Fréjus] ; 94-19-52-52, [St-Raphaël], ainsi que 92-97-86-46 [Mandelieu]. Rens. sur l'état d'ouverture ou de fermeture des massifs forestiers varois durant l'été, tél. : 94-47-35-45).

Mimosa. Cet arbrisseau dont les feuilles se rétractent au toucher est cultivé dans le Midi pour être expédié lors de la floraison (déc.-févr.) vers les pays du Nord.

Artisanat et art moderne en Provence 104 km

Cet itinéraire mène l'amateur d'art et de vieilles pierres de la côte, domaine des villas et des fleurs, aux villages, souvent fortifiés, qui s'accrochent à la montagne. Partout, des artistes contemporains ont marqué de leur génie la vie culturelle des cités – Picasso, Léger, Matisse. Partout aussi, de nouveaux artisans, ressuscitant des techniques et des gestes ancestraux, animent les rues étroites et tortueuses.

❶ **Antibes** a conservé une partie de ses remparts, construits par Vauban; de l'avenue qui les parcourt, panorama sur la côte et la baie des Anges jusqu'à Nice, ainsi que sur l'arrière-pays et les Alpes. Dans la cathédrale se trouve un retable du XVIe s. caractéristique de l'école niçoise. Au château des Grimaldi est installé le musée Picasso, consacré surtout aux œuvres créées par l'artiste à Antibes (vis. t.l.j., sauf lundi). Sur le front de mer, au musée d'Histoire et d'Archéologie, sont exposées des antiquités locales (vis. t.l.j., sauf sam., dim. et j. fér.).

La promenade au *cap d'Antibes* offre de belles vues sur la ville et la côte. Sur le plateau de la Garoupe, voir, dans le sanctuaire décoré de nombreux ex-voto de marins, une splendide icône russe du XIVe s. Le phare de la Garoupe est l'un des plus puissants de la Méditerranée (vis. t.l. apr.-m.). Le jardin botanique de la Villa Thuret (vis. t.l.j., sauf sam., dim. et j. fér.) est un parc magnifique avec toutes sortes d'arbres et de plantes des pays chauds. Enfin, dans la batterie du Graillon, sur la côte O., est installé le Musée naval et napoléonien (ouv. t.l.j., sauf sam., dim. et j. fér. Fermé en oct.).

❷ **Biot** est entouré de cultures florales (voir texte encadré). Centre traditionnel de la céramique, il connaît un renouveau dû pour une grande part à l'influence de Fernand Léger, qui résida jusqu'à sa mort (1955) au hameau de Saint-Pierre: le musée national Fernand Léger contient des peintures, sculptures et céramiques de l'artiste lui-même, ainsi que des œuvres réalisées d'après ses cartons (vis. t.l.j. sauf mardi). Au cœur du vieux village, dans la petite église romane (remaniée au XVIIe s.), deux retables de l'école niçoise.

Potier. On peut visiter des ateliers et des expositions dans plusieurs villages, notamment à Biot, Tourette-sur-Loup et Vallauris.

❸ **Cagnes-sur-Mer,** qui s'étend du littoral aux versants de collines plantées d'oliviers et d'œillets, doit tout son charme à son vieux bourg féodal, le *Haut-de-Cagnes*, perché sur un piton. Le lacis de ruelles, d'escaliers et de passages voûtés converge vers le château des Grimaldi, ancienne forteresse médiévale dont l'intérieur a été transformé à la Renaissance. Au rez-de-chaussée, les salles voûtées s'ordonnant autour d'un patio abritent le musée de l'Olivier (t.l.j., sauf mardi; fermé 15 oct.-15 nov. et 9-16 juin). Au premier étage, voir le plafond de la salle des fêtes (XVIIe s.). De la tour (XIXe s.), vaste panorama. Le château abrite aussi le musée d'Art moderne méditerranéen (vis. comme musée de l'Olivier). Dans la chapelle N.-D.-de-Protection, voir des fresques du XVIe s.

A la sortie E. de la ville, au *domaine des Collettes*, où vécut Auguste Renoir, un musée est consacré à l'artiste (vis. t.l.j., sauf mardi; fermé du 15 oct. au 15 nov.).

❹ **Saint-Paul,** adossé aux Préalpes de Grasse, a conservé ses remparts du XVIe s.; en les parcourant, on aura de belles vues sur la mer et les Alpes. Les ruelles de la ville s'élèvent jusqu'à l'église (XIIe-XIIIe s., remaniée au XVIIe), qui renferme plusieurs tableaux et sculptures des XVIe et XVIIe s. C'est pourtant à la Fondation Maeght, et à son action en faveur des formes modernes de l'expression artistique, que Saint-Paul doit sa renommée; très riche collection d'art contemporain (vis. t.l.j.).

❺ **Vence** étage ses rues étroites entre les vestiges des fortifications formant ellipse. Le cœur de la vieille ville est la place du Peyra, ornée d'une fontaine en forme d'urne et d'une tour carrée. Dans la tribune de la cathédrale, bel ensemble de stalles sculptées (fin du XVe s.) et, sur les murs, restes de sculptures carolingiennes. A l'écart de la cité, la chapelle dominicaine du Rosaire, créée par Matisse en 1950 (ouv. t.l. apr.-m., sauf dim. et lundi, juill.-sept. et vac. scol.; mardi et jeudi le reste de l'année).

❻ **Tourette-sur-Loup.** Son site extraordinaire (voir photo) est le domaine quasi exclusif des artisans : tissage, broderie, peinture sur soie, mosaïque, céramique, poterie, gravure, sculpture; on peut visiter certains ateliers (demander sur place). Dans l'église, retables, tableaux et ancien autel païen (Ier s.). Avant d'arriver à Pont-du-Loup, vue sur le débouché des gorges du Loup.

❼ **Gorges du Loup.** Descendant des Préalpes de Grasse, le Loup se taille de profondes gorges dans la montagne calcaire. En les remontant sur la rive gauche, on aperçoit successivement les cascades de Courmes et des Demoiselles, puis le Saut du Loup, où le torrent bondit entre les rochers.

❽ **Mougins.** De ce bourg fortifié et perché qui garde des vestiges de remparts et une porte du XVe s., on jouit d'une jolie vue sur la campagne de Grasse et la mer.

❾ **Vallauris,** cité traditionnelle de la poterie, doit son fantastique essor et sa renommée mondiale à Picasso, dont on peut voir, dans la chapelle du château deux compositions allégoriques intitulées *la Guerre* et *la Paix* (t.l.j., sauf mardi).

Tourette-sur-Loup. L'enceinte de ce village perché est formée par les maisons médiévales surplombant la vallée du Loup.

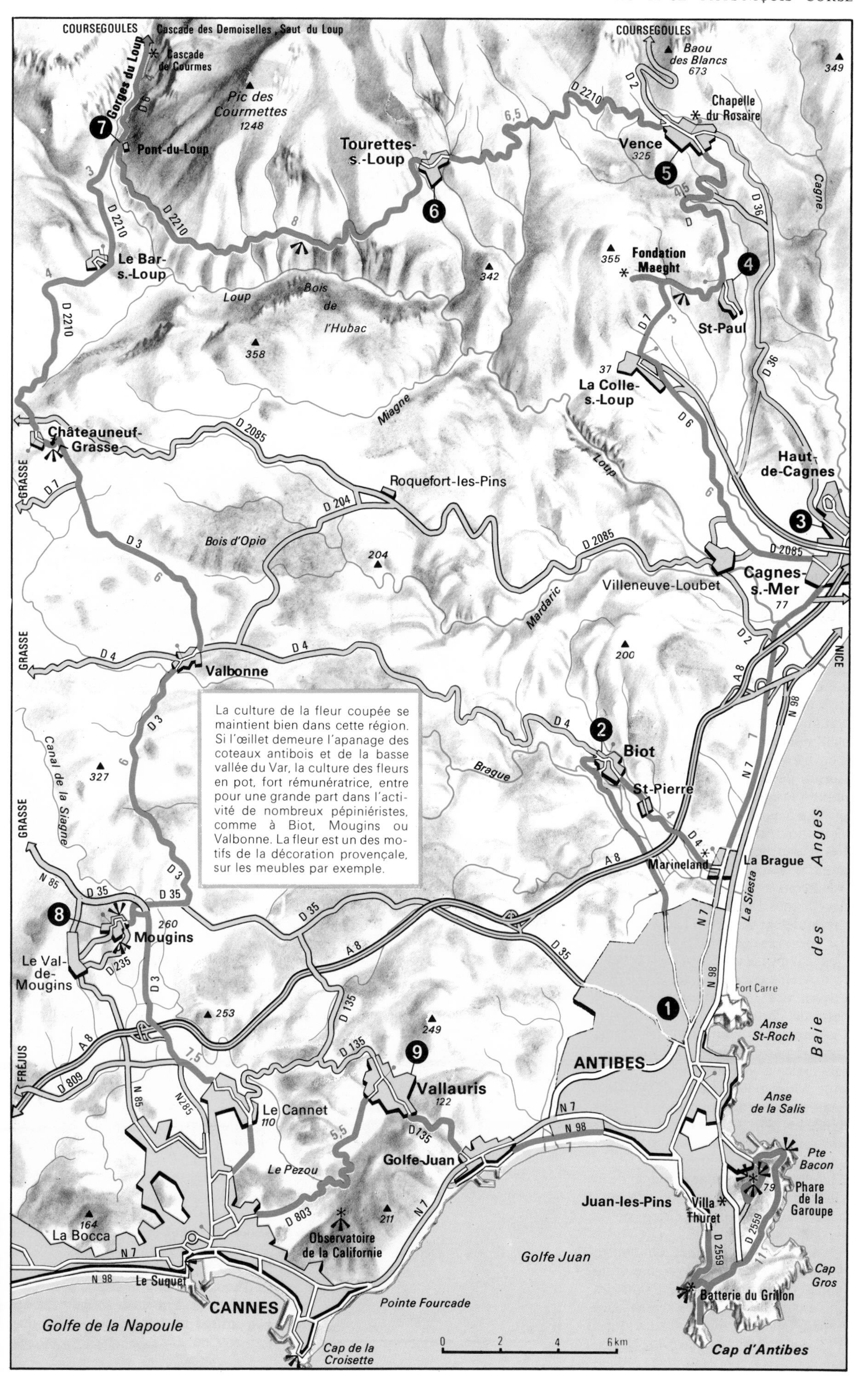

COURSEGOULES
Cascade des Demoiselles, Saut du Loup
Cascade de Courmes
Gorges du Loup
Pic des Courmettes
1248
Pont-du-Loup
Tourettes-s.-Loup
Le Bar-s.-Loup
Loup
Bois de l'Hubac
358
342
Baou des Blancs
673
349
Chapelle du Rosaire
Vence
325
Fondation Maeght
355
St-Paul
La Colle-s.-Loup
37
Miagne
Loup
Haut-de-Cagnes
Châteauneuf-Grasse
GRASSE
Roquefort-les-Pins
Bois d'Opio
204
Cagnes-s.-Mer
77
Villeneuve-Loubet
Mardaric
200
NICE
Valbonne
La culture de la fleur coupée se maintient bien dans cette région. Si l'œillet demeure l'apanage des coteaux antibois et de la basse vallée du Var, la culture des fleurs en pot, fort rémunératrice, entre pour une grande part dans l'activité de nombreux pépiniéristes, comme à Biot, Mougins ou Valbonne. La fleur est un des motifs de la décoration provençale, sur les meubles par exemple.
Canal de la Siagne
327
Biot
Brague
St-Pierre
Marineland
La Brague
La Siesta
Baie des Anges
Mougins
260
Le Val-de-Mougins
253
249
Fort Carré
Anse St-Roch
ANTIBES
FRÉJUS
Vallauris
122
Le Cannet
110
Anse de la Salis
Golfe-Juan
Le Pezou
Pte Bacon
Phare de la Garoupe
79
Juan-les-Pins
Villa Thuret
164
La Bocca
Observatoire de la Californie
211
Golfe Juan
Cap Gros
Le Suquet
CANNES
Pointe Fourcade
Batterie du Grillon
Golfe de la Napoule
Cap de la Croisette
Cap d'Antibes
0 2 4 6 km

Corse

Bastia. Voir itinéraire 273.

Défilé de Lancone. En remontant le cours du Bevinco, on a d'abord de belles vues sur l'étang de Biguglia, puis on s'engage dans le défilé que le torrent a creusé dans la montagne, jusqu'au col de San Stefano, ouvert sur le panorama du golfe de Saint-Florent et les Agriates.

Église San Michele. De l'édifice roman érigé sur une éminence, près de Murato, on découvre une belle vue sur la côte. (Voir itinéraire 273).

Calvi. On entre dans la citadelle, partie haute de la ville (xve s.), et l'on suit le chemin de ronde qui fait le tour des remparts. L'église St-Jean-Baptiste, au centre de la vieille ville, perchée sur le rocher, a été reconstruite au xvie s. ; elle abrite des œuvres d'art des xve et xvie s. La ville basse donne sur la marine et le port. A 6 km de la ville, en plein maquis, du belvédère de N.-D.-de-la-Serra, vue d'ensemble sur Calvi, la baie et la pointe de la Revellata.

Col de la Croix. Il commande à la fois le golfe de Porto et celui de Girolata, où la mer prend parfois les teintes cuivrées des rochers environnants.

Porto. L'intérêt principal du hameau est d'être situé au fond du magnifique golfe de Porto, qu'enserre un cadre de montagnes et de falaises de plus de 400 m. La marine occupe une étroite cala, dominée par une tour génoise : d'en haut, vue sur le golfe.

Gorges de la Spelunca. On peut admirer leur grandiose sauvagerie en les suivant à pied (1 h 30 mn) jusqu'au vieux pont génois de Zaglia.

Les Calanche. Le massif granitique que traverse la route mérite quelques excursions à pied : à partir du chalet des Roches Bleues jusqu'au château fort situé sur la crête (1 h AR) ; ou, par l'oratoire de la Vierge, suivre l'ancien chemin muletier à forte pente (1 h AR). Ces sentiers sont balisés et offrent des vues admirables sur le golfe de Porto et les Calanche.

Cargèse est un bourg original, fondé en 1731 par des Grecs ; le village actuel est constitué des cent vingt maisons bâties pour eux en 1773, ainsi que de l'église de rite orthodoxe, terminée en 1870. Face à elle, l'église de rite romain, construite au xixe s., a un intérieur au décor baroque.

Ajaccio. Le monument principal de la ville est la cathédrale Notre-Dame ; bâtie dans le style vénitien de la seconde moitié du xvie s., elle abrite un maître-autel encadré de quatre colonnes torses noires, veinées de jaune. Le musée Fesch est l'un des plus riches de France en œuvres des écoles italiennes du xive au xviiie s (t.l.j., sauf dim. et lundi). Le Musée napoléonien est installé dans l'hôtel de ville (vis. comme le musée Fesch) ; voir aussi le musée national de la maison Bonaparte (t.l.j., sauf dim. apr.-m. et lundi mat.).

Pointe de la Parata. En longeant la côte, on parvient à 12 km d'Ajaccio au promontoire N., de granit noir, du golfe d'Ajaccio : c'est la pointe de la Parata, surmontée d'une tour génoise ; un chemin (30 mn AR à pied) mène à la pointe : vue splendide sur les îles Sanguinaires (voir photo).

Filitosa est la principale station préhistorique de Corse. Les statues-menhirs qu'on peut y observer datent d'environ 2 000 ans av. J.-C. Certaines sont exposées au musée situé à l'entrée de l'enceinte fortifiée (ouv. t.l.j., du 1er mai au 15 oct.).

Spin'A Cavallu. Avant d'arriver à Sartène, remonter le cours du Rizzanèse pour atteindre un pont génois (xiiie s.) caractéristique : arche unique à forte brisure et gros appareil de la chaussée.

Sartène. « La plus corse des villes corses » reste un bon témoignage de ce qu'elle fut au Moyen Age : la vieille ville est un dédale de ruelles dallées, bordées de hautes façades noires, d'escaliers et de voûtes. L'hôtel de ville est installé dans l'ancien palais des Gouverneurs génois (vis. t.l.j., sauf sam., dim. et j. fér.).

Dolmen de Fontanaccia. C'est une monumentale chambre funéraire grossièrement formée de six dalles verticales supportant une table de couverture de 3,40 m de long et 2,90 de large. A quelques centaines de mètres, l'alignement de Stantari est composé de dix-sept pierres, dont quatre dressées, où l'on voit des traces de sculptures de l'âge du bronze.

Bonifacio. On y parvient après avoir traversé le maquis sur plusieurs kilomètres. La vieille ville, jadis place forte, occupe le haut de falaises blanches ; les ruelles pavées sont bordées de hautes maisons que relient des arcs-boutants (servant de canalisations pour l'eau de pluie) ; les plus pittoresques se trouvent autour de l'église (XIIIe s.), remaniée, qui abrite un sarcophage romain du IIIe s. et un beau tabernacle Renaissance. La grotte du Sdragonato (vis. en bateau), entre les phares du Sdragonato et de la Madonetta, est une vaste salle circu-

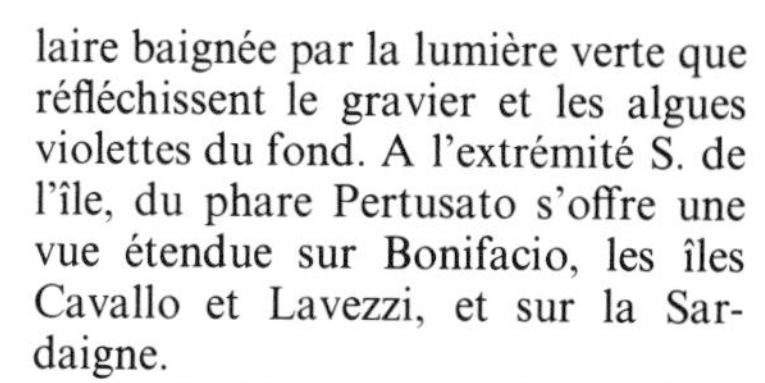

laire baignée par la lumière verte que réfléchissent le gravier et les algues violettes du fond. A l'extrémité S. de l'île, du phare Pertusato s'offre une vue étendue sur Bonifacio, les îles Cavallo et Lavezzi, et sur la Sardaigne.

Porto-Vecchio a conservé trois bastions et quelques autres éléments de ses fortifications génoises qui dominent la marine, au fond du golfe. Ce dernier, long de 8 km, bien abrité des vents, est agrémenté de belles plages de sable blanc bordées de pins.

Castellu de Cucuruzzu. Cette forteresse a été construite au IIe millénaire av. J.-C. par les Torréens, peuple qui chassa alors les autochtones de l'île. Le système de fortifications comprend une entrée monumentale, un chemin de ronde et un monument cultuel.

Col de Bavella. Il ouvre un passage entre les bassins du Rizzanèse et de la Solenzara, au-dessus des 1 000 ha de la forêt, dominée par les aiguilles de Bavella.

Col de Sorba. L'itinéraire suit le cours du Fium'Orbo par les défilés de l'Inzecca et des Strette, que sépare un petit bassin planté d'oliviers et de châtaigniers. Du col, ouvert entre la punta Chiova et la punta Muro, la vue s'étend au-delà de la forêt de pins laricio, vers le monte d'Oro, les gorges que l'on vient de traverser et la vallée du Vecchio.

Corte fut la capitale de la Corse indépendante de 1755 à 1769. La partie la plus ancienne de la citadelle date du XVe s. : panorama sur la vieille ville haute. Corte est un centre d'excursions en montagne.

Monte Cecu. On y accède par le col d'Ominanda, pour découvrir une belle vue sur Corte, la vallée du Tavignano, le monte Rotondo et les Aiguilles rouges du Popolasca.

Scala di Santa Regina. Ces gorges grandioses, taillées par le Golo dans le granit, constituent un des défilés les plus sauvages de l'île.

Monte San Petrone. On y parvient à partir du col de Prato, en suivant une piste forestière puis un sentier qui longe la crête (3 h AR). Du sommet, immense panorama sur les îles Tyrrhéniennes, la plaine orientale et ses lagunes, les hauts sommets de l'île, le Tenda et le Nebbio.

Église de la Canonica. C'est un petit édifice du XIIe s. à côté duquel on a découvert les fondations d'un ancien palais épiscopal ; le vaisseau rectangulaire, divisé en trois nefs, de style roman archaïque (dit pisan), est enrichi par l'appareil des murs, formé de plusieurs marbres de couleurs diverses soigneusement ordonnés.

Iles Sanguinaires. Ce sont quatre rochers de granit, dont le plus gros est surmonté par un phare. Au départ d'Ajaccio, faire le tour en bateau des Sanguinaires et aborder à la grande île (2 AR par jour, de juin à oct.).

Bastia 196 km et le cap Corse

Dans le prolongement naturel du système montagneux qui sert d'épine dorsale à l'île, le cap Corse offre des paysages typiques : pentes vertigineuses, immensité des eaux bleues, maquis impénétrable, petits champs coupés de murettes, villages en hameaux, chapelles et églises s'accrochant au paysage tourmenté. Et, çà et là, de petites plages de sable ou de galets, des criques isolées au pied des escarpements.

Murato. L'église San Michele (XIIe s.) est décorée de bandes et de damiers où alternent pierres sombres et blanches.

❶ **Bastia,** grande ville commerciale de l'île, a conservé tout son caractère corse. On se promènera dans le quartier de Terra-Vecchia, le plus animé : des ruelles pittoresques entourent l'église St-Jean-Baptiste, dont les deux tours dominent le vieux port ; à l'intérieur, somptueux décor de marbres et de stucs dorés. A Terra-Nova, de l'autre côté de la crique, par le luxuriant jardin de Romieu, on atteint la Citadelle, qui abrite le musée d'Ethnographie corse (ouv. t.l.j.) dont les collections d'histoire, arts et traditions populaires, archéologie (remarquable collection d'amphores), histoire naturelle constituent une excellente contribution à la connaissance de l'île. A travers un dédale de vieilles maisons, on gagne ensuite l'église Ste-Marie-de-l'Assomption (fin XVe s.), au décor baroque. Contre l'église, la chapelle Ste-Croix, de style Louis XV, a un plafond chargé d'or sur fond bleu ; on y vénère un crucifix de chêne noir, le Christ des miracles. En quittant la ville vers le N., s'arrêter à l'église Ste-Lucie : vue sur la ville, la côte et le large.

❷ **Erbalunga.** Entre deux criques s'élève une tour génoise. Au pied du mont Stello, point culminant de la chaîne du cap Corse, la marine d'Erbalunga s'adosse à un amphithéâtre de serpentine. Le charme de ses rues et de ses petites places a toujours attiré les peintres. A 3 km à l'O., la chapelle *N.-D.-des-Neiges* se dresse à l'entrée du hameau de Castello. Elle est couverte de lauzes ; à l'intérieur, belles fresques du XIVe s.

Au détour de la route, hésitant entre le bord de la mer et le flanc de la montagne, on découvre la *marine de Sisco* dans un paysage de maquis. Des hameaux groupés émerge l'église St-Martin, dont le trésor est le chef-reliquaire de saint Jean Chrysostome, tête du XIIe ou XIIIe s., en argent doré. A 2 km, l'église *Ste-Catherine* est romane, bien que sa construction semble s'être poursuivie jusqu'au XVe s. : remarquer la corniche sculptée qui en fait le tour et le décor de poteries orientalisant de la façade.

❸ **Rogliano,** à l'intérieur des terres, l'un des plus beaux villages corses (voir photo), regroupe huit hameaux. De loin, on aperçoit la tour Franceschi, qui domine le plus grand d'entre eux. Derrière, l'église paroissiale (XVIe s.) abrite un autel de marbre blanc et une clôture de chœur offerte par l'impératrice Eugénie. L'église St-Côme-St-Damien occupe un vallon ; ancienne église paroissiale, elle serait en partie antérieure au Xe s. Elle offre la particularité d'avoir un campanile placé en biais par rapport à la façade. Tout proche, le couvent St-François ne possède plus que son église précédée d'une tour carrée.

❹ **Tollare,** à l'extrême pointe du cap, fait face à l'îlot escarpé de la Giraglia. Les promontoires sont taillés dans les schistes verts et l'arbre fait place au maquis. Le village de pêcheurs est protégé par une tour génoise : plage de sable et de galets.

❺ **Pino,** sur la côte occidentale, plus escarpée, est noyée dans la végétation. L'église Ste-Marie est de style baroque : remarquer le clocher à balustres et pilastres. Une route descend jusqu'à la petite marine cantonnée par une tour, et l'ancien couvent St-François, dont la chapelle est décorée de fresques.

❻ **Canari** étage ses hameaux sur les pentes du monte Cuccaro. Le petit village possède deux belles églises ; Ste-Marie-de-l'Assomption, romane, décorée d'étranges figures, et St-François, de style baroque, renfermant un curieux gisant de 1590.

❼ **Nonza.** Sa tour se dresse sur une haute falaise de schiste bleu et vert tombant à pic dans la mer. Le village s'abrite du vent dans une anfractuosité de la roche, tandis que, au-delà des jardins et vergers en terrasses, s'étend un impénétrable maquis épi-

Saint-Florent, au fond du golfe que ferment les contreforts du Nebbio et dont les maisons semblent plonger dans la mer, possède un agréable port de plaisance.

neux. Du pied de la tour, vue sur le golfe de St-Florent. L'église Ste-Julie abrite un autel en marbres polychromes. De la fontaine Ste-Julie, belle vue sur le village; un escalier mène à la plage de galets.

❽ **Saint-Florent** occupe une pointe qui s'avance dans le vaste golfe ouvert entre le désert des Agriates et le cap Corse (voir photo).

A 1 km, la *cathédrale de Nebbio* subsiste seule de l'antique cité abandonnée au XVIe s. (vis., clef au S.I.). Cette construction romane en calcaire blanc est d'une grande élégance : vaisseau rectangulaire divisé en trois nefs couvertes de charpente, abside semi-circulaire (un clocher carré s'élevait jadis au chevet), belle façade à deux étages d'arcatures aveugles; une partie des chapiteaux est ornée de sculptures d'animaux stylisés et de crochets. En quittant Saint-Florent en direction de Calvi, on traverse le Nebbio, où alternent vignobles, oliviers et pâtures piquetées de bergeries de pierres sèches.

❾ **Santo-Pietro-di-Tenda** étage ses maisons sur les versants du bassin de l'Aliso, que ferment au N. les hauteurs désolées du désert des Agriates. Le clocher carré de l'église baroque domine le village. Jusqu'à Sorio, la route emprunte un défilé sinueux.

❿ **Pieve.** On y a découvert des statues-menhirs, dont un bloc de schiste de 3 m de haut à tête sculptée. Près du village (30 mn), voir les ruines romanes de la chapelle San Nicolao, où l'on remarquera des pierres ornées de motifs géométriques.

⓫ **Murato** doit sa célébrité à son étonnante église romane, San Michele, isolée sur un promontoire (voir dessin). Dans l'église de l'Annonciation, voir une Sainte Madeleine, attribuée à l'école de Titien. Pour regagner Bastia, la route, sinueuse, se rétrécit. Au *col de San Stefano,* la vue plonge sur l'à-pic rocheux dominant le lit du Bevinco, coulant vers l'étang de Biguglia.

La Corse a conservé maints aspects d'un autre âge qui contribuent à son originalité et lui confèrent un charme particulier.

Rogliano est formé de huit hameaux accrochés sur les pentes du monte di u Poggio, parmi les châtaigniers et les oliviers, à quelques kilomètres de la mer.

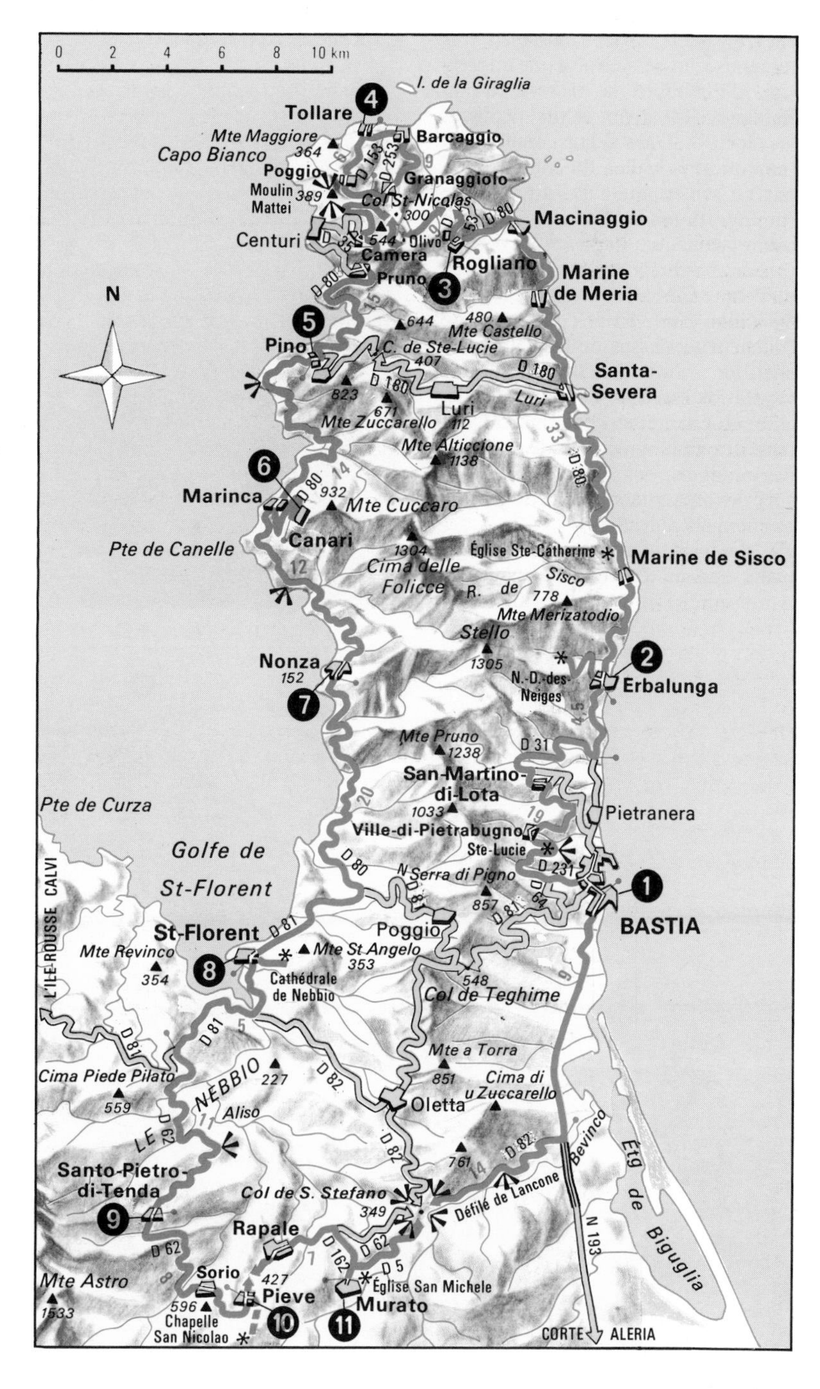

274

Promenade en Balagne 46 km

En Balagne, autrefois riche région agricole, s'opposent un littoral actif, dominé par les activités touristiques récentes, et des plaines littorales et des collines rappelant parfois la Toscane, mais une Toscane qui serait devenue pauvre, comme abandonnée. Des villages-belvédères, accrochés à mi-pente, sont reliés entre eux par une petite route en balcon qui permet de bien saisir l'ensemble de ces paysages.

❶ **Calenzana.** C'est le bourg le plus peuplé de Balagne. Bien que son altitude soit moindre que celle des villages suivants, Calenzana domine des terroirs couverts de vignobles, de vergers d'oliviers et de landes parcourues, en hiver, par des moutons et des chèvres. Cet espace agricole, très humanisé, laisse pourtant une impression d'abandon : la richesse de la Balagne s'est maintenant déplacée vers le littoral. Du village, on peut, en remontant la vallée du fiume Secco par un sentier muletier, atteindre le sommet du *monte Grosso* (7 h AR), qui est constitué de laves (rhyolites) provenant du complexe volcanique du monte Cinto.

❷ **Zilia.** C'est, en été, un havre de fraîcheur au-dessus de la plaine surchauffée : l'interpénétration de la végétation est ici, à 400 m d'altitude, assez étonnante ; en effet, on trouve, à côté des châtaigniers et des noyers, des orangers, des oliviers (voir dessin), des amandiers, des lauriers-roses et quelques cédratiers.

❸ **Montemaggiore.** De ce village, juché sur un éperon rocheux, vue panoramique sur les vallées alluviales du fiume Secco et de la Figarella, sur l'agglomération de Calvi et son golfe (surtout le matin), et, au-delà, sur la presqu'île de la Revellata. La petite route offre jusqu'au col de Salvi des points de vue intéressants ; elle traverse un maquis très dégradé à la suite d'incendies trop fréquents.

Olivier. Il est répandu dans les régions où les températures ne descendent pas au-dessous de 8°. En Corse, la cueillette des olives ne se fait pratiquement plus.

Couvent de Corbara. Du couvent, un sentier muletier mène (1 h 30 AR) au sommet du monte San Angelo, d'où l'on jouit d'une vue magnifique sur la Balagne, le désert des Agriates et la côte O. du cap Corse.

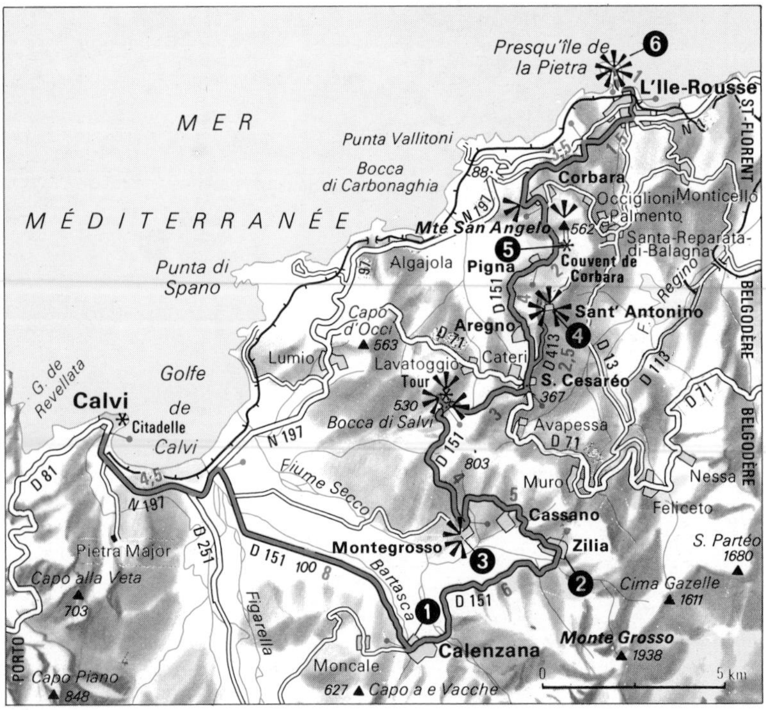

MER MÉDITERRANÉE
Presqu'île de la Pietra
L'Ile-Rousse
Punta Vallitoni
Bocca di Carbonaghia
Corbara
Mte San Angelo
Occiglioni
Monticello
Palmento
Santa-Reparata-di-Balagna
Algajola
Pigna
Couvent de Corbara
Punta di Spano
Capo d'Occi 563
Aregno
Sant' Antonino
Lumio
Lavatoggio
Cateri
S. Cesaréo 367
Tour 530
Bocca di Salvi
Avapessa
Golfe de Calvi
G. de Revellata
Calvi
Citadelle
Muro
Nessa
Feliceto
Cassano
Montegrosso
Zilia
S. Partéo 1680
Cima Gazelle 1611
Pietra Major
Capo alla Veta 703
Figarella
Fiume Secco
Bartasca
Calenzana
Monte Grosso 1938
Moncale
Capo Piano 848
627 Capo a e Vacche
ST-FLORENT
BELGODÈRE
PORTO
N 197
D 151
D 81
D 251
D 71
D 13
D 413
D 113
0 5 km

❹ **Sant'Antonino.** A l'issue d'une route en cul-de-sac de 2 km, ce village, perché au sommet d'une butte circulaire, est l'un des plus intéressants belvédères de Balagne. On découvre, vers l'O. et vers l'E., les conques cultivées du fiume Regino et du bassin d'Algajola, où les champs d'oliviers abondent. Alentour, la zone d'agriculture est cloisonnée par des murs de clôture en pierres sèches ; mais, partout ailleurs, la friche règne, ne procurant souvent qu'une bien maigre pâture aux troupeaux de moutons et de chèvres. Dans le lointain, la mer est omniprésente.

❺ **Couvent de Corbara.** Voir photo.

❻ **L'Ile-Rousse.** Se promener à pied, depuis la ville jusqu'au phare de l'île de la Pietra. Vue sur le port, la belle plage de sable et les îlots de granit rouge qui ont valu son nom à la ville.

Vallées du fiume Grosso et du Liamone 21 km

L'étroitesse des vallées du fiume Grosso et du Liamone, les fortes pentes de leurs versants et le travail des habitants ont donné naissance à un paysage original dans lequel châtaigniers, forêts de pins et de chênes verts, ainsi que le maquis, souvent très dense, constituent l'essentiel du couvert végétal. C'est une zone de transition rapide entre la haute montagne minérale du monte Rotondo et du monte d'Oro et le littoral.

❶ **Lac de Creno.** Laisser la voiture à Orto, où l'on arrivera de très bonne heure. Le sentier pédestre (4 h AR) pénètre dans une châtaigneraie laissée sans soins, comme la plupart des châtaigneraies corses depuis que cet arbre ne sert plus à l'alimentation humaine. Les échappées permettent une vue

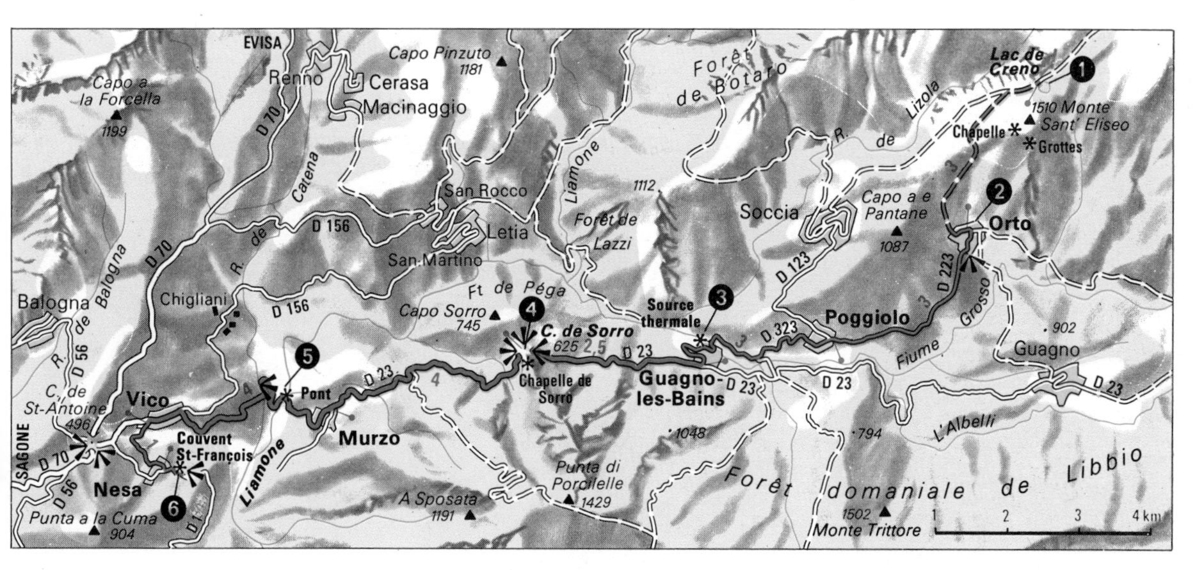

plongeante sur le village et la vallée boisée et encaissée du fiume Grosso. Après avoir franchi un petit col, le sentier suit le torrent de Lizola et domine des bergeries récemment rénovées par le parc naturel régional. Le lac, à 1 320 m d'altitude, est peu profond ; il est entouré de pins laricio, dont certains, morts, dressent leurs troncs décharnés tout au bord de l'eau.

❷ **Orto.** On observera l'étagement des cultures : en haut, entre 600 et 900 m d'altitude, la châtaigneraie, avec ses murs de soutènement à demi détruits ; à hauteur du village, les jardins encore assez bien entretenus et bien protégés contre les divagations des chèvres ; plus bas, vers 400 m, commence le maquis. A proximité d'Orto et surtout vers Poggiolo se trouvent quelques petites plantations d'oliviers, qui soulignent l'exposition et l'influence de la douceur des températures malgré la relative proximité du massif montagneux.

❸ **Source thermale de Guagno-les-Bains.** Une seule source reste encore accessible, celle de l'« occhju », qui sort à 37 °C dans un vieux bâtiment au bord de la route ; elle est utilisée pour le traitement des maladies des yeux, de la gorge et du larynx. Le monte Trittore est bien visible de la route ; son sommet forme un dôme découpé en trois ogives par des failles.

❹ **Col de Sorro.** Face à la chapelle, un sentier conduit (15 mn) à une bergerie, parmi les hautes fougères. Plus bas, la route traverse un maquis assez dense, essentiellement composé de chênes verts, de bruyères arborescentes et de gros arbousiers : la présence de ces derniers est la preuve que le feu a sévi dans une période récente. Vers Sagone, sur le littoral, plus soumis aux incendies, la dégradation avancée de la végétation est attestée par les cistes de Montpellier et les asphodèles. Ici, les fourrés sont quasiment impénétrables, hormis aux endroits où les animaux ont tracé de petites sentes, dont il est préférable de ne pas s'écarter.

❺ **Pont sur le Liamone.** A cet endroit, l'eau du Liamone est en général d'une très grande pureté (possibilités de baignade à l'amont et à l'aval immédiats), sauf en cas d'orages prolongés en montagne. Le lit du torrent est encombré d'énormes galets et de blocs polis par l'érosion, délimitant des trous d'eau qui forment de véritables piscines naturelles. Ces galets sont les témoins d'une activité érosive antérieure plus importante qu'elle ne l'est actuellement.

❻ **Couvent St-François.** De Vico, gagner Nesa, d'où un chemin conduit au couvent. Point de vue sur la chaîne du Rotondo, particulièrement spectaculaire au soleil couchant.

Vico et sa région, que drainent les vallées du fiume Grosso et du Liamone, offrent un paysage qui a, jusqu'à maintenant, été peu touché par le flux touristique. Châtaigneraie, chênaie, pinède et maquis se partagent les pentes abruptes des montagnes.

PYRÉNÉES CENTRALES PAYS DE LA GARONNE

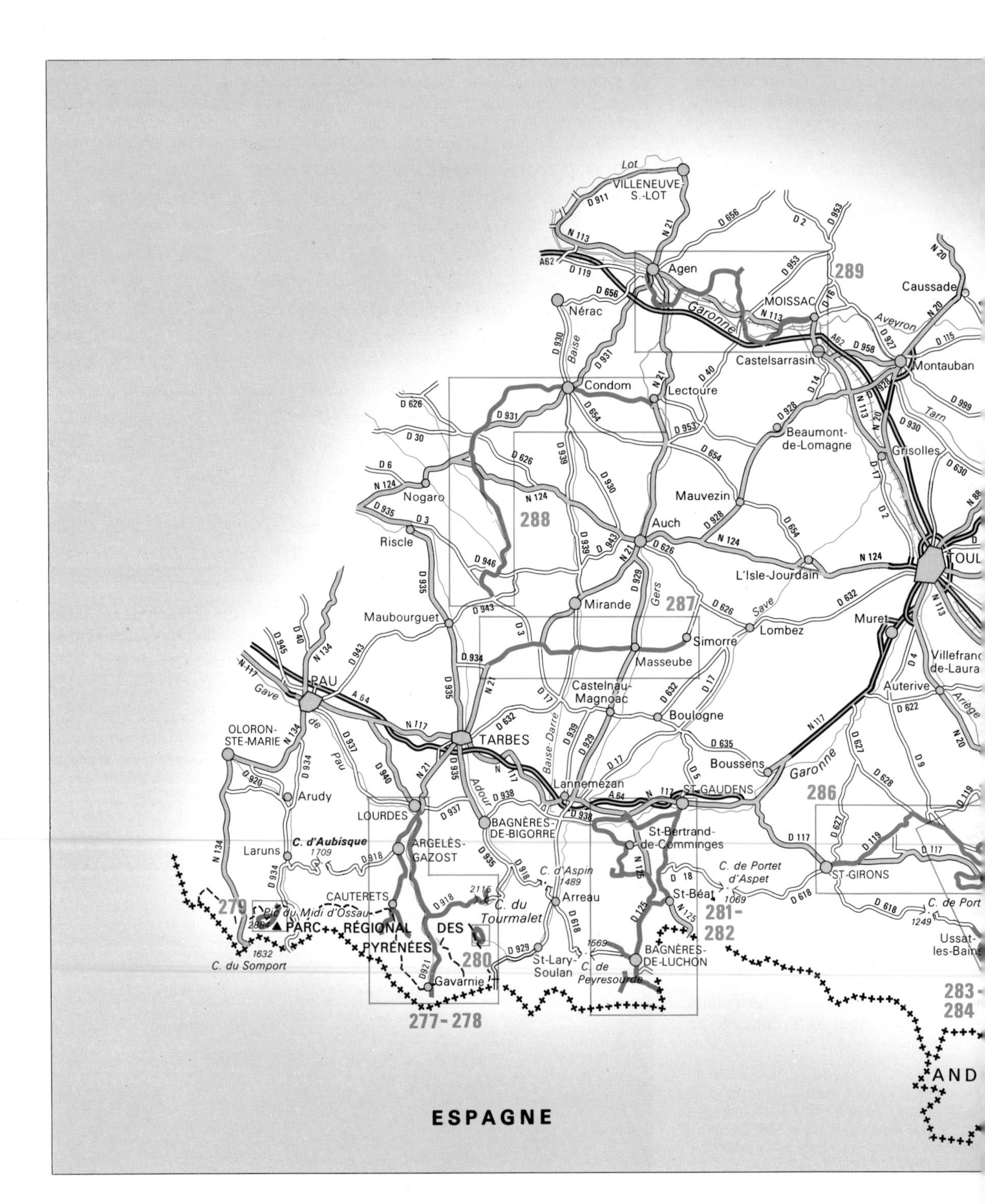

Montagnes des Pyrénées et petites villes d'Occitanie

Un autre Midi, ce Midi toulousain! D'abord, tout autour de la « ville rose », par l'Aquitaine, la ronde des collines, souples ici, gracieuses là, plus altières parfois: un univers de champs colorés, parfois coupés de boqueteaux, toujours piquetés de bordes au toit de tuile, comme des coquelicots dans le blé; et aussi l'onde pressée des rivières, dans la plantureuse rainure des vallées: des prés peuplés de peupliers, de petites villes aux places à arcades. Tout près, les premières défenses du Massif central, des croupes qui portent châtaigniers, hêtres et gazons, des gorges où se serrent de vieilles cités manufacturières. Enfin, les Pyrénées; mais, avant d'atteindre les « monts gelés et fleuris », où les torrents cascadent sur les parois des cirques, puis s'apaisent dans les lacs ronds, parmi les hêtraies et les sapinières, il faut franchir cluses, gorges, défilés, de rudes passages au travers des crêtes et des hautes surfaces, qu'adoucissent les menus bassins où chantent encore les couleurs des cultures de la plaine et les vertes conques pastorales. Cette montagne, qui culmine en une neigeuse sierra, abrite dans ses vallées bien closes un peuple qui a défendu âprement ses antiques libertés; le village qui disperse ses toits, d'ardoise ou de tuile, autour de la sobre église, a fini par vaincre le castel, pourtant solidement campé sur le piton. Et partout fourmillent les indices d'une réelle unité; unité par l'architecture romane, qui, par Toulouse, unit le Poitou au Roussillon: à l'église toute simple, fruste même parfois, s'adosse le poétique cloître; unité par la longue résistance à la monarchie et à l'Église, et c'est de cela que parlent tant de triomphantes cathédrales, telle celle d'Albi, forteresse au-dehors, palais au-dedans, tel l'étroit réduit de Montségur, imprenable sur son « pog », expression éloquente d'une Occitanie qui n'est pas seulement celle du savoureux confit d'oie et de l'onctueux cassoulet.

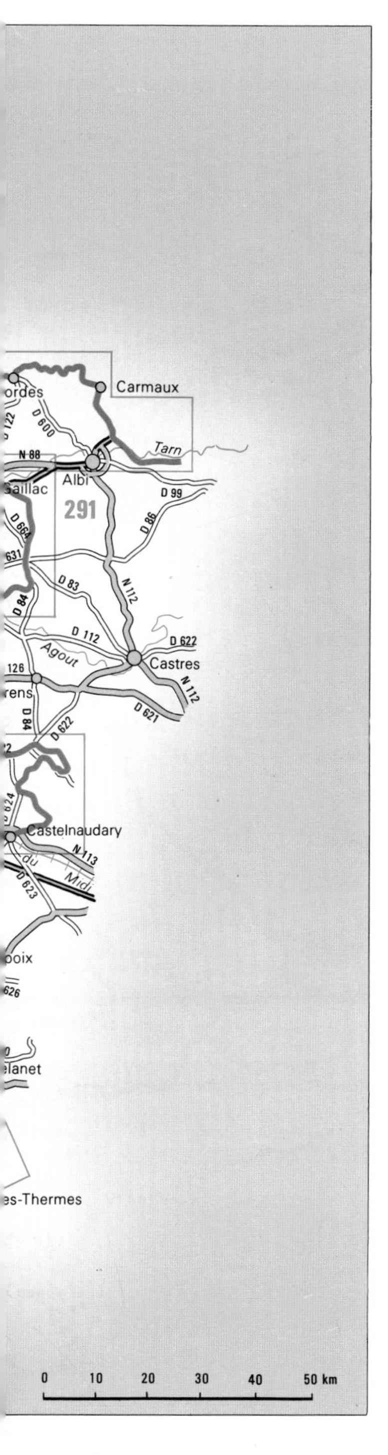

Comminges: le troupeau sur l'estive, fraîche évocation des Pyrénées pastorales.

276

Hauts lieux, trésors et paysages

Toulouse. Cette métropole aquitaine, bâtie sur la Garonne, doit son aspect rose à ses constructions en brique. La basilique St-Sernin (XIe-XIIe s.), le plus grand sanctuaire roman du S., a un clocher octogonal à cinq étages, haut de 65 m. La porte romane de Miégeville donne accès à l'édifice, dont le déambulatoire est orné de sept bas-reliefs en marbre (XIIe s.). Le trésor, dans deux cryptes des XIe et XIIIe s., renferme de riches reliques. Dans la cathédrale St-Étienne (XIe-XVIIe s.), que surmonte un clocher-donjon du XVIe s., voir les tapisseries, les stalles (1611) et les vitraux (XVIIe s.) de l'abside. Le couvent des Jacobins possède une église fortifiée (1230-1340) et un cloître (1310), aux colonnes de marbre géminées. L'église N.-D.-de-la-Dalbade (XVIe s.) a un somptueux portail Renaissance, et l'église N.-D.-du-Taur (XIVe-XVe s.) un clocher ajouré de six baies. Le Capitole (XVIIIe s.), à la façade ionique, abrite l'hôtel de ville. Parmi les hôtels anciens, on admirera ceux de Bernuy et d'Assezat, tous deux du XVIe s., et ceux qui abritent aujourd'hui des musées. Le musée du Vieux-Toulouse est consacré aux arts et traditions populaires, et le musée Paul-Dupuy aux arts appliqués du Moyen Age à nos jours. Au musée St-Raymond, belles collections archéologiques et au Museum d'histoire naturelle, importantes collections de préhistoire. Le musée des Augustins, dans un ancien monastère à deux cloîtres (XIVe et

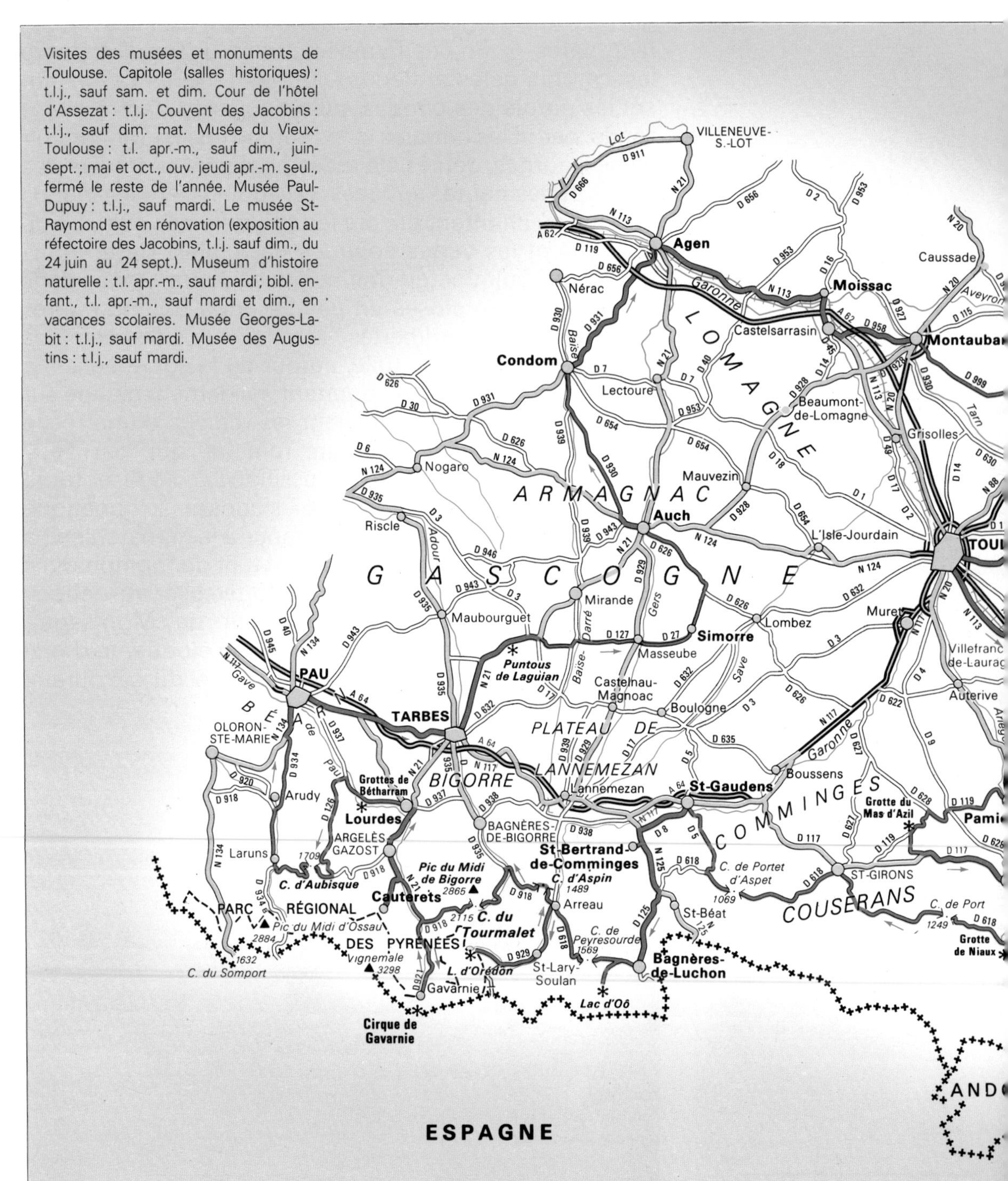

XVIIe s.), l'un des plus riches de France, renferme des trésors de peinture et de sculpture. Enfin, le musée Georges-Labit abrite de remarquables collections asiatiques ; antiquités égyptiennes, tissus coptes (voir texte encadré).

Castelnaudary. Voir itinéraire 285.

Pamiers. Voir itinéraire 283.

Grotte du Mas d'Azil. Voir itinéraire 286.

Foix. Voir itinéraire 283.

Château de Montségur. Voir itinéraire 283.

Grotte de Niaux. Voir itinéraire 284.

Saint-Gaudens. Voir itinéraire 281.

Saint-Bertrand-de-Comminges. Voir itinéraire 281.

Certains cols par lesquels passent les itinéraires sont fermés une partie de l'année ; en moyenne, leurs dates de fermeture sont :
Col d'Aubisque : de nov. à mai.
Col du Tourmalet : de nov. à juin.
Col d'Aspin : de nov. à mai.
Col de Peyresourde : de nov. à mai.
Les autres cols restent ouverts, sauf exceptions passagères.

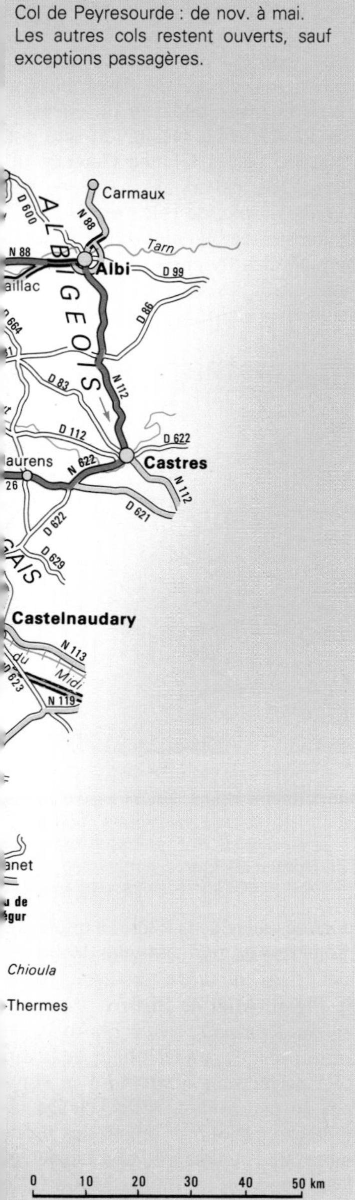

Bagnères-de-Luchon. Voir itinéraire 282.

Lac d'Oô. Un chemin aisé (1 h 30), à partir des granges d'Astau, remonte la Neste d'Oô jusqu'au barrage. Dans un cadre de montagnes, la nappe d'eau, de 39 ha de superficie, est alimentée par le Séculéjo, torrent qui se précipite de 273 m de haut sur les rochers en bordure du lac.

Lac d'Orédon. Voir itinéraire 280.

Col du Tourmalet et pic du Midi de Bigorre. Voir itinéraire 278.

Cirque de Gavarnie. V. itinéraire 278.

Cauterets. Voir itinéraire 277.

Lourdes. Voir itinéraire 277.

Grottes de Bétharram. Réparti sur cinq étages, cet ensemble de galeries est bien aménagé pour la visite. Au long du parcours, on verra les belles concrétions de la salle des Lustres et le Chaos, cascade pétrifiée, avant de suivre la rivière en barque, au niveau inférieur (t.l.j., Pâques-15 oct.).

Col d'Aubisque. Du sommet, lorsque l'on a gravi sa forte pente, un remarquable panorama se développe sur le pic du Sesques, le pic du Ger, le cirque de Gourette, le pic du Midi de Bigorre et le Pène-Medaa.

Pau. Par le boulevard des Pyrénées, d'où s'offre un magnifique panorama sur la montagne, on parvient au château, bâti du XIIe au XVIe s. L'édifice, que couronne un fort donjon en brique (XIVe s.), ordonne ses corps de logis autour d'une cour d'honneur Renaissance. A l'intérieur, riche mobilier et splendide collection de tapisseries (t.l.j., sauf 1er mai). Il abrite aussi le Musée béarnais (t.l.j., sauf 1er mai). Le musée des Beaux-Arts présente des toiles des écoles espagnole, flamande et française (ouv. t.l.j. sauf mardi). Le musée Bernadotte est consacré au maréchal de France devenu roi de Suède et de Norvège (ouv. t.l.j., sauf lundi).

Tarbes. La cathédrale N.-D.-de-la-Sède, de style roman, fortifiée au XIVe s., a un maître-autel à baldaquin du XVIIIe s. Au cœur du jardin Massey se dresse le cloître St-Sever-de-Rustan, le musée Massey : peintures, et le musée international des Hussards (ouv. t.l.j., sauf lundi et mardi).

Puntous de Laguian. V. itin. 287.

Simorre. Voir itinéraire 287.

Auch. Du Gers, un escalier monumental permet d'atteindre la cathédrale Ste-Marie, flanquée de l'élégante tour d'Armagnac (XIVe s.). Dans le chœur, très belles stalles en chêne sculpté (XVIe s.). Au musée des Jacobins (t.l.j., sauf lundi et j. fér.) : archéologie gallo-romaine, art médiéval, remarquable collection d'art précolombien, faïences, art et traditions populaires (intéressantes visites thématiques en juill.-août).

Condom. Des ruelles étroites, bordées d'hôtels anciens (XVIe-XVIIIe s.), conduisent à la cathédrale St-Pierre (XVIIe s.). L'édifice gothique, pourvu de puissants contreforts, s'ouvre sur un porche au tympan ouvragé. Au musée de l'Armagnac, bel ensemble d'outils et de matériel autrefois utilisés par les vignerons, atelier de tonnelier, pressoir (t.l.j., juill.-août ; hors saison, sur demande à l'O.T.).

Agen. Voir itinéraire 289.

Moissac. Voir itinéraire 289.

Montauban. Autour de la place Nationale (XVIIe s.), à arcades, s'ordonne l'ancienne ville avec ses vieux hôtels bâtis en brique rose. Parmi ceux-ci, l'ancien palais épiscopal (XVIIe s.) abrite le musée Ingres : œuvres de l'artiste, collections archéologiques, faïences (vis. t.l.j., en juillet.-août ; sauf dim. mat. et lundi hors saison). La cathédrale Notre-Dame (XVIIe-XVIIIe s.) possède le célèbre *Vœu de Louis XIII*, par Ingres. L'église St-Jacques, en brique, a un clocher ogival. Ancienne cour des Aides, voir le muséum d'histoire naturelle Victor-Brun : remarquables collections ornithologiques et de fossiles, préhistoire, et le musée du Terroir : peinture, arts et traditions populaires (t.l.j., sauf dim. et lundi).

Albi. Bâtie en brique, sur les rives du Tarn enjambé par le Pont-Vieux (XIe s.), la ville semble recouverte d'un manteau rouge. La cathédrale Ste-Cécile (XIIIe-XIVe s.) est un énorme édifice en brique, sur lequel tranchent les pierres blanches du baldaquin, portail S. (XVIe s.). A l'intérieur, orné de fresques, voir le jubé (XVIe s.) de pierre, chef-d'œuvre de l'art flamboyant, les stalles en bois sculpté et les chapelles absidiales éclairées par des vitraux des XIVe, XVe et XVIe s. Voisine, l'ancienne résidence fortifiée des évêques (XIIIe-XVIIIe s.) abrite le musée Toulouse-Lautrec : plus de 600 œuvres, nombreux souvenirs du peintre, né à Albi (ouv. t.l.j. ; sauf mardi et j. fér., oct.-mars.). Par les rues de la vieille ville, on atteint l'église St-Salvy, avec son cloître roman (XIIIe s.), dont l'unique galerie est décorée de chapiteaux gothiques : nombreuses demeures anciennes : la maison Enjalbert (XVIe s.), à pans de bois, la maison Thomières, parée d'une fenêtre romane (XIIe s.) et l'hôtel de Reynès, aux galeries superposées (XVIIe s.).

Castres. La ville a conservé de vieilles maisons et l'ancien palais épiscopal (1669), bâti sur les plans de Mansart, où se trouve le musée Goya : œuvre gravé, peintures ; peinture espagnole des XIVe-XVe s. à nos jours (t.l.j., juill.-août ; sauf lundi hors saison). Dans la cathédrale St-Benoît (1677-1718), de style baroque, remarquer les stalles et les boiseries du XVIIe s., ainsi que des toiles de l'école toulousaine (XVIIIe s.). A l'intérieur de l'église N.-D.-de-la-Platé (XVIIe s.), à la façade monumentale, intéressant mobilier rococo.

Les montagnes des Pyrénées 38 km 95 km

Dans la zone axiale des Pyrénées, parmi des pics et des monts somptueux – où s'insinuent des gorges et des vallées étroites abritant des stations thermales réputées, telle Cauterets ou Argelès-Gazost –, un enneigement fréquent (prévoir l'équipement pour la voiture) et une circulation estivale dense ne doivent pas faire obstacle à ces deux excursions vers des sites dont l'ampleur confond l'imagination.

ITINÉRAIRE N° 1

❶ **Lourdes** est universellement célèbre pour ses pèlerinages, qui attirent des millions de personnes chaque année. L'ensemble religieux, axé sur la grotte de Massabielle, où la Vierge apparut à la jeune Bernadette Soubirous en 1858, comprend la basilique du Rosaire (XIXe s.) et la basilique souterraine St-Pie-X (XXe s.). Dans le château, voir le Musée pyrénéen (t.l.j., 1er avr.-15 oct. ; sauf mardi et j. fér. hors saison).

❷ **Le Béout** (1 h 30 AR). En direction d'Argelès-Gazost, prendre un chemin à droite. Du sommet, proche d'un gouffre de 90 m, vaste panorama sur la ville, le pic du Jer, le pic de Montaigu et la moyenne vallée du gave de Pau.

❸ **Argelès-Gazost.** Cette station thermale aux eaux sulfureuses froides (de 12 à 14 °C), recommandées pour les troubles variqueux, est installée au débouché du val d'Azun. La ville haute groupe ses maisons anciennes autour de la tour Mendaigne, qu'on gagne par des ruelles ou des escaliers ; de la terrasse, on a une belle vue sur la vallée (table d'orientation).

❹ **Saint-Savin.** Le village, admirablement situé sur un replat d'où l'on découvre la gorge de Luz avec en arrière-plan le pic Long, est dominé par l'église N.-D.-de-l'Assomption. Proche d'une place aux vieilles maisons à arcades, ce sanctuaire de plan bénédictin (Xe-XIe s.) a été entouré d'un chemin de ronde et coiffé d'une flèche gothique au XIVe s. La façade s'ouvre sur un portail roman. Le vaisseau à nef unique, voûtée en plein cintre, renferme un riche mobilier (voir dessin). La salle capitulaire (XIIe s.) est transformée en musée (vis. tous les jours, en juillet et en août), où sont exposés de beaux vases sacrés, des châsses (XIIe s.) et la Vierge au long pouce, bois polychrome du XIIe s.

❺ **Cauterets.** Encerclée de montagnes aux pentes boisées, la ville est une station thermale célèbre depuis le XIVe s. Ses vingt-quatre sources aux eaux sulfureuses sont indiquées pour les affections respiratoires. La cité offre de nombreuses distractions : casino, golf, piscine, et des possibilités de pratiquer l'alpinisme et les sports d'hiver. (Voir aussi photo).

La *cascade de Lutour*, après les bains de la Raillère, projette ses eaux écumeuses sur une dénivellation de 60 m. On peut l'admirer du haut de deux passerelles réservées aux piétons.

❻ **Cascade du Cérisey.** Un balcon aménagé permet de voir le gave de Jéret qui se précipite et rebondit sur d'énormes rochers.

Proche, la *cascade du pont d'Espagne* (accessible en automobile, selon enneigement, aux environs de Pâques), parmi les rochers et des gorges noires de sapins, montre les remous provoqués par la réunion des gaves de *Gaube* et du Marcadau (trois parkings aménagés).

Cauterets. L'ancienne gare témoigne de la fréquentation passée de la station, qui vit des visiteurs célèbres comme Vigny, George Sand, Chateaubriand et Hugo.

Saint-Savin. Parmi les œuvres d'art de l'église N.-D.-de-l'Assomption figure ce Christ en bois du XIVe s., travail espagnol d'un profond réalisme.

ITINÉRAIRE N° 2

❶ **Pic du Jer.** De Lourdes, un funiculaire donne accès au sommet du pic (t.l.j., Pâques-15 oct.) ; panorama sur la ville et les Pyrénées centrales.

❷ **Beaucens.** Cette station aux eaux chlorurées sodiques, indiquées pour combattre la sciatique, est dominée par les ruines d'un château du XIIe s. Dans le « donjon des aigles » sont élevés des rapaces (t.l. apr.-m., avr.-sept.).

❸ **Luz-Saint-Sauveur.** La station thermale, sur le gave de Pau, fait suite à la vieille ville. Là se dresse l'église St-André, entourée d'une enceinte fortifiée. On pénètre dans le sanctuaire (XIIe s.) par un beau portail roman. La chapelle N.-D.-des-Sept-Douleurs (1600) abrite un musée : archéologie, ethnographie locales, peintures, objets, statues (vis. sur demande). A l'entrée du cimetière, curieux tombeau d'enfant daté de 1236.

❹ **Gavarnie.** La route sinueuse, très fréquentée en saison, traverse l'étroite gorge de Saint-Sauveur avant d'arriver au village couronné par une ancienne église (XIVe s.) des Hospitaliers. On parvient au cirque de Gavarnie par une promenade pédestre ou équestre (2 h 30 AR). La beauté du site est rehaussée par la Grande Cascade de 422 m, ses paliers de neige et ses murailles à pic, de calcaire ocre.

❺ **Barèges** est la plus haute station thermale des Pyrénées. Ses eaux sulfurées sodiques sont particulièrement riches en « glairine ». Un sentier balisé mène au lac de la Glère, à quelques kilomètres du parc national des Pyrénées, dans un cadre sauvage.

❻ **Pic du Midi de Bigorre.** Après le col du *Tourmalet* (voir photo), une route à péage et un téléphérique (6 mn AR) permettent d'atteindre le sommet du pic (voir p. 470-471). De là, immense panorama allant des montagnes de l'Ariège au Pays basque et d'où émergent les monts Maudits, le Posets et le pic du Midi d'Ossau.

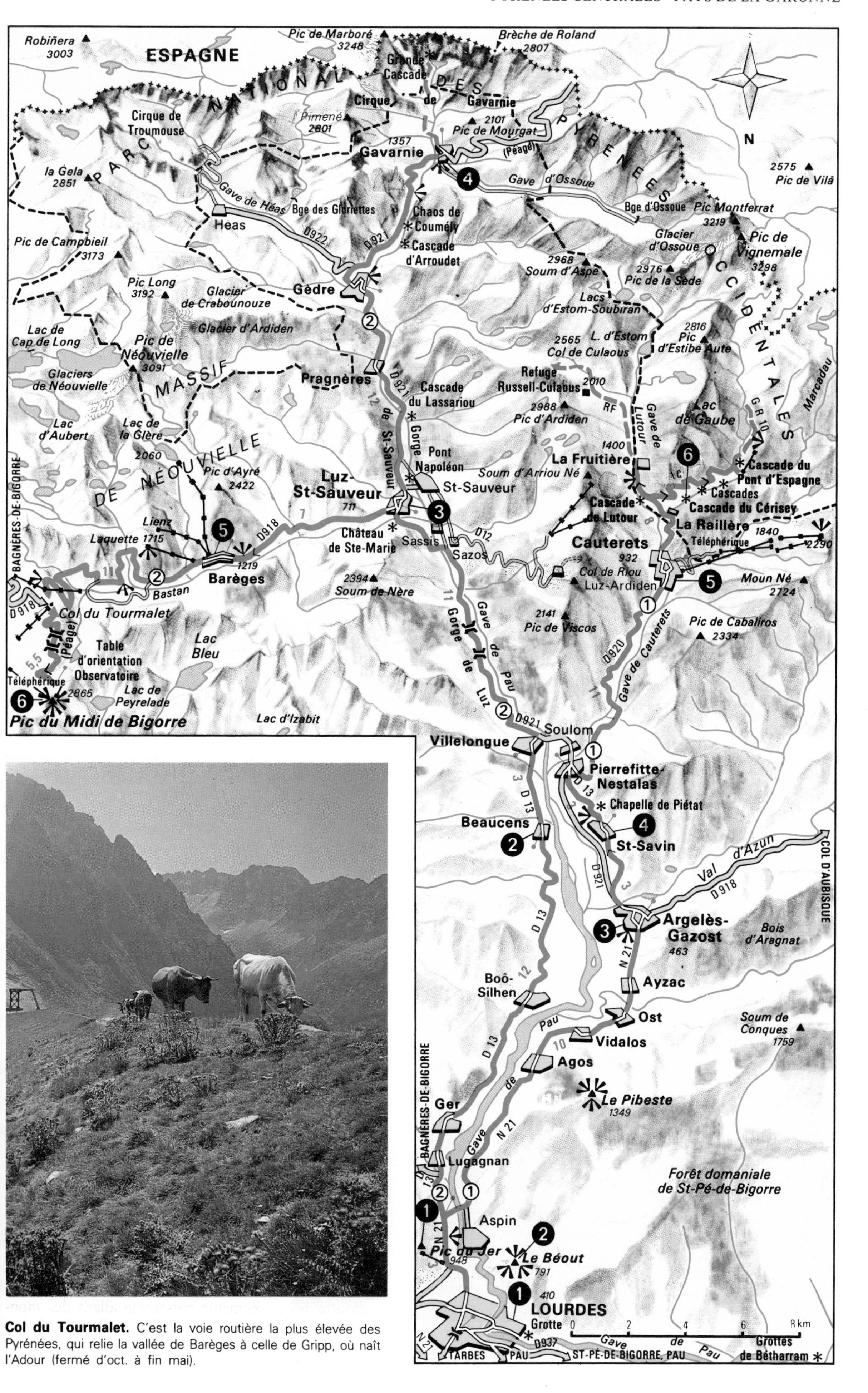

Col du Tourmalet. C'est la voie routière la plus élevée des Pyrénées, qui relie la vallée de Barèges à celle de Gripp, où naît l'Adour (fermé d'oct. à fin mai).

Randonnée 15 km aux lacs d'Ayous

Au cœur du parc national des Pyrénées, cet itinéraire pédestre (3 heures), balisé et facile, recommandé en été, conduit dans la région des lacs d'Ayous, qui s'étagent comme une suite de balcons face au merveilleux spectacle qu'offre le pic du Midi d'Ossau. La couverture végétale variée donne à ce secteur montagnard un visage souriant qu'accentue la rencontre fortuite des bêtes sauvages et protégées.

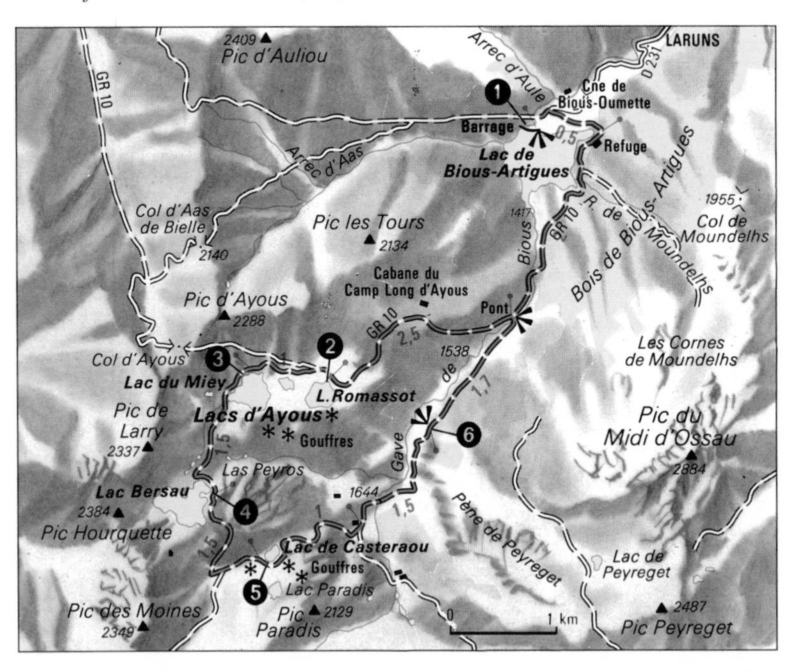

Pic du Midi d'Ossau. A cause de sa silhouette altière, on le qualifie souvent de « Cervin des Pyrénées ». Les habitants de la vallée le dénomment « Jean-Pierre ».

Isard *(Rupicapra pyrenaica).* Proche parent du chamois des Alpes, il abonde dans le secteur de l'Ossau, où il est protégé.

❶ **Barrage de Bious-Artigues.** Du parking marquant le terme de la route ou du barrage hydro-électrique qui se dresse à côté, on découvre un paysage grandiose, l'un des fleurons du parc national des Pyrénées. Devant soi, par-dessus la frondaison des hêtres et des sapins, dominant des hauteurs arrondies où s'amoncellent d'énormes chaos de rochers, surgit la cime du pic du Midi d'Ossau (voir photo). A l'origine, des dépôts éruptifs durcis par la chaleur sont venus tapisser la cheminée du formidable appareil volcanique. Au cours des âges géologiques, les scories de moindre résistance ont été lentement arrachées par l'érosion au point d'anéantir presque entièrement le volcan originel. Seules ont subsisté les matières dures qui encombraient les cheminées : les dykes; elles forment actuellement les aiguilles acérées du pic du Midi. Ces murailles de porphyre verticales et hautes de 450 m prennent des tonalités qui varient selon les heures de la journée. Plus de cent itinéraires d'escalade ont été tracés par les alpinistes dans ces parois vertigineuses.

❷ **Lac Romassot.** Juste après la fin de la forêt de hêtres, il occupe un premier balcon parmi les alpages que surplombent les falaises pourpres du pic d'Ayous. Ce lac, comme ses voisins, est une cuvette d'origine glaciaire, peuplée de truites. Pendant que l'érosion glaciaire creusait la cuvette, le déversoir à la sortie de celle-ci tombait en cascade. La pente est devenue abrupte, tant et si bien que les truites ne pouvaient plus remonter la cascade. Celles qui subsistent dans ces lacs sont des colonies d'espèces fossiles, piégées par un phénomène géologique. La nappe du lac affleure presque les bords de la cuvette tapissés d'herbes fleuries. L'ensemble de ces lacs en chapelet constitue l'un des plus grands spectacles de toute la chaîne des Pyrénées.

❸ **Lac du Miey.** Au-dessus du lac Romassot, c'est le plus beau des lacs d'Ayous, inscrit dans un second replat herbeux. Il faut se placer à proximité du chalet-refuge du parc national pour contempler — si l'absence de vent le permet — le reflet du pic du Midi d'Ossau sur le miroir du lac. Dans le ciel, les vautours fauves décrivent de larges cercles en vol plané; dans les prairies, il n'est pas rare d'apercevoir une hermine sautillante. Depuis peu, la marmotte a été introduite dans ce secteur montagnard, où elle s'adapte bien. Suivant la saison, jonquilles, iris, asphodèles, œillets ou colchiques émaillent ces verts pâturages.

❹ Lac Bersau. Il constitue le troisième lac d'Ayous. Son altitude (2000 m), le voisinage des hautes falaises noirâtres descendant du pic de Larry confèrent à sa cuvette une austérité grandiose qui tranche avec l'aspect riant jusqu'alors rencontré au cours de cette excursion. Géologiquement, cette cuvette lacustre occupe la dernière terrasse de calcaire compact, et les sédiments plus composites situés au-dessus sont plus délités. Le moindre bruit dans les éboulis environnants doit mettre en éveil le promeneur; il indique généralement la présence des isards (voir dessin). Les antilopes des Pyrénées sont ici abondantes depuis que la réserve d'Ossau, puis le parc national des Pyrénées, créé en 1967, assurent leur protection. Ils vivent en hardes et fuient au moindre bruit. Le spectacle de leurs cavalcades acrobatiques au bord des précipices est inoubliable.

❺ Lac de Casteraou. Le torrent des Moines, qui semble se diriger vers ce lac, est brusquement capturé par un gouffre dans les profondeurs duquel ses eaux disparaissent. Sans alimentation et sans déversoir apparents, le lac de Casteraou est en fait un regard sur une circulation d'eau souterraine complexe. L'eau provient de la montagne formant la falaise voisine, d'où elle filtre à travers les éboulis; elle s'enfonce ensuite dans une perte, sur la rive opposée du lac, et conflue en sous-sol avec le cours souterrain du torrent des Moines pour ressortir 180 m plus bas près d'une cabane de bergers. Une telle circulation souterraine n'est pas unique. Une autre existe au lac Romassot, dont le déversoir en caverne conduit les eaux directement dans la plaine de Bious.

❻ Belvédère sur la plaine de Bious. Au sommet d'une butte qui la limite vers l'amont, le regard embrasse la plaine de Bious. C'est une vaste étendue herbeuse, plane, où paissent librement des chevaux. Le gave décrit des méandres sur la gauche, tandis que, sur la droite, des amoncellements de blocs montent jusqu'au pied de l'Ossau, dont la silhouette tutélaire semble veiller sur le site. Depuis ce belvédère, on devine très bien que la plaine de Bious est un lac aujourd'hui comblé par les alluvions. Ce comblement des lacs pyrénéens d'origine glaciaire est un phénomène général. La «plaine» de Bious est en quelque sorte le stade ultime d'un remplissage qui intéresse, à des stades différents, les lacs que l'on vient de contempler.

280

Promenade dans la réserve de Néouvielle 15 km

Bien que des pistes carrossables aient été tracées, on laissera la voiture au lac d'Orédon pour prendre les navettes du parc. Pour visiter la réserve, une excursion pédestre (de 4 à 5 h) s'impose : ainsi comprend-on mieux les rapports qui existent entre le paysage grandiose et le plus modeste insecte, entre l'éphémère floraison d'une plante et la survie de certaines espèces relictes, réfugiées ici depuis la période glaciaire.

Lac d'Orédon. Comme les lacs d'Aumar et d'Aubert, le lac d'Orédon est alimenté par la neige d'hiver plutôt que par les pluies, généralement rares à la belle saison.

❶ Lac d'Orédon. Les travaux destinés à surélever le niveau du lac d'Orédon n'ont pas dénaturé cet admirable site. Le lac, aux eaux transparentes, possède une couleur verte que lui procurent à la fois le reflet des pins qui parsèment sa cuvette et l'exceptionnelle luminosité régnant sur le massif (voir photo). Par suite d'un bon ensoleillement, les pentes granitiques sont couvertes par une flore très riche.

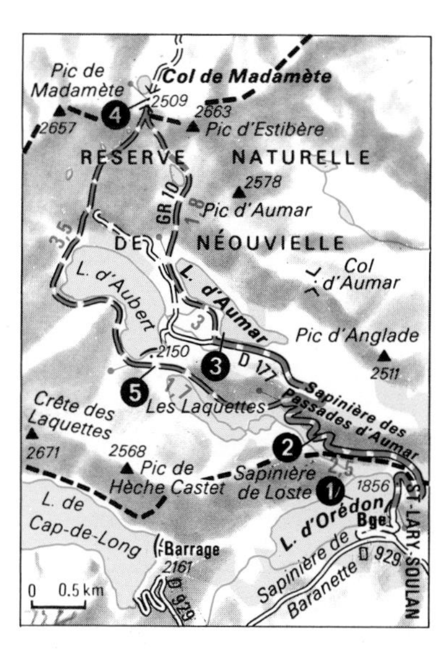

❷ Passades d'Aumar. On se trouve au cœur de la forêt subalpine, qui se compose ici de pins à crochets, âgés d'environ 700 ans, en peuplement discontinu entre des pentes gazonnées ou fleuries de rhododendrons. En raison du climat ensoleillé, cet étage forestier atteint 2 800 m, près des glaciers du pic de Néouvielle.

❸ Lac d'Aumar. Il occupe une légère dépression sur un replat d'origine glaciaire. Bien abrité par le Néouvielle, le cirque d'Orédon est une zone de précipitation nivale importante.

❹ Col de Madamète. Du sommet, la vue plonge sur le versant de Barèges. Par temps clair, on voit au creux de chaque vallon une mosaïque de lacs. Les taches vertes dans les prairies sont des tourbières formées par l'envasement d'autres lacs.

A partir du col, il n'y a plus de sentier : traverser les prairies (dont il ne faut pas s'écarter) jusqu'aux rives du *lac d'Aubert*.

❺ Vallons d'Aubert. Au S.-E. du lac, dans les froids vallons, territoire de la réserve protégeant faune et flore, les espèces vivantes sont relictes.

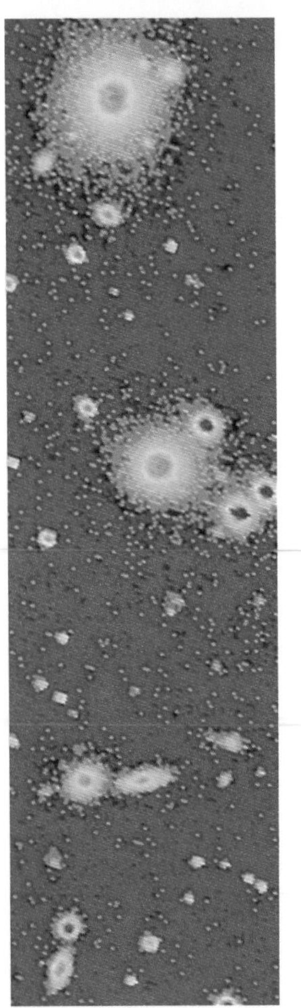

L'OBSERVATOIRE DU PIC DU MIDI

Construit par souscription publique de 1878 à 1881, l'observatoire du pic du Midi (2 865 m), très isolé au nord de la chaîne, bénéficie d'une atmosphère exceptionnelle. La météorologie s'y est développée d'abord, puis l'astronomie, au début de ce siècle, sous l'impulsion de Benjamin Baillaud. Mais c'est surtout avec la mise en service, en 1930, par Bernard Lyot du coronographe qu'il venait d'inventer pour observer la couronne solaire en dehors d'une éclipse totale de soleil qu'apparut l'intérêt d'un observatoire d'altitude. Vers la même époque, les découvertes sur les rayons cosmiques et leur importance pour la physique nucléaire allèrent dans le même sens ; elles firent de l'observatoire du pic du Midi, dans les années cinquante, un laboratoire de toute première importance dans ce domaine. C'est encore à Bernard Lyot qu'on doit une activité essentielle de cet observatoire : l'obtention d'images qui, dans bien des cas, sont les meilleures jamais faites depuis la Terre. Cela dès 1963 avec le télescope de 1 m de diamètre, qui a vu ses performances améliorées à partir de 1990 grâce à la mise en service d'une caméra CCD. Depuis 1980, un télescope de 2 m de diamètre (le plus grand sur le sol français) permet d'obtenir des clichés très détaillés de galaxies lointaines.

◀ Amas de galaxies en fausses couleurs, image CCD.

Ouvert t.l.j., y compris dim. et j. fér., de 8 h à 18 h. Renseignements, tél. : 62-95-19-69.

Le télescope de 2 m de diamètre (télescope Bernard Lyot) et sa monture en fer à cheval.

La coupole-tourelle contient une lunette de 50 cm de diamètre qui fournit les meilleures images au monde de la surface solaire.

Vues prises de l'observatoire

1. Tache solaire (environ 25 000 km de diamètre), photographiée à la coupole-tourelle. **2. La planète Mars,** image trichrome CCD obtenue au télescope de 1 m. **3. Le cirque Clavius** (225 km de diamètre), dans le sud de la Lune. **4. Galaxie spirale M 104** dans la constellation de la Vierge, cliché AT 60.

1

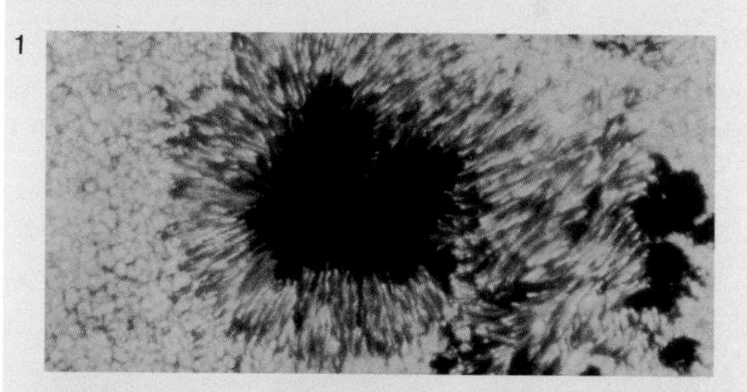

2

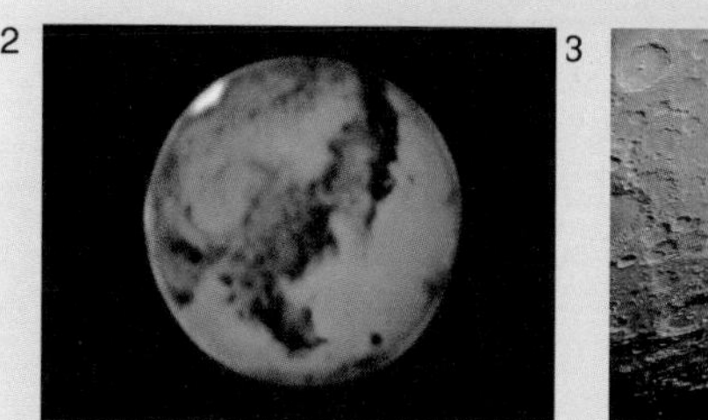

3

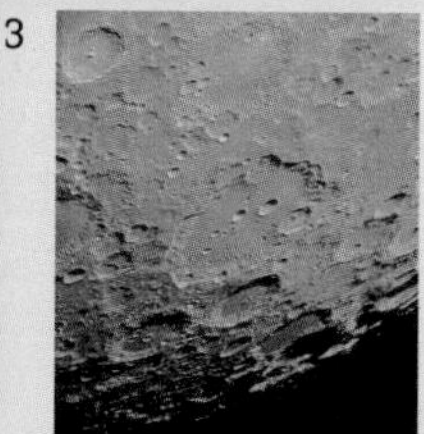

4

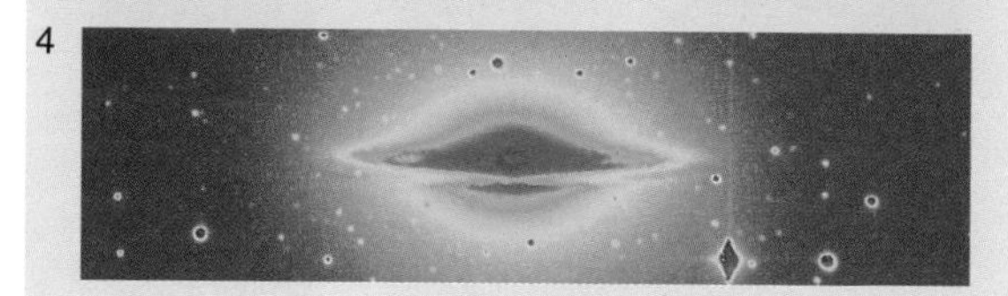

281 282

Cimes et villes au cœur des Pyrénées 99 km 100 km

Au cœur des Pyrénées, des cimes enneigées des monts frontaliers que tailladent les vallées du Lys, de la Pique et de l'Oueil, aux chaudes plaines irriguées par la Garonne, c'est l'ancien comté de Comminges. A ces paysages contrastés répond la diversité des villes : ainsi Superbagnères, Bagnères-de-Luchon, Saint-Bertrand-de-Comminges.

ITINÉRAIRE N° 1

❶ **Saint-Gaudens.** La position de la ville, sur le bord d'un plateau en surplomb de la vallée de la Garonne, permet d'avoir plusieurs points de vue dégagés : sur les Pyrénées, à partir du boulevard Jean-Baptiste-Bepmale ; sur les montagnes de Luchon, à partir du jardin public où se dressent les vestiges de galerie du cloître (XIIe s.) de l'abbaye de Bonnefont. L'ancienne collégiale St-Pierre-et-St-Gaudens (XIe s.), sommée d'un clocher carré, est ornée à l'intérieur par des chapiteaux historiés de scènes de la Bible et des tapisseries d'Aubusson (XVIIIe s.).

❷ **Montréjeau.** Bâtie sur une éminence, la cité domine le confluent de la Neste d'Aure et de la Garonne. Du boulevard Lassus, belle vue sur les Pyrénées (table d'orientation). Dans l'église St-Jean (XIVe-XVIe s.), au clocher octogonal, voir, dans la nef, plusieurs statues du XVIIIe s.

Les *grottes de Gargas* (t.l.j., Pâques-10 oct., vac. scol. et j. fér. ; l'apr.-m., mercr., sam., dim. hors saison. Rens., tél. : 62-39-72-39) sont accessibles par un chemin goudronné ; elles comprennent trois étages de galeries. Sur les parois, des représentations d'animaux sont gravées et l'on peut voir également de nombreuses empreintes colorées de mains « mutilées » remontant à environ 30 000 ans av. J.-C.

❸ **Saint-Bertrand-de-Comminges.** Encore ceint de remparts (porte Majou et porte Cabirole), le village presse ses maisons médiévales autour de la cathédrale érigée sur une butte (vis. guid. réserv. à la cathédrale. Groupes sur R.-V.). La construction du sanctuaire débuta au XIIe s. : de cette époque subsistent le clocher, un portail et le cloître. Là se trouvent le fameux pilier des quatre évangélistes et les chapiteaux supportés par les doubles colonnettes. A l'intérieur de la cathédrale, un jubé précède, dans le chœur, des stalles (voir dessin) et un trône épiscopal en bois sculpté (XVIe s.) Le trésor (vis. guidée) renferme de riches pièces d'orfèvrerie et des ornements sacerdotaux. Très belles orgues, restaurées récemment. Aux Olivétains, expositions de pièces du musée de Saint-Bertrand-de-Comminges (de Pâques à la Toussaint. Rens., tél. : 61-88-31-79).

A *Valcabrère* (1 km), au milieu d'un cimetière, la basilique romane St-Just (voir photo) est surmontée par un clocher carré.

❹ **Mauléon-Barousse.** Situé dans la vallée de l'Ourse, le village a conservé les ruines de son château du XVe s. Un donjon pentagonal surplombe une façade intérieure restaurée et les restes d'une chapelle aux fenêtres gothiques géminées (vis. sur demande).

A 15 km, en direction de Ferrère, un virage domine le *gouffre de la Saoule*. Le rocher percé par la rivière forme une arche naturelle au-dessus d'une cluse très étroite dans laquelle se précipite la Saoule.

A *Ourde*, les fresques (XVe s.) de la voûte de l'église St-Martin représentent des scènes de la vie du Christ.

❺ **Saint-Béat.** Installée dans un défilé étroit sur la Garonne, la ville présente de vieilles maisons bâties en marbre. Un porche roman latéral, avec un Christ en majesté au tympan, donne accès à l'église St-Béat-et-St-Privat (XIIe s.) ; des niches de part et d'autre du maître-autel renferment des reliques ; dans le presbytère sont exposées des pièces d'orfèvrerie (vis. : s'adr. à la mairie). Une volée de marches permet d'atteindre le donjon de l'ancienne citadelle (XIVe-XVe s.), d'où l'on a une belle vue sur la cité (citadelle en restauration, rens., tél. : 61-79-40-05).

❻ **Saint-Pé-d'Ardet.** Le village possède une curieuse église romane du XIIe s., entourée d'une enceinte au XVe et dont le clocher est un donjon. A l'intérieur, sculptures romaines encastrées dans les murs, et peintures du XVe s. dans le chœur et l'abside.

ITINÉRAIRE N° 2

❶ **Bagnères-de-Luchon.** Dans un site remarquable (voir photo), c'est une grande ville d'eaux et un centre sportif.

Bagnères-de-Luchon. Dans un val verdoyant, dominée par des pics élevés, la ville est une station climatique et thermale renommée pour ses eaux sulfureuses.

La vallée du Lys. Environnée de hauts sommets encore enneigés, dans un site magnifique, la rivière court entre deux versants très boisés.

Saint-Bertrand-de-Comminges. Adam et Ève : sculptures sur bois ornant les stalles de la cathédrale Notre-Dame.

Valcabrère. La basilique St-Just s'ouvre par un portail latéral roman (XIIe s.), au tympan orné d'un Christ en majesté, dont les statues-colonnes sont d'une belle facture.

Au musée du Pays de Luchon (ouv. t.l.j., sauf j. fér. Fermé nov.), dans le château de Laffont-Lassalle (XVIIIe s.), sont exposées des collections d'archéologie, d'ethnographie et d'histoire régionales.

❷ **Vallée d'Oueil.** Le long d'un cours d'eau sinueux se pressent des villages pittoresques : Saint-Aventin et son église (XIe-XIIe s.) au porche roman paré de chapiteaux historiés ; Saint-Paul-d'Oueil avec son église romane ; le kiosque de Mayrègne, accessible par un sentier de 1 km sur la droite, d'où l'on a un panorama sur les cimes des Gours-Blancs, du Perdiguère et des Grabioules. A *Bourg-d'Oueil*, station de sports d'hiver, voir la vieille église à clocher-pignon.

❸ **Vallée du Lys.** Elle conduit, parmi des torrents, des prairies fleuries et des bois (2 h AR à pied après la fin de la route), à la *cascade du gouffre d'Enfer*, l'une des plus belles chutes des Pyrénées. Le Lys se précipite du haut d'une paroi verticale dans un gouffre.

On atteint *Superbagnères* (voir photo) par une route pittoresque, sur la droite dans la vallée du Lys. Cette station de sports d'hiver est aussi très fréquentée en été.

❹ **Vallée de la Pique.** Jalonnée de prairies, puis de forêts de hêtres, une route étroite et à forte pente (environ 10 %) s'élève jusqu'à l'Hospice de France, hôtellerie près de laquelle jaillit l'abondante fontaine de la Pique.

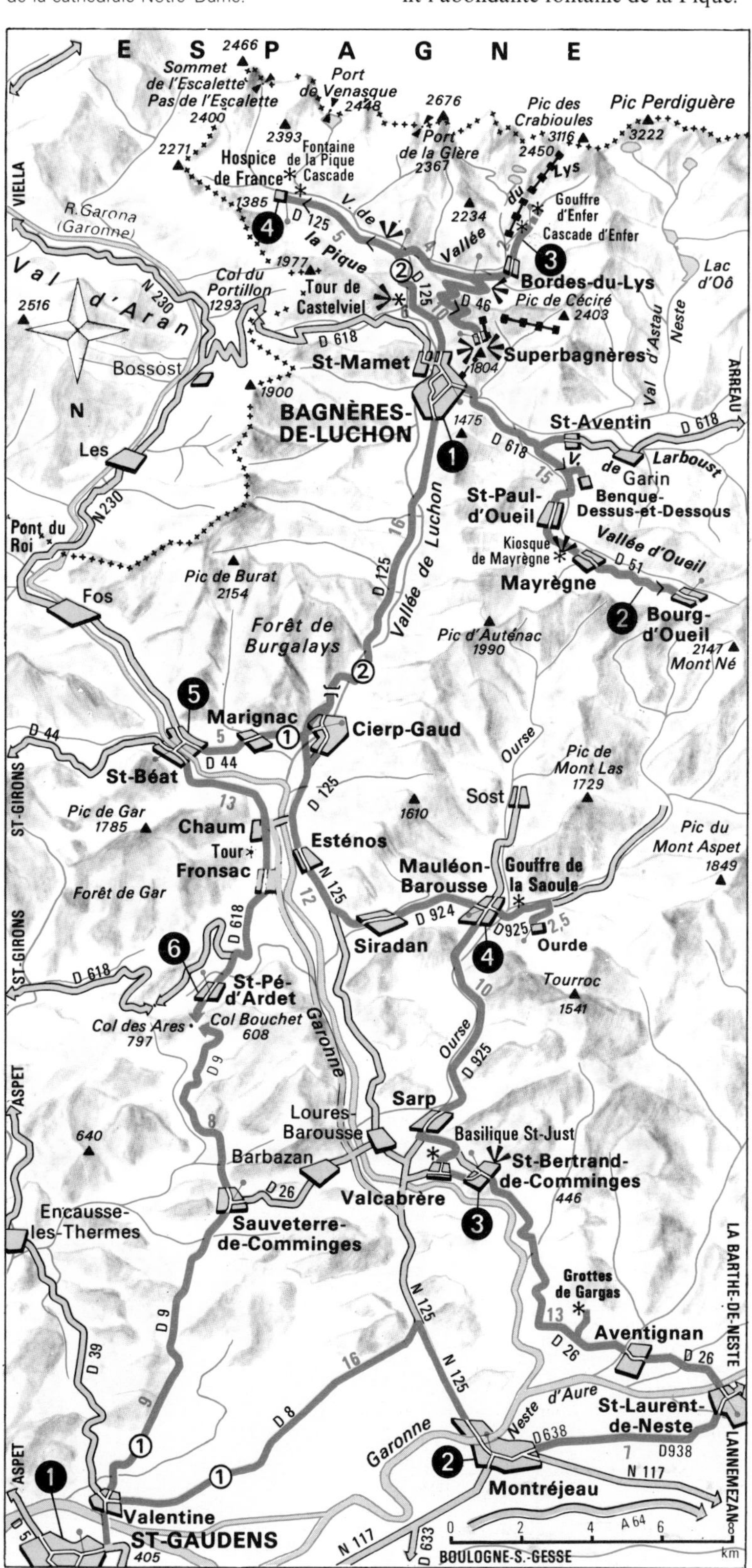

Itinéraires 78 km en Ariège 144 km

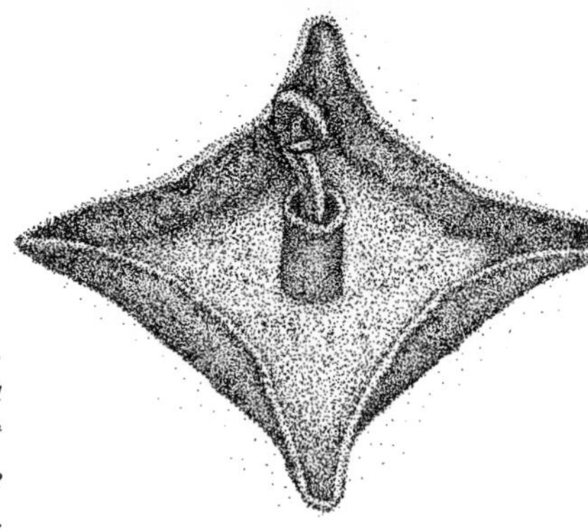

Montségur. Les objets trouvés lors des fouilles, dont cette lampe à huile à quatre becs, sont exposés au musée.

Dans l'ancien comté de Foix, on retrouve, au fil de ces deux itinéraires, l'attrait des villes d'eaux, l'espoir d'apercevoir une faune dont c'est là l'ultime refuge, parmi des paysages où alternent pics, vallées, gorges et grottes — rester prudent: routes étroites, nombreux lacets. L'histoire vient à notre rencontre avec les traces de la présence humaine dès le paléolithique, les témoins de la tragédie des Albigeois et les marques de la magnificence de l'illustre famille des comtes de Foix.

ITINÉRAIRE N° 1

❶ **Pamiers.** Sur la rive droite de l'Ariège, la ville a conservé parmi de vieilles maisons à encorbellement un bel ensemble d'édifices religieux. La cathédrale St-Antonin, reconstruite en brique après les guerres de Religion, possède un clocher octogonal (XIVe s.), ajouré d'ouvertures angulaires, et un portail roman aux chapiteaux historiés. L'église N.-D.-du-Camp (XVIIe-XVIIIe s.) est dotée d'une façade en brique flanquée de deux tours crénelées entre lesquelles s'ouvre un porche roman. Non loin, la tour octogonale des Cordeliers (XVIe s.), de style toulousain, est le seul vestige de l'église des Franciscains.

❷ **Foix.** Au confluent de l'Arget et de l'Ariège, dans un site de montagnes, se tient la cité que surplombe le rocher portant les ruines du château. La for-

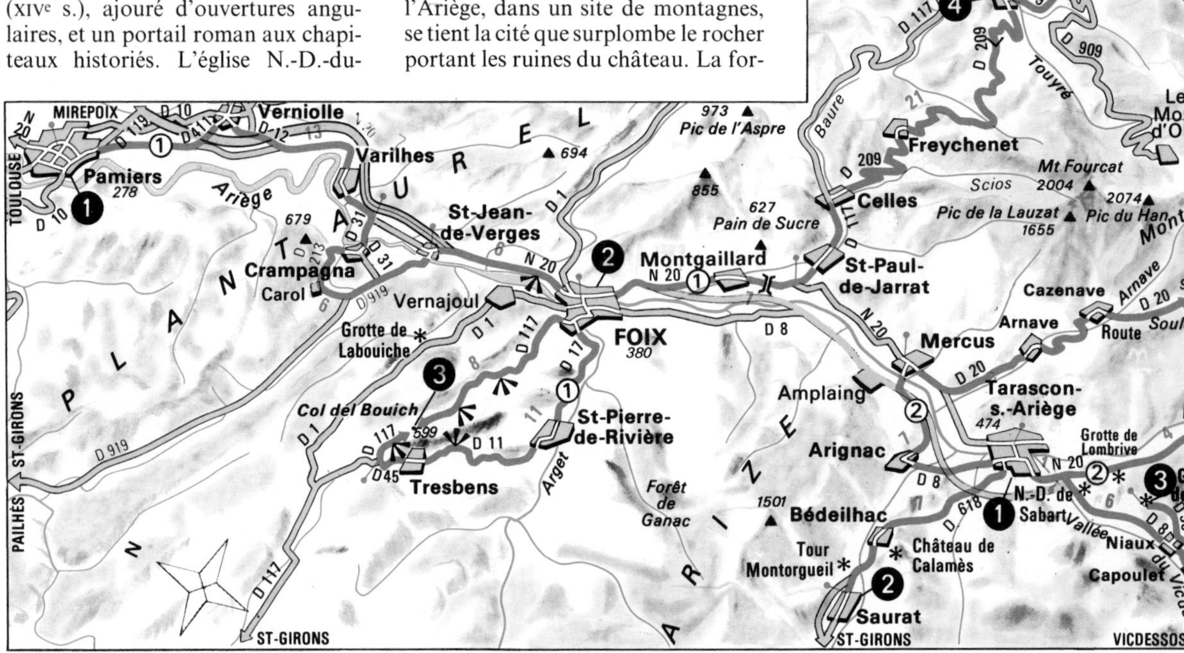

teresse (voir photo) abrite le musée départemental de l'Ariège (vis. t.l.j.), où sont exposées des collections géologiques, paléontologiques, préhistoriques et médiévales. Par les rues de la vieille ville, bordées de maisons anciennes en bois (XVe-XVIe s.), on parvient à l'église St-Volusien, épaulée par de puissants contreforts et précédée d'une forte tour carrée. Le sanctuaire montre, à côté de parties romanes (porte), une nef gothique suivie d'un chœur polygonal du XVIIe s.

❸ **Col del Bouich.** Bien que peu élevé, dans un cadre de prairies surplombées

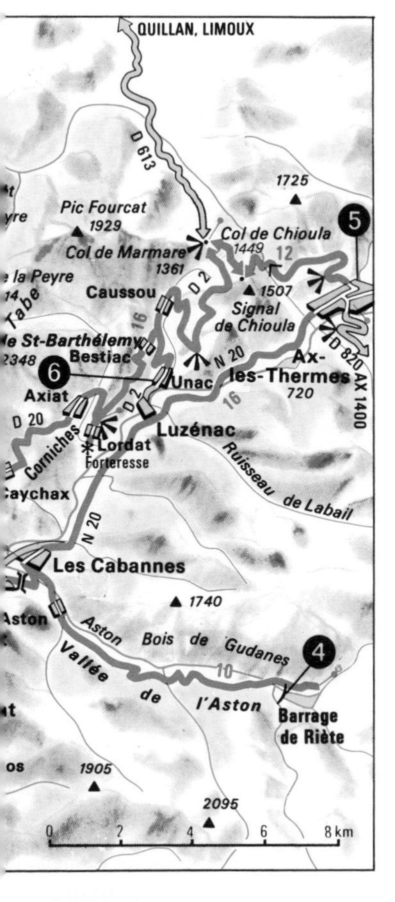

par des roches, il offre de belles vues sur la vallée de l'Ariège, sur Foix dominée par son château.

❹ **Montferrier** est un petit bourg qui a gardé des murailles d'un ancien château. Mais on y verra surtout l'église romane (1212), au clocher trinitaire, et une belle maison du XVIIe s.

❺ **Montségur.** Au Musée municipal (t.l.j., mars-30 nov. Fermé déc., janv., févr.) sont exposés des objets découverts au cours de fouilles (voir dessin). Un sentier malaisé (1 h 30 AR) permet d'atteindre le château, dernier temple cathare à se rendre (1244) lors de la croisade contre les Albigeois. Il en reste un donjon, des courtines et les vestiges de la grande salle.

Peu après le village, sur la droite, un large chemin (non carrossable) conduit au col de la Peyre; de là, on atteint la crête de la montagne de Tabe, jusqu'au *pic de Saint-Barthélemy* (6 h AR). Du sommet, vue sur le Canigou, le Montcalm, la Pique d'Estats et le pic du Midi de Bigorre.

ITINÉRAIRE Nº 2

❶ **Tarascon-sur-Ariège.** La vieille ville, au pied de la tour ronde du Castella (XIIIe s.), seul vestige de l'ancien château, avec ses ruelles escarpées et tortueuses, est bâtie sur les flancs d'une butte calcaire en surplomb de la rive gauche de l'Ariège. On pénètre dans l'église gothique N.-D.-de-la-Daurade (XVIIe s.), dont l'intérieur, à nef unique, est lambrissé de noyer, par un porche à charpente. De l'église St-Michel, il ne subsiste qu'une tour carrée crénelée du XVe s.

❷ **Saurat.** Le bourg s'étire en longueur sur la rive gauche de la vallée. La rue principale est bordée de maisons aux portes Louis XV; voir aussi l'église (XVIe s.).

❸ **Grotte de Niaux.** Creusée dans les flancs du Vicdessos, elle est accessible par un chemin à gauche dans le village de Niaux (t.l.j., sauf Noël et 1er janv. ; juill.-fin sept. : départ toutes les 45 mn. ; hors saison, vis. à 11 h, 15 h, 16 h 30 ; 20 pers. max. par vis., réserver au 61-05-88-37. Groupes sur R.-V-). Composée d'un grand ensemble de galeries et de couloirs (9 km), elle doit sa célébrité aux dessins et aux empreintes préhistoriques qui l'ornent (voir photo). Le Salon Noir est une des plus vastes salles souterraines de France (180 m de long).

❹ **Barrage de Riète.** Il est situé en amont de la vallée de l'Aston, qui est une des rares régions pyrénéennes où la présence d'ours bruns soit encore signalée de temps à autre. Avant d'arriver au barrage, qui retient un important réservoir au confluent de l'Aston et du Quioules, on franchit les gorges pittoresques que creuse la rivière dans les bois de Gudanes.

❺ **Ax-les-Thermes.** Bâtie entre trois rivières : l'Ariège, l'Oriège et la Lauze, la ville est à la fois une station thermale, un centre de villégiature et une station de sports d'hiver. Les soixante et une sources qui jaillissent du granit — elles débitent environ 3 millions de litres d'eau quotidiennement — sont recommandées pour le traitement des affections des voies respiratoires, des sciatiques et des rhumatismes. Les eaux sont sulfurées sodiques et radioactives. Sur la place du Breilh, voir le bassin des Ladres, construit sur l'ordre de Saint Louis, pour les croisés lépreux de retour de Terre Sainte.

❻ **Unac.** L'église romane est sommée d'un clocher carré (XIIe s.), dont les deux étages supérieurs sont percés de fenêtres géminées. A l'intérieur, voir les chapiteaux richement décorés de feuilles à l'entrée du chœur.

A *Lordat*, un chemin (30 mn AR) mène à une des plus importantes forteresses (XIIIe-XVe s.) de la vallée de l'Ariège. Une porte ouvrant sous une tour carrée permet de pénétrer dans les ruines, où l'on distingue encore les restes d'une triple enceinte.

◀ **Foix.** Le château (XIe-XVe s.) comprend trois tours, dont le donjon cylindrique (haut de 42 m) à cinq étages voûtés d'ogives, d'où l'on découvre un beau panorama sur Foix.

▲ **Grotte de Niaux.** Dans le Salon Noir, elle est décorée de peintures rupestres datant d'environ 15 000 ans représentant des chevaux, des cerfs et des bisons.

▲ **Cheval de Merens.** Il constitue une évocation surprenante de ces animaux que peignaient, avec tant de savoir-faire, les hommes des cavernes.

A la découverte du riche Lauragais 94 km

Cet itinéraire, serpentant de la Montagne Noire au canal du Midi, permet de découvrir le Lauragais avec ses richesses naturelles et artistiques. L'élevage de bovins, d'ovins et de volailles est traditionnellement une des grandes activités de la région, à côté de l'agriculture très florissante dans la plaine de Revel, où poussent le blé, l'orge et le colza. Au col de Naurouze, porte entre deux pays, on passe du Languedoc à l'Aquitaine.

❶ **Castelnaudary,** métropole du cassoulet et du foie gras, sise sur les bords du canal du Midi (voir photo), a conservé de son passé la collégiale St-Michel (XIIIe s.). L'édifice, sommé d'un clocher octogonal, est de style gothique méridional à nef unique. A l'intérieur, calvaire en pierre du XVIe s. et maître-autel du XVIIIe. L'hôpital abrite une belle collection de pots en faïence de Moustiers, du XVIIIe s. (fermé actuell., s'adr. à la mairie).

❷ **Saint-Papoul.** Ce petit village, fondé autour d'une abbaye bénédictine, a conservé son ancienne cathédrale dédiée à saint Papoul. Le sanctuaire possède une nef gothique du XIVe s. et un chœur avec abside romane ; il abrite le mausolée en marbre blanc (XVIIe s.) de l'évêque François de Donadieu et une pietà en bois du XVIe s. Un cloître du XIVe s. jouxte l'église sur son flanc S.

❸ **Cascade de Malamort.** De la route, un sentier conduit à la cascade au milieu d'une gorge étroite, aux abrupts colorés, boisée de chênes et de hêtres. L'importance de la chute a été réduite par la construction du barrage de Cammazes. La route emprunte ensuite les *gorges du Sor*, enserrées entre de hautes falaises.

❹ **Sorèze.** De l'abbaye, autour de laquelle s'est développé le village, subsistent un clocher et des bâtiments abbatiaux. Ces derniers (XVIIe-XVIIIe s.) abritent aujourd'hui un collège (vis. t.l. apr.-m. avr.-31 oct. ; t.l.j., juill.-août. Rens., tél. : 63-74-24-68). De l'église St-Martin, on verra l'abside fortifiée, le clocher polygonal (XVe s.) et le chœur éclairé par des fenêtres flamboyantes.

❺ **Saint-Félix-Lauragais.** Au pied des murailles du château (XIVe-XVe s.), belle vue sur la Montagne Noire. La collégiale (XIVe s., rebâtie au XVIIe) présente, à gauche du portail, un puits profond. A l'intérieur, une voûte en bois peint (XVIIIe s.) couvre la nef principale ; abside à sept pans très élégante. (Voir aussi photo).

Castelnaudary. Le canal du Midi forme près de la ville, construite sur une légère éminence et dominée par l'église St-Michel, un vaste bassin aux eaux calmes.

Pierre Paul de Riquet, né à Béziers en 1604 et mort à Toulouse en 1680, consacra sa vie et sa fortune à la réalisation du canal du Midi, construit de 1666 à 1681.

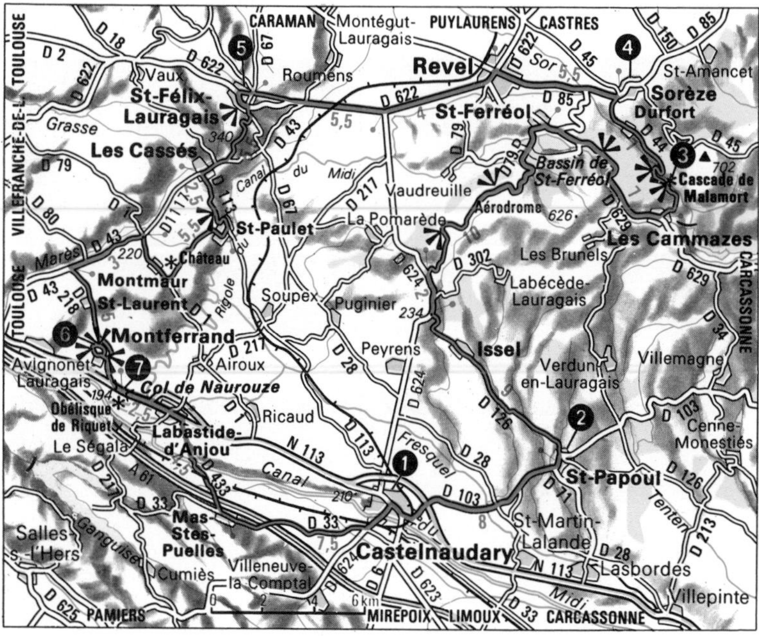

En traversant *Montmaur,* on passe devant l'imposante masse carrée et les tours d'un château du XIVe s.

❻ **Montferrand.** Bâtie sur un coteau, d'où la vue s'étend sur le Lauragais, la bourgade s'enorgueillit d'une église romane, St-Pierre-d'Alzonne, qui renferme des stèles discoïdales. Derrière l'église, des fouilles ont permis de mettre au jour une nécropole wisigothique avec des sarcophages (Ve-VIe s.) et une basilique (on ne visite pas).

❼ **Col de Naurouze.** Il marque la séparation entre le versant méditerranéen et le versant atlantique du midi de la France. Aussi baptisé seuil du Lauragais, ce large passage entre les Pyrénées, d'une part, et le Massif central et les Cévennes, d'autre part, a été une voie de communication fréquentée de tout temps. C'est là que l'ingénieur Riquet (voir dessin) choisit de faire passer le canal du Midi. Cet exploit technique est commémoré par un obélisque élevé au haut du col.

Saint-Félix-Lauragais. Simple charpente de bois soutenant un toit de tuiles brunes, les halles s'élèvent au centre du village, sur une place bordée de maisons anciennes.

286

A travers les percées du Plantaurel

59 km

Provoquée par le contrecoup du plissement alpin, la série de crêts qui forment la montagne du Plantaurel s'étire sur 80 km parallèlement à la chaîne des Pyrénées. Séparant le piémont pyrénéen de la plaine de Toulouse, le Plantaurel oppose sa barrière calcaire aux eaux descendant des hautes montagnes en direction de la Garonne. Mais l'eau a creusé des grottes pour traverser l'obstacle : ce sont les percées du Plantaurel.

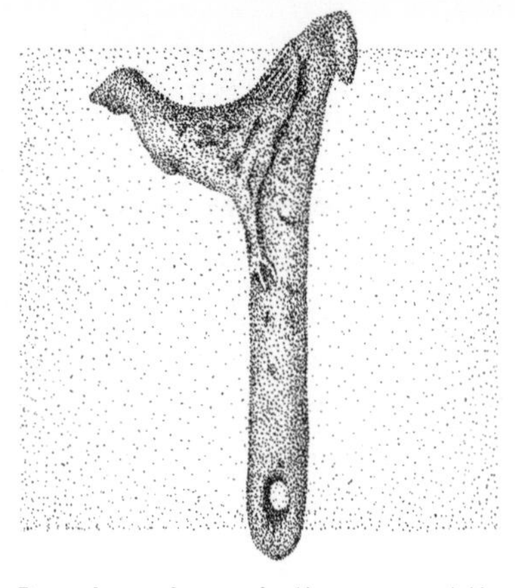

Propulseur de sagaie (époque magdalénienne) découvert dans la grotte du Mas-d'Azil. Il représente un coq de bruyère.

❶ **Grotte de Labouiche.** C'est un exemple éloquent des percées souterraines du Plantaurel. Dans cette grotte aménagée (vis. t.l.j., du 1er avr. au 11 nov. inclus. Rens., tél. : 61-65-04-11 ou 61-65-12-12). Le visiteur, après avoir descendu un puits naturel s'ouvrant en bordure immédiate de la route, accède à une rivière souterraine, où l'éclairage électrique dévoile des biefs coulant entre des rives drapées de belles stalactites. Le parcours le long de la rivière hypogée s'effectue en barque insubmersible. Cette navigation, qui se développe sur 2,5 km, est l'une des plus longues excursions qui s'offrent au touriste dans le sous-sol français. La sortie de la grotte se fait par un orifice différent de celui par lequel on a pénétré. La rivière rencontrée sous terre n'est autre que le ruisseau du Fayal, que l'on peut voir s'enfoncer dans le sol à l'Aïgo Perdent, et resurgir sur l'autre côté de l'éperon rocheux, à l'Aïgo Nechent. La visite à pied de la perte et de la résurgence de ce ruisseau à éclipses permet de découvrir l'ampleur d'une percée hydrogéologique, tandis que le parcours souterrain, dans la grotte, révèle les réalités secrètes de cette circulation d'eau : arrivée de cinq affluents, passage de trois siphons et chute des eaux en deux cascades.

❷ **Grotte inférieure du Portel.** Elle se situe en contrebas de la route. Quitter celle-ci au niveau de l'épingle à cheveux qu'elle décrit en amorçant la montée vers le col du Portel. Une sente malaisée descend à travers les rochers jusqu'à un ruisseau, le Sarguet. En allant vers l'amont, on ne tarde pas à rencontrer l'arcade d'une grotte d'où l'eau jaillit. On se dirigera alors vers l'aval. Le Sarguet pique droit vers une falaise calcaire au pied de laquelle se révèle l'ouverture oblique et sombre d'un vaste porche de caverne. Muni d'une lampe électrique, on peut s'avancer dans les entrailles de la montagne. Il est toutefois déconseillé aux non-initiés de progresser au-delà de l'endroit où la lumière du jour ne pénètre plus — 50 m environ. Le ruisseau, devenu souterrain, s'écoule entre des rives de galets dominées par une haute voûte rocheuse, avant d'atteindre le siphon par lequel il s'infiltre dans des conduits impénétrables. La dernière salle de la caverne est fermée par un dôme très spectaculaire, haut de 40 m.

❸ **Grotte supérieure du Portel.** La route franchit la chaîne de la Quière au col ou pas du Portel ; à proximité, dans les rochers, se développe la grotte, dont on se bornera à contempler l'entrée, car elle est fermée pour préserver les précieuses peintures préhistoriques qui s'y trouvent. La caverne elle-même est une ancienne percée aujourd'hui abandonnée par le Sarguet, qui creuse son passage 60 m plus bas. La présence des vestiges préhistoriques, vieux de 10000 ans, indique l'ancienneté de la grotte et du phénomène de percée.

❹ **Résurgence du Sarguet.** Prendre un chemin partant de la route de Sarguet à Charameau. Derrière le moulin neuf de Coufet, une fente du rocher laisse ressortir le Sarguet.

❺ **Grotte du Mas-d'Azil.** Sans quitter la route, on pourra parcourir en entier une percée souterraine du Plantaurel. La route emprunte en effet le tunnel naturel foré par l'Arize et formant la caverne du Mas-d'Azil. Les voûtes, d'abord assez basses, se relèvent vers l'amont en une énorme coupole éclairée par la lumière du jour venant du porche S. Au milieu de la grotte, une branche latérale a été aménagée (vis. t.l.j., juin-sept. ; dim. et j. fér., oct., nov., mars, avr., mai ; en semaine l'apr.-m. en avr.-mai. Fermé déc., janv., févr.). Voir dessin.

❻ L'itinéraire se déroule ensuite le long d'une vallée cernée par les dernières cuestas du Plantaurel.

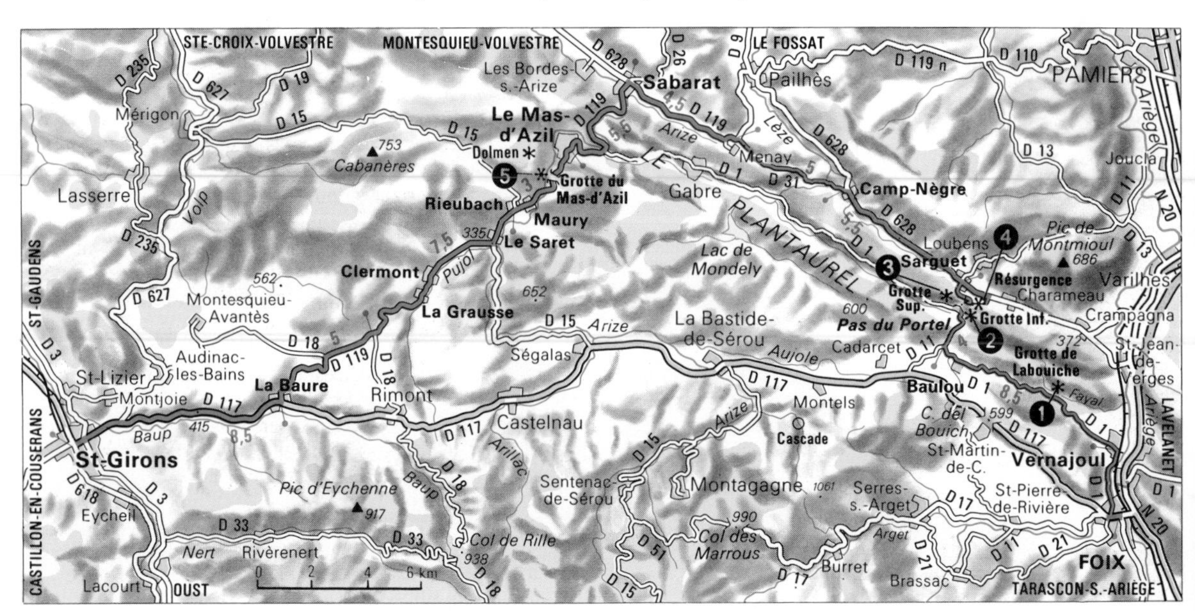

En parcourant les collines d'Armagnac 56 km

Au pied des Pyrénées, les collines d'Armagnac étendent leurs moutonnements aux courbes douces. Le sol est constitué de débris arrachés par les glaciers du quaternaire à la chaîne des Pyrénées qui dressait auparavant une formidable cordillère le long de l'isthme franco-espagnol. L'érosion fluviale a modelé ces alluvions en lanières parallèles, formant des « ribeyres » que traverse l'itinéraire.

❶ **Puntous de Laguian.** Dans la côte de Laguian, un panneau indicateur signale, sur la droite, la table d'orientation du Puntous de Laguian (petit parking) qu'un rideau de lauriers sépare de la route. De la table d'orientation dressée sur le Puntous, la vue embrasse un vaste panorama. La chaîne des Pyrénées ferme l'horizon, relativement proche; la table indique le nom des cimes que l'on peut reconnaître. Jouissant d'une position élevée par rapport au cours de l'Arros, qu'il domine de 150 m environ, et aux vallées avoisinantes, le Puntous de Laguian est aussi un bon observatoire pour l'étude de la dépression périphérique pyrénéenne. Au moment de passer des fortes pentes montagneuses à celles plus douces des collines, les torrents descendus des cimes ont évidé cette dépression au détriment des débris arrachés aux Pyrénées par les glaciers de l'ère quaternaire. On distingue bien ce grand fossé courant au contact des roches tendres et des roches dures. Au S. du belvédère, la vallée de la Bigorre, formant créneau dans le front de montagne, matérialise l'évidement provoqué par l'érosion du glacier qui creusa l'auge empruntée aujourd'hui par l'Adour. Du haut du Puntous de Laguian, on peut donc mesurer l'épaisseur du talus détritique prépyrénéen.

❷ **Côte de Saint-Michel.** Au pied de la côte, alors que l'on se trouve encore dans la vallée de la Baïsole, on aperçoit, en face de soi, le front abrupt de la ribeyre que l'on va franchir. Au contraire, le versant oriental de ce relief offrira une pente douce. Cette asymétrie est l'une des caractéristiques des ribeyres de l'Armagnac. L'autre aspect typique est leur découpage en lanières presque parallèles. La route que l'on suit, perpendiculaire à l'axe des ribeyres, montre cette alternance de fossés occupés par un cours d'eau et de collines asymétriques. Cette disposition résulte, en premier lieu, de l'action érosive des cours d'eau sur ces terrains tendres. L'orientation générale du réseau hydrographique provoque de son côté le découpage du terrain molassique tendre en lanières parallèles.

❸ **Côte de Saint-Élix-Theux.** Du sommet de la côte, on domine une de ces ribeyres, cernée par la Petite Baïse et le Sousson. On notera qu'à la dissymétrie des reliefs correspondent trois types de couverture végétale. Le fond des vallées est le domaine des saligues, avec noisetiers, arbres hygrophiles et lianes; les riches cultures — maïs, blé, prairies d'élevage — s'étalent sur le flanc à pente douce des ribeyres; la crête et le flanc abrupt sont couverts par les bois, où dominent les chênes pédonculés. Cette même disposition se retrouvera dans la suite de l'itinéraire, lors du franchissement des ribeyres du Sousson, du Gers, de l'Arrats et de la Lauze.

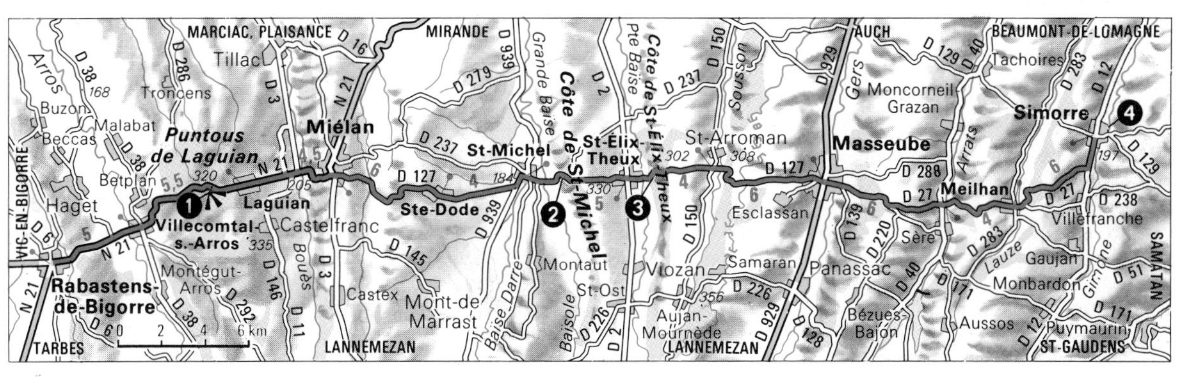

❹ **Simorre.** Il convient de parcourir à pied l'un des nombreux chemins creux qui rayonnent autour du village, pour en observer les talus. Dans le bas du terrain, près de la vallée de la Gimone, on remarquera l'existence d'un sol argileux, le terrefort, provenant de la décomposition de la molasse. Lorsqu'on monte vers la crête, on rencontre les limons plus légers, de couleur grisâtre, que l'on appelle ici boulbènes. C'est dans la molasse que le géologue Lartet observa les premiers indices qui devaient le conduire à découvrir un crâne de singe fossile (à Sansan), permettant de rattacher ces terrains au début de l'ère quaternaire (villafranchien).

Pâturages. Au premier plan, des brebis paissent sur le glacis herbeux et bocager du talus détritique arraché aux Pyrénées, qui se dressent, altières, barrant l'horizon.

Collines de l'Adour, buttes calcaires de l'Albret 101 km

Des collines d'Armagnac à celles d'Albret, une région de transition offrant des paysages variés met en commun leur douceur et leur charme gascons. Mais, derrière l'uniformité bocagère, il faut apprendre à distinguer la pelisse fauve des collines de l'Adour, les longues ribeyres du haut Armagnac et les buttes calcaires de l'Albret.

❶ **Cayron.** En bordure du cimetière de ce hameau, on découvre un très vaste panorama: un bocage aux mailles serrées juxtapose des champs de blé et de maïs, des bois de chênes, des prairies. A travers la frondaison des haies et des bois pointent les toits de tuiles rouges, couvrant des fermes disséminées dans l'espace agricole (voir photo). Dans les constructions, les moellons industriels remplacent peu à peu les traditionnels murs à colombage hourdis de terre glaise (voir photo), et, si le confort y gagne, le pittoresque y perd assurément.

❷ **Lupiac.** Juste avant le village, au carrefour avec la D37, un point culminant occupe la crête d'une typique ribeyre gasconne. La route qu'on vient de suivre court sur la ligne de faîte, surplombant de 80 m la vallée de la Douze, immédiatement à l'O., et domine la vallée de l'Auzoue plus loin vers l'E. Le profil asymétrique de ce relief, son allongement S.-N. et la structure parallèle des ribeyres voisines, tout est réuni ici pour composer un paysage comme on en trouve au cœur de l'Armagnac.

❸ **Basses terres d'Albret.** On les découvre, 2 km avant Eauze, d'une éminence où passe la route. A droite et à gauche, on devine les marais, où les cours d'eau commencent à se perdre, l'herbe grasse des fondrières et des barthes, ces vallons humides d'Aquitaine. Tout annonce les terrains marécageux de la Petite Lande. A l'ère tertiaire, ce terroir fut un rivage du golfe d'Aquitaine, et on dirait qu'il a conservé la nostalgie de l'eau. Le recul de la mer par envasement de ce golfe jusqu'au rivage actuel des Landes détermine ces terres plates, qui s'étendent loin vers l'O.

❹ **Montréal.** Sur la première butte calcaire de l'Albret, la bastide de Montréal occupe une position stratégique au sommet d'une colline de calcaire crétacé qui commande, du haut de ses 60 m, la vallée de l'Auzoue. Cette éminence est un ancien îlot qui bordait la rive du golfe d'Aquitaine. Des sédiments d'époque tertiaire en recouvrent le soubassement, permettant de dater son émersion.

❺ **Lectoure,** comme Montréal, est bâtie au sommet d'une butte calcaire. Ici, ce sont deux vallons qui ont isolé la colline du reste d'un plateau calcaire, et l'on découvre un peu partout les marques d'une érosion karstique jadis insoupçonnable et pourtant logique. Ainsi, à Lectoure même, la Houndélie, ou fontaine d'Élie, est une résurgence. A la sortie N. du centre de la ville, point de vue aménagé sur la place du Bastion; la vue embrasse la vallée du Gers, vers le S. Devant ces paysages paisibles, on a peine à imaginer le violent travail de sape que l'eau exerce en sous-sol.

Bâtiment à colombage. Les cloisons frustes subsistent dans les dépendances: basse-cour, étable... conservant l'harmonie de la construction humaine et du paysage.

Cayron. Un moutonnement doux, suave et harmonieux, un paysage composé, une campagne sereine et secrète à la fois, c'est le terroir autour du village de Cayron.

289

Excursion d'Agen à Moissac 83 km

De part et d'autre de la Garonne et jusqu'à sa confluence avec le Tarn, l'itinéraire serpente au cœur de l'Agenais. La douceur d'un climat ensoleillé a permis l'éclosion de cultures maraîchères réputées sur les talus en pente douce des serres d'Agenais. Là, des buttes portent de fières bourgades qui offrent de vastes panoramas sur les vallées fertiles, où sont implantées d'admirables métropoles comme Agen et Moissac.

❶ **Agen.** Renommée pour ses primeurs et ses fruits, la ville occupe la plaine entre la Garonne et le coteau de l'Ermitage. Dans la vieille ville, voir l'ancien évêché (actuelle préfecture), aux colonnes doriques, qui date du XVIIIe s. ; l'hôtel de l'Académie, bâti au XVIIIe s. ; la maison du Sénéchal (XIVe s.), à la décoration gothique ; l'hôtel Blaise-de-Monluc, à la façade percée de fenêtres géminées (XIIIe s.) ; les bâtiments Renaissance abritant le musée des Beaux-Arts (t.l.j., sauf mardi), où l'on peut voir, entre autres, la Vénus dite du Mas-d'Agenais, en marbre blanc (1er s. av. J.-C.), et cinq magnifiques toiles de Goya (1746-1828) ; préhistoire, collections de peinture, notamment espagnole, orfèvrerie. L'architecture est représentée par la cathédrale St-Caprais (XIIe-XVIe s.). A l'intérieur, chapiteaux ornés de feuilles et d'animaux.

❷ **Moirax.** Ce vieux village, qui possède encore des vestiges de fortifications et de tours de défense, s'enorgueillit d'une très belle église romane (1049) de l'ordre de Cluny. A l'intérieur, sous une nef couverte d'un berceau brisé, on verra près de cent chapiteaux sculptés et des stalles en bois du XVIIe s., ornées de scènes bibliques et historiques.

❸ **Puymirol.** De la position élevée de cette ancienne bastide, sur une colline en surplomb de la Séoune, s'offre une belle vue sur les plaines de l'Agenais. Des rues bordées de vieilles maisons à pans de bois conduisent à une place à arcades, où se trouve l'église, dont le porche est du XIIIe s.

❹ **Saint-Maurin.** Ce joli bourg est dominé par les deux tours carrées de l'ancienne abbaye. De l'édifice, fondé au XIe s., subsistent aussi de beaux chapiteaux et des arcatures de cloître. Proche, parmi de vieilles maisons couvertes de tuiles rondes, se dresse l'église St-Martin (XVIe s.), de style gothique. Dans le sanctuaire voûté de bois, voir une grande statue de saint Joseph (XVIe s.), le maître-autel en bois peint et sculpté, et un retable du XVIIe s. en bois.

❺ **Auvillar.** Sur une éminence au-dessus de la rive gauche de la Garonne, cette petite cité a conservé de son passé des vestiges de fortifications (porte Marcabru) et de vieilles maisons à encorbellement (XVe s.). Non loin des halles rondes, dans l'église St-Pierre, voir sous la nef flamboyante une belle chaire du XVIIe s.

❻ **Boudou.** Du village, panorama sur la vallée de la Garonne, aux versants couverts de vignes.

❼ **Moissac** (voir photo et dessin) doit sa célébrité à l'abbatiale St-Pierre (XIe-XVe s.). Le sanctuaire est sommé d'un clocher-porche (XIIe s.), s'ouvrant sur un portail, chef-d'œuvre de l'art roman, illustrant au tympan la vision de l'Apocalypse. Un beau mobilier, dont un Christ polychrome (XIIe s.), un sarcophage mérovingien et une Mise au tombeau de 1485, décore l'intérieur. Le cloître du XIe s. (vis. t.l.j.), avec ses 76 arcades aux colonnes de marbre multicolore, est admirable. Le Musée moissagais, dans l'ancien palais des Abbés (t.l.j., sauf dim. mat. et lundi ; fermé du 1er au 15 janv. Groupes sur R.-V.), est consacré aux arts et traditions populaires.

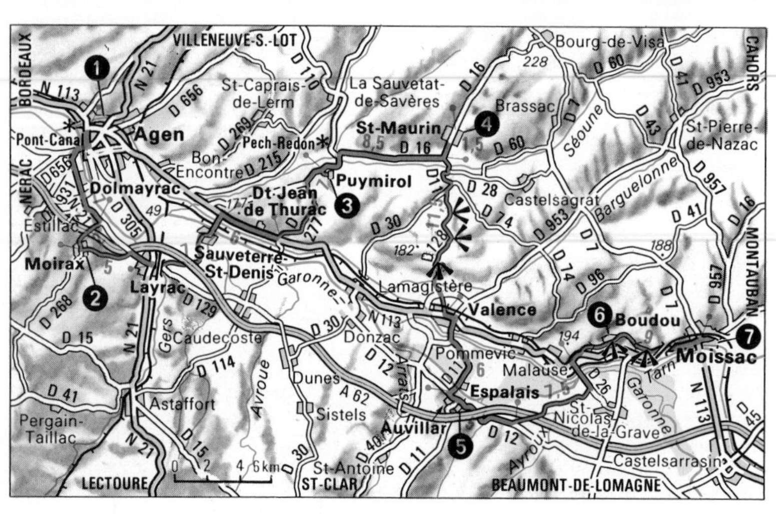

Moissac. Un pont aux arches de pierre blanche relie les deux rives du Tarn sur lesquelles est bâtie la ville.

Moissac. Dans l'abbatiale St-Pierre, la décoration des chapiteaux du cloître est composée de symboles variés et d'animaux.

Cité médiévale de Cordes et ses environs 84 km

Aux confins du Ségala et du Rouergue, de vieilles montagnes recrues d'histoire géologique cachent leurs charmes au cœur de plateaux rabotés par l'érosion et faillés par les mouvements tectoniques. Dans ce paysage un peu austère s'insère l'activité des hommes, industrielle à Carmaux, artisanale à Cordes, toujours attirante. De données géologiques en survivances médiévales, on plonge ici dans une contrée hors du temps.

❶ **Ambialet,** c'est avant tout son méandre, le plus beau de France et aussi le mieux visible. Le Tarn vient y buter sur un banc de gneiss très dur qui l'oblige à détourner son cours pour trouver une faille où franchir l'obstacle. La boucle que décrit la rivière ne mesure pas moins de 3 km, tandis que le pédoncule du méandre (la partie étranglée qu'il présente à sa racine) forme un isthme à peine large de 30 m qu'une route traverse en tunnel. Le sommet de la nervure rocheuse est coiffé de l'église romane N.-D.-de-l'Oder (XIIe s.). Le sanctuaire s'ouvre sur un portail précédé d'un arceau soutenu par quatre colonnes aux chapiteaux ornés de feuilles et de motifs variés. A l'intérieur, voir un encensoir en cuivre du XIIIe s. De l'édifice, on découvre l'ensemble du méandre : les eaux calmes de la rivière glissent au pied des hautes roches de sa rive droite — la rive concave du méandre — et contournent presque complètement la rive convexe. Un chemin bordé de peupliers longe celle-ci dans sa partie aval et permet de goûter la tranquille grandeur de ce site.

❷ **Carmaux,** ville charbonnière, centre d'un bassin houiller important, est d'un grand intérêt géologique. Les dépôts carbonifères qui ont fait la richesse de Carmaux ont une orientation E.-O., qui correspond à une dislocation des vieilles montagnes hercyniennes, aujourd'hui bien dégradées par l'érosion, constituant les plateaux du haut Rouergue et la bordure du Ségala. On sait que la formation de la houille procède de l'accumulation et de la carbonisation à l'abri de l'air de débris végétaux entassés dans des lits de cours d'eau, ou des fonds marins, aux époques géologiques. La houille de Carmaux et de son bassin provient essentiellement de cryptogames, et il n'est pas rare d'observer de belles empreintes de fougères fossilisées dans le charbon (voir dessin).

❸ **Cordes.** Sur une butte dominant la vallée du Cérou, quatre enceintes fortifiées défendent l'accès à un fouillis de ruelles, de venelles et de passages, bordés de maisons médiévales. Quatre portes, la porte des Ormeaux, celle de Rous, celle de la Jane et la Barbacane, donnent sur cette cité médiévale (voir photo). On admirera les sculptures expressives de la maison du Grand Veneur, l'hôtel du Grand Écuyer, la demeure du Grand Fauconnier, la vieille halle. Une promenade au gré des vieilles rues pavées, par les lices et les escaliers qui relient les différents niveaux de la cité, permettra de découvrir les divers aspects d'un artisanat bien vivant. Les habitants de Cordes se sont fixé pour but de réanimer les métiers d'autrefois (forgeron, brodeur, potier, tisserand) et, sous leur impulsion, Cordes est devenu un exemple de ces villages retrouvant une nouvelle vie.

❹ **Forêt de la Grésigne.** Dans cette forêt, on appréciera le calme frissonnant des grands massifs forestiers. Sur 3 462 ha s'étendent presque partout de belles futaies de chênes et de charmes. En dépit de l'unité que présente son peuplement, la forêt recouvre des terrains géologiques d'une curieuse diversité. Dans le canton de la Plégade, il faut voir le très beau pin pignon qui y règne. A Castelnau-de-Montmiral, de la bastide du XIIIe s., on jouit d'un superbe panorama sur la forêt de la Grésigne.

Cordes. Le Moyen Age revit dans un décor bien planté, où de vieux portails donnent accès à des rues bordées de maisons bâties dans une pierre aux tons chauds.

Fougère fossilisée. Dans le charbon de Carmaux, il arrive que l'on trouve de beaux échantillons de cryptogames fossiles.

Monuments et paysages en Albigeois

94 km

L'Albigeois : un paysage de vallées amples, entourées de faibles ondulations, avec de petites éminences calcaires couronnées de villages pittoresques. Dans ce pays, tourné vers la polyculture et les céréales, on appréciera les vins blancs et rouges des côtes du Tarn et du vignoble gaillacois. Là encore, la beauté des monuments qui jalonnent l'itinéraire ne peut faire oublier le drame de la croisade contre les Albigeois.

Pigeonnier. Bâti sur des pilotis de pierre pour le protéger des rongeurs, il servait à la récolte du guano, que les cultivateurs utilisaient ensuite comme engrais.

❶ **Gaillac.** Sur la rive droite du Tarn, parmi les ruelles étroites aux maisons en brique et en bois de la vieille ville, non loin d'une fontaine, ou *griffoul*, du XVIe s., se trouve l'ancienne abbatiale St-Michel (XIIe-XIVe s.), décorée d'une corniche à modillons et abritant une Vierge à l'Enfant en bois polychrome (XIIIe s.). Dans un parc en terrasses dessiné par Le Nôtre, le château (XVIIe s.) abrite un musée où sont exposées des œuvres d'artistes régionaux : peintures, sculptures fin XVIIIe-XXe s. (t.l.j., sauf mardi). Dans l'hôtel Pierre-de-Brens (XVe s.), musée des Arts et Traditions populaires (t.l.j., sauf mardi). Au musée d'Histoire naturelle, importantes collections de paléontologie, minéralogie et ornithologie ; outils et objets préhistoriques (t.l.j., sauf mardi ; l'apr.-m. seul., sauf mardi, 15 sept.-15 juin).

❷ **Lisle-sur-Tarn,** ancienne bastide du XIIe s., conserve quelques vieilles demeures en brique et bois. Son église à flèche en brique est pourvue d'ouvertures triangulaires.

❸ **Château de Saint-Géry.** Construit au XIVe s., et restauré au XVIIIe, il se compose de trois corps de logis ordonnés autour d'une cour d'honneur, et abrite un très riche mobilier : voir la salle à manger Directoire, la chambre Bleue, de style Louis XVI, la chambre Cardinale, où logea Richelieu, le salon chinois, la belle cuisine des XIVe et XVe s. et les peintures murales (XIVe-XVIe s.) dans la chapelle (t.l. dim. apr.-m., de Pâques à la Toussaint ; t.l. apr.-m., juill.-août. Groupes sur R.-V.).

❹ **Rabastens.** L'église N.-D.-du-Bourg (XIIIe s.), sommée d'un clocher-mur (XIVe s.), a un portail roman aux chapiteaux historiés de scènes de la vie du Christ et de la Vierge. A l'intérieur, voir les peintures murales des XIIIe et XIVe s. (Voir aussi photo.)

La Pointe, escarpe venteuse, marque le confluent du Tarn et de l'Agout. Le Tarn reçoit là son plus important renfort, dont le débit est d'environ 60 m³/s.

❺ **Lavaur,** située sur la rive gauche de l'Agout, est dominée par la masse puissante de l'ancienne cathédrale St-Alain, du XIIIe s. (voir photo). Deux portails, l'un roman et l'autre flamboyant, donnent sur une nef unique (XIIIe s.) s'achevant par un chœur heptagonal (XVe s.). A l'intérieur, riche mobilier, dont un polyptyque italien du XVe s. et une pietà du XVIIe s. Au musée du Pays vaurais, belle Vierge romane, ainsi que des poteries de Giroussens (ouv. t.l. apr.-m., sauf lundi, du 15 mai au 31 août ; dim. apr.-m. seul. en sept.).

Rabastens : portail en bois sculpté avec encadrement en brique. Petite cité aux belles demeures (XVe-XVIIIe s.), Rabastens a toujours été un centre actif d'ébénisterie.

❻ **Lac de Miquelou.** 2,5 km avant d'arriver à Graulhet, une petite route, sur la droite, permet d'atteindre ce lac de retenue, dans un site verdoyant.

❼ **Gabriac.** Dans ce modeste hameau, l'église St-Jean-Baptiste (XIVe-XVe s.), bâtie sur un plan de croix latine, présente des baies à remplage (blocage remplissant l'espace compris entre deux parements) flamboyant et un beau vitrail de 1600.

A 2 km, l'église de *Cadalen* (XIIe-XIIIe s.) est ornée de modillons représentant des animaux ; l'entablement est décoré des signes du zodiaque.

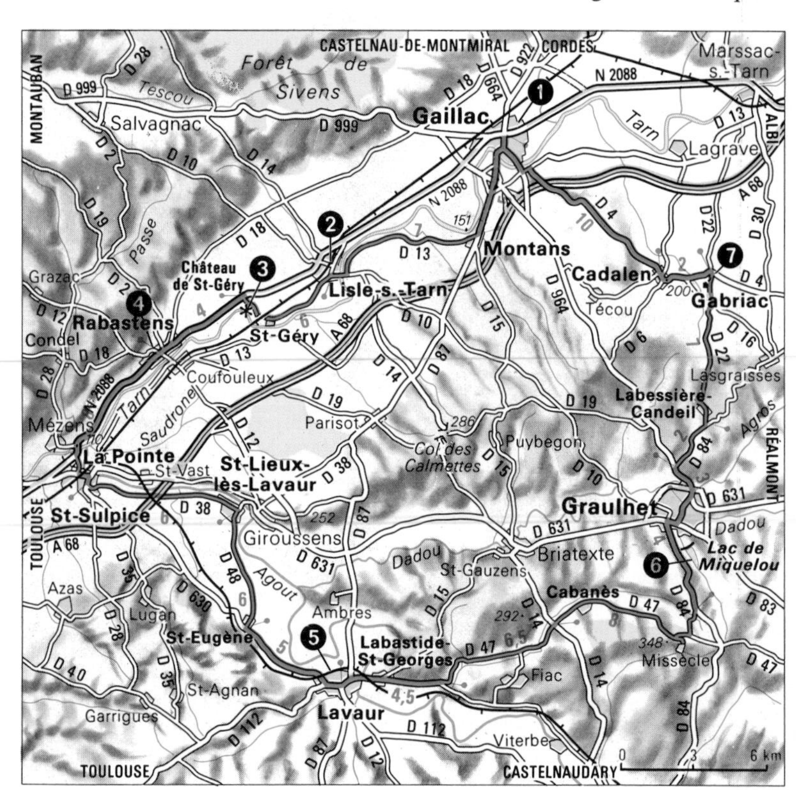

Lavaur. Le puissant clocher carré de l'ancienne cathédrale abrite un jaquemart en bois.
Le personnage, mû par un mécanisme, frappe la cloche toutes les demi-heures.

TOURAINE • MAINE • ANJOU

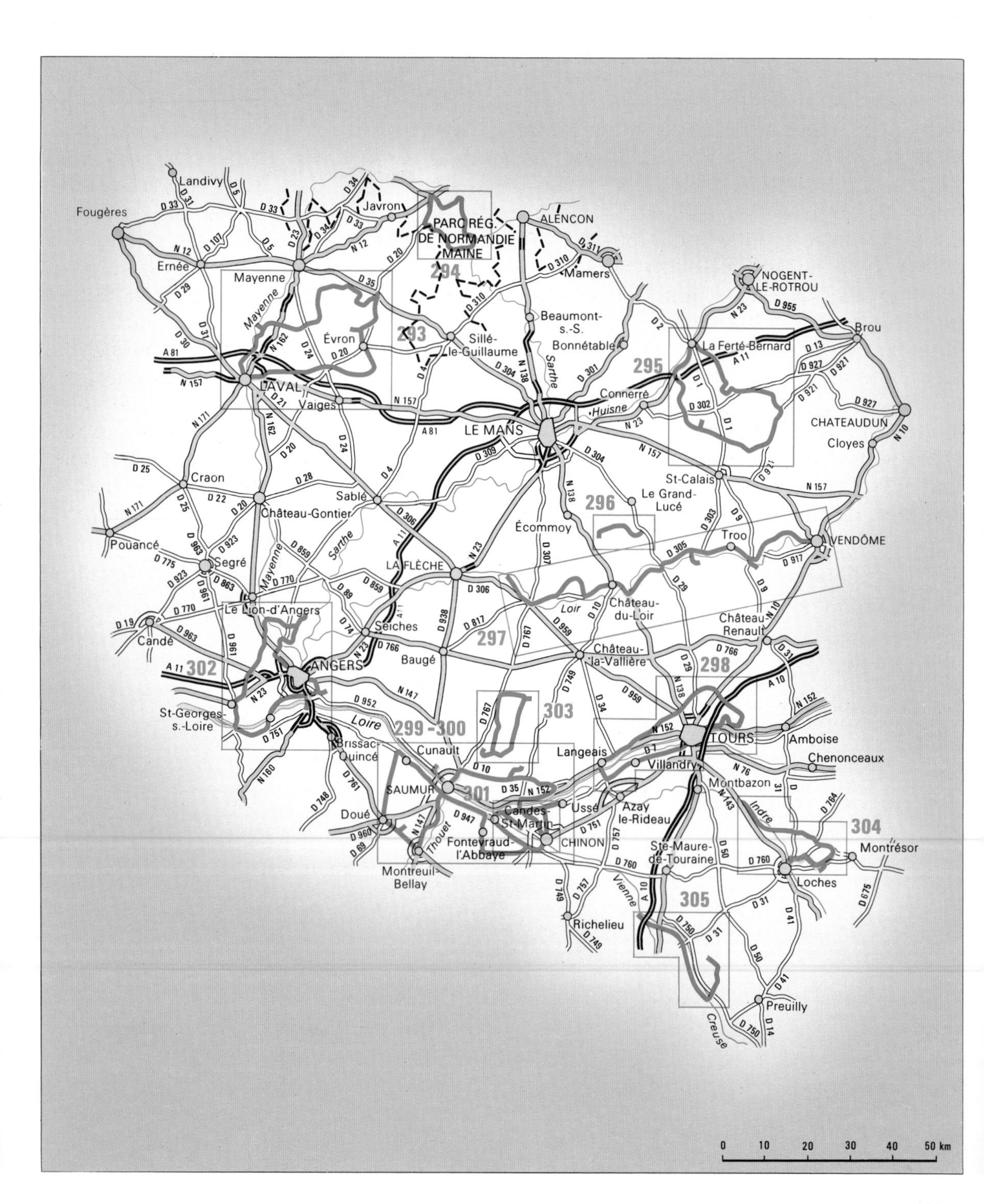

Manoirs, châteaux et riantes demeures des princes et des poètes au Jardin de la France

L'amabilité légendaire des hommes, la courbe harmonieuse des paysages, la clémence d'un climat atlantique aux nuances déjà méridionales ne peuvent, en ces provinces de Maine, d'Anjou et de Touraine, faire oublier la richesse d'une histoire longtemps agitée et parfois cruelle. Trop de témoignages en subsistent; passé le temps des saints – celui de saint Martin –, ces pays vivent avec les rois angevins à l'heure anglaise, puis avec les rois valois à l'heure italienne. Ainsi, alors que l'ermitage se fait abbaye, l'art roman des nefs à coupoles, des fresques naïves et des clochers à flèche l'emporte un moment, avant de laisser place au gothique angevin des voûtes aux fines nervures et des colonnes légères, puis au gothique flamboyant des portails à gâbles et à pinacles. Et, parallèlement, la mâle forteresse aux grosses tours rondes et aux courtines imprenables, faite pour la guerre, se mue, par la grâce de ses fenêtres à meneaux, de son élégant décor sculpté, de ses jardins et de ses tapisseries, en une riante demeure où, avec les dames, devisent les princes et les poètes. C'est avec Édouard Herriot qu'il faut se promener pour apprécier la saveur drue de ces hauteurs humides du bocage manceau aux multiples ruisselets, aux rudes reliefs de grès percés de « cluses où bondissent les rivières » poissonneuses, mais où l'arbre, et particulièrement le chêne, est « roi ». En compagnie de René Bazin, nous pouvons nous enfoncer dans les profondeurs bocagères de l'Anjou noir, où herbe, pommier, métairie et manoir du « maître » font bon ménage. Comment ne pas évoquer Ronsard, admirant les courbes gracieuses que le « Loir gaulois » décrit au « pays paternel », et Balzac, lorsque, au détour du chemin, apparaît « cette magnifique coupe d'émeraude au fond de laquelle l'Indre se roule par des mouvements de serpent » ? Voici la Loire tourangelle, aux clairs coteaux couronnés de pampres, aux fécondes et chaudes varennes, aux villages bicolores: pierre blanche et ardoise bleue, sur la « levée », aux châteaux incomparables; la Loire angevine, plus austère en sa corniche, mais combien douce au souvenir de Du Bellay. Et c'est avec Rabelais – avec qui d'autre ? – qu'il faut célébrer la table chargée de rillettes et de chapons, d'andouillettes et de canetons, de pruneaux et de macarons, qu'il faut chanter et apprécier le vouvray et le chinon...

Luynes. Un ciel mobile, un coteau couronné de tours, un village au clocher effilé: toute la Touraine.

Hauts lieux, trésors et paysages

Tours. Dès le Moyen Age, c'était le cœur du « Jardin de la France ». Le pont de Pierre (XVIIIe s.), qui enjambe la Loire et ses îles, permet d'en avoir une vue générale. La vieille ville, le long du fleuve, se compose de deux secteurs distincts : à l'O., le « Bourg », bâti à l'époque carolingienne autour du tombeau de saint Martin ; à l'E., le site de l'ancienne préfecture de province romaine. A l'O., la place Plumereau est le centre de rues où se voient nombre de vestiges du passé (façades romanes, maisons à pignon du XVe s., hôtels Louis XIII), ainsi que l'église St-Saturnin, dans le style gothique « fleuri ». De l'ancienne basilique St-Martin il ne reste que deux tours (XIIe-XIIIe s.). L'église N.-D.-la-Riche, refaite au siècle dernier, garde des verrières des XVe et XVIe s. A l'E., l'ancien palais des archevêques s'appuie sur les restes de l'enceinte gallo-romaine. Aujourd'hui important musée des Beaux-Arts (vis. t.l.j., sauf mardi), il fut édifié aux XVIIe et XVIIIe s. sur des caves médiévales. La cathédrale St-Gatien (du XIIIe au XVIe s.), avec des tours à lanternon Renaissance, possède de splendides vitraux. Le ravissant cloître de la Psallette, du XVe s. (ouv. t.l.j.) et les restes de la chapelle de l'archevêché (XIIe s.) complètent cet ensemble. La rue Colbert est bordée de maisons médiévales et Renaissance. Là s'érige l'église St-Julien, de style ogival, avec porche et clocher romans. Le musée de la Société archéologique de Touraine occupe

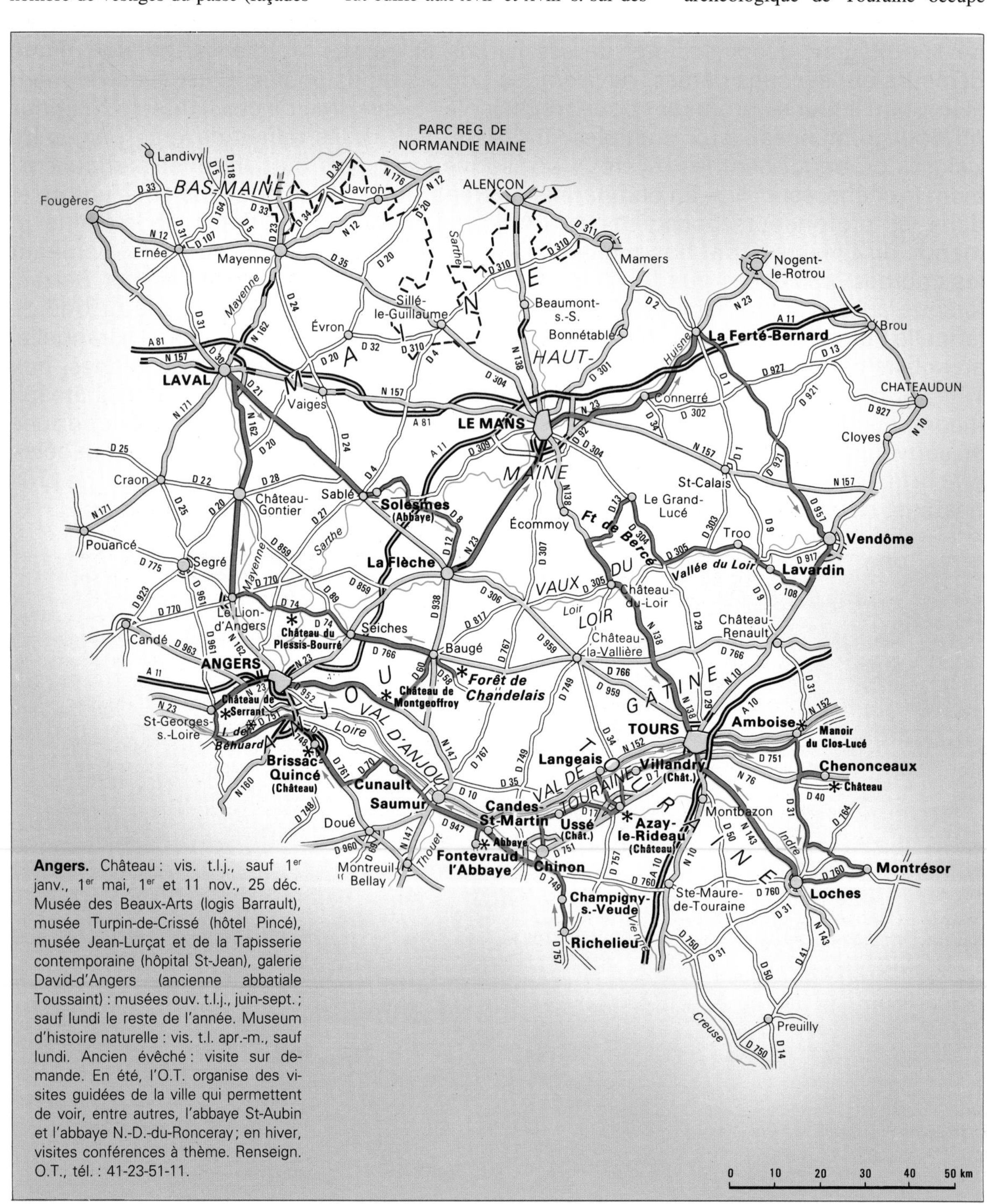

Angers. Château : vis. t.l.j., sauf 1er janv., 1er mai, 1er et 11 nov., 25 déc. Musée des Beaux-Arts (logis Barrault), musée Turpin-de-Crissé (hôtel Pincé), musée Jean-Lurçat et de la Tapisserie contemporaine (hôpital St-Jean), galerie David-d'Angers (ancienne abbatiale Toussaint) : musées ouv. t.l.j., juin-sept. ; sauf lundi le reste de l'année. Museum d'histoire naturelle : vis. t.l. apr.-m., sauf lundi. Ancien évêché : visite sur demande. En été, l'O.T. organise des visites guidées de la ville qui permettent de voir, entre autres, l'abbaye St-Aubin et l'abbaye N.-D.-du-Ronceray ; en hiver, visites conférences à thème. Renseign. O.T., tél. : 41-23-51-11.

l'hôtel Gouin (t.l.j. ; sauf vendr. hors saison. Fermé déc.-janv.).
Amboise. L'île d'Or porte encore à son extrémité la chapelle St-Jean (XIIe s.). Le quai, bordé d'édifices anciens : hôtel de ville, église St-Florentin (XVe-XVIIe s.), est dominé par le château (vis. t.l.j.), parallèle à la Loire. Bâti par Charles VII, c'est l'un des témoins de la dernière période du gothique (salle des États, salle des gardes avec sa galerie à arcades). En retrait, une aile ajoutée au début du XVIe s. forme équerre. Le parc comporte un petit mail et une vaste terrasse ; voir la chapelle St-Hubert (XVe s.). On visitera enfin le quai du Mail, l'église St-Denis (XIIe-XVIe s.), aux chapiteaux historiés, et la porte de l'Horloge (XIVe s.). Accessible par une route bordée de demeures troglodytiques, le *manoir du Clos-Lucé* (XVe-XVIe s.), où mourut Léonard de Vinci en 1519, abrite un musée qui lui est consacré (t.l.j., sauf en janv.).
Château de Chenonceau. Il est bâti au-dessus du Cher, dans un vaste parc (vis. t.l.j.). Ses deux étages reposant sur un pont à cinq arches (1560) s'appuient sur la rive droite à un pavillon carré, orné de tourelles, dit château de Bohier, construit en 1515. Le donjon du XVe s. est isolé de cet ensemble. A l'intérieur du château, mobilier et objets d'art Renaissance.
Montrésor, dans une boucle verdoyante de l'Indrois, dissimule parmi les ruines d'une forteresse du XIe s. un ravissant château d'époque Louis XII (vis. t.l.j., du 1er avril au 31 oct.). L'église collégiale (XVIe s.) est célèbre par ses verrières.
Loches, au flanc d'une colline au-dessus de l'Indre, garde des vestiges de ses anciens remparts du XVe s. et une deuxième enceinte, celle du château (XIIIe-XVe s.). Dans le mur même est installé le musée Lansyer (vis. guid. t.l.j., d'avr. à fin oct. ; sauf mercredi, de nov. à mars. Fermé 15 déc.-15 janv.). Le logis royal (vis. guid. t.l.j., de févr. à fin nov.) a été commencé par Charles VII et achevé par Louis XII (tombeau d'Agnès Sorel), et le donjon à quatre tours élevé du XIIe au XVe s. Voir aussi l'hôtel de ville Renaissance, l'église St-Antoine (avec le triptyque de la Passion de l'école de Jean Fouquet, v. 1480) et l'église St-Ours (XIIe s.), de style poitevin.
Château de Villandry. V. itin. 298.
Château d'Azay-le-Rideau. Voir p. 498-499.
Langeais. Voir itinéraire 298.
Château d'Ussé. Voir itinéraire 300.
Chinon. Voir itinéraire 300.
Champigny-sur-Veude. Du château subsiste une sainte chapelle, aux admirables vitraux, joyau de la Renaissance (vis. t.l.j., sauf mardi, avr.-sept.).
Richelieu est un quadrilatère de 500 m sur 700, enserré de remparts et de fossés. Les rues se déploient autour de deux places symétriques ; la place du Marché présente une halle en bois et une église, toutes deux du XVIIe s. Il ne reste de l'ancien château qu'un pavillon, dans le splendide parc situé au S. de la ville (vis. t.l.j. ; sam., dim. et j. fér., d'avr. au 15 juin et du 16 sept. à fin oct.).
Candes-Saint-Martin. Voir itinéraires 300 et 301.
Abbaye de Fontevraud. V. itin. 300.
Saumur, sur la rive gauche de la Loire, est dominée par une colline que couronne le château (XVe s., remanié au XVIe s.) : panorama unique sur les vignobles du Saumurois. Il abrite le musée du Cheval et le musée des Arts décoratifs (t.l.j., avr.-oct. ; sauf mardi, nov.-mars. Fermé Noël et jour de l'An. Nocturnes mercr. et sam. en juill.-août). Promenades commentées dans les jardins (juill.-sept.). En ville, beaux hôtels du XVIIIe s. et maisons des XVe et XVIe s. L'église St-Pierre (XIIe s.) a un clocher de 69 m. L'église Notre-Dame (XVe s.) contient une collection considérable de tapisseries historiées, de la première Renaissance et du XVIIe s. L'école de cavalerie de Saumur (le Cadre noir) organise des carrousels publics (19, 20, 22 et 23 juill. à 15 h 30).
Cunault. Voir itinéraire 299.
Brissac-Quincé. L'aspect général du château date du début du XVIIe s., bien qu'il ait conservé deux tours gothiques. Le donjon de sept étages est orné de pilastres et de statues (vis. t.l.j., 1er juill.-31 août ; sauf mardi, avril-juin, sept.-Toussaint).
Ile de Béhuard. Voir itinéraire 302.
Château de Serrant. V. itinéraire 302.
Angers, capitale de l'Anjou, s'étend surtout sur la rive gauche de la Maine, où se trouve le château, qui dresse ses formidables remparts flanqués de dix-sept tours rondes en schiste ardoisier et entourés de profonds fossés (XIIIe s.). A l'intérieur, la galerie de l'Apocalypse abrite la célèbre tenture de Jean de Bruges et Nicolas Bataille (XIVe s.) ; collection de tapisseries dans le logis Royal et le logis du Gouverneur. La cathédrale St-Maurice (XIIe-XIIIe s.) est surmontée de deux tours ogivales terminées par de hautes flèches de pierre et d'une tour à lanternon (XVIe s.). Dans la nef, beaux vitraux du XIIe s. Riche trésor. Un ensemble de maisons gothiques entoure la cathédrale, dont le logis Barrault, où se trouve l'important musée des Beaux-Arts. Le logis Pincé, admirable édifice de la Renaissance, abrite le musée Turpin-de-Crissé : collections d'art chinois et japonais remarquables, antiquités égyptiennes, grecques, romaines et étrusques. De l'abbaye bénédictine St-Aubin, fondée au milieu du VIe s., on peut voir un portail et des arcades du XIe s., des bâtiments abbatiaux de la fin du XVIIe s., enfin, une énorme tour, ancien clocher du XIIe s. L'église présente des parties carolingiennes, romanes et gothiques. Dans l'ancienne abbatiale Toussaint (XIIIe s.), audacieusement restaurée, œuvres du sculpteur David d'Angers. L'ancien hôpital St-Jean (XIIe s.), abrite le musée Jean-Lurçat et de la Tapisserie contemporaine. Dans la vaste salle des malades est exposée la série de tapisseries de Jean Lurçat *le Chant du monde ;* plusieurs salles abritent l'importante donation de Mme Lurçat ; œuvres d'artistes contemporains. Les greniers de l'hôpital coiffent un cellier taillé en plein roc, aujourd'hui musée du Vin (vis., voir texte encadré).
Château de Montgeoffroy. Bâti en 1772, il s'élève au cœur des riantes vallées de l'Anjou ; à l'intérieur, riche mobilier Louis XVI (vis. t.l.j., du 23 mars au 1er nov.).
Forêt de Chandelais. Elle rayonne en allées régulières, bordées de belles chênaies et de bois de pins.
Château du Plessis-Bourré. Voir itinéraire 302.
Laval. Voir itinéraire 293.
Solesmes. L'abbaye St-Pierre, fondée au XIe s., a été reconstruite à la fin du XIXe s. dans le style du XIIIe, mais l'église abbatiale est en partie romane. On y admire un groupe de sculptures gothiques, les Saints de Solesmes, des XVe et XVIe s. (t.l.j., sauf pendant les offices. Groupes, tél. : 43-95-03-08).
La Flèche. L'ancien château des Carmes, occupé par l'hôtel de ville, date partiellement du XVe s. Le Prytanée est l'ancien collège des Jésuites (vis. t.l.j., juill.-août) : on y voit une chapelle de style italianisant (1607-1620). L'église St-Thomas possède des émaux peints de la Renaissance.
Le Mans. Sur la rive gauche de la Sarthe, la masse de la cathédrale St-Julien domine le vieux quartier, délimité par l'enceinte gallo-romaine. C'est l'un des chefs-d'œuvre de l'architecture romane (façade et nef) et gothique (chœurs du XIVe s.). On verra de magnifiques verrières, plusieurs tombeaux sculptés (XIIIe s. et Renaissance), des tapisseries du XVIe s. et, dans la chapelle de l'abside, une peinture murale (fin du XIVe s.) Autour, maisons des XVe et XVIe s. Situé dans trois remarquables maisons à pans de bois, le musée de la Reine-Bérangère présente une collection de céramique régionale et des étains ; arts et traditions populaires (ouv. t.l.j.). Le musée de Tessé abrite de riches collections d'archéologie et de peinture ; émail Plantagenêt, céramiques (ouv. t.l.j.). L'escalier de la Grande Poterne, ouvert dans l'enceinte, dont subsistent dix tours, descend jusqu'à la Sarthe. Sur la rive droite, abbatiale N.-D.-du-Pré (XIe-XVe s.).
La Ferté-Bernard. Voir itinéraire 295.
Vendôme. Voir itinéraire 297.
Lavardin. Voir itinéraire 297.
Vallée du Loir. Voir itinéraire 297.
Forêt de Bercé. Voir itinéraire 296.

Laval et le bocage mayennais

117 km

Restée à l'écart des grands flux touristiques, la vallée de la Mayenne, riche en arbres, en eaux vives, en étangs et plans d'eau où se reflètent de nombreux châteaux, emprunte à la Normandie son aspect bocager, à la Bretagne ses toits d'ardoise et ses murs de granit, au Val de Loire la tourelle de ses manoirs et la douceur du ciel : influences mêlées qui font le charme du bas Maine, dont l'âme est déjà celle de l'Ouest.

Laval. Contrastant avec la façade extérieure, le logis sur cour du Nouveau Château surprend par la délicatesse de son ornementation Renaissance.

Sainte-Suzanne. Le château est une aimable demeure de plaisance, avec de curieux aspects de forteresse.

❶ **Laval** a conservé de nombreux témoins du passé : le Pont Vieux en dos d'âne (XIIIe s.), la porte Beucheresse, vestige de l'enceinte, des maisons à pans de bois et encorbellement (XVIe s.) ornées de sculptures, celle du Grand Veneur notamment. Le Vieux Château, bâti au XIe s., appartient en majeure partie au XIIIe s. Il abrite le musée d'Art naïf : nombreuses œuvres exposées (peinture, dessins); reconstitution de l'atelier du Douanier Rousseau, œuvres du peintre (t.l.j., sauf lundi). Il faut voir le musée des Sciences : collections d'archéologie et de sciences naturelles (t.l.j., sauf lundi), et le Musée-école de la Perrine : toiles de peintres mayennais (t.l. apr.-m., sauf lundi). En 1540 est édifiée une vaste galerie Renaissance : c'est le Nouveau Château (on ne visite pas), restauré au XIXe s. et devenu le palais de justice (voir dessin). La cathédrale de la Trinité (XIe s.), plusieurs fois remaniée, est un monument composite où les styles s'interpénètrent. Visiter aussi le bateau-lavoir Saint-Julien, transformé en un intéressant musée (t.l. apr.-m., juill.-août). A la périphérie de la ville : l'église N.-D.-d'Avesnières, qui est de style gothique primitif et d'ornementation romane, renferme des statues en bois polychrome des XVe et XVIe s. et une pietà du XVe s.

Dans l'*église N.-D.-de-Pritz* (à 2 km), d'origine carolingienne, modifiée à l'époque romane, voir les belles peintures murales du XIIe au XVIe s., ainsi qu'une magnifique grille conventuelle du XVIe s.

❷ **La Chapelle-Rainsouin.** De fâcheuses restaurations au XIXe s. ont déparé l'aspect extérieur de la chapelle St-Sixte, qui mérite cependant une visite pour les œuvres d'art qui s'y trouvent, notamment une Mise au tombeau, deux pierres tombales et des vitraux du XVIe s...

❸ **Sainte-Suzanne,** sur un éperon rocheux au pied duquel coule l'Erve, est une ancienne place forte dont il reste des remparts médiévaux et un donjon du XIe s., seul vestige de l'ancien château; des remparts, vaste panorama. Le nouveau château date du XVIIe s. (voir photo).

❹ **Évron.** L'église N.-D.-de-l'Épine est considérée comme la plus belle de la région. Ancienne abbatiale bénédictine, elle conserve une tour-donjon carrée du XIe s., munie ensuite de hourds en bois, et une nef lambrissée à quatre travées, à laquelle fut accolé un chœur gothique rayonnant. Dans la chapelle absidiale, voir le trésor (s'adres. à l'O.T.), dont la pièce principale est la statue de Notre-Dame de l'Épine (XIVe s.) en bois recouvert de lames d'argent et de vermeil, la plus grande (1,43 m) et la plus belle des Vierges reliquaires connues.

A 5 km environ après Mézangers, le *château du Rocher* élève, au bord d'un étang, une belle façade du XVe s. dont la sévérité est tempérée par une aile Renaissance richement décorée (vis. extérieur, mi-juin à mi-oct.).

❺ **Jublains,** à proximité des pentes abruptes de Montaigu, est implanté sur les vestiges d'une cité gallo-romaine (IIIe s.) découverte au XVIIIe s. Un temple, un prétoire, un théâtre, des thermes et une forteresse ont été identifiés, à 100 m environ, au S.-O. du bourg.

❻ **Forêt de Bourgon.** Couvrant environ 1 230 ha de sols argilo-sableux, elle est traitée en taillis-sous-futaie et est principalement peuplée de chênes rouvres et de hêtres.

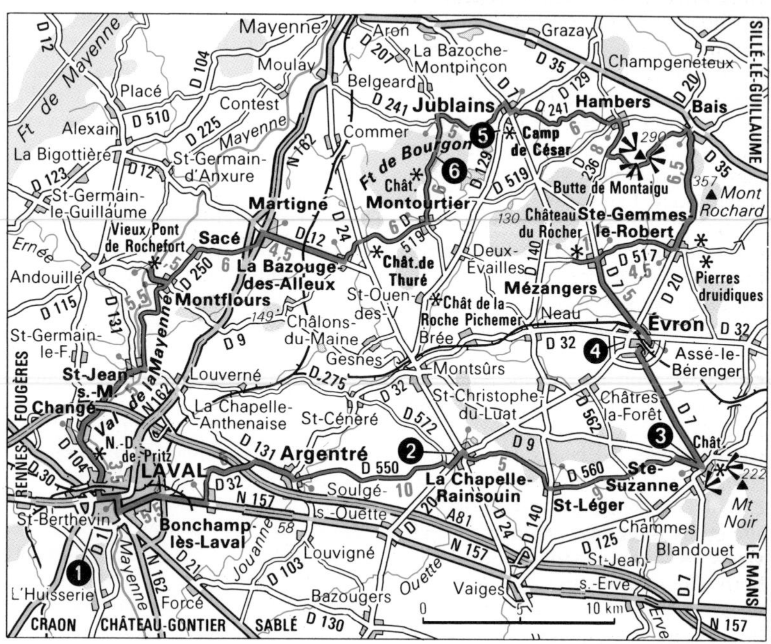

Vallée de la Sarthe et Alpes mancelles 51 km

La crête de la forêt de Multonne, dont le mont des Avaloirs est le point culminant, et les Alpes mancelles sont des échines de roches anciennes ventées et recouvertes de landes ou de forêts. Elles constituent l'une des régions sommitales du Massif armoricain et forment avec la vallée surimposée de la Sarthe aux nombreux méandres l'ossature du parc naturel régional de Normandie-Maine.

❶ **Mont des Avaloirs.** Le signal des Avaloirs est l'un des points hauts d'une longue échine de grès armoricain, orientée E.-O. Le site est banal : un plateau couvert d'une mauvaise chênaie acidophile et de landes enrésinées qui masqueraient la vue si l'on n'avait construit une tour d'observation d'où le panorama est très vaste ; à l'E. et au N.-E., on découvre le mont Souprat, la butte Chaumont et la forêt de Perseigne ; au S., la forêt de Pail et les Alpes mancelles ; à l'O., le bocage au-delà de la vallée de la Mayenne.

❷ **Corniche du Pail.** La crête de la forêt de Multonne, dont le mont des Avaloirs est le point culminant, s'infléchit vers le S.-O. en se rétrécissant. Depuis la route adossée à la crête sommitale et qui forme une corniche, on jouit d'un large panorama vers l'O. et le N.-O. De l'autre côté, le versant est occupé par une lande acide à callune, ajonc nain et myrtille. En quittant la corniche du Pail pour se diriger vers les Alpes mancelles, on longe la *forêt de Pail*, où, malgré l'enrésinement, on rencontre de belles futaies de chênes et de hêtres.

❸ **Vallée de Misère.** Cette vallée étroite mais profonde naît dans l'axe d'un synclinal de roches ordoviciennes à l'O. de Saint-Léonard-des-Bois. A partir du chemin longeant la Sarthe, par un sentier plus ou moins jalonné, remonter la vallée et gagner l'Écho de Beaudor et le mont Narbonne. A cet endroit, les grès armoricains sont constitués de quartzites blancs et durs qui ont été gélivés pendant les anciennes périodes froides comme en témoignent les grands éboulis qui subsistent sur les pentes. C'est dans les prairies et en lisière de la forêt que l'on trouve l'ancolie, abondante dans la région, ainsi que la jacinthe des bois, fréquente dans les taillis.

❹ **Saint-Léonard-des-Bois** est niché sur la rive convexe d'un méandre dont la rive concave est surplombée à l'E. par la *crête du Haut-Fourché* au flanc duquel un sentier en corniche permet d'avoir une vue remarquable sur le site et les lointains : chaîne des Coëvrons, Avaloirs, forêt d'Écouves et butte Chaumont. Prendre, de préférence le matin, le sentier au S. du bourg passant par la chapelle de Linthe, les fermes de la Joussière et de la Gendrie, et redescendre par le N., par Bel-Air et La Roierie (durée 1 h).

Le *mont Narbonne* domine le bourg au S.-O. ; on y accède soit par la vallée de Misère, soit depuis l'O. du bourg et le hameau du Champ des Pas (signalisation bleue). A cet endroit, on peut monter directement ou continuer le chemin des ardoisières jusqu'aux anciennes exploitations et, de là, revenir vers l'E. par un sentier fléché au-dessus de la vallée de Misère. Du mont Narbonne, vue sur le moulin de Linthe avec son barrage et ses îles ; un autre sentier ramène au bourg (durée 1 h 15). Voir aussi photo.

❺ **Site de Saint-Céneri-le-Gerei.** La rivière, qui s'est encaissée au départ dans les terrains sédimentaires peu épais, a maintenu son tracé primitif par surimposition après avoir atteint les roches anciennes plus dures, dédaignant les terrains sédimentaires situés au S. d'Alençon et excavés après coup. A cet endroit, la Sarthe trace un méandre dans des granits plus ou moins gneissiques. L'église, au sommet de la rive convexe, domine le village et le vieux pont, face à la *falaise des Toyères*.

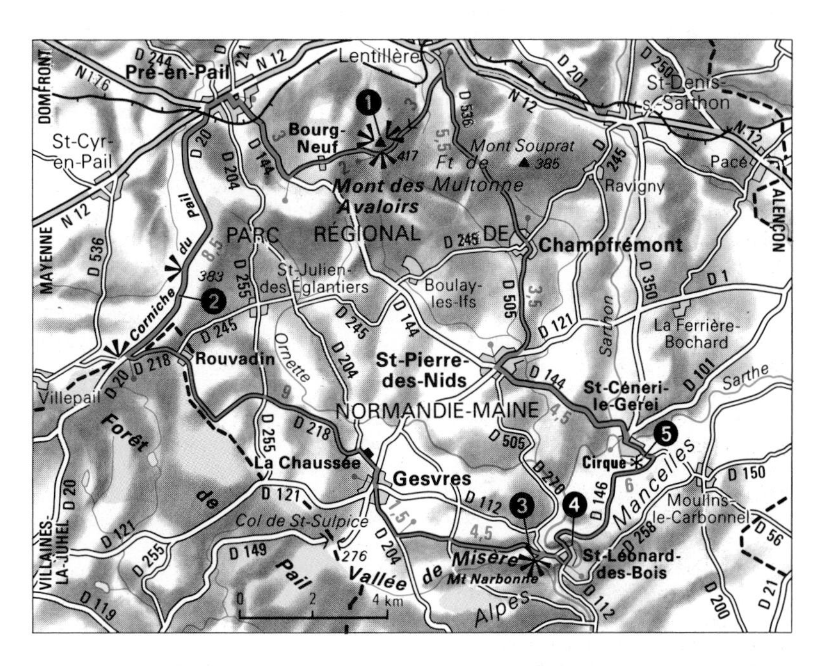

La vallée de la Sarthe, dans les Alpes mancelles, au N.-O. de Saint-Léonard-des-Bois. On aperçoit, au second plan, « le Déluge », une butte de quartzites blancs recouverte de pins.

A travers le Perche-Gouët 90 km

Entre le Loir et l'Huisne, le Perche-Gouët constituait, au XIe siècle, une modeste seigneurie, et Montmirail, qui occupait une position clé, était la ville la plus importante. C'est un petit pays pittoresque et vallonné au caractère parfois presque montagnard, dont les pentes gardent de beaux témoins de la forêt qui couvrait autrefois la quasi-totalité du Perche ; dans les parties basses s'ouvrent de paisibles cirques de verdure, des vallées évasées ; tout cela compose un itinéraire bien reposant.

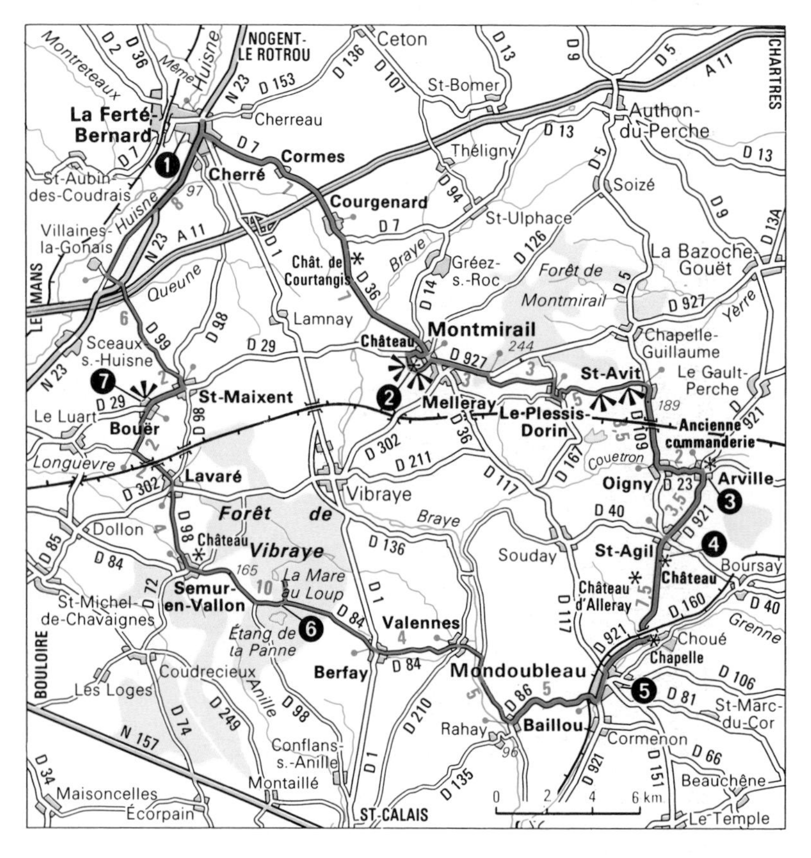

❶ **La Ferté-Bernard.** L'Huisne et la Même s'y divisent en plusieurs bras, donnant à la ville son cachet (voir photo). Vieille cité fortifiée, elle a conservé intacte la porte St-Julien (XVe s.), flanquée de deux tours à mâchicoulis, composée d'un passage charretier et d'une poterne. Un très intéressant musée régional sarthois (costumes, outils anciens) y est installé (actuellement en rénovation, rens. à l'O.T., tél. : 43-71-21-21). Près des halles (XVIe s.) au toit percé de lucarnes, remarquables par leur charpente, se trouvent plusieurs maisons Renaissance à pans de bois sculptés et des vestiges du vieux château. Il faut voir surtout, au centre de la ville, l'église N.-D.-des Marais, exemple de l'architecture de transition entre les styles gothique flamboyant et Renaissance, avec son chœur ciselé et son clocher à quatre gâbles fleuronnés. Des médaillons et des bustes, dont certains s'inspirent de l'Antiquité païenne, décorent l'extérieur ; arcs-boutants, pinacles et gargouilles complètent la décoration. A l'intérieur, buffet d'orgue du XVIe s. (voir dessin) et, dans les chapelles absidiales, plafonds à caissons et vitraux du XVIe s.

❷ **Montmirail.** Une éminence sert d'assise au château, d'où l'on jouit d'un vaste panorama sur le Perche-Gouët. Élevé au XIe s., détruit, puis reconstruit au XVe, le château subit de nombreux remaniements. Au XVIIIe s., le bâtiment d'habitation fut agrandi, et les appartements décorés en style Louis XV. On remarquera notamment les dessus-de-porte du grand salon, représentant les cinq sens. La façade S., encadrée de deux tours rondes, est flanquée d'une tour pentagonale (XVe s.), couronnée au XIXe s. d'une plate-forme. La différence de niveau entre les façades a permis l'aménagement de deux étages souterrains, utilisés comme caves et cachots (XIVe-XVe s.), et de deux salles d'armes voûtées d'ogives ; l'une, mesurant 50 m de long, est divisée en deux nefs par six piliers (vis. dim. apr.-m., du 1er mars au 30 juin et du 15 sept. au 31 oct. ; t.l. apr.-m., sauf mardi, du 1er juill. au 10 sept.). Montmirail a aussi conservé une partie de ses anciens remparts et une porte fortifiée. L'église (XIIe et XVIe s.) renferme dans le bas-côté N. une Mise au tombeau, groupe polychrome du XVIe s., et, à l'entrée de la nef, un curieux sarcophage en pierre orné de figurines.

❸ **Arville.** D'une ancienne commanderie des templiers subsistent une église du XIIe s., dont la façade est couronnée par un clocher-arcade à deux étages, une porte flanquée de deux tourelles en brique (fin du XVe s.), des murs d'enceinte et une partie des bâtiments du XVIe s. (vis. sur demande).

❹ **Château de Saint-Agil.** Cerné de douves, il a gardé du début du XVIe s. son pavillon d'entrée qu'encadrent deux tours bâties dans un appareil losangé de briques rouges et brunes vernissées tranchant sur la pierre

La Ferté-Bernard. Au-dessus des maisons anciennes qui bordent la rivière, s'élèvent les toits, le clocher et la flèche de l'église N.-D.-des-Marais.

Coiffe sarthoise. Plus guère portée aujourd'hui, il est possible d'en voir une collection au musée de La Ferté-Bernard.

blanche des mâchicoulis qui supportent les toits en poivrière. Le reste de l'édifice a été reconstruit au XVIIIe s. (vis. de l'extérieur sur demande).

❺ **Mondoubleau.** La forteresse, édifiée à la fin du Xe s., présente d'intéressants vestiges : le châtelet d'entrée, deux enceintes et le donjon. Construit en roussard (grès ferrugineux local), ce donjon était une grosse tour cylindrique, appelée « le Pot à Beurre » et haute de 35 m, dont il ne reste plus qu'un pan.

❻ **Forêt de Vibraye.** Couvrant, avec les bois environnants, un massif de 5000 ha, cette forêt riche en chênes, hêtres, châtaigniers et charmes, avec quelques sections de résineux, est parsemée de nombreux étangs poissonneux — comme la Mare-au-Loup — qui constituent, avec les anciennes carrières des gouffres de Maintenon, des buts de promenades agréables.

❼ **Bouër.** De l'esplanade de ce petit village enfoui dans les collines, belle vue sur la vallée de l'Huisne. Le clocher de l'église porte une flèche d'ardoise curieusement reliée à une tour par des spirales.

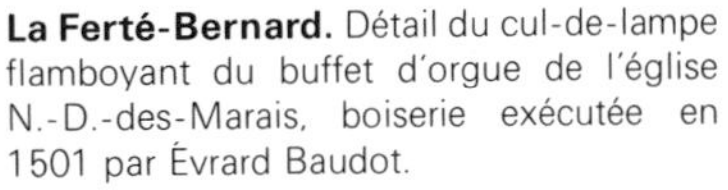

La Ferté-Bernard. Détail du cul-de-lampe flamboyant du buffet d'orgue de l'église N.-D.-des-Marais, boiserie exécutée en 1501 par Évrard Baudot.

Randonnée 17 km en forêt de Bercé

C'est, avec la forêt de Tronçais, la plus belle chênaie de France : on y « cultive », sur plus de 5 000 ha, des géants dépassant parfois 40 m, qu'on abat à 216 ans et qui donnent un bois de grande qualité. Cette promenade pédestre d'une journée aller et retour est particulièrement agréable lorsque les arbres se couvrent des couleurs de l'automne ; on peut prévoir, pour éviter de revenir sur ses pas, de se faire reprendre en voiture sur la départementale, non loin du chêne Boppe, dernière étape de l'itinéraire.

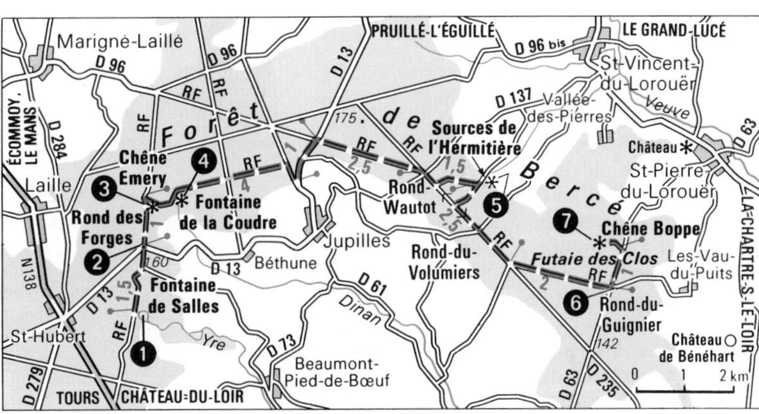

Pouillot siffleur. Cet oiseau, qui fait son nid à terre, ne vit que dans les vieilles futaies de chênes ou de hêtres à maigre sous-bois.

❶ **Fontaine de Salles.** On accède par l'allée forestière de Croix-Segrié à partir de la départementale au vallon où un petit étang occupe l'emplacement de la fontaine ; sur le versant S., une étonnante cépée de hêtres à treize brins monte la garde. Vouée par l'homme au chêne, la forêt de Bercé n'en est pas moins, en bien des secteurs, une hêtraie constituant parfois l'intégralité du sous-bois. En aval de l'étang, dans un marais tourbeux à sphaignes et bruyères quaternées, poussent des fougères à protéger, telles que l'osmonde royale, le cystopteris fragile et la fougère femelle.

❷ **Rond des Forges.** Il est entouré de belles pinèdes (pins sylvestres et maritimes) à l'O. et d'une jeune futaie sur des limons assez acides à l'E. L'allée N. mène au vallon du Dinan ; sur les pentes se trouve la futaie des Forges, dont les chênes sessiles ont de 150 à 200 ans. Les sols, plus caillouteux et mieux drainés, sur argiles à silex, sont moins acides.

❸ **Chêne Émery.** C'est l'un des chênes exceptionnels de la futaie des Forges. Il se dresse sur la droite de la route avant d'arriver à la fontaine de la Coudre. Cet arbre-monument, signalé par une pancarte, a 36 m de hauteur sous branches pour une hauteur totale de 43 m ! Il a environ 230 ans et sa circonférence est de 2,50 m à 1,30 m du sol.

❹ **Fontaine de la Coudre.** Elle sourd sur la rive droite du Dinan, qui alimente à cet endroit deux pièces d'eau autour desquelles les Eaux et Forêts ont réuni des espèces exotiques aux feuillages variés ; tulipiers, thuyas, cyprès chauves, chênes d'Amérique...

❺ **Sources de l'Hermitière.** Dissimulées au creux d'un vallon étroit et profond d'une quinzaine de mètres sous des arbres d'environ 120 ans, elles s'échappent en cascatelles de deux grands bassins, puis serpentent sous des passerelles en bois, avant de traverser la prairie de l'auberge voisine.

❻ **Futaie des Clos.** Elle est située entre les ronds du Volumiers et du Guignier. Dans ce secteur, on peut récolter de nombreux champignons et observer une faune variée : cervidés, écureuils, sitelles, mésanges et pouillots siffleurs (voir dessin).

❼ **Souche du chêne Boppe.** On la découvre dans un quartier non exploité de 8 ha, où poussent les plus beaux arbres classés. Le chêne Boppe, foudroyé en 1934, avait alors 4,77 m de tour ! Le nouveau chêne Boppe a plus de 300 ans ; son voisin, le Rouleau de la Roussière, a 340 ans et atteint 43 m de haut.

Vendôme et la vallée du Loir 109 km

Dans le Vendômois, la vallée du Loir devient enchanteresse. À la grâce de ses calmes paysages partagés entre les prairies, les bois, les vignes et les landes, au pittoresque de ses coteaux de tuffeau que trouent des habitations troglodytiques, s'ajoute l'attrait ici de ses ruines féodales et là de ses églises romanes ornées de fresques. L'animation, le charme de Vendôme dominent ce bel itinéraire. Le Loir, loin d'être une sorte de Loire au rabais, anime un bien aimable pays!

❶ **Vendôme.** L'histoire a légué à cette petite ville bâtie sur les îlots formés par les bras du Loir un remarquable ensemble de monuments. L'église de l'ancienne abbaye de la Trinité est un chef-d'œuvre de l'art ogival, dont elle montre l'évolution, du XIe au XVIe s. Le clocher roman, isolé de l'abbatiale, contraste avec la façade, de pur style flamboyant. A l'intérieur, outre un riche mobilier, voir notamment des chapiteaux (XIe s.) et les vitraux du chœur (XIIe et XVIe s.). Les anciens bâtiments conventuels (XVIIIe s.) abritent un musée: objets religieux, antiquités gallo-romaines et mérovingiennes, histoire et ethnographie régionales (vis. t.l.j., sauf mardi). Par les rues du vieux quartier, où l'on découvre de jolies maisons des XVe-XVIe s., on atteint la chapelle St-Jacques, au chœur flamboyant et au clocher Renaissance, l'église de la Madeleine (XVe s.), dont seul le clocher a été épargné lors d'une fâcheuse restauration du XIXe s., et la porte St-Georges (XIVe-XVIe s.).

Sur un éperon au S. de la ville, en traversant la rivière, dans l'enceinte de l'ancien château (XIVe-XVe s.), dont il ne reste que des ruines (vis. t.l.j., sauf mardi, du 30 avr. au 31 oct.; les dimanches et j. fér., du 1er nov. au 1er mars), un jardin public offre de belles vues sur Vendôme et la vallée du Loir.

Luché. Cette pietà, groupe sculpté dans du noyer (XVIe s.), se trouve dans l'église St-Martin dont le chœur rectangulaire (XIIIe s.) est du plus pur style angevin.

L'église (XVe-XVIe s.) de *Villiers-sur-Loir,* somptueusement décorée, est remarquable par ses peintures murales, ses stalles, son retable et ses ornements brodés.

❷ **Les Roches-l'Évêque.** Le village, resserré entre les rives du Loir et la falaise, est célèbre pour ses habitations troglodytiques abondamment fleuries et sa chapelle, creusées dans les roches calcaires. Voir aussi les vestiges de fortifications.

❸ **Montoire-sur-le-Loir.** La chapelle St-Gilles (XIe s.) recèle un riche ensemble de fresques romanes ; chacune des trois absides est ornée d'un Christ en majesté, tous trois de styles très différents, dont le plus ancien (XIe s.), dans l'abside principale, est une œuvre maîtresse de l'art roman. La grande place est bordée de maisons Renaissance. Les ruines du château (XIIe-XIVe s.) se dressent sur la colline.

❹ **Lavardin**, petit village dont l'église de style roman archaïque renferme des peintures murales (du XIIe au XVIe s.), est couronné par les ruines d'une vaste forteresse médiévale qui comprenait une triple enceinte dominée par le donjon (XIe-XIIe s., remanié au XIVe) haut de 26 m ; l'ensemble constitue un témoignage fidèle de la construction militaire du Moyen Age (ouv. t.l.j., toute l'année, vis. guid. juin-sept.).

❺ **Troo,** perchée sur un escarpement de tuffeau, est percée d'habitations troglodytiques reliées entre elles par un réseau compliqué de galeries, les « caffortss ». De la « butte », belle vue sur la vallée du Loir, Lavardin et Montoire (table d'orientation). L'ancienne collégiale St-Martin est caractéristique du style angevin (XIIe s.). Près d'elle, le Grand Puits est aussi appelé « Le Puits qui parle », en raison de la qualité exceptionnelle de l'écho qu'il renvoie. Du prieuré bénédictin du XIIe s., il reste la chapelle N.-D.-des-Marchais (restaurée) et la maladrerie.

L'église de *Saint-Jacques-des-Guérets* abrite des peintures murales du XIIe s. (voir texte encadré).

❻ **Poncé-sur-le-Loir** possède un château Renaissance dont on remarquera l'escalier, à rampes droites et aux voûtes à caissons ornées de motifs variés. Dans le jardin, un labyrinthe de charmille se développe autour d'un

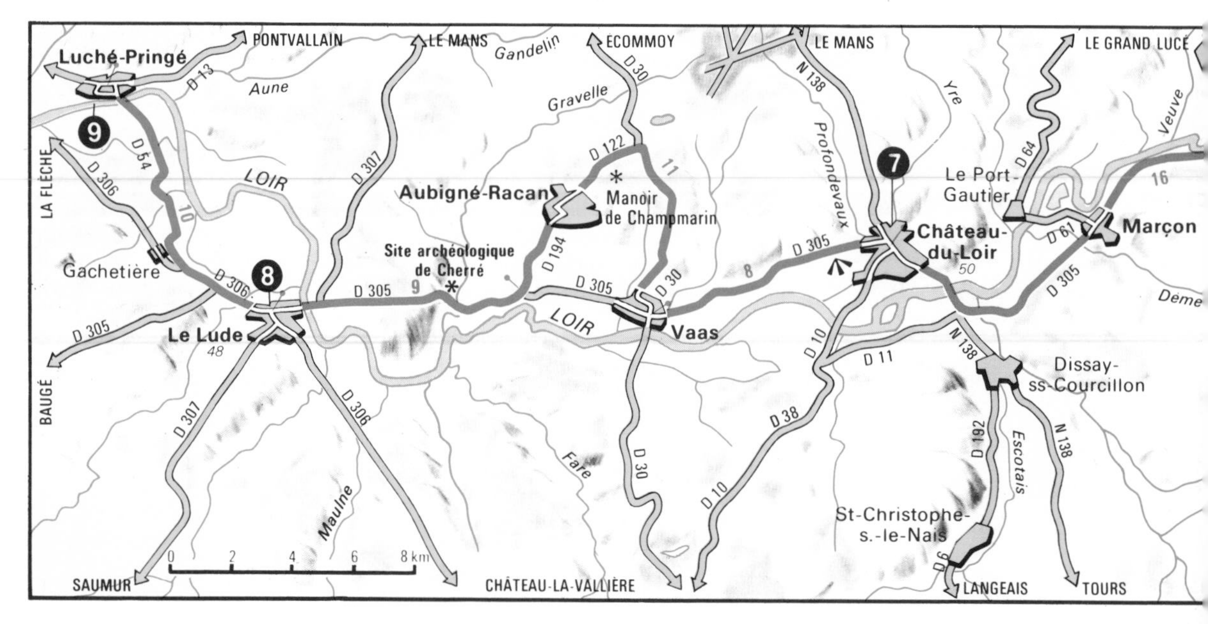

Le Lude. La porte des Tourelles, édifiée dans le style du XVIe s., évoque les grosses tours rondes, les fenêtres sculptées et les médaillons de l'aile François Ier, construite à l'époque de la Renaissance.

immense platane (vis. t.l.j., sauf dim. matin, du 1er avr. au 30 sept.).

A 3 km de Poncé, le *manoir de la Possonnière* (voir photo) est un charmant manoir du XVe s., où se manifeste précocement le style Renaissance, avec un beau décor sculpté. Ronsard y est né en 1524 et y séjourna souvent (vis. guid. l'apr.-m., sam., dim. et j. fér., du 1er avr. au 1er nov.; t.l. apr.-m., sauf lundi et mardi, du 16 juin à fin août).

❼ **Château-du-Loir.** Le château, qui a donné son nom à la ville, n'existe plus. La collégiale St-Guingalois, très remaniée, est de style composite.

L'itinéraire passe à *Vaas*, dont l'église gothique a de belles voûtes de style angevin, puis à *Aubigné-Racan*, charmant village bâti en tuffeau au pied des coteaux boisés du Loir.

❽ **Le Lude.** Le château, rebâti à la fin du XVe s., offre des constructions d'époques diverses : la façade N. est de style Louis XII, la façade S. — la plus remarquable —, de style François Ier et la façade E., de style Louis XVI (voir dessin). L'intérieur est richement meublé et décoré (vis. guid. t.l. apr.-m., d'avr. à sept.; le matin sur R.-V. Vis. libre des jardins.

❾ **Luché-Pringé** possède deux intéressantes églises, dans chacun des bourgs de la commune (voir photos).

Manoir de la Possonnière. Bâti en pierre blanche, c'est un logis de plan classique, avec sa façade percée de fenêtres à meneaux, son toit aigu, sa tourelle coiffée d'une lucarne sculptée.

Pringé. A côté d'un joli prieuré à tourelle du XVe s., l'église romane Notre-dame de Pringé, remaniée au XVe, abrite des fresques du XVIe et une dalle funéraire du XIVe.

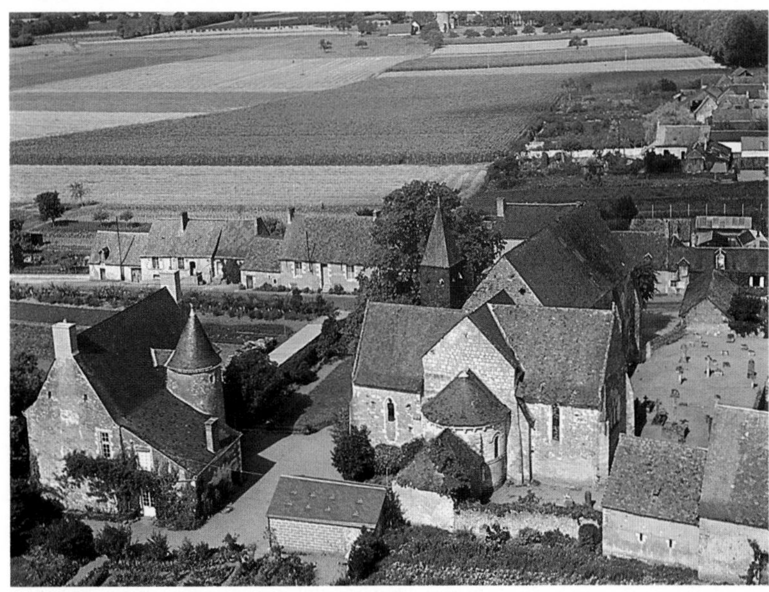

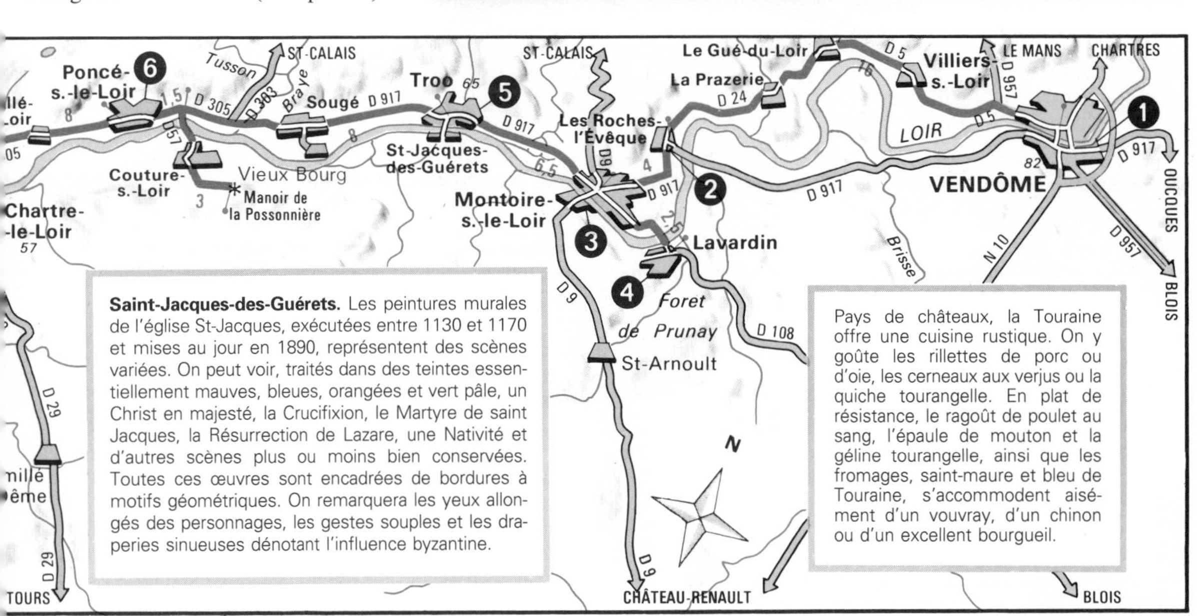

Saint-Jacques-des-Guérets. Les peintures murales de l'église St-Jacques, exécutées entre 1130 et 1170 et mises au jour en 1890, représentent des scènes variées. On peut voir, traités dans des teintes essentiellement mauves, bleues, orangées et vert pâle, un Christ en majesté, la Crucifixion, le Martyre de saint Jacques, la Résurrection de Lazare, une Nativité et d'autres scènes plus ou moins bien conservées. Toutes ces œuvres sont encadrées de bordures à motifs géométriques. On remarquera les yeux allongés des personnages, les gestes souples et les draperies sinueuses dénotant l'influence byzantine.

Pays de châteaux, la Touraine offre une cuisine rustique. On y goûte les rillettes de porc ou d'oie, les cerneaux aux verjus ou la quiche tourangelle. En plat de résistance, le ragoût de poulet au sang, l'épaule de mouton et la géline tourangelle, ainsi que les fromages, saint-maure et bleu de Touraine, s'accommodent aisément d'un vouvray, d'un chinon ou d'un excellent bourgueil.

De Langeais à Vouvray par le val de Touraine 92 km

Si la Loire revêt une ampleur grandiose, ses affluents qui sillonnent la touraine déterminent des paysages plus mesurés, pleins de grâce et de fraîcheur... A croire que la Vienne, l'Indre et le Cher – et bien d'autres rivières encore – serpentent à travers les ombrages d'un immense parc que la nature aurait tout exprès préparé pour recevoir de merveilleux châteaux dans un extraordinaire décor de verdure et d'eaux claires.

❶ **Rochecorbon** est située au pied d'une haute falaise creusée d'habitations troglodytiques et de caves sur laquelle se dresse une tour de guet du XVe s., la lanterne de Rochecorbon. L'itinéraire remonte ensuite la vallée de la Loire sur sa rive droite par la « route du vouvray » : belles vues sur le vignoble.

❷ **Ferme de Meslay.** De cette exploitation monastique du XIIIe s., il reste un porche, des ruines de murailles et une grange dîmière (vis. l'apr.-m. des sam., dim. et j. fér., de Pâques à la Toussaint, sauf du 5 juin au 10 juill.), bel exemple de construction agricole fortifiée (voir photo), dont la charpente de châtaignier date du XVe s. De nombreuses manifestations artistiques y sont organisées.

❸ **Dolmen de Mettray.** A 2 km avant d'arriver dans le bourg, un chemin conduit, sur la rive droite de la Choisille, au dolmen de la grotte aux Fées, mégalithe formé de douze pierres taillées, haut de 3,70 m et long de 11.

❹ **Luynes.** A 1,5 km avant le village, un chemin mène, sur le plateau, aux vestiges d'un aqueduc gallo-romain : neuf des quarante piles qui subistent de l'ouvrage portent encore des arcades. Le bourg a gardé quelques maisons anciennes (XVIe s.) et des halles en bois du XVe s. Le château (voir photo p. 487), campé sur un éperon, est une forteresse du XIIIe s. (ne se visite pas).

Meslay. Dans la grange, devenue un haut lieu musical, se déroulent tous les ans, en juin et juillet, les fêtes musicales de Touraine (réserv. en avril).

Tours. (Voir itinéraire 292.) Des maisons pittoresques jalonnent les vieilles rues.

❺ **Cinq-Mars-la-Pile** doit son nom à une pile romaine, au revêtement de brique, haute de 30 m. Dans le château, flanqué de deux tours (XIe-XIIe s.) bordées de douves profondes, sont exposées des armures médiévales (t.l.j., sauf lundi, 1er mars-31 oct.).

❻ **Langeais.** Édifié en cinq ans au XVe s., pour remplacer une ancienne forteresse dont il reste un donjon en ruine (Xe s.), le château est resté intact ; son aspect extérieur rappelle sa fonction militaire : chemin de ronde continu surmonté d'un étage en retrait, fausse braie pour le tir rasant, murailles élevées sans ouvertures. Mais l'intérieur est moins rude, bien que la façade sur la cour ne comporte aucune décoration. Les appartements, somptueusement meublés, méritent une visite détaillée (ouv. t.l.j., sauf Noël).

❼ **Château de Villandry.** Le château, rebâti au XVIe s. sur un large soubassement entouré de douves, est composé de trois corps de logis ouvrant sur la vallée du Cher et de la Loire. A l'intérieur, remarquable galerie avec des peintures de maîtres espagnols (t.l.j., 15 févr.-15 nov.). La merveille de Villandry, ce sont ses jardins (voir photo), qui s'étagent sur trois terrasses : le potager, le jardin d'ornement, et le jardin d'eau. L'ensemble est dominé par le verger formant une « couronne fruitière » ; canaux, jets et fontaines animent le tout. C'est le plus bel exemple de jardins de la Renaissance (vis. t.l.j.).

❽ **Caves gouttières.** Avant d'arriver à *Savonnières*, dont l'église s'orne d'un portail roman sculpté, s'ouvrent, au flanc du coteau, des grottes (vis. t.l.j., sauf jeudi. Fermé en janv.) qui furent utilisées comme carrières jusqu'au XVIe s. Les infiltrations d'eau calcaire ont provoqué la formation de stalactites et de stalagmites ; on y pétrifie des objets.

Château de Villandry. Les jardins du XVIe s., transformés au XIXe en parc anglais, ont été minutieusement reconstitués dans leur état originel : ifs et buis taillés, fontaines, etc.

LE CHATEAU D'AZAY-LE-RIDEAU

Pour avoir une image concrète de la Renaissance française ou pour goûter, sans mélange, un morceau de choix. Azay-le-Rideau est le lieu rêvé. Le château, tel qu'on le voit aujourd'hui, fut construit entre 1518 et 1529 par le richissime financier Gilles Berthelot. Mais celui-ci, très pris par ses charges, abandonna la direction des travaux à sa femme — curieusement prénommée Philippe. C'est à elle que l'on doit la note féminine qui transparaît, par exemple, dans la gracieuse décoration du château ou dans l'ingénieux escalier droit, trouvaille pratique de l'aménagement intérieur. Azay évoque la Renaissance par son architecture. Tout ce qui était appareil défensif dans la demeure féodale devient ici élément décoratif : le chemin de ronde est prétexte à un jeu de lucarnes, les machicoulis ne sont plus qu'ornements, et les fossés, calmes miroirs, reflètent coquettement les élégantes façades. On sent ici que le goût italien, introduit en France par François Ier au début du XVIe s., vient de détrôner le traditionnel château féodal et que la résidence d'agrément est née. Certains détails de la vaste façade sur les douves ont permis d'attribuer le dessin d'Azay-le-Rideau au grand architecte italien Girolamo della Robbia. Cette façade n'est pas sans rappeler, aussi, celle qui fut élevée dans la cour du château de Blois pour François Ier, on y retrouve la même ordonnance de pilastres superposés encadrant les fenêtres, le même bandeau bordé de moulures horizontales entre les étages, le même rythme suggéré par l'alternance des fenêtres à meneaux et de calmes surfaces d'une grande sobriété. On sent aussi l'influence des maîtres italiens dans l'encadrement des fenêtres jumelées du grand escalier, donnant sur la cour. Aujourd'hui, le château est un véritable musée de la Renaissance. Tout au long des immenses pièces, le mobilier somptueux et la décoration restituent l'atmosphère de cette époque.

1. Pont sur l'Indre. **2.** Cour d'arrivée. **3.** Entrée des cuisines. **4.** Entrée du grand escalier. **5.** Façade nord. **6.** Façade est. **7.** Entrée des visiteurs. **8.** Cuisine. **9.** Escalier d'honneur. **10.** Salle à manger. **11.** Chambre. **12.** Escalier d'angle. **13.** Chambre du Roi. **14.** Chambre Rouge. **15.** Salle des fêtes. **16.** Combles. **17.** Lucarne du grand escalier. **18.** Partie construite en 1812. **19.** Partie construite en 1852. **20.** Douves.

Vis. t.l.j., avr.-juin et sept., 9 h 30 à 18 h; oct. à mars, 10 h à 12 h 30 et 14 h à 17 h; juill.-août, 9 h à 19 h; sauf j. fér. Spect. noct. à 22 h 30 (22 h août-sept.) du 18 mai au 17 sept.

Le château dans son cadre. « C'est un diamant, taillé à facettes, serti dans l'Indre, monté sur pilotis, marqué de fleurs. » C'est ainsi que Balzac décrivit Azay.

Les lucarnes, au décor italien, sont typiquement Renaissance.

La salamandre semble porter la devise de François Ier : « J'y vis et je l'éteins ».

A l'intérieur, un musée de la Renaissance

Au début du XVIe s. on fabrique encore des meubles gothiques sur lesquels on a plaqué des décors dans le goût italien. Le coffre traditionnel est présent dans la plupart des pièces d'Azay. Mais, bientôt, de nouvelles techniques viennent égayer le mobilier : ce sont des incrustations de marbre, d'ivoire, de métal précieux, d'os, des plaques ornementales finement gravées, enfin les premières marqueteries. A Azay, les buffets, crédences, dressoirs valent d'être regardés de près : sous la Renaissance, la fantaisie était souveraine, et ce mobilier fourmille de détails surprenants tels que dessins miniatures, satyres sculptés, matériaux curieux, etc.

La salle à manger : dressoir avec assiettes de Rhodes ; tapisseries ; meubles sculptés.

La chambre Rouge. On y découvre, en plus du lit à la duchesse, un élégant cabinet florentin à fines colonnes.

La chambre Verte est remarquable par ses tapisseries et aussi par ses peintures.

Aux environs de Saumur 65 km 116 km

Au sud de la Loire, le Saumurois est sans doute la région la plus aimable de l'Anjou : de vastes forêts couvrent les étendues sablonneuses, les cultures de céréales occupent la plaine, et, sur les coteaux, s'étagent les célèbres vignobles où mûrissent les grands crus d'Anjou. Chacune des étapes de ces deux itinéraires, qu'elle soit marquée par un château, par une église ou par une abbaye, constitue une incursion dans l'art et l'histoire du cœur de la France du Moyen Age.

ITINÉRAIRE N° 1

❶ **Montreuil-Bellay** a gardé sa ceinture de remparts médiévaux presque complète, avec trois portes fortifiées. Une barbacane précède le portail qui permet d'accéder au château. Celui-ci est constitué du Château Vieux, à tours à poivrières (XIIe s., remanié au XVe) ; la façade sur cour du Château Neuf (XVe s.) est ornée de hautes lucarnes à fleurons ; dans l'oratoire, voir des fresques du XVe s. Le Petit Château est un ensemble de logements desservis par des escaliers en tourelle (t.l.j., sauf mardi, du 1er avr. au 1er nov.). L'église Notre-Dame, ancienne collégiale du château, est un élégant et sobre édifice.

A partir de Brossay, une route mène aux vestiges de l'ancienne *abbaye d'Asnières*, l'un des plus purs exemples d'architecture gothique angevine (t.l.j., sauf mardi, juill.-août).

❷ **Doué-la-Fontaine,** « cité des roses », offre plusieurs curiosités : ses arènes (t.l.j., sauf 1er-18 juill.) carrières taillées en gradins au XVe s., ses fontaines jaillissant dans un vaste bassin (XVIIIe s.) au bas de la ville, les ruines de la collégiale St-Denis, de style angevin, et le parc zoologique des Minières (ouv. t.l.j.).

❸ **Gennes** est édifiée à l'emplacement d'un oppidum, dont il reste divers vestiges (mégalithes, amphithéâtre, nymphée, aqueduc gallo-romain). Au sommet d'un coteau, d'où la vue embrasse le Val de Loire, l'église St-Eusèbe (IXe-XIIe s.) est un témoin intéressant de l'art préroman.

❹ **Cunault** détient l'une des plus belles églises romanes de la vallée de la Loire (vis. t.l.j. ; messe chantée en partie en grégorien t.l. dim. à 11 h ; voir aussi texte encadré).

❺ **Saint-Hilaire-Saint-Florent** possède deux édifices intéressants : l'église St-Barthélemy, à deux nefs, qui est de style gothique angevin (XIIIe s.) ; l'ancienne abbaye de St-Florent, avec une crypte romane et un porche de la fin du XIIe s.

ITINÉRAIRE N° 2

❶ **Château de Boumois.** L'appareil médiéval extérieur du château, flanqué de deux tours d'angle, cache un délicat logis gothique flamboyant et Renaissance (vis. t.l.j., 1er juill.-15 août ; groupes sur R.-V. des Rameaux à la Toussaint).

❷ **Bourgueil,** réputé pour son vin, propose sa cave touristique (voir aussi texte encadré). Dans l'église St-Germain (XIIe s.), très remaniée au XIXe s., seul le chœur de plan carré et de style angevin est intact. De l'ancienne abbaye subsistent quelques bâtiments : greniers et celliers du XIIIe s., logis abbatial du XVIIe s., galerie du cloître du XVe, parties du XVIIIe (ouv. l'apr.-m., sauf mardi et mercr., juill.-août ; avr.-juin, sept.-oct., sam., dim. et j. fér.).

❸ **Avoine.** Un belvédère domine les installations de l'ancienne centrale nucléaire (t.l.j., mai-oct. ; sauf sam. et dim. mat., nov.-30 avr. Pour visiter, téléphoner du lundi au vendredi au 47-98-77-77. Groupes sur R.-V.).

❹ **Château d'Ussé.** Adossé à la forêt de Chinon, le château, tout en pierre blanche, hérissé de tours, de clochetons et de cheminées, est une résidence d'agrément Renaissance, vêtue d'une cuirasse médiévale. La chapelle, isolée dans le parc, est un joyau Renaissance (vis. t.l.j., du 15 févr. au 11 nov.).

❺ **Chinon** allonge son enceinte fortifiée (voir photo p. 503) au-dessus de la Vienne. La forteresse (X^e^-XVe s.) comprend trois châteaux séparés par des fossés : le fort St-Georges (ne se visite pas), le château du Milieu, qui abrite, dans la tour de l'Horloge, le musée Jeanne-d'Arc, et le réduit fortifié du Coudray (t.l.j. ; sauf mercr. en déc.-janv.). Sur le Grand Carroi, centre de la ville médiévale, belles maisons à colombage des XVe et XVIe s.

A quelques kilomètres, s'arrêter à *la Devinière*, où naquit Rabelais (vis. t.l.j., fermé en déc.-janv. ; voir aussi texte encadré).

❻ **Abbaye de Fontevraud** (voir photo). L'église abbatiale, ample vaisseau à nef unique (XIIe s.), renferme les tombeaux et les gisants des Plantagenêts. Parmi les anciens bâtiments de l'abbaye — cloître, salle capitulaire, réfectoire —, l'extraordinaire cuisine, construction octogonale qui était flanquée de huit absidioles couvertes de dalles imbriquées, est une grande réussite architecturale (vis. t.l.j., sauf mardi, 1er mai, Noël et jour de l'An).

❼ **Montsoreau** a gardé dans ses ruelles des maisons traditionnelles des XVe-XVIe s. et l'église St-Pierre (XIIIe s.) notamment. Le château (XVe), dont la partie donnant sur la Loire est d'aspect sévère, témoigne dans ses parties hautes d'une recherche décorative évidente sur la cour intérieure. Musée des Goums, cavaliers marocains qui servaient dans l'armée française (vis. t.l.j., sauf mardi).

❽ **Candes-Saint-Martin** possède une grande église à trois vaisseaux d'un bel élan, dont les voûtes sont portées par de hautes piles minces, le style atteignant son maximum d'expression dans le porche latéral N. et dans la chapelle qui le surmonte ; statuaire abondante. L'église, construite aux XIIe et XIIIe s., fut fortifiée de mâchicoulis et de créneaux au XVe s. (voir aussi itinéraire 301).

Abbaye de Fontevraud. C'est l'un des plus beaux et des plus grands ensembles monastiques de France.

Blutoir, appareil servant à tamiser la farine. Derrière le décor raffiné, mécanisme animé par une manivelle extérieure.

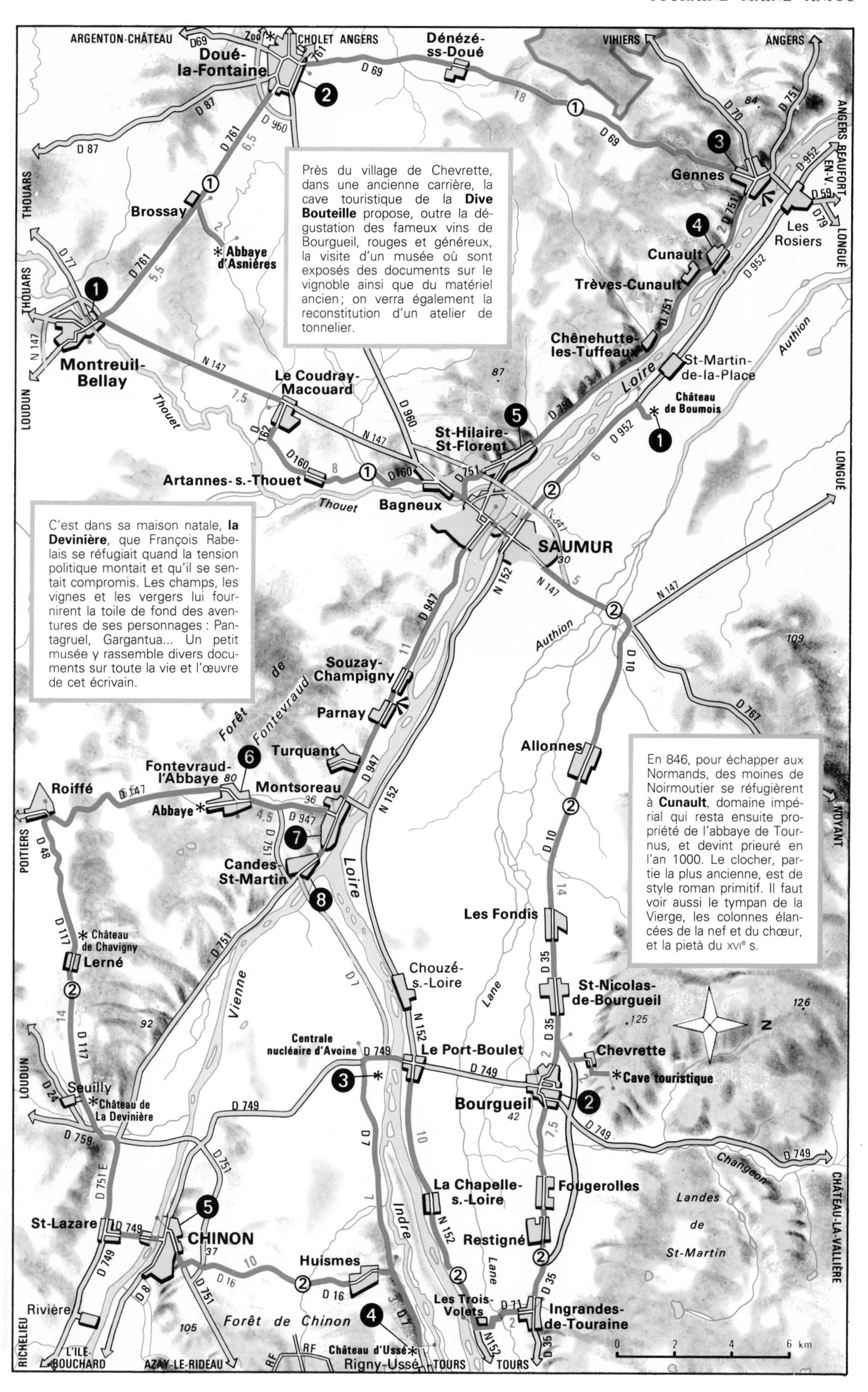
Près du village de Chevrette, dans une ancienne carrière, la cave touristique de la **Dive Bouteille** propose, outre la dégustation des fameux vins de Bourgueil, rouges et généreux, la visite d'un musée où sont exposés des documents sur le vignoble ainsi que du matériel ancien ; on verra également la reconstitution d'un atelier de tonnelier.
C'est dans sa maison natale, **la Devinière**, que François Rabelais se réfugiait quand la tension politique montait et qu'il se sentait compromis. Les champs, les vignes et les vergers lui fournirent la toile de fond des aventures de ses personnages : Pantagruel, Gargantua... Un petit musée y rassemble divers documents sur toute la vie et l'œuvre de cet écrivain.
En 846, pour échapper aux Normands, des moines de Noirmoutier se réfugièrent à **Cunault**, domaine impérial qui resta ensuite propriété de l'abbaye de Tournus, et devint prieuré en l'an 1000. Le clocher, partie la plus ancienne, est de style roman primitif. Il faut voir aussi le tympan de la Vierge, les colonnes élancées de la nef et du chœur, et la pietà du XVIe s.
ARGENTON-CHÂTEAU
Zoo
CHOLET ANGERS
Doué-la-Fontaine
Dénézé-ss-Doué
VIHIERS
ANGERS
Gennes
ANGERS BEAUFORT-EN-V.
Les Rosiers
LONGUÉ
Cunault
Trèves-Cunault
Chênehutte-les-Tuffeaux
St-Martin-de-la-Place
Château de Boumois
Authion
Loire
THOUARS
Brossay
Abbaye d'Asnières
Montreuil-Bellay
LOUDUN
Thouet
Le Coudray-Macouard
St-Hilaire-St-Florent
Artannes-s.-Thouet
Bagneux
SAUMUR
Souzay-Champigny
Parnay
Forêt de Fontevraud
Turquant
Fontevraud-l'Abbaye
Abbaye
Montsoreau
Roiffé
Allonnes
NOYANT
POITIERS
Candes-St-Martin
Château de Chavigny
Lerné
Les Fondis
Chouzé-s.-Loire
Vienne
St-Nicolas-de-Bourgueil
Chevrette
Cave touristique
Centrale nucléaire d'Avoine
Le Port-Boulet
Bourgueil
Seuilly
Château de La Devinière
Lane
Changeon
CHÂTEAU-LA-VALLIÈRE
La Chapelle-s.-Loire
Fougerolles
Landes de St-Martin
St-Lazare
CHINON
Restigné
Huismes
Indre
Rivière
Forêt de Chinon
Les Trois-Volets
Ingrandes-de-Touraine
RICHELIEU
L'ILE-BOUCHARD
AZAY-LE-RIDEAU
Château d'Ussé
Rigny-Ussé
TOURS
0 2 4 6 km

301

A la découverte du Véron 51 km

Le « bon pays de Véron », comme l'appelle Rabelais — pays de « bédouins » pour ses habitants à qui la tradition attribue une origine arabe —, est le plus petit pays de la Touraine, mais le plus attachant et le plus secret. Triangle de terrain sableux ceinturé par les eaux et par la forêt de Chinon, qui le protège à l'est des frimas, il est ouvert à l'ouest aux effluves de la mer et à la douceur angevine. La variété de ses sols et son climat doux en font une enclave de végétation originale en pays ligérien.

Candes-Saint-Martin. Au pied du village, où, selon la légende, saint Martin mourut au IVe s., les eaux sombres de la Vienne (à gauche) se mêlent à celles de la Loire (à droite).

❶ **Les « Puys ».** La marge orientale du Véron est un pays de grandes buttes calcaires, appelées « puys », résultant du démantèlement du versant S.-E. de l'anticlinal de Chouzé. Les plus typiques sont le puy Besnard (les Coudreaux), la Colline (le Grand-Ballet) et le puy de Rochette. Ce secteur bénéficie d'un mésoclimat doux et sec, et de microclimats très chauds sur les versants exposés au S. On y trouve des plantes thermophiles et xérophiles, comme l'armoise champêtre, et des espèces méditerranéennes ou sud-européennes, comme la renoncule à feuilles de graminées.

❷ **Berges de la Loire.** Depuis le pont du Port-Boulet jusqu'à l'aval de Bertignolles, les berges de la rive gauche de la Loire et son lit permettent, en période d'étiage, des observations géologiques fort intéressantes. Le fleuve recoupe à cet endroit la voûte de l'anticlinal de Chouzé et met au jour des couches cénomaniennes et jurassiques, ainsi que des roches, des minéraux et des fossiles qu'on ne retrouve pas ailleurs en Touraine. Au *Petit-Chouzé,* le bras de la Loire, situé entre la grande île de Chouzé et la berge, coule sur les calcaires beige clair et les marnes jaunâtres de l'oxfordien. Après les dernières maisons de Bertignolles affleurent des grès quartzeux cénomaniens très fossilifères. La flore des grèves est particulièrement riche. Nombreuses sont les plantes adventices ou subspontanées propagées par la Loire, parmi lesquelles nombre d'américaines arrivées sur des cargos à Nantes et réparties à la faveur du transport des marchandises sur le cours du fleuve.

❸ **Flore du Véron.** La richesse de la flore ne s'explique pas seulement par la variété du matériel alluvial et les crues qui introduisent des espèces venues d'amont. L'existence de gros hameaux entourés d'une ceinture de jardins explique l'abondance des plantes rudérales et nitratophiles.

Au S.-S.-E. de *Savigny-en-Véron,* sur le lac de Tétine, on observe des *Nymphoides peltata* (petit « nénuphar » à fleurs jaunes) et des *Hydrocharis morsus ranae* (à feuilles plus petites et à fleurs blanches); de nombreux animaux fréquentent ses rives solitaires: ragondins, hérons cendrés et canards. Les prés entre Savigny et la Vienne se couvrent en avril du pourpre et du blanc de la fritillaire, localement appelée « cloche », tandis que les hauts de Bertignolles, au S.-O. du hameau, sont le domaine d'une friche à armoise champêtre, scille d'automne et jasione des montagnes.

❹ **Candes-Saint-Martin.** Un chemin balisé conduit sur les hauts de Candes, au S.-S.-E. du bourg: panorama sur la partie bocagère du Véron, les coteaux de Bourgueil, la confluence de la Loire et de la Vienne (voir photo), et le coteau de Montsoreau. Voir aussi itinéraire 300.

❺ **Bois de chênes verts de Thizay.** On les rencontre entre Saint-Germain-sur-Vienne et Thizay, sur les pentes des vallons qui échancrent le versant gauche de la Vienne. En dehors de certains parcs, ce sont les seules stations de Touraine où le chêne vert forme des peuplements qui se régénèrent spontanément. Les principaux sont: un taillis au lieu dit Crèvecœur, dans la vallée de la Gaudrée; un taillis dense et une pelouse en voie de reconquête par les chênes verts en mélange avec des chênes pubescents, sur une pente orientée au S.-E., depuis la ferme de la Louzaie jusqu'à celle de la Daizerie (l'un des chênes verts a plus de 3 m de circonférence); des chênes verts épars au bois de Frau, sur une pente orientée au N.-E. Le botaniste Tourlet considérait que le nom de Thizay venait du terme celtique *taouzen,* désignant le chêne vert.

Chinon. Du quai Danton, en aval du pont sur la Vienne, on découvre le château et les quais de la rive droite qui occupent l'emplacement de l'ancienne enceinte fortifiée (voir p. 500).

Châteaux et villages d'Anjou 111 km

Angers, « la ville des rois », sert de trait d'union à deux contrées fort différentes : l'Anjou blanc, sableux ou crayeux, lumineux, constitué par le Beaugeois et le Saumurois, et l'Anjou noir, schisteux, aux haies ombreuses et au ciel souvent voilé, formé par le Choletais et le Segréen. Dans le nord-ouest de la province, où il est souvent difficile de ne pas évoquer l'esprit de la chouannerie, le pays est le domaine mystérieux du bocage, avec ses chemins creux, ses fermes et ses manoirs.

❶ **Trélazé** est réputé pour ses ardoises, dont l'exploitation remonte au XIIe s. Certaines galeries d'abattage de la Société des ardoisières de l'Anjou atteignent une profondeur de 520 m. Musée de l'Ardoise (ouv. l'apr.-m., dim. et j. fér. 15 févr.-30 juin et 16 sept.-30 nov. ; t.l.j., sauf lundi, juill.-15 sept. Démonstration à 15 h). De la table d'orientation, magnifique panorama sur la vallée de la Loire, Angers et les ardoisières.

❷ **Les Ponts-de-Cé.** La ville, créée sur trois îles, ordonne ses maisons au long d'une seule rue franchissant sur quatre ponts le canal de l'Authion et les trois bras de la Loire. Dominant cette perspective, un donjon pentagonal couronné de mâchicoulis, seul vestige d'un château du XVe s., présente un curieux éperon. Dans l'île N., l'église St-Aubin (XIIe et XVe s.), restaurée, possède une belle nef romane.

❸ **Béhuard,** charmant village ancien dans l'île Béhuard formée par la Loire, possède une église (XVe s.) édifiée sur la pointe d'un rocher. Ce dernier sert de flanc N. à la nef, qui porte une voûte de bois en carène. Le chevet et la chapelle perpendiculaire au chœur sont éclairés par deux fenêtres flamboyantes, dont le remplage s'achève en fleur de lis.

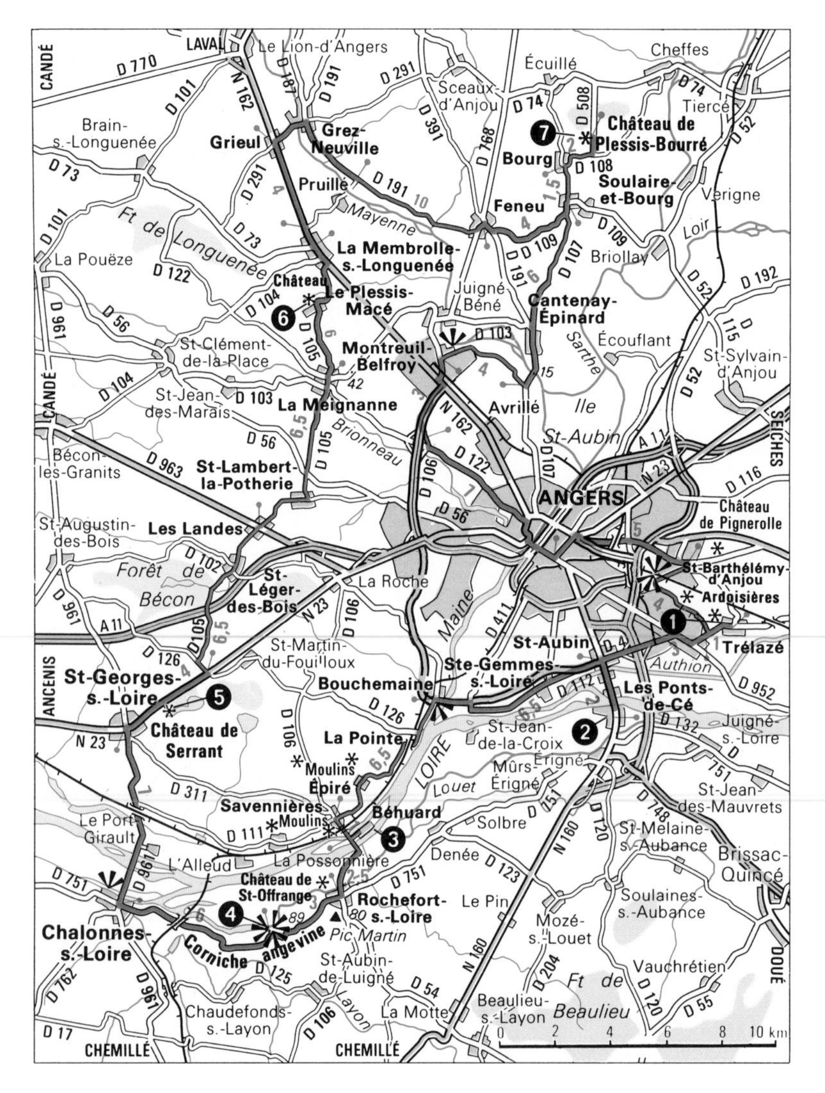

Corniche angevine. De cette route, on découvre de jolies vues sur la vallée de la Loire bordée d'arbres, et les coteaux où subsistent d'anciennes vignes.

Sur la rive droite de la Loire, l'église de *Savennières*, l'une des plus anciennes d'Anjou (IXe-XVe s.), a une intéressante décoration de briques.

❹ **Corniche angevine.** On appelle ainsi la route sinueuse et accidentée qui joint Rochefort-sur-Loire à Chalonnes-sur-Loire. Courant à flanc de coteau (voir photo), elle offre de belles échappées sur le Val de Loire, notamment à la Haie-Longue.

❺ **Château de Serrant.** Original par son plan, avec ses grosses tours à coupoles, et par le mariage du tuffeau blanc et du schiste brun, le château a une unité de style d'autant plus étonnante que sa construction s'est échelonnée sur plus de deux siècles. Le style Renaissance initial a été respecté. A l'intérieur, escalier droit à caissons, bibliothèque de 20 000 volumes, chambres d'apparat, tapisseries. Chapelle dessinée par Jules Hardouin-Mansart (vis. t.l.j., sauf mardi, du dernier week-end d'avr. au 1er nov. ; t.l.j., en juill.-août).

❻ **Le Plessis-Macé.** Le château, fondé au XIe s., fut une des principales places fortes angevines. Des tours

Plessis-Bourré. Un pont-levis donne accès à une belle demeure de plaisance (t.l.j., sauf mercr. et jeudi mat.; t.l.j. en saison. Fermé du 15 nov. au 26 déc.).

cylindriques flanquent trois angles, le quatrième étant défendu par un donjon rectangulaire, démantelé mais encore pourvu de mâchicoulis et d'échauguettes (XIIe-XVe s.). A côté, la chapelle, de style gothique flamboyant, présente une gracieuse porte à accolade. En arrière d'une tourelle d'escalier évasée s'allonge le logis seigneurial (t.l. apr.-m., sauf mardi, mars à nov.; t.l.j., juin-sept.).

❼ **Plessis-Bourré.** Voir dessin.

303

Dans les forêts du bray de Vernantes 45 km

Le bray de Vernantes est une boutonnière ourlée, de Mouliherne à La Pellerine, par un escarpement étroit et rectiligne dominant vers le sud la dépression anticlinale, large mais peu profonde, ouverte dans les sables cénomaniens, et, vers le nord, une dépression synclinale où coule le Lathan. Bien adaptés au sol siliceux et au climat doux de la région, les pins maritimes forment de vastes pinèdes ceinturant le bray, hélas! menacées par le projet d'autoroute Angers-Tours.

❶ **Forêt de Pont-Ménard.** Les peuplements (majorité de chênes et pins sylvestres) sont de qualité inégale, car les sols sont trop souvent humides ou dégradés. L'allée forestière traverse une chênaie plantée de pins sylvestres et franchit le ruisseau de Pont-Ménard. A proximité de l'eau, la présence de l'érable champêtre, du troène et de l'épine noire montre que le terrain est mieux drainé et moins acide. En revenant, prendre sur la droite une allée menant au *Rond de la Dame Blanche,* au centre duquel s'élève un très vieux bouleau. Sur l'allée revenant à la route, après une pinède sur sols acides, on traverse une belle futaie de chênes pédonculés à sous-bois de houx arborescents et de hêtres.

❷ **Grandes pinèdes.** De Vernoil aux Rochereaux, on traverse un océan de pins maritimes. Par un chemin carrossable, suivre la rive occidentale du *lac des Hautes-Belles,* long de 650 m : vue sur la pinède de la rive orientale. Si, de Vernoil à La Breille-les-Pins, l'on a rencontré des faciès secs à grand ajonc, les jeunes pinèdes du vallon des Rochereaux représentent des faciès humides caractérisés par la bruyère quaternée et l'ajonc nain. On peut y surprendre le sanglier et le pic noir.

❸ **Bois de la Graine de Sapin.** Par « sapin », les autochtones désignent le pin maritime. A partir des carrières de Saint-Denis, à la limite même des départements, un certain nombre de vieilles coupes de part et d'autre de la route permettent d'examiner les sols et les diverses formations siliceuses.

❹ **Vue sur le bray de Vernantes.** La route s'élève peu à peu sur l'escarpement situé entre le Lathan et la boutonnière. Après La Pellerine, on a, vers le S., une large vue sur le centre de la dépression que ceinture plus au S. une mer de pins dominée à l'horizon par les coteaux de La Breille.

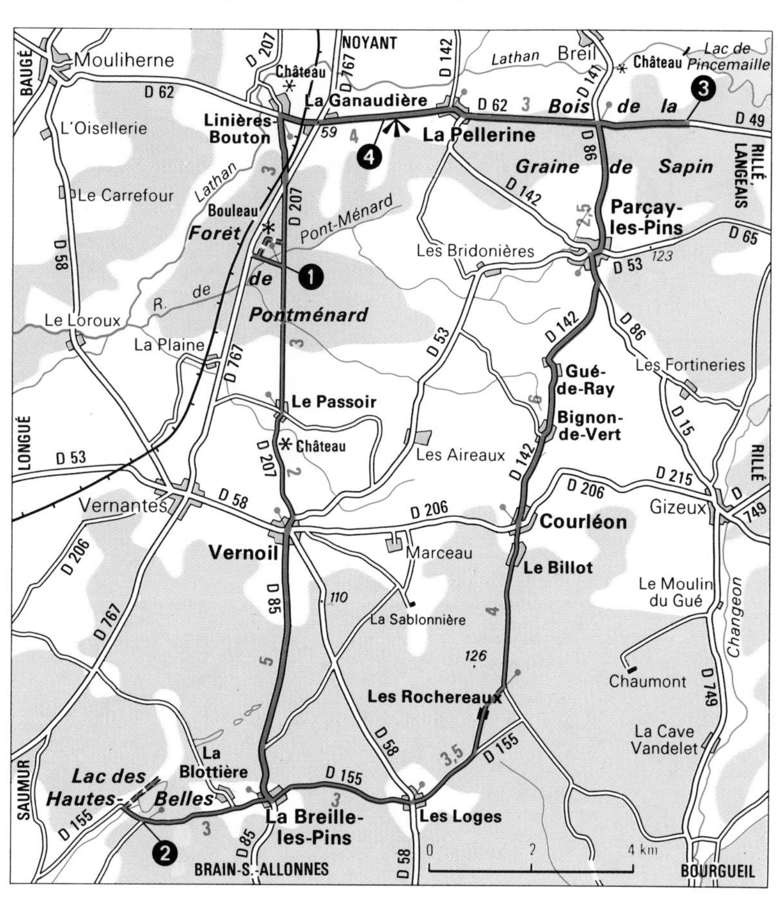

Champeigne 52 km et forêt de Loches

Les vallées de l'Indre et de l'Indrois unissent deux régions : la Champeigne, qui correspond à un synclinal ployant les couches crétacées, remblayé par des calcaires lacustres, où l'Indre recoupe de nombreuses circulations karstiques formant autant de sources ; et le Lochois, plateau d'argile à silex en partie occupé par la forêt où l'Indrois serpente entre des coteaux aux sols plus fertiles.

❶ **Exsurgence de la Truyes.** Cette puissante source karstique au débit peu variable (de 90 à 120 litres par seconde) sort des calcaires lacustres entre les maisons du village. Ses eaux claires sont très calcaires ; elles sont utilisées par une cartonnerie située au bord de l'Indre.

❷ **Falaise de Courçay et sentier de la Doué.** L'Indre atteint dans ce secteur le fond du synclinal de Champeigne et les couches argileuses qui rassemblent les eaux infiltrées dans les calcaires lacustres. Au pied de la falaise de Courçay (voir photo), en bordure du sentier qui va de ce village au moulin de la Doué, les eaux sourdent de toutes parts à des hauteurs variables. La plus belle de ces exsurgences est la Doué, qui sort par une voûte mouillante et dont le débit oscille entre 30 et 50 litres par seconde. Les eaux remplissent un vaste bassin occupé par du céleri d'eau *(Helosciadium nodiflorum)*, puis elles dégringolent vers l'Indre par une cascade sous laquelle s'est formé un champignon de tuf. L'escarpement abrupt qui domine le sentier et par le sommet duquel on peut revenir est formé par un calcaire compact à bancs de meulière d'une quinzaine de mètres d'épaisseur. A son pied, dans la forêt et les buis, les exsurgences tuffeuses se précipitent vers l'Indre en bruissant. On trouve dans les bassins de ces sources des mousses qui s'enrobent de tuf en prélevant le gaz carbonique dissous de l'eau, ainsi *Cratoneuron filicinum* et *commutatum*, et *Hygroamblystegium tenax* ; nombreux sont les crustacés d'eau pure comme la gammare et plus rares sont les bithynelles vertes, gastropodes de petite taille. Diverses constructions ont malheureusement dégradé le paysage, qui compte parmi les plus beaux de la Touraine.

❸ **Panorama sur la vallée de l'Indrois.** Un peu avant le village de Saint-Quentin-sur-Indrois, ou depuis la terrasse de l'église, la vue plonge sur la riante vallée de l'Indrois qui longe la forêt de Loches par le N. La rivière, qui atteint le soubassement de calcaire, serpente entre des coteaux ensoleillés et des villages construits en craie tuffeau. La rivière n'est vraiment belle que quand elle coule libre sous la verdure.

❹ **Pelouses à orchidées de Chemillé-sur-Indrois.** Lorsque, au mois de mai, on passe entre Genillé et Chemillé, 1,5 km avant d'arriver à ce dernier bourg, après un virage, on longe sur la gauche une ancienne carrière de tuffeau, où poussent les orchidées suivantes : orchis pourpre *(Orchis purpurea)*, orchis brûlé *(Orchis ustulata)*, orchis singe *(Orchis simia)*, orchis moustique *(Gymnadenia conopsea)*, orchis pyramidal *(Anacamptis pyramidalis)*, et ophrys mouche *(Ophrys muscifera)*. On les admirera sans les cueillir ! (Voir dessin.)

❺ **Étang du Pas aux Anes et futaie de la série des Chartreux.** Cet étang de 6 ha a été créé artificiellement. La futaie entourant l'étang constitue la série dite « des Chartreux », où l'on peut voir de très beaux arbres de plus de 200 ans. Le chêne sessile y domine comme dans toute la forêt, mais le hêtre y est très vigoureux. Elle est particulièrement renommée pour ses champignons, dont elle abrite de nombreuses espèces. Il faut parcourir les sentiers balisés, notamment le sentier historique du Liget.

Orchis moustique. De la même famille que les belles orchidées tropicales, elle donne de petites fleurs roses odorantes.

Falaise de Courçay. Près du moulin de la Doué, cet escarpement de meulière, abrupt, domine l'Indre, dont les rives sont boisées ou envahies de roseaux (phragmite).

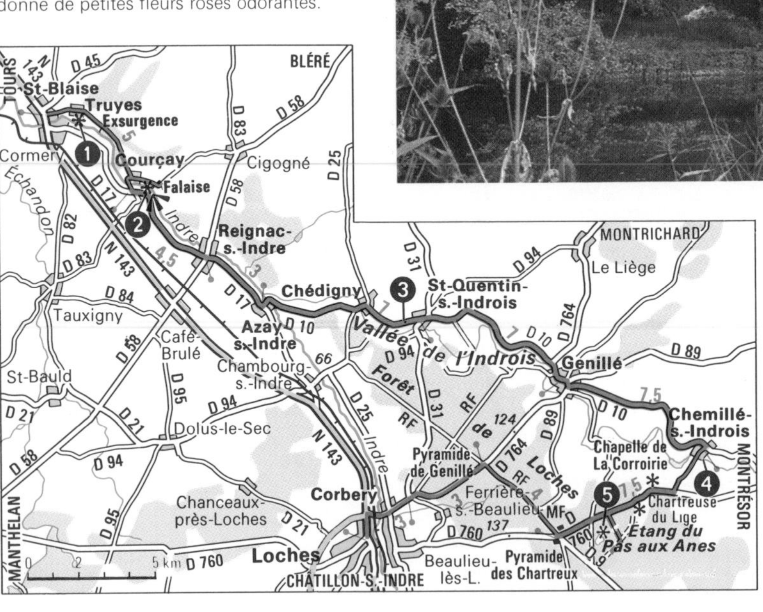

En suivant la Vienne, la Creuse et la Claise 45 km

Vienne, Creuse et Claise ont creusé leur cours paisible dans la craie blanche, à l'écart des grandes villes. L'itinéraire suit le trajet de remontée des aloses et des saumons avant de s'élever au-dessus de la Creuse, dont les versants calcaires sont très ensoleillés, comme en témoigne leur flore méridionale. Quel contraste avec la végétation du plateau qu'il faut traverser avant de découvrir la vallée de la Claise!

❶ **« Falaise » de Ports.** C'est une portion, en pente très forte, du versant de la vallée de la Vienne, entre Marcilly-sur-Vienne et Ports. Haute d'une vingtaine de mètres, longue d'environ 600 m, cette « falaise » est entaillée dans la craie marneuse du turonien inférieur. A son pied s'ouvrent d'anciens souterrains d'où l'on extrayait de la craie pour un four à chaux. Très sensible au gel, cette craie à inocérame (huître fossile que l'on peut aisément récolter) forme des éboulis à éléments fins. Un sentier qui monte par le côté N. permet d'accéder au sommet de la colline, 70 m plus haut. Au mois de mai, les pelouses y sont ponctuées du rose des orchis pourpres et du blanc des céphalanthères. Du sommet, très large vue sur les vallées de la Touraine du S.

Le Grand-Pressigny est dominé par un château (XIIe-XVIe s.) dont le donjon s'élève à 28 m (ouv. t.l.j., du 1er févr. au 30 nov. Fermé en déc. et janv.). Il faut voir aussi le musée de Préhistoire.

❷ **Bec des Deux-Eaux.** C'est là que confluent la Vienne et la Creuse. Passage de poissons migrateurs : saumons, aloses, lamproies remontent de la mer. Mais les saumons avaient peu à peu déserté la Vienne en raison des barrages édifiés à l'amont; aloses et lamproies, qui parvenaient nombreuses au barrage jusqu'en 1970, étaient en voie de disparition. En effet, le petit barrage de Maisons-Rouges, construit en 1923 800 m à l'aval du confluent, avait pratiquement condamné la remontée dans les deux rivières. Aujourd'hui, des échelles à poissons ont été mises en places et les migrateurs peuvent à nouveau emprunter cette voie.

La *colline de Sauvage*, au S.-O., a une flore intéressante : on y trouve le cytise couché, les orchis pyramidaux, moustique et brûlé, et l'ancolie. La vue s'étend sur 15 km.

❸ **Falaise.** Ce hameau au nom évocateur est situé au sommet d'une « falaise » surplombant la Creuse. Comme celle de Ports, elle est creusée d'anciennes carrières souterraines, mais le bas du versant est beaucoup plus boisé et le site plus sauvage.

❹ **Leugny.** Le bourg (panorama depuis l'église) est situé sur un versant bien marqué, au contact du turonien moyen et du turonien inférieur. De Leugny à Lésigny, la route qui emprunte le rebord du plateau constitue un belvédère sur la vallée; elle traverse des garennes et des chênaies thermophiles.

❺ **Méandre de Barrou.** Sur tout le cours aval de la Creuse n'existent que deux méandres, l'un entre Chambon et Lésigny, et l'autre entre Lésigny et Barrou. L'évolution du méandre de Barrou menace les constructions de sa rive concave. Dans le passé, l'ancienne église s'est écroulée en raison de l'affouillement du versant.

❻ **Le Grand-Pressigny.** (Voir photo.) La vallée de la Claise est aussi profonde mais plus resserrée que celle de la Creuse. Les versants sont tantôt escarpés et boisés, tantôt en pente plus douce et occupés par des pelouses à genévriers. D'amples dépôts de pente y assurent une transition harmonieuse avec les terrasses alluviales. Vers l'E., au-dessus du lit majeur souligné par les peupliers d'Italie, s'élèvent les escarpements d'Étableaux.

❼ **Coteau de la Guignoire.** Du Grand-Pressigny à Abilly, la Claise coule en direction de l'O.-N.-O.; aussi trouve-t-on sur le versant N., orientés au midi, des secteurs de pelouses arides et des bois de chênes pubescents. Entre Livernière et le confluent du Brignon et de la Claise, le coteau a une végétation tout à fait comparable à celle du Périgord Noir : on y trouve la *Fumana spachii*, cistacée circum-méditerranéenne qui, dans les régions de la Loire, n'existe qu'à cet endroit, la lavande à feuille large (seule station d'Indre-et-Loire), l'anthéric rameux et l'anthéric petit lis.

La Loire en Anjou. Le fleuve coule lentement dans son lit qui semble trop large. Pourtant, chaque année, des crues capricieuses gonflent ses eaux qui débordent sur le riche terroir qui l'entoure.

GLOSSAIRE ARTISTIQUE

A

abside n. f. (du grec *hapsis,* voûte). Extrémité semi-circulaire d'une église, derrière le chœur (à l'origine : sorte de niche semi-circulaire à l'extrémité des basiliques de la Rome antique). Son orientation vers l'est est en rapport étroit avec le symbolisme du Soleil.
appareil n. m. *Archit.* Assemblage de pierres formant un mur. Ces pierres peuvent être soit en blocage, c'est-à-dire disposées sans ordre — dans ce cas, elles sont bloquées ensemble par des assises régulières de pierre ou de brique (construction romaine) —, soit en assises régulières contrariées, assemblées avec des agrafes (construction grecque). L'assemblage peut être consolidé par un mortier (construction actuelle). On parle de petit ou de grand appareil selon la dimension des pierres. L'appareil cyclopéen a été utilisé à Mycènes : il s'agit de très gros blocs de pierre taillés irrégulièrement, mais très exactement ajustés.
arc n. m. Élément de construction de forme courbe, reposant sur deux points d'appui. Les pierres qui le composent s'appellent des claveaux; celle du centre, la clef. L'extérieur de l'arc se nomme l'extrados; la partie intérieure, l'intrados. La courbure varie selon les époques.
arc-boutant n. m. Arc enjambant le bas-côté, destiné, dans la construction gothique, à reporter sur la culée la poussée de la voûte.
arc-doubleau n. m. Arc en saillie soutenant une voûte.
archivolte n. f. (de l'italien *archivolto*). Moulure ornementée des voussures d'une arcade.
arc trilobé. Arc découpé en trois lobes.

B

baldaquin n. m. A l'origine, ce mot désignait une étoffe de prix; puis on donna ce nom au dais placé au-dessus du siège du seigneur, au ciel de lit et aussi au tissu employé pour abriter le saint sacrement au cours des processions. Il est en bois ou en métal précieux dans les églises, pour surmonter l'autel.
baptistère n. m. Édifice de plan circulaire ou polygonal où se pratiquait le baptême par immersion. Sa forme est directement liée à l'idée de vie éternelle conférée par la cérémonie, le cercle n'ayant ni commencement ni fin.
baroque (art) La difficulté de définir l'art baroque vient de ce qu'en français le mot recouvre à la fois une notion historique précise et une notion esthétique qui la déborde. Historiquement, l'art baroque se situe en Italie au XVIIe s., et dans le reste de l'Europe au XVIIIe s.; mais l'analyse infirme cette classification, et il faut définir le baroque plus largement. A l'opposé de la stabilité et de la rigueur classiques, le caractérisent l'animation des formes (diagonales,

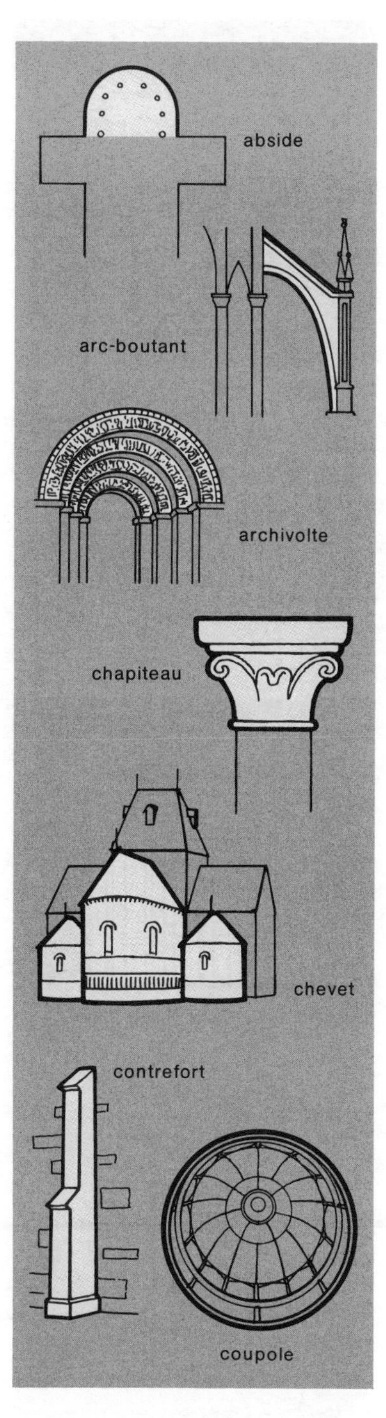

courbes et contre-courbes, asymétrie) et le goût très marqué de l'effet d'ombre et de lumière, de couleur. Enfin, une œuvre baroque ne se laisse pas analyser élément par élément comme une œuvre classique, mais s'appréhende globalement dans un mouvement continu de l'esprit.
bas-relief n. m. Sculpture de faible relief exécutée sur une surface dont elle ne se détache pas; le fond est abaissé par le sculpteur, qui modèle ensuite le volume gardé en réserve.
bâtière n. f. En forme de bât, de selle à deux versants : un toit, un clocher en bâtière.
bossage n. m. Revêtement de façade en pierre formant un relief. Les bosses peuvent être arrondies, taillées en pointes de diamant, vermiculées ou laissées brutes (bossage rustique). Le bossage permet d'animer des surfaces par le jeu de l'ombre et de la lumière.

C

capitulaire adj. Relatif au chapitre (assemblée) des chanoines. — Salle capitulaire : salle réservée à cette assemblée.
cénotaphe n. m. Monument funéraire élevé à la mémoire d'un ou de plusieurs morts, mais ne contenant pas de corps.
chapiteau n. m. Partie supérieure de la colonne ou du pilastre supportant l'entablement ou le départ d'un arc. Il est composé de plusieurs parties : l'abaque, la corbeille (ou l'échine, pour l'ordre dorique), l'astragale. Ces éléments changent de proportions, de forme et de décor selon les ordres (cf. ce mot).
chartreuse n. f. Couvent de l'ordre des Chartreux, où chaque moine vit dans une maisonnette comportant deux cellules et un jardinet.
châsse n. f. Reliquaire de grande taille renfermant d'importantes reliques d'un saint.
chevet n. m. *Archit.* Chœur d'une église, vu de l'extérieur.
ciborium n. m. (au pl. : ciboria). Baldaquin soutenu par des colonnes au-dessus de l'autel des basiliques chrétiennes.
cistercien, enne adj. Qui appartient à l'ordre de Cîteaux, abbaye fondée par saint Robert, de l'ordre de Cluny (ordre bénédictin), en 1098. L'abbaye de Cîteaux atteint son plein rayonnement sous l'impulsion de saint Bernard, abbé de Clairvaux, au début du XIIe s. La règle, dérivée de la réforme de l'ordre bénédictin, en est très austère. L'architecture cistercienne est dépouillée de tout ornement.
clef de voûte n. f. Point de rencontre des sections de voûtes. Plus l'ogive s'élèvera, plus la clef devra faire contrepoids. Les clefs pendantes, outre leur fonction architectonique, deviennent un élément décoratif très soigné du gothique flamboyant.
colonne n. f. Pilier circulaire supportant l'entablement d'une architecture. La colonne est formée de deux ou trois parties selon les ordres : le chapiteau, le fût, et la base, quand elle existe. Sa proportion, sa forme et sa décoration varient aussi (cf. ordre).
contrefort n. m. Massif de maçonnerie appuyé contre un mur pour le contrebuter.
coupole n. f. Face intérieure de la voûte hémisphérique d'un dôme. — Par ext., tout le dôme.
courtine n. f. *Archit.* Façade d'un édifice terminée par deux pavillons. —

Fortif. Partie du bastion reliant deux ailes. – *Mob.* Rideau de lit (vieux mot).
crypte n. f. Construction souterraine placée sous le chœur d'une église et abritant les reliques de saints. A l'époque carolingienne, la crypte affecte la forme du confessio romain, puis, à l'époque romane, elle adopte à peu près le plan de l'église qu'elle supporte. On a construit très peu de cryptes à l'époque gothique.
cryptoportique n. m. Chez les Romains : galeries voûtées, souterraines, ou du moins obscures, ouvertes sur le côté, qui servaient à la promenade, aux heures chaudes. Les cryptoportiques publics pouvaient aussi abriter les denrées périssables. – Entrée à arcades des nymphées.

D E F

dolmen n. m. Monument funéraire collectif mégalithique, fait d'une ou plusieurs dalles de pierre reposant sur des pierres levées. Les dolmens peuvent être enfouis sous des tumulus ou former des allées couvertes.
échauguette n. f. Petite tourelle de guet en encorbellement sur une tour ou un mur. D'abord construite en bois, puis en pierre à partir du XIIe s.
encorbellement n. m. Construction établie en porte à faux, et soutenue par des consoles ou des corbeaux. Le béton armé a permis des encorbellements sans soutien.
fenêtre à meneaux : voir meneau.

G

gâble n. m. Petit fronton de pierre, ajouré et décoré de crochets ou de fleurons, servant dans l'architecture gothique à masquer les combles et à terminer les arcs d'ogive surmontant les ouvertures.
gisant n. m. Statue d'un mort représenté couché. Si elle est nue et rongée de vers, on parle de gisant en transi ou de transi. Les artistes de la Renaissance, hantés par l'idée du temps qui passe et par la vanité des choses, ont souvent montré ces cadavres décharnés ou en décomposition.
gothique (art) L'art gothique est caractérisé par l'élan vers le haut des édifices, grâce à l'invention de la croisée d'ogives. On y distingue trois périodes : le gothique primaire voit s'établir les nouvelles formules (fin du XIIe s.) ; le gothique rayonnant, qui allie les audaces à la mesure, est le point d'épanouissement (XIIIe s.) ; enfin, le gothique tardif ou flamboyant (XIVe-XVe s.), exaspérant toutes les données précédentes, cultive les formes animées comme des flammes (courbes et contre-courbes des arcs, décor poussé à l'extrême).

J

jaquemart (ou **jacquemart**) n. m. Personnage en bois ou en métal placé de chaque côté d'une horloge et mû par un mécanisme pour frapper les heures sur une cloche ou une enclume.
jubé n. m. Tribune formant clôture entre le chœur et la nef d'une église. On chantait autrefois, du haut du jubé, la formule : « *Jube, domine, benedicere* », d'où le nom donné à cette galerie surélevée. Gênant la vue du chœur, les jubés furent, au XVIIe s., remplacés par des chaires à prêcher.

L

lambris n. m. Revêtement de pierre ou de bois des parois d'une pièce. Le lambris peut monter jusqu'à la corniche du plafond ou s'arrêter à la hauteur de la cimaise. Il peut être richement mouluré, sculpté, peint ou doré. La vogue s'en développa au XVIIIe s.
lancette n. f. Ogive de forme très allongée. Les fenêtres, à l'époque gothique, sont souvent à double ou triple lancette.

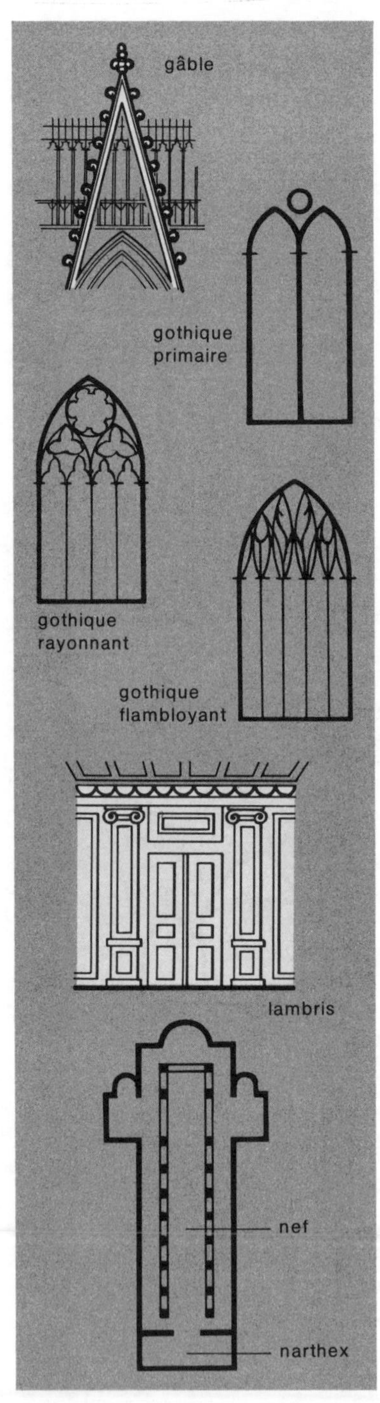

lanterne des morts n. f. Colonne ajourée dans sa partie supérieure, qui abritait autrefois une lumière servant de fanal dans les cimetières.
lierne n. f. Nervure de la voûte dite « en étoile », du gothique flamboyant, joignant le tierceron (cf. ce mot) à la clef (cf. ce mot).
linteau n. m. Traverse de bois, de pierre ou de métal soutenant la construction au-dessus d'une ouverture. Le linteau de pierre peut être fait de plusieurs claveaux disposés en plate-bande, ou établi d'une seule portée ; dans ce cas, si la porte est large, le linteau est soutenu par un trumeau.
loggia n. f. (mot italien). Galerie ouverte par des arcades et accolée au mur d'un édifice (à l'extérieur ou à l'intérieur). On dit aussi « loge ».

M

mâchicoulis n. m. Galerie de pierre, établie en encorbellement au sommet des tours ou des murs de défense d'un château fort, et percée d'ouvertures d'où l'on pouvait arroser les assaillants d'huile bouillante ou de projectiles.
mandorle n. f. Grande auréole en forme d'amande entourant le Christ dans les représentations du Jugement dernier ou de la Transfiguration.
martyrium n. m. Église ou chapelle dédiée à un ou plusieurs martyrs.
mascaron n. m. Masque sculpté, grotesque ou fantaisiste, ornant les clefs des arcs au-dessus des fenêtres ou des portes, les corniches, etc.
meneau n. m. Montant ou traverse de pierre partageant une fenêtre gothique en compartiments.
menhir n. m. Grande pierre levée, probablement liée au culte du Soleil ; mais la signification exacte n'en est pas connue. Les menhirs se présentent isolés, en alignement, ou en cercle (cromlech).
modillon n. m. Ornement en forme de console aplatie, disposé à intervalles réguliers sous le larmier d'une corniche.
mudéjar (art) Art espagnol qui concilie à la fois la pensée chrétienne et le style mauresque. Après la reconquête de l'Espagne sur les Arabes, des artistes et des ouvriers musulmans, restés dans le pays, adaptèrent l'art de l'Islam à l'art chrétien.

N

narthex n. m. Sorte de vestibule de la basilique chrétienne, réservé aux catéchumènes. Il servait aussi d'abri de nuit pour les pèlerins. D'origine carolingienne, le narthex existe encore dans le plan des églises romanes. Mais, les baptêmes d'adultes se faisant plus rares, son utilité décrut peu à peu, et il disparut à l'époque gothique.

O

oppidum n. m. *Antiq.* Place forte romaine comportant ou non des habitations et située généralement sur une hauteur.
ordre n. m. Disposition harmonieuse, et fixée par des règles, des différentes parties d'un édifice, particulièrement du soubassement, des colonnes et de l'entablement, d'un temple antique ou d'une construction classique. L'art grec comprend trois ordres : l'ordre dorique, l'ordre ionique et l'ordre corinthien. – L'ordre dorique est le plus ancien et le plus simple. Dépourvu de tout ornement, il doit sa beauté à la perfection de ses proportions. Il se caractérise d'abord par l'absence de base de la colonne : celle-ci repose directement sur le stylobate. Les cannelures de son fût sont à arêtes vives. Le fût est parfois monolithe, mais le plus souvent

composé de tambours superposés. Entre le fût et le chapiteau, il n'y a pas d'astragale, mais des filets qui marquent le départ de l'échine, simple renflement sur lequel repose l'abaque, appelé aussi tailloir. L'architrave est lisse. La frise est discontinue, formée de l'alternance des triglyphes et des métopes. Sous la corniche qui surplombe la frise, l'ordre dorique comprend des modillons plats, ornés de gouttes (souvenir, sans doute, des chevilles de bois qui tenaient les anciennes charpentes). — L'ordre ionique est, dans l'ensemble, plus raffiné et plus décoré que l'ordre dorique, mais moins pur. La colonne, plus élancée, prend son départ d'une base où s'opposent les scoties et les tores, parfois très ornés (volutes, palmettes). Le fût est à cannelures profondes, séparées par des méplats. Dans certains cas, le tambour inférieur de la colonne est sculpté (souvenir de plaques protectrices des colonnes en bois des temples primitifs). Le chapiteau ionique s'épanouit en volutes. L'espace compris entre les volutes, ainsi que l'abaque, est décoré d'oves ou de palmettes. L'architrave est formée de la superposition de trois bandeaux plats, ornés d'oves dans la partie supérieure. La frise est un bandeau continu, sculpté de bas-reliefs; en revanche, la corniche est toujours surmontée d'un larmier à denticules. — L'ordre corinthien est dérivé de l'ordre ionique, mais il est encore plus ornemental. A l'origine, il n'est d'ailleurs pas employé pour les grandes constructions, mais réservé au décor des parois intérieures ou aux petits édifices. C'est à la période hellénistique qu'il trouvera son plein épanouissement. Base, fût et entablement sont sensiblement les mêmes que dans l'ordre ionique : seul le chapiteau est différent. Il fut inventé, dit la légende, par le sculpteur Callimaque, frappé par la beauté d'une corbeille oubliée dans un cimetière et toute recouverte de verdure; mais la feuille d'acanthe avait déjà servi au Ve s. av. J.-C. pour décorer des stèles funéraires. — Les Romains utilisèrent un ordre composite dont la base était dorique, et le chapiteau un compromis de l'ionique et du corinthien. — L'ordre toscan, interprétation romaine de l'ordre dorique abâtardi, a des proportions plus trapues.

P

péristyle n. m. Galerie à colonnes entourant un édifice. Lorsque cette galerie est accolée à un mur extérieur, on parle aussi de colonnade.
pignon n. m. Partie supérieure et triangulaire d'un mur supportant l'extrémité du comble d'un toit. — *Pignon à redents* : pignon dont les pentes sont en forme de marches d'escalier.
pinacle n. m. Clocheton pointu, très décoré à l'époque gothique, servant d'amortissement au contrefort ou à la butée d'un arc-boutant.
poivrière n. f. *Archit. milit.* Petite tourelle de guet circulaire à toit conique, construite en encorbellement à l'angle d'un mur de défense.
polyptyque n. m. Retable (voir ce mot) formé de plusieurs volets peints ou sculptés.
portique n. m. Galerie de rez-de-chaussée couverte, dont les voûtes ou le plafond sont soutenus par des colonnes.
priorale (église) Église dépendant d'un prieuré.

R

reliquaire n. m. Objet destiné à recevoir des reliques. Il peut affecter des formes très variées : châsse, coffret ou statue. Certains reliquaires épousent la forme de la relique qu'ils contiennent, comme la main-reliquaire.
Renaissance n. f. Période que l'on peut faire commencer au début du XVe s. en

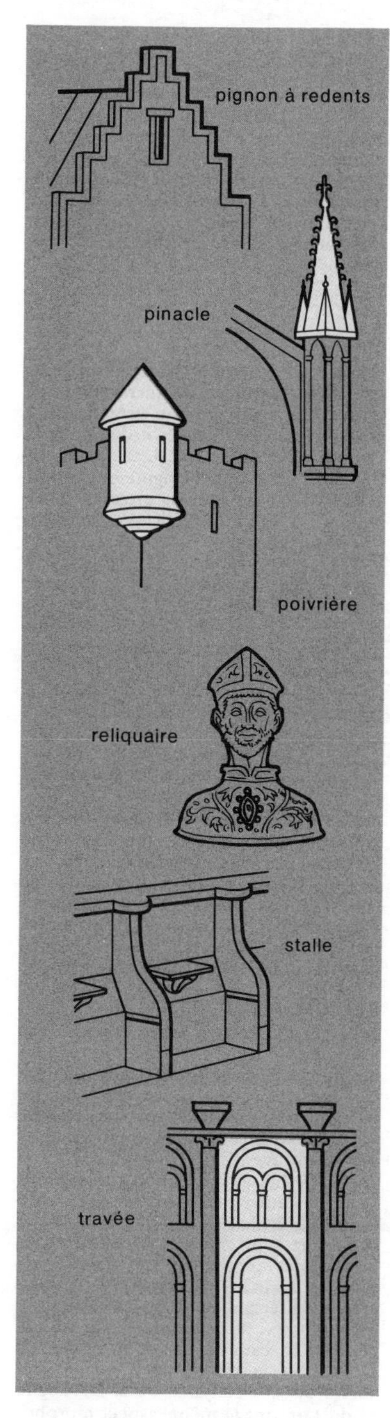

Italie, et qui va voir se transformer toutes les données, à la fois philosophiques, religieuses, politiques, économiques, et partant artistiques du Moyen Age. L'homme devient le centre du monde, la référence de toutes choses. Le rêve des « humanistes » était de concilier les valeurs retrouvées de l'Antiquité païenne et celles d'un christianisme rénové. A cette période de remise en question, l'art va jouer un rôle privilégié et connaître un extraordinaire essor. En particulier, la nouvelle interprétation de l'espace, aussi bien en architecture qu'en peinture avec les recherches sur la perspective, est une des grandes conquêtes de la Renaissance.
retable n. m. Tableau peint ou sculpté appuyé au mur sur lequel s'adosse l'autel d'une église.
roman (style) La période romane s'étend entre le Xe et le XIIe s. L'appellation date du XIXe. Elle rappelle que cet art est le fait de pays dépendant de la Rome pontificale (en opposition avec l'art byzantin) et en même temps que la leçon de la Rome antique n'y est pas oubliée. L'arc en plein cintre est caractéristique de l'art roman.

S

stalle n. f. Siège à haut dossier réservé aux prêtres du chapitre ou aux moines, installé en double rangée, de chaque côté du chœur d'une église. D'abord en pierre, les stalles sont construites en bois à partir de l'époque gothique, et souvent sculptées. Sous le siège, qui se rabat, se trouve une petite console appelée « miséricorde ».
stèle n. f. Pierre debout sur laquelle est inscrit un texte commémoratif (offrande, haut fait, etc.). Elle marque souvent une sépulture.

T

taque de cheminée Plaque en fonte sculptée qui recouvre l'âtre d'une cheminée.
tierceron n. m. Nervure supplémentaire des voûtes gothiques flamboyantes, dites « en étoile » (cf. lierne).
tiers-point n. m. Point d'intersection de deux arcs qui se coupent pour former une ogive.
travée n. f. *Archit.* Espace compris entre deux piles supportant les arcs-doubleaux d'une voûte.
triforium n. m. Petite galerie de circulation, ménagée au-dessus des bas-côtés d'une église gothique en remplacement des tribunes.
triptyque n. m. Panneau peint ou sculpté comprenant un tableau central et deux volets.
trompe-l'œil n. m. Peinture exécutée de telle sorte que l'on croit réellement à la présence des objets qu'elle reproduit. Elle peut imiter aussi une matière : le marbre, par exemple ; ou encore simuler une sculpture, une architecture.
tumulus n. m. Petite colline artificielle de pierres et de terre, de forme conique, qui recouvre une ou plusieurs sépultures dans certaines civilisations très anciennes.
tympan n. m. *Archit. antique et class.* Partie plate et sculptée, de forme triangulaire, comprise entre les deux rampants du fronton. — *Archit. médiév.* Partie plate et sculptée d'un portail, comprise entre le linteau et les voussures. Si le tympan est de grande dimension, il peut être à registres.

V

verrière n. f. Grande fenêtre. — Vitrail de grande dimension.
voussure n. f. Épaisseur de l'intrados de plusieurs arcs accolés en voûte au-dessus d'un portail.
voûtain n. m. Un des compartiments d'une voûte d'ogives.

GLOSSAIRE GÉOGRAPHIQUE

A

aber n. m. (mot d'origine celtique, signifiant embouchure, estuaire). Les abers bretons, tels l'Aber-Wrac'h et l'Aber-Benoît, sur la côte du pays de Léon, ne sont que des formes d'un relief littoral appelé ria (voir ce mot).
anticlinal n. m. Partie d'un pli dont la convexité est tournée vers le ciel et dont les flancs divergent vers le bas. Lorsque, malgré l'érosion, l'anticlinal a conservé sa structure, il porte alors le nom de mont. *Axe anticlinal :* axe passant par le sommet de l'anticlinal; un axe vertical caractérise un pli droit; un axe plus ou moins oblique, un pli déjeté ou déversé; un axe horizontal caractérise un pli couché.

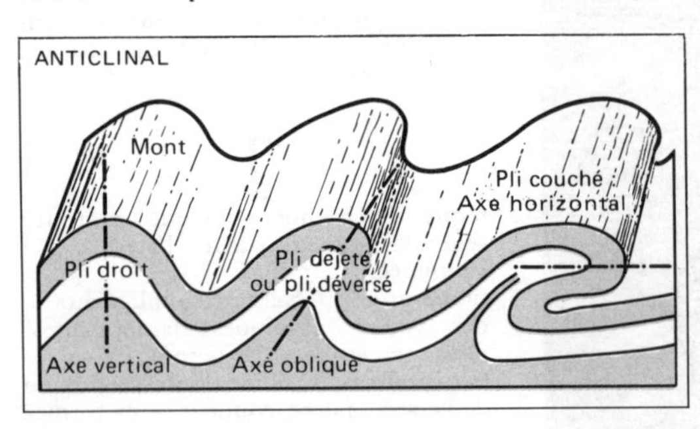

astéries (calcaire à). Calcaire de la base du stampien comprenant d'innombrables fossiles d'astéries (ou étoiles de mer) et exploité dans la région de Bordeaux.
aven n. m. Nom local des gouffres naturels que l'on rencontre à la surface des Grands Causses. Caractéristiques du relief karstique, ces gouffres ont reçu le nom général de « ponor ». Ils ont une double origine : soit dissolution des calcaires le long d'un groupement vertical de diaclases, soit effondrement du plafond d'une caverne souterraine.

B

bief n. m. Nom donné à tout canal de dérivation. Partie d'un cours d'eau comprise entre deux chutes ou bassin compris entre les portes d'une écluse. *Bief d'amont* (ou *d'aval*) *:* partie d'un canal dont le niveau est supérieur (ou inférieur) à celui de l'écluse.
bocage n. m. Paysage rural où les champs sont presque tous entourés de haies vives qui donnent aux régions bocagères un aspect boisé et verdoyant. Les parcelles, généralement carrées ou rectangulaires, sont bordées par un talus de terre sur lequel ont été plantées les haies; celles-ci constituent des clôtures, parfois très denses, de branches et d'épines. Les chemins creux qui traversent le bocage deviennent de véritables fondrières lors des pluies d'hiver. Dans les pays de bocage, l'habitat rural est dispersé en fermes ou hameaux. De nos jours, le bocage commence à disparaître, car l'évolution de l'agriculture, favorable au regroupement des propriétés, entraîne sa suppression : les bulldozers arrachent ses haies, nivellent ses chemins, et de vastes étendues de campagnes cultivées le trouent largement.
boulbène n. f. Dans le Bassin aquitain, terre alluviale, pauvre en chaux, légère, qui localise généralement les cultures maraîchères.

C

calcaire n. m. Roche blanche ou grise, stratifiée, formée de carbonate de chaux. Le calcaire fait effervescence avec les acides; chauffé, il donne de la chaux. La craie et le calcaire corallien sont d'origine organique; le calcaire grossier, d'origine détritique; la meulière et le calcaire oolithique, d'origine chimique.
calcite n. f. Calcaire cristallisé dans le système rhomboédrique, avec un grand nombre de formes. La calcite constitue à elle seule des roches comme le marbre, ou des aiguilles comme les stalactites et les stalagmites (voir ces mots).
causse n. m. (du latin *calx,* chaux). Nom donné en France aux régions de plateaux calcaires. *Grands Causses :* au sud du Massif central, région étalée de l'Aubrac aux plaines languedociennes et comprenant le causse Méjean, à plus de 1000 m d'altitude, le causse Noir, compris entre 900 et 1000 m, le causse du Larzac et le causse de Sauveterre, vers 700 m. Les grands plateaux karstiques sont séparés par le Tarn et ses affluents, Jonte et Dourbie, qui coulent au fond de magnifiques canyons. Sur ces causses arides, la vie est rude; les villages sont localisés par les vallées sèches ou par les sotchs, c'est-à-dire là où se trouve la terre végétale; on y cultive le blé et les plantes fourragères. Mais les Causses sont surtout le pays du mouton, et les caves qui affinent le roquefort sont creusées dans le Larzac; les vallées apparaissent comme de longues traînées de verdure, d'aspect très méditerranéen. *Causses du Quercy :* adossés au sud-ouest du Massif central, le causse Martel, le causse de Gramat et le causse de Limogne, traversés par les canyons de la Dordogne et du Lot, ont le même aspect morphologique que les Grands Causses. Toutefois, leur altitude est moins élevée : de 300 à 400 m; leur végétation plus abondante : la physionomie d'ensemble est celle d'une forêt claire, interrompue par des espaces arides et des champs enclos de pierre sèche. En revanche, l'économie des plateaux reste la même que celle des Grands Causses : dans les vallées domine la polyculture aquitaine. Les rivières ont de tout temps attiré les hommes, ainsi qu'en témoignent les stations préhistoriques de la Vézère, dont les plus connues sont Les Eyzies-de-Tayac et Lascaux.
cheminées des fées. Sorte de pyramide de sable ou d'argile, dégagée par l'érosion autour d'un gros bloc. Sur des pentes où l'érosion est vive, elle creuse facilement dans les sables ou les argiles, dégageant peu à peu les blocs rocheux. Sous l'effet de la pesanteur, ceux-ci tassent les couches tendres, qui deviennent de ce fait résistantes. Des pyramides se forment, mais leur durée est éphémère.

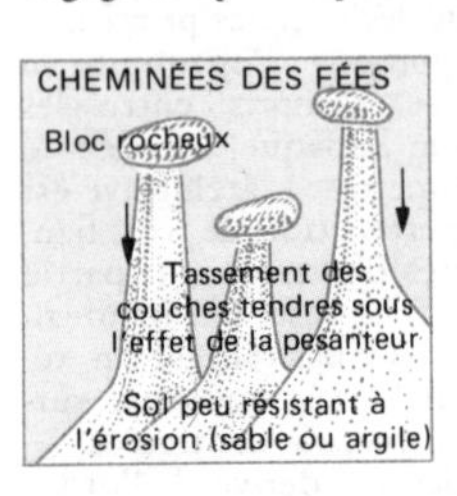

cingle n. m. Nom local donné aux méandres de la Dordogne encaissés dans les causses du Quercy, en aval de Souillac. (Cingle de Trémolat.)
cirque glaciaire. 1. Amphithéâtre de hautes montagnes dominant une région couverte de glace. Le cirque glaciaire, situé en France à plus de 3 000 m d'altitude, est rempli de glace que recouvre un épais manteau de neige tassée appelé névé. Il constitue, dans les Alpes, le bassin de réception du glacier; dans les Pyrénées, où la glaciation est moins importante, le cirque glaciaire ne se continue pas par un fleuve de glace : les glaces s'entassent et érodent le fond de la dépression glaciaire. 2. Forme de relief résultant de l'érosion et dont on trouve, dans les Pyrénées, de multiples exemples, ainsi le célèbre cirque de Gavarnie.
clue n. f. (mot provençal). Étroite et profonde gorge traversant comme une cluse les anticlinaux de haute Provence, façonnés dans des calcaires épais et résistants.
cluse n. f. (du patois jurassien). En structure plissée, percée transversale d'un axe anticlinal; la cluse unit alors deux synclinaux. L'origine des cluses est multiple : tantôt des failles ont effondré tout ou partie de l'anticlinal — c'est le cas d'un certain nombre de cluses du Jura méridional —, tantôt l'érosion, à partir de deux ruz opposés sur les flancs d'un anticlinal, a réussi à ouvrir une dépression dans le mont — c'est le cas de la Dranse du Chablais —, tantôt, enfin, les grands glaciers quaternaires ont façonné de profondes cluses entre les différents massifs préalpins — telles les cluses de Grenoble, de Chambéry, d'Annecy et de l'Arve.
combe n. f. En relief plissé, dépression creusée par l'érosion au sommet d'un anticlinal. La formation d'un tel relief dépend des conditions pétrographiques (faible épaisseur ou faible résistance des couches calcaires), structurales (alternance de couches dures et de couches tendres), et de l'érosion (pluies abondantes facilitant l'attaque de l'anticlinal). Les reliefs jurassiens et pré-

alpins comportent de nombreuses combes. Les patois locaux donnent parfois le nom de combe à des reliefs différents : ainsi, les combes caussenardes sont des vallées sèches; les combes bourguignonnes, des reculées ou des bouts-du-monde.
concrétion n. f. Concentration, dans un sol ou une roche, d'une substance minérale différente. Les principales concrétions se font par précipitation de la silice. Ce sont : les silex, que l'on trouve dans les terrains calcaires; les chailles, silex inachevés gardant encore des parties calcaires; les mélinites, rognons d'opale que l'on rencontre dans les marnes et argiles tertiaires; la geysérite, formée de silice presque pure, sous l'action des eaux thermales et des geysers; les jaspes, agates et calcédoines, pierres précieuses constituées de silice concrétionnée. Les stalactites et les stalagmites sont des concrétions calcaires (voir ces mots).
crassat n. m. Petite dépression naturelle de la plate-forme continentale, dans laquelle on peut élever et garder les huîtres.
crétacé adj. et n. m. (du latin *creta,* craie). Période la plus récente de l'ère secondaire, commencée il y a 135 millions d'années et dont la durée est évaluée à 75 millions d'années. C'est la présence fréquente de la craie qui lui a donné son nom. En fait, la craie ne se trouve que dans les formations les plus récentes du crétacé supérieur, tandis que les assises du crétacé inférieur renferment des marnes, des sables et des argiles. Du point de vue orogénique, le crétacé est une période de calme; toutefois, sur sa fin, des signes annonciateurs de l'orogenèse alpine apparaissent en Europe. Quant à la flore de cette période, elle prend un caractère nouveau et presque actuel avec le développement des arbres qui nous sont aujourd'hui familiers : hêtres, chênes, platanes, peupliers.
cuesta n. f. (mot espagnol). Nom donné actuellement en géomorphologie à une côte de type lorrain, ceci afin de réserver le mot « côte » au seul littoral. La cuesta comprend un front en pente abrupte et un revers en pente douce; le front est souvent festonné par l'érosion de rivières obséquentes, tandis que le plateau est découpé par des rivières conséquentes. La superposition de deux couches dures séparées par des assises tendres dans le front de la cuesta donne une cuesta double. Lorsqu'une rivière creuse dans le plateau une profonde vallée parallèle au front de la cuesta, celle-ci est appelée cuesta dédoublée; c'est le cas des Côtes de Meuse, à Commercy. La traversée d'une cuesta par une rivière conséquente dégage un entonnoir de percée conséquente, ainsi que celui de la Marne, à Épernay.

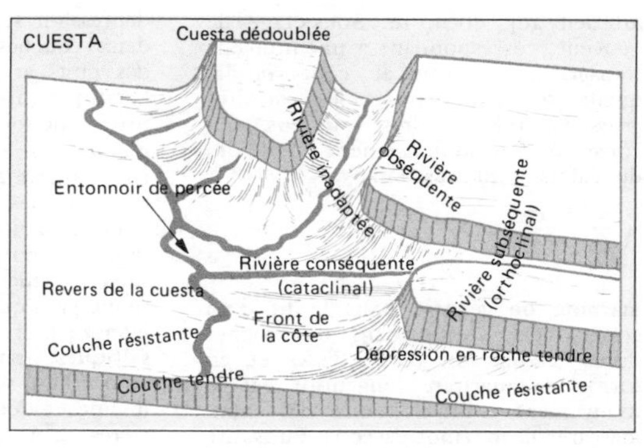

D

détritique adj. *Calcaire détritique :* roche essentiellement formée par des débris cimentés d'origine calcaire. Le calcaire lithographique et le calcaire grossier en font partie.
doline n. f. (mot d'origine slave). En pays calcaire, dépression fermée, circulaire ou ovale, d'un diamètre de 20 à 200 m et d'une profondeur de 2 à 100 m, due à l'érosion karstique à partir d'un champ de diaclases. La nature et la structure des calcaires expliquent la variété des formes des dolines, auxquelles les patois locaux ont donné les noms de sotchs, cloups, emposieux.
dyke n. m. (d'un mot écossais signifiant muraille). Relief volcanique se présentant sous la forme d'un plateau limité par de véritables murailles de laves. Ces laves, injectées dans le cône volcanique au cours des différentes éruptions, ont été en partie dégagées par l'érosion.

E

ère n. f. Période géologique qui se distingue des autres par sa durée, son climat, ses mouvements orogéniques, sa faune, sa flore et ses formations. Les temps géologiques sont divisés en cinq ères : précambrien, primaire, secondaire, tertiaire et quarternaire (voir ces mots).
érosion n. f. Usure générale des formes du relief. Dans tout phénomène d'érosion, il convient de distinguer trois stades : l'érosion proprement dite, qui est l'action d'usure; le transport des matériaux érodés; l'accumulation de ceux-ci sous des formes multiples (cônes de déjection ou sédimentation). Les agents d'érosion sont nombreux : l'eau, qui déblaie les argiles ou dissèque les roches dures; le vent, qui emporte le sable; les alternances de gel et de dégel, qui font éclater les roches; la glace, qui entaille les montagnes et charrie des blocs; les processus chimiques, qui désagrègent les matériaux; l'homme, enfin, qui éventre les versants ou aplanit les collines. La puissance de l'érosion et ses différentes formes sont naturellement fonction du climat : la connaissance des variations climatiques au cours des ères géologiques, ou paléoclimatologie, est nécessaire pour expliquer les reliefs actuels. Parmi les principales formes de l'érosion, on peut citer : l'érosion par les eaux courantes, ou *érosion normale,* qui agit à la fois dans l'élaboration des vallées et le modelé de leurs versants; l'*érosion mécanique,* qui affecte aussi bien la haute montagne que les déserts; l'*érosion chimique,* dont les reliefs les plus typiques se rencontrent dans les régions karstiques; l'*érosion éolienne,* qui sévit principalement dans les déserts, mais qui façonne également les dunes littorales; l'*érosion nivale* et *glaciaire,* dont l'empreinte est surtout caractéristique en montagne, mais dont on retrouve de nombreuses traces de l'action passée dans les vallées alpines ou les plaines subalpines; l'*érosion marine,* enfin, qui donne aux côtes la variété de leurs aspects.
estran n. m. (de l'anglais *strand,* grève). Partie d'une côte basse et sablonneuse affectée par la marée. Le flux et le reflux déplacent constamment les sables littoraux et les modèlent en crêtes et sillons parallèles à la côte. Le sable desséché de la partie supérieure de ces ondulations est alors entraîné par les vents du large, qui édifient les dunes littorales; lorsque le cordon dunaire barre le débouché d'une vallée, un étang d'eau douce se constitue.

étier n. m. 1. Chenal naturel à travers un cordon littoral, appelé grau sur les côtes languedociennes. 2. Canal muni d'écluses simples, permettant d'amener, à marée haute, l'eau de mer dans les marais salants. 3. Petit canal unissant une ville à un fleuve ou à la mer et pouvant supporter des navires de faible tonnage, comme en Grande Brière.

F

fagne n. f. (du vieux français « fagne », boue). Dans l'Ardenne, nom donné aux mares et marais qui reposent dans les clairières naturelles de la forêt. Ce mot entre dans le nom d'une région de l'Ardenne belge, les Hautes Fagnes.
faille n. f. Rupture ou dislocation de l'écorce terrestre entre deux blocs, l'un soulevé ou affaissé par rapport à l'autre. Une faille est caractérisée par son plan, qui est celui du glissement, son regard, qui est l'orientation du plan, et son rejet, qui est la distance verticale entre deux mêmes plans stratigraphiques. Selon l'inclinaison des couches par rapport au plan de faille, on distingue des failles conformes, contraires, en dôme ou en cuvette. Le groupement de plusieurs failles constitue un champ de failles. Un bloc soulevé, limité par deux failles ou deux champs de failles, s'appelle un horst; un bloc effondré, un fossé tectonique. Les failles ont pour origine soit des mouvements orogéniques brutaux — les poussées alpines ou les tremblements de terre —, soit des mouvements liés à l'isostasie.
futaie n. f. Forêt ne comprenant que des arbres et aucun taillis. Dans un certain sens, toute futaie est plus ou moins jardinée selon la coupe régulière des taillis nouveaux et l'entretien de son sol. Dans une futaie, les arbres sont groupés en trois classes selon leur âge : jeune, âge moyen, vieux bois. La régénération des futaies, dont la durée est pratiquement illimitée, s'opère par les semences naturelles, qui suffisent à la formation des jeunes plantes, et par l'abattage régulier des vieux bois dans des limites fixées par l'Administration des eaux et forêts (coupe dite « de régénération »). Cependant, des coupes d'amélioration sont également pratiquées pour éliminer les arbres mal venus et favoriser la croissance des plantes les plus vigoureuses.

G

gaize n. f. Roche siliceuse se présentant souvent sous forme de rognons, incluse dans les marnes de l'oxfordien et les argiles du crétacé inférieur, et très abondante dans l'Ardenne et en Argonne.

garrigue n. f. 1. Végétation broussailleuse et discontinue des plateaux calcaires sous un climat méditerranéen. Plantes caractéristiques : buis, chênes kermès, genêts épineux, cistes, genévriers, lavande, thym, romarin. 2. *Garrigues languedociennes :* plateaux calcaires appuyés sur les Cévennes et traversés par des vallées en gorge (Ardèche, Cèze, Gard). Sur les plateaux, on pratique l'élevage des moutons; dans les vallées dominent les cultures méditerranéennes.

glacier n. m. Fleuve ou épaisse couche de glace des régions polaires ou montagneuses. Les glaciers continentaux des régions polaires constituent des inlandsis. Un glacier de montagne comprend : un cirque glaciaire, où la neige s'accumule et se tasse pour former le névé, puis la glace ; une langue glaciaire, véritable fleuve de glace qui occupe toute la largeur de la vallée. La glace étant rigide, elle se crevasse au cours de sa lente progression, qui ne dépasse guère quelques mètres par jour; entre les crevasses, des blocs de glace aux arêtes aiguës forment des séracs.

gouf n. m. Dans le golfe de Gascogne, au large de Capbreton, nom donné à une profonde vallée sous-marine qui entaille la plate-forme littorale et qui correspond à un ancien tracé de l'Adour.

gour n. m. (du latin *gurges,* gouffre). Dans le midi de la France, gouffre ou partie la plus creuse d'un cours d'eau.

grau n. m. (du latin *gradus,* passage). Étroit chenal qui fait communiquer les étangs languedociens et la Méditerranée. Il est sans cesse menacé d'obstruction par le travail d'accumulation de la mer, qui se réalise sous forme de cordons littoraux.

H

halophile adj. (du grec *halos*, sel). Caractérise les plantes qui croissent naturellement dans les sols imprégnés de sel marin.

herbu n. m. Nom donné en certaines régions de France, principalement sur les côtes de la Manche, à une terre trop pauvre pour être utilisée et qui porte souvent des landes ou des prairies.

hydromorphe adj. Caractérise un sol constamment ou périodiquement gorgé d'eau. Les sols hydromorphes évoluent pour constituer des gleys.

hypogé adj. Qui est sous terre. Caractérise une eau qui n'a pour origine ni les pluies ni le ruissellement, mais qui provient de l'intérieur de la terre.

J

jurassique adj. et n. m. (de Jura). Période de l'ère secondaire, commencée il y a 180 millions d'années et dont la durée est évaluée à 45 millions d'années. Le jurassique est une longue période de sédimentation où se déposent, dans les bassins, des couches de calcaires, d'argiles et de marnes. On le divise en trois sous-systèmes : le jurassique inférieur, ou lias; le jurassique moyen, ou dogger; le jurassique supérieur, ou malm. En Europe, le climat du jurassique est de type tropical; la flore de cette période est dominée par les gymnospermes, et sa forme est surtout remarquable par l'apparition des bélemnites et le grand développement des ammonites. Les reptiles sont en plein épanouissement, et c'est vers la fin du jurassique qu'apparaît le premier oiseau, l'archéoptéryx.

K

karst n. m. (de Karst, région de plateaux et de montagnes calcaires du nord-ouest de la Yougoslavie). Bien étudié par les géographes yougoslaves de l'école de Cvijić, le karst demeure à la base des recherches sur les reliefs calcaires.

L

lauze n. f. Désigne des dalles de calcaire aturien (crétacé supérieur) qui se débitent facilement et que l'on utilise comme tuiles.

lias n. m. Étage inférieur du jurassique (voir ce mot), à l'ère secondaire.

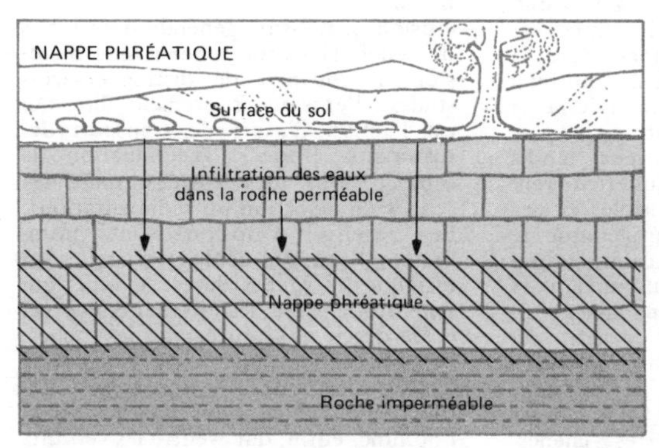

lutétien adj. et n. m. Sous-étage de l'éocène, correspondant à une nouvelle transgression marine au cours de laquelle se sont déposés les calcaires grossiers, ou calcaires lutétiens, qui constituent le soubassement du Vexin, du Valois et du Soissonnais.

M

marmite de géants. Dans le lit d'un cours d'eau, taillé dans des roches dures, creux aux parois lisses et en forme de marmite, engendré par le mouvement tourbillonnaire des eaux.

mascaret n. m. (mot gascon). Puissante vague se produisant dans certains estuaires par la rencontre du flot de marée et du courant fluvial. Le mascaret fit chavirer dans la Seine, non loin de Villequier, en 1843, Léopoldine Hugo, la fille du poète, et son mari.

molasse ou **mollasse** n. f. Dans le Bassin aquitain, désigne une roche d'origine détritique se présentant comme un grès à ciment calcaire. La décomposition superficielle de la molasse entraîne la formation d'une excellente terre arable.

monolithe adj. Qui est constitué d'une seule pierre. Pics et aiguilles de la haute montagne ont souvent des escarpements monolithes.

moraine n. f. (du provençal *morreno*). Ensemble des matériaux rocheux arrachés, transportés et transformés par un glacier (voir ce mot). Dans tout glacier de vallée, on distingue : une *moraine de fond*, constituée de matériaux arrachés au lit glaciaire ou tombés dans les crevasses; des *moraines latérales*, superficielles, formées des éboulis rocheux venus des versants; une *moraine médiane*, résultant de la rencontre de deux moraines latérales après la confluence de deux langues glaciaires; enfin, une *moraine frontale*, qui se dépose à l'endroit où fondent les glaces. Les moraines abandonnées par les grands glaciers quaternaires constituent aujourd'hui des reliefs d'accumulation importants : l'ancienne moraine frontale se présente sous l'aspect dissymétrique d'un amphithéâtre, ou *vallum morainique*, barrant parfois la vallée, où un lac apparaît.

P

pénéplaine n. f. Plateau résultant de l'arasement, par l'érosion sous toutes ses formes, de reliefs anciens; la pénéplaine posthercynienne fut formée par l'érosion des chaînes hercyniennes. Une pénéplaine est caractérisée par l'uniformité de ses altitudes, par des vallées si élargies que leurs versants se confondent, par des sols généralement pauvres et par des reliefs résiduels.

phréatique adj. *Nappe phréatique* ou *aquifère :* étendue d'eau souterraine imprégnant des terrains perméables, généralement à l'origine de sources. Une nappe superficielle ne pouvant emmagasiner beaucoup d'eau et sensible à l'évaporation donne naissance à des sources instables. Une nappe libre, profondément engagée dans le sous-sol, forme des sources d'affleurement, abondantes et régulières. Une nappe captive, occupant une dépression synclinale et coincée entre deux couches imperméables, engendre des puits artésiens. Enfin, une nappe karstique entraîne fréquemment la formation de sources vauclusiennes.

piémont n. m. (de l'italien *Piemonte*, tiré du latin *Pedemontium*, c'est-à-dire au pied des monts). Plateau incliné, appuyé sur une chaîne montagneuse et dont la morphogenèse a été et reste sous la dépendance de l'évolution des montagnes qui le dominent.

planèze n. f. Vaste coulée de laves basaltiques anciennes se présentant aujourd'hui sous la forme d'un plateau incliné et découpé par l'érosion des rivières. L'Aubrac, la planèze de Saint-Flour sont les restes d'une puissante coulée volcanique, issue du plomb du Cantal et dont on retrouve des fragments dans la montagne d'Agde.

platier n. m. ou **plature** n. f. **1.** Haut-fond rocheux dans le prolongement de l'estran (voir ce mot) et constamment submergé. Synonymes : plateau, banc, basse. **2.** L'estran lui-même, lorsqu'il est formé de rochers plats, les platins, à peu près de même niveau et constituant une plage. Ce sens est le plus fréquent. On dit aussi : plate, platée, platière. **3.** Étendue basse de rochers dépassant légèrement le niveau de la haute mer, donc souvent émergés. Sens abusif.

polder n. m. (mot hollandais). Aux Pays-Bas, terrain plus bas que le niveau de la haute mer, protégé par de puissantes digues, drainé par un système de pompage et d'écluses, et qui constitue une excellente terre de culture. Les premiers polders datent du XIIIe s.

précambrien adj. et n. m. Dernière période des temps archéens, commencée peut-être il y a 2 milliards et demi d'années et dont la durée est évaluée à 2 milliards d'années; elle est dissociée de l'archéen parce que ses terrains métamorphiques ont livré des vestiges organiques.

primaire adj. et n. m. *Ère primaire* : deuxième des ères géologiques, appelée aussi paléozoïque, commencée il y a 600 millions d'années et dont la durée est évaluée à 375 millions d'années. Au cours du primaire, deux cycles orogéniques, correspondant aux plissements calédonien et hercynien, dressent de hautes montagnes pénéplanées à la fin de l'ère. Du point de vue paléontologique, l'ère primaire voit l'apparition de tous les groupes du monde animal, à part les mammifères et des oiseaux, de toutes les plantes, sauf les angiospermes.

Q

quartz n. m. (de l'allemand *Quartz*). Silice pure cristallisée, de formule SiO_2, rhomboédrique et hexagonale; on l'appelle aussi cristal de roche parce qu'elle cristallise fréquemment en beaux cristaux limpides, parfois colorés en violet (améthyste), en brun-noir (quartz enfumé), en rouge (hyacinthe), en jaune (citrine), en bleu (saphirine).

quaternaire adj. et n. m. La dernière des ères géologiques, commencée il y a 1,5 million d'années et continuée de nos jours. Sa phase la plus ancienne est appelée pléistocène. Sa phase récente, ou holocène, commence il y a 8000 ans, après la fonte des glaciers de würm. Bien que de courte durée par rapport à l'ensemble des temps géologiques, le quaternaire a été marqué par des phénomènes de la plus haute importance, comme l'apparition de l'homme et des animaux actuels.

R

rauracien adj. et n. m. (de Rauracie, ancien nom du Jura). Étage du jurassique (voir ce mot) supérieur, caractérisé par ses formations de calcaires coralliens qui constituent les escarpements des Côtes de Meuse.

reculée n. f. Haute vallée d'un cours d'eau, entaillant profondément et en forme de cirque le rebord d'un plateau calcaire. Le dégagement d'une telle vallée a été réalisé soit par l'érosion régressive d'une rivière, soit par le travail de sapement d'une rivière souterraine; dans ce dernier cas, on observe généralement une exsurgence au fond de la reculée.

replat n. m. En relief glaciaire, haute surface légèrement en pente vers la vallée, dominant de part et d'autre l'auge du glacier (voir ce mot).

résurgence n. f. Réapparition à la surface du sol, sous forme d'une puissante source, d'un cours d'eau souterrain. La Loue est une résurgence des eaux du Doubs qui traversent, par un cours souterrain, les plateaux calcaires du Jura. De telles résurgences peuvent également se rencontrer dans les plaines alluviales : ainsi le Loiret est une résurgence d'une partie des eaux de la Loire.

ria n. f. (mot espagnol). Basse vallée de certains fleuves côtiers, ennoyée soit par la dernière transgression marine, soit à la suite de l'affaissement du socle continental.

ribeyre n. f. (mot pyrénéen signifiant rivière). Non donné, dans les Pyrénées, soit à une vallée alluviale, soit aux rives d'un cours d'eau traversant cette vallée.

S

sansouire n. f. (mot provençal). Formation végétale abondante en Camargue et composée de salicornes toujours émergées.

schorre n. f. (mot néerlandais signifiant côte). Nom donné à la surface des vasières littorales, recouvertes seulement à marée haute et peuplées d'une végétation halophile qui contribue à sa fixation.

secondaire adj. et n. m. *Ère secondaire,* ou *mésozoïque :* ère géologique commencée il y a 225 millions d'années et dont la durée est évaluée à 160 millions d'années. Elle est caractérisée par une sédimentation importante qui se réalise dans les bassins des socles continentaux; les différents sédiments sont classés en trois grands groupes : trias, jurassique, crétacé. Du point de vue de la paléontologie, certains groupes apparaissent, tels les angiospermes, les mammifères et les oiseaux, tandis que gymnospermes et reptiles sont, pendant toute cette période, à leur apogée.

serre n. f. Étroite et longue crête de terrains cristallins taillée par l'érosion des rivières méditerranéennes qui dessinent de profondes vallées. Ce paysage caractérise les Cévennes. La formation de ce relief est liée à la forte dénivellation, à la nature des roches (schistes à séricites) et aux caractères torrentiels de l'écoulement des eaux à la suite d'orages.

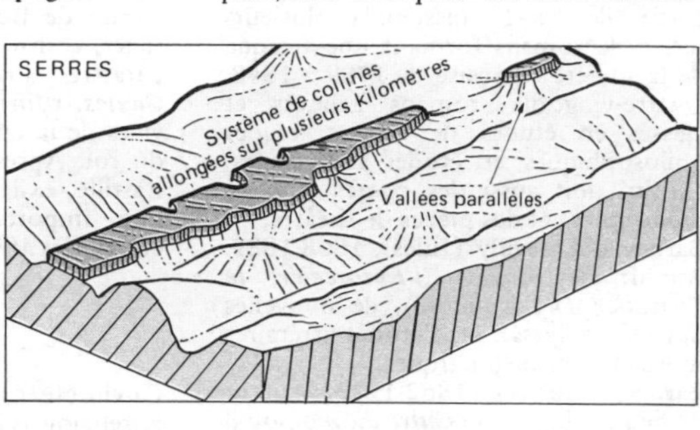

slikke n. m. (mot néerlandais). Nom donné aux vasières nues, découpées par les chenaux de marées et qui s'étendent au pied des « mini-falaises » limitant les schorres (voir ce mot).

stalactite n. f. (du grec *stalaktos*, qui coule goutte à goutte). Concrétion calcaire qui se forme sur le plafond des grottes, en pays karstique (voir ce mot), et ressemble à un cône effilé. Après avoir traversé des assises calcaires, les eaux d'infiltration s'évaporent en laissant sur place le calcaire dissous, qui se dépose sous forme de calcite.

stalagmite n. f. (du grec *stalagmos*, écoulement). Aiguille calcaire constituée sur le sol d'une grotte par le calcite que déposent les eaux d'infiltration.

suc n. m. Nom donné dans le Massif central à certains reliefs volcaniques désignés en géographie physique sous le nom de dykes. Les roches Tuilières et Sanadoire, au Mont-Dore, sont des sucs phonolithiques.

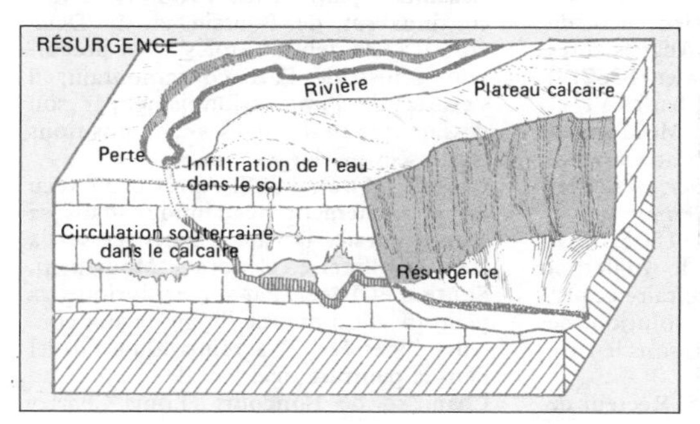

synclinal n. m. En structure plissée, partie d'un pli dont la concavité est tournée vers le ciel; le fond de cette concavité s'appelle charnière synclinale. L'association d'un synclinal et d'un anticlinal constitue un pli.

T

taffoni n. m. pl. (mot corse). Petites cavités en partie fermées, de quelques centimètres à 1 ou 2 mètres de profondeur, que l'on trouve principalement en Corse, dans les roches cristallines.

tertiaire adj. et n. m. Ère géologique appelée aussi cénozoïque, commencée il y a 65 millions d'années et dont la durée est évaluée à 63 ou 64 millions d'années selon l'importance donnée au quaternaire (voir ce mot). Au cours de la première période du tertiaire, le paléogène, une série de transgressions (voir ce mot) marines déposa des sédiments variés dans les bassins; la seconde période, le néogène, est surtout caractérisée par l'orogenèse alpine. Tandis que disparaissent ammonites et bélemnites, la faune du tertiaire voit l'apparition des mammifères du genre Elephas, Bos et Equus. La flore est complètement semblable à la flore actuelle.

tombolo n. m. (mot italien). Flèche littorale qui, ayant rencontré dans son avancée une île assez étendue, s'y appuie et la rattache au continent pour former une presqu'île.

transgression n. f. Mouvement d'avancée de la mer qui envahit les socles continentaux. Toutes les ères géologiques ont connu ces fluctuations du niveau marin, mais les transgressions quaternaires ont été les mieux étudiées parce que leurs conséquences sont encore inscrites dans le relief du sol.

tuffeau n. m. Craie formée de grains siliceux réunis par un ciment argilo-calcaire, qui durcit à l'air.

UV

ubac n. m. Flanc d'une montagne exposé au nord : l'ubac est couvert de forêts.

valleuse n. f. Ancienne vallée sèche du pays de Caux apparaissant au sommet d'une falaise calcaire, débouchant au-dessus du niveau de la mer et résultant du recul de la falaise. Celui-ci ayant été plus rapide que l'enfoncement de la rivière, la valleuse se trouve suspendue au-dessus de la plate-forme littorale.

verrou n. m. Masse rocheuse qui, ayant résisté à l'érosion d'un glacier (voir ce mot), barre l'ensemble de la vallée après la fonte des glaces.

PERSONNAGES ILLUSTRES
Dictionnaire biographique

A B

Armand (Louis), 1905-1972. Président de la S.N.C.F. (1955-1958), puis de l'Euratom (1957-1959).
Attila, v. 395-453. Roi des Huns établis dans la plaine hongroise (Pannonie), il envahit le territoire byzantin, franchit le Rhin, s'installa en Gaule, mais épargna Lutèce, et fut battu aux champs Catalauniques près de Troyes.
Ausone (Decimus Magnus **Ausonius**), v. 310-v. 395. Rhéteur et grammairien à Bordeaux, il devint précepteur du futur empereur Gratien. Son chef-d'œuvre est le poème *la Moselle.*
Balzac (Honoré de), 1799-1850. Auteur de *la Comédie humaine,* qui, à partir de 1841, rassembla plusieurs séries de romans formant une fresque de la société française de 1789 à 1848. Quatre-vingt-dix romans achevés et classés en études de mœurs, études philosophiques et études analytiques. On lui doit aussi des contes (*Contes drolatiques*) et des pièces de théâtre.
Barbey d'Aurevilly (Jules), 1808-1889. Auteur de romans (*l'Ensorcelée, le Chevalier Des Touches*), de nouvelles (*les Diaboliques*), et d'études littéraires mordantes et dogmatiques.
Barrès (Maurice), 1862-1923. Auteur de deux trilogies : *le Culte du moi,* où il affirme son individualisme, et le *Roman de l'énergie nationale,* où sont exposés les principes de son nationalisme. Député de Paris en 1906, il continue de publier des œuvres défendant les valeurs traditionnelles (notamment *la Colline inspirée*).
Barry (Jeanne Bécu, comtesse du), 1743-1793. Favorite de Louis XV. Guillotinée sous la Terreur.
Bartholdi (Frédéric Auguste), 1834-1904. Sculpteur connu pour ses œuvres monumentales, surtout : *le Lion de Belfort,* à Paris, *la Liberté éclairant le monde,* à New York.
Bartolomeo (Fra), 1472-1517. Peintre italien, entré au couvent de Saint-Marc. Participa au renouveau artistique des ateliers franciscains.
Bernhardt (Rosine Bernard, dite **Sarah**), 1844-1923. Tragédienne. Après un passage à la Comédie-Française, elle excella au boulevard avant de fonder son propre théâtre. Ses interprétations de *Phèdre,* de *la Dame aux camélias* et de *l'Aiglon* sont demeurées fameuses.
Berry (Jean de France, duc de), 1340-1416. Prince capétien, fils de Jean II le Bon. Otage des Anglais après la défaite de Poitiers jusqu'en 1367. Il fut l'un des tuteurs de Charles VI et gouverneur du Languedoc. Mécène fastueux, il posséda les plus beaux manuscrits de l'époque (*Psautier,* les *Très Riches Heures du duc de Berry*).
Blanqui (Louis Auguste), 1805-1881. Hostile à la Monarchie de Juillet, il prôna un communisme égalitaire et prit une part active à la Révolution de 1848. Ses essais sont réunis sous le titre de *la Critique sociale.*
Boucher (Jean), 1548-1645. Recteur de l'Université de Paris, curé de Saint-Benoît, il fut l'un des instigateurs de la Ligue et de l'assassinat de Henri III.
Boudin (Eugène), 1824-1898. Peignit sur le motif des marines, scènes de plages, études de ciels qui en font un des précurseurs de l'impressionnisme.
Brillat-Savarin (Anthelme), 1755-1826. Magistrat et écrivain connu par son ouvrage : *la Physiologie du goût.*
Buffon (Georges Louis Leclerc, comte de), 1707-1788. Nommé intendant du Jardin du roi (futur Muséum), il rédigea son *Histoire naturelle* en trente-six volumes et *les Époques de la nature,* avec plusieurs collaborateurs. Il eut l'intuition de la transformation lente des espèces et de l'univers.
Bussy-Rabutin (Roger de Rabutin, comte de Bussy, dit), 1618-1693. Officier, cousin de Mme de Sévigné, il fit paraître l'*Histoire amoureuse des Gaules*, roman satirique dépeignant les vices de la cour et les intrigues galantes du roi. Après un emprisonnement à la Bastille, exilé sur ses terres, il entretint une importante Correspondance et écrivit des *Mémoires.*

C

Calvin (Jean) 1509-1564. Fondateur de la religion réformée, ou « calvinisme », dont la doctrine est précisée dans son *Institution de la religion chrétienne.*
Carnot (Lazare) 1753-1823. Membre du Comité de Salut public, il créa les armées de la République, ce qui lui valut le surnom d'« Organisateur de la Victoire ». Ses travaux scientifiques le font apparaître comme l'un des créateurs de la géométrie moderne.
Cartier (Jacques), 1491-1557. Prit possession du Canada au nom de François Ier en 1534.
Casteret (Norbert), 1897. Il a exploré de nombreuses grottes, reconnu la source de la Garonne et découvert plusieurs sites préhistoriques.
Cazotte (Jacques), 1719-1792. Auteur de contes *(le Diable amoureux).* Porté vers l'illuminisme à la fin de sa vie, il attaqua la Révolution et fut guillotiné.
César (Caius Julius Caesar, dit Jules), 101-44 av. J.-C. Homme d'État romain qui entreprit la conquête des Gaules. Excellent orateur et historien, il a laissé ses *Commentaires : De bello Gallico* et *De bello civili.*
Cézanne (Paul), 1839-1906. A la fois continuateur de Poussin et de Delacroix (à ses débuts), mais aussi précurseur génial de l'art contemporain, il s'écarta de l'impressionnisme par son dessin vigoureux et ses compositions organisées par larges masses.
Chagall (Marc), 1887. Après avoir reçu un enseignement académique dans sa Russie natale, il vint à Paris, et se lia avec Apollinaire, Cendrars, Modigliani, Soutine et Léger. Par son art lyrique, sa peinture d'un monde illogique aux couleurs bigarrées, il a réintroduit l'irréel dans la peinture occidentale.
Chamisso de Boncourt (Louis Charles Adélaïde, dit **Adelbert von**), 1781-1838. Français de naissance, se réfugia à Berlin pendant la Terreur. Il écrivit un *Faust,* des poèmes qui inspirèrent à R. Schumann des lieder célèbres, et surtout la *Merveilleuse Histoire de Peter Schlemihl.*
Champaigne (Philippe de), 1602-1674. Français d'origine flamande, il fut le peintre de Marie de Médicis, puis de Port-Royal. Ses portraits, solennels, traduisant une acuité psychologique et une profonde spiritualité, lui valurent d'être tenu pour un grand représentant du classicisme français.
Champlain (Samuel de), 1567-1635. Explora la Nouvelle-France, puis fonda Québec en 1608.
Champollion (Jean-François), 1790-1832. Égyptologue, parvint le premier à déchiffrer les hiéroglyphes.
Charcot (Jean), 1867-1936. Auteur de campagnes et de travaux océanographiques dans les régions polaires.
Chardin (Jean-Baptiste), 1699-1779. Influencé par les peintres flamands et hollandais, il peignit des natures mortes, des scènes familières, puis s'adonna au pastel, œuvres révélant un art rigoureux et harmonieux qui font de lui le grand peintre du XVIIIe s.
Chateaubriand (François René, vicomte de), 1768-1848. Après un voyage en Amérique, émigra en Angleterre en 1792. Rentré en France en 1800, il est flatté par Bonaparte, mais rompt avec lui après l'exécution du duc d'Enghien. Sa réputation littéraire fut assurée par le *Génie du Christianisme* (1802). Son chef-d'œuvre est son journal passionné, les *Mémoires d'outre-tombe.*
Chatrian v. Erckmann-Chatrian.
Chénier (André de), 1762-1794. Ce poète, mêlé à la Révolution, ne tarda pas à combattre les excès de la Terreur et fut guillotiné. Œuvre posthume alliant l'inspiration sincère au culte de l'art : *Bucoliques, Idylles, Élégies, Odes, Iambes,* chef-d'œuvre de la satire politique.
Clément V (Bertrand de Got), mort en 1314. Archevêque de Bordeaux, premier pape d'Avignon (1309), il abolit pour complaire à Philippe le Bel l'ordre des Templiers.
Clouet (Jean), 1475-1541. Peintre du roi François Ier, d'origine flamande. Son fils **François** (1520-1572) lui succéda et fit le portrait des principaux personnages de son temps.
Cocteau (Jean), 1889-1963. Conquit, au lendemain de l'Armistice (1918), une grande renommée comme écrivain d'avant-garde. Son intelligence épousa avec agilité les diverses tendances du goût moderne, montrant le même éclectisme dans tous les domaines de la création (poèmes, romans, drames, films, dessins et peintures).
Cœur (Jacques), v. 1395-1456. Argentier de Charles VII, il fut chargé de missions diplomatiques et développa le commerce dans le Levant. Accusé d'extorsions, il fut arrêté en 1451 et réussit à s'enfuir en 1454. Sa mémoire fut réhabilitée par Louis XI.

Colbert (Jean-Baptiste), 1619-1683. Contrôleur des Finances, il parvint à rétablir l'équilibre financier du pays, développant l'agriculture, l'industrie et le commerce, réorganisant même la justice et la marine. Il protégea aussi les lettres et les arts.

Colette (Gabrielle), 1873-1954. Auteur de la série des *Claudine,* de *Chéri,* du *Blé en herbe,* etc., œuvre abondante, retraçant les étapes de sa vie et la recherche d'un équilibre calqué sur celui de la nature.

Coli (François), 1881-1927. Aviateur. Disparut avec Nungesser lors de la première tentative de liaison sans escale Paris-New York.

Condé (Louis II, prince de), 1621-1686. Il fut l'un des plus grands généraux du règne de Louis XIV. Il s'illustra par les victoires de Rocroi, Fribourg, Nordlingen et Lens.

Corot (Camille), 1796-1875. A l'écart des modes, il s'attacha à peindre la nature avec une gamme restreinte de tons et un sens subtil des valeurs qui traduisirent, à la fin de sa vie, une sensibilité pré-impressionniste.

Courbet (Gustave), 1819-1877. Il passa sa vie à lutter contre le conformisme académique, qui choquait son sens du réalisme, et contre le conformisme moral et politique. Tableaux les plus célèbres : *l'Enterrement à Ornans* et *Bonjour, monsieur Courbet.*

Coysevox (Antoine), 1640-1720. Sculpteur de Louis XIV, il fut l'une des figures majeures de l'art officiel à la cour de Versailles.

D

Daudet (Alphonse), 1840-1897. Il connut la célébrité avec ses contes, *les Lettres de mon moulin* — dont il tira un drame, *l'Arlésienne,* immortalisé par Bizet — suivis d'autres œuvres à succès : *le Petit Chose, les Contes du lundi* et la trilogie héroï-comique de *Tartarin*...

David d'Angers (Pierre-Jean), 1788-1856. Sculpteur-auteur d'œuvres monumentales (fronton du Panthéon), ainsi que de médaillons et bustes de nombreux hommes illustres.

Delacroix (Eugène), 1798-1863. S'opposant aux compositions statiques et au culte de dessin, prônés par les néoclassiques, il leur substitua le dynamisme des lignes de force et l'exaltation de la touche colorée. Consacré chef de l'école romantique, il souligna cependant dans ses écrits son attachement à l'esprit classique.

Dell'Abate (Nicolo), 1509-1571. Peintre italien, disciple de Dosso Dossi et du Parmesan. En 1552, il vint à Fontainebleau exécuter des fresques d'après les dessins du Primatice.

Delorme (Philibert), v. 1510-1570. Architecte français, surintendant des bâtiments royaux sous Henri II. Son chef-d'œuvre : le château d'Anet.

Diderot (Denis), 1713-1784. Il assuma la direction de l'*Encyclopédie* pendant près de vingt ans. Il composa des essais (la *Lettre sur les aveugles*) et des romans d'une verve pittoresque : *Jacques le Fataliste et son maître, le Neveu de Rameau.* Passionné pour le théâtre, il définit les règles d'un genre nouveau, le drame bourgeois (*le Fils naturel, le Père de famille*). Il fut un ardent propagateur des idées philosophiques du XVIIIe s.

Dumouriez (Charles-François du Périer, dit), 1739-1823. Général français. Ministre des Affaires étrangères en 1792. Il gagna les batailles de Valmy, Jemmapes, occupa la Belgique et la Hollande, mais, battu à Neerwinden, fut relevé de son commandement. Refusant d'obéir, il passa à l'ennemi.

Dunois (Jean, dit **le Bâtard d'Orléans**), 1403-1468. Fils de Louis d'Orléans. Avec Jeanne d'Arc, il participa à la défense d'Orléans. Il chassa les Anglais de la Normandie et de la Guyenne.

Dürer (Albrecht), 1471-1528. Peintre le plus représentatif du XVIe s. allemand, il manifesta son génie dans la peinture à l'huile, l'aquarelle, la gravure sur bois et sur cuivre.

E F

Eiffel (Gustave), 1832-1923. Grand spécialiste des constructions métalliques, il édifia de nombreux ponts et viaducs (notamment Garabit), ainsi que la tour bâtie pour l'Exposition universelle de 1889 au Champ-de-Mars.

Erckmann-Chatrian, nom de plume adopté par Émile Erckmann (1822-1899) et Alexandre Chatrian (1826-1890), écrivains français qui rédigèrent ensemble de nombreux contes, romans et œuvres théâtrales (*l'Ami Fritz, Histoire d'un conscrit de 1813, les Rantzau*), formant une sorte d'épopée populaire de l'Alsace.

Fénelon (François de Salignac de **La Mothe**), 1651-1715. Archevêque de Cambrai, connu par son *Traité de l'éducation des filles*, il fut nommé précepteur du duc de Bourgogne pour lequel il composa des *Fables,* les *Dialogues des morts* et *les Aventures de Télémaque.*

Flaubert (Gustave), 1821-1880. Auteur de *Madame Bovary, Salammbô, l'Éducation sentimentale, la Tentation de saint Antoine, Trois Contes, Bouvard et Pécuchet* (inachevé) : œuvre qui oscilla entre le souci de vérité — un réalisme parfois caricatural (*le Dictionnaire des idées reçues*) — et le lyrisme, l'exaltation (*les Mémoires d'un fou*).

Fouquet (Jean), 1420-1477/81. Protégé d'Agnès Sorel, sous les traits de laquelle il représenta la Vierge, il exécuta le *Portrait de Charles VII.*

Fouquet (Nicolas), 1615-1680. Surintendant des Finances, il acquit une fortune immense dont il profita pour protéger écrivains et artistes choisis avec discernement et construire le château de Vaux. Colbert dénonça ses malversations au roi, qui, blessé par ce faste, le fit arrêter (1661). Il fut condamné comme dilapidateur.

France (Mesdames de). Filles de Louis XV et de Marie Leszczyńska : Victoire, Louise, Henriette, Adélaïde.

Froment (Nicolas), v. 1435-1484. A Avignon, où il fut peintre attitré du roi René, il réalisa le triptyque du *Buisson ardent,* son œuvre la plus célèbre.

G

Gabriel. Famille d'architectes dont : **Jacques III**, 1667-1742. Premier architecte du roi, il répandit les enseignements d'Hardouin-Mansart et de R. de Cotte. On lui doit notamment l'hôtel Biron, à Paris, et la place Royale, à Bordeaux. **Jacques-Ange**, 1698-1782. Il lui succéda dans sa charge. Fidèle à l'esprit de l'architecture classique, il édifia une série de chefs-d'œuvre : à Versailles, les ailes du château sur la cour, l'Opéra, le Petit Trianon et, à Paris, l'École militaire et la place Louis-XV (place de la Concorde).

Gambetta (Léon), 1838-1882. Auteur du programme radical de Belleville, il fut élu député en 1869, puis nommé ministre de l'Intérieur et de la Guerre dans le gouvernement provisoire de la Défense nationale (sept. 1870). Il s'efforça d'organiser la résistance en province. Élu à l'Assemblée nationale, il devint chef de l'Union républicaine.

Gargantua. Fils de Grandgousier, père de Pantagruel dans l'œuvre de Rabelais.

Gellée (Claude, dit **le Lorrain**), 1600-1682. Influencé par Tassi et Paul Bril, le maître des paysages « luministes », il peignit surtout des marines, puis s'attacha aux personnages.

Géricault (Théodore), 1791-1824. Il peignit de façon épique et intemporelle les sujets contemporains comme *le Radeau de la Méduse.*

Gillet (Guillaume), né en 1912. Architecte connu pour la façon audacieuse dont il traite les voiles de béton. Il éleva l'église Notre-Dame de Royan et le palais du CNIT à Paris.

Giotto di Bondone, 1266-1337. Auteur des trois grands cycles de fresques de la *Vie de saint François* à Assise et à Santa Croce de Florence, et des *Scènes de la vie du Christ* à l'Arena de Padoue.

Girardon (François), 1628-1715. Sculpteur, collaborateur de Le Brun, il exécuta de nombreuses œuvres pour Versailles.

Giraudoux (Jean) 1882-1944. Il mena de front les carrières diplomatique et littéraire. Romancier dont la fantaisie et l'humour se parent d'un style chatoyant, riche d'images insolites (*Simon le Pathétique, Siegfried et le Limousin, Bella*, etc.), il se convertit au théâtre, donnant à son œuvre les accents d'une gravité nouvelle (*La guerre de Troie n'aura pas lieu, Ondine, Sodome et Gomorrhe, la Folle de Chaillot*).

Goya y Lucientes (Francisco de), 1746-1828. Peintre officiel de la cour d'Espagne, il témoigna dans le genre du portrait d'une rare maîtrise. Frappé de surdité en 1792, il se réfugia dans un art énergiquement expressif, visionnaire et sombre (*les Caprices,* les gravures des *Désastres de la guerre, les Proverbes* ou *les Disparates,* etc.).

Grande Mademoiselle (la). Connue sous ce nom, Anne Marie Louise d'Orléans, duchesse de Montpensier (1627-1693), prit part à la Fronde et fit tirer le canon de la Bastille sur les troupes royales pour sauver Condé.

Gris (Juan), 1887-1927. Peintre espagnol, s'installa au Bateau-Lavoir, à Paris, en 1906. Il est considéré comme l'un des principaux représentants du cubisme avec Braque et Picasso.

Gruber (Francis), 1912-1948. Il peignit dans un style âpre et sévère des paysages désolés, des natures mortes, des êtres déshérités.

Grünewald (Matthias), 1460/70-1528. Peintre allemand dont l'inspiration, d'un mysticisme exalté, apparaît comme une manifestation paroxystique du gothique tardif germanique. Son chef-d'œuvre : le retable d'Issenheim.

Guillaume II, 1859-1941. Roi de Prusse et empereur d'Allemagne (1888-1918).

H I

Héré (Emmanuel), 1705-1763. Architecte du roi Stanislas Lesczyński, il dirigea les travaux d'embellissement de Nancy (place Stanislas, place de la Carrière, palais du Gouvernement).

Herriot (Édouard), 1872-1957. Maire de Lyon en 1905. Président du parti radical (1919-1957). Il fut plusieurs fois président du Conseil et ministre d'État.

Huc (Evariste, le Père) 1813-1860. Ce lazariste français explora la Chine, la Mongolie et le Tibet, voyages dont il laissa d'intéressants *Souvenirs.*
Hugo (Victor), 1802-1885. Fils d'un général de l'Empire, fut d'abord poète classique dans les *Odes.* Mais la publication de la Préface de *Cromwell* en 1827 et des *Orientales* en 1829, puis la représentation d'*Hernani* firent de lui le chef du romantisme. Les années 1830-1840 consacrent sa gloire : recueils lyriques, drames, romans se succèdent. Après l'échec des *Burgraves* et la mort accidentelle de sa fille Léopoldine en 1843, il se consacra à la politique ; député républicain en 1848, il quitta Paris à la suite du coup d'État du 2 décembre 1851. C'est alors qu'il écrivit *les Châtiments, les Contemplations, la Légende des siècles* et deux romans dont *les Misérables.* Rentré en France (1870), il fut un personnage officiel honoré. Ses cendres furent transférées au Panthéon.
Ingrand (Max), 1908-1969. Auteur de la décoration en glace gravée du paquebot *Normandie,* il se consacra essentiellement à l'art du vitrail.

J K

Jammes (Francis), 1868-1938. Auteur de poèmes au lyrisme voilé et fervent : *De l'Angélus de l'aube à l'Angélus du soir, le Deuil des primevères, le Triomphe de la vie,* et de romans mélancoliques : *Clara d'Ellébeuse, Almaïde d'Etremont.*
Jean XXII (Jacques Duèse ou d'Euze), 1245-1334. Pape de 1316 à 1334. Établi à Avignon. Son grand adversaire, Louis de Bavière, à Rome, fit élire un antipape, Nicolas V.
Jordaens (Jacob), 1593-1678. Peintre réaliste, tributaire de la tradition flamande, il se consacra d'abord à des sujets religieux, céda à l'ascendant de Rubens et se soumit au goût baroque. Il fut aussi un grand décorateur.
Kellermann (François Christophe, duc **de Valmy**), 1735-1820. Maréchal de France. Rallié à la Révolution, il remporta la bataille de Valmy (1792). Il se rallia aux Bourbons en 1814.

L

Lamartine (Alphonse de), 1790-1869. Son premier recueil lyrique, *les Méditations poétiques,* lui assura une grande célébrité. Dans les années 1820-1830, la jeune génération de poètes romantiques le salua comme son maître. Il publia ensuite *les Harmonies poétiques et religieuses, Jocelyn, la Chute d'un ange,* puis mit son talent au service des idées libérales (*Histoire des Girondins*). Membre du gouvernement provisoire et ministre des Affaires étrangères en 1848, il perdit vite sa popularité et mourut dans la pauvreté.
Lamour (Jean), 1698-1771. Ferronnier à qui l'on doit les grilles de la place Stanislas à Nancy.
La Tour (Georges de), 1593-1652. Peintre français longtemps oublié, il suscita un regain d'intérêt vers 1900.
La Tour (Maurice Quentin de), 1704-1788. Ami des philosophes, il s'affirma comme le plus grand pastelliste de son siècle.
La Valette (Louis de Nogaret d'Épernon, cardinal de), 1593-1639. Il fut surnommé le « cardinal-valet » pour son attachement à Richelieu.
Le Brun (Charles), 1619-1690. Soutenu par Mazarin, puis par Colbert, il devint premier peintre du roi en 1662 et directeur de la Manufacture des Gobelins.
Le Corbusier (Édouard Jeanneret-Gris, dit), 1887-1965. Personnalité combative, il sut sensibiliser l'opinion aux problèmes posés par l'architecture. Par ses écrits, par l'école qu'il fonda à Paris et par ses réalisations, il s'est imposé comme l'un des maîtres de l'architecture moderne. Sa conception nouvelle de l'habitat a trouvé son application dans l'« Unité d'habitation de grandeur conforme » de Marseille, Nantes-Rezé.
Léger (Fernand), 1881-1955. Après avoir pratiqué le cubisme, ce peintre affirma le caractère particulier de son style dès 1918 : matière lisse, couleurs apposées par larges aplats, compositions très architecturées.
Lemercier (Jacques), 1585-1654. Architecte de Louis XIII et de Richelieu, il entreprit d'importants travaux à Paris (pavillon de l'Horloge et aménagement de la Cour Carrée du Louvre). Il construisit la chapelle de la Sorbonne et travailla aux églises du Val-de-Grâce et Saint-Roch.
Lenclos (Anne, dite **Ninon de**), 1620-1705. Célèbre par sa beauté et son esprit, elle eut des liaisons avec des hommes illustres, dont Coligny, le Grand Condé, le duc d'Enghien.
Le Nôtre (André), 1613-1700. Dessinateur de jardins et de parcs, il créa pour Fouquet le parc de Vaux-le-Vicomte, puis fut appelé à dessiner celui de Versailles.
Léopold Ier, 1790-1865. Roi des Belges (1831-1865). Prince de Saxe-Cobourg, il épousa Louise-Marie d'Orléans, fille de Louis-Philippe. Il demanda l'intervention de la France pour délivrer son pays du joug hollandais.
Lesdiguières (François de Bonne, duc de), 1543-1626. Chef des huguenots du Dauphiné, il servit Henri IV, qui le nomma général de toutes les armées royales (1621).
L'Estoile (Pierre de), 1546-1611. Chroniqueur, auteur des *Mémoires journaux* sur les règnes de Henri III et Henri IV (1574-1610).
Le Vau (François), 1613-1676. Architecte français.
Loti (Julien Viaud, dit **Pierre**), 1850-1923. Sa carrière d'officier de marine imprégna son œuvre romanesque de souvenirs d'escales et de séjours outre-mer : *le Mariage de Loti, Madame Chrysanthème.* La Bretagne, la vie des marins sont présentes dans *Mon frère Yves, Pêcheur d'Islande,* et le Pays basque dans *Ramuntcho.*
Lurçat (Jean), 1892-1966. Peintre et lithographe, il reste surtout, pour la postérité, le rénovateur de la tapisserie.

M N

Maeght (Aimé), né en 1906. Président fondateur de la fondation Marguerite-et-Aimé-Maeght à Saint-Paul-de-Vence, en 1964, il dirige le journal mensuel *Chronique de l'art vivant,* qu'il créa en 1968, et édite estampes, livres et revues d'art.
Maillol (Aristide), 1861-1944. Il aborda la sculpture après la peinture et la tapisserie. Son œuvre exalte le corps féminin (*Pomone, l'Ile-de-France, Flore, la Méditerranée, l'Air,* le monument Mermoz, *la Rivière*...).
Mansart (François), 1598-1666. Architecte qui illustra la première époque de l'art classique du XVIIe s.
Mansart (Jules **Hardouin-**), 1646-1708. Petit-neveu de François, architecte favori de Louis XIV. Son œuvre est immense : l'agrandissement de Versailles, le Grand Trianon, le dôme des Invalides, Marly, la place Vendôme, etc. Il domine, par son génie, toute l'architecture classique de son temps.
Marguerite d'Angoulême (ou **de Navarre**), 1492-1549. Fille de Charles d'Orléans et de Louise de Savoie; sœur de François Ier; veuve du duc d'Alençon, elle épousa Henri d'Albret, roi de Navarre. Elle protégea les Réformés, fit de la cour de Navarre un foyer d'humanisme. Elle écrivit des poèmes et des contes dont *l'Heptaméron.*
Marguerite d'Autriche, 1480-1530. Fille de Maximilien Ier et de Marie de Bourgogne, elle fut élevée à la cour de France comme fiancée de Charles VIII. Elle épousa Juan d'Espagne, puis Philibert le Beau, duc de Savoie. Veuve, elle fut nommée gouvernante des Pays-Bas et joua un grand rôle dans la politique européenne.
Marot (Clément), 1496-1544. Poète officiel de François Ier et de Marguerite, sa sœur, il écrivit des poésies de cour et des pièces de circonstance, groupées dans le recueil *l'Adolescence clémentine.* Compromis dans l'Affaire des placards, en 1534, il dut s'exiler à Turin. Les épreuves qu'il subit sont évoquées dans ses épîtres (*Épître à Lyon Jamet, Épître au roi pour le délivrer de prison*), dans *l'Enfer* et des *Épigrammes.*
Martel (Édouard Alfred), 1859-1938. Fondateur de la Société de spéléologie (1895), il explora notamment les gouffres de Dargilan, Padirac et les régions calcaires de divers pays.
Masséna (André), 1758-1817. Nommé général en 1793, il s'illustra à Lodi, Rivoli (1797), à Zurich (1799) et lors de la défense de Gênes (1800). Nommé maréchal de France, il conquit le royaume de Naples (1806). Napoléon le surnomma « l'Enfant chéri de la Victoire ». Il se rallia aux Bourbons en 1814 et laissa des *Mémoires.*
Matisse (Henri), 1869-1954. Pratiquant une peinture aux tons sourds, très traditionnelle, il fut amené au « fauvisme », dont il apparut comme le chef de file : style nouveau caractérisé par l'emploi de couleurs vives posées par larges aplats sur un dessin d'apparence sommaire (*la Gitane, Colioure*). Cernant souvent les formes d'un trait épais, il évolua vers un dépouillement croissant qui culmine avec la décoration de la chapelle de Vence.
Maupassant (Guy de), 1850-1893. Encouragé par Flaubert, il collabora aux *Soirées de Médan* en y publiant *Boule-de-Suif* (1880), qui lui assura le succès. Il écrivit ensuite quelque trois cents nouvelles, évoquant la Normandie (*Contes de la bécasse*), la guerre de 1870 (*Mademoiselle Fifi*), ou dénonçant la médiocrité des milieux parisiens (*les Sœurs Rondoli*). Dès 1890, l'aggravation des troubles nerveux dont il souffrait depuis 1884 le menèrent au délire et à la mort.
Michelet (Jules), 1798-1874. Professeur au Collège de France (1838), porte-parole des idées libérales, il fit publier le premier tome de *l'Histoire de la Révolution française.* Destitué de ses fonctions en 1851, il conféra aux derniers volumes de *l'Histoire de France* l'allure d'une polémique politique. La mort l'empêcha d'achever son *Histoire du XIXe siècle.*
Mignard (Pierre, dit **le Romain**), 1612-1695. Après avoir peint le jeune

Louis XIV en 1658, il fut chargé de décorer la voûte du Val-de-Grâce, exécuta de nombreux portraits et succéda à Le Brun dans toutes ses charges.
Montaigne (Michel Eyquem de), 1533-1592. Magistrat à Bordeaux, où il se lia d'amitié avec La Boétie, puis maire de la ville, il se retira sur ses terres, après quelques séjours à la cour et un long voyage à travers l'Europe (*Journal de voyage*). Dès 1572, il groupe ses réflexions et ses notes de lecture, formant le noyau d'un ouvrage, *les Essais,* qui se développa jusqu'aux trois volumes de 1588. Se peignant lui-même, il découvrit, à travers ses contradictions, l'impuissance de l'homme à trouver la vérité, la justice.
Montesquiou (Pierre de, comte d'Artagnan), 1645-1725. Maréchal de France, il se distingua à Malplaquet, à Denain, fut gouverneur de Bretagne, puis de Languedoc et de Provence, et membre du conseil de régence (1720-1721).
Nattier (Jean-Marc), 1685-1766. Peintre attitré de Mesdames de France, filles de Louis XV, il exécuta des portraits, féminins pour la plupart.
Niepce (Nicéphore), 1765-1833. Inventeur de la photographie, il travaille en collaboration avec Daguerre.
Nivelle (Robert), 1856-1924. Successeur de Joffre comme général en chef, il dirigea la vaine offensive du Chemin des Dames (avril 1917). Relevé de ses fonctions, il fut remplacé par Pétain.
Nungesser (Charles), 1892-1927. Héros des combats aériens pendant la Première Guerre mondiale, il tomba dans l'Atlantique Nord avec Coli, à bord de leur appareil l'*Oiseau-Blanc,* alors qu'ils tentaient la liaison France-Amérique.

O P

Orléans (Gaston d'), 1608-1660. Fils de Henri IV et de Marie de Médicis, père de la Grande Mademoiselle, il conspira contre Richelieu, puis Mazarin.
Palissy (Bernard), v. 1510-1589/90. Verrier à Saintes, il découvrit le secret de la composition des émaux après quinze ans de recherche. Huguenot, il fut protégé par Catherine de Médicis, mais fut plus tard enfermé à la Bastille pour avoir refusé d'abjurer.
Papin (Denis), 1647-1714. Il discerna la force élastique de la vapeur d'eau. Chassé en Angleterre par la révocation de l'édit de Nantes, il réalisa sa « marmite », pour laquelle il inventa la soupape de sûreté. Parti résider en Allemagne, il établit le principe d'une machine à piston. Il construisit aussi un bateau à vapeur à quatre roues à aubes.
Pérignon (dom Pierre), 1638-1715. Bénédictin, procureur de l'abbaye d'Hautvilliers, il appliqua au champagne le procédé de fabrication des vins mousseux.
Perrault (Charles), 1628-1703. Grand commis protégé par Colbert, il publia des œuvres parodiques et galantes, prit parti pour les Modernes contre les Anciens à l'Académie française, dont il était membre. Son poème *le Siècle de Louis le Grand,* puis ses *Parallèles des Anciens et des Modernes* codifient ses arguments. Il rédigea ensuite les fameux *Contes de ma mère l'Oye,* inaugurant ainsi le genre littéraire des contes de fées.
Pétrarque, 1304-1374. Auteur d'ouvrages en latin (*Africa*), il eut une grande activité d'humaniste. Sa gloire reposa surtout sur ses poèmes en toscan, les sonnets des *Rimes,* célébrant Laure de Noves, qui lui inspira une grande passion.
Philibert Ier de Savoie, 1465-1482. Il régna sous la tutelle de sa mère Yolande de France. Son fils **Philibert II** (1480-1504) épousa Marguerite d'Autriche, qui éleva à sa mémoire l'église de Brou.
Philippe II le Hardi, 1342-1404. Fils du roi Jean le Bon. Il s'illustra à la bataille de Poitiers et reçut à titre d'apanage le duché de Bourgogne.
Philippe III le Bon, 1396-1467. Fils de Jean sans Peur. Il reconnut Henri V d'Angleterre comme régent de France (traité de Troyes), puis comme roi après la mort de Charles VI (1422). Il se réconcilia cependant avec Charles VII par la paix d'Arras. Maître de la Bourgogne, de la Franche-Comté, des provinces belges, de la Flandre, de l'Artois, il fut le plus puissant souverain d'Europe. Créateur de la Toison d'or, il protégea les arts.
Picasso (Pablo Ruiz Blasco, dit), 1881-1973. Assimilateur de génie, il emprunta à tous les arts, poursuivant ses investigations en une série de volte-face. Son œuvre marque dans son évolution la diversité de ses dons : période bleue (*Maternité,* 1901-1904), rose (*Famille d'Arlequins,* 1905-1907), cubisme (*les Demoiselles d'Avignon,* 1907), surréalisme (*Jeu de Ballon,* 1926-1936), expressionnisme (*Guernica,* 1937). La maîtrise incontestable du dessin apparaît dans toutes les phases de cette évolution.
Plantagenêt. Dynastie qui régna sur l'Angleterre de 1154 à 1485 (elle comptait notamment Richard Cœur de Lion et Jean sans Terre).
Pompadour (Antoinette Poisson, marquise de), 1721-1764. Maîtresse déclarée de Louis XV (1745-1751), elle soutint auprès de lui ses amis Choiseul et Bernis, protégea les arts et les lettres.
Pourbus (Pieter), v. 1510-1584. Peintre flamand né à Bruges. Son fils Frans, dit **l'Aîné** (1545-1581), est l'auteur de compositions religieuses et de nombreux portraits.
Primatice (Francesco Primaticcio, dit **le**), 1504-1570. Ce peintre italien, qui travailla avec Jules Romain à Mantoue, fut appelé en France par François Ier en 1531 pour décorer le château de Fontainebleau.
Proust (Marcel), 1871-1922. Auteur d'essais (*les Plaisirs et les Jours, Contre Sainte-Beuve*), de récits (*Jean Santeuil*), il domine l'histoire du roman français au XXe s. par son œuvre cyclique *A la recherche du temps perdu* (publiée de 1913 à 1927). Il écrivit par ailleurs des *Chroniques,* d'autres romans et une vaste *Correspondance.*
Puget (Pierre), 1620-1694. Sculpteur, peintre, architecte, décorateur de navires, il représenta la douleur et l'effort humain, comme en témoignent ses *Atlantes* (portail de l'hôtel de ville de Toulon) et son *Milon de Crotone.*

R

Rais ou Retz (Gilles de), 1404-1440. Il se mit au service de Charles VII et fut un compagnon de Jeanne d'Arc. Créé maréchal de France, il se retira dans ses terres, s'adonnant à l'alchimie et à la magie noire. Condamné pour avoir tué des centaines d'enfants, il fut exécuté à Nantes.
Ravaillac (François), 1578-1610. Il assassina Henri IV le 14 mai 1610. Il fut écartelé.
Rembrandt (Harmenszoon Van Rijn), 1606-1669. Il se fixa à Amsterdam en 1630. Son œuvre, essentiellement dévolue à la figure humaine, évolua de façon très cohérente à partir d'une manière où demeure un soupçon de brio (*Autoportrait à la toque*) jusqu'à celle de la maturité, animée d'une grande spiritualité. L'œuvre gravé, parallèle à l'œuvre peint, a la même profondeur. Il laissa en outre plus de quinze cents dessins.
Renan (Ernest), 1823-1892. Il se détourna de sa vocation ecclésiastique pour se consacrer à l'étude des langues et des religions; il exprima sa foi dans la science et ses convictions rationalistes : *l'Avenir de la science, Histoire des origines du christianisme* (1863-1881), dont le premier volume est la « Vie de Jésus ».
Renoir (Auguste), 1841-1919. Parmi les maîtres de l'impressionnisme, il fut celui qui exécuta le plus d'œuvres d'après la figure humaine et les scènes de la vie contemporaine (*le Moulin de la Galette*).
Rigaud (Hyacinthe), 1659-1743. Peintre attitré de Louis XIV et de Philippe V, il fit des portraits fastueux des grands de son temps (Bossuet, Le Brun, le roi, le jeune Louis XV...).
Rodin (Auguste) 1840-1917. Outre la série de commandes officielles (monuments à Claude Lorrain, à Victor Hugo, à Balzac), ce sculpteur réalisa plusieurs bustes (Dalou, Clemenceau) et travailla à des groupes de figures isolées ayant pour sujet des thèmes mythologiques ou allégoriques. Son inspiration expressionniste renouvela la sculpture (*le Penseur, le Baiser*).
Rohan. Ancienne famille de Bretagne, qui tire ses origines d'Alain de Porhoët, constructeur du château de Rohan (vers 1128).
Roland. Héros du cycle légendaire de Charlemagne, tué à Roncevaux par les Vascons en 778.
Romains (Jules), 1885-1972. Il écrivit des poèmes, des romans (*les Copains, les Hommes de bonne volonté,* son œuvre maîtresse, vaste épopée en vingt-sept volumes publiés de 1932 à 1947), des pièces de théâtre (*Knock*) et des essais.
Ronsard (Pierre de), 1524-1585. Humaniste et poète, il tenta, avec ses amis de la Pléiade, de renouveler l'inspiration et la forme de la poésie française. Après ses *Odes,* imitées de Pindare, il aborda les *Amours,* puis trouva le ton épique dans les *Hymnes.*
Rostand (Edmond), 1868-1918. Il fut l'auteur de pièces en vers, dont *Cyrano de Bergerac, l'Aiglon,* puis *Chantecler.* La virtuosité verbale, le sens du panache et la maîtrise du métier dramatique caractérisent son œuvre.
Rouget de Lisle (Claude Joseph), 1760-1836. Capitaine du génie à Strasbourg, il y composa le *Chant de guerre pour l'armée du Rhin* (1792), qui devint *la Marseillaise.*
Rousseau (Henri, dit **le Douanier**), 1844-1910. Ce peintre échappa aux conventions de l'art académique par son manque de formation. Il créa un nouveau mode de figuration, manifestation inégalée de la peinture naïve.
Rousseau (Jean-Jacques), 1712-1778. Il fut dès son enfance livré à lui-même et aux circonstances : accueilli par Mme de Warens, précepteur chez M. de Mably, secrétaire de l'ambassadeur à Venise, il inventa un système de notation musicale et se fit connaître comme compositeur d'opéra. La célébrité lui vint avec le *Discours sur les sciences et les arts* (1750). Son

Discours sur l'origine de l'inégalité provoqua cependant des remous d'opinion. Il passa à Montmorency les années les plus fécondes de sa vie (*Lettre à d'Alembert sur les spectacles, Julie ou la Nouvelle Héloïse, Du contrat social, l'Émile*). Esprit passionné, il se fixa une doctrine dont il tira les conséquences : l'homme est naturellement bon, mais corrompu par la société, et doit retourner à la vertu primitive. Il écrivit pour se justifier de toutes les accusations portées contre lui ses *Rêveries* et ses *Confessions.*

Rubens (Petrus Paulus) 1577-1640. Peintre flamand. Ses tableaux sont des représentations suprêmes de l'art baroque (*Combat des Amazones, l'Enlèvement des filles de Leucippe*).

S

Saint François de Sales, 1567-1622. Auteur de *l'Introduction à la vie dévote,* et du *Traité de l'amour de Dieu,* il fonda l'ordre de la Visitation avec sainte Jeanne de Chantal.

Saint Jacques, dit **le Majeur.** L'un des douze apôtres. Une légende en fait l'apôtre de l'Espagne : ses restes seraient revenus à Saint-Jacques-de-Compostelle après sa mort à Jérusalem.

Saint Jean Chrysostome, v. 344-407. Docteur de l'Église, patriarche de Constantinople, persécuté par l'impératrice Eudoxie.

Saint Louis-Marie Grignion de Montfort, 1673-1716. Il mena une vie de missionnaire, surtout dans l'ouest de la France, luttant contre le jansénisme et répandant la dévotion mariale.

Sand (Aurore Dupin, baronne Dudevant, dite **George**), 1804-1876. Séparée de son mari, elle se lia successivement avec Jules Sandeau, Musset, Chopin. Elle écrivit des romans d'inspiration sentimentale (*Indiana, Lélia*), sociale (*Spiridion, le Compagnon du tour de France*), puis, après avoir pris part à la Révolution de 1848, rustique (*la Mare au diable, François le Champi, la Petite Fadette*).

Sangnier (Marc), 1873-1950. Il quitta l'armée pour se consacrer à l'organisation d'un christianisme démocratique et social dont il développa les idées dans *le Sillon,* créé en 1894. Député de 1919 à 1924 et en 1946, il est le père spirituel du M. R. P.

Schongauer (Martin), v. 1445-1491. Il exécuta de nombreux retables, peignit *la Vierge au buisson de roses.*

Servandoni (Giovanni Niccolo), 1695-1766. Architecte et peintre d'origine italienne, organisateur des décorations de l'opéra, il a élevé la façade de l'église St-Sulpice à Paris.

Sévigné (Marie de Rabutin-Chantal, marquise de), 1626-1696. Elle fut l'auteur de lettres adressées à sa fille, la comtesse de Grignan, à son fils Charles, à son cousin Bussy-Rabutin, aux Coulanges, à Mme de La Fayette, à Pomponne. Cette correspondance vaut par la spontanéité du style, et par l'intéressante peinture des mœurs du temps.

Silbermann (les). Famille de facteurs d'orgues, originaire de Saxe, fixée à Strasbourg au début du XVIIIe s. Ils fabriquèrent aussi des pianoforte.

Sorel (Agnès), v. 1422-1450. Elle exerça une grande influence sur Charles VII, dont elle était la favorite.

Soufflot (Germain), 1713-1780. Architecte, il prit une part active à l'élaboration de nombreux bâtiments à Paris (le Panthéon) et à Lyon.

Stanislas Ier Leszczyński, 1677-1766. Roi de Pologne (en titre de 1704 à 1766, en fait de 1704 à 1714 et de 1733 à 1736), puis souverain des duchés de Bar et de Lorraine, il embellit Nancy. Sa fille épousa Louis XV.

Stendhal (Henri Beyle, dit), 1783-1842. Engagé dans l'armée de Bonaparte, cet écrivain découvrit l'Italie avec ravissement. Après la chute de l'Empire, il se fixa à Milan et y fit paraître un essai, *Rome, Naples et Florence.* De retour à Paris, il publia *De l'amour,* donna ses idées sur le romantisme (*Racine et Shakespeare*) et écrivit deux romans, *Armance* et *le Rouge et le Noir* (1830). Nommé consul à Trieste, puis à Civitavecchia par la monarchie de Juillet, il revint en Italie et entreprit *Lucien Leuwen.* De 1836 à 1839, en congé à Paris, il put publier *les Mémoires d'un touriste, la Chartreuse de Parme,* les *Chroniques italiennes,* avant d'entamer, à son retour en Italie, *Lamiel,* roman inachevé. Après sa mort paraîtront ses ouvrages autobiographiques.

Sully (Maximilien de Béthune, baron de Rosny, duc de), 1560-1641. Protestant, devint conseiller et ministre de Henri IV, après avoir combattu à ses côtés. Il administra les finances avec économie, protégea l'agriculture, dota le pays de routes, de canaux, d'une artillerie, et fortifia les frontières.

Surcouf (Robert), 1773-1827. Capitaine marchand, il fit la traite des Noirs, puis, de 1795 à 1807, la course dans l'océan Indien contre les Anglais, auxquels il fit subir de lourdes pertes. Il se fixa ensuite à Saint-Malo, où il devint un riche armateur.

TV

Talleyrand-Périgord (Charles Maurice de), 1754-1838. Évêque d'Autun, député à la Constituante, il devint chef du clergé constitutionnel, puis, condamné par le pape, abandonna l'Église. Il fut nommé ministre des Affaires étrangères par Bonaparte (1797-1807), mais, intriguant bientôt contre lui, fut disgracié. Il constitua un gouvernement provisoire en 1814, puis fit appeler Louis XVIII au pouvoir. De nouveau aux Affaires étrangères, il signa le premier traité de Paris et intervint habilement au Congrès de Vienne. Il passa, après les Cent-Jours, dans l'opposition orléaniste et fut ambassadeur à Londres.

Tiepolo (Giambattista), 1696-1770. Peintre italien dont les œuvres reflètent le charme et l'insouciance de la vie vénitienne de son temps.

Tristan et Iseut. Héros d'une légende médiévale, née en pays celtique, qui inaugura en Europe le thème de la fatalité de la passion.

Valéry (Paul), 1871-1945. Disciple de Mallarmé, il publia des vers symbolistes, puis, se tournant vers les mathématiques, chercha à établir l'unité créatrice de l'esprit (*Introduction à la méthode de Léonard de Vinci*). Il se composa une éthique intellectuelle dans *la Soirée avec M. Edmond Teste,* personnage imaginaire décrit comme un ascète de l'intelligence ; puis il revint à la poésie (*la Jeune Parque, Charmes*), dont il enseignera l'art au Collège de France. Il poursuivit parallèlement ses réflexions sur l'art et sur les sciences, publiant des essais (*Variété*), des dialogues (*l'Ame et la Danse, Eupalinos*). *Mon Faust* et ses *Cahiers* parurent après sa mort.

Van Gogh (Vincent), 1853-1890. Il enrichit sa peinture de ses découvertes (l'estampe japonaise, le divisionnisme, Gauguin...), éclaircissant sa palette, allégeant sa facture, composant de façon plus décorative. Son exploitation magistrale de la pâte colorée, le rythme de l'exécution déterminèrent l'épanouissement du fauvisme. Jusqu'à la folie et la mort, il s'acharna à peindre, exacerbant son style par d'hallucinantes volutes aux couleurs intenses.

Vauban (Sébastien Le Prestre de), 1633-1707. Nommé comme commissaire général des fortifications, il perfectionna le système de défense des villes et dirigea de nombreux sièges.

Ventadour (Bernard de), v. 1150-v. 1200. Troubadour limousin, il vécut à la cour d'Aliénor d'Aquitaine.

Veronese (Paolo Caliari, dit **Paolo**), 1528-1588. Il se partagea la faveur des Vénitiens avec son rival le Tintoret. Son style dynamique s'affirme dans *l'Histoire d'Esther* et *la Vie de saint Sébastien.*

Villon (Gaston Duchamp, dit **Jacques**), 1875-1963. Il exécuta de nombreuses gravures et publia des dessins dans *l'Assiette au beurre* et *le Courrier français* (1894-1910). Adhérant au cubisme en 1912, il évolua vers l'abstraction. Son œuvre d'aquafortiste est très importante.

Vinci (Léonard de), 1452-1519. Génie universel représentatif des ambitions de la Renaissance, il aborda tous les domaines de l'art et de la science, comme en témoignent ses écrits et ses cahiers de dessins.

Vischer. Fondeurs et sculpteurs originaires de Nuremberg (XVe-XVIe s.). **Peter** (v. 1460-1529) exécuta le tombeau de l'archevêque de Magdeburg et, avec ses fils, la châsse de saint Sébald. Son fils **Hans** (v. 1489-1550) édifia le tombeau d'Albert de Brandebourg et collabora avec Dürer (retable Heller).

Voltaire (François Marie Arouet, dit), 1694-1778. Connu dès 1725 comme poète et dramaturge, il dut quitter Paris après la parution des *Lettres philosophiques* — où il exprima son admiration pour le régime libéral anglais — et se réfugia chez Mme du Châtelet, à Cirey. Rentré en grâce, il s'installa aux « Délices », près de Genève, après un séjour auprès de Frédéric II de Prusse, puis à Ferney jusqu'à sa mort. Comme écrivain, il aborda tous les genres : la poésie épique (*Henriade*), la tragédie (*Zaïre*...), l'écrit historique (*Histoire de Charles XII, le Siècle de Louis XIV, Essai sur les mœurs*), la partie la plus vivante de son œuvre restant les *Contes* philosophiques (*Zadig, Micromégas, Candide*). Après 1760, il se consacra davantage à l'activité philosophique par son *Dictionnaire philosophique,* ses pamphlets, lettres, interventions en faveur de victimes d'erreurs judiciaires.

WZ

Watteau (Antoine), 1684-1721. Élève de Claude Gillot, qui lui fit aimer les personnages de la commedia dell'arte, il retint aussi la leçon de Rubens et des coloristes vénitiens. Dessinateur incomparable, il est le peintre du fugitif, donnant à ses fêtes galantes la teinte d'une indéfinissable mélancolie.

Zadkine (Ossip), 1890-1967. Sculpteur d'origine russe, il se fixa en 1909 à Paris. Le cubisme et l'art nègre contribuèrent à la formation de son style. Il pratiqua souvent la taille directe dans le bois ou la pierre (*Christ en croix, Orphée*).

INDEX

Les chiffres suivis d'un astérisque (234* par exemple) renvoient à un point ou à un sous-point arrêt; les chiffres suivis des lettres c, d, ou ph, (40 c, 340 d, 400 ph par exemple) renvoient à une carte, un dessin ou une photo. Les autres chiffres indiquent que le nom est cité dans le texte.

Chaque nom de commune ou de site est précédé du numéro du département dans lequel il se trouve. Les grandes régions s'étendant sur plusieurs départements, ainsi que les grands fleuves et rivières coulant dans plusieurs départements ne sont pas précédés d'un numéro de département.

LISTE DES ABRÉVIATIONS

abb.	abbaye	ét.	étang	pl.	plateau
AND	Andorre	fl.	fleuve	pte	pointe
barr.	barrage	font.	fontaine	rég.	région, régional
belv.	belvédère	for.	forestier	rés.	réserve ou réservoir
carr.	carrefour	gr.	grotte	résurg.	résurgence
casc.	cascade	MC	Monaco	riv.	rivière
chap.	chapelle	mt (s)	mont (s)	rte	route
ch.	château	mgne	montagne	St, Ste, Stes	Saint, Sainte, Saintes
corn.	corniche	nat.	naturel	sce	source
dom.	domaniale	N.-D.	Notre-Dame	therm.	thermal
égl.	église	ornith.	ornithologique	zool.	zoologique

A

B

C

D

E

F

G

H

I

N

O

P

Q

R

S St Ste

T U

PHOTOGRAPHIES

Le chiffre en gras désigne la page du livre et les abréviations suivantes indiquent l'emplacement des photographies sur cette page : (g), gauche ; (c), centre ; (d), droite ; (h), haut ; (m), milieu ; (b), bas.

47 EXPLORER/Michel. **50** (h) MARMOUNIER ; (b) HOA-QUI/E. Valentin. **52** S.R.D./Pierrehumbert. **53** (g) S.R.D./Fronval ; (d) HUART. **55** TETREL. **56** EXPLORER/Le Bastard. **57** S.R.D./Fronval. **58** EXPLORER/Thomas. **59** EXPLORER/Vernaison. **61** EXPLORER/Dupont. **62** VERROUST. **63** (mg, md, bd) VERROUST. **64-65** DIATEC/Termier. **64** RAPHO/Doisneau. **66-67** PAPIGNY. **66** JACANA/Schraml. **69** (h) MARMOUNIER ; (b) DIATEC/Marmounier. **70** (h) DIAF/J.-C. Prat-Pries ; (b) PITCH/Binois. **71** (h) PITCH/Engel ; (b) RICOU. **72** CEDRI/Mazin. **73** CEDRI/Mazin. **77** VERROUST. **78** CHIROL. **79** VERROUST. **80** ATLAS-PHOTO/Rémy. **81** CEDRI/Sioen. **82** (g) CEDRI/Candelier-Brumaire. **82-83** CEDRI/Sappa. **84** FRONVAL. **85** CEDRI/Sappa. **86** (h) AREPI/Champlong. **86-87** CEDRI/Maurer. **87** (d) EXPLORER/Cuny. **88** VERROUST. **89** PITCH/Binois. **90** (h, b) S.R.D./Germain. **91** (1) BAUER ; (2) PETITCOLAS ; (3) FLAMION ; (4) BAUER ; (5) PETITCOLAS ; (6) FLAMION ; (bg) S.R.D./Germain ; (bd) FLAMION. **92** VERROUST. **93** BARSACQ. **94-95** FRONVAL. **96** BLANCHARD. **97** BLANCHARD. **99** PIX/Y. Travert. **103** (g) BOTTIN ; (d) MARMOUNIER. **105** DIATEC/André. **106-107** TOP/Guillard ; **107** PIX/V. d'Amboise. **109** VERROUST. **110** MARMOUNIER. **111** (1) MARMOUNIER ; (2) BOTTIN ; (3) MARMOUNIER ; (4) MARMOUNIER ; (bg) MUSÉE RICHARD-DE-BAS. **112** VERROUST. **113** BLOUZARD. **115** MARMOUNIER. **116** PITCH/Binois. **117** MÉNARD. **118** (h) CEDRI/Marmounier ; (b) RAPHO/D. Repérant. **119** MARMOUNIER. **120** CEDRI/Marmounier. **121** FRONVAL. **122** ATLAS-PHOTO/Dumontier. **123** PITCH/Binois. **124-125** ASA-PRESS/Luzuy. **125** S.R.D./Studio des Grands-Augustins. **128** REVAULT. **129** BOTTIN. **131** RAPHO/Danèse. **132-133** BOULAS. **133** EXPLORER/Veiller. **134** FRONVAL. **135** (h) JEANBRAU ; (b) GUILLARD. **136** LES ÉDITIONS NIVERNAISES. **137** VERROUST. **138** (h) TOP/Schnapp ; (b) MARMOUNIER. **140** (h) EXPLORER/Clément ; (b) S.R.D./Studio des Grands-Augustins. **142** PITCH/Charmoy. **143** RAPHO/Ciccione. **145** SCOPE/M. Guillard. **148** STUDIO DES GRANDS-AUGUSTINS. **149** STUDIO DES GRANDS-AUGUSTINS. **150** STUDIO DES GRANDS-AUGUSTINS. **151** RAY DELVERT. **152** RAY DELVERT. **153** CEDRI/Candelier-Brumaire. **154** FRONVAL. **155** FRONVAL. **156** TETREL. **157** (hg) TETREL ; (hc) TETREL ; (hd) TETREL ; (bg) TETREL ; (bd) FRONVAL. **158-159** TETREL. **159** LORENZINI. **160** CEDRI/Marmounier. **161** TOP/Guillard. **162** GUILLARD. **163** GUILLARD. **164** CEDRI/Marmounier. **165** TETREL. **167** EXPLORER/Errath. **170** REVAULT. **171** S.R.D./Fronval. **172** TETREL/Loirat. **173** SCOPE/J.L. Barde. **174** (h) EXPLORER/Noailles ; (b) BLANCHARD. **176** BLANCHARD ; **177** GUEUGNON. **178** S.R.D./Germain. **179** VLOO/Blanchard. **180** S.R.D./Germain. **181** S.R.D./Germain. **182** (h) TETREL ; (b) VIVA/Franck. **184** (h) TOP/Guillot ; (b) ROGER-VIOLLET. **185** (hg, hd, m, bd) S.R.D./Germain ; (bg) GIRAUDON. **186** S.R.D./Germain. **188** VLOO/Lanaud. **189** ATLAS-PHOTO/Aotani. **191** PITCH/Binois. **194** (g) TETREL ; (d) MARMOUNIER. **196** (h) PITCH/Peuriot ; (b) EXPLORER/Lorne. **197** ARCHIPHOT/de Selva. **198** VERROUST. **199** LORENZINI. **200** SCOPE/J.-D. Sudres. **201** EXPLORER/Lorne. **202** VERROUST. **203** EXPLORER/Roux. **204** EXPLORER/G. Thouvenin. **205** JOS LE DOARE. **206** (hg) CEDRI/Mazin ; (mg) CEDRI/Rives. **207** (h) CEDRI/Mazin ; (mc) SYGMA/Andanson ; (md) ATLAS-PHOTO/Lénars. **206-207** (b) MAGNUM/Erwitt. **208** CEDRI/Sappa. **209** TOP/Guillard. **210** RAPHO/Jeanbrau. **211** ALTITUDE/Y. Arthus-Bertrand. **213** JOS LE DOARE. **214** PITCH/Steinlen. **215** PITCH/Gislard. **216** BROSSELIN. **217** PITCH/Binois **219** VERROUST. **222-223** FOTOGRAM/Floc'h. **222** VISA/A. Lorgnier. **224** FOTOGRAM/Berne. **225** BOTTIN. **226** PERNO. **227** TOP/Tixador. **228-229** (h) BONNEMAISON ; (b) BOTTIN. **230** S.R.D./Germain. **231** S.R.D./Germain. **232** (h) MAYLIN ; (b) PITCH/Binois. **233** EXPLORER/Lorne. **234-235** GIRAUDON/Musée de Châtillon-sur-Seine. **236** S.R.D./Germain. **237** SCOPE/J. Guillard. **239** RENÉ-JACQUES. **242** S.R.D./Fronval. **243** PERNO. **244** PERNO. **247** (hg) ATLAS-PHOTO/Dumontier ; (hd) PAPIGNY. **248** Studio MEUSY. **249** (hg, hd, bg) Studio MEUSY ; (bc) PAPIGNY ; (bd) FRONVAL. **250** CEDRI/Sappa. **251** PAPIGNY. **253** (h) EXPLORER/Hervy ; (b) PAPIGNY. **254** S.D.R./Naudin-Bouillot. **255** PAPIGNY. **257** ROCHE. **259** MARMOUNIER. **263** (h) EXPLORER/Frédéric ; (b) SCOPE/J.-L. Barde. **264** BROSSELIN. **265** (h) RAPHO/Silvester ; (b) DELON. **266** FOTOGRAM/Schwab. **267** PITCH/Binois. **268** BROSSELIN. **269** (g) BROSSELIN ; (d) IMAGES/Ph. Novali. **270** GAEL. **271** (g) TETREL ; (d) RAPHO/Gerster. **273** S.R.D./Germain ; (b) TOP/Guillot. **274** FOTOGRAM/Chapman. **275** FOTOGRAM/Chapman. **276-277** STUDIO DES GRANDS-AUGUSTINS/Nadeau. **276** (b) MEAUXSOONE. **277** (d) MARMOUNIER. **278** S.R.D./Germain. **279** FOTOGRAM/Chapman. **280** MARMOUNIER. **281** EXPLORER/Veiller. **282-283** VERROUST. **283** FOTOGRAM/Gabanou. **285** SCOPE/J.-D. Sudres. **288-289** BROSSELIN. **289** (h) STUDIO DES GRANDS-AUGUSTINS/Nadeau ; (b) VERROUST. **290** STUDIO DES GRANDS-AUGUSTINS. **291** (h) BROSSELIN ; (b) RAPHO/Vieil. **292** THUILLIER. **293** BROSSELIN. **295** CAMPAGNE CAMPAGNE/Ch. Guy. **297** (g) FOTOGRAM/Duris ; (d) GAEL. **298** (hg) Collection HAVILAND ; (hd) GRATIEN. **299** (hg) GRATIEN ; (hc) GRATIEN ; (hd) GRATIEN ; (m) S.R.D./Germain ; (b) GRATIEN — Musée Adrien-Dubouché, Limoges/Gratien. **300** VERROUST. **301** BROSSELIN. **302** CEDRI/Rives. **303** S.R.D./Naudin-Bouillot. **305** FRONVAL. **308** SCOPE/J.-L. Barde. **309** EXPLORER/Nardin. **310-311** LANAUD. **310** (md) LANAUD. **311** (bg) LANAUD ; (d) CEDRI/Candelier-Brumaire. **312-313** LANAUD. **313** LANAUD. **315** BROSSELIN. **316-317** MAGNUM/Riboud. **316** FRONVAL. **318** BROSSELIN. **319** (g) TOP/Desjardins ; (d) LANAUD. **320** (g) STUDIO DES GRANDS-AUGUSTINS/Édouard ; (d) RAPHO/Gerster. **321** ATLAS-PHOTO/Bertot. **322** VIVA/Dagbert. **323** ATLAS-PHOTO/Petit. **326-327** FRONVAL. **326** (c) BRANDILY. **327** (b) VIVA/Franck. **329** VIVA/Dagbert. **330** GALIEVSKY. **331** TOP/H. Champollion. **332** FRONVAL. **333** (hg) PARISIS ; (hd) FRONVAL ; (mg) PARISIS ; (md) VERROUST ; (bg) R.P. Houillères de Douai ; (bd) R.D. Houillères de Douai. **334** STUDIO DES GRANDS-AUGUSTINS/Édouard. **336** (h) STUDIO DES GRANDS-AUGUSTINS/Édouard ; DIAF/Guittot. **338** MARQUENTERRE. **339** BEAUJARD. **340** GALIEVSKY. **341** AFIP/Bérenger. **343** VERROUST. **346** (h) EXPLORER/G. Renoux ; (b) TETREL. **347** TOP/Guillot. **348** FOTOGRAM/Loucel. **349** EXPLORER/Tatapoulos. **350** (h) SCOPE/J. Guillard ; (m) EXPLORER/Clément ; (b) EXPLORER/Clément. **351** BOTTIN. **352-353** AREPI/Rubin. **352** (bg, bd) GALPIN. **353** (g) VLOOD/De Montferrand ; (c) CEDRI/Mazin ; (d) ATLAS-PHOTO/Doumic. **354** EXPLORER/Frédéric. **356** CEDRI/Mazin. **357** TOP/Hinous. **358-359** GUILLOT. **359** S.R.D./Germain. **360** BOTTIN. **361** CEDRI/Mazin. **362** (c) BULLOZ ; (b) DIAF/B. Régent. **364** STUDIO DES GRANDS-AUGUSTINS/Édouard. **365** PITCH/Peuriot. **366** TRAVERT. **368** TOP/Hinous. **369** TOP/Guillot. **372** BROSSELIN. **373** VIVA/Dagbert. **374** S.R.D./Germain. **375** S.R.D./Germain ; **376** (g) BROSSELIN ; (d) GAUD. **378-379** S.R.D./Germain. **378** (bg) GIRAUDON ; (bd) SOCIÉTÉ FRANÇAISE DE PHOTOGRAPHIE. **379** (cg) ROGER-VIOLLET ; (d, bd) S.R.D./Germain. **380-381** S.R.D./Germain. **381** SCOPE/J. Guillard. **382** PITCH/Prissette. **385** TOP/Guillot. **387** ATLAS-PHOTO/Boutin. **390** MARMOUNIER. **391** AFIP/Hémon. **392** (h) STUDIO DES GRANDS-AUGUSTINS ; (b) EXPLORER/J. Damase. **393** SCOPE/J.-L. Barde. **394** MARMOUNIER. **395** (g) TOP/Fraudreau ; (d) MARMOUNIER. **396** CAISSE NATIONALE DES MONUMENTS HISTORIQUES. **397** (h. m) VERTUT ; (b) CAISSE NATIONALE DES MONUMENTS HISTORIQUES. **398** (h) FOTOGRAM/Berne ; (b) RAPHO/Ciccione. **399** C.D. TETREL/Martin-Guillou. **400-401** ARCHIPHOT/Lefranc. **402** (hd) MARMOUNIER ; (b) RAPHO/Everts. **405** TOP/Fraudreau. **406** (g) MARMOUNIER ; (d) Christ de Caylus, dessiné d'après l'œuvre de Zadkine. **407** BROSSELIN. **409** SCOPE/N. Hautemanière. **412** EXPLORER/Cros. **412-413** EXPLORER/Veiller. **413** PITCH/Cordier. **414** TOP/Tripelon-Jarry. **415** BROSSELIN. **416** PITCH/Binois. **417** PITCH/Binois. **418** (g) EXPLORER/Clément ; (d) TOP/Tripelon-Jarry. **419** AFIP/Bichet. **420** S.R.D./Le Collen. **421**. FAILLE. **423** (hg) THEOJAC ; (hd) VERROUST ; (bd) MAGNUM/Barbey. **424-425** CHRISTIAN-CLAUDE. **427** VERROUST. **428** SIGMA. **429** VERROUST. **430** AFIP/Bichet. **431** BROSSELIN. **432** EXPLORER/Dupont. **437** (h) BROSSELIN ; (b) RAPHO/Silvester. **438-439** EXPLORER/Delu. **438** (g) EXPLORER/Bussy ; (b) EXPLORER/Delu. **439** (m. b) EXPLORER/Bussy. **440** EXPLORER/N. Thibaut. **441** (g) RAPHO/Feher ; (d) LORNE. **442-443** BROSSELIN. **443** PITCH/Delattre. **445** (h. b) GALIEVSKY. **446** TETREL/Loirat. **447** MARMOUNIER. **448** GALIEVSKY. **449** (h) GALIEVSKY ; (b) FREY. **451** LORNE. **452** DIAF/J.-Ch. Gérard. **453** LORNE. **454** CEDRI/Paskall. **457** SCOPE/J. Sierpinski. **458** TETREL. **459** (h. b) TETREL. **460** TETREL. **461** TOP/Reichel. **463** BERENGER. **466** VERROUST. **467** FRONVAL. **468** BROSSELIN. **469** BROSSELIN. **470-471** DIAF/Pratt-Pries. **470** (b) CIEL ET ESPACE/C. Buil. **471** (hd) CIEL ET ESPACE/S. Brunier. **471** (mg) DIAF/Pratt-Pries. **471** (bg) CIEL ET ESPACE/S. Brunier. **471** (1, 2) CIEL ET ESPACE/OMP. **471** (3) CIEL ET ESPACE/S. Brunier. **471** (4) CIEL ET ESPACE/C. Buil. **472** (g) LORENZINI ; (d) IMAGES/O. Anger. **473** PAPIGNY. **474** CEDRI/Sioen. **475** (g. d) EXPLORER/Michel. **476** CEDRI/Sioen. **477** PAPIGNY. **479** MINVIELLE. **480** LORENZINI. **481** MINVIELLE. **482** EXPLORER/Delu. **483** MARMOUNIER. **484** PAPIGNY. **485** PAPIGNY. **487** EXPLORER/Vogel. **490** VLOO/Lepage. **491** GUILLARD. **492** BRAUD. **493** EXPLORER/Gile. **494** DESJEUX. **495** (hd) REVAULT ; (b) DELMAS/Breteau. **496** CEDRI/Jalain. **497** EXPLORER/Dupont. **499** (hg) CAUCHETIER ; (hd) MAGNUM/Barbey ; (mh) BOTTIN ; (mb, bg) RAPHO/Weiss ; (bd) CAUCHETIER. **500** FOTOGRAM/Duris. **502** BEAUJARD. **503** FOTOGRAM/Oldra. **504-505** DESJEUX. **506** FOTOGRAM/Duris. **507** FOTOGRAM/Duris. **508** VIVA/Gloaguen.

Notre couverture :
La vallée de l'Impradine, dans le Cantal
Photo EXPLORER/P. Lorne

La France des routes tranquilles
publié par
SÉLECTION DU READER'S DIGEST

Composition : Typelec - Typophot - C.R.G. - Euronumérique - Paris
Photogravure : O.S.D. - S.E.T.P. - Gabelli - Paris
Imprimerie et reliure : Brepols - Turnhout

Première édition : mai 1977

Achevé d'imprimer : septembre 1995
Dépôt légal en France : octobre 1995
Dépôt légal en Belgique : D 1995.0621.121
IMPRIMÉ EN BELGIQUE
Printed in Belgium